BOGART

A. M. SPERBER ET ERIC LAX

BOGART

*Traduit de l'américain
par Dominique Peters*

belfond
12, avenue d'Italie
75013 Paris

Titre original :
BOGART
publié par William Morrow and Company,
Inc., New York.

Si vous souhaitez recevoir notre catalogue
et être tenu au courant de nos publications,
envoyez vos nom et adresse, en citant ce livre,
aux Éditions Belfond,
12, avenue d'Italie, 75013 Paris.
Et, pour le Canada, à
Édipresse Inc., 945, avenue Beaumont
Montréal, Québec, H3N 1W3.

ISBN 2.7144.3377.4

Pour
Lisa, Alan et Betty Sperber
et pour
Leith Adams et Ned Comstock
A.M.S.

Pour
Carol Fox Sulzberger
E.L.

Ce livre est le fruit de la collaboration de deux auteurs qui ne se sont jamais rencontrés. Ann M. Sperber enquêta pendant sept ans pour découvrir les divers aspects de la vie et de la carrière de Humphrey Bogart. Elle interviewa plus de deux cents personnes qui l'avaient connu et qui avaient travaillé avec lui — des amis célèbres comme Katharine Hepburn et John Huston, ou inconnus, témoins de son enfance, des patrons de studios ou même le garçon d'étage qui servit Bogart au Berverly Hills Hotel en 1944. Elle découvrit des détails extraordinaires concernant les premières années de Bogart, la vie de ses parents et de ses grands-parents. Afin d'obtenir une documentation complète sur ce qu'impliquait un contrat avec un studio dans les années 1930 et 1940, elle passa un an et demi à compulser les archives de la Warner Bros., scrutant la moindre fiche, la moindre lettre, le plus court des télégrammes, étudiant les contrats et les scénarios qui, de près ou de loin, avaient quelque rapport avec Bogart.

L'intérêt d'Ann pour Bogart était né à l'époque où elle menait des recherches pour sa biographie *Murrow, sa vie et son temps*, qui fut retenue pour concourir au prix Pulitzer en 1986. Les opinions politiques libérales de Bogart, l'intérêt que lui porta le FBI dès le milieu des années 1930, sa participation au Comité pour le premier amendement et sa protestation contre la Commission des activités antiaméricaines en 1947, ne semblaient pas concorder avec l'image d'un solitaire apolitique pareil aux personnages qu'il interpréta si souvent.

Ann Sperber organisa le quart de tonne de documents qu'elle avait amassés en un premier manuscrit qui établissait tant les grandes lignes du livre que ses thèmes principaux. Elle mourut en février 1994. Après avoir étudié ce qu'elle avait écrit et les informations auxquelles elle avait eu accès, j'ai tout à fait adhéré à son point de vue. J'ai passé alors plus de deux ans à peaufiner son travail. Apportant un ajout parfois, souvent obligé de retrancher des détails, je suis arrivé à une narration publiable. Le résultat de ce travail est un peu hybride. Un livre naît en général d'un effort solitaire, il fait écho à la voix unique de son auteur. Dans ce cas, deux écrivains habitués à chanter en solo ont combiné leurs forces pour former un duo que j'espère harmonieux.

Eric Lax

Les lignes du haut de la page sont partiellement effacées et illisibles.

1

La maison de Seneca Point

Ses plus anciens souvenirs avaient pour décor le domaine où la famille passait l'été ; ils se résumaient en l'image d'un voilier amarré au ponton, au bout d'une belle pelouse. L'élégante maison victorienne à deux niveaux dominait une baie sur la rive du lac Canandaigua, dans l'ouest de l'État de New York. La flèche de la tour dépassait la cime des arbres et veillait sur les trente hectares de terres cultivées, de pâturages et de bois. Des baies vitrées donnaient sur l'eau. Un large escalier couvert menait à une plage de schiste d'où le ponton s'avançait dans le lac. Le yacht de compétition de son père, amarré là, le fascinait déjà quand il avait deux ans, et toute sa vie il devait naviguer.

Une allée franchissant un petit pont de pierre arrivait à l'arrière de la maison, mais comme pour les autres demeures de la région, c'était par l'eau qu'on venait le plus souvent à Willow Brook. Les visiteurs débarquaient sur la rive feuillue du long et étroit Finger Lake — bleu foncé le matin, turquoise l'après-midi — creusé dans les collines voici des millénaires par le recul d'un glacier. D'un côté de la plage, longue de cent cinquante mètres, se dressait le hangar à bateaux. De l'autre côté, protégé par des chênes, des frênes et des peupliers de haute futaie, un ruisseau coulait entre les saules qui avaient donné son nom à la propriété. Des brasseurs de la région avaient construit le somptueux édifice en 1871 pour témoigner de leur réussite.

C'est au cours du dernier été du XIXe siècle que le Dr Belmont DeForest Bogart acheta la propriété pour son épouse Maud, alors enceinte de cinq mois de leur premier enfant, un fils. Deux filles suivirent bientôt. Pour les trois enfants, Willow Brook fut la maison d'été de leur jeunesse. Ce lieu devait compter parmi les plus chers au souvenir de Humphrey Bogart, mais il fut aussi le cadre de ses plus affreux cauchemars.

Les Bogart semblaient le modèle de la famille victorienne solide, opulente, des gens au plus haut de la bourgeoisie new-yorkaise dont le journal local rapportait les allées et venues dans le village de Canandaigua : le Dr et Mme Belmont D. Bogart étaient arrivés avec leur

11

petit garçon pour passer l'été dans leur « cottage » ; Mme Bogart ne tarderait pas à rejoindre le Dr B. D. Bogart et ses enfants, qui venaient de s'installer pour l'été ; Mme B. DeForest Bogart s'était organisé un atelier dans une vieille cabane du domaine, et elle consacrait beaucoup de temps à l'art.

Comme d'autres estivants, ils se mêlaient peu à la vie quotidienne du village. Mais en tant que propriétaires à la tête d'une maisonnée importante, ils s'intégraient facilement à Seneca Point, enclave lacustre recherchée au sud de Canandaigua, où, fuyant la chaleur de l'été, se réfugiaient les notables du lieu et les familles de la bonne bourgeoisie de Boston et New York — mélange de banquiers, d'hommes d'affaires, d'émigrants de longue date, de prélats, de journalistes et de professeurs d'université. Le monde du spectacle n'en faisait pas partie. Les seuls frères Warner de l'endroit étaient des constructeurs de bateaux à vapeur.

La petite colonie s'était rassemblée vers le milieu de la rive du lac, longue de vingt-cinq kilomètres, dans une sorte d'Acadie protégée sur trois côtés par des collines couvertes de vignes, qui faisaient comparer la région à l'Italie du Nord. L'*Onnalinda,* avec ses quarante-six mètres de long et sa roue à aubes, déposait les gens devant chez eux et s'arrêtait s'il le fallait à n'importe lequel des soixante-six pontons quand on y avait hissé un drapeau blanc, ses deux ponts baignant dans l'arôme du raisin, des pêches et des autres fruits frais qu'il allait livrer au port de Canandaigua pour approvisionner les marchés de New York, Philadelphie et Washington [1].

Seneca Point s'autogérait, protégé par les falaises et par le regroupement des propriétaires qui décidait qui pouvait venir s'y établir. Durant ces années qui précédaient la Première Guerre mondiale, le rythme de vie s'accordait à l'élégance décontractée des privilégiés. Les résidents se rendaient visite, faisaient du bateau et jouaient au tennis ; le soir, il y avait le bridge et des conférences instructives. Des matches de base-ball se déroulaient sur le court de golf le dimanche, mais seulement après la messe. D'abord, les familles se rendaient en canoë ou en barque au cap suivant, vers le sud, où le pasteur retraité de l'église épiscopale St John de Canandaigua possédait une maison. La plupart des enfants se rassemblaient sur les marches, sous les murs tapissés de peaux de serpents à sonnette. Personne ne récitait la messe plus vite que le vieux prêtre, hormis son épouse, qui battait tout le monde. Il avait hâte d'aller à la pêche, et elle de préparer son déjeuner pour qu'il puisse partir [2].

Les enfants passaient sans contrainte d'une maison à l'autre ; les portes n'étaient jamais fermées. Dans ce monde homogène régnaient la sécurité et la prospérité. Bien qu'on y professât des opinions républicaines conservatrices, le jeune Franklin D. Roosevelt y vint un jour en visite. Pris d'une crampe alors qu'il nageait, il fut secouru par un résident. Plus tard, quand le New Deal choqua les sensibilités locales, on put souvent entendre le Bon Samaritain qui avait sauvé Roosevelt déclarer : « J'aurais dû laisser ce coquin se noyer [3] ! »

Même au sein de cette communauté privilégiée, les Bogart étaient très considérés. Le Dr Bogart avait un cabinet renommé en ville et on savait qu'il avait hérité d'une jolie fortune. Son épouse était l'illustratrice de renom Maud Humphrey. On murmurait qu'ils étaient des DeForest, liés socialement en tout cas, et peut-être par d'autres attaches moins bien définies, à cette famille très ancienne et très estimée de l'État de New York.

Et ils en avaient l'apparence. Des années plus tard, les gens se souviendraient de la famille prenant la voiture Pullman à la gare de Grand Central à New York et descendant du train à Canandaigua pour monter à bord de l'*Onnalinda*. Le docteur marchait en tête, un mètre quatre-vingt-trois et large d'épaules, dans son costume immaculé, avec sa chemise blanche au col amidonné, suivi de sa si belle épouse, presque aussi grande que lui, mince, élégante en robe et manteau de coton ou de soie fluide dans les gris ou les mauves, des chaussures à haut talon boutonnées et ornées d'un ruban lavande qui accentuaient la petitesse de ses pieds, dont elle était très fière. Venaient ensuite le petit garçon aux yeux sombres et ses deux petites sœurs, Frances et Catherine Elisabeth, tous trois sous la surveillance attentive d'une nurse en uniforme impeccable. Leur groupe splendide montait à bord du vapeur, suivi par un couple de serviteurs renfrognés qui peinaient sous le poids des nombreux bagages.

Mais ce portrait familial avait une face cachée que seuls connaissaient les intimes. Des décennies plus tard, Humphrey Bogart ferait à l'intention de ses admirateurs le tableau véritable des premières années de sa vie : un père faible mais charmant, une mère froide mais admirable, une vie de famille sans beaucoup d'affection mais débordante de caractère. « Nous étions une famille où seule comptait la carrière, dira-t-il ; nous étions trop occupés pour être intimes [4]. » Ce n'est pas la description la plus chaleureuse qui soit, mais peut-être néanmoins la plus positive si l'on considère les souvenirs de ses amis d'enfance. Ils décrivent une réalité beaucoup plus dure.

« Le Dr Bogart avait un tempérament violent », confie Grace Lansing, qui épousa plus tard Gerard Lambert et qui était la cousine du secrétaire d'État de Woodrow Wilson. Elle habitait tout près avec sa mère et l'ombre d'un père absent, Harry Lansing, descendant alcoolique d'une dynastie new-yorkaise des chemins de fer, qui avait disparu depuis longtemps dans les Adirondacks sauvages. Harry Lansing et Belmont Bogart avaient chassé ensemble, et le docteur était très attiré par la jolie et potelée Mme Lansing.

Grace Lambert avait pitié de « ces pauvres enfants. Humphrey, dit-elle, avait mon âge, à un mois près, et il était très beau. On les envoyait

13

toujours sur la propriété pour l'été avec les serviteurs les plus *horribles* qui soient : des gens vulgaires qui parlaient fort et se satisfaisaient d'une ignorance crasse. Et ils étaient méchants ! Ils battaient les enfants, criaient. Ils étaient *abominables*. Et on avait l'impression que ni la mère ni le père ne le remarquaient[5]. »

N'était-ce pas parce que le docteur et son épouse constituaient une partie du problème ? Ils se querellaient continuellement, bruyamment, et en public. Tous deux buvaient beaucoup, et Belmont, comme bien des médecins de l'époque, avouait sans gêne sa morphinomanie. Maud, quant à elle, semblait constamment préoccupée par ses contrats, toujours sous pression pour finir à temps, et elle n'hésitait pas à manifester son impatience à l'égard de ses enfants et de sa maisonnée. « Elle était nerveuse, dit Grace Lambert. Elle s'emportait contre les enfants, contre n'importe qui. Elle peignait sans arrêt, toujours pressée par les délais, alors tout contretemps la contrariait. » Quand elle terminait enfin un travail, le Dr et Mme Bogart allaient chercher Mme Lansing, et tous trois partaient dîner à Canandaigua en canot à moteur. Le lendemain matin, Grace écoutait sa mère raconter comment cette pauvre chère Mme Bogart avait trop bu, et comment il avait fallu la mettre au lit. Mais tout allait bien, le Dr Bogart lui avait donné des comprimés.

Maud souffrait de terribles maux de tête, mais personne ne savait vraiment ce qui, des maux de tête ou de l'alcool, primait en elle dans sa vie pleine de tensions et d'angoisse. Son fils, dans ses souvenirs idéalisés, devait dire qu'elle ne buvait que du thé, se risquait à peine à tremper les lèvres dans une flûte de champagne lors de soirées élégantes — assertions que contredisent totalement celles de bien d'autres, à commencer par Grace Lambert.

Maud souffrait aussi d'une douloureuse maladie de peau appelée érysipèle, inflammation due à des streptocoques qui donne une peau rouge et chaude. « Quand elle commençait à avoir mal, dit un jour son fils, c'était si terrible que son œil gauche se fermait et toute une joue la brûlait... Mon père lui injectait alors une faible dose de morphine pour l'empêcher de devenir folle[6]. »

Plus tard, la pénicilline put venir à bout de l'érysipèle ; mais à l'époque, seuls les opiacés pouvaient soulager les malades, qui couraient alors le risque de l'accoutumance et de la dépendance. Belmont Bogart n'avait plus renoncé à la drogue depuis que, peu avant son mariage, il y avait eu recours pour soulager les douleurs d'une jambe blessée, et bien des éléments indiquent que ce fut aussi le cas de Maud.

Frank Hamlin, petit-fils du banquier de l'endroit et plus tard président du conseil d'administration de la National Bank de Canandaigua, était le plus jeune des garçons de la petite colonie. Jamais il n'oublia le jour où, selon ses propres mots, jambes nues et morve au nez, il passa voir son ami Hump Bogart.

Personne ne prenait jamais la peine de frapper aux portes ouvertes du Point, et surtout pas un gamin de huit ans très pressé. Mais ce qu'il vit dans le hall le fit s'arrêter net, bouche bée.

Le docteur et Mme Bogart étaient sur les premières marches de l'escalier, habillés pour sortir, sans aucune conscience de la présence du petit garçon ni de qui que ce soit d'autre. Le docteur tenait une seringue dans une main et le bras tendu de Mme Bogart dans l'autre, la manche de sa légère robe d'été relevée. Avec toute la dextérité propre à son métier, il enfonça l'aiguille dans l'avant-bras de sa femme, puis elle prit la seringue et lui fit une piqûre. Ils n'avaient pas agi à la dérobée, mais avec la nonchalance née de l'habitude d'un couple sur le point de partir à une soirée mondaine et qui s'offre un apéritif[7].

La scène troubla beaucoup l'enfant. Le Dr Bogart était *médecin*, bien sûr, mais cela lui rappela aussi des bribes de conversations entre adultes qu'il avait surprises. Alors qu'il tentait de trouver un sens à ce qu'il voyait, le couple s'éloigna dans le froissement de la robe de soie, sans se rendre compte qu'il avait été surpris, ou peut-être indifférent au fait qu'il y ait eu un témoin.

A l'époque, l'usage de la drogue dans les milieux médicaux était presque accepté ; si les médecins voulaient goûter à leurs propres médicaments, cela les regardait. Et en dehors même de l'attitude laxiste de leurs contemporains en la matière, la richesse des Bogart sembla toujours leur conférer une protection contre la morale de l'époque : ils vivaient selon leurs propres règles exactement comme Maud Humphrey portait des bottes blanches sous la pluie alors que la coutume voulait qu'on ne porte que du noir, couleur qu'elle trouvait « plébéienne »[8]. On ne pardonnait pourtant pas aussi facilement le traitement infligé aux trois enfants derrière les rideaux de dentelle et la lourde porte de Willow Brook.

Pour les adultes, Belmont Bogart, que tout le monde appelait Bogie, semblait un homme charmant et bien élevé, d'un naturel facile, aimant les sports de plein air comme la chasse et le camping, et qui prenait toujours le temps de bavarder avec les livreurs ou les fermiers[9]. Mais les contemporains de son fils voyaient une autre personne : un adulte bourru et autoritaire qui les impressionnait par sa présence physique et, à la moindre infraction, ne reculait pas devant les châtiments corporels. Mme Bogart ne valait guère mieux à leurs yeux. Son mari étant de moins en moins enclin au travail, l'exécution de ses propres contrats devenait d'autant plus importante, et elle montrait sa mauvaise humeur en criant contre ses enfants quand ils l'ennuyaient ou la gênaient. La quarantaine passée, elle s'accrochait aux restes de sa beauté. Une expérience malheureuse avec un nouveau procédé de permanente avait laissé ses cheveux décolorés et incoiffables, ce qui ne manquait pas de faire sourire les autres dames. Pour les amis de Humphrey, elle était impérieuse et bizarre, et ils l'appelaient « la reine Maud » ou « dame

Maud ». D'humeur changeante, elle était tantôt une délicieuse « grande dame » qui versait aux gamins la somme mirifique d'un dollar de l'heure pour qu'ils posent pour elle, tantôt une sorcière intimidante dont la voix furieuse portait jusqu'au milieu du lac.

Elle fut l'élément le plus déterminant des premières années de son fils.

Maud Humphrey peignait des enfants angéliques sur les genoux de mères virginales pour des livres qui connurent le succès dès le premier, *le Livre de la mariée,* en 1890. Cependant, ses propres enfants ne semblaient guère plus que la preuve biologique qu'elle avait fait son devoir d'épouse. Ils savaient où était leur place : avec les domestiques, auxquels ils se voyaient confiés pour tout ce qui concernait la vie courante. Ils passaient toujours en second, après l'art de leur mère. D'une certaine façon, jamais elle n'était si proche de ses enfants que lorsqu'elle les faisait poser pour elle. Humphrey fut le modèle préféré de sa mère, mais non, contrairement à ce qu'on a dit plus tard, le bébé à l'origine de sa célébrité d'illustratrice. Les dessins de Maud Humphrey montraient des enfants idéalisés. Quand son propre fils posait pour elle, il n'était plus une véritable personne ayant de véritables besoins. C'était comme si, en peignant un enfant parfait, elle rendait parfait son propre enfant qui posait pour elle, et devenait donc la mère parfaite.

« Elle était avant tout une femme qui aimait le travail, qui aimait *son* travail, à l'exclusion de tout le reste, devait dire Bogart. Je ne crois pas qu'elle se soit vraiment intéressée à autre chose que son travail et sa famille. Pourtant, elle était totalement incapable de nous montrer son affection [10]. »

Pour ses enfants, elle fut toujours « Maud », jamais « maman ». C'était plus facile, expliqua son fils ; ce n'était pas sentimental mais direct, impersonnel. Avec Maud, il fallait aller droit au but. Cela signifiait aussi une enfance sans baisers ni tendresse. Même à l'âge adulte, Bogart ne sut dire si les manières de sa mère étaient causées par la timidité ou la crainte de paraître faible. « Ses caresses étaient comme des coups. Elle vous donnait une grande bourrade à l'épaule, presque comme un homme. »

Humphrey Bogart finit par accepter la mère de son enfance, il l'admira, même. N'était-elle pas célèbre, ne possédait-elle pas un talent reconnu dans un monde d'hommes, ne gagnait-elle pas sa vie à une époque où l'on consignait les femmes à la cuisine ? Mais il ne pouvait aller au-delà de l'admiration : « Je ne peux pas vraiment dire que je l'aimais. » Ses relations avec elle firent naître une méfiance qui mina ses rapports ultérieurs avec les femmes. Quand il fut connu pour ses rôles de dur au cinéma, il donna des interviews aux titres comme : « Je hais les femmes » — confessions qui s'ancraient plus fermement dans la réalité que n'auraient pu le penser même les attachés de presse des studios qui les divulguaient.

Si l'expression « famille dysfonctionnelle » n'a été forgée que des dizaines d'années plus tard, la chose même n'était pas ignorée des voisins des Bogart à Seneca Point. Ils s'inquiétaient pour les enfants. Les sœurs de Humphrey, Frances et Catherine, surnommées Pat et Catty, avaient respectivement deux et trois ans de moins que lui. (Humphrey appelait parfois Frances « Fat » parce qu'elle était grosse ; mais, adulte, elle devint grande et mince et reprit son surnom de Pat. Catherine, pour sa part, préféra qu'on l'appelle Kay.) Leur gentil grand frère aux yeux tristes se montrait très protecteur, mais il ne pouvait guère s'opposer aux accès de violence des domestiques qui, eux-mêmes maltraités par Belmont et Maud, passaient leur rancœur sur la progéniture sans défense de leurs employeurs.

Les pires moments étaient les périodes, de deux semaines à un mois, où les parents retournaient en ville, laissant les serviteurs maîtres de la situation. Les voisins entendaient les cris et les pleurs des enfants, mais Humphrey et ses sœurs ne se plaignaient jamais auprès d'eux. Selon Grace Lambert, ils n'auraient jamais osé, ils avaient peur de raconter les mauvais traitements qu'ils subissaient.

Mais Grace n'avait pas peur. Un jour, elle déclara à Humphrey que s'il ne disait rien, elle le ferait. De toute façon, ajouta-t-elle, les adultes en parlaient déjà. Les yeux du petit garçon se troublèrent sous sa frange de cheveux noirs. « Non, ne dis rien, non ! »

Mais elle le fit — « Et il revint aux oreilles de Mme Bogart que j'avais dit du mal de ses domestiques [11]. »

Un sentier longeait le lac, promenade favorite des familles en fin d'après-midi, quand les voisins se rendaient visite. Grace et sa mère s'y promenaient un soir quand une grande silhouette impérieuse sortit de l'ombre et fondit sur elles en criant. Maud Humphrey Bogart, plus imposante encore grâce à ses hauts talons aux nœuds mauves, s'en prit à la petite fille très gênée : Oh, elle savait ce que Grace cherchait en racontant que ses domestiques étaient cruels ! Eh bien, elle ne le croyait pas, elle n'en croyait pas un mot ! La gamine de onze ans tremblait de ces remontrances devant tous les voisins quand, à sa grande surprise, elle vit que les autres adultes s'attaquaient plutôt à Maud. Même si Grace en fut réconfortée, elle sut aussi ce que cela voudrait dire pour Humphrey.

Un autre après-midi, elle avait pénétré dans le hall sombre et frais des Bogart. Elle venait souvent poser pour Maud, mais ce jour-là, elle venait juste chercher son ami. Elle monta quelques marches. Les murs de la cage d'escalier et le palier étaient couverts de fresques où Mme Bogart avait dépeint avec humour les allées et venues de la petite colonie.

La maison était plongée dans le silence, à part un bruit curieux que

Grace n'arrivait pas à identifier : un claquement étouffé, à intervalles réguliers. Une porte était entrouverte sur le palier. Curieuse, elle s'en approcha jusqu'à ce qu'elle voie, se détachant devant la fenêtre, la silhouette de Humphrey penché en avant et celle de son père, qui tenait d'un bras le cou de l'enfant et de l'autre abattait sur son dos une lanière de cuir. Il n'y avait pas un cri, pas le moindre signe de colère, pas de murmure ni de lutte de la part de Humphrey, qui tremblait juste un peu à chaque coup. On n'entendait que le claquement du cuir sur la peau.

Grace s'enfuit en silence. Alors qu'elle gagnait la route, elle passa devant le petit atelier où Maud, silhouette éthérée mauve, peignait ses célèbres tableaux d'enfants angéliques.

Si Humphrey Bogart fit carrière dans le cinéma, médium fondé sur l'illusion, il y avait été parfaitement préparé, car l'illusion cachait la vraie vie des Bogart : la solide façade victorienne masquait l'alcoolisme, l'usage de drogue, les mauvais traitements infligés aux enfants ; sous sa chemise amidonnée, le distingué médecin cachait ses bras piqués, et par ses tableaux l'artiste dissimulait son indifférence à ses propres enfants. Tout aussi illusoires étaient les prétentions des Bogart d'appartenir à la bonne société new-yorkaise. En fait, le père du Dr Bogart avait été aubergiste à Canandaigua.

Adam Watkins Bogart avait toujours eu de l'ambition. A une exception près, ses ancêtres avaient cultivé la terre depuis que Gisbert In Den Bogart, Gisbert « Dans le Verger », était arrivé de Hollande au XVIIe siècle. Ils s'étaient d'abord établis à Brooklyn — il existe encore une avenue Bogart dans ce quartier de New York — puis avaient migré par étapes jusqu'aux nouvelles terres proposées aux cultivateurs autour des Finger Lakes, dans la jolie région vallonnée de l'est de l'État, qu'on appelle Southern Tier.

Quand Adam voulut se libérer de l'esclavage de la terre, son ambition seule ne fut pas suffisante ; il lui fallut aussi être un dur pour décider d'ouvrir une taverne à une ou deux générations des premiers pionniers, quand les différends se réglaient encore à coups de poing. Dans les années 1850, il avait assez thésaurisé pour reprendre Franklin House, le seul hôtel de Canandaigua, qui servait aussi de siège au conseil du comté. La prison de la ville occupait le sous-sol, et on se réunissait dans une grande pièce au rez-de-chaussée. C'était là que les fermiers se retrouvaient lors de leurs rares visites en ville, là que s'arrêtaient les voyageurs, là que les politiciens débattaient et passaient des accords dans la fumée des cigares. Adam, propriétaire et hôte, était dans son élément ; quoi de plus approprié pour le grand-père du Rick Blaine de *Casablanca* ?

Adam épousa une femme riche, plus très jeune, comme lui, et

comme lui aspirant à s'élever dans l'échelle sociale. Julia Bogart avait assez d'argent pour s'offrir l'élégante Jefferson House et ses trois étages, centre social de ce qui était alors le village de Watkins, sur le lac de Seneca tout proche. L'hôtel de brique et de pierre avait été construit par un lointain cousin d'Adam, qui avait donné son nom à la ville. Jefferson House comptait quatorze chambres ayant chacune sa cheminée, une tour de deux étages avec balcon et une vaste entrée au sol de carrelage italien noir et blanc.

Julia détenait l'acte notarié, et aussi l'argent. Adam gérait l'affaire. Le plus jeune de leurs deux fils reçut le nom grandiose de Belmont DeForest, associant les noms de deux des plus célèbres familles de la haute société new-yorkaise qui n'étaient pourtant pas liées entre elles — ni aux Bogart. Mais le choix de ces prénoms affirmait clairement les aspirations des parents. Seul Vanderbilt Rockefeller eût été plus prétentieux.

Le nom de l'aîné des fils a sombré dans l'oubli, mais non son destin : il avait six ans quand il voulut glisser sur la rampe cirée et polie de l'escalier qui descendait du second étage vers le hall. Tout au plaisir de sa glissade, l'enfant négligea de contrôler sa vitesse. Quelques secondes plus tard, projeté sur le carrelage, il fut tué sur le coup.

Peut-être le père avait-il promis de le surveiller. En tout cas, jamais Julia ne lui pardonna l'accident. Pourtant, Belmont naquit un an plus tard. Il avait deux ans quand sa mère mourut en novembre 1868, après cinq mois de maladie et de soins inutiles prodigués par un médecin qui la visitait chaque jour. Son corps fut enterré dans le cimetière de Glenwood, mais non son ressentiment. Dans son testament, rédigé deux mois plus tôt, Julia A. Bogart léguait tous ses biens terrestres à son fils unique, et stipulait que l'éducation et les intérêts financiers de l'enfant seraient confiés à un tuteur. Adam se retrouvait sans rien, sans même son fils.

Il contesta le document, arguant que son épouse n'avait plus toute sa tête. Il bénéficiait de la sympathie de ses compatriotes, mais les audiences des procès intentés par divers membres de la famille durèrent deux longues années qui le laissèrent amer et lui coûtèrent fort cher. En mars 1871, Adam se rendit à Newark, dans le New Jersey, pour en appeler directement aux sœurs de Julia. Quelles qu'aient été leurs oppositions au départ, elles se mirent dès lors de son côté face à la justice. Une d'elles écrivit : « Il a toujours cru que j'étais opposée à ses droits. Maintenant, je vais vous faire une confidence : notre frère Bogart a toujours eu une attitude honorable envers sa famille. Je pense maintenant qu'il vaut mieux le laisser recouvrer ses droits, et il ne fait aucun doute [qu'il doit être] avec son enfant. » Une autre déclara : « Je sais qu'il ne pense qu'au bien de son fils », et demanda que l'argent soit remis « entre les mains de notre frère Bogart pour qu'il puisse continuer son affaire et gagner sa vie ainsi que celle de son fils... Je sais qu'[Adam] est un père affectueux, et qu'il prendra soin de l'enfant privé de mère[12]. » Peu après, la cour déclara que tout était réglé et rétablit le père dans ses droits. Adam paya ses dettes et emmena son fils à New York. Il ne retourna à Watkins que dans son cercueil, vingt et un ans plus tard, afin d'être inhumé près de l'épouse qui le haïssait.

Jamais il ne s'était remarié. Belmont DeForest Bogart grandit seul, enfant perturbé et désorienté, objet d'un conflit dont un des belligérants était sa défunte mère.

Non que le confort matériel lui fît défaut. Dans le New York en pleine expansion des années 1870, Adam Bogart avait bien investi l'argent de Julia. Il fit fortune quand, le premier, il fabriqua des panneaux publicitaires lithographiés sur plaque métallique, et il était bien décidé à ce que Belmont n'ait pas seulement le nom d'un homme riche mais tous les avantages de la richesse. Jamais Belmont ne subirait la salle de réunion de Franklin House, les fermiers et leurs méchantes galoches sentant la bouse de vache, les politiciens locaux et leurs cigares bon marché ; il n'aurait pas non plus à s'occuper des clients de Jefferson House. Non, il irait étudier à Andover, comme les fils de l'aristocratie de Canandaigua et de Rochester, puis à Yale. Il fréquenterait les gens comme il faut. Il serait un gentleman.

Belmont n'apprit que trop bien sa leçon. Grand et beau garçon, large d'épaules, les cheveux noirs fournis, il plaisait aux femmes et aux fils des meilleures familles, aimait la chasse et montrait ses talents de marin lors des vacances dans les stations balnéaires à la mode. Il réussit bien à Andover et à Yale, puis revint à New York pour étudier la médecine à Columbia University, avant de terminer sa formation aux hôpitaux de Bellevue, St Luke et Sloan[13]. Après son doctorat à Columbia en 1896, toutes les portes lui furent ouvertes et il établit un cabinet prospère qui jamais n'empiéta sur les plaisirs de l'homme du monde. Il avait une vie idéale, du moins en apparence. Peut-être, s'il n'y avait pas eu cet accident d'ambulance, la vie de son fils eût-elle été bien différente.

Selon les journaux, le Dr Bogart, son doctorat à peine en poche, attendait sur un trottoir quand vint à passer une ambulance tirée par un cheval et mal équilibrée sur ses hautes roues. Il est possible que le cheval ait fait un écart ; tout à coup, l'ambulance se renversa sur le jeune médecin, lui infligeant des contusions, de graves coupures, et lui brisant une jambe. La fracture fut mal réduite et l'os refusa de se ressouder. Il fallut recasser la jambe pour le remettre en place. Le jeune homme finit par marcher de nouveau, mais sa santé resta fragile. La prise de drogues, prescrites pour soulager une douleur insoutenable, devint un rituel quotidien ; il en dépendrait jusqu'à la fin de ses jours.

L'accident eut une autre conséquence tout aussi importante. Deux ans plus tôt, lors d'une réception dans une galerie d'art, Belmont Bogart avait rencontré la très belle et très brillante Maud Humphrey, de deux ans plus jeune que lui et déjà célèbre. Le coup de foudre fut bientôt suivi de fiançailles quasi officielles que permettaient leurs positions sociales respectives : il avait de l'argent et un métier, elle était grande, mince, jolie et sa vie indépendante n'était pas bohème au point d'empêcher de bons revenus. Mais elle était aussi à la fois ouvertement conservatrice et suffragette — son fils devait la qualifier de « conservatrice travailliste » — et se dépensait autant pour les droits des femmes que pour sa carrière. Leurs différences ne tardèrent pas à les conduire à une rupture.

Deux ans plus tard, Maud rentra à nouveau dans la vie de Belmont en lui rendant visite dans sa chambre d'hôpital. Leur réconciliation fut aussi instantanée que leur attirance mutuelle initiale. Dès lors, Maud prit les choses en main. En prévision des mois de souffrances qui attendaient le jeune homme, déclara-t-elle à un journaliste, elle décida qu'elle préférait soigner un mari que rendre visite à un fiancé avec les chaperons indispensables à une célibataire. Ils se marièrent au bout d'une semaine, quelques cousins Humphrey assistant la mariée. « La lune de miel se passera à l'hôpital », nota l'*Ontario County Times* de Canandaigua[14]. En ce mois de juin 1898, le marié avait trente-deux ans, un âge avancé pour l'époque, et la mariée trente ans, ce qui la classait déjà dans la catégorie des vieilles filles.

Mais Maud ne s'embarrassa jamais d'étiquette. De plus, dans son cas, les pressions sociales habituelles pour la conduire à l'autel avaient été vaines. Ses parents étaient morts, comme ceux de Belmont, et financièrement, elle était indépendante. Le médecin n'en représentait pas moins un beau parti : il était riche et beau, et le mariage restait la consécration absolue, surtout pour une femme de trente ans.

Elle était la fille d'une famille bourgeoise du quartier le plus huppé de Rochester. Les Humphrey étaient fiers de leurs racines anglaises et de leurs liens de famille avec les Churchill (ce qui fait de Maud et de ses enfants de lointains parents du futur Premier Ministre et de la princesse Diana). Un des oncles de Maud était un avocat en vue et un autre possédait la librairie *Humphrey's* qui pendant des années fut une des gloires de la ville. Son père, John, avait été un commerçant prospère.

La volonté de Maud lui avait permis de surmonter une crise de quasi-cécité qui l'avait mystérieusement frappée à quatorze ans, et s'était terminée, de manière tout aussi inexplicable, deux ans plus tard. Ses parents étaient morts peu après, et elle avait quitté Rochester à dix-huit ans pour se rendre d'abord à New York étudier à l'Art Students League, puis à Paris, où un de ses professeurs ne fut rien de moins que Whistler. Elle rentra aux États-Unis peintre accompli, et découvrit que les hommes importants, ceux qui pouvaient payer, n'avaient pas l'intention de faire peindre leur portrait par une femme. En revanche, les enfants, c'était une autre affaire. La nurserie n'était-elle pas le lieu de prédilection des femmes ? De toute façon, c'étaient les aquarelles qu'elle réussissait le mieux, et les dessins hardis au fusain, parmi lesquels figurent certains des portraits les plus fidèles de son fils. Celui-ci expliqua que le « bébé Maud Humphrey » avait été peint « avec une peinture si sèche qu'on aurait presque dit un dessin [15] ».

Maud se fit une place. On vit ses tableaux en couverture de magazines tels que le *Delineator* et *Buttrick's*, de même que pour illustrer des publicités ou des modèles de couture. Son travail ne tarda pas à attirer l'attention d'imprimeurs comme Louis Prang, de Boston, et surtout Frederick A. Stokes, de Rochester, qui lui fit signer un contrat d'exclusivité qui la liait à lui jusqu'en 1900. Elle illustra des éditions populaires, et leur collaboration s'avéra lucrative pour elle comme pour l'éditeur. Ses œuvres étaient imprimées sur un plus beau papier que le texte ; elle les signait et elles étaient sous copyright, si bien que d'autres éditeurs, avec l'accord de Stokes, pouvaient en revendre des tirages ou les faire reproduire pour des calendriers ou des cartes postales. Elle illustra aussi les calendriers que des journaux, dans le nord de l'État de New York, offraient à leurs abonnés pour les fêtes. Le plus beau, qu'elle fit pour l'*Evening News* de Buffalo, pouvait être découpé pour former un puzzle.

Ses illustrations d'ouvrages pour Stokes la rendirent célèbre. Dès le début des années 1890, le nom de Maud était connu de tous les parents d'Amérique. On l'appelait la Kate Greenaway américaine, en référence à l'Anglaise dont l'art égayait les livres d'enfants de tout le monde anglophone. *Le Livre de la mariée* se vendit bien, mais sa suite logique, *le Livre-Souvenir de Bébé,* immortalisa la première dent, le premier mot, la première mèche de cheveux coupée et les premiers pas de tous les bébés de cette fin de siècle aux États-Unis. Suivirent d'autres succès, tous liés aux bébés et aux enfants, même quand il s'agissait de parler des grands personnages de l'histoire américaine ou d'expliquer la guerre hispano-américaine.

Selon son fils « crever de faim dans une mansarde ne lui sembla plus un sort très enviable quand elle découvrit qu'elle pouvait gagner cinquante mille dollars par an en dessinant des couvertures de magazines [16] ». Et ce à vingt-sept ans [17].

Ses dessins, quand elle les faisait à son goût, étaient incisifs, habiles et sans compromis. Le public exigeait du sentiment, et elle lui en donna à la pelle avec ses poupons angéliques aux boucles blondes, aux grands yeux, dans des poses délicieuses. Jamais les enfants de Maud Humphrey n'auraient « pleuré, bavé, ni jeté leurs épinards à l'autre bout de la cuisine, écrivit un critique. Non, ils disaient leurs prières pour maman, lui offraient des roses... ou au pire écrasaient une petite larme [18] ». Les lecteurs en voulurent plus, et Maud s'exécuta. Si c'était ce qu'ils voulaient, ils l'auraient — mais toujours avec ce style et cette habileté dans les détails qui la distinguaient de la meute des artistes de second rang. Elle savait pourtant ce qu'elle pourrait faire, si seulement on l'y autorisait, et sous le succès et le brillant mariage couvait une colère profonde.

Les Bogart achetèrent une maison dans le quartier alors huppé de l'Upper West Side de Manhattan, non loin des arbres bordant la route qui longe l'Hudson, Riverside Drive. Ils la remplirent de beaux meubles et la peuplèrent d'une légion de bonnes irlandaises. Un an et demi plus tard, Maud donnait naissance à leur premier enfant. Ils l'appelèrent Humphrey pour rappeler le nom de famille de sa mère et DeForest comme son père et la famille à laquelle ils étaient censément liés. Adam Bogart était mort sept ans plus tôt, et toute trace de la salle de réunion provinciale avait été promptement oubliée. Maud entreprit de réinventer les Bogart pour s'assurer que jamais son fils n'apprendrait rien des ancêtres de son père, même si elle ne pouvait s'empêcher de médire discrètement sur eux à l'occasion. « Je ne sais rien de sa famille à elle, dit Humphrey quand il avait plus de cinquante ans. Jamais elle n'a eu le temps de m'en parler, mais... elle montrait toujours un certain dédain quand il s'agissait de la famille de mon père [19]. »

Pendant des années, la date de naissance de Humphrey Bogart fut un sujet de controverse, la date officielle du 25 décembre 1899 semblant trop belle pour ne pas être l'œuvre d'un attaché de presse du studio. (L'autre date le plus souvent avancée était le 23 janvier 1899, ce qui l'aurait fait naître six mois après les retrouvailles de ses parents...) Il s'agit d'une de ces occasions où la légende est véridique, car si son certificat de naissance semble avoir été perdu, l'*Ontario County Times*, qui publiait le carnet des notables de la région, annonça le 10 janvier 1900 : « Né à New York, le 25 décembre 1899, chez le Dr et Mme Belmont De Forest Bogart, un fils. »

Un biographe [20] raconte que Mme Bogart, contre l'avis de son médecin de mari, s'était rendue la veille à une exposition, et le travail avait commencé ce soir-là au plus mauvais moment. C'était le réveillon de Noël, la maternité de l'hôpital Sloan se trouvait au centre de la ville, au coin de la Cinquante-neuvième Rue et de la Neuvième Avenue, près de trois kilomètres au sud de leur maison, et il commençait à neiger. Le couple prit un fiacre. Maud, alors que les contractions se faisaient plus douloureuses, était ballottée dans la voiture qui cahotait sur les pavés glissants de la Neuvième Avenue tandis que les wagons du métro aérien grondaient sur leurs têtes.

Humphrey DeForest Bogart arriva le jour de Noël, aussi brun que ses ancêtres hollandais pouvaient l'être, preuve de l'occupation espagnole des Pays-Bas des générations plus tôt. On était à six jours de la fin du XIXᵉ siècle et du début du XXᵉ. Souvent, Humphrey devait déclarer qu'il était un homme du siècle dernier [21].

Pour Belmont et Maud, la façade new-yorkaise contrebalançait la supercherie de Canandaigua. La famille, comme sa maison de quatre étages, présentait une façade impressionnante au reste du monde. Les Bogart figuraient dans le *Dau's New York Blue Book* — pas vraiment un Bottin mondain, mais « la liste des adresses qui comptent », comme l'annonçait fièrement l'éditeur avant les vingt mille noms des « résidents éminents » de la ville [22].

La Cent troisième Rue était située dans un quartier très bourgeois où les maisons en pierre se succédaient jusqu'à l'esplanade du parc de Riverside qui s'ouvrait sur l'Hudson. Sur la route semi-rurale, les cinéastes venaient filmer les scènes de poursuite qui se terminaient souvent devant le monument funéraire de Grant, construit sur le modèle du mausolée d'Halicarnasse, une des Sept Merveilles du monde, et dont le dôme culminait à cinquante mètres.

Au numéro 245, des marches de pierre menaient à l'étage de réception et au cabinet du Dr Bogart. Il avait son monde, et Maud le sien : un atelier au quatrième étage, sous une verrière, où elle travaillait le plus souvent tard dans la nuit [23]. Quand ils se retrouvaient, ils se querellaient souvent. Les enfants se réfugiaient à la nurserie et se cachaient sous leurs couvertures pour que les cris de leurs parents ne parviennent pas à leurs oreilles et afin d'oublier l'atmosphère de rage qui baignait leur croissance.

Comme il se devait, à six ans, Humphrey commença sa scolarité, d'abord à la petite école Delancey, puis, à neuf ans, à la Trinity School, fondée en 1709, la plus ancienne école privée de New York encore en activité. Elle dépendait de la Trinity Church, une paroisse épiscopale très riche de Wall Street dont les anciens disciples contrôlaient bien des leviers du pouvoir dans la ville. Mais les locaux de l'école étaient situés à douze pâtés de maison seulement de chez les Bogart, sur la Quatre-vingt-onzième Rue, presque à l'angle de Broadway.

A l'époque, ce n'était plus une école pour les pauvres comme l'avaient voulu ses fondateurs, mais les riches n'y menaient pas pour autant une vie facile. Fonctionnant selon les principes austères d'une école anglaise, cette institution pour garçons veillait à ce que les maîtres en soutane noire renvoient la mauvaise graine et forment les autres élèves pour les plus grandes universités du pays. Humphrey, nouveau venu parmi des gamins qui avaient déjà passé quatre ans ensemble, n'y brilla pas. Pour ses camarades, il était un étranger, et comme élève, il était très irrégulier. En plein désarroi, ses parents et ses maîtres voyaient ses notes osciller sans cesse de l'excellence à l'échec le plus honteux ; et il manquait souvent. Ce n'est qu'en religion qu'il avait régulièrement de bonnes notes, ce qui valait mieux dans une école où la journée commençait à la chapelle et où, le vendredi matin, le très révérend père Lawrence T. Cole, docteur en théologie et directeur des études de Trinity, qu'on appelait « Bunny », récitait les litanies aux enfants agenouillés la tête baissée [24].

Peut-être était-ce le côté théâtral de ces dévotions qui poussait Humphrey à exceller en la matière, ou encore le besoin d'une compassion qu'il ne trouvait pas ailleurs. Un des rares garçons qui le fréquentaient, le chef de classe et futur journaliste Doug Storer, qui fut son condisciple jusqu'en 1917, se rappelle qu'il aimait bien Humphrey, mais avait le sentiment qu'il « n'était pas heureux chez lui [25] ».

Devenu une star, Bogart réinventa son passé et s'attribua le rôle d'un jeune rebelle qui s'opposait au Dr Cole. La réalité était plus triste : enfant, il tentait de se rendre invisible. Les rares élèves qui se souviennent de lui parlent d'un garçon aux traits délicats, réservé, dont les belles boucles et les costumes dignes du Petit Lord Fauntleroy étaient la risée de tous. Doug Storer le décrit comme « un cas à part dans le monde brutal des jeunes garçons. Beau et toujours impeccable, posant pour les "jolies" illustrations de sa mère, il ne pouvait éviter que nous le traitions de fille. Nous l'appelions toujours "Humphrey" parce que nous trouvions que c'était un nom "nunuche". Nous avons dû lui rendre la vie impossible. »

De surcroît, il n'avait aucun talent pour ce qui aurait pu l'aider à s'intégrer : le sport lui était étranger, chaque cours de gymnastique se transformait en séance de torture pour le malheureux, qui ramenait à la maison les bleus infligés par les plus forts. Storer, qui parfois lui était associé pour les cours de lutte, se souvenait de sa peur d'être blessé : « On le lisait sur son visage. Il perdait toujours très vite, pour se débarrasser du match. » Il ne suivait pas non plus les cours de théâtre qui se tenaient après les heures de classe. Jusqu'à ses treize ans, une nurse en uniforme amidonné venait le chercher à la fin des cours, comme s'il était un petit enfant. Humphrey tentait de l'éviter, il traînait derrière la porte tandis que les autres se précipitaient dehors. Mais elle était toujours là pour l'emmener, elle emprisonnait la main du pauvre garçon dans son poing, sous les regards ironiques, réels ou imaginaires, de ses compagnons de classe.

C'est seulement à Seneca Point qu'il devenait lui-même.

Alors que l'Europe, en cet été 1914, s'apprêtait à s'enfoncer dans la Première Guerre mondiale, au bord du lac, le monde élégant de Belmont et Maud Bogart continuait tranquillement sa vie, sans une pensée encore pour les jeunes Américains qui, trois ans plus tard, iraient se battre et mourir dans les lointaines tranchées.

Pourtant, Humphrey avait quatorze ans, et pour lui, les changements ne seraient pas moins spectaculaires que ceux qui frappaient l'Europe. L'enfant brutalisé était devenu un beau jeune homme, un peu petit pour son âge avec son mètre soixante, mais qui plaisait beaucoup aux filles. Son calme étudié et ses crises de mélancolie, durant lesquelles il s'isolait, silencieux, ne le rendaient que plus intéressant.

Grâce à une toute nouvelle assurance, il prit la tête du petit groupe des jeunes de Seneca Point, composé de futurs banquiers et autres membres du *Federal Reserve Board*. Sa suprématie fut renforcée quand il repêcha dans le lac Arthur Hamlin, le plus jeune petit-fils du banquier de la ville — le bambin de trois ans était tombé d'un ponton. « Je ne serais pas là aujourd'hui, s'il ne m'avait pas secouru », dirait encore Hamlin à plus de quatre-vingts ans [26].

Bogart parlait de ces mois comme des plus heureux de sa vie [27]. Chef de bande, c'était lui qui décidait quand les garçons allaient glisser dans les chutes d'eau des étroites gorges qui fendaient les collines dominant le Point, ou quand ils iraient assister au dépeçage d'un bœuf dans une grange. Il était le premier à sauter dans l'*Onnalinda* ou un des autres bateaux, à grimper pieds nus jusqu'au sommet du vapeur et à plonger dans l'eau, ce qui était interdit, et donc tellement plus aventureux ! Les autres sautaient, se souvient Frank Hamlin, Hump Bogart plongeait. Plus sereinement, ils rendaient visite à un vieux capitaine qui passait là l'été avec sa sœur et les fascinait par le récit de ses aventures, quand il ne leur montrait pas comment sculpter le bois avec un couteau ou faire des épissures. Les jours de pluie, ils se retrouvaient chez les Hamlin, ou chez les Adams — là, on roulait le tapis devant la cheminée pour sortir de vieilles caisses à jouets des soldats de plomb achetés chez F. A. O. Schwartz, à New York, que le général Bogart engageait dans les batailles de la guerre de Crimée [28].

Plus tard, Bogart présenta sa carrière comme un accident, un travail qui se serait simplement imposé à lui, ce qui faisait partie des justifications qu'il trouvait pour ne pas tomber sous les coups d'un code rigoureux qui considérait que faire l'acteur n'était pas digne d'un homme véritable. Pourtant, ceux qui l'ont connu adolescent se souviennent d'un garçon très attiré par la scène. A New York, un des malades et amis du Dr Bogart était l'imprésario de Broadway William A. Brady, pourvoyeur de places gratuites pour le théâtre, principale distraction de l'époque. Mais même Seneca Point hébergeait des gens de théâtre : la mère de Frank et Arthur, Mary Hamlin, écrivait des pièces religieuses souvent représentées, et connut plus tard un grand succès sur Broadway avec *Alexander Hamilton*, qui fut filmé par la Warner Brothers en 1931. Quand Humphrey ne jouait pas avec ses amis, il allait écouter Mme Hamlin raconter sa vie d'artiste et parler du monde factice du théâtre.

Humphrey montait ses propres pièces, jouées par la bande de Seneca Point, lui-même assurant la production et la mise en scène. Une corde qu'on tendait entre deux mâts plantés sur la rive devant sa maison et une couverture servaient de rideau. Pour cinq *cents*, parents et amis prenaient place sur des chaises et des bancs et assistaient au spectacle.

Les dialogues étaient improvisés, mais William Brady envoyait de New York de vrais costumes de scène — de vieux costumes raidis de crasse et sentant la sueur séchée, et pourtant pleins de magie. Les préférés des jeunes acteurs étaient les costumes de cow-boy de *Girl of the Golden West*, dont les *chapajeros* et les bottes trop grandes les faisaient trébucher. Pantalon retroussé et chapeau tombant sur les oreilles, Hump Bogart jouait le rôle principal, celui du bandit sauvé par l'amour d'une femme.

Il confia à son amie Grace Lansing le rôle d'héroïne sans peur, dont les aventures périlleuses fascinaient, dans la version lacustre de *The Perils of Pauline*, nouveau film à épisodes qui avait élevé l'actrice Pearl White au rang de star dans les cinémas qu'on ouvrait dans tout le pays. Grace, seule fille de la bande, était lancée sur un radeau dans les eaux froides du lac, poussée par une fenêtre ou attachée à un tronc d'arbre comme Jeanne d'Arc, un feu allumé à ses pieds. « Mais Humphrey me sauvait toujours, raconte-t-elle. Toujours. Très beau. Il sautait dans une barque et m'arrachait au radeau, ou bien il me détachait de mon poteau. Enfin, je survivais [29]. »

Il jouait pour compenser les premiers émois d'une sexualité précoce et une nouvelle attitude envers les femmes. Jusque-là, Grace et lui avaient eu une relation amicale ; ils jouaient au base-ball ou aux Indiens, mais pas au docteur. Avec l'aide d'un adulte de la région, Humphrey avait construit dans les bois une cabane où les amis dormaient parfois ; seule les dérangea une nuit une vache échappée qui était venue les rejoindre. Mais un jour, les choses changèrent. « Ce fut en quelque sorte ma première expérience sexuelle, se souvient Grace Lambert en riant, et je fus très embarrassée. »

Ils se promenaient ensemble, « au flanc de la colline, dans les bois. Et je crois qu'il a juste touché son sexe ; il n'avait pas plus de treize ou quatorze ans ». Une averse s'abattit soudain sur eux. Humphrey proposa qu'ils se déshabillent et marchent sous la pluie. La jeune fille, stupéfaite et embarrassée, le vit alors, sans attendre sa réponse, se dépouiller de ses vêtements. Elle garda les siens. En le voyant nu, elle ne put ignorer qu'il était « excité. Et il voulait que je m'assoie sur ses genoux ! Enfin, j'ai compris, et je n'ai pas aimé du tout cette idée. J'ai refusé, et à son tour, il n'a pas du tout aimé ça ». Tremblant de colère, gêné d'avoir été repoussé, il ramassa ses vêtements « et les avait remis, dit Grace, avant que nous reprenions en silence le chemin de la maison ». Il ne lui reparla pas avant plusieurs semaines, mais pourtant elle disait encore de lui des années plus tard qu'« il était le plus gentil garçon qui fût ».

De tous les rites de passage en vigueur à Seneca Point, celui qui comptait le plus pour Humphrey était la reconnaissance de ses qualités de navigateur. La voile était une activité incontournable sur les Finger Lakes, et pour Humphrey elle revêtait une signification particulière puisque c'était une des rares qu'il pouvait pratiquer avec son père. Belmont était revenu à Canandaigua durant l'été 1896, peu après sa sortie de l'école de médecine, et il s'était immédiatement imposé comme un des meilleurs navigateurs de la région. *Comrade*, son yacht de course, terminait chaque année soit en tête soit dans les premiers lors de la Commodore Cup du club local. « Je n'avais pas deux ans que *Comrade* me fascinait déjà complètement », devait dire plus tard Humphrey Bogart[30]. Belmont vendit le bateau en 1903, mais jamais son fils ne l'oublia. Il n'oublia pas non plus le plaisir qu'il ressentait quand il naviguait avec son père sur un bateau au nom aussi ironique. Des années plus tard, en Californie, le *Santana*, son yawl de dix-huit mètres, lui rappelait le merveilleux talent de son père.

A quatorze ans, Humphrey barrait avec une maîtrise qui ravissait Belmont, la voile étant une activité convenable pour tout gentleman. De plus, le jeune homme y gagnait une certaine indépendance. Lutter seul contre le vent ou contempler l'eau turquoise, à l'ancre, au milieu du lac, lui offrait des moments de liberté, loin des remontrances et des exigences familiales. Toujours il aimera être seul sur un bateau, en mer, où personne, ni ami, ni ennemi, ni patron de studio, ne pouvait le joindre.

Puis, soudain, ce monde estival disparut. Maud Humphrey avait accepté un travail très bien payé dans l'équipe d'un magazine à la mode, le *Delineator*, et il lui fallait pour l'été un point de chute plus proche de la ville. On mit Willow Brook en vente, et on s'installa la saison suivante dans une maison de Fire Island, au large de Long Island. Bogart dit plus tard qu'il s'était opposé au déménagement avec la colère et l'amertume d'un adolescent qui n'a aucun pouvoir de décision.

Il avait toujours attendu avec impatience le Cercle de feu, rituel du *Labor Day*, qui marquait la fin de la saison et la promesse d'un autre été au Point : tout autour du lac, on allumait des feux de joie jusqu'à ce qu'un collier de lumière borde la rive. Mais quand les feux s'éteignirent en septembre 1916, il n'y eut comme seules perspectives que le retour dans la maison sombre de la Cent troisième Rue, et la poursuite des hostilités entre les parents.

Il devait sortir diplômé de son école au mois de juin suivant, mais ses notes s'effondrèrent. Conformément à la réglementation rigide de Trinity, la moyenne se situait à 60/100, on était au tableau d'honneur avec plus de 85, et il fallait un minimum de 70 pour se présenter à l'université. Deux ans plus tôt, Humphrey n'était arrivé qu'à une moyenne de 58, mais on l'avait laissé passer en classe supérieure. Pour son avant-dernière année, il était monté à 69. Cela ne suffisait pas pour espérer l'université, et comme il s'absentait souvent, on le fit redoubler [31].

Mais le petit garçon craintif avait cédé la place à un adolescent sûr de lui, qui éprouvait une indifférence évidente à l'égard de ses condisciples et de ses maîtres. Au sobre uniforme de serge bleue imposé aux élèves des grandes classes, il adjoignait un chapeau melon noir qui n'avait rien de réglementaire. Humphrey avait changé, mais pas ses notes. Il ne réussit à élever sa moyenne que d'un point. Dans l'espoir de sauver l'avenir de son fils, le Dr Bogart prit contact avec son ancienne école pour voir si on y accepterait le jeune homme.

A l'époque comme maintenant, la Phillips Academy d'Andover, dans le Massachusetts, était une des meilleures et des plus anciennes écoles préparatoires du pays. Andover, comme on l'appelle couramment, était destinée aux gentlemen et, depuis sa naissance, Bogart s'était entendu dire : « Sois un gentleman. »

Humphrey était le premier de sa famille qui fût né avec de l'argent et une position sociale — et le premier à avoir la liberté d'y renoncer. Gentleman il était venu au monde, et quels que fussent ses actes, il le resterait. Adam Watkins Bogart s'était élevé de la boue à la fortune, Belmont DeForest Bogart arborait la vêture et le comportement d'un patricien, mais malgré tous ses efforts, il savait qu'il portait ainsi des habits neufs. Humphrey DeForest Bogart avait tout eu de naissance, mais à un certain niveau, il le rejetait. Il ne fait aucun doute que les efforts de ses parents pour paraître ce qu'ils n'étaient pas, le fossé entre l'apparence en public et la réalité quotidienne à la maison, ne pouvaient que renforcer cette attitude. Toute sa vie, il oscilla entre les clichés de la politesse du monde de ses parents et une haine viscérale du factice.

Si cela rendait sa vie douloureuse, cela rendit aussi sa sensibilité visible à l'écran, ce qui ferait écrire au critique Richard Schickel qu'il était « un gentleman déclassé, un homme bien né et privilégié qui s'était retrouvé, à cause de circonstances dont il n'était pas entièrement responsable, loin du monde de sa naissance, parmi des gens de moindre qualité, qui obéissaient à des règles morales, sociales et intellectuelles inférieures à celles qu'il avait appris à apprécier dans sa jeunesse. En bref, Rick Blaine n'aurait pas dû se retrouver patron d'une gargote dans *Casablanca*, et Humphrey Bogart n'aurait pas dû finir acteur à Hollywood [32] ».

Il joua les durs destinés à une mort violente — dans ses quarante-cinq premiers films, ses personnages finissaient pendus ou exécutés sur la chaise électrique huit fois, condamnés à perpétuité neuf fois, et farcis de balles une douzaine d'autres — mais surtout il joua des hommes qui, ayant connu ce que le monde avait à leur offrir, n'étaient pas floués par les apparences. Les hommes incarnés par Bogart sont durcis en surface et supportent mal le statu quo social ; pourtant, leur force et leur ascendant ne viennent pas tant de leurs airs rebelles que de la certitude qu'ils connaissent les règles et les savent pourries. Raymond Chandler, qui rencontra Bogart au début de sa carrière d'acteur, écrivit de lui : « Bogart sait être dur même sans revolver. De plus, il a ce sens de l'humour avec ce sous-entendu grinçant de mépris[33]. » Ce qui forge le pouvoir de séduction de Bogart, c'est sa volonté, en dépit de tout ce qu'il sait, de lutter, par-delà le désespoir, pour l'amour, la loyauté, la conviction de ne pas avoir dérogé à son code de l'honneur.

Les photos de lui à la fin de l'adolescence montrent un jeune homme aux cheveux lissés, la raie au milieu, qui regarde le monde en plissant les yeux, le visage fermé. Il avait aussi adopté ce slogan qui était la clé de ses relations avec l'ancienne génération et la société en général, et qui parodiait les vertus de sa classe : « Menton baissé, lèvre pendante, idiot de la famille[34]. » Grâce en grande partie à l'homme qui deviendra son père dans sa profession, il avait aussi trouvé loin de la Cent troisième Rue un monde amical où afficher cette attitude.

William A. Brady était entré dans le spectacle comme organisateur de combats et concepteur au parc de loisirs de Coney Island, mais la seconde décennie du nouveau siècle le fit connaître comme imprésario sur Broadway, où il produisit plus de deux cent cinquante pièces. Il avait eu une fille d'un premier mariage, l'actrice Alice Brady. Sa seconde épouse, Grace George, était la star de nombre de ses productions théâtrales et jouait aussi dans des films. Les Brady vivaient à cent mètres de chez les Bogart, sur Riverside Drive, et Humphrey se lia d'amitié avec Bill Junior.

Lui-même intéressé par le théâtre, le Dr Bogart encouragea l'intérêt de son fils pour cet art et ses relations avec les Brady. Assez curieusement, il ne semblait pas adhérer aux préjugés qui traçaient de strictes barrières sociales à New York comme ailleurs. Non seulement William A. Brady était un saltimbanque, mais il était juif, et les Juifs n'étaient pas considérés comme des « gentlemen ». A l'automne 1917, l'éditorialiste et humoriste Franklin P. Adams écrivait à son ami Robert Benchley, attaché de presse de Brady : « Si certains de mes meilleurs amis sont sémites, aucun ne correspond à ce qu'on peut considérer comme la haute société, surtout pas M. Brady[35]. »

Humphrey s'en moquait bien. Son amitié avec le jeune Bill représentait pour lui la camaraderie et l'accès à ce que Broadway offrait de mieux à l'époque, quand les stars s'appelaient Lionel Barrymore et Sarah Bernhardt. Les garçons sautaient dans le trolley de Broadway et descendaient à la Quarante-deuxième Rue pour les matinées à Times Square, le « Carrefour du Monde », où les théâtres, foyers de la culture populaire, alignaient les unes contre les autres leurs énormes enseignes électriques. A l'heure des représentations, le public se déversait sur les trottoirs et des taxis automobiles se garaient en longues files pour attendre leurs clients. Tout près se trouvaient aussi les *nickelodeons*, ces petites salles où l'on voyait une pièce ou un film court pour une simple pièce de monnaie, ainsi que les premiers vrais cinémas, et sur la Sixième Avenue, l'Hippodrome, où l'on donnait de grands spectacles pour un large public.

Bogart devait raconter plus tard comment Bill Brady et lui cassaient les lanternes sur les chantiers à l'aide d'un fusil à air comprimé Daisy, histoire qui, si elle entretenait l'autoportrait soigneusement dessiné d'un quasi-délinquant juvénile, pourrait être véridique. Il y eut d'autres relations féminines durant l'été à Fire Island — l'endroit n'était finalement pas si abominable —, et des baisers au goût de moutarde échangés lors du partage d'un hot-dog !

Mais au début de 1917, le Dr Bogart intriguait pour faire entrer Humphrey à Andover, où on pourrait le hisser à un niveau correct. Son désir semblait plutôt raisonnable : Andover mettait les garçons sur les rails de l'université et on y obtenait son entrée à Harvard ou Yale. Humphrey allait avoir dix-huit ans ; s'il voulait accéder à l'enseignement supérieur, c'était maintenant ou jamais. Belmont eut recours à tous les arguments possibles, allant jusqu'à rappeler au directeur des études, Alfred Stearns, qu'ils avaient joué dans la même équipe de football en 1888.

L'inquiétude du père était sincère, et jamais il n'avait été si près de comprendre cet enfant qui lui posait maintenant des problèmes. Il assura la direction de l'école que Humphrey était un bon garçon, qu'il avait juste besoin qu'on le tienne et qu'on ne le laisse pas se dissiper. Le directeur rencontra le candidat ; Andover trouva une ouverture ; Trinity était prêt à faciliter la transition — des hommes de bonne volonté ravivèrent l'esprit des anciens condisciples pour sauver le jeune homme.

Ce fut un échec dès le départ.

Pour commencer, Humphrey n'intégra l'école qu'une semaine après le début des cours en septembre 1917, parce qu'il avait dû passer à New York les examens de rattrapage qu'exigeait Andover. Il arriva un dimanche, fatigué et découragé après un long trajet dans le noir à bord du train de trois heures cinquante-neuf du matin, unique moyen de rejoindre Andover depuis la ville. Il était venu seul. Mme Bogart était malade, expliqua le docteur au directeur, et comme il devait veiller sur elle, il lui était tout à fait impossible d'accompagner son fils. De plus, Humphrey était un grand garçon.

Des années plus tard, Bogart se voyait encore, seul sur le quai de la gare, abruti par le manque de sommeil, pauvre gamin de dix-sept ans désorienté dans cet environnement inconnu à la recherche de quel-

31

qu'un pour l'aider à charrier sa malle. Andover n'était qu'à une heure de Boston, mais pour lui, c'était à l'autre bout du monde.

A Andover, il se trouva plongé dans cent trente-huit ans de coutumes puritaines. La journée commençait à sept heures quarante-cinq à la chapelle, et toutes les règles et dispositions étaient exposées dans un Livre bleu que chaque garçon devait avoir en poche. Il contenait les multiples motifs de punition et de renvoi, les conditions d'étude et l'heure d'extinction des feux [36].

Ce n'était pas un régime pour un jeune homme qui, une semaine plus tôt, hantait Times Square.

Il ne débuta pourtant pas si mal, obtenant de bonnes notes comme pour montrer qu'il pouvait s'il le voulait. Puis il prit l'habitude de passer ses soirées dans la chambre de Floyd Furlow, de New York lui aussi, et fils du président de l'entreprise d'ascenseurs Otis. « Furlow était plein d'humour, très intelligent, plus insouciant encore — et un véritable magasin de bonnes choses à manger », se souvient un de leurs camarades. Deux autres garnements se joignaient à eux, l'un ancien navigateur et l'autre originaire d'Afrique du Sud. Ils ne parlaient pas de l'école mais de voyages et d'aventure. « Bogart aimait *écouter* ces conversations, ajoute son camarade. Il ne *parlait* pas beaucoup. Il rêvait nuit et jour [37]. »

Bien que Bogart et d'autres aient fabriqué par la suite des histoires de bêtises et d'insubordination, la plupart des élèves ne se souviennent que d'un garçon toujours taciturne, qui avait peu d'amis, n'ouvrait jamais un livre de classe, parlait peu, et semblait curieusement naïf et vulnérable. Alors qu'il était bon marin et bon joueur de tennis à Seneca Point, personne ne se souvient qu'il ait montré à Andover la moindre aptitude au sport.

Il était assez intelligent pour cette école, mais l'enseignement dispensé l'ennuyait. « On nous faisait apprendre des dates, raconta Bogart des années plus tard, et c'était tout. On nous disait : "Il y a eu une guerre en 1812." Et alors ? Jamais on ne nous disait pourquoi les gens avaient décidé de s'entre-tuer justement à cette date [38]. »

Il posa pour des photos avec d'autres élèves. L'enfant ouvert et réceptif des premières années avait cédé la place à un adolescent revêche, qui offrait à l'objectif un visage fermé, sans presque aucun contact avec le monde qui l'entourait. « Il vivait sa vie à lui, différente de celle de tout le monde ; il était vraiment mystérieux, se souvient Arthur Sircom. Il n'avait pas sa place à Andover. »

De retour à New York pour Noël, il avait été précédé par un mauvais bulletin où le Dr Stearns regrettait « l'indifférence et le manque d'efforts » de son élève, et lui notifiait le retrait de toutes ses permissions de sorties pour le trimestre suivant. Son dix-huitième anniversaire fut placé sous le signe de la colère et des récriminations.

En février, l'école infligea un avertissement à Humphrey, et le

Dr Bogart supplia les professeurs de continuer à croire en son fils : ce n'était pas un mauvais élément, mais il avait seulement « consacré toutes ses pensées au sport et à une correspondance assidue avec ses amies ». Mme Bogart et lui, écrivait le docteur au directeur, appréciaient que l'école soit stricte pour le bien de leur fils, et ils feraient tout ce qu'ils pourraient pour l'aider à « se trouver ». Belmont envoya à Humphrey une lettre plus grave, aux accents menaçants : s'il ne réussissait pas mieux, il demanderait son renvoi de l'école et le « mettrait au travail » ; c'était David Copperfield arraché à ses études et envoyé à l'usine. Le Dr Stearns eut une conversation paternelle avec Humphrey, après quoi le jeune homme écrivit à sa mère qu'il ferait de son mieux. Mais il était trop tard.

Le couperet tomba en mai. A son « grand regret », le directeur informa le Dr Bogart que Humphrey n'ayant pas réussi à relever suffisamment ses notes, son renvoi de l'école était dès lors irrévocable. Le Dr Stearns n'était pas présent à la réunion des enseignants qui avaient pris cette décision, mais « ce fut l'avis unanime de ceux qui connaissent bien la situation que de déclarer qu'il ne serait pas bon pour Humphrey de rester plus longtemps. Je ne saurais vous dire combien je regrette que nous n'ayons pas été capables de faire comprendre à votre fils le sérieux de la situation ni de lui faire fournir les efforts nécessaires pour éviter ce désastre ». En conclusion, il espérait que ce serait un tournant dans la vie du jeune homme et proposait son aide pour le faire entrer dans le monde du travail[39].

La réponse de Maud Humphrey, par retour du courrier ce lundi — le docteur était « parti pour affaires » — fut brève et froide. Elle envoyait vingt-cinq dollars avec pour instruction d'expédier les bagages de Humphrey à New York et de le faire rentrer immédiatement à la maison — « Je crois que c'est ce que vous voulez. » Ils avaient déjà trouvé un emploi pour leur fils, merci beaucoup, chez M. Frank E. Kirby, « très éminent architecte naval qui construit des bateaux pour l'État. M. Kirby est un homme intelligent et influent », disait-elle, et elle pensait que la fréquentation d'un homme aussi brillant aiderait son fils à revenir à la raison[40].

Dernier acte de clémence, l'école n'ébruita pas la nouvelle du renvoi. Le jeudi matin suivant, Arthur Sircom eut la surprise de voir Bogart sortir avec une valise dans chaque main. N'était-il pas un peu tôt pour partir en week-end ?

« Non, rétorqua Humphrey. Je quitte cette putain d'école pour de bon ! J'y ai perdu mon temps. »

Il partit vers la gare, ses valises lui cognant les jambes, silhouette solitaire et perdue. Sircom le regarda avec pitié. « Pauvre garçon, se dit-il, tu gâches ta vie ! »

Le train de New York ne partait pas avant vingt-trois heures quinze.

Qu'importait. Humphrey DeForest Bogart ne voulait pas rester où on ne voulait pas de lui.

Pendant longtemps, tout ce qu'il dit fut : « Ces salauds m'ont viré. »

Le vendredi matin, il arriva à la gare de Grand Central et rentra chez lui pour affronter ses parents. Il n'alla pas travailler pour l'influent M. Kirby. Il choisit la mer. Le torpillage du paquebot britannique *Lusitania* en 1915 par un sous-marin allemand et la mort de presque mille deux cents personnes, dont beaucoup d'Américains, avaient entraîné les États-Unis dans la Grande Guerre, et les sous-marins faisaient toujours la loi dans l'Atlantique. Le 28 mai, après quatre jours insupportables chez lui, il prit le train pour Brooklyn, se présenta à bord de l'*USS Granite State*, et s'engagea dans la marine avec le grade provisoire de marin de seconde classe. L'accord des parents n'était pas nécessaire à son âge, et de toute façon, il l'aurait obtenu.

Les trois semaines le séparant de son départ furent moins pénibles, non que ses parents aient voulu profiter de ces derniers jours avec leur fils avant qu'il affronte un avenir incertain, mais parce que son engagement était une solution honorable à une situation de plus en plus embarrassante. Belmont écrivit fièrement à Andover pour annoncer la bonne nouvelle, demandant que les maîtres de l'école rendent justice à « l'esprit patriotique » de son fils. Humphrey avait enfin fait le bon choix.

2

« Aussi jeune et beau que Valentino, aussi élégant dans la comédie »

A la base navale de Brooklyn, les médecins, redoutant surtout les maladies vénériennes, auscultèrent et interrogèrent la recrue. Les archives lui attribuent une taille tantôt de 1 m 70, tantôt de 1 m 75 ; la vérité se situe entre les deux ; 65 kilos, yeux bruns, cheveux châtains, teint clair, 88 centimètres de tour de poitrine, quatre dents de sagesse arrachées ; anciennes maladies : oreillons et rougeole. Date de naissance : 25 décembre 1899 ; adresse : 245, Cent troisième Rue Ouest ; religion : épiscopalien. Plus proche parent et bénéficiaire en cas de disparition (le versement de six mois de solde à 35 dollars et 90 cents) : le Dr Belmont D. Bogart de New York.

En mai, quand Humphrey s'engagea, la guerre sous-marine faisait rage, mais quand il fut appelé, le 19 juin 1918, la « der des der » était presque terminée. Le 2 juillet, il partit faire ses classes à Pelham Park. Le 9 novembre, il reçut l'ordre d'embarquer sur l'*USS Leviathan* le 27 du mois, mais deux jours après, les cloches sonnaient l'armistice. Le marin Bogart passa les six mois suivants à traverser l'océan d'Amérique en Europe et retour pour ramener de France les soldats américains.

Plus tard, il décrivit en détail une permission à Paris, mais il parlait rarement d'autres aspects de ses voyages : des hommes qui avaient laissé un bras ou une jambe sur les champs de bataille, de ceux que le gaz moutarde avait affaiblis à jamais, et de beaucoup d'autres dont les yeux ne savaient plus que refléter les massacres dans les tranchées qui avaient décimé une génération.

Bogart racontait en général ses jours dans la marine en termes d'affrontement avec ses supérieurs et de bonnes blagues entre copains. Pourtant, ses états de service parlent d'un soldat modèle, à la conduite toujours irréprochable, avec une mention spéciale pour sa « sobriété » et son « obéissance » ainsi que pour ses talents de marin. Une photo le montre, jeune Américain anonyme en uniforme, les cheveux ras, comme sorti d'une affiche de propagande.

Les avis varient sur la façon dont il fut blessé à la lèvre supérieure, entaille qui causait son léger zézaiement. On a dit que son père lui avait infligé cette blessure dans son enfance. On a dit aussi qu'il aurait été touché par un éclat d'obus pendant une attaque de sous-marin allemand[1]. La version la plus pittoresque émane de son beau-frère, Stuart Rose, et ne déparerait pas un film noir de la Warner : Bogart escortait un homme menotté à la prison de la base navale de Portsmouth, au nord de Boston. Il était gentil, et comme jusque-là le prisonnier s'était bien conduit, ils discutaient. Quand ils descendirent d'un premier train pour prendre un taxi afin de gagner une autre gare et de continuer le voyage, le prisonnier demanda à Bogart de lui allumer une cigarette. Au moment où Bogart relâchait sa surveillance pour frotter l'allumette, le prisonnier l'aurait frappé au visage de ses menottes et aurait tenté de s'enfuir ; mais Bogart, une main sur sa lèvre déchirée, l'autre sur son fidèle Colt 45, avait blessé l'homme tout en évitant de toucher des civils sur le quai... Le prisonnier — blessé à une jambe, parfois à l'autre, voire à une fesse — s'était bien remis mais la lèvre blessée de Bogart n'avait pas cicatrisé correctement à cause d'un médecin militaire incompétent, et trois tentatives de chirurgie réparatrice n'avaient pas réussi à beaucoup atténuer la cicatrice ni les séquelles nerveuses[2].

Il est possible que cette histoire soit vraie, puisque aucune cause n'a été définitivement établie, mais au sortir de l'armée, le rapport d'une visite médicale complète, qui signalait tous signes particuliers et cicatrices diverses (on lui en trouva quatre, au menton, à l'avant-bras gauche, à une jambe et à l'arrière de la tête, sans doute conséquences de jeux d'enfants), ne dit rien d'une blessure à la lèvre. On lui trouva aussi une cicatrice de bouton sur le sourcil droit, trois grains de beauté et, en cherchant une maladie vénérienne, une légère varicocèle, gonflement des veines du cordon spermatique, du côté gauche du scrotum, état congénital si bénin que personne ne s'en inquiéta jamais. Mais rien qui suggère qu'il ait été victime d'une explosion d'obus ou de la violence d'un prisonnier.

Le véritable problème de Bogart ne se posa que bien après la guerre. Le 15 février 1919, il fut transféré sur l'USS *Santa Olivia*. Deux mois plus tard, après son escale habituelle à Hoboken, dans le New Jersey, le bateau mit le cap sur l'Europe — sans lui. « Déclaré déserteur », inscrivit son commandant sur le livre de bord. En fait, il était tout simplement en retard pour le départ et il avait passé une journée de panique, puis les six semaines suivantes à expliquer à un gratte-papier après l'autre qu'il n'avait pas fait exprès de rater le bateau. Son dossier fut envoyé aux autorités navales de Bay Ridge pour sanction disciplinaire. On finit par réduire l'accusation de désertion à une simple absence sans autorisation, et le 10 juin, on prononça la sentence : « A négligé son devoir. Trois jours de régime cellulaire au pain et à l'eau » — avant-goût des cellules de prison qu'il habitera dans tant de

36

films. On peut penser qu'il préféra cette sanction sévère au gros R rouge du déserteur qui l'aurait suivi toute sa vie.

Dix jours après avoir purgé sa peine, il était libéré du service avec les honneurs, mais toujours marin de deuxième classe. Il reçut la médaille de bronze de la Victoire, que les Alliés décernaient à tous les combattants. Au dos était inscrit : « Une grande guerre pour la civilisation. »

Cette année perdue derrière lui et n'ayant nulle part ailleurs où aller, l'ancien marin Bogart rentra chez ses parents, pas plus à même de comprendre ce qu'il voulait être ni qui il était[3].

Pendant son absence, sa famille avait déménagé au 79, Cinquante-sixième Rue Est. Maud « avait des ambitions sociales pour mes sœurs », écrivit-il plus tard, et elle « avait décidé que tous les gens bien résidaient du côté Est de la ville »[4]. La maison avait changé, mais pas ce qui s'y déroulait. Sa mère l'accueillit à sa manière austère. Quelle qu'ait été sa fierté, elle ne pouvait montrer son affection à son fils. « Elle ne descendit pas l'escalier en courant, les bras tendus ; il n'y eut pas de "Mon fils chéri !" ni de "Bon travail, Humphrey !" ni rien de ce genre. »

Il faut dire que la fierté de Maud s'arrêtait aux états de service du jeune soldat. En dehors de cela, elle se retrouvait avec un fils sans instruction supérieure et sans beaucoup plus de perspectives professionnelles, situation d'autant plus préoccupante que la fortune familiale avait largement fondu après des investissements désastreux que Belmont avait faits dans l'industrie du bois au Michigan. Belmont était plus indulgent que sa femme, mais il était souvent absent pendant de longues périodes. Non seulement ses investissements ne lui rapportaient pas ce qu'il en avait attendu, mais son cabinet perdait des clients (peut-être en raison de sa morphinomanie), et il avait décidé d'augmenter ses revenus en s'engageant comme médecin sur des bateaux de croisière[5].

Pendant l'année qui suivit, Bogart fit une tentative sans enthousiasme pour s'intégrer au monde des affaires. Il travailla comme coursier pour S. W. Strauss and Company, une entreprise d'investissements avec laquelle ses parents avaient traité et où, semble-t-il, ils étaient intervenus pour l'aider[6]. Selon une biographie de la Warner, il aurait aussi été employé par les Chemins de fer de Pennsylvanie. L'histoire probablement apocryphe du studio veut qu'un supérieur ait dit au jeune homme que, s'il voulait s'en donner la peine, il pourrait un jour se retrouver président de la compagnie. Mais, raconte Bogart, « quand j'ai découvert qu'il y avait cinquante mille employés entre moi et le président, j'ai donné ma démission[7] ».

Bogart passait avec des amis l'essentiel de ce qui semble avoir été un copieux temps libre. On le voyait souvent avec Bill Brady Jr au Playhouse, le théâtre de Brady sur la Quarante-huitième Rue Ouest. Un ami de plus fraîche date les rejoignait, Stuart Rose, que Bogart avait rencontré pendant les vacances de Thanksgiving, en novembre 1917. Rose, de quelques mois plus jeune que Bogart, était alors un élégant cavalier en permission qui vivait chez ses parents, à dix pâtés de maisons au nord des Bogart, sur Riverside Drive. Humphrey avait accompagné sa sœur Frances, alors âgée de quinze ans, à un bal où Rose était venu avec une amie. On présenta Rose au « très beau et très agréable » Bogart, mais surtout à sa séduisante petite sœur, une « très jolie grande fille » qui mesurait déjà plus de 1,70 m, presque autant que son frère. Quand son unité fut envoyée en France, Rose commença à correspondre avec Frances. Tous deux se marièrent en 1924, mais entre-temps, Stuart et Humphrey étaient devenus de grands amis [8].

Si l'influence de Brady avait porté sur le théâtre, celle de Rose concerna l'équitation. A son retour de l'armée, Rose donnait un cours une fois par semaine au Squadron A Armory, où il entraîna Bogart. Il prétendait que, bien que Bogart n'ait jamais monté auparavant, et qu'il ait même eu un peu peur des chevaux, jamais il n'avait « vu un homme qui comprenait aussi vite que lui. Il faisait preuve d'une superbe coordination ». Le dimanche, le metteur en scène John Cromwell se joignait aux promenades à cheval, dans Central Park, de Rose, Brady et Bogart. Tous quatre s'attifaient de tenues qui se voulaient aussi proches que possible des costumes d'équitation recommandés par les magazines, mais frôlaient la parodie.

Un autre ami de Bogart, Kenneth MacKenna, habitait sur Waverly Place, dans Greenwich Village, avec son frère, le décorateur de théâtre Jo Mielziner. L'appartement était le cadre de bien des fêtes auxquelles, d'après les souvenirs de Mielziner, Bogart prenait part avec énergie. Il semble que Bogart et MacKenna partageaient le même goût des femmes ; leurs amis se souviennent que Bogart reprenait souvent une fille où MacKenna l'avait laissée. Les choses changèrent en 1938, quand MacKenna épousa Mary Philips, la seconde épouse de Bogart.

Bogart était bien parti pour traverser l'âge du jazz en noceur impénitent. Il aurait pu s'y perdre s'il n'y avait eu William Brady et sa famille, qui furent les bons génies des carrières tant de Bogart que de MacKenna. Encouragé par l'actrice Grace George, épouse de Brady, MacKenna monta sur les planches. La fille de Brady, Alice, bonne actrice elle aussi, poussa Bogart à tenter la carrière. Elle était un peu plus âgée que lui et semble n'avoir eu que des sentiments amicaux à son égard. Elle lui suggéra de demander un emploi à son père, qui eut tôt fait de lui en trouver un dans les bureaux de sa nouvelle compagnie, World Films, en lui promettant qu'il lui « donnerait une chance [9] ». Brady informa Bogart que cette chance se présentait quand, vers la fin du tournage de *Life*, il renvoya le metteur en scène et demanda à

Humphrey de prendre sa place. Le travail de Bogart fut si lamentable que Brady dut tout refaire. « Il y avait de merveilleuses scènes où des gens marchaient dans une rue, raconte Bogart, et moi à une fenêtre en train de leur faire de grands gestes [10]. »

Comme la mise en scène n'était visiblement pas son fort, Bogart se risqua dans l'écriture et produisit une intrigue « pleine de sang et de mort [11] », que Brady trouva assez intéressante pour la soumettre à Jesse L. Lasky, président de la Lasky Feature Play Company (ses associés y étaient son beau-frère, Samuel Goldfish, le futur Goldwyn, et Cecil B. DeMille). Lasky la confia à son assistant, Walter Wanger, qui la trouva horrible et la mit au panier. Bien des années plus tard, quand Wanger devint producteur à Hollywood et qu'il eut pour voisin l'ex-aspirant-scénariste, il aimait à dire : « Bogart a écrit pour moi. »

Si Bogart était découragé, ce n'était pas le cas d'Alice Brady, qui suggéra à son père de le prendre comme régisseur pour une de ses pièces. Gladys George trouva l'idée si bonne qu'elle voulut qu'il s'occupe de *sa* nouvelle pièce, *The Ruined Lady*, qui à la fin des années vingt devait partir en tournée. Pressé de deux côtés à la fois, Brady l'engagea pour cinquante dollars par semaine.

En principe, un régisseur s'occupe de tout sauf des acteurs, mais dans le cas de Bogart, Brady exigea qu'il étudie aussi tous les rôles masculins. C'était Neil Hamilton qui jouait le jeune premier. Bogart se moquait de lui : comment pouvait-on être aussi bien payé pour un travail qui consistait simplement à répéter des phrases écrites par quelqu'un d'autre ? Il apprit combien cette tâche peut être difficile quand Hamilton « tomba malade », comme Bogart le nota plus tard lorsqu'un attaché de presse lui demanda de préciser les circonstances de sa première apparition sur scène [12]. Selon son ami et biographe Nathaniel Benchley, Bogart, qui jamais ne s'était produit en public, « n'était pas préparé à l'atmosphère presque tangiblement électrique engendrée par une salle pleine. Il ne s'attendait pas non plus à l'apparente conviction des autres acteurs lorsqu'ils jouaient. Il fut littéralement terrifié quand un des partenaires se précipita sur lui au cours d'une scène où le texte prévoyait un accès de rage [13] ».

Joe Hyams, autre ami et biographe, rapporte les propos de Bogart, qui situait l'épisode pendant une répétition un samedi après-midi : « Ce fut épouvantable. Je connaissais toutes les répliques de tous les rôles pour les avoir entendues des coulisses un millier de fois. Mais j'ai jeté un regard au grand vide où le public allait se trouver ce soir-là, et je n'ai pu me souvenir d'un seul mot [14]. » Dans cette version, Gladys George était tombée malade, elle aussi — ne serait-ce que par crainte du fiasco... — et il n'y avait pas eu de représentation. Quoi qu'il en soit, les représentations devaient se terminer ce soir-là, et ce fut le cas.

Les véritables débuts de Bogart eurent lieu dans une pièce d'Alice Brady. C'était le *Memorial Day*, en mai 1921, et après avoir défilé et remis des vêtements civils, Stuart Rose était allé chercher Pat et Belmont Bogart pour les emmener au Fulton Theater de Brooklyn. Très avant dans la pièce, Humphrey fit son apparition en majordome japonais, avec une veste blanche et apportant des verres sur un plateau. Il dit précipitamment son unique réplique et sortit de scène. Stuart l'avait trouvé abominable, et il était très gêné pour son ami. Mais Belmont rayonnait de fierté. Il posa la main sur le genou de Stuart et murmura : « Il est bon, hein [15] ? »

Humphrey avait dû n'être pas si mauvais car, en janvier 1922, Alice Brady lui confia un rôle dans une autre de ses pièces, le mélodramatique *Drifting*. Les critiques signalèrent un H. D. Bogart dans la liste des acteurs mais ne commentèrent pas sa performance, ce qui sans doute valait mieux. En juin, il eut un petit rôle dans *Up the Ladder,* que produisait Brady. Puis, le 16 octobre, il joua le second rôle dans une autre des productions de Brady, *Swifty*, avec Frances Howard et Neil Hamilton, mise en scène par leur ami John Cromwell. Bogart jouait Tom Proctor, « un rejeton de l'aristocratie » qui ruinait la réputation d'une jeune fille en la séduisant dans un chalet des Adirondacks. Plus tard, Cromwell dit de Bogart qu'il était « un garçon charmant et sympathique qui ignorait tout du jeu d'acteur ». Il citait pour exemple sa première question posée au metteur en scène : « Est-ce que je dois faire face à la salle ou à mes partenaires [16] ? » Brady père fit ce qu'il put pour l'aider, allant jusqu'à s'asseoir au balcon pendant les répétitions pour crier « Quoi ? » chaque fois que Bogart marmonnait et devenait inaudible.

A nouveau, ce fut un cuisant échec. La critique parla d'acteurs démontrant avec brio qu'ils ne savaient pas jouer. Mais c'est la phrase écrite à son sujet par Alexander Woollcott dans le *Herald Tribune* que Bogart n'oublia jamais : « Le jeune homme qui incarne le jeune aristocrate est ce qu'on peut charitablement appeler une erreur de distribution. »

Le lendemain de la première, Maud réveilla son fils en brandissant les journaux [17]. « Alors, tu voulais devenir acteur, c'est ça ? » Et elle s'assit sur son lit pour lui lire les critiques assassines.

D'une certaine façon, elles n'étaient pas pires que les lettres d'Andover du Dr Stearns, et Bogart décida que oui, il voulait devenir acteur. Il en devint un, dit Stuart Rose, en usant « de son sens de l'observation, de son intégrité et de son cerveau. Il avait une très forte personnalité ». Il continua à travailler comme régisseur. Quand une autre chance se présenta un an plus tard sous la forme d'un rôle de journaliste dans la comédie *Meet the Wife*, il était prêt. La productrice Rosalie Stewart l'engagea aux côtés de Mary Boland et Clifton Webb, qui devint un ami. Boland et Webb eurent d'excellentes critiques, et l'article du *World* notait : « Humphrey Bogart est un beau reporter aux bonnes manières, ce qui est très rafraîchissant. » Trente semaines de représentations suivirent la première du 27 novembre 1923. Cette fois, Maud fut impressionnée, bien qu'elle ne considérât toujours pas la comédie comme une activité socialement acceptable. Belmont était ravi.

Ses rentrées d'argent régulières et la reconnaissance de ses pairs ouvrirent à Bogart les portes des lieux à la mode de Manhattan, boîtes huppées ou temples du divertissement de Harlem comme le Cotton Club, et il lui arrivait souvent de ne rentrer qu'à l'aube. Après une de ces nuits, vers la fin des représentations de *Meet the Wife*, Mary Boland dut improviser tout du long, car Bogart, épuisé, ne parvenait pas à dire son texte. Avant même que le rideau soit complètement baissé, l'actrice furieuse lui dit : « Écoute-moi bien, Bogart : jamais plus tu ne joueras dans une autre de mes pièces [18]. »

Plus tôt dans sa carrière, cela aurait pu être un arrêt de mort. Mais son physique était maintenant assez connu pour qu'il en tire avantage. Dans un de ses nombreux rôles de jeune premier, il est censé avoir demandé : « Tennis, quelqu'un ? » comme moyen de faire avancer l'action, mais on n'en a pas la preuve, car c'est seulement après sa mort que Louella Parsons prétendit le lui avoir entendu dire dans *Cradle Snatchers* en 1925 [19]. Bogart affirmait avoir dit « toutes les mauvaises répliques possibles, sauf une : "Passez-moi la balle, monsieur l'entraîneur, et je vous marque un essai transformé [20]" ».

En septembre 1924, William Brady Jr produisit *Nerves*, présenté par un cercle d'amis. John Farrar et Stephen Vincent Benét en étaient les auteurs, Jo Mielziner le décorateur, et la distribution comprenait Bogart et Ken MacKenna, ainsi que Mary Philips, une jolie petite nouvelle que Bogart avait rencontrée en coulisses peu auparavant et qui lui avait plu. La pièce, dont le premier acte se déroulait pendant une fête à l'université Yale et le second en France dans les tranchées de la Première Guerre mondiale, était une méditation sur l'héroïsme et la lâcheté. Malheureusement, la première eut lieu le lendemain de celle d'un grand classique : *What Price Glory ?* La comparaison n'était pas flatteuse, mais Heywood Broun écrivit néanmoins dans le *World* : « Humphrey Bogart joue son rôle avec une grande efficacité. »

Bogart devait avouer plus tard que les bonnes critiques lui avaient donné « la grosse tête ». Personne ne le perçut plus clairement que Mary Philips, qui était censée s'éloigner en silence pendant que Humphrey déclamait ce qu'il considérait comme un discours particulièrement dramatique. « Un soir, raconte-t-il, je remarquai qu'elle mettait énormément de *ça* dans sa démarche », au point que le public était plus attentif à sa sortie qu'aux déclamations de l'acteur. Après la représentation, il l'accusa de lui avoir volé sa scène. Mary, plus amusée que vexée, le défia, l'œil brillant : « Tu n'as qu'à essayer de m'en empêcher ! »

Il avoua à Hyams, en lui racontant cette scène : « Ma foi, je n'ai pas essayé, parce que tout en parlant je me suis soudain rendu compte

que c'était là une fille dont je pourrais facilement tomber amoureux. »
Pourtant, il fallut cinq ans et un mariage avec une autre avant que cela
se produise. Entre-temps, Bogart retourna travailler pour Brady père
comme régisseur d'une production de *Drifting* pour une compagnie
itinérante où jouait Alice Brady, alors enceinte. Un samedi, peu après
le début des représentations, elle mit au monde un enfant prématuré.
Une nouvelle actrice devait la remplacer dès le lundi. Tout le
dimanche, un assistant prépara une possible remplaçante, pendant que
Bogart, de son côté, faisait apprendre le texte à Helen Menken, une
rousse fluette qui avait commencé sa carrière en 1906, à l'âge de
six ans. Il ne fut pas surpris que ce soit elle qui décroche le rôle :
professionnelle consommée, elle l'avait parfaitement maîtrisé en vingt-
quatre heures.

Bogart se souvenait qu'il lui avait été plus difficile de gérer les huit
décors que pour Helen de mémoriser son rôle, et le premier soir, des
éléments décoratifs tombèrent sur la jeune femme. Elle retourna sa
rage contre lui. « Je pense que je n'aurais pas dû, avoua Bogart, mais
je lui bottai les fesses. En retour, elle me donna un coup de ceinture
et se précipita dans sa loge pour pleurer[21]. » Quelques semaines plus
tard, ils allaient retirer leur licence de mariage.

Il y avait pourtant un problème : Bogart n'était pas certain d'être
amoureux d'Helen Menken, et l'écart entre leurs positions professionnelles respectives exacerbait ce dilemme. Elle était déjà célèbre et lui
pensait qu'un mari devait subvenir aux besoins de sa femme. Finalement, ils n'utilisèrent pas la licence, et les convictions de Humphrey
quant au rôle des époux devaient troubler pendant des années ses relations avec les femmes.

Helen croyait au talent de Bogart et l'encourageait. En janvier 1925,
il joua avec Shirley Booth dans la comédie *Hell's Bells*, qui tint quinze
semaines. Les critiques furent mitigées, voire mauvaises, mais Alan
Dale, de l'*American*, écrivit que Bogart avait « superbement joué ».
Puis, en septembre, il interpréta, face à Mary Boland, le rôle du jeune
premier dans une autre comédie, *Cradle Snatchers*, après que bien des
candidats potentiels se furent avérés moins bons que lui. Mary, qui
n'avait pas oublié sa menace, finit par céder : « D'accord, prenez
Bogart. Je sais que c'est là votre idée[22]. » Une fois le travail
commencé, jamais plus il ne fut fait allusion au passé. La pièce, qui
montrait trois femmes du monde s'amusant avec trois jeunes étudiants
dans une maison discrète louée pour l'occasion, et les complications
qui surviennent quand leurs maris arrivent, persuadés qu'ils ont découvert un bordel chic, eut un long succès. Le critique du *New York Times*
n'aima pas beaucoup la pièce, mais avoua que le public s'amusait bien
et signala la performance de Bogart parmi les plus « plaisantes ». Amy
Leslie, éminente critique de Chicago, fut plus enthousiaste encore :
Bogart « est aussi jeune et beau que Valentino, aussi élégant dans la

comédie que E. H. Sothern, aussi gracieux que n'importe lequel de nos meilleurs acteurs [23] ».

A présent, il buvait aussi beaucoup, ce qui était alors à la mode. Il aimait les bars clandestins en vogue, mais il passait également de joyeux moments dans des établissements moins prétentieux comme le restaurant des Artistes et des Écrivains de Jack Bleeck, sur la Dixième Rue Ouest, de même que chez Tony's, sur la Cinquante-deuxième Rue, où on entrait par le sous-sol et qui ne comptait guère plus qu'un bar et une cuisine. L'attrait du Tony's n'était pas dans son chic mais dans sa clientèle d'acteurs et d'écrivains, dont Heywood Broun, Alexander Woollcott et Mark Hellinger, avec qui Bogart se lia d'une longue amitié. Ce qui l'attirait là, c'était aussi le généreux crédit que lui accordait le propriétaire, Tony Soma, qui, lorsqu'il aimait bien quelqu'un, ne présentait pas la note pendant des années.

La boisson finit par attaquer plus encore que le foie de Bogart. Louise Brooks, qui l'avait rencontré pendant qu'il jouait *Nerves*, nous a livré sa première impression de Bogart : « Un garçon mince aux manières charmantes, étonnamment silencieux pour un acteur. Son beau visage sortait de l'ordinaire grâce à une superbe bouche, pleine, rose et parfaitement dessinée — parfaitement, sauf que, pour la rendre tout à fait fascinante, une cicatrice marquait un coin de la lèvre supérieure... On assurait qu'il avait pris un coup dans un bar clandestin. Quand Humphrey buvait, il était vite épuisé et s'endormait souvent (comme dans *Casablanca*) la tête dans ses bras pliés sur la table. Si on le réveillait brusquement, il disait quelque chose de grossier, ce qui lui valait parfois de recevoir un coup. Une fois, il ne se fit pas recoudre une lèvre fendue parce qu'il aimait et haïssait à la fois sa merveilleuse bouche. » Elle ajoute que lorsque Bogart commença à faire du cinéma, un chirurgien arrangea sa cicatrice. Même si pour la photogénie c'était une amélioration, « j'ai regretté, dit-elle, cette marque qui le défigurait de façon si charmante [24] ».

Peu après la fin de la tournée de *Drifting*, Helen obtint un triomphe sur Broadway dans *Seventh Heaven*. Bogart progressait sur l'échelle de la gloire, mais elle le devançait de loin en renommée et en cachet. Cela ennuyait Humphrey, alors qu'elle s'en moquait. Elle voulait l'épouser et elle était convaincue que, grâce à son amitié avec Woollcott et d'autres critiques influents, elle pourrait l'aider dans sa carrière. Mais les succès d'Helen et ses amis influents posaient plus de problèmes à Bogart qu'ils n'en résolvaient. Il avait grandi dans une maison où c'était la femme qui assurait les revenus de la famille et possédait l'autorité ; avec Helen, il craignait de se retrouver dans le rôle de son père. Et il n'était toujours pas certain de l'aimer assez pour surmonter ces difficultés.

Son ami Bill Brady avait épousé une jeune actrice en pleine gloire, Katherine Alexander. Le couple vivait dans le joli quartier de Turtle Bay. A en croire Rose, un soir où Bogart leur rendait visite dans leur appartement, il leur dit :

« Bon sang, je n'ai aucune envie d'épouser cette fille !

— Si tu ne l'épouses pas, lui rétorqua Brady, plus jamais tu n'auras de rôle sur Broadway. »

Selon Rose, cette remarque de Brady était moins froidement cynique qu'elle ne le paraît, mais il semble qu'elle fit son chemin. Le 20 mai 1926, Humphrey et Helen se mariaient dans la grande suite qu'elle occupait au Gramercy Park Hotel. Rose était leur témoin. Comme Helen Menken était une célébrité, raconte encore Rose, « tout le monde du théâtre était là [25] ». L'événement en lui-même fut assez théâtral car la cérémonie épiscopalienne normalement sereine fut cette fois « presque obscène ». En effet, la mère et le père d'Helen étaient tous deux sourds, de même que le révérend John Kent, qui célébrait le mariage, et traduisait pour eux en langage des signes tout ce qu'il disait de cette voix artificielle et chantante qu'on associe à Helen Keller. Les journalistes présents espéraient interviewer la vedette, mais Rose raconte qu'elle « était bouleversée. Hystérique, elle refusa tout contact avec la presse et j'eus toutes les peines du monde à la calmer ».

C'était un prélude qui convenait à leur vie commune. « Nous nous querellions à propos des choses les plus insignifiantes, dit Bogart à Hyams. Sur la question de savoir, par exemple, s'il était juste de donner du caviar à un chien alors que des êtres humains mouraient de faim... Ce qui semblait n'être au départ qu'une petite divergence d'opinion se transformait soudain en une véritable bataille rangée, et l'un de nous finissait toujours par sortir en claquant la porte [26]. »

Au bout de quarante-deux semaines, un très beau succès, on arrêta les représentations de *Cradle Snatchers*. C'était quelques mois après le mariage. Début janvier 1927, Bogart rejoignit Roscoe « Fatty » Arbuckle dans *Baby Mine*. Arbuckle, avec ses cent quarante-cinq kilos, était au sommet de sa gloire en 1921 quand on l'avait accusé d'avoir violé la starlette Virginia Rappe pendant une fête arrosée dans sa chambre d'hôtel à San Francisco. Comme elle était morte trois jours plus tard, la vessie éclatée, on avait accusé Fatty de meurtre lors de trois procès successifs. Deux jurys n'avaient pu parvenir à une décision et le troisième l'avait acquitté. Mais le scandale avait été fatal à sa carrière et *Baby Mine* était une de ses nombreuses tentatives pour revenir sur le devant de la scène jusqu'à sa mort en 1933. On arrêta les représentations au bout de deux semaines et, juste après, Bogart accepta de remplacer un acteur malade, à Chicago, dans *Saturday's Children* de Maxwell Anderson. Il tenta de convaincre Helen de l'accompagner, mais elle préféra rester à New York pour une nouvelle pièce. Ils se séparèrent. Il y eut plusieurs tentatives de réconciliation, mais le mariage était terminé. Helen demanda le divorce et partit pour Londres, où l'on montait une reprise de *Seventh Heaven*. Un an et demi après leur mariage, le divorce était officiel. Helen ne demanda pas de pension.

« J'ai tenté de faire de mon mariage le centre de ma vie, dit-elle de manière pas vraiment candide à un journaliste du *New York Herald*. Bien que ma carrière fût un succès, je désirais l'abandonner pour me consacrer à mon foyer... Mais cela n'intéressait pas mon mari. Il estimait que son métier était beaucoup plus important que sa vie conjugale[27]. »

Bogart ne répondit pas publiquement, mais Nathaniel Benchley cite une lettre de Bogart à son ami Lyman Brown, de la Chamberlain & Lyman Brown Theatrical Agency, qui dit : « Tu as dû lire dans les journaux quel homme mesquin je suis... J'ai fait ce que j'ai pu pour être discret et garder le silence. Tout ce qu'on a pu dire vient de mes soi-disant amis et non de moi. Crois-tu que la publicité et le divorce me gêneront dans ma carrière ? J'ai essayé d'arranger les choses du mieux possible et je ne vois pas pourquoi cela devrait me retomber dessus, mais je veux ton avis... Quand tout sera fini, Helen et moi resterons de bons amis... C'est une fille merveilleuse, Lyman[28]. »

Bien des années plus tard, Helen Menken reconnut : « C'est moi qui fus responsable de l'échec de notre mariage. J'avais fait passer mon métier avant ma vie privée[29]. »

Au cours des mois qui suivirent son divorce, Bogart but davantage encore. Quand il ne travaillait pas, il faisait le tour des bars et des clubs avec Brady et avait des aventures avec des danseuses de revues. Ces expériences ne furent pas vaines : « A l'âge de vingt-sept ans, j'avais eu suffisamment de femmes pour savoir ce que je rechercherais la prochaine fois que je me marierais[30]. »

Il voulait quelqu'un qu'il rejoindrait chez lui le soir, mais, inévitablement, ce qu'il trouva n'était pas ce qu'il cherchait. Après avoir visionné *The Jazz Singer* peu après la sortie du film à l'automne 1927, il s'arrêta dans les coulisses d'un théâtre pour voir l'actrice Mary Halliday. Mary Philips était là également. Cette fois, ils sortirent ensemble. Mary aimait boire, elle aussi, et elle devint la compagne de ses tournées dans les bars. Mais sa carrière lui tenait encore plus à cœur que la boisson, et elle réussit à encourager Bogart pour qu'il ne soit pas simplement un des « Players », le club de Gramercy Park où il avait rejoint ses amis du spectacle en 1926. Un dimanche, chez Holbrook Blinn, Bogart demanda au célèbre acteur comment se faire un nom. Blinn lui conseilla de travailler. « Si vous êtes constamment occupé, lui dit-il, quelqu'un finira sûrement par penser que vous êtes un bon acteur[31]. »

Bogart abordait une période critique de sa vie professionnelle. Fin décembre, il eut vingt-huit ans, limite au-delà de laquelle on ne peut plus passer pour un jeune naïf. S'il voulait une carrière durable, il devait étendre son répertoire à des rôles d'hommes plus mûrs. Il engagea un agent pour l'aider — mais ne fit pas grand-chose pour aider l'agent. Dans le questionnaire de presse pour Charles Frohman Inc., il énuméra onze pièces où il avait joué (y compris l'unique représentation — voire l'unique répétition ! — de *The Ruined Lady,* avec Grace George) mais ne fournit que peu d'informations sur lui-même. Oui, Humphrey Bogart était son vrai nom ; oui, il avait débuté dans la carrière avec l'approbation de ses parents ; non, il n'était pas superstitieux. Il dit qu'il aimait le golf, le bridge et les régates, mais barra tout simplement les espaces prévus pour exposer ses ambitions en tant qu'acteur, ses rôles préférés et son jugement sur les rôles qu'il avait interprétés. Il laissa en blanc l'espace suivant la question : « Quelles suggestions pourraient nous aider à promouvoir votre talent ? » Quant à « Qu'avez-vous fait au cinéma ? » la réponse fut un gros « RIEN ». Plus tard dans l'année, on l'associa à Helen Hayes dans *The Dancing Town*, pour la Paramount. On ne sait rien d'autre de ce film, dont il semble qu'aucune copie complète n'ait été conservée.

Bogart retrouva son rôle dans *Saturday's Children* quand la pièce fut reprise à Broadway en avril 1928 ; c'est un samedi, après une matinée, qu'il épousa Mary Philips, âgée de vingt-cinq ans, chez elle, à Hartford, dans le Connecticut. Plus tard elle dit de son mari qu'il était « une sorte de puritain » qui jamais n'utilisait « de gros mots ni rien »[32]. Le jour de la cérémonie, Bogart déclara à un journaliste : « Mary est un mélange de Nouvelle-Angleterre et d'Irlande, et elle me procure exactement le genre de contrepoint dont j'ai besoin. L'épouser est certainement la chose la plus merveilleuse qui puisse m'arriver[33]. » Apparemment, la seule personne triste ce jour-là était Kenneth Mac-Kenna, qui avait lui aussi demandé Mary en mariage.

Le 11 janvier 1929, presque immédiatement après la dernière de *Saturday's Children*, Humphrey et Mary furent engagés dans *The Skyrocket*, banale histoire d'amour d'un couple heureux dont la vie tourne au drame quand il devient riche et qui retrouve le bonheur quand il a tout perdu. Les critiques étaient encourageantes pour « de bons acteurs qui ont fait de leur mieux », comme l'écrivait la *Tribune*, mais non pour la pièce elle-même.

Sa loyale amie Alice Brady aida de nouveau Bogart en lui proposant un rôle dans sa nouvelle comédie, *A Most Immoral Lady*, produite par William Brady Jr. Il y eut cent soixante représentations et, peu après, le producteur David Belasco confia à Bogart un rôle de jeune employé de banque dans sa nouvelle comédie, *It's a Wise Child*. Le spectacle, dont la première eut lieu le 5 août 1929, fut le grand succès de la saison. « Le beau et sombre Humphrey Bogart, annonçait le programme, a souvent joué les jeunes premiers amoureux, mais il refuse qu'on l'appelle le "cheik de la scène"... Il aime le golf et les régates, mais il se montre superstitieux en matière de bridge [34]. »

Cet été-là, les Bogart louèrent une maison dans le Connecticut, près de celle de Stuart et Frances Rose. Un jour, Bogart déclara à son beau-frère :

« Tu sais que j'aime tendrement Mary, mais je suis impuissant.

— Humphrey, tu es devenu fou ! Tu t'en remettras d'ici deux ou trois semaines. »

En effet, assure Rose. Mais jamais il ne fut question d'enfants. Apparemment, ni l'un ni l'autre n'en voulait, ils préféraient plutôt se concentrer sur leur carrière. Ils étaient cependant parrain et marraine de John, le fils de John et Mary Halliday. Des années plus tard, pendant des vacances scolaires du jeune John, Bogart lui proposa de l'emmener déjeuner avant de l'inviter à une matinée au théâtre. Il n'y avait qu'un problème :

« Mais de quoi est-ce que je pourrais bien parler avec un gamin de treize ans ? demanda-t-il à Mary.

— D'éducation religieuse », trancha-t-elle.

Au retour, quand elle demanda au jeune garçon de quoi ils avaient parlé, il répondit : « Il a dit : "Écoute, mon garçon, il y a douze commandements" et puis il a commandé à boire. » Le fond de l'histoire semble plausible, encore que, vu la stricte éducation épiscopalienne de Humphrey, on doute qu'il ait pu se tromper sur le nombre des commandements [35]...

Bogart jouait encore *It's a Wise Child* lors du krach d'octobre. La Dépression fut particulièrement catastrophique pour le cinéma muet, déjà ébranlé par les débuts du cinéma parlant deux ans plus tôt. Toute l'industrie fut touchée, la fréquentation des salles s'effondra. Les studios réagirent en donnant des cours de diction aux stars du muet, et en écumant Broadway à la recherche d'acteurs sachant parler et assez photogéniques pour se montrer à l'écran. En 1930, Bogart apparut avec Joan Blondell, pour Vitaphone Corporation, dans une comédie musicale de dix minutes qu'on oublia très vite et qui ne fut redécouverte qu'en 1963, lors de la réalisation d'un documentaire sur Bogart. Comme *The Dancing Town*, *Broadway's Like That* est plutôt une curiosité qu'un tournant de carrière.

La carrière cinématographique de Bogart commença véritablement en 1930 grâce à Stuart Rose qui travaillait alors pour la Fox Film Corporation. Le travail de Rose et celui de son équipe essentiellement féminine consistaient, pour la côte Est, à « lire tout ce qui était publié en anglais » et à assister à toutes les premières sur Broadway pour y chercher ce qui pourrait faire un film. Rose avait un bureau dans l'immeuble de la Fox à New York, à l'angle de la Cinquante-septième Rue et de Broadway, mais la compagnie possédait aussi un vieux studio sur la Dixième Avenue, où un directeur de la distribution « tentait

47

désespérément de trouver des acteurs capables de parler ». Il s'agissait d'un bon ami de Rose et d'Al Lewis, un ancien producteur de Broadway qui dirigeait maintenant le bureau de New York. Tous trois avaient tenté sans succès de trouver un acteur capable de jouer dans le remake parlant de *The Man Who Came Back*. Finalement, Rose suggéra qu'ils fassent tourner un bout d'essai à son beau-frère.

« Oh, Stuart, tu débloques ! » protesta Lewis.

Rose insista ; il rappela à Lewis que Bogart jouait sur Broadway : il ne pouvait pas être pire que tous les autres acteurs qu'il avait auditionnés. Quelques jours plus tard, Lewis appela Rose à son bureau. « Saute dans un taxi et arrive aux studios pour voir le bout d'essai. C'est magnifique ! » Rose y alla et « c'était parfait ». Bogart gagnait alors cinq cents dollars par semaine ; la Fox lui en proposa sept cent cinquante avec promesse de l'augmenter à mille dollars au bout d'un an [36].

Enthousiasmé par ce projet qui lui permettait pour la première fois de financer totalement son ménage, Bogart demanda à Mary de renoncer à *The Tavern*, qu'elle jouait à Broadway, et de l'accompagner à Los Angeles. Elle refusa. Elle avait un contrat à honorer et une carrière à faire. Elle était aussi décidée que lui. Tous deux voulaient avant tout réussir — dans leur métier, sinon en ménage. Ils étaient un « couple moderne », dit Mary à son époux, et il devait se sentir libre de fréquenter d'autres femmes pendant son voyage, tout comme elle serait libre pendant son absence [37].

Bogart envoya un télégramme à MacKenna pour lui dire qu'il arrivait à Los Angeles et monta seul dans le train. MacKenna et quelques autres amis acteurs l'accueillirent. Quand il leur annonça qu'il venait pour jouer dans *The Man Who Came Back*, ils éclatèrent de rire et lui dirent que tous avaient été pressentis pour le rôle mais qu'aucun ne l'aurait : ce serait Charles Farrell, l'ancienne star du muet, qui retrouverait ainsi Janet Gaynor. Dès *Seventh Heaven* (1927), Farrell et Gaynor avaient été le grand couple romantique du cinéma muet, et le studio pensait que si Farrell pouvait apprendre à parler correctement, ils triompheraient à nouveau [38]. Au lieu d'obtenir le rôle, Bogart fut chargé d'apprendre à parler à la star, si c'était possible.

En récompense, on lui donna le rôle d'un jeune homme riche dans *A Devil With Women*, avec en vedette Victor McLaglen. Le rôle ne valait guère mieux que le film. Par chance, on le mit simultanément au travail sur *Up the River*, mis en scène par John Ford, avec Spencer Tracy. Le film devait être un mélodrame sur la vie en prison, mais Ford trouva le scénario de Maurine Watkins « à mettre à la poubelle », et entreprit de le réécrire avec le comédien Bill Collier. Ford trouva qu'il y avait « tant d'occasions d'humour que finalement cela devint une comédie... tournée en deux semaines [39] ». Le prisonnier Spencer Tracy jouait un dur. Avec l'aide d'un autre criminel, il favorisait la romance de l'innocent Bogart tombé amoureux d'une jolie et naïve prisonnière, interprétée par Claire Luce. La rencontre de trois grands talents au début de leur carrière fait presque tout l'intérêt de ce film, et c'est pendant ce tournage que commença une amitié durable entre Bogart et Tracy.

En 1931, Bogart fut choisi pour jouer aux côtés de Charles Farrell dans *Body and Soul* (à ne pas confondre avec le classique de John Garfield sur la boxe de 1947). Tous deux y étaient des aviateurs de la Première Guerre mondiale, mais ils se livrèrent surtout leur propre guerre sur le plateau. Farrell n'avait pas apprécié que le metteur en scène Alfred Santell ait demandé à Bogart de lui donner à nouveau des cours de diction, et Bogart et lui se querellèrent pendant les deux semaines de tournage. Le film terminé, Bogart invita Farrell, qui mesurait 1,98 m, à le retrouver dehors pour régler leur affaire une fois pour toutes. Farrell lui demanda s'il savait se battre. « Je peux t'écraser si je veux ! » répondit Bogart avec tout le mépris d'un roquet aboyant contre un molosse. « Il est de mon devoir de te dire que j'ai été champion de boxe à l'université », dit calmement Farrell. Comme d'ordinaire quand il sentait que ses actes allaient lui causer des ennuis plus grands encore, Bogart recula et suggéra qu'ils discutent plutôt. Ils discutèrent si bien que Bogart finit par prendre des vacances sur le bateau de Farrell et qu'ils devinrent amis [40].

Au fil des années, Bogart se forgea une grande réputation pour ses remarques caustiques. Son ami et scénariste Nunnally Johnson pensait que Bogart aimait se prendre pour Scaramouche, le lâche roublard et bravache de la *commedia dell'arte*, et qu'il tournait sa colère contre la prétention endémique à Hollywood. « Ses détracteurs soutinrent qu'il ne choisit jamais quelqu'un qui pouvait répondre à ses provocations, et cela est tout simplement faux, souligne Benchley ; il trouva à qui parler avec John Steinbeck et Lucius Beebe, pour ne citer que ces deux personnes parmi celles qui le remirent à sa place, et en l'occurrence radicalement différentes [41] », y compris Farrell.

Plus tard en 1931, Bogart fut prêté à Universal pour un petit rôle dans *Bad Sister*, avec Bette Davis. Il fit plus de films avec elle — six — qu'avec toute autre actrice, le dernier étant *Dark Victory (Victoire sur la nuit)* en 1939 ; en 1943, tous deux firent une apparition dans *Thank Your Lucky Stars (Remerciez votre bonne étoile)*, l'hommage que la Warner se rendait en faisant jouer toutes ses vedettes. Suivit, à nouveau avec Victor McLaglen, *Women of All Nations*, mis en scène par Raoul Walsh. Le rôle de Bogart était si insignifiant qu'il fut coupé dans les copies distribuées [42]. Étant donné les rôles qu'il jouait alors dans ses autres films, ses scènes auraient tout aussi bien pu y être coupées elles aussi. La Fox le payait, mais n'avait aucune idée de ce qu'elle pouvait tirer de lui. Évoquant *Holy Terror*, un western avec George O'Brien, il raconte : « J'étais trop petit pour jouer les cowboys, et ils me donnèrent des chaussures à talonnettes et me rembourrèrent les épaules. Je circulais comme si j'étais monté sur des échasses, et j'avais l'impression d'être un mannequin[43]. »

Il se sentait même tellement une marionnette qu'il mit fin à sa carrière de seize mois dans le cinéma et retourna à New York fin 1931 — où sa vie ne fut pas meilleure. La séparation d'avec Mary et l'aventure qu'elle entretenait avec l'acteur Roland Young, qu'elle avait rencontré en tournée, avaient distendu leurs relations. Elle voulait pourtant qu'ils restent mariés, et cessa de voir Young. Bogart, qui se sentait une certaine responsabilité dans l'affaire, tenta aussi de faire revivre leur union.

Les drames n'épargnaient pas non plus le reste de la famille. En 1930, Frances Rose avait vécu un accouchement traumatisant de vingt-sept heures, à la suite duquel elle devint maniaco-dépressive et dut être hospitalisée à maintes reprises. L'autre sœur de Bogart, Kay, était devenue mannequin pour Bergdorf Goodman. Vive et très jolie, Kay partageait pourtant avec son frère une faiblesse pour le whisky. Bogart et elle étaient amis de l'écrivain George Oppenheimer, cofondateur de Viking Press, qui était très attiré par Kay. Mais rien ne se concrétisa. « L'ennui, avec George, dit Bogart, c'est qu'il abandonne au moment où Kay est prête à se rendre[44]. »

Maud et Belmont Bogart continuaient à vivre leur spirale descendante. La santé de Belmont se détériora, apparemment à cause de sa consommation continuelle de morphine et d'autres drogues. Ils quittèrent la Cinquante-sixième Rue pour s'installer à Tudor City, plus bas dans l'East Side, dans un immeuble moins cher. « La situation devint vraiment compliquée, écrivit Bogart. Elle avait un appartement à un étage et Père à un autre... Il n'y avait pas eu de séparation officielle entre Père et Maud. Jamais même ils ne pensèrent au divorce même s'ils ne supportaient pas d'être longtemps ensemble. Mais il était malade et il était *à elle*. Alors elle allait lui préparer son petit déjeuner chaque matin, et venait dîner avec lui chaque soir. Elle engageait des infirmières pendant ses crises, payait pour chacun de ses désirs, restait près de lui pendant des heures, puis elle rentrait dans son propre appartement. Je n'ai jamais compris la situation, et je ne les ai pas non plus interrogés. C'était leur affaire, et cela semblait fonctionner. Elle resta près de lui jusqu'au bout, pendant toutes ces années où il était paralysé et cloué sur son lit. Mais elle le fit à sa façon[45]. »

Peu après son retour, Bogart décrocha un rôle dans *After All*, une comédie sur la vie domestique et les habitudes britanniques, avec Helen Hayes en vedette. Les critiques furent mitigées, pour le moins, mais la pièce y survécut. Bogart partit au milieu de la saison, au début de 1932, quand la Columbia lui fit signer un contrat de six mois, et retourna à Hollywood pour jouer dans *Love Affair*. Il avait dû espérer que cette nouvelle tentative au cinéma serait plus réussie. Il interprétait un second rôle au côté de la populaire Dorothy Mackaill dans une petite histoire où l'habituel triangle amoureux se trouvait plongé dans des quiproquos comiques. Mais la réalité ne tarda pas à le rattraper. Juste après ce film, la Columbia le prêta à la Warner, où il joua le dixième rôle aux côtés de Joan Blondell et Eric Linden dans *Big City Blues*. Mervyn LeRoy mettait en scène cette histoire d'un jeune paysan qui rencontre amour et désillusion à New York. Bogart impressionna suffisamment LeRoy pour que celui-ci le garde pour *Three on a Match (Une allumette pour trois)*, histoire de trois amies d'enfance, Bette Davis, Joan Blondell et Ann Dvorak, qui se retrouvent à New York. Cette fois, Bogart avait le sixième rôle, celui d'un malfrat, « The Mug », dont on loue les services pour un enlèvement. Bien que le film, de nos jours encore, soit resté intéressant, Bogart conclut qu'il ne réussirait jamais dans le cinéma et retourna à New York.

Il découvrit alors qu'il était devenu plus difficile encore de trouver du travail au théâtre qu'au cinéma. Avant son départ pour Los Angeles, il avait réussi à se faire employer régulièrement sur Broadway, mais maintenant que la Dépression atteignait des abîmes, les théâtres restaient presque vides. Il réussit à obtenir des rôles dans cinq pièces, mais après un total de vingt semaines de répétitions, aucune ne resta à l'affiche plus d'une semaine[46]. En octobre 1932, il joua « un noceur à la morale de chaud lapin » dans *I Loved You Wednesday*, une pièce dont on ne se souviendra que parce que Henry Fonda y jouait aussi. Un mois plus tard, il participait à la production de *Chrysalis* par la Theatre Guild. Brooks Atkinson déclara dans *The New York Times* que la pièce était « d'une insignifiance stupéfiante... Bogart y joue un propre à rien dans son style habituel ». La première de *Our Wife* eut lieu le 4 mars 1933, le jour où le président Franklin Roosevelt proclama la suspension des cotations en Bourse pour tenter de sauver les institutions qui pouvaient encore l'être. Il y avait dix personnes dans la salle. La saison 1933 fut catastrophique pour presque tout le monde du théâtre. Des cent cinquante-deux pièces produites, cent vingt et une furent des échecs cuisants. Fin août, on ne jouait plus que six pièces[47].

Mary trouvait un peu plus de travail que son mari, mais ils survivaient difficilement. Quelques mois d'été à Cohasset, dans le Massachusetts, les éloignèrent de New York et les enfoncèrent un peu plus dans la boisson. Quand ils rentrèrent en ville, ni l'un ni l'autre n'eurent de travail. Ils vivaient dans un appartement minable au 434, Cinquante-deuxième Rue Est, près de l'East River. Leurs voisins, Mel et Mary Baker, Miriam Howell et son époux Ralph Warren, devinrent des amis. Mel, qui écrivait des pièces, avait la curieuse habitude de mettre son repas dans un sac en papier, de secouer le tout, puis de reverser la nourriture dans son assiette[48]. Mary devint plus tard l'imprésario de Bogart.

Les trois couples mettaient leur argent en commun pour la nourriture et le peu de distractions qu'ils pouvaient s'offrir. Bogart gagna un peu d'argent aux échecs dans une galerie où il défiait tous ceux qui voulaient risquer cinquante *cents* ou un dollar la partie. Son père lui avait appris à jouer, et les échecs restèrent une passion toute sa vie. Ce qu'il gagnait ne suffisait pourtant pas à payer ses notes de bar. Mais au « 21 » ou chez Tony Soma, il trouvait des propriétaires compréhensifs. D'autres, moins accommodants, écrivaient pour demander quand ils verraient leur argent. En réponse à une telle demande du Players, Bogart écrivit :

> *Pour que vous connaissiez clairement ma position actuelle concernant mes factures impayées.*
> *Je n'ai pas payé d'autres notes et j'ai négligé mon club — en vérité, je n'ai payé aucune facture car je n'ai temporairement pas d'argent du tout.*
> *Dans les prochaines semaines, j'espère cependant pouvoir régler au moins une partie de mes dettes.*
> *J'apprécierais donc votre patience.*
> *Sincèrement*
>
> *Humphrey Bogart*[49]

Début 1934 il eut le rôle d'un gangster tué par sa petite amie dans *Midnight*, tourné à New York et distribué par Universal. Le film passa inaperçu. Puis, en mai, il revint sur Broadway au Masque Theatre dans *Invitation to a Murder*, mélodrame à mystère où il interprétait le rôle d'Horatio Channing, un « aristocrate » californien dont la fortune familiale venait d'ancêtres pirates. Les critiques furent une fois de plus médiocres, mais Arthur Hopkins, un petit homme rondouillard qui ressemblait plus à un banquier qu'au puissant producteur-metteur en scène qu'il était, aima en Bogart quelque chose qui fit son chemin dans son esprit.

Les représentations cessèrent vite, et Bogart retourna jouer aux échecs dans la galerie. C'est là qu'on vint lui demander de se rendre immédiatement chez son père. Belmont était très malade, et bientôt on le transporta à l'hôpital. Deux jours plus tard, il mourait dans les bras de son fils.

« C'est seulement alors que je me rendis compte à quel point je l'avais aimé et à quel point j'avais besoin de lui — et que je ne le lui avais jamais dit, avoua Bogart à Hyams. Juste avant qu'il meure, je lui dis "Je t'aime, Père". Il m'entendit car il me regarda et sourit, puis il mourut. C'était un vrai gentleman. J'ai toujours regretté qu'il n'ait pas vécu assez longtemps pour constater que j'avais atteint une certaine réussite[50]. »

En réaction à la mort de son mari, écrivit Bogart, Maud « se plia en deux comme si elle n'avait plus d'air à respirer, puis se redressa et dit,

"Eh bien, c'est fait" ». Elle fit exactement la même chose trois ans plus tard à la mort de Kay. Jamais Bogart ne comprit « si elle voulait dire que tout avançait d'un pas ou si elle avait l'impression de clore un chapitre de sa vie... Mais je suis certain que si elle nous avait survécu à tous, elle aurait dit ces mots pour chacun de nous[51] ».

Belmont DeForest Bogart laissait dix mille dollars de dettes et trente-cinq mille dollars de créances irrécupérables[52]. Son fils fit vœu de payer ce qu'il devait. Il prit aussi la bague de rubis de Belmont et ne la quitta plus ; on la voit souvent à son doigt dans ses films.

La mélancolie découlant de la mort de son père, ajoutée à une carrière au point mort, avait rendu Bogart hagard, alcoolique et, de l'avis de nombreux amis, presque suicidaire. Pour l'aider, un d'entre eux, le dramaturge Robert Sherwood, suggéra que Bogart pourrait être bon dans le rôle de Boze Hertzlinger, l'ex-footballeur de sa nouvelle pièce, *The Petrified Forest (la Forêt pétrifiée)*. Hopkins, qui produisait la pièce, se souvenait de Bogart dans *Invitation to a Murder* et à cette idée « il tomba dans un de ses silences pendant lesquels il semblait mort. Il pensait à bien plus qu'à la virilité de Bogart. Il pensait à sa puissance de jeu, à l'angoisse que trahissaient ses yeux sombres, aux tuméfactions sous-jacentes de la douleur, au dangereux désespoir qui marquait son visage[53] ». C'étaient là les qualités nécessaires pour interpréter le second rôle, celui de Duke Mantee. Le personnage était différent de tous ceux que Bogart avait joués, et Sherwood douta au début que son ami réussisse. Mais Hopkins savait que Bogart était son homme, et il lui attribua le rôle.

Duke Mantee est un prisonnier évadé, comble de brutalité, mais aussi d'individualisme. La description qu'en faisait Sherwood aurait pu être celle d'une photo de Bogart : « Il est bien bâti, mais un peu voûté, le visage sombre et vaguement pensif. Il a dans les trente-cinq ans, et s'il n'était pas devenu bandit, il aurait pu être un bon ailier gauche... Il est indubitablement damné. »

Leslie Howard jouait Squier, l'intellectuel romantique qui en est arrivé à l'impression que ses semblables et lui-même se sont figés comme la forêt pétrifiée du désert de l'Arizona où Mantee le retient en otage dans le chaudron de la Black Mesa. Les autres otages sont eux aussi symboliquement pétrifiés. Seule la serveuse, Gabrielle, est encore vivante. Elle rêve de devenir peintre, et Squier retrouve en elle ses espoirs de jeunesse. En secret, il fait d'elle la bénéficiaire de son assurance sur la vie et convainc Mantee de le tuer pour qu'elle touche l'argent qui lui permettra de partir pour la France et de réaliser son rêve.

Lors de l'avant-première, à Hartford, la troupe prit conscience des nombreuses répliques drôles du texte — et de la forte présence de Bogart dans le rôle de Mantee. Le public retenait son souffle quand il entrait sur scène avec sa barbe de deux jours, pâle comme un prisonnier, le pas traînant et l'air menaçant. Le gangster John Dillinger venait de s'évader de prison et chacun avait son image à l'esprit, ce qui ajoutait au réalisme sinistre de la pièce. La pâleur nécessaire au rôle permettait à Bogart de ne pas se maquiller, et plutôt que de se mettre une barbe que tout le monde saurait fausse, il laissa pousser la sienne tout en la coupant n'importe comment de temps à autre. Il fut si convaincant qu'après la première, le 7 janvier à New York, on lut dans le *Post* que les spectateurs demandaient des sièges dans les tous premiers rangs pour voir la barbe de Mantee[54].

La pièce — et Bogart — suscitèrent l'enthousiasme. Dans le *Times*, Brooks Atkinson parla d'« une sensation... un puissant mélodrame de l'Ouest... Humphrey Bogart n'a jamais si bien joué que dans ce rôle de gorille motorisé ». Pour Robert Garland, du *World Telegram*, « Humphrey Bogart est le gangster Mantee jusqu'au bout de son fusil à canon scié ».

Son cachet lui permit de rembourser tant les dettes de Belmont que les siennes, mais une autre tragédie couvait. Peu après les premières représentations de *la Forêt pétrifiée*, Bill Brady Jr mourut dans l'incendie de sa maison de campagne du New Jersey. Selon Hyams, Bogart aurait dit alors que, pour autant qu'il s'en souvenait, c'était la deuxième fois de sa vie qu'il pleurait.

La Forêt pétrifiée serait un tournant dans sa carrière, mais il ne le savait pas encore. Il avait déjà eu de bonnes critiques, qui pourtant n'avaient débouché sur rien. Les autres aspects de sa vie faisaient plus que contrebalancer la joie de son succès : des années de déceptions, un mariage raté, un autre presque perdu, la boisson, la mort de son père et de Brady, la nécessité de prendre au sérieux les problèmes financiers pour rembourser les dettes de Belmont — tout cela avait fait du beau jeune homme insouciant un homme en crise.

Il jouait la pièce depuis quelques mois quand Louise Brooks arriva chez Tony vers une heure du matin et vit Bogart à une table avec l'acteur Thomas Mitchell. « Mitchell était en train de régler sa note. Il partit, laissant Humphrey seul avec sa bouteille. Il buvait avec une détermination lasse. Sa tête tombait de plus en plus bas. Quand je suis partie, il dormait, épuisé, la tête dans ses bras sur la table. "Pauvre Humphrey, dis-je à Tony. Il a finalement été vaincu[55]." »

3

Le haut de l'affiche

Jack L. Warner, vice-président et directeur de production à la Warner, se trouvait dans son compartiment du *Santa Fe Chief* qui fendait le blizzard en ce vendredi soir de janvier 1935. Un télégramme de Jacob Wilk, qu'on lui avait remis humide de neige à l'arrêt d'Emporia, au Kansas, confirmait qu'on lui avait trouvé deux places au Broadhurst Theater pour le lundi soir afin qu'il voie *la Forêt pétrifiée*. Warner espérait que cela pourrait faire un bon film et Wilk, son délégué aux studios de New York, faisait de son mieux pour s'assurer que son employeur en obtiendrait les droits.

ENTENDU DIRE AUTRES NÉGOCIATIONS EN COURS POUR DROITS STOP ESSAIE TOUJOURS FAIRE PATIENTER AGENT DE SHERWOOD JUSQU'A CE QU'AYEZ VU LA PIÈCE.

Jack Warner se trouvait élégant. A quarante-trois ans, il portait des costumes de prix et des guêtres. Son visage rond arborait une fine moustache qu'il souhaitait désinvolte et un sourire un tout petit peu trop carnassier. Fils d'un cordonnier émigré de Pologne, il voulait éviter l'allure du nouveau riche qu'il était, et y réussissait assez bien Jack et trois de ses cinq frères aînés, Harry, Albert et Sam, avaient commencé dans les affaires à Youngstown, dans l'Ohio, en 1904, avec un projecteur d'occasion et une vieille copie d'un western de huit minutes intitulé *The Great Train Robbery (le Vol du rapide)*. Ils montaient des spectacles avec leur sœur Rose au piano et Jack qui, âgé de douze ans, chantait de sa voix de soprano entre les projections — « pratique qui vidait la salle, écrivit plus tard son fils ; les frères ne tardèrent pas à s'en rendre compte [1] ». L'année suivante, avec un prêt de cent cinquante dollars et quatre-vingt-dix chaises empruntées aux pompes funèbres, ils ouvrirent un *nickelodeon* appelé « Le Bijou », à Newcastle, en Pennsylvanie. Un an avant la guerre, les frères étaient distributeurs de films à Pittsburgh, avec des bureaux dans le Maryland et en Géorgie. Jack et Sam se mirent à la production, tournant plusieurs films pendant et après leur temps dans l'armée, dont des adaptations de romans de Sinclair Lewis, *Main Street* et *Babbitt*. A une époque où la plupart des producteurs ne proposaient que des westerns et des farces, l'orientation des frères était unique. J. L., comme on appelait Jack, était un homme compliqué qui exerçait une autorité absolue sur le groupe Warner à Burbank, et pourtant il disait que ses meilleurs souvenirs restaient à Youngstown, quand il tentait de chanter et de danser.

La Warner Brothers Pictures Inc. fut fondée en 1923. Jack fut chargé de la production, Albert de la distribution artistique, Sam des aspects techniques, et Harry, le président, de l'aspect commercial. Les frères furent les premiers à faire des films parlants. Leurs expériences en la matière, en collaboration avec Western Electric, aboutirent en 1926 à *Don Juan*, le premier film avec accompagnement musical enregistré. Sam mourut en 1927 à l'âge de trente-neuf ans, la veille de la sortie de *The Jazz Singer (le Chanteur de jazz)*, avec Al Jolson. On considère qu'il s'agit du premier long métrage parlant, mais en fait c'était un film muet avec quatre séquences sonores. Son énorme succès sauva la compagnie de la banqueroute, et l'année suivante les frères présentèrent *Lights of New York*, intégralement parlant. Leur *On with the Show* (1929) fut le premier film parlant en couleurs. En 1930, on estimait les avoirs de la Warner à deux cent soixante-dix millions de dollars.

La prospérité de la Warner venait de ses films d'action (en général des histoires de gangsters armés de mitraillettes), des films musicaux de Busby Berkeley, des mélodrames larmoyants à message social ponctués de scènes sanglantes et, après 1934, quand entra en vigueur un Code de la production conservateur, d'autant de sexe que pouvait en tolérer une censure rigoureuse. Mais le studio disposait aussi de quelques-uns des meilleurs acteurs, scénaristes, réalisateurs et directeurs de la photo, et les frères Warner avaient des ambitions plus grandes encore. Ils ne pouvaient abandonner le genre de films qui avait fait leur fortune, mais Jack Warner voulait à la fois de gros succès et des films de prestige. Il voulait « la classe ».

C'est Jake Wilk qui l'aida à l'atteindre. Wilk avait un sens acéré de la valeur de ce qu'il voyait, et dès la première de *la Forêt pétrifiée*, il sut qu'il y avait là une matière unique. La pièce avait tout : gangsters, message social, le nom de Sherwood et le lustre d'un succès sur Broadway. Mais surtout elle avait Leslie Howard aux cheveux d'or qui jouait l'idéaliste Alan Squier, l'écrivain qui se brûle aux cruautés de la vie. Son rôle dans *Of Human Bondage (l'Emprise)*, de Somerset Maugham, pour RKO, avait aidé à faire la gloire de Bette Davis, sous contrat avec la Warner. La Warner voulait récupérer pour elle un peu de cette gloire. Leslie Howard avait déjà tourné trois films pour le studio et entretenait des relations exceptionnellement bonnes avec la direction — en partie grâce à l'admiration que Hollywood vouait à Broadway et à un accord généreux signé un an plus tôt.

J. L. quitta la représentation ravi. Le mardi matin, il télégraphiait à Burbank :

GRANDE PIÈCE. SUCCÈS DÛ A RÉACTION PUBLIC A PSYCHOLOGIE AMÉRIQUE ET MONDE AUJOURD'HUI STOP NE LAISSERAI PAS PASSER.

Le vendredi, Warner eut une longue discussion sur l'adaptation ciné-matographique avec Leslie Howard, qui détenait les droits conjointement avec le metteur en scène Gilbert Miller, le producteur Arthur Hopkins et l'auteur, Sherwood. Leslie Howard était plus qu'une star ; sa puissance était équivalente à celle de ses partenaires. Pour la plus grande joie de la Warner, il promit que si J. L. obtenait les droits, *la Forêt pétrifiée* serait son prochain film.

Dès le départ, Howard avait exposé clairement qu'il voulait Bogart dans le rôle de Duke Mantee. En privé, il en avait donné l'assurance à Bogart, mais il y avait là plus qu'une gentillesse entre collègues, car le succès de la pièce reposait sur les tensions sous-jacentes et les heurts muets entre les deux personnalités. Le Mantee de Bogart était le parfait faire-valoir du héros damné et décadent que jouait Howard. Si la star insistait pour garder son partenaire, c'était aussi par intérêt profes-sionnel personnel. Warner, qui savait déceler les talents, fut d'accord et, après avoir acquis les droits, transmit à Burbank le nom de Bogart pour qu'on l'inclue dans la production.

La conclusion de l'accord prit six mois. Les cent dix mille dollars de droits furent divisés à parts égales entre Sherwood, Miller et Hopkins ; Howard serait dédommagé par le cachet qu'il toucherait pour le tour-nage, qui devait commencer à la mi-septembre, parce qu'après avoir joué tous les soirs pendant des mois au théâtre, Howard voulait prendre des vacances d'été en Europe. On lui proposa un remplaçant et une tournée, mais il refusa les deux, craignant qu'une tournée ne réduise le nombre des spectateurs pour le film. La décision de Howard entraîna la fin prématurée d'un spectacle qui faisait encore salle comble, et les dernières représentations furent données par une troupe d'acteurs en colère qui en voulaient à Howard de les mettre au chômage sans res-sources suffisantes, eux, pour aller passer des vacances en Écosse.

La dernière eut lieu le 29 juin. Toutes les places étaient vendues et le public se montra aussi avide du spectacle que lors d'une première, et plus mécontent encore de voir se terminer ce moment privilégié. Il rappela la star, les autres acteurs, tout le monde. Au balcon, Jerome Lawrence Schwartz, qui étudiait l'art dramatique dans l'Ohio et qui était venu de Columbus en auto-stop pour voir le spectacle, applaudit jusqu'à ce que ses mains soient rouges et gonflées. Plus tard, il sera le coauteur de *Inherit the Wind (Procès de singe)* et de *Mame*. Il participa au tumulte quand Leslie Howard s'inclina seul en avant de ses camarades alignés et que, avec cette grâce qui lui valait l'adoration du public, il appela sur le devant de la scène, pour partager les applaudissements avec lui, un Bogart tout surpris. Débarrassé du personnage de Duke Mantee, Humphrey sembla à tous d'une surprenante jeunesse — silhouette menue à la fois flattée et rougissante[2].

Il semblait que la chance avait tourné. Il n'avait pas encore signé de contrat, mais on lui avait donné de solides assurances. Hormis les deux acteurs noirs, Slim Thompson et John Alexander, aucun des autres de Broadway n'avait été appelé à Hollywood. La Warner avait confié le principal rôle féminin à l'étoile montante Bette Davis, mettant fin au rêve de Peggy Conklin de jouer à l'écran comme au théâtre Gabby, la fraîche jeune fille si avide d'expériences.

Pourtant, les semaines passèrent — sans nouvelles de Burbank. Le tournage n'aurait bien sûr pas lieu dans l'immédiat, mais dans le petit appartement new-yorkais, l'atmosphère s'assombrit, et un été étouffant, le pire depuis des années, aggrava encore les choses. La ville cuisait, envahie par la poussière que le vent apportait du Midwest desséché et qui voilait le soleil. Mary compatissait, mais elle avait un nouveau rôle dans *A Touch of Brimstone*, produit par l'éminent John Golden, et elle était occupée par les répétitions, les avant-premières hors de la ville et la promotion de la pièce. La première sur Broadway était fixée au 25 septembre. Mary jouait aux côtés de Roland Young, maître de ce genre de comédies. Un portrait d'elle dans le *Herald Tribune* ne disait même pas que « Miss Philips » était mariée. Bogart tua le temps en jouant une semaine dans une pièce intitulée *The Stag at Bay*, et brièvement dans une reprise de *Rain (Pluie)* à Newark.

Puis, le 8 septembre, il ouvrit *Variety* et y lut qu'Edward G. Robinson, grande star de la Warner, protagoniste typique des rôles de méchants, tiendrait prochainement le rôle de Duke Mantee dans le film produit par le studio.

Deux semaines plus tôt, le nom de Bogart figurait encore sur la liste des acteurs. Pourtant, pour la Warner, il y avait un fait incontournable : Bogart était un bon acteur, mais Robinson était une star, une star, qui plus était, à qui son contrat garantissait trois films par an à quatre-vingt mille dollars le cachet, et qui pourtant n'avait pas fait un seul film pour Warner Bros. l'année précédente. Pour un studio conscient de ses finances, payer près d'un quart de million de dollars à ne rien faire un acteur utilisable n'était pas supportable.

Edward G. Robinson s'identifiait à l'image du méchant depuis que *Little Caesar (le Petit César),* en 1931, avait établi le prototype du film de gangsters. Ce film avait propulsé Robinson au firmament et avait fait de lui un des acteurs les mieux payés de la Warner. Cela lui avait aussi conféré un droit de regard sur le scénario, et on perdait des mois à récrire indéfiniment les rôles pour les rendre acceptables par tous. Pour couronner la malchance de la Warner, son contrat avec Robinson n'était pas exclusif, ce qui l'autorisait à jouer ailleurs. En août 1935, Robinson allait partir en vacances en Europe, mais son agent fit savoir que si on lui fournissait un scénario qui lui plaise, il pourrait rester. On lui fit parvenir sur-le-champ un exemplaire de *la Forêt pétrifiée*. Robinson savait reconnaître un grand rôle quand il en lisait un. Si on pouvait régler la question de l'apparition de son nom en tête d'affiche, il était partant. L'arrangement semblait répondre aux vœux de tout le monde — sauf de Bogart.

Le soir de cette annonce, Henrietta Kaye, jolie sculpteur de talent qui, à dix-sept ans, avait joué le rôle de la jeune délinquante dans *Chrysalis*, travaillait tard dans son studio de la Cinquante-deuxième Rue sur un buste de l'acteur et danseur Clifton Webb. Sous sa fenêtre, le trottoir était bien éclairé et grouillait de la foule qui allait et venait à toute heure autour des nombreux clubs de jazz de la rue, ou du « 21 », ou de chez Tony. Son atelier résonnait de la musique des clubs. Il semble qu'il y avait toujours une lumière allumée à la grande fenêtre donnant sur la rue, et les amis venaient souvent à l'improviste. Elle ne trouva donc pas bizarre qu'on frappe à sa porte à cette heure tardive. « C'était Bogie, et il était complètement pété — mais sur ses pieds et charmant et gentil. » Il tenait une bouteille dans une main et un verre dans l'autre.

« Ça t'ennuie, si je te regarde travailler en buvant ? »

Elle aimait bien Bogart depuis trois ans qu'ils se connaissaient. Ils riaient aux mêmes plaisanteries et il la traitait en égale. De plus, « jamais il n'avait tenté de me séduire. Je garde toujours une tendresse pour ce genre d'hommes. Il parlait, et j'écoutais ».

Elle se remit au travail tandis qu'il vidait un autre verre et son cœur, en commençant par sa famille — son médecin de père, son artiste de mère pour laquelle il posait — et en terminant par son dernier revers de fortune : « Je me pinte parce qu'Eddie Robinson va jouer mon rôle. C'est déjà arrivé. On achète, et on laisse Bogart dehors ! »

Il semblait n'avoir personne d'autre vers qui se tourner, et Kaye eut le sentiment qu'il était séparé de sa femme. Tandis que Bogart parlait, elle ponctuait, compatissante, d'un simple « hum-hum » ou d'un commentaire plus élaboré : « C'est affreux, Bogie. Peut-être qu'il va crever. » Pourtant, malgré toute son affection pour Bogart, elle ne pouvait lui être d'un grand secours. Et elle avait du travail.

Il finit par se lever et par quitter l'atelier en titubant, accroché à sa bouteille. Elle était désespérée pour lui[3].

Sa cause semblait perdue. Il télégraphia pourtant en Écosse à Leslie Howard, dont le principal souci était d'obtenir une cabine à bord d'un bateau pour rentrer. Howard télégraphia à son agent qu'il pensait arriver à New York le 25 septembre. A la fin, il ajouta :

C'était un faible soutien, qui ne put naturellement pas dissuader la compagnie de tenter de régler les derniers problèmes avec Robinson. Les avocats avaient rédigé à la hâte tous les papiers, et les détails avaient été soumis à Hal Wallis, le second de Jack Warner.

C'est alors que, dans la plus pure tradition du cinéma et du théâtre, le sort s'en mêla. Juste avant d'embarquer, Howard télégraphia directement au studio :

> *A JACK WARNER : INSISTE BOGART JOUE MANTEE. SANS BOGART PAS D'ACCORD.*

Howard arriva à New York le 26 septembre. Une semaine plus tard, Bogart avait son contrat. Rétrospectivement, ce changement servit les intérêts non seulement de Howard mais aussi du studio et de leur plus précieux atout, Bette Davis.

La jeune actrice avait survécu à un physique quelconque et à des rôles sans intérêt ; elle avait montré ce qu'on pouvait faire avec du talent et une volonté de fer. L'année précédente, dans *l'Emprise,* elle avait joué la méchante manipulatrice qui pervertit Leslie Howard. Six mois plus tard, dans *Bordertown*, elle faisait endosser un meurtre à Paul Muni dans une splendide crise de folie qui fit revenir tous les critiques de New York dans leurs bureaux, malgré quarante centimètres de neige, pour rédiger des articles uniformément dithyrambiques, que suivirent d'autres textes enthousiastes dans tout le pays.

Pour la Warner, *la Forêt pétrifiée* devait lui permettre, en associant à nouveau le couple gagnant, d'empocher les bénéfices à la place de RKO. Dans le dossier de presse, le sombre drame de Sherwood sur le déclin et la chute de l'Ouest était réduit à « une fascinante histoire d'amour et d'héroïsme... La plus extraordinaire façon de réunir à l'écran Leslie Howard et Bette Davis » — ce qui faisait de Robinson un troisième larron embarrassant. Du fait qu'il insistait pour figurer en tête d'affiche au côté de Howard, il devenait difficile de centrer la campagne de publicité pour le film sur le duo Leslie Howard-Bette Davis. Un acteur inconnu portant le nom impossible de Humphrey Bogart ne posait pas un tel problème.

A douze jours du tournage, une dactylo de la Warner prépara le contrat standard pour Humphrey Bogart. C'était un contrat pour un seul film, comme le stipulait clairement le modeste formulaire recto-verso, qui ne spécifiait pratiquement que les obligations de l'acteur. On a dit qu'il avait signé un contrat de longue durée, mais il s'agissait de l'« accord minimal » qui régissait le travail des acteurs engagés à la semaine par la Warner. Hal Wallis voulait se lier le moins possible à un acteur qu'il n'avait pas mis à l'épreuve et qui avait fait si peu d'impression lors de son précédent engagement que personne ne se souvenait de lui.

Bogart s'en moquait. De New York, il ne demanda qu'une garantie de trois semaines d'emploi à sept cent cinquante dollars chacune, le même cachet qu'en 1932 pour *Une allumette pour trois*. Il laissa le soin de régler les autres détails à James Townsend, du bureau de Myron Selznick — le puissant agent de Hollywood qui s'occupait des intérêts des clients de l'agent new-yorkais Leland Hayward. Townsend signa pour son client. Tout s'était passé si vite qu'on n'avait même pas trouvé l'adresse de Bogart pour l'indiquer au contrat.

Avec sa calvitie naissante et un visage qui reflétait les déceptions des cinq dernières années, il revenait à trente-cinq ans au pays de la jeunesse et de la beauté. Il ne savait que trop bien qu'il n'était qu'un second choix. Pourtant, il saisit ce qui était sans doute sa dernière chance et misa tout sur cette feuille de papier qui lui promettait trois semaines de travail, une cinquième place à l'affiche et un billet aller-retour avec couchette du bas garantie.

Les critiques n'avaient pas porté la pièce de Mary aux nues, mais ils l'avaient adorée, elle. « Son esprit et son intelligence illuminent chaque scène[4] » de *A Touch of Brimstone*, écrivait Brooks Atkinson dans *The New York Times*. Les dernier temps, Mary avait supporté la charge financière du ménage, mais maintenant que Bogart était en mesure de les faire vivre, il la voulait avec lui. Ils se querellaient souvent et bruyamment mais aucune supplication, aucun rugissement de Bogart ne faisait le poids contre un Atkinson. La carrière de Mary était enfin sur la bonne voie et elle n'avait pas l'intention de tout abandonner pour vingt et une nuits dans un hôtel de Hollywood sous le nom de Mme Bogart. Début octobre, la pièce semblait installée pour une bonne saison. Les magazines et les pages théâtrales des journaux publiaient des photos de Mary Philips et Roland Young, les dernières coqueluches de la ville. Bogart prit le train seul.

Fin octobre, il se présenta à Burbank au studio de la Warner. C'était une véritable forteresse, une ville dans la ville, avec ses plateaux et ses artisans qui pouvaient en quelques jours recréer aussi bien la baie de Naples que les perrons en ruine et les trottoirs des mauvais quartiers de New York.

Le studio avait cela d'unique qu'il était étroitement lié au New Deal et au gouvernement Roosevelt. Cela engageait les frères Warner non pas tant à vendre de l'évasion qu'à montrer les réalités de l'Amérique en pleine dépression. Ils avaient une réputation de grippe-sous, mais l'argent était dépensé pour que la Warner soit à l'avant-garde de l'art protestataire, ce que démontrent des titres comme *I Am a Fugitive*

From a Chain Gang (Je suis un évadé), 20 000 ans sous les verrous, Wild Boys of the Road et *The Mayor of Hell.*

Plus que n'importe quel autre studio, la Warner, dans ses films, montrait une Amérique nouvellement urbanisée, violente, pluriethnique et maintenant appauvrie — elle empruntait ses sujets aux gros titres des journaux. La réussite et la chute de ceux qui bravaient la loi fascinaient un public sans le sou en même temps qu'elles accusaient une société qui avait échoué en tant de domaines. A l'inverse des normes de l'industrie cinématographique qui chérissaient l'idéal du beau blond des classes moyennes, les héros de la Warner étaient le plus souvent bruns, petits, pugnaces, excentriques et provocateurs. Edward G. Robinson, James Cagney et Paul Muni étaient les antihéros connus sous le nom collectif de Gang des assassins.

Il va de soi que la Warner produisait aussi des films populaires distrayants dans les genres habituels : comédies, mélodrames, westerns et, à partir de *Captain Blood* (1935), des films en costume avec pour star l'Australien Errol Flynn. Mais le monde de la Warner était essentiellement un monde de villes sombres, de ruelles sinistres, de pluie, de trottoirs tachés de sang. Le caractère dur, inflexible et provocateur de cet univers s'étendait jusque dans les comédies musicales : dans *42nd Street*, la chanson d'amour « You're Getting to Be a Habit with Me », qu'interprète Bebe Daniels, est pleine de métaphores se rapportant à la drogue, et Joan Blondell, dans le grand final de *Gold Diggers of 1933 (Chercheuses d'or)*, conduit une troupe dépenaillée d'exclus qui portent des décorations au revers de leurs vestes élimées.

> *Souviens-toi de mon homme oublié*
> *Tu lui as mis un fusil dans la main*
> *Tu l'as envoyé au loin*
> *Tu as crié hip, hip, hip hourra !*
> *Et regarde-le aujourd'hui...*

Il s'agissait d'une référence directe à la *Bonus Army*, formée de ces vétérans déçus de la Première Guerre qui, l'année précédente, avaient manifesté à Washington pour réclamer les pensions promises, et qui avaient été accueillis par la troupe envoyée contre eux par le gouvernement, armes à feu et gaz lacrymogènes succédant aux promesses non tenues.

Dans ces conditions, la Warner était l'endroit qui convenait à Humphrey Bogart.

Dans les plus sombres moments du début des années trente, les frères Warner, suppliant, empruntant, réduisant les coûts au minimum, avaient réussi à conserver leur studio intact tandis que bien des compagnies faisaient faillite. Ils avaient survécu au pire de la Dépression, à la chute de la fréquentation des salles, à un grave incendie, à un procès antitrust qui avait failli envoyer Harry en prison, à trente et un millions de dollars de pertes entre 1931 et 1934, et à la tentative de certains actionnaires de les évincer[5]. L'Academy of Motion Picture Arts and Sciences les avait aidés en les autorisant à ne verser à leurs employés, pendant deux ans, que des salaires réduits. Les frères trouvèrent cela si bénéfique que lorsque la période stipulée se termina, ils refusèrent de relever les rémunérations.

Leur avarice entraîna la démission du chef de la production Darryl F. Zanuck, qui avait produit *le Chanteur de jazz* et mis en route la longue série de films de gangsters qui avait commencé par *le Petit César*. C'était sa série de films *Rin Tin Tin* qui, dans les années vingt, avait permis au studio de vivre. Zanuck partit fonder avec Joseph Schenck la 20th Century Pictures qui, avec l'achat du studio de William Fox en 1935, devint la Twentieth Century-Fox, dirigée par Zanuck.

C'est Hal Wallis qui remplaça Zanuck chez Warner. Bogart retrouva bien des choses qu'il avait connues en 1932 : les hauts murs séparant le studio des voitures circulant dans la vallée de San Fernando, les plateaux couverts qui ressemblaient à des hangars à avions disposés en damier, les allées grouillantes de monde, le bâtiment beige et bas des scénaristes près des beaux bureaux de la direction, où Jack Warner et Hal Wallis travaillaient côte à côte. A l'heure du déjeuner, on voyait souvent J. L. parmi les parterres de fleurs, en train de regarder une fontaine figurant un enfant qui tenait un poisson dont la bouche laissait s'écouler l'eau dans un bassin peu profond.

C'est le samedi 26 octobre que Bogart arriva, en taxi, silhouette anonyme qui n'entra pas par le grand portail mais franchit à pied la porte donnant sur la rue pour gagner les bureaux, comme un figurant. Dans ce petit monde très conscient de la hiérarchie, on remarqua immédiatement que le nouveau venu n'avait pas de voiture.

Au bureau, personne ne se souvenait de lui. L'acteur Lyle Talbot demanda au chef de la distribution qui jouait Duke Mantee.

« Bogart, répondit-il. On ne le connaît pas. »

Talbot éclata de rire.

« Qu'est-ce qu'il y a de drôle ?

— Si tu veux épargner à Jack Warner un moment d'embarras, procure-toi des photos de tournage d'*Une allumette pour trois*[6]. »

On lui attribua, dans un immeuble de deux étages, une loge qui avait tout d'une cellule de prison. A la Warner, les bungalows étaient un luxe, même pour les stars. Comme la plupart des seconds rôles, Bogart devait fournir son costume, et on ne s'étonnera pas qu'il ait repris celui qui, sur Broadway, avait caractérisé l'élégant gangster John Dillinger. Au bureau du comptable, une fiche de travail rendait les choses officielles : elle portait son nom, la date de début du tournage, le salaire hebdomadaire et, en majuscules, MANTEE.

Sur le plateau 8, la peinture, le décor et l'éclairage recréaient le sinistre café de Sherwood, dans le désert de l'Arizona, et la matinée fut consacrée à filmer les tenanciers dans les gestes quotidiens de leur vie sans perspective. Peu après midi, l'équipe alla déjeuner. C'est à treize heures dix que le gang de Duke Mantee fit irruption dans le bar de la Black Mesa. Quand un des malfrats annonça : « Voici Duke Mantee, messieurs dames, le célèbre tueur. Et il a faim ! » il introduisit un nouveau personnage du cinéma. Si Robinson était le gangster sûr de lui des ghettos blancs et Cagney un roublard, Bogart était un tueur aux yeux hantés que personne n'avait encore montré à l'écran, l'étranger inconnu qui ne partageait ni son passé ni ses pensées.

Carl Schaefer, correspondant de presse californien de plusieurs journaux étrangers, de même que d'autres responsables des relations publiques, le remarquèrent immédiatement : « Il y avait un nouveau type du nom de Humphrey Bogart, et il était évident qu'il allait devenir un très grand [7]. » On s'intéressa plus encore à lui quand Jack Warner voulut qu'il change son nom, et qu'il refusa à cause de son travail sur Broadway. Cet incident fut le premier où Jack Warner se rendit compte à quel point Bogart était buté, trait de caractère qui devait l'irriter des années durant.

Peu à peu, des gens commencèrent à venir sur le plateau, curieux de voir le nouveau. Schaefer et ses collègues s'arrêtaient pour assister au tournage des scènes où il jouait et ils furent très impressionnés. « Il *projetait*. Certains acteurs rendent bien sur l'écran, mais ce type, il avait une vraie personnalité. »

Il était aussi désespéré. Sous un aplomb de surface, il n'était pas sûr de lui, et la peur de l'échec l'angoissait, que symbolisait le billet de retour pour New York. « Si je n'y arrive pas cette fois, avoua-t-il, je serai foutu. Il faut que je réussisse. » C'est ce désespoir qui nourrit son personnage.

Le tournage, commencé deux semaines plus tôt, avait déjà du retard, en grande partie à cause de Leslie Howard. Le rendez-vous était fixé à neuf heures le matin, mais presque invariablement, Howard, qui jouait dans presque toutes les scène, n'arrivait que trente à quatre-vingt-dix minutes plus tard, charmant et sans la moindre conscience du temps qui passait à l'horloge syndicale pendant que tout le monde attendait. Le metteur en scène Archie Mayo, qui avait jadis vendu des chemises pour subsister, travaillait pour Warner depuis dix ans et avait fort bien dirigé Bette Davis dans *Bordertown* — dont le scénario, sur un ton plus sérieux, serait à la base de *They Drive by Night (Une femme dangereuse)*, en 1940, avec Bogart. Mais il n'avait pas l'envergure nécessaire pour imposer une discipline à sa star. Hal Wallis, inquiet du peu de minutes en boîte chaque soir, bombardait Mayo de notes furieuses où il lui rappelait que le film avait déjà coûté assez cher, et exigeait que quelqu'un parle à Howard. Aucun changement.

De plus, Mayo, qui avait du mal à s'habituer à l'espace clos d'un plateau unique, perdait du temps à tenter de trouver des angles de prise de vue inhabituels. Une fois, il cadra Bogart en gros plan devant les bois d'un élan fixés au mur, qui semblaient lui sortir du crâne. Wallis ordonna qu'on recommence la scène.

Pour couronner le tout, l'air conditionné faisait voler sur le plateau le sable qu'on y avait apporté pour recréer le désert de l'Arizona, ce qui provoqua une véritable épidémie et entraîna de nombreuses absences. Tout le monde était épuisé de respirer la poussière[8]. Bette Davis, la gorge en feu, se fit porter malade un vendredi et refusa, à cette époque où la semaine de travail comptait six jours, de venir le dimanche pour rattraper le temps perdu. Howard n'aimait pas non plus travailler le dimanche, ni Genevieve Tobin, qui jouait Mme Chisolm, la femme du couple de gens riches dont Mantee prend la voiture. Bogart, cependant, faisait tranquillement tout ce qu'on lui demandait.

Quand Bette Davis se tordit la cheville, on perdit une journée de plus. Une fois dépassées les cinq semaines de tournage prévues, la colère de Wallis s'accrut. Comment cela pouvait-il se produire pour un film tourné entièrement sur un seul plateau ? Et avec des gens comme Leslie Howard qui connaissaient la pièce par cœur et à l'envers ? Jack Warner, dans une de ses célèbres notes sur papier bleu, se joignit au tollé contre ce film déjà cher qui dépassait encore son budget. Le 30 novembre, le jour où le tournage se terminait avec deux semaines de retard, Leslie Howard, jusqu'au bout aussi incorrigible que charmant, arriva trente-cinq minutes en retard, se plaignit de ne pas se sentir bien et refusa de travailler avant qu'un médecin l'eût examiné.

Les directeurs du studio n'étaient pas très instruits, et quelqu'un qui les impressionnait par son érudition pouvait facilement ébranler leur confiance dans leur instinct des affaires. Quand H. G. Wells, déjeunant avec Jack Warner, partit dans une tirade sur la signification symbolique du film, un Wallis anxieux demanda dans une note au producteur Henry Blanke si on ne devrait pas, dans une sorte d'introduction, expliquer au public ce que voulait dire le film. Blanke, talentueux producteur et intellectuel de la maison, n'était pas inquiet. La force de la Forêt pétrifiée, dit-il à Wallis, résidait dans le fait que le film offrait quelque chose à chacun. Pourquoi, dès lors, ne pas laisser les intellectuels y voir du symbolisme, et laisser tous les autres profiter simplement du spectacle[9] ? Heureusement pour Blanke et pour le film, Bogart, inquiet lui aussi de l'effet qu'il produirait, avait apporté de New York un paquet de critiques disant plus ou moins la même chose de la pièce. On laissa le film tel quel.

Pendant les derniers jours, au moment de décider du dénouement, les doutes qui avaient assailli les producteurs au début du tournage se réveillèrent. Le public de la Dépression aimait les *happy ends* qu'il ne connaissait pas dans la vie. Or *la Forêt pétrifiée,* qui avait déjà coûté plus d'un demi-million de dollars, ne se terminait pas selon les conventions de Hollywood, où le méchant est puni et la vertu récompensée : on y voyait le meurtrier s'enfuir et le héros mort dans les bras de l'héroïne. Les spectateurs paieraient-ils pour assister à cela ?

Howard expliqua à Warner que changer la fin détruirait le film. « Alors que nous avons mené l'histoire à son dénouement logique, une nouvelle fin ne pourrait... satisfaire que les éléments les plus primaires du public et retournerait probablement la critique contre nous [10]. » Mais sur le plan juridique, il ne pouvait pourtant pas faire grand-chose d'autre que de tourner les deux fins malgré ses protestations, et d'accepter que décident le public des avant-premières et trois arbitres. L'avocat Roy Obringer conseilla à Wallis « de notifier à Howard l'heure et le lieu de ces projections afin qu'il ne se plaigne pas de ne pas avoir eu la possibilité d'être là pour étudier la réaction du public [11] ». Lors de la projection pour la presse le premier lundi de 1936, Bette Davis tenait un Leslie Howard sans vie dans ses bras tandis qu'elle disait : « Tel était le destin pour lequel nous nous sommes rencontrés tous deux. » Le *Hollywood Reporter* n'eut qu'un mot : « Class ! »

Le fait que Warner et Wallis aient finalement penché du côté de la raison plutôt que des conventions a sans doute sauvé la carrière cinématographique naissante de Humphrey Bogart. La critique l'adora. « Humphrey Bogart est, dans chacun de ses gestes, chacune de ses expressions, le tueur pourchassé, harcelé, désespéré », écrivit le critique de *Daily Variety*. Bien sûr, Bogart et Howard se voyaient jugés selon les normes de la production de Broadway — « Ils reprennent les mêmes rôles, et ce à la perfection », dit *Weekly Variety*. Mais la performance de Bogart fut sublimée par le film. Sa façon de jouer à l'économie, sans beaucoup parler, avec cette violence prête à exploser qu'il suggérait à peine, passait beaucoup mieux à l'écran. Les gros plans surprenaient le désespoir dans les yeux, la tension soudaine de la lèvre, tout ce qui pouvait suggérer le feu qui couvait dans le hors-la-loi antihéros.

A la sortie du film, en février, la presse non spécialisée fut enthousiaste. Les critiques de New York apprécièrent la fidélité du film à la pièce. L'*American* salua « une production de grande classe et de grande distinction », tandis que le *Sun* parlait d'une pièce « douloureusement réelle... Les Warner, qui peuvent faire des films de gangsters juste un peu plus sombres et plus réalistes que n'importe qui d'autre, ont courageusement résisté à toute tentation de se concentrer sur cet aspect, ou même de modifier la fin ».

Il n'y eut que des louanges pour les acteurs, surtout pour Howard,

Davis et Bogart, maintenant reconnu comme un acteur de Broadway. « Une fois de plus, Humphrey Bogart nous offre un brillant portrait d'un tueur anormal, rendu fou et sentimental », déclarait le *Herald Tribune*. Et le *New York American* : « Humphrey Bogart égale ici sa superbe interprétation du gangster au théâtre. »

Pour Maud, artiste commerciale qui travaillait dans l'anonymat pour les Stonewright Studios, une agence de publicité de Manhattan, ces critiques signifiaient une nouvelle célébrité. La grande femme mince qui était assise à sa table de dessin avec de longues bandes de tissu blanc autour des jambes (peut-être avait-elle des varices) n'était plus la célèbre artiste oubliée d'une autre génération, elle était la mère de Duke Mantee. William et Milton Barrie, deux étudiants qui aidaient à copier les œuvres de l'artiste, disent qu'ils ne l'ont jamais entendue se vanter des réussites de son fils. Elle n'en parlait qu'un peu, et ils avaient le sentiment qu'ils n'étaient pas proches [12].

Les Warner n'avaient pas attendu que la critique leur dise ce qu'ils savaient déjà. En décembre, alors que le film était encore au montage, les dossiers de presse qui annonçaient « un film avec Leslie Howard et Bette Davis dans une superbe production... » subirent un petit changement de la part de Jack Warner qui, de son stylo Parker, ajouta un troisième nom : Humphrey Bogart.

Les qualités spéciales et indéfinissables de Bogart s'étaient révélées chaque soir dans la salle de projection de Hal Wallis, et Warner comme Wallis avaient été convaincus que Bogart serait précieux pour la compagnie. Le tournage se termina en même temps que les discussions pour garder Bogart. Début décembre, neuf jours après la fin de la production, J. L. rappelait à Roy Obringer : « Assurez-vous que le contrat de HUMPHREY BOGART sera bien signé aujourd'hui [13]. »

Il fut signé le lendemain. Par ses vingt pages polycopiées, Warner Bros. Pictures, Inc., « LE PRODUCTEUR », s'assurait les services exclusifs de Humphrey Bogart, « L'ARTISTE », comme « acteur de cinéma et/ou de théâtre », y compris « au music-hall, à la radio ou à la télévision, etc. ». Bogart abandonnait ses droits sur tout sauf son ombre, et dans la clause morale standard qui réglementait la conduite des employés, il acceptait de ne pas « choquer, insulter ou offenser la communauté, ni tourner en ridicule la morale ou la décence ».

Les termes du contrat, en revanche, n'avaient rien d'enthousiasmant. Il couvrait vingt-six semaines, à cinq cent cinquante dollars l'une, à partir de janvier, le studio se réservant la possibilité de prolonger la durée du contrat de vingt-six semaines, puis par périodes de cinquante-deux semaines, moyennant des augmentations de salaire commençant à cinquante dollars. Si Bogart survivait aux huit périodes d'options successives, il gagnerait mille sept cent cinquante dollars par semaine en 1941 [14].

Son salaire hebdomadaire de départ était de deux cents dollars inférieur à celui qu'il avait reçu pour son apparition ponctuelle dans *la Forêt pétrifiée*. Ses agents avaient fait de leur mieux, mais Bogart n'était pas encore connu, et malgré leur enthousiasme, les Warner prenaient leurs précautions. Même si Jack Warner avait inscrit son nom avec ceux des vedettes dans le dossier de presse, il ne figurait qu'en cinquième position sur les affiches, après Genevieve Tobin et un jeune acteur rougeaud sous contrat, Dick Foran, qui jouait Boze Hertzlinger, l'ancien joueur de football qui aime Gabrielle.

J. L. avait donc adressé à Bogart son plus chaleureux sourire et lui avait dit d'avoir confiance. Est-ce qu'il ne l'avait pas sorti de l'anonymat pour le faire tourner dans un film prestigieux ? Est-ce qu'il ne lui avait pas fait signer un contrat ? Ce genre de discours devait revenir un peu trop souvent au goût de Bogart. On lui promit de revoir le contrat ultérieurement, de lui accorder un bonus de trois cents dollars plus tard. C'était une misère pour Hollywood, mais des rentrées assurées pour un acteur couvert de dettes et à peine sorti d'un New York en pleine dépression.

Le contrat comportait un autre point : l'autorisation d'aller jouer Mantee à Londres en avril. Bogart avait promis à Sherwood de le faire, et il attendait ce voyage avec impatience. Mais pour diverses raisons, *la Forêt pétrifiée* ne put être montée à Londres avant 1942. Plus jamais Bogart ne refit du théâtre.

Le mardi 10 décembre, il apposa au bas du contrat son élégante signature, qui montrait qu'il était bien le fils de Maud Humphrey, en ajoutant, dans l'excitation du moment, une petite fioriture au « t ». En fait, il venait de s'embarquer dans une des périodes les plus frustrantes et les plus démoralisantes de sa vie professionnelle.

Sa vie personnelle ne valait guère mieux. La pièce où jouait Mary n'avait pas remporté le succès attendu et la dernière des quatre-vingt-seize représentations, chiffre quand même respectable, eut lieu en décembre. Peu après, elle arriva en Californie. Ils passèrent Noël au Château Elysée, où ils célébrèrent à la fois leurs retrouvailles, l'anniversaire de Humphrey et son nouveau contrat. La sécurité matérielle lui permettrait enfin d'entretenir sa femme.

Mais Mary ne voulait pas qu'on l'entretienne. Elle était actrice, avec des ambitions aussi grandes que celles de Humphrey. On lui avait proposé de jouer dans une nouvelle pièce sur Broadway, une adaptation du roman à sensation de James M. Cain *The Postman Always Rings Twice (Le facteur sonne toujours deux fois)*, histoire d'adultère et de meurtre que le cinéma avait refusée parce qu'elle était trop osée pour Hollywood[15]. Les producteurs voulaient Mary pour le rôle principal, celui de Cora Papadakis, qui tue son vieux mari pour le beau vagabond. Cela la changerait des gentilles jeunes femmes qu'elle interprétait toujours. Ce serait Richard Barthelmess, idole du muet, qui jouerait le jeune homme pour son premier rôle au théâtre. Il fallait que Humphrey comprenne que c'était une grande chance pour elle, le supplia-t-elle.

Il ne voulut pas comprendre. « C'est la première fois que je peux vraiment te faire vivre, protesta-t-il. Jusqu'à présent, nous n'avions pas les moyens d'élever un enfant. Reste ici, et fondons une famille. D'ailleurs, la pièce n'est pas bonne, et tu n'es pas le personnage[16]. »

C'était la seconde fois que Bogart se trouvait marié à une femme qui réussissait mieux que lui, et maintenant qu'il sentait qu'il pouvait rectifier les choses et affirmer son rôle d'homme, sa femme disait non. Ils ne purent se mettre d'accord. La vie de Bogart était maintenant à Hollywood, celle de Mary restait à New York. Elle y retourna pour répéter la pièce.

Quand la marée de la Dépression se retira de Hollywood, elle laissa debout cinq grandes compagnies : Metro-Goldwyn-Mayer, Paramount, Warner Brothers, Columbia et Twentieth Century-Fox — qui se ressemblaient dans leurs pratiques mais présentaient pourtant des différences frappantes. La MGM puisait sa force dans le vivier de stars qu'elle avait sous contrat (sa devise était « Plus d'étoiles qu'il n'y en a au ciel ») ; la Paramount excellait dans le grand spectacle ; la Twentieth Century-Fox s'enorgueillissait de ses droits sur les œuvres littéraires. La Warner s'alimentait dans la presse, et il en résultait des *docudramas* qu'on pourrait comparer aux reconstitutions télévisées actuelles.

Les petites compagnies n'étaient cependant pas en reste, même si elles n'atteignaient pas la stature des cinq grandes. Dans les années trente et au début des années quarante, RKO produisit les comédies musicales de Fred Astaire et Ginger Rogers, des comédies avec Katharine Hepburn et Cary Grant comme *Bringing Up Baby* (*l'Impossible Monsieur Bébé*, 1938), et le *Citizen Kane* d'Orson Welles (1941). Mais la production était inégale et les longues périodes stériles entre les succès entraînaient de constantes difficultés financières. Universal entra dans les années trente avec *All Quiet on the Western Front (A l'Ouest, rien de nouveau)* puis se lança dans le film d'horreur — avec notamment *Frankenstein* (1931) et *The Invisible Man* (*l'Homme invisible*, 1933) — avant d'échapper de peu à la faillite.

Chez MGM, l'éclat se reflétait dans tous les aspects du fonctionnement, des acteurs aux bâtiments, en passant par les limousines qui conduisaient les stars de leur loge au plateau. Si la Metro était le Tiffany's de l'industrie cinématographique, Warner en était l'usine : un film par semaine avec des temps de tournage réduits allant de vingt et un jours pour le tout-venant à six semaines pour une grosse production. Acteurs et techniciens allaient chercher leurs chèques comme à l'usine aussi, chaque mercredi, au guichet du caissier. Les dérogations, toujours chichement accordées et susceptibles d'annulation, devaient être arrachées de haute lutte à la direction. Tout était recyclé, de la pellicule aux décors.

Ces pratiques venaient en partie de la crise financière, mais surtout des habitudes invétérées des Warner. Les souvenirs de jeunesse de Jack Warner, qui avaient fait de lui un démocrate partisan du New Deal dans la Californie du Sud républicaine, avaient aussi élevé la réduction des coûts au rang d'un véritable principe de vie. J. L. était né à l'arrière d'une roulotte de marchand ambulant. Son frère Harry avait ressemelé des chaussures. Dans les années trente, Albert ramassait encore les clous réutilisables dans les allées du studio. On retenait l'argent en caisse aussi longtemps que possible. Quand Al Jolson tournait *le Chanteur de jazz* en Californie, la Warner le payait avec des chèques sur une banque de New York, et quand il était à New York, les chèques devaient être tirés en Californie [17]. Jack était dans la salle de projection jusqu'à des heures impossibles, il lisait tous les scénarios, veillait à chaque détail ; il vivait pour son travail et donnait le ton à tous ceux qui travaillaient pour lui. Quand on était sous contrat, cela voulait souvent dire qu'on commençait un film le lundi après en avoir terminé un autre le samedi.

Trois jours avant que le nouveau contrat de Bogart prenne effet, Jack Warner télégraphia à Hal Wallis : « Utilisons-nous Humphrey Bogart [18] ? » Malheureusement pour Bogart, à l'époque où il arriva, la cadence de la chaîne s'accélérait. On avait formé une nouvelle unité destinée exclusivement à produire des films à petit budget. Ces films dits de série B, généralement dirigés par des gens de moindre talent et à qui les moyens étaient encore plus chichement comptés, bénéficiaient de peu de publicité et la critique n'en parlait que rarement. Ils étaient la conclusion logique d'un simple calcul économique : les studios possédaient des cinémas, les cinémas avaient besoin de films à montrer, et les séances rapportaient un flot continu d'argent liquide aux studios. Dans les grands cinémas d'exclusivité, en plus du film, il y avait un spectacle sur scène. Dans les banlieues, on passait deux films. Le second film, sans importance, était juste là pour que le client en ait pour son argent.

Le chef de l'unité était Bryan Foy, danseur de claquettes quand il était enfant et fils du grand Eddie Foy, spécialiste du music-hall. Il était aussi compositeur, parolier, et le meilleur producteur à petit budget. Il avait fait *Lights of New York* pour soixante-quinze mille dollars. Ce film en avait rapporté deux millions. Charmant et affable, l'haleine en permanence chargée d'alcool, Brynie Foy était passé maître dans l'art de tirer quelque chose de presque rien en très peu de temps. Il produisait trente films par an, dont peu duraient plus d'une heure. (« Il lisait un scénario, raconte un collègue, et il disait : "Trop long." Le scénariste disait : "Je ne sais pas comment le raccourcir. — Tu ne sais pas comment le raccourcir ?" Il prenait le scénario, en arrachait des pages et disait : "On tourne [19] !" »

En privé, Foy se plaignait amèrement des films qu'on le forçait à faire, mais du moins avait-il un emploi stable et un salaire décent. Pour Bogart, précipité dans les séries B depuis les sommets du monde de Robert Sherwood, le choc fut presque un traumatisme.

On utilisa bien Humphrey Bogart. On l'utilisa jusqu'à l'usure. *Two Against the World,* recyclage d'un ancien film de la Warner avec Edward G. Robinson et dont le titre était emprunté à un vieux film de Constance Bennett, fut terminé en trois semaines. Bogart y jouait le gérant cynique d'une station de radio diffusant des programmes orduriers conformément aux ordres d'un propriétaire vénal. Quand la façon dont ils ont présenté un scandale entraîne le suicide d'innocents, il assume toute la responsabilité, se retourne contre son patron avide d'audience et décide de tout révéler à la Commission de contrôle fédérale. L'affiche montrait le visage de Bogart éclairé de façon effrayante face à une inscription qui disait : « Le gangster sans cœur de *la Forêt pétrifiée* trouve une nouvelle façon de tuer ! »

Même dans les films de série A, Bogart ne se voyait confier que des seconds rôles. Dans *Bullets or Ballots (Guerre au crime)*, qui sortit avant *Two Against the World,* il arrivait en quatrième position et jouait « Bugs », un gangster à la petite semaine. Le stéréotype du traître de pacotille, qui n'est présent dans le film que pour qu'on puisse le cribler de balles, le poursuivit jusqu'à la fin des années trente.

Si on survivait à sept ans à la Warner, dit un jour James Cagney à un ami, on pouvait survivre à n'importe quoi. Grâce à la toute jeune Screen Actors Guild, le syndicat des acteurs de cinéma fondé trois ans plus tôt, les comédiens ne travaillaient plus sept jours par semaine et du matin au soir comme c'était encore le cas au début des années trente. Mais les studios savaient comment contourner les règles jusqu'à la limite du supportable. Si la Warner était une usine, l'unité B était l'atelier du travail à la chaîne.

Isle of Fury était un remake de *The Narrow Corner,* tourné en 1933 par Douglas Fairbanks. Pat O'Brien avait refusé le scénario. C'était une intrigue invraisemblable où le trio vaudevillesque habituel se retrouvait sur une île du Pacifique Sud. Allaient et venaient des figurants mexicains de Los Angeles, un pagne de toile autour des hanches, que les spectateurs devraient prendre pour des pêcheurs de perles polynésiens. Mais ils s'intéresseraient surtout à une pieuvre en caoutchouc.

Le tournage dura seize jours, les acteurs et les techniciens assurant des journées de dix heures ou plus, ce qui était exténuant pour ceux qui venaient de loin et qu'on voulait prêts et maquillés sur le plateau à neuf heures du matin. L'acteur principal s'était désisté trois jours avant le début du tournage. Pas de problème, dit le bureau de distribution des rôles, qu'on prenne Bogart — qui venait à peine de terminer

China Clipper (Courrier de Chine), un concentré de clichés. Il jeta un coup d'œil au scénario et alla protester jusque dans l'antichambre de Jack Warner. Mais il ne put rien obtenir. Le rôle lui avait été attribué. Les acteurs sous contrat n'avaient aucun pouvoir. Fin de la discussion.

Même le département des scénarios trouvait l'histoire « fade ». « De bons dialogues aideraient... », suggéra un des rédacteurs. Mais c'était une série B, et tout le monde s'en moquait. Bogart, fine moustache sous un casque colonial, était le prétentieux propriétaire d'une entreprise perlière.

Les conditions de tournage furent pires encore que le scénario. Comme la fête nationale du 4 juillet tombait un jour de semaine, on épuisa toute l'équipe la veille par quinze heures de tournage, avec deux courtes interruptions pour les repas. Quand la journée se termina à 23 h 55 — car il fallait éviter de payer les salaires de jours fériés imposés par le syndicat [20], Bogart, épuisé par le travail sous les projecteurs, prit à part le chef de plateau, Lee Hugunin. Il ne voyait pas pourquoi, dit-il, l'équipe devait travailler aussi tard dans la nuit, mais il ajouta que si on l'y forçait, « je pense qu'il faudra que je le fasse ». L'homme de la Warner se raidit et déclara que la compagnie n'avait jamais forcé quiconque. Dans son rapport quotidien à la direction du studio, Hugunin déclara : « Humphrey Bogart a rendu les choses plutôt difficiles [21]. » C'est ce genre de frictions qui caractérisera les relations entre Bogart et les frères Warner pendant toutes les années qu'il passera au studio.

Le 5 juillet, le bruit courut dans l'après-midi qu'ils termineraient à nouveau tard. Bogart se révolta. Au diable la Warner, annonça-t-il, après dîner, il rentrerait chez lui. Un appel affolé de l'assistant réalisateur amena Hugunin au galop sur le plateau. Plus par loyauté envers ses collègues que pour le studio, Bogart accepta de continuer. Ils terminèrent à deux heures du matin après une journée de dix-sept heures. Très tard, lors d'une pause, la troupe s'assit dans les débris du décor et grignota quelques sandwiches couverts de poussière. « Dîner de minuit sur un plateau crasseux [22] », nota la scripte dans son rapport.

Ces abus laissèrent une cicatrice durable en Bogart qui, quand il fut une star, fit toujours inscrire au contrat qu'il quitterait le plateau à dix-huit heures — et il s'y tint presque toujours, ignorant les supplications des producteurs comme des metteurs en scène. Il répondait toujours la même chose : « A six heures, je pars. »

Isle of Fury présenta pourtant un avantage : pour les scènes au bord de la mer, le studio envoya l'équipe cinq jours en juin sur l'île de Catalina, à quarante kilomètres de la côte. La prétendue plage du Pacifique Sud était en fait White's Landing, une station balnéaire qu'ils partagèrent avec cent vingt-cinq gamins de l'YMCA de Pasadena qui y campaient. Le responsable promit que les enfants ne les dérangeraient pas.

Catalina était un paradis pour la navigation de plaisance. Une chanson (qu'on peut entendre dans le café de *Casablanca*) célébrait son village, Avalon, et ses nombreuses boîtes de nuit. Mais l'équipe fut retenue aussi loin que possible du village dans un hôtel isolé plus éloigné encore que le lieu de tournage. « Cela nous évite les amusements, l'atmosphère de vacances et la vie nocturne d'Avalon, expliqua Hugunin au studio, et retient l'équipe dans un espace bien délimité[23] » — sans oublier que cela faisait économiser cinquante dollars par jour pour le logement.

Pourtant, ce n'était pas la vie nocturne d'Avalon qui attirait Bogart, pilier de bar invétéré, mais l'île elle-même, avec ses collines verdoyantes et ses falaises abruptes qui isolaient des baies à l'eau d'une transparence límpide. Dans les années ultérieures, Catalina devait devenir une partie de plus en plus importante de la vie de Bogart, un refuge quand les émotions et les évènements menaceraient d'échapper à son contrôle. Mais pour le moment, l'île offrait simplement un changement agréable tant à lui-même qu'aux autres membres de la troupe éreintée, qui presque tous étaient accompagnés de membres de leur famille ou d'amis. Tous avaient demandé s'ils pouvaient amener quelqu'un. Bogart informa simplement l'administration qu'il avait invité Mme Bogart, arrivée en hâte à Los Angeles ce printemps-là.

En mars, Bogart s'était installé près de Sunset Boulevard au « Garden of Allah », drôle d'hôtel, avec ses bungalows, qui appartenait à Alla Nazimova, l'actrice russe qui avait été une star du muet et restait célèbre pour ses interprétations d'Ibsen au théâtre. C'était un bon établissement, mais aux murs très minces. La première nuit qu'il y passa, le dramaturge Arthur Kober fut réveillé par une voix douce qui demandait : « Est-ce que tu peux m'apporter un verre d'eau, chéri ? » Ce n'est qu'après avoir titubé jusqu'à la salle de bains et rapporté un verre plein qu'il se souvint qu'il était seul[24]. Mais le Garden restait une résidence privilégiée pour les artistes nostalgiques de la côte Est, à qui il offrait une atmosphère intellectuelle détendue, assez alcoolisée, assez libre en matière de sexe et un style bohème sous les palmiers. L'ensemble hétéroclite de bungalows et d'allées bordées d'arbres se regroupait autour d'une piscine censée avoir la forme de la mer Noire, région d'origine de Mme Nazimova. Le bar était ouvert vingt-quatre heures sur vingt-quatre. Pour Bogart, y vivre signifiait rencontrer quotidiennement des visages familiers, dont celui de Robert Benchley, charmant humoriste alcoolique du *New Yorker* et acteur comique.

Un jour, alors qu'il était assis par terre chez Benchley pour boire du scotch allongé d'eau gazeuse[25], la porte s'ouvrit et une superbe jeune femme très mince entra. Elle avait tiré en arrière ses cheveux d'un noir de jais, ce qui donnait un aspect austère à son délicieux visage enfantin qu'éclairaient de grands yeux sombres. C'était Louise Brooks, sa vieille camarade de Broadway, qui avait poursuivi sa carrière de star du muet en Europe et qui maintenant, à vingt-neuf ans, oubliée, revenait à Hollywood. Les traits de poupée de Louise masquaient un féroce besoin d'indépendance. Elle était une anomalie à Hollywood, une rebelle dont la franchise des propos défiait le pouvoir des studios. Le lendemain, elle reçut un appel de Mary Baker, qui lui dit que Bogart et elle prenaient un verre et qu'ils aimeraient qu'elle les rejoigne. « L'invitation aurait pu signifier que deux personnes qui s'ennuyaient ensemble avaient besoin de compagnie, écrivit Louise Brooks, mais de la part de Humphrey, ce n'était rien de moins qu'une déclaration d'amour. » Pleine de curiosité, elle vint immédiatement. Bogart l'accueillit chaleureusement, « puis s'enfonça lentement dans le silence, la morosité et le scotch ». Elle ne prit pas cela comme une insulte ; Bogart, « tout à fait certain de son pouvoir sur les femmes, écartait toute démonstration de séduction. Quand une femme lui plaisait, il attendait qu'elle vienne à lui, un peu comme la flamme attend l'insecte... C'est la certitude de son pouvoir de séduction qui préserva son ego jusqu'à ce que le succès professionnel vienne à lui, par-delà les années d'amertume, d'humiliations, de ridicule et d'échecs ». Cette rencontre n'eut pas beaucoup de suites. Bogart et elle étaient trop différents, expliqua-t-elle plus tard ; on pourrait penser au contraire qu'ils se ressemblaient trop.

La première du *Facteur sonne toujours deux fois* eut lieu sur Broadway en février, et ne reçut que des critiques tièdes, les meilleures saluant « l'art intuitif [26] » de Mary Philips.

Mais le public vint nombreux, attiré par le nom de Barthelmess et ce qui à l'époque passait pour un spectacle de sexe et de violence, ce qui fut beaucoup plus évident dix ans plus tard dans le film avec Lana Turner et John Garfield.

En avril, la pièce marchait encore bien quand elle quitta le Lyceum Theatre pour le plus petit Golden Theater. Puis, deux semaines après ce déménagement, elle s'arrêta brusquement. Le lendemain matin, Mary, ayant fait ses bagages, prit l'avion pour Los Angeles. On ne sait pas bien pourquoi elle avait renoncé au confort d'un voyage en train et emprunté un petit avion exigu qui devait faire plusieurs escales pour se ravitailler en carburant et ne respectait guère les horaires prévus. Peut-être avait-elle appris que son mari avait trouvé du réconfort pendant son absence. Quoi qu'il en soit, elle agissait dans la précipitation.

L'avion n'arriva pas le soir du 26 avril comme prévu et Bogart passa une nuit d'inquiétude. On retrouva l'appareil sur un lointain terrain d'aviation de l'Oklahoma, où il s'était posé en catastrophe en pleine tempête de sable.

Il arriva le lendemain et, en fin d'après-midi, le couple pénétrait dans le sompteux hall du Garden of Allah. « Mary Philips vient d'arriver pour retrouver son époux, Humphrey Bogart[27] », écrivit Robert Benchley à sa famille ce soir-là. Le temps en Californie du Sud, si beau la veille, avait tourné au froid et le ciel était chargé de nuages, à l'instar du mariage des Bogart.

Le Bouton de rose de Portland

Mayo Methot, à dix-neuf ans, était adorable quand elle fit ses débuts à Broadway — avec les cinq répliques de la servante dans *The Mad Honeymoon*, la lamentable production de William Brady, en 1923. La critique trouva la pièce et les acteurs ridicules, à l'exception de la jeune femme, dont les lèvres en arc de Cupidon et les grands yeux pensifs sous la masse de ses boucles blondes rappelaient à beaucoup l'idole de l'écran Lillian Gish. Émerveillé, George M. Cohan la fit immédiatement signer pour qu'elle soit sa partenaire, Leola Lane, dans *The Song and Dance Man*. Poussée par une mère ambitieuse et soutenue par son capitaine au long cours de père qui passait presque tout son temps en mer, Mayo était dans le métier depuis l'âge de six ans[1]. Elle avait joué dans de nombreux spectacles chez elle, dans l'Oregon, puis, à dix-huit ans, elle était venue sur la côte Est et avait obtenu un petit rôle dans un film avec Lionel Barrymore pour la compagnie de William Randolph Hearst, Cosmopolitan Pictures. Après avoir passé quelques mois dans une troupe à demeure du Massachusetts, elle revint à New York, et Brady lui proposa ce petit rôle de servante. Incertaine, elle télégraphia à sa mère.

« Accepte, répondit celle-ci. Et tires-en un maximum. C'est peut-être ta chance[2]. »

En effet. Tout Broadway fut ensorcelé par « la petite beauté blonde », comme l'appelaient les journaux, charmé par « sa personnalité naïve et son talent de comédienne », sa dévotion touchante pour son mari John Lamond, cameraman chez Cosmopolitan Pictures, et sa douce voix chantante. Le grand Cohan lui-même prédit une brillante carrière à sa jeune découverte, qu'on surnomma bientôt « le Bouton de rose de Portland ».

Quand Bogart la croisa brièvement à la fin des années vingt, elle avait renoncé à ses boucles blondes pour une coupe raide plus à la mode. L'ingénue de la côte Ouest était maintenant une vedette de Broadway qu'admiraient entre autres le critique Brooks Atkinson et le producteur Arthur Hopkins. Le mariage contracté pendant son adolescence s'était terminé en 1927 ; la bouche en cœur s'était faite plus sensuelle, les yeux pensifs étaient maintenant de braise sous les sourcils arqués qui accentuaient ses larges pommettes.

Elle s'était mise à boire. Selon sa collègue Isabel Bunker, c'était « une drôle de fille ». Bien que solitaire, Mayo exigeait l'amitié des rares personnes qu'elle laissait s'approcher d'elle. Dans son métier, elle tenait la salle entre ses mains. Dans *Great Day*, un succès de Vincent Youmans, elle pénétrait chaque soir sur scène dans ce silence spécial qu'offre un public de théâtre qui attend ce qu'il est venu voir, et jamais elle ne le décevait.

Hollywood l'avait enlevée au début des années trente, quand on engageait tous les acteurs capables de parler correctement. Une fois là-bas, pourtant, elle se rendit compte que personne ne savait que faire de son physique original. A trente-deux ans, elle ne pouvait énumérer, après des débuts si prometteurs, qu'une série de seconds rôles, une carrière sur le déclin, et un mariage finissant avec un des deux frères Morgan, qui possédaient The Cock and Bull, un restaurant en vogue de Sunset Boulevard. Elle était Mme Percy T. Morgan quand Bogart, désespéré, la rencontra à nouveau, début 1936.

On raconte qu'ils s'étaient rendus séparément au dîner annuel de la Screen Actors Guild à l'hôtel Biltmore, et que Mayo, en robe rouge à profond décolleté, sourit à Bogart de sa table. Au bout d'un moment, il se souvint qu'ils s'étaient déjà rencontrés et, détendu par plusieurs verres, arracha un nu en plâtre de sa colonne décorative et le lui apporta : « Un oscar pour la plus belle femme de la salle[3]. » Ils dansèrent, prirent un digestif, etc.

Même si cette scène se déroula bien au Biltmore, leurs retrouvailles, en fait, avaient été plus prosaïques. Des amis communs — Eric Hatch, maître de la comédie échevelée, auteur de l'histoire et coauteur du scénario de *My Man Godfrey (Mon homme Godfrey)*, et son épouse Gertie — étaient arrivés de la côte Est. Bogart passa chez eux à Beverly Hills pour les saluer ; dans leur salon se trouvait Mayo.

Cette rencontre se transforma presque immédiatement en liaison, la résidence des Hatch leur servant de lieu de rendez-vous, situation que Gertie (qui deviendra Gertrude Hatch Chase) et Eric trouvaient très gênante, comme Gertie l'avoua à Nathaniel Benchley.

D'autant plus que l'aventure de Humphrey avec une femme mariée était de moins en moins discrète. Il semblait se moquer de ce que les gens voyaient ou savaient. Il s'intéressait seulement à cette femme imprévisible et sensuelle, dotée d'un furieux sens de l'humour et d'un amour inextinguible des amusements — tout le contraire de Mary.

Elle en payait le prix. « C'était une alcoolique, dit son amie Gloria Stuart (la blonde vedette de *Chercheuses d'or de 1935*). Très intelligente, elle se faisait pourtant toujours écraser. Elle avait fait un "bon" mariage, mais elle voulait Bogart, et c'était tout... Je crois qu'il la trouvait amusante. Elle le faisait beaucoup rire, et Bogie aimait rire[4]. »

On évita pourtant de justesse une scène beaucoup moins drôle un soir de fête chez les Hatch où le couple était invité. Louise Brooks a décrit l'arrivée de Mayo, « vêtue d'un voile de soie bleu paon. Ce soir-là, au lieu de bavarder et de rire comme d'ordinaire, nous avons assisté, fascinés, à une scène d'amour des plus passionnées entre Mayo et Humphrey, sans même qu'ils se touchent la main ». Quand on joua un tango, elle dansa pieds nus avec le jeune acteur russe Mischa Auer (avec qui Alice Brady jouait *My Man Godfrey*). Ce qui avait commencé comme « une scène burlesque, le danseur la projetant de droite et de gauche en plongeant dans ses yeux un regard éperdu », ne tarda pas à devenir un ballet sexuel, « le corps délicieusement persuasif de Mayo dirigeant le corps de son cavalier tandis qu'il la renversait en arrière, la relevait et prenait les pauses voluptueuses du tango ». La fascination fut brutalement brisée quand une domestique annonça que M. Morgan avait entendu parler de cette fête et qu'il arrivait, sans doute pour surprendre sa femme.

Mayo chercha ses chaussures des yeux. Il en manquait une. Tous les convives se mirent en chasse — à l'exception de Louise Brooks, qui resta assise. Furieux, Bogart se tourna vers elle : « Nom de Dieu, Louise, dis-nous où tu as caché la chaussure de Mayo[5] ! » Finalement, Auer, qui avait caché la chaussure sur une poutre du plafond que lui seul, vu sa taille, pouvait atteindre, lui rendit son bien et le couple d'amants s'échappa par la porte de la cuisine au moment où on sonnait à l'entrée.

On ne s'étonnera donc pas que Mary Philips soit arrivée aussi vite que possible au printemps 1936 pour rejoindre son mari. On a dit qu'elle avait trouvé Mayo installée au « Garden of Allah », mais il est plus probable qu'elle ne faisait que passer. Son adresse officielle restait la spacieuse maison sur les collines où elle vivait avec son mari. Pour Bogart et bien d'autres, une passion hors mariage était une chose ; rompre neuf ans d'union légitime en était une autre. On ne saura jamais ce qui se passa quand Mary arriva, mais il est clair qu'ils tentèrent une réconciliation.

Au mois de juin, la Warner, en application du contrat, rengagea Bogart pour six mois, avec une augmentation de cinquante dollars par semaine : cette fois il était à Hollywood pour de bon. Il n'avait pratiquement pas arrêté de tourner depuis l'arrivée de Mary. Début juillet, il profita de ses trois semaines de vacances après la fin du tournage de *Isle of Fury* pour déménager dans une petite maison au 1210 North Horn Avenue, sur une pente à quarante-cinq degrés surplombant Sunset Boulevard[6].

Mais il continuait à voir Mayo, qui avait engagé une procédure de divorce, accusant son époux de cruauté mentale parce qu'il ne la laissait pas changer les meubles de place dans la maison[7].

Mary Baker, à l'époque confidente de Bogart, était convaincue que « Bogie ne voulait pas vraiment épouser Mayo. Il voulait que ça continue comme ça, et rester marié à Mary. Mais ce n'est pas ainsi que les choses devaient se passer[8] ». Quand Mayo et Humphrey commencèrent ensemble le tournage de *Marked Woman (Femmes marquées)*, en décembre, leur avenir commun semblait évident.

Le film, qui mettait Bette Davis en vedette, était une sorte de baiser de réconciliation entre la Warner et la star, qui avait tenté de briser son contrat en exigeant de se faire « prêter » aux studios de son choix. Au premier film de Bette Davis, *Bad Sister* (1931), avec Bogart dans un petit rôle, avaient succédé cinq films médiocres. Sa carrière prit son essor en 1932 avec *The Man Who Played God,* et ses ennuis avec le studio culminèrent au milieu des années trente. Peu de temps après avoir remporté un oscar pour *Dangerous (l'Intruse)*, en 1935, elle s'enfuit en Angleterre parce qu'on ne lui offrait que des rôles sans intérêt, parce qu'on la faisait trop tourner et qu'elle ne pouvait continuer dans ces conditions. Avant son départ, elle rencontra Jack Warner, puis lui écrivit une lettre où elle disait entre autres : « Il vient un temps dans la carrière de chacun où certaines choses sont nécessaires pour que le travail qu'on fait en vaille la peine. Je fais allusion aux très rares droits que j'ai revendiqués[9]. » Bien entendu, les « droits » d'un acteur n'intéressaient pas le studio. Les « droits », c'étaient forcément ceux du studio, y compris sur l'acteur. Quand Bette Davis refusa de se présenter en juillet pour tourner le très ordinaire *God's Country and the Woman*, la Warner suspendit le paiement de son salaire et la poursuivit par-delà l'Océan pour qu'elle honore son contrat. A Londres, le procès fit sensation. L'actrice vint chaque jour dans un manteau de tweed rouge et bleu avec béret assorti. Après avoir écouté l'avocat de la Warner traiter la star de « vilaine jeune dame[10] », le juge britannique accorda au studio le droit de contraindre Bette Davis à rentrer à Los Angeles.

La Warner eut le triomphe modeste. Elle paya tous les frais du procès et accorda à la fille prodigue le grand rôle de *Femmes marquées*, une histoire inspirée des aventures de Charles « Lucky » Luciano et de sa bande à New York. BETTE EST DE RETOUR ! proclamait la publicité.

S'écartant de ses rôles habituels de gangster, Bogart, lui, jouait un avocat général redresseur de torts modelé sur Thomas E. Dewey, qu'Alice Roosevelt Longworth appelait « le Petit Homme sur le gâteau de mariage ». Ce rôle n'avait pourtant aucune profondeur. Bogart n'était qu'un costume ambulant qui devait servir à la revanche de Bette Davis et peut-être à son sauvetage moral. Mayo jouait une camarade de chambre de Bette, une prostituée en semi-esclavage qu'on appelait « hôtesse » dans le langage pudique exigé par le Code de la production.

Les carrières de Bogie et de Mayo étaient un peu comme les trajectoires de deux personnes qui se rencontrent sur des escaliers roulants. Pendant un moment, toutes deux semblent à la même place, mais l'une monte tandis que l'autre descend. Mayo descendait. L'accumulation de déceptions, de colère et d'alcool de ses six années à Hollywood la marquait physiquement. A trente-trois ans, le doux visage était devenu bouffi, la bouche sensuelle molle, la silhouette fine enrobée. Sur Broadway, la distance et l'éclairage pouvaient voiler les ravages, mais la caméra ne faisait que les souligner. La description de son personnage, Estelle, lui convenait parfaitement : « Des années de vie nocturne ont marqué sa beauté. »

Quant à Bogart, de trois ans son aîné, il jouait un homme jeune et désirable exclusivement attiré par Bette Davis.

Jane Bryan, une adolescente dont c'était le second film et qui jouait la jeune sœur de Bette Davis, regarda Bogart et Mayo côte à côte et resta incrédule. « Je ne comprendrai jamais comment il a pu l'épouser », dit-elle. Elle trouvait Bogart « adorable ; toujours il me saluait d'un "Comment ça va, petite ?". Il était très professionnel, mais aussi très intelligent et très attentionné. Il était tranquille sur le plateau. Je ne me souviens pas qu'il ait engagé de longues conversations avec les techniciens, ni qu'il ait plaisanté bruyamment. Il était juste là, à sa place, prêt à tourner [11] ».

Bette Davis, l'idole de Jane, ne la déçut pas. « Elle venait de perdre son procès, et je m'attendais à ce qu'elle revienne la tête basse. Mais rien de tel. Elle était formidable. Il émanait d'elle une sorte de puissance intérieure. » Bette devint la grande sœur de Jane dans la vie aussi ; elle permit à la jeune fille de passer la nuit chez elle quand le travail se terminait tard, afin de lui éviter un long trajet. Jane Bryan, qui épousa un riche industriel, Justin Dart, organisera dans son ranch de l'Arizona le mariage de Bette Davis et Arthur Farnsworth, en 1941.

Dans le film, Jane Bryan eut bientôt l'impression qu'elle ne donnait pas à son personnage la vérité qu'il lui fallait. La plupart des scènes se déroulaient avec les « hôtesses » dont les conversations étaient beaucoup plus crues hors caméra que pendant le tournage. « Certaines, comme Mayo Methot et Lola Lane, disaient des mots que, honnêtement, je ne connaissais pas. » Fille d'un avocat, Jane avait mené une vie protégée et se sentait gênée. Elle aurait voulu abandonner, mais elle n'osait pas : « Je ne voulais pas attirer l'attention sur moi. »

Un jour, Bogart passa près des deux femmes qui parlaient en présence de la jeune fille, rougissante, les yeux fixés sur le plancher. « Il s'est approché et il a dit : "Les filles, je crois que cette conversation va un peu trop loin, vous devriez baisser d'un ton." La réprobation dans sa voix pouvait paraître surprenante de la part du maître des mots de trois et cinq lettres, mais c'était son côté gentleman. On ne parlait pas comme ça devant une gamine. » Mayo se rebiffa. « Ce fut cataclysmique. Ils étaient du poison l'un pour l'autre. » C'était un signe avant-coureur du revers de la médaille que les amants allaient connaître un jour.

Femmes marquées fut un succès critique et commercial, mais c'était le film de Bette Davis, même si Bogart y avait au moins joué un second rôle important après une série de nullités. De même qu'il avait été le faire-valoir d'Edward G. Robinson ou de Pat O'Brien, il deviendrait celui de Jim Cagney et de George Raft, interprétant des personnages qui, en dehors de leurs noms variés comme Rocks, Bugs ou Turkey, se différenciaient à peine les uns des autres.

Lors de sa seconde rencontre avec O'Brien, dans le mélodrame *The Great O'Malley (Septième district)*, son rôle s'étoffa — il incarnait un ancien combattant amer et sans travail qui finit pas commettre un crime. Une scène en particulier ressortait avec force de l'ensemble doucereux : son personnage, au désespoir de ne pouvoir nourrir sa famille, tente de mettre au clou ses décorations et son pistolet de service. Le prêteur sur gages lui jette trois dollars pour le pistolet (« Les armes, ça se vend toujours »), mais refuse les médailles (« Dix dollars pour cette camelote ?! Pourquoi tu t'adresses pas aux bonnes œuvres ? »). Alors, Bogart explose (« La seule chose qui me reste pour me souvenir que j'ai été un homme... et vous appelez ça de la camelote ! ») et l'homme rendu humble par le sort devient violent. Il vole et manque de tuer. La scène est dure et sans mièvrerie.

La publicité ne fit pourtant pas la différence avec les autres films et annonça : « Un flic irlandais contre un tueur fou ! »

Enfin se présenta l'occasion de briser le cercle vicieux. La Warner avait besoin d'un acteur qui ne soit pas marqué « racialement » pour le premier rôle dans *Black Legion (la Légion noire)*, incursion du studio dans les profondeurs du fascisme américain. Non que Robinson, né Emmanuel Goldenberg, eût l'air particulièrement « juif », disait le rapport du studio, mais il avait l'air « étranger », et on avait besoin d'« un acteur à l'air indubitablement américain [12] ».

La Légion noire, comme *Femmes marquées*, n'était pas une création des scénaristes de la Warner. Les groupes motorisés qui terrorisaient la nuit le cœur du pays dont les industries étaient gravement en crise et qui prenaient modèle sur le Ku Klux Klan, prônant la suprématie des Blancs, faisaient les gros titres depuis un an. Chaque jour, on révélait des enlèvements, des flagellations, des mutilations, et ce genre d'histoire était la matière première de la Warner.

Dans le scénario (qui s'appuyait sur un fait divers authentique d'enlèvement et de meurtre qui avait attiré l'attention de tout le pays sur la

Légion), Frank Taylor, ouvrier d'usine, se voit privé d'une promotion accordée à un certain Dombrowski. Quand Taylor se joint à la bande de miliciens cagoulés, s'enchaînent des évènements qui aboutissent à l'éclatement de sa famille et au meurtre de son meilleur ami. Au tribunal, il se détache de ses coaccusés et, en une scène dramatique, révèle la véritable nature de ce groupe haineux. Mais il n'y a pas de fin heureuse à la manière de Hollywood : Taylor, comme les autres, est condamné à perpétuité. C'était la première fois que Bogart, avec *la Légion noire,* tenait un grand rôle dans un film marquant.

L'actualité qu'a conservée le film fait froid dans le dos, notamment la scène où Frank Taylor, en compagnie de son jeune fils, est rivé aux paroles d'une voix à la radio qui semble s'adresser directement à lui :

> *... Des hordes d'étrangers avides et sans scrupules volent les emplois des ouvriers américains et le pain des foyers américains... C'est pour combattre ce péril, pour préserver et protéger le mode de vie qui a fait que le monde entier envie les travailleurs américains, que nous poussons notre cri de ralliement — l'Amérique aux Américains !...*

Frank et d'autres hommes de son quartier, certains en bras de chemise, d'autres en costume, se retrouvent pour des réunions secrètes dans ce symbole de l'Amérique qu'est le drugstore local. Mais c'est autre chose qu'une réunion entre voisins, c'est l'association de ceux qui ont peur, et ils ne tardent pas à être convaincus par les harangues du recruteur de la Légion noire :

> *Depuis des temps immémoriaux, l'Amérique généreuse et puissante a tendu une main secourable aux opprimés d'autres nations... Des multitudes ont envahi nos rives... et, ivres du pouvoir impudent de leur prospérité volée, complotent ouvertement pour prendre le contrôle de notre gouvernement...*

> *Seuls, vous et moi sommes impuissants à nous défendre... Mais si nous nous unissons à des millions d'autres Américains courageux... nous sommes invincibles ! Par le feu et par l'épée nous purgerons cette terre des traîtres étrangers... jusqu'à ce qu'une fois de plus notre bien-aimé drapeau flotte sur une nation unie d'Américains cent pour cent, libres et blancs !*

« *La Légion noire* ne restera pas une simple fiction cinématographique, commenta le *New York Times.* Cela frappe trop fort, trop profondément, trop près du but [13]. »

Il fallait du courage pour faire ce film. Hal Wallis persévéra, en dépit des menaces, du risque de procès et de la crainte de blesser certaines sensibilités régionales. Pour Bogart, à l'exception des scènes convenues du bon garçon, au début du film, c'était la première occasion de vraiment interpréter un rôle depuis *la Forêt pétrifiée*. Il rendit sensible la destruction morale de Frank Taylor avec une précision presque clinique, prélude à son travail plus mûr, dix ans plus tard, dans *le Trésor de la Sierra Madre*. Sa performance d'acteur incita l'éditorialiste du *New York Herald Tribune* à trouver que le film était « autant l'histoire d'une désintégration humaine qu'un traité social [14] ». Peu de ceux qui ont vu le film ont pu oublier le plan où Bogart, petit homme déçu, tâte son nouveau pistolet devant son ombre énorme projetée sur le mur, et sourit.

La violence conduit au meurtre quand le meilleur ami de Taylor, Ed Jackson, bon bougre rigolard joué par Dick Foran (l'athlète de *la Forêt pétrifiée*), menace d'aller trouver la police. On le kidnappe, il s'échappe, il court, on crie : « Arrêtez-le ! » Taylor, cagoule sur la tête, tire comme un automate, poussé par la volonté de la foule. Ed s'écroule, mort. Les membres de la Légion, effrayés, se dispersent, et seule une silhouette cagoulée reste figée sur place.

Dans la scène suivante, Bogart arrache sa cagoule et se jette sur le corps avec des cris rauques de dénégation, puis passe soudain de la douleur à la panique. Il se faufile, hystérique, à quatre pattes dans les buissons, comme un animal aveuglé, puis se redresse et marche, les yeux dans le vide, habité par la peur. Sans s'arrêter il enlève brutalement sa robe et la jette dans le même mouvement qui le fait plonger en avant, accélérant le pas tandis que l'émotion monte. C'est un ballet de terreur qu'il exécute sans hésitation.

Les commentaires sur le film occupèrent souvent la une des journaux. Le *Motion Picture Daily* qualifia le film de « dynamite sur pellicule [15] ». Le *New York Times* trouva là « le cinéma à son plus haut niveau... Un témoignage quasi documentaire ». Même si la thèse selon laquelle on pouvait manipuler des gens normaux en faisant appel à leurs émotions élémentaires sembla souvent insuffisante à la critique, le film s'avéra d'une redoutable efficacité et attira beaucoup d'attention. « Car telle est l'horrible et inoubliable réalité de *la Légion noire*, continuait le *New York Times* : c'est arrivé ici ! »

La Warner avait pourtant pris quelques précautions. Les chefs de la Légion n'étaient que de petits personnages, et pas un instant on ne laissait entendre que la Légion infiltrait au plus haut niveau la police, la justice et le gouvernement du Michigan [16]. Le studio avait parfaitement conscience que le procureur général de Detroit, impliqué dans la Légion, avait été réélu par les citoyens de la ville, et que les récentes décisions de justice avaient été particulièrement dures pour sanctionner tout ce qu'on pouvait considérer comme de la diffamation [17].

En revanche, la Warner avait reproduit les cérémonies de la Légion, les rites d'initiation et le serment d'obéissance que Bogart prononçait lors d'une réunion secrète (« *Avant de violer mes obligations, je prierai le Dieu vengeur et le Diable cruel de m'arracher le cœur et de le faire griller sur des flammes de soufre...* »). La dramatique scène du procès, où Bogart avoue le meurtre, est une reconstitution de la confession qui avait stupéfié le pays, quand l'homme dont Bogart jouait le rôle avait dénoncé le groupe.

La presse salua le film, mais elle fut surtout unanime pour louer la prestation de Bogart. « Dynamique et émouvant, déclara Archer Winsten dans le *New York Post*. Le rôle exigeait le talent d'un Muni ou d'un Robinson, et Bogart a parfaitement relevé le défi. Plus de rôles mineurs pour Bogart [18] ! » « La puissance de sa performance, disait le *Morning Telegraph* de New York, situe Humphrey Bogart dans le clan des stars [19]. » Le *New York Mirror* trouvait « enthousiasmant de le regarder », et à travers tout le pays, les adjectifs étaient hyperboliques : « Puissant », « superbe », « émouvant », « fascinant », « brillant ». Le critique de l'*American* de New York alla jusqu'à suggérer que ce « jeune acteur dynamique » tienne le rôle de Rhett Butler dans la future production d'*Autant en emporte le vent*.

Mais en dépit de cet accueil, en dépit des profits honnêtes que réalisa le film, ce ne fut pas un succès égal à ceux de Paul Muni ou de James Cagney. Bogart ne faisait pas recette. Il était un bon acteur, il faisait du bon travail, mais il n'était pas une personnalité de l'écran, sauf dans les limites étroites des clones de Duke Mantee dans des films de série B. Quand se termina sa première année de contrat, début 1936, on ne pouvait ignorer cette réalité. Il y avait trop de gens devant lui dans ce genre de rôles. Il pouvait se donner corps et âme, mais les têtes d'affiche lui voleraient toujours la vedette. C'était un principe dans cette industrie : les bonnes critiques servaient juste à remplir votre album personnel tant que le studio ne voyait pas d'intérêt à faire de vous une star.

Le succès de *la Légion noire* eut une suite anecdotique assez drôle. La Warner avait ordonné des recherches méticuleuses pour respecter tous les détails du costume des légionnaires, et en avait fait faire des reproductions fidèles, robes et cagoules noires, et un insigne cousu représentant une croix blanche sur un cercle rouge avec un carré noir au centre. Il se trouva que c'était le symbole du KKK, protégé par la licence n⁰ 68219 du 15 septembre 1925, et bientôt la Warner se retrouva au tribunal pour utilisation d'une marque déposée par « les Chevaliers du Ku Klux Klan, association constituée conformément aux lois de l'État de Géorgie [20] ». Il y eut un non-lieu l'année suivante, et le Klan fut condamné aux dépens.

Naturellement, Bogart était découragé par sa carrière à Hollywood, et on racontait jusqu'à New York que les choses ne se présentaient pas comme il l'avait espéré. On disait au Bleeck's et au « 21 » que la Warner ne renouvellerait pas son contrat, ou même qu'il abandonnait le cinéma. Mais comme toujours, les rumeurs dramatisaient la réalité.

Bogart ne manquait pas de travail, mais les rôles qu'on lui proposait ne changeaient pas. *Kid Galahad* (*le Dernier Round*, 1937) est un film de boxe, mais il ne sera pas aussi mémorable que *Body and Soul* (*Sang et Or*, 1947) ou *Golden Boy* (*l'Esclave aux mains d'or*, 1939), malgré une mise en scène crépitante de Michael Curtiz, Edward G. Robinson et Bette Davis en tête d'affiche et des séquences de combats qui sont des modèles de cinématographie novatrice. Mais son rôle d'escroc reléguait à nouveau Bogart au quatrième rang, après les vedettes et une masse de muscle blonde du nom de Wayne Morris qui jouait le Kid et dont on voulait faire un autre Errol Flynn. De même que dans *Guerre au crime*, l'histoire se termine par le duel fatal entre Robinson et Bogart. Comme toujours lorsqu'il affrontait une star, Bogart mourait et disparaissait sur l'instant, alors que l'agonie de son adversaire donnait lieu à des scènes dignes d'une Pietà dans les bras de Bette Davis, Joan Blondell ou Gladys George[21].

La grande scène de la mort, Bogart la joua en 1937 à la radio. Le *CBS Shakespeare Theater* était un ambitieux projet de Columbia Broadcasting System pour couronner ses dix ans d'existence : d'habiles adaptations d'une heure, sans interruption publicitaire, des pièces du grand dramaturge, présentées en direct devant un public, avec un orchestre et quelques-uns des plus grands talents de Hollywood. C'était un programme d'été, période traditionnellement consacrée aux rediffusions pendant les vacances des émissions vedettes, et qui voulait sans doute conférer un certain prestige à la station face à la bien plus ancienne et bien plus riche National Broadcasting Company. Cela marcha si bien que NBC demanda à John Barrymore de produire et de présenter au même moment, le lundi soir, une série rivale.

Pour les acteurs, c'était là un rythme différent et une occasion d'affronter le micro en direct, sans autre prise pour se rattraper. De la mi-juillet à fin août 1937, un stupéfiant éventail de talents passa au Music Box Theater de la Columbia, à Hollywood : Burgess Meredith dans *Hamlet* ; Leslie Howard et Rosalind Russell dans *Beaucoup de bruit pour rien* ; Claude Rains et Raymond Massey dans *Jules César*. Edward G. Robinson ravit tant le public que les auditeurs dans *la Mégère apprivoisée*[22], et Tallulah Bankhead et Orson Welles furent les stars de *la Nuit des rois*, entourés de Sir Cedric Hardwicke, d'Estelle Winwood et d'Helen Menken.

En juin, on invita Bogart à jouer fin août Harry Percy dans *Henry IV*, première partie. Il en fut ravi et Jack Warner, à qui on devait demander l'autorisation personnelle pour toute prestation à la radio, donna son accord, « tant que ça n'interfère pas avec son travail pour le studio[23] ».

On ne sait pourquoi Bogart fut choisi pour jouer auprès de Walter

Huston et Brian Aherne. Peut-être était-ce parce que son personnage, surnommé Hotspur, avait, comme Bogart, mauvais caractère et un défaut de langage. Comme presque toujours, Bogart mourait après un duel. A ceci près qu'à l'agonie, Hotspur faisait un discours.

Bogart s'en sortit assez bien, mais il n'avait ni le métier d'un acteur shakespearien, ni la diction qui convenait. En revanche, Huston, dont la sœur avait été le professeur de diction de John Barrymore pour son grand *Hamlet,* et Aherne, qui avait fait ses classes en Angleterre, roulaient les vers élisabéthains comme s'ils n'avaient jamais fait que cela. De surcroît, ils avaient joué ensemble *Othello* sur Broadway cette année-là [24]. Bogart savait qu'il n'était pas dans son élément, mais il persévéra, péniblement, trébuchant sur les rencontres de syllabes imprononçables, la voix incapable de masquer les *a* sourds et la gouaille de trop de films de gangsters. Pourtant, les auditeurs restèrent fascinés quand ils entendirent le guerrier mourant prononcer les phrases rythmées de Shakespeare par la voix de Humphrey Bogart :

> *O Harry ! tu m'as dérobé ma jeunesse ! Mais ce qui m'affecte, c'est moins la perte de cette vie fragile que les titres éclatants que tu as conquis sur moi [...] Oh ! je pourrais prophétiser, si la terreuse et froide main de la mort ne pesait sur ma bouche... Non, Percy, tu n'es que poussière, et qu'une pâture pour...* (il expire).

C'était un essai sérieux, même si le gémissement de Harry Percy mourant suggérait moins la douleur de l'agonie que celle d'une mauvaise cuite. Mais du moins Bogart avait-il eu l'occasion de travailler sur un grand texte. C'était aussi une pause dans les rôles interchangeables qu'il jouait à l'écran. « On pourrait presque faire un catalogue des répliques identiques que je dois dire », se plaignait-il [25].

Bogart, qui n'avait jamais été un dandy, s'intéressait de moins en moins aux vêtements portés par ses personnages — ce qui était de sa part un commentaire silencieux sur ces rôles qu'on semblait décrocher pour lui au portemanteau. Hal Wallis, après avoir visionné un jour des rushes de *Femmes marquées*, envoya deux notes irritées au metteur en scène Lloyd Bacon : pourrait-il dire à Bogart d'être « un peu plus attentif » à son apparence, de fermer son col, de mieux faire son nœud de cravate, et, pour l'amour de Dieu, d'éliminer ces cravates écossaises ou rayées ! Et s'il ne pouvait pas se raser de près, qu'il mette du fond de teint pour couvrir sa barbe — « Il a l'air sale [26]. »

Bogart était au plus bas quand la chance vint à nouveau d'un dramaturge new-yorkais. Cette fois, il s'agissait de Sidney Kingsley, détenteur du prix Pulitzer, qui venait de vendre à Samuel Goldwyn, en vue d'une adaptation au cinéma, sa dénonciation de la pauvreté urbaine intitulée *Dead End (Rue sans issue).*

Bien sûr, c'était encore un rôle de méchant, mais ce rôle de Baby

Face Martin, un gangster qui revient dans son ancien quartier, à qui sa mère claque la porte au nez et dont l'amie d'enfance est devenue une prostituée ravagée par une maladie vénérienne, dépassait de loin le portrait stéréotypé auquel il était habitué. Kingsley décrivait le personnage comme « un homme autodestructeur et que détruit finalement ce qui l'a fait : il est victime de sa réussite en tant que gangster[27] ». Soixante ans plus tard, dans un quartier où l'on vend du crack, le dialogue pourrait être le même.

« J'aimais Bogart et je l'admirais comme acteur[28] », dit Kingsley, si bien qu'il fut ravi quand on évoqua son nom dans une discussion à propos de la distribution du film. Bogart avait fait le voyage de New York pour voir la pièce, et il en avait beaucoup appris. Martin était interprété par Joseph Downing, avec ce que Kingsley appelait « une démarche de quelqu'un qui aurait la hanche cassée », et l'habitude de se curer nerveusement les dents. « Tous ces détails étaient juste ce qu'il fallait pour le rôle. C'était merveilleux. » On les retrouva dans le répertoire de Bogart. Comme le dit Kingsley, « le masque collait au visage ».

Kingsley, élevé dans les taudis qui bordaient l'East River, savait de quoi il parlait. « J'étais dans l'impasse à ma naissance. » Mais pour Bogart aussi, le sujet sonnait juste, il réveillait les souvenirs du début des années trente — le désespoir, l'appartement misérable à quelques pas de l'East River, les immeubles délabrés à côté des logements de luxe, les yachts ancrés au large des quais, d'où les enfants pauvres plongeaient dans l'eau sale.

Le metteur en scène William Wyler aurait voulu tourner sur place à New York. Bien que Goldwyn s'y soit opposé — décision qui retira de l'efficacité au film —, pour le reste, la production, comme toutes celles de Samuel Goldwyn, était de première classe, sans rien d'un travail à la chaîne. Cela changea radicalement Bogart de la Warner. On confia le scénario à Lillian Hellman, et la distribution comportait Sylvia Sidney, Claire Trevor, Joel McCrea et Wendy Barrie. Goldwyn avait aussi fait venir les gamins qui, sur Broadway, au théâtre, avaient recréé l'atmosphère d'un jeune gang, et éclipsé les vedettes. Après la sortie du film, on les appellera les Gosses dans l'impasse[29].

Le film voulait sortir de l'ordinaire, et le rôle de Baby Face Martin était un morceau de choix. Louella Parsons affirma : « Il n'y a pas un acteur en ville qui ne ferait des pieds et des mains pour tourner dans *Rue sans issue*[30]. » A un moment, on envisagea d'engager le « dur » de la Paramount, George Raft, mais il s'inquiétait pour son contrat. Kingsley raconta : « Il allait partout en ville demander à ses amis : "Est-ce que je dois accepter ce rôle[31] ?" » L'indécision de Raft, dans ce cas, mais aussi dans d'autres plus tard, facilita grandement la carrière de Bogart — ce qui ne retire rien à son talent propre.

Le rôle faillit pourtant lui échapper. Goldwyn avait demandé que la

Warner le lui prête, pratique habituelle dans ce milieu où on louait les acteurs sous contrat à d'autres compagnies pour souvent le double ou le triple de leur salaire, le studio empochant la différence. Mais même à ce prix, Jack Warner n'avait pas envie de se séparer de Bogart. Mal payé, corvéable à merci, toujours talentueux, il était utile au studio : pourquoi la Warner devrait-elle en faire bénéficier un concurrent ? Les appels de Sam Goldwyn à Warner restèrent sans réponse, Warner ignora ses télégrammes — jusqu'à ce qu'il se rende soudain compte que Goldwyn possédait un atout dont il avait besoin : les services de la blonde Miriam Hopkins. En avril, l'échange fut organisé.

Pendant ce temps, le mariage des Bogart arrivait à son stade final. Jusqu'au bout, Humphrey s'était accroché à un espoir de réconciliation mais, refusant les demi-mesures, Mary le quitta. Fin février 1937, Mayo obtint le divorce. Mary plaça toute son énergie et toute sa peine dans *As Good as Married*, le premier des cinq films qu'elle tourna cette année-là.

Mary Baker, amie de longue date des Bogart et intermédiaire fidèle, après une dernière conversation avec Mary Philips, alla voir Humphrey chez Goldwyn, sur Santa Monica Boulevard, un des rares studios qui se trouvaient vraiment à Hollywood.

Il tournait dans le décor du bord de la rivière. Bogart-Baby Face Martin était assis sur des marches, s'entraînant au lancer de couteau sous la direction de William Wyler. Il fallait que ce soit parfait, que le couteau plonge droit pour aller clouer une pelure d'orange. Wyler était un perfectionniste, un spécialiste des priscs à répétition. Mary Baker les regarda refaire inlassablement le geste : pointer/lancer, pointer/lancer, pointer/lancer.

Elle commençait à en avoir assez quand enfin Wyler annonça une pause. Bogart se tourna vers elle avec anxiété. Ils s'assirent ensemble sur les marches, l'East River imaginaire à leurs pieds, dans un décor rappelant tout à fait les rues sinistres où ils avaient passé une partie de leurs débuts désargentés. Il n'y avait rien à ajouter. Il n'était pas le premier homme à aimer sa femme et à en vouloir une autre. Et Mary Philips n'était pas la première femme à refuser de l'accepter.

« Je ne vois pas de solution, lui dit Mary Baker.

— Alors il va falloir que j'épouse Mayo, soupira-t-il.

— Je le crains, parce qu'elle ne te lâchera pas. »

Bogart se redressa. D'accord. Que Mary prenne un avocat, il en prendrait un aussi. Voulait-elle servir de témoin ?

Mary Baker fit ce qu'on lui demandait et peu de temps après, les deux Mary partirent pour New York. Bogart ne montrait pas plus d'enthousiasme à l'idée d'un mariage avec Mayo qu'il n'en avait montré pour épouser Helen[32].

Survint alors une tragédie familiale : Kay, la sœur de Humphrey, mourut à New York. Il ne comprit pas bien la cause de sa mort d'après le message qu'il trouva chez lui quand il rentra du travail. Il savait seulement qu'elle était morte en salle d'opération, l'organisme détruit par l'alcool. (La cause de la mort était une péritonite due à la rupture de l'appendice[33].) Catherine Elizabeth Bogart avait vécu trente-cinq ans. « C'est une victime de l'ère des bars clandestins, expliqua Humphrey à ses amis. Elle a brûlé la chandelle par les deux bouts, et puis, elle a décidé de la brûler par le milieu[34]. »

La mort de Kay posait aussi le problème de Frances, dont l'équilibre émotionnel, après plusieurs années passées en partie dans des cliniques psychiatriques, était au mieux fragile. Les sœurs partageaient un appartement : une alcoolique et une maniaco-dépressive tentant de vivre ensemble. Les psychiatres de Frances avaient expliqué à un Stuart Rose déboussolé que sa femme ne pourrait jamais assumer le rôle d'une épouse et d'une mère, qu'il valait donc mieux que le couple ne vive pas ensemble et qu'un membre de la famille tienne le rôle de garde-malade. Stuart Rose avait donc installé les deux femmes dans un appartement et payé toutes les dépenses. Mais il avait aussi un enfant à élever, dit-il à Nathaniel Benchley, et il avait dû vendre une partie de ses biens pour régler les notes d'hôpital. Malgré son haut salaire de rédacteur au *Saturday Evening Post*, il était presque à court d'argent. La seule solution semblait un divorce qui spécifierait que Frances irait vivre sur la côte Ouest, où son frère prendrait soin d'elle[35]. (Stuart dit aussi à Benchley qu'il avait versé une pension à Pat pendant presque trente ans, mais Mary Baker, pour sa part, dit à Benchley que Bogart avait « entièrement pris sa sœur en charge », et qu'il « en voulait à Stuart de s'être tout à fait désintéressé de la question[36] ».)

Maintenant plus que jamais, Bogart avait besoin de la « prime » promise par les frères Warner quand il avait signé son contrat plus d'un an auparavant. « De lourdes charges lui incombent maintenant à cause de sa sœur très gravement malade », écrivit son agent Noll Gurney à Jack Warner[37], en ajoutant que Bogart avait besoin de plus que les cinquante dollars d'augmentation prévus au contrat. J. L. dit qu'il allait y réfléchir. Quelques jours plus tard, dans le bureau de Gurney, chez Myron Selznick & Company, Bogart reçut la réponse : non.

Il fut amer et furieux ; et ce qu'il savait de l'arrangement très rentable que Warner avait conclu pour le laisser tourner dans *Rue sans Issue*, et qui ne lui avait pas rapporté un centime, accentua probablement sa rancune. Gurney insista, expliquant que Bogart était très ennuyé :

Il sait parfaitement que vous êtes le producteur de cinéma qui lui a fait confiance en le faisant jouer dans la Forêt pétrifiée... *Humphrey se demande si peut-être votre attitude... n'est pas influencée par le fait qu'après* la Forêt pétrifiée *il a fait huit ou neuf films de moindre qualité — mais ce n'était pas de sa faute, comme l'a prouvé son talent dans* la Légion noire...

J'espère sincèrement, Jack, que vous verrez clairement la néces-sité de reconsidérer cette affaire... Humphrey a coopéré à cent pour cent avec votre studio, sans jamais causer le moindre ennui, et il a consacré beaucoup de temps à la promotion des films.

La réponse resta non, et elle le serait restée même si l'agent s'était montré plus habile dans sa lettre. Warner, que rien n'obligeait à aug-menter son acteur, choisit de ne pas le faire. Quant à l'agent des stars, il n'était pas davantage prêt à s'engager plus avant pour un petit acteur mal payé. Jack Warner, rusé et juge impitoyable des forces et des faiblesses de ses employés, savait à qui il avait affaire. Les vrais rebelles comme James Cagney ou Bette Davis partaient pour New York ou Londres, cherchaient une échappatoire, osaient un procès. Bogart ronchonnerait un peu, et puis il reprendrait le collier, écrasé par ses responsabilités et ses besoins d'argent.

Cet été-là, la Warner le prêta de nouveau, cette fois à un producteur indépendant, Walter Wanger. Bogart joua un producteur alcoolique et fort en gueule dans *Stand-In (Monsieur Dodd part pour Hollywood)*, une comédie avec Joan Blondell en actrice qui veut arriver et Leslie Howard en financier de Wall Street désigné par une banque pour main-tenir à flot un studio mal en point. Tay Garnett, qui avait avec succès mis en scène *One Way Passage (Voyage sans retour)* pour la Warner, dit qu'il avait pris Bogart pour lui faire une faveur. Il est vraisemblable que c'était plutôt un acte d'autodéfense. En effet, un soir, alors qu'ils dînaient, Mayo, qui avait de grandes ambitions pour Humphrey et regrettait qu'il soit si mal utilisé, cria à Garnett : « Pourquoi le meilleur acteur du monde ne joue-t-il que des malfrats ? Que comptez-vous faire pour y remédier ? » Pour y remédier, Mayo n'eut pas d'autre idée que de lui jeter les plats du buffet à la tête, un ou deux, pour être juste, visant Humphrey.

L'interprétation du producteur par Bogart déclencha les plus grands rires du public, mais son image forgée chez Warner le précédait. L'as-sistant de Garnett lui dit un soir : « Si vous pensez jamais faire de lui un héros, vous êtes fou : ce fils de pute zézaie [38] ! » Mais louer Bogart à Wanger était en fait une bonne affaire pour la Warner : elle avait emprunté Henry Fonda à Wanger pour un film et le voulait pour un autre.

Quand Bogart retourna à Burbank quelques semaines plus tard, on l'embarqua dans un désastre prévisible. Si *Swing Your Lady,* ce qu'on appelait une « comédie musicale hillbilly », était aussi éloigné que pos-sible de ce que faisait d'ordinaire la Warner, c'était aussi proche que possible du formidable succès de la Paramount, *Mountain Music,* et les frères Warner croyaient fermement au vieil adage de l'industrie cinématographique : « Si ça marche, imite-le. »

C'était l'histoire d'un boxeur protégé par Bogart qui tombait sous le charme de Louise Fazenda, Mme Hal Wallis à la ville, le tout enrobé de paysages de campagne en plastique et de chansons folkloriques. L'actrice principale était Penny Singleton, qui plus tard incarnerait à l'écran la *Blondie* de la bande dessinée. C'était un mélo moralisateur plein de stéréotypes ridicules.

Bogart refusa d'y participer, et pour une fois il eut le soutien au plus haut niveau de ses représentants. Myron Selznick et son associé Leland Hayward étaient les prototypes des agents tout-puissants, terreurs des studios. Ils avaient déjà réussi à briser l'accord entre les studios stipulant qu'ils n'engageraient pas d'autres acteurs que ceux qui étaient déjà sous contrat chez les uns ou les autres. Ils veillaient aussi sur les salaires, et ils représentèrent pour des périodes plus ou moins longues Katharine Hepburn, William Powell, Myrna Loy, Fredric March, Miriam Hopkins, Kay Francis, Henry Fonda, James Stewart, Fred Astaire, Ginger Rogers et Greta Garbo.

Même si Bogart n'était pas dans ce peloton de tête, il insista pour que ses agents s'occupent de lui. Six jours avant le début du tournage, Hayward téléphona chez lui à Max Arnow, assistant de Jack Warner. Il était impensable, affirmait-il, que Bogart joue ce rôle. Arnow répondit en ordonnant à Bogart de venir le voir dès le lendemain matin à neuf heures quarante-cinq et nota de contacter Wallis et J. L. [39].

Bogart arriva à l'heure dite au premier étage du petit bâtiment de la direction, où Wallis et Warner travaillaient dans des bureaux mitoyens. Sans arrêt, des acteurs qui refusaient un rôle en étaient punis par un séjour dans les limbes professionnels, et on suspendait en général tout versement à l'acteur ingrat jusqu'à la fin du tournage qu'il avait eu l'audace de refuser. On imposait partout cette règle draconienne pour garder les employés dans les rangs et bien leur faire comprendre qu'une étoile ne brille que si son studio le veut.

Warner et Wallis n'en furent pas moins déroutés par la prise de position de Bogart. Jamais l'acteur grognon mais finalement docile ne leur avait opposé un pur et simple « non ». Mais ils savaient que si Bogart avait un train de vie modeste, il avait pourtant besoin d'argent. Wallis lui tendit donc une carotte de deux cents dollars. Une compensation supplémentaire, dit-il. Que Bogart accepte de faire *Swing Your Lady,* et son salaire serait révisé à mille dollars par semaine du jour où la caméra tournerait [40].

Avec le poids de deux foyers à entretenir, plus les soins psychiatriques de Frances, c'était une offre qu'il ne pouvait refuser. Mais il en fut honteux, sentiment sur lequel Jack Warner joua bien des fois par la suite. Cet épisode le fit décider de ne plus jamais se retrouver coincé sur le plan financier et de se constituer une réserve d'argent liquide.

En dépit de critiques d'une surprenante gentillesse, *Swing Your Lady*, qui ne rapporta que vingt-quatre mille dollars de bénéfices, fut une catastrophe commerciale [41], et n'ajouta rien non plus à la réputation de Bogart. « Le pire film que j'aie jamais tourné », disait-il. On s'en souviendra surtout pour l'entrée, vers le milieu de l'histoire, de Ronald Reagan (payé deux cents dollars par semaine à l'époque, et qui tournait pour la première fois dans un film prestigieux), une carte de presse glissée dans le ruban de son chapeau, et qui dit : « Je suis Jack Miller, d'Associated Press. » Cela faisait trois mois qu'il était à la Warner, et il avait déjà tourné dans quelques films de série B.

L'attitude cavalière de Warner blessait Bogart, mais il ne pouvait ignorer que le studio était ravi de l'avoir sous contrat. Il s'était révélé un talent durable et monnayable. En conséquence, la Warner décida de négocier avec lui un contrat à long terme. Il semblait bien qu'il ne tarderait pas à prendre de la valeur et le studio devait saisir sa chance de le faire signer avant qu'il ne devienne trop cher. En décembre, Bogart signa pour quatre années de plus. Il travaillerait quarante semaines par an, à mille cent dollars par semaine au départ, et une option prévoyait deux ans de plus à deux mille dollars par semaine.

En deux ans, il avait presque doublé son salaire, avec la promesse d'augmentations régulières à l'avenir. On aurait dû célébrer cette nouvelle association par un grand film, mais la Warner choisit de lui assigner une farce romantique, *Men Are Such Fools (Les hommes sont si bêtes)*, si insignifiante qu'à un moment Wallis eut la tentation de tout envoyer au diable [42]. Il l'aurait probablement fait si l'histoire n'avait été achetée pour Busby Berkeley, le génie de la comédie musicale de la Warner, qui n'attendait qu'un nouveau défi.

Berkeley aurait dû rester chorégraphe. Les critiques trouvèrent sa mise en scène indolente « déprimante de nullité ». Bogart jouait un comptable bavard, troisième à l'affiche après Wayne Morris et l'ingénue Priscilla Lane. Dans une scène qu'il tenta d'annuler jusqu'au bout, Bogart, en maillot de bain le couvrant des cuisses aux épaules, fait un plongeon passable dans une piscine. Mais personne ne le remarqua. Le *New York Times* déclara le résultat « triste et inutile ». Le film ne rapporta que dix mille dollars.

Le 28 mars 1938, Humphrey Bogart annonça qu'il épouserait bientôt Mayo Methot. La cérémonie aurait lieu en mer, sur le yacht des Hatch, dès que son divorce d'avec Mary Philips serait prononcé.

Mayo et lui ne se cachaient plus dans les clubs de Hollywood ni lors de leurs voyages dans l'Est. Bogart espérait pourtant encore que Mary changerait d'avis, et semblait plus résigné qu'enthousiaste à la perspective d'épouser Mayo. Mais tout espoir de réconciliation avec sa femme s'évanouit quand Mary appela Mary Baker de New York, folle de joie : Ken MacKenna était en ville ! Est-ce qu'elle pourrait accélérer la procédure ? Ken et elle allaient se marier[43].

Six jours avant les fiançailles de Bogart, Mary commença à jouer sur Broadway, avec Roland Young, la comédie *Spring Thaw*. Brooks Atkinson déclara : « C'est un plaisir de revoir Mlle Mary Philips après une si longue absence, car on ne peut douter qu'elle soit une des actrices les plus douées et les plus appréciées d'Amérique[44]. »

En août, Mary et Ken se marièrent. Une semaine plus tard, le 20, Humphrey DeForest Bogart épousa Mayo June Methot Morgan. C'était leur troisième mariage, à l'un comme à l'autre. Pour certains, trois est un chiffre magique. Pour les Bogart, ce fut une malédiction.

5

« Si c'est un rôle de salaud, donnez-le à Bogart »

Finalement, le mariage ne fut pas célébré en mer, mais chez Mel et Mary Baker, sur Stone Canyon Road, à Bel Air. Gloria Stuart et son dramaturge et scénariste de mari, Arthur Sheekman, venaient de rencontrer Bogie et Mayo chez les Baker et ne tarderaient pas à être de leurs amis. On fit appel à l'aide de Gloria pour Mayo. « Elle n'avait pas le sou, et donc aucune tenue appropriée, et Bogie ne lui avait rien acheté. » Mary demanda si Gloria pouvait prêter quelque chose à Mayo pour la cérémonie, mais la future mariée était beaucoup plus petite qu'elle. Finalement, une autre amie lui fournit une robe toute perlée, avec un bandeau assorti [1]. Humphrey, lui, portait un costume clair avec une cravate écossaise plus foncée et une fleur à la boutonnière.

Mary Baker avait planifié chaque détail de la merveilleuse cérémonie dans les jardins de leur maison d'un quartier chic à un peu plus d'un kilomètre à l'ouest de Beverly Hills. Un cordon de vigiles du studio contenait les curieux assemblés pour l'arrivée des célébrités. On servit des rafraîchissements sur la pelouse qui montait en terrasses vers le court de badminton, puis un véritable repas de quarante ou quarante-cinq couverts sur de longues tables (certains se souviennent d'un petit déjeuner, d'autres d'un dîner...). On but beaucoup, en particulier des Velours noirs, mixture quasi létale de champagne et de bière brune Guinness.

Au bout de deux heures, dit le scénariste Allen Rivkin, « tout le monde était aveugle », et la pelouse ondulait sous les pieds. Gloria Stuart vit pourtant très bien que « Mischa Auer... déboucla sa ceinture, baissa son pantalon et monta sur une des tables. Il était en caleçon, chemise et cravate, et il courait sur les tables. Tout le monde trouvait cela follement amusant ». Tout le monde à l'exception du juge Ben Lindsay qui, dit Mary Baker à Joe Hyams, semblait sur le point d'avoir une attaque. Il avait célébré hâtivement le mariage civil, accompagné à la harpe par l'épouse du comédien Walter Abel.

La journée se termina par une bagarre homérique entre les nouveaux mariés [2]. « Je ne sais plus à quel propos, dit Mary Baker. Sans doute

Bogie folâtrait-il avec une fille. » Finalement, Bogart enrôla comme chauffeur son témoin et hôte Mel Baker, et alla passer la nuit ailleurs. Selon un ami, ils roulèrent jusqu'à Tijuana, de l'autre côté de la frontière, au Mexique. Mary, la tête embrumée, tituba jusqu'à son lit ; Mayo s'effondra auprès d'elle, et elles dormirent. Le lendemain, Bogart revint chercher sa femme et envoya une plante grasse à ses hôtes pour s'excuser. C'était le lever de rideau du long drame que jouèrent dès lors ceux qu'on appela les « Bogart-la-Bagarre ».

Avant même le mariage, la maison de Bogart, au coin de North Horn et de Shoreham, dans West Hollywood, était devenue l'arène de batailles féroces, nourries par l'alcool et audibles à plusieurs maisons de là. Il arrivait qu'un des combattants, en général Humphrey, se réfugie chez le scénariste George Oppenheimer ou quelque autre voisin prêt à entendre combien l'autre conjoint était insupportable[3]. Oppenheimer finit par avoir du mal à considérer comme une même personne l'alcoolique ravagé et le bel homme aux bonnes manières qu'il connaissait depuis longtemps.

Cynthia Lindsay, une des nageuses de Busby Berkeley dans *Footlight Parade* (*Prologues*, 1933), se souvient de ces éclats : « C'était tout un tintamarre, des cris et des hurlements, des "Va te faire foutre !" et toutes sortes de ces gentillesses. » Cynthia et son mari, l'acteur Russell Gleason, étaient amis de l'écrivain Betty Reinhardt et de son mari John, un réalisateur, qui vivaient de l'autre côté de la rue. Bogart considérait leur salon comme une extension de sa propre maison. Chaque fois que Cynthia y était, « Bogie arrivait. Il entrait comme s'il était chez lui. Si le dîner était prêt, il dînait[4] », presque toujours sans Mayo.

Comme les effets de l'alcool se manifestaient rarement chez Humphrey — par une voix pâteuse ou des mouvements désordonnés —, la meilleure façon de savoir s'il était sobre ou ivre était d'observer son comportement. « Sobre, dit Allen Rivkin, Bogart était formidable. Ivre, c'était un salaud[5]. » Cynthia Lindsay était d'accord là-dessus. « Soit il était tout à fait charmant, soit très agressif, mais cette agressivité ne se tournait jamais contre quelqu'un de plus fort, de plus grand ou de plus puissant mentalement. Il entrait, se montrait gentil et charmant, et quand il trouvait quelqu'un de faible, sans défense, il fondait sur lui. Allen Vincent, un homme merveilleux [qui remporta un oscar pour *Johnny Belinda* (1948)], était souvent là. C'était un homosexuel délicat, et Bogie s'attaquait toujours à lui : "Pourquoi tu ne te défends pas comme un homme ?" lui demandait-il. Allen ne voulait pas se battre. »

Mais ce n'était pas le cas de Mayo, et leurs batailles se poursuivaient si souvent dans la rue qu'au bout d'un certain temps les voisins n'y prêtèrent plus attention. Un soir, des amis réunis chez les Reinhardt s'alarmèrent tout de même : le règlement de compte avait lieu sur le toit ! « Nous avons entendu ce tumulte, et nous avons vu Mayo, un nœud coulant autour du cou, qui courait sur l'espèce de balcon au bas de la pente du toit. Il lui courait après comme s'il tenait un chien en laisse. » D'autres se souviennent de Bogart criant : « Je vais te pendre[6] ! » Mais personne ne s'inquiéta vraiment. En fait, dit Cynthia, « nous avions tous le fou rire, nous ne pensions pas que quelqu'un serait blessé, parce que Bogie était un lâche ».

Bogart avait trouvé en Mayo une femme désireuse de lui tenir tête, toujours prête à se battre, mais contrairement à son mari, elle passait très vite des violences verbales aux attaques physiques. Elle était petite, mais avait hérité des épaules larges et du cou épais et musclé de son capitaine de père. Elle tenait probablement aussi de son père le direct du droit qu'elle ne manquait pas d'utiliser sans prévenir, et avec une grande puissance.

Allen Rivkin confirme que « Mayo était une sacrée bonne femme » — et une épouse jalouse. Il les vit un jour qui attendaient le ferry pour gagner un des bateaux de jeu ancrés en mer au-delà de la limite des trois miles nautiques. Mayo surprit Bogart qui regardait une autre femme, et « elle lui donna une telle bourrade qu'il tomba à l'eau ». Une autre fois, Rivkin reçut un appel de Bogart qui lui murmura de venir immédiatement, ce qu'il fit. Il trouva son ami recroquevillé sous l'escalier. « Elle jette des bouteilles », lui dit Humphrey de sa cachette. Grâce à la présence d'un témoin, Bogart se dit qu'il pouvait sortir sans risque. Sous l'œil de Rivkin, il monta tout doucement l'escalier, jetant des coups d'œil à l'écrivain comme le gangster d'un de ses films, et arriva jusqu'au palier. Sur quoi une porte s'ouvrit et « elle lui assena un grand coup de bouteille sur la tête ».

Ce genre de comportement n'avait rien d'exceptionnel. Dans un petit bistro de Laguna Beach, à quatre-vingts kilomètres au sud de Los Angeles, le romancier Niven Busch *(Duel in the Sun — Duel au soleil)* put observer Bogart et « une petite blonde potelée » qu'il avait vue au cinéma. Tout au fond du bar, ils se querellaient à voix basse. La femme était Mayo et Busch vit la querelle s'envenimer. A un moment où il s'était détourné pour parler à un ami, il entendit « ce choc sonore qui attira l'attention de tout le monde. J'ai dit : "Oh, Seigneur ! Bogie a frappé cette femme." » Il se retourna et constata que c'était le contraire : « Mayo lui avait donné une gifle du revers de la main qui l'avait fait tomber de son tabouret. C'était d'un drôle ! » Bogart se releva et se rassit avant de se tamponner le visage avec de l'eau glacée. La querelle était terminée, et Mayo se montrait « très prévenante[7] ».

C'était une conclusion habituelle. « Leurs batailles se terminaient généralement au lit[8] », dit Mary Baker. Et Bogart déclara à l'époque : « J'adore me bagarrer. Et Mayo aussi. Nos bagarres sont magnifiques[9]. »

Henrietta Kaye, une amie de Bogart qui avait connu les Baker à

New York et leur rendait visite en Californie, se souvient qu'assise sur la balançoire du jardin un dimanche après-midi elle regardait les célèbres voisins. « Les Bogart étaient toujours là avec de nombreux scénaristes comme Nunnally Johnson, et des gens de ce milieu. Bogie et Mayo s'enivraient et le groupe les provoquait. C'était une manière de s'amuser » — un peu comme les combats d'ours sont un sport. La jeune femme trouvait à cette distraction toutes les marques d'une danse rituelle « en rapport avec leur vie sexuelle, parce qu'il était évident qu'ils étaient amoureux l'un de l'autre [10] ». Mais quels qu'aient été les profits sexuels de leur comportement, c'était plus de la rage que de l'amour qui les unissait.

Bogart se vantait des coups qu'il lui donnait, et qu'il recevait d'elle, plaisantait sur l'intérêt de vivre dangereusement. C'était beaucoup plus sombre que cela. Selon ses amis, il était un mari battu ; en fait, il fournissait aussi sa part de mauvais traitements. Gloria Stuart et son mari se rendirent un soir pour une fête au Slapsie Maxie's, le club de l'ancien champion de boxe Maxie Rosenbloom, sur Wilshire Boulevard, qui était célèbre pour ses revues et considéré comme l'endroit de Californie où l'on s'amusait le plus. Comme toujours, Mayo et Bogart se querellèrent, et la colère monta jusqu'à ce qu'il lui dise :

« Tu dis ça encore une fois, et je te casse la figure.

— Eh bien, je le redis », répondit-elle.

Gloria regarda Bogart « se pencher et la pousser contre une table, brutalement. Je n'ai pas trouvé ça drôle. Je me suis levée, j'ai dit quelque chose comme "espèce de salaud" et je me suis approchée de Mayo. Bien sûr tout le monde se taisait. Humphrey se tourna vers Arthur et demanda : "Tu ne l'aurais pas frappée, toi ? — Pas forcément", répondit Arthur. Mayo pleurait. Je l'ai relevée dans un grand silence. Je l'ai fait sortir, suivie par les deux hommes. Elle avait toujours un œil au beurre noir, une joue tuméfiée, ou autre chose, et elle portait des lunettes noires. Ils avaient vraiment une relation très physique [11] ».

Les histoires de beuveries et de violences conjugales chez les Bogart devinrent rapidement un des sujets de conversation de Hollywood. Cela concordait parfaitement avec l'image de Bogart à l'écran, et on le voyait bien évitant les bouteilles lancées sur lui ou obligé de dormir dans le jardin parce qu'on lui avait fermé au nez la porte de la maison. Rivkin dit que les médias trouvaient ce comportement pittoresque et amusant parce qu'il était compréhensible. A l'époque, un homme digne de ce nom buvait, et ceux qui ne s'enivraient pas étaient considérés comme des femmelettes [12]. Mais les beuveries et les batailles entre Humphrey et Mayo n'avaient rien d'une parade de séduction amusante. C'était l'appel à l'aide désespéré d'un couple en perdition.

Apparemment, ils menaient une vie conforme à celle des gens de leur âge. Gertrude Hatch Chase disait que Mayo était « une excellente maîtresse de maison[13] ». Leur demeure (qu'ils avaient appelée « l'Antre des gnons ») grouillait de chats et de canaris, sans parler des quatre chiens menés par l'énorme terre-neuve noir, Cappy. Le jardin était entretenu par un professionnel, même si Bogart aimait y travailler à ses moments de loisirs. Ils engagèrent même une cuisinière, May Smith, une grande Noire très digne et talentueuse qui ne tarda pas à devenir un membre de la famille.

La mère de Mayo, Beryl Evelyn Wood Methot, qu'on appelait Buffy, exerçait une bonne influence sur le couple quand elle venait de l'Oregon. C'était une femme généreuse et intelligente, journaliste à Portland, et dont l'autonomie contrastait avec l'instabilité de sa fille. Mayo adorait sa mère et visiblement, en sa présence, redevenait une enfant éperdue d'amour et dépendante.

Bogart aimait beaucoup sa belle-mère, et quand elle annonçait sa visite, il faisait livrer des caisses de bière, la boisson préférée de Buffy. Il admirait son indépendance, son sens de l'humour, son amour des bonnes conversations et sans doute surtout sa capacité, égale à celle de sa fille, à boire autant que lui, signe, dans leur monde, de bonne camaraderie. Avec Buffy, il pouvait jouer au fils adoptif dans un échange libéré de la charge émotionnelle qui pesait sur ses relations avec Maud. Mayo s'entendait mieux encore avec Maud que Humphrey avec Buffy, selon Gertie Chase. « Elle était toute dévouée à la mère de Bogie, qui l'adorait. »

A la fin des années trente, Maud était venue leur rendre visite, et elle était restée.

L'élève de James Whistler, l'épouse d'un médecin de la bonne société, l'artiste jadis célèbre, en était réduite, à soixante-dix ans, à dessiner des patrons pour une maison de couture new-yorkaise, Butterick Pattern Company. Depuis longtemps, Humphrey n'aimait pas la savoir seule, mais Maud n'était pas le genre de femme à renoncer à son indépendance, et il le savait. Chaque fois qu'on suggérait que peut-être il devrait s'occuper d'elle, il répondait : « Si Maud arrête de travailler, elle mourra. »

« Et je crois que j'avais raison[14] », devait-il déclarer plus tard.

Mais un jour, lors d'une de leurs fréquentes conversations téléphoniques, Maud, qui parlait de son travail d'une voix étonnamment jeune, déclara soudain :

« Oh, j'ai failli oublier : je suis en grève.

— Tu n'es pas syndiquée ! Pourquoi est-ce que tu fais grève ? » bredouilla Bogart, qui avait du mal à imaginer la reine Maud se promenant avec une pancarte.

Eh bien, dit-elle, personne n'était venu travailler ce matin-là, et sa meilleure amie, celle qui avait sa table de dessin près de la sienne, était en bas avec le piquet de grève, et de toute façon elle commençait à se sentir seule. « Alors je suis descendue pour faire grève avec les autres. J'ai arpenté la Quatorzième Rue tout l'après-midi. »

« C'est à ce moment-là, dit Bogart, que j'ai insisté pour qu'elle vienne se reposer sur la côte Ouest. Temporairement, bien sûr. » Maud ne retourna jamais à New York. Enfant de l'ère victorienne transplantée dans un monde étranger, « elle trouva la Californie très dure, sans traditions, sans passé social ».

Son fils lui prit un appartement sur Sunset Boulevard, à deux pâtés de maisons du Schwab's Drugstore, la Mecque du commerce. Bogart s'en amusa : « Elle se joignit aux habitués. Elle était redevenue Lady Maud... Schwab's lui procurait l'activité qui lui aurait manqué à la retraite. Elle... faisait quelques petits achats, puis rentrait dignement chez elle. »

On peut trouver triste et ironique que cette femme majestueuse, étrangère à l'époque, ait été témoin de querelles entre Humphrey et Mayo plus cruelles encore que celles qu'elle avait infligées à ses enfants quand elle affrontait Belmont, et qu'après avoir traité par le mépris les premières tentatives théâtrales de son fils elle ait dit désormais aux étrangers : « Je suis la mère de Humphrey Bogart, vous savez », comme pour rappeler au monde — et à elle-même — qu'elle était encore une personne importante.

Pour les amis de son fils, elle resta une silhouette fugitive, malgré sa constante présence dans la maison. Gloria Stuart la trouvait charmante, mais guère plus remarquable que le papier peint. « On arrivait pour dîner, et on la saluait, et puis après le dîner, quand on jouait aux cartes, elle disparaissait[15]. »

Cynthia Lindsay la décrit comme « une femme inquiète, comme visionnaire. Je ne dis pas "folle", mais elle était un peu en marge[16] ». Au milieu d'une soirée, Maud devint nerveuse parce qu'il y avait trop de monde, et Humphrey demanda à Cynthia d'emmener sa mère se promener dehors. « Je l'ai emmenée dans le jardin, et soudain elle s'est jetée dans mes bras, elle m'a saisie par le cou et elle s'est mise à crier, ce qui m'a affolée. Je ne savais pas ce qu'elle avait. Eh bien, c'était à cause d'un papillon qui venait de passer, elle était terrifiée par tout ce qui volait. Je l'ai donc calmée et je l'ai ramenée à l'intérieur. Il y avait beaucoup de problèmes mentaux dans la famille de Bogie, et j'avais l'impression que Bogie était aussi un peu déséquilibré. Pas fou, juste un peu déséquilibré. »

Selon Mary Baker, la police trouvait souvent Maud sur Sunset Strip, marchant sans but, et on la ramenait alors gentiment chez son fils. Frances Bogart avait le même genre de problèmes. Elle savait qu'elle traversait des périodes d'instabilité et, comme une épileptique qui reconnaît l'aura précédant les crises, elle faisait ce qu'elle pouvait pour prévoir les moments difficiles. C'était une femme grande, osseuse, mais au joli visage, et qui s'habillait toujours en tweed avec un pull en cachemire assorti — l'uniforme des dames bien élevées. Mais pour Frances Bogart Rose, la vie se résumait à guetter les signes avant-coureurs d'épisodes violents en espérant avoir le temps d'atteindre l'hôpital — « sinon, dit Mary, elle avait des ennuis. C'était la camisole et tout le reste [17] ».

Il arrivait que les journaux se fassent l'écho de ses crises. Et les amis de Bogart se demandaient : « Tu as vu ce qu'elle a fait, cette fois [18] ? » Un jour, on l'avait trouvée errant sur Sunset en chemise de nuit. Un autre, avec la force immense qui accompagne souvent ce genre de dérangement, elle avait fracassé une devanture en lançant à travers la vitrine une balance à pièces. « Dans le journal, on lisait : "La sœur de Humphrey Bogart arrêtée sur Sunset Boulevard", raconte Gloria Stuart. Elle était tristement embarrassante pour Bogie mais il était très bien avec elle [19]. »

Cette Frances atteinte de mélancolie n'était que l'ombre de la sœur vigoureuse et sportive qui avait été la compagne de jeux de Humphrey. Mais Joe Hyams, qui les vit beaucoup tous les deux, déclara : « Bogart l'adorait. Il parlait toujours d'elle avec ravissement. Elle était folle, mais il aimait les gens fous, puisqu'il était resté marié à Mayo. Et de temps à autre, lui aussi était un peu bizarre, ou excentrique, si vous préférez. Fantasque. J'ai toujours pensé qu'il était fier d'elle d'une certaine façon [20]. »

Frances vivait seule, mais le fait que son adresse postale fût celle de son frère montre quel rôle il jouait auprès d'elle. Elle allait et venait comme elle le voulait, mais parfois arrivait chez lui de curieuse façon. Un soir de Noël, le réalisateur Richard Brooks était chez les Bogart. La nuit tombait et il remarqua qu'il y avait quelqu'un dehors, ce qu'il dit à Bogart.

« "Oui, dit-il, n'y fais pas attention." Il s'avéra que c'était sa sœur. Elle sortait de l'hôpital. Elle finit par sonner à la porte. Et puis elle entra et personne ne fit de commentaire. Elle avait l'air tout à fait normale, mais elle n'était pas bien. *Pourquoi* regardait-elle les fenêtres ? Pour voir si tout allait bien. Et c'était *ça* qui faisait peur [21]. »

Bogart acceptait le fardeau sans se poser de questions, conformément à un code personnel lié aux sensibilités d'un autre siècle. « Il y avait, à l'ère victorienne, un sens du devoir que nous avons en grande partie perdu, dit-il un jour. Que ce qu'on avait à faire nous plaise ou non, il fallait que ce soit fait, un point c'est tout [22]. »

En dépit de ses problèmes avec Jack Warner, le travail devint son port d'attache. En 1938, l'année de son mariage avec Mayo, Bogart tourna huit films pour Warner Bros. Il faisait maintenant partie de ce qu'on appelait la famille Warner, où la sécurité était assurée et où la vie, si elle n'était pas toujours agréable, restait du moins prévisible.

C'était en partie grâce à un mode de fonctionnement qui encourageait les confrontations mais établissait néanmoins un ordre hiérarchique clair et simple. La machine produisait cinquante-deux films par an, sans compter les dessins animés et les courts métrages, et elle contribua à créer une industrie et une forme d'art.

Au sommet de la pyramide, bien sûr, se trouvait Jack Warner. S'il n'avait pas longtemps fréquenté l'école, il savait pourtant lire un scénario et trouver ses faiblesses, ou bien discerner d'après une page de synopsis si un sujet était bon ou non. Il n'aimait pas les acteurs et ne faisait pas confiance aux scénaristes, mais il aimait le montage et savait instinctivement donner son rythme à un film. C'était son frère Harry qui, en tant que président, tenait les cordons de la bourse, mais le studio était bien l'empire de Jack Warner, et il en était le despote. Les deux frères étaient aussi différents que possible. Harry, conservateur, correct, tenait parole. Jack, flamboyant, joueur et séducteur, ne tenait parole que si cela l'arrangeait. Quand Harry quitta New York pour s'installer dans une villa au cœur du studio à la fin des années 1930, les différences entre eux les entraînèrent dans une lutte pour le contrôle du studio qui alla jusqu'à la haine. En effet, si ce dernier dépendait financièrement de Harry, il avait besoin du talent de Jack. En 1956, Jack réussit à mettre la main sur l'entreprise par des manœuvres douteuses en évinçant Harry. Harry mourut en 1958, à l'âge de soixante-seize ans. Jack, qui se trouvait alors sur la Côte d'Azur, préféra continuer à jouer à Monte-Carlo avec le roi Farouk plutôt que de se rendre aux funérailles.

« Harry n'est pas mort, dit après les funérailles Rea, son épouse depuis cinquante ans. Jack l'a tué [23]. »

« Vous savez ce qu'on dit, expliqua Jack Warner Jr en parlant de son père à Aljean Harmetz : "Ne *pas* le connaître c'est l'aimer [24]." »

Sous Warner, quatre hommes faisaient fonctionner le studio au jour le jour.

En face du bureau de J. L. travaillait le directeur de production Hal Wallis, toujours plongé dans ses lectures, l'air d'un ours. Son énorme tête aux cheveux noirs plaqués en arrière semblait posée directement sur ses larges épaules, sans cou. Tout le monde se figeait sur place quand Wallis, généralement chaussé de bottes noir et blanc et suivi de trois ou quatre assistants, faisait son entrée sur un plateau [25]. Il gagnait cinq mille dollars par semaine, mais il voulait surtout arriver à produire ses propres films, ce qu'il fit à la Warner de 1942 à 1944 — parmi ces films figura *Casablanca*.

Le producteur Tennant Campbell Wright, dit « Tenny », chargé de la logistique et un peu le rival de Wallis, avait son bureau dans un autre immeuble. C'était un Irlandais roux et costaud, à la mâchoire proéminente et au nez aplati d'ancien boxeur. Il élevait des pigeons voyageurs. Sa première expérience de directeur de cirque autoritaire lui conférait une efficacité unique quand il fallait faire obéir la légion de techniciens sur laquelle reposait le fonctionnement du studio.

Wallis et Wright gouvernaient deux provinces de l'empire Warner à la fois complémentaires et hostiles. Wallis, ancien publicitaire, travaillait tard le soir, visionnant chaque mètre du tournage des films importants. Il poussait constamment à un montage serré, à une mise en scène serrée, pour atteindre un rythme de battement de tambour, la marque des films de la Warner. Il inondait les réalisateurs et les producteurs — qu'on appelait alors superviseurs — de mémorandums pour donner son avis sur le moindre cadrage, la longueur des cheveux de Bette Davis, l'éclairage, toujours trop fort pour lui. Il insistait pour avoir ce qu'il appelait un « éclairage d'esquisse », ce clair-obscur qui donnait lui aussi aux films une qualité particulière à la Warner.

Wright distribuait le budget, organisait l'emploi du temps, attribuait les plateaux et nommait les équipes techniques. Il choisissait aussi les artistes du décor capables de reconstituer tout ce qu'on voulait, d'une chambre d'hôtel à un ravin en pleine montagne. Par la magie de leur art, un acteur assis sur le plateau avait l'air de conduire sa voiture en pleine campagne, ou bien, grâce à un peu de glycérine sur l'objectif, le temps devenait brumeux dans une rue de New York — le tout dans un bâtiment sans fenêtre. Si chacun prenait ses décisions, la lutte pour le pouvoir n'était pas absente. William Schaefer, secrétaire de Jack Warner dès 1933 et qui ne le quitta plus pendant quarante-cinq ans, était un observateur de choix. « Il n'y avait pas beaucoup d'affection entre Wallis et Wright », confia-t-il. Wright arrivait tôt et appelait J. L. chez lui pour lui résumer la situation au studio. Tout problème entraînait un appel de Warner à Wallis. « Tenny était un bon Irlandais disposant de bonnes informations, et c'est ainsi qu'il travaillait, dit Schaefer. Je crois que Wallis n'appréciait pas[26]. »

Les aspects juridiques de l'entreprise étaient réglés de manière aussi personnelle par Roy Obringer, l'avocat attaché à la Warner. C'était l'expert des droits d'auteur et des contrats qui menottaient les stars. Obringer avait un physique à la Tyrone Power, un sourire de chat du Cheshire et un grand sens de l'humour, mais sa signature en bas d'un ordre de suspension signifiait : ni argent ni travail.

Le quatrième homme était Blayney Matthews, responsable de la sécurité et lien officieux avec les plus hautes instances policières locales. Ancien du FBI[27], Matthews avait travaillé chez Buron Fitts, puissant avocat général de Los Angeles qui servit de modèle pour son homologue corrompu des romans de Raymond Chandler. Matthews s'occupait discrètement de faire sauter les amendes pour excès de vitesse, mais aussi d'étouffer une affaire de viol ou même de meurtre.

Les vigiles du studio portaient des uniformes de serge bleue qui les faisaient ressembler à la police de L. A. A la fin des années 1930, la ville autonome qu'était le studio disposait de ses propres sources d'approvisionnement en électricité, en eau et en gaz, de ses propres laboratoires de traitement des films, excellents, et d'un service de transports pour toutes les occasions. Le studio avait aussi ses ateliers, avec une forge et une fonderie, qui pouvaient tout fabriquer, bateau de guerre ou meuble d'époque, et servaient en plus de décor pour les scènes d'usine qu'aimaient les scénaristes de la Warner. Le studio avait même son club, avec douze mille membres, sorte de loge fraternelle avec ses publications où on annonçait naissances, mariages, décès. La section des studios de la côte Ouest, une des cinquante aux États-Unis et en Europe, comptait deux mille sept cents membres [28]. Tous, de Jack Warner au dernier lampiste, devaient assister au dîner annuel suivi d'un bal au Biltmore, et toute absence d'un acteur en vue était notée. « C'était toujours très habillé, raconte Ronald Reagan. Les frères Warner fermaient les yeux, mais il savaient que les petits employés qui n'avaient pas de smoking passaient dans les réserves de costumes, et le soir du dîner, tout le monde était élégant [29]. »

A la fin des années trente, Bogart était devenu assez célèbre pour qu'on l'inclue, avec tous les grands de l'époque, dans l'hymne du Club qu'on chantait sur un air de Cole Porter :

Tu es le meilleur, tu es un bretteur de Curtiz.
Tu es la meilleure, tu es une danseuse de Berkeley.
Tu es la douce voix dans le mégaphone de Powell.
Tu es la passion de Francis, la mode de Kelly,
Tu es la hargne de Bogart... [30].

Fin 1939, l'acteur sous contrat Bogart avait tourné dans vingt-cinq films pour la Warner, mais on avait encore du mal à faire la différence entre ses rôles. Dans *Racket Busters (Menaces sur la ville)*, tourné en quatre semaines, il jouait un impitoyable patron de la pègre finalement traduit en justice. Le tournage se termina un mardi soir, et le mercredi matin commençait *King of the Underworld (Hommes sans loi)*, où Bogart jouait à nouveau un impitoyable patron de la pègre finalement traduit en justice. Dans *The Oklahoma Kid (Terreur à l'Ouest)*, il était un impitoyable joueur qu'abat finalement James Cagney, et sept mois plus tard, dans *The Roaring Twenties (les Fantastiques Années vingt)*, il était un impitoyable trafiquant qu'abat aussi James Cagney. Après son succès dans le rôle de Baby Face Martin de *Rue sans issue*, il fut successivement Pete Martin dans un film et Chuck Martin dans un autre. Une fois par an au moins, il portait un uniforme de prisonnier. Dans *Angels with Dirty Faces (les Anges aux figures sales)* Cagney avait une scène inoubliable avant son exécution (où il feignait de s'effondrer comme un lâche pendant qu'on le conduisait à la chaise électrique pour que les gosses ne fassent pas de lui un héros) et Pat O'Brien, le prêtre, avait une réplique classique : « Allez, les gars, faisons une prière pour un type qui n'a pas pu courir aussi vite que moi. » Cependant, Bogart, avocat véreux, était à nouveau abattu par Cagney, et mourait très vite dans une scène dont peu se souviennent.

Les Gosses dans l'impasse étaient des New-Yorkais malins et indisciplinés qui rendaient le réalisateur fou, mais c'étaient aussi des acteurs comiques très doués. Bogart les aimait bien et se joignait à leurs jeux pendant les pauses. Au contraire, Cagney, qu'ils écrasaient à l'écran, en aurait giflé un pour avoir exprimé ses opinions devant la caméra[31].

Il arrivait même que Bogart soit sur deux films à la fois, comme quand il passait du plateau de *Virginia City (la Caravane héroïque)*, un grand western où il était le chef des bandits, à celui de *It All Came True (Rendez-vous à minuit)*, modeste comédie où il jouait un gangster. Pendant quatre semaines, il passa de la fine moustache du desperado John Murrell, dans le western, à l'ambiguïté de Chips McGuire, alias M. Grasselli, le tueur qui fait semblant de protéger de vieilles gens dans une pension de famille. Louis Bromfield, qui avait écrit l'histoire, trouvait le rôle difficile, d'autant plus que les scénaristes n'arrivaient pas à décider si le personnage était bon ou méchant. « Néanmoins, Bogie fit de son rôle la meilleure performance comique que j'aie jamais vue[32]. »

Pour Bogart, passant d'un personnage d'aventurier à celui d'un faux dur, d'une ville poussiéreuse du Nevada dans les années 1830 à une maison de New York dans les années 1930, ce fut un mois presque surréaliste. Le dimanche précédant Noël, il était Grasselli sur le plateau 6 de neuf à treize heures, jouant aux cartes avec les vieux (« Mon Dieu, monsieur Grasselli, j'admire la façon dont vous battez les cartes et dont vous les distribuez ! »). Sans pause pour déjeuner, il se changeait et courait sur le plateau 7, où Murrell l'attendait accroupi dans un canyon de carton-pâte avec l'air d'un loup sûr d'atteindre sa proie, comme le voulait le scénario.

Dans *The Return of Dr. X (le Retour du Dr X)*, le visage maquillé de blanc bleuté, il jouait un cadavre qui ressuscite. « Pour l'amour de Dieu, avait demandé Jack Warner au réalisateur Vincent Sherman avant qu'il commence, fais-lui jouer autre chose que Duke Mantee. » Bogart était Marshall Quesne, un savant fou qui revit après une électrocution, mais a soif de sang humain. « Si ça avait été le sang de Jack ou Harry Warner, dit-il au journaliste Richard Gehman, ça ne m'aurait pas gêné. Mais c'étaient eux qui buvaient mon sang en me faisant tourner dans cette connerie[33]. » Il termina un mercredi. Le mardi suivant il était sur le plateau 11 dans une tranchée de la Première Guerre mondiale pour *les Fantastiques Années vingt*. Dans *Invisible Stripes*, il arrivait à nouveau quatrième après George Raft, Jane Bryan et même, à sa grande déception, après William Holden, qui n'avait que vingt et un ans — ce qui marqua le début d'une rancune qui durait encore en 1954 quand ils tournèrent ensemble *Sabrina*. Holden enfonça le clou en insistant pour conduire une moto avec Bogart comme passager dans le side-car. Bogart protesta — « ce petit con va nous planter ! » — mais Holden insista. Il ne tarda pas à percuter un mur. Seules les vanités furent blessées[34].

Bogart faisait de son mieux avec ce qu'on lui donnait, encouragé peut-être par l'axiome de Stanislavski disant qu'il n'y a pas de petits rôles, seulement de petits acteurs. Dans le cas de Bogart, le problème était surtout qu'on lui donnait toujours le *même* petit rôle. Au bout de vingt-cinq films, le *Herald Tribune* trouvait qu'il jouait avec « plus de force que de conviction[35] », tandis que le critique du *New York Post* avait le sentiment que son jeu devenait « standardisé... Il est toujours bon, mais il devient difficile de soutenir notre enthousiasme ». De temps à autre, il y avait des répits entre deux films de truands. Dans *Crime School* (*l'École du crime*, 1938), il fut un jeune ouvrier politiquement engagé. Dans *Victoire sur la nuit* (1939), il jouait Michael O'Leary, l'entraîneur de chevaux irlandais qui voue un amour sans espoir à Bette Davis dans le rôle de Judith Traherne, la cavalière de la haute société qui meurt noblement d'une tumeur au cerveau. Ce grand classique fit verser des torrents de larmes. Entre deux scènes du rôle d'O'Leary, Bogart filait sur le plateau voisin pour s'opposer une fois de plus, dans *Terreur à l'Ouest*, à James Cagney, lequel portait pour l'occasion un sombrero blanc. D'après Bogart, cela lui donnait l'air d'un gros champignon.

Le rôle d'O'Leary « n'était pas vraiment fait pour lui, mais il y était drôlement bon », dit Geraldine Fitzgerald, une nouvelle venue du théâtre irlandais qui jouait la fidèle secrétaire et amie de Bette Davis. Pendant les pauses, Geraldine et Humphrey parlaient parfois ensemble de la vie des acteurs sous contrat. « Sa philosophie était de dire oui à tout, de faire tout ce qu'on lui demandait. Et il essayait de le faire comprendre aux nouveaux venus. C'était important pour eux. Souvent il me disait : "Fais tout ce qu'on te demande. Tu trouveras ta voie. Si tu ne restes pas dans le coup — si tu pars en disant : *Il me faut un bon rôle* — tu ne te donnes aucune chance."[36] »

Plus tard, on dira souvent que Bogart en palefrenier irlandais était le summum de l'erreur de distribution, mais Howard Barnes, dans le *Herald Tribune*, trouva sa performance « splendide », d'accord avec ses collègues pour estimer, comme le fit l'un d'entre eux, que : « Humphrey Bogart montre là qu'il peut jouer sans arme à la main[37]. » Le *Hollywood Reporter* proclamait que son jeu « laissait une grande impression[38] ». Quant à Archer Winsten dans le *New York Post*, il écrivit avec une note de surprise : « Bogart, merveille des merveilles, est juste un palefrenier qui parle avec un fort accent irlandais très crédible. Au bout d'un moment, on ne s'attend plus à ce qu'il sorte un flingue... on l'accepte dans son rôle. Ça, c'est du travail d'acteur[39] ! »

Ronald Reagan aurait bien voulu interpréter le rôle viril de Bogart — « à cause de mon amour des chevaux[40] », dit-il. Lui qui n'avait quitté son Illinois natal que dix-huit mois plus tôt se vit confier le rôle d'un ami alcoolique de Bette Davis, et on lui demanda explicitement d'interpréter un dandy à la sexualité ambivalente. « Le réalisateur voulait que je sois un type qui peut rester dans une pièce pendant que des filles se changent sans qu'elles s'en offusquent. Moi je n'étais pas d'accord. » Il y avait de plus une certaine ironie à retrouver Reagan, l'Irlandais émigré d'une bourgade, dans un rôle de fils de famille de la côte Est, tandis que Bogart, patricien WASP de New York, incarnait un palefrenier irlandais.

Il faut dire que la scène centrale entre le palefrenier et la dame ne concernait pas l'amour des chevaux mais le désir pour la femme. O'Leary, bottes crottées et cheveux en bataille, tente d'entraîner Traherne dans les balles de paille, lors de l'unique scène sexy du film, mais son ardeur se transforme en stupeur quand elle lui apprend qu'elle est mourante.

« Cette scène dans l'écurie est splendidement jouée, écrivit Wallis dans un mémorandum au réalisateur Edmund Goulding. Davis est magnifique, et Bogart aussi[41]. » Plus tard, Bette Davis reconnut l'aide que lui avait apportée Bogart pour le tournage de plusieurs scènes difficiles : « Je remercie le Ciel pour l'aide que son jeu a apportée au mien. » L'actrice était malade à l'époque, et elle n'en pouvait plus. Bogart et elle étaient de vrais professionnels, très différents, certes, mais se respectant mutuellement. Ils bavardaient souvent tous les deux, et le premier des quatre maris de Bette, le musicien Harmon Oscar Nelson, dit « Ham », se joignait parfois à eux. (Pendant des années, Bette Davis se battit contre la Motion Picture Academy qui ne voulait pas reconnaître qu'elle avait donné à la célèbre statuette un des noms de Ham, Oscar[42].) Dans le carnet où Bette tenait une sorte de journal acerbe, il y a une photo de Bogart et Edward G. Robinson dans *le Dernier Round*. De son écriture assurée, elle a indiqué : « Bouche suave Robinson, l'enfant prodige ; et je sais tout Bogart, le briseur de cœurs[43]. »

Dans *Victoire sur la nuit*, Bogart avait enfin une scène finale pleine d'émotion. La version présentée le 7 mars 1939 à un public de professionnels ne se terminait pas par la mort de l'héroïne, mais par la victoire du pur-sang adoré de Judith lors d'une grande course, et ceux qu'elle aimait continuaient leur vie selon le principe que « c'est ce qu'elle aurait voulu ». C'était une fin qui « atténuait la mort de Judith et proposait au public un certain optimisme[44] ».

Mais le public n'y crut pas, et les Warner, qui le sentirent, coupèrent la dernière séquence, coupable de faire retomber l'émotion. Le film laissa donc Traherne seule face à la mort. On coupa aussi, malheureusement, le gros plan de Bogart avec un cheval, « les larmes coulant sur son visage dur[45] ».

Dans la vie, Bogart pleurait facilement. Mary Philips dit un jour qu'« il pleurait même aux tours de cartes[46] ». Mais le faire sur commande était une autre histoire. Le *dialogue director** Irving Rapper, qui le connaissait depuis Broadway, ne réussit pas à le faire pleurer devant la caméra. Bogart, malgré tout son métier, se heurtait à une barrière émotionnelle qu'il ne parvenait pas à briser. « Irving, dit-il finalement, je ne *peux pas*[47]. »

Le film fit assez de bruit pour que Bogart soit choisi parmi bien d'autres (dont David Niven et George Brent)[48] pour tenir la tête d'affiche avec Bette Davis dans *The Old Maid (la Vieille Fille)*, à nouveau sous la direction de Goulding. C'est l'histoire, vers 1860, d'une mère célibataire contrainte de confier sa fille à une cousine mariée. Elle était tirée d'une adaptation par Zoë Akins (qui avait remporté le prix Pulitzer) d'un roman d'Edith Wharton. Bogart devait jouer Clem Spender, dont la mort prématurée et romantique laisse un souvenir impérissable aux deux femmes qui l'aiment[48].

Le tournage commença le mercredi 15 mars. Le lundi suivant, le studio comprit qu'on avait commis une erreur[49]. Les qualités nécessaires au jeune homme fougueux et rancunier de *Victoire sur la nuit* n'avaient rien à voir avec le jeune homme du siècle précédent censé allumer une passion éternelle en Bette Davis et Miriam Hopkins. En fin d'après-midi, on disait à mi-voix que Bogart serait remplacé.

On visionna les scènes tournées. Le mercredi, le renvoi de Bogart était officiel. Il fallut cinq jours pour recommencer les scènes où il figurait, une fortune selon les normes en usage chez Warner, mais tant pis. On fit appel à George Brent. Les mémorandums du studio indiquaient clairement dès le début qu'il fallait un acteur « important par son nom, son jeu et son palmarès[50] ».

C'était une humiliation. Après plus de deux douzaines de films sans un problème, Bogart était renvoyé. Un biographe de Bette Davis raconte qu'en apprenant la nouvelle, il était parti furieux du plateau[51]. Le studio parla de « stress ». Pour Bogart, le sous-entendu était clair : il avait échoué. Il était un acteur de genre qui ne pouvait assumer un rôle romantique.

Rétrospectivement, on sait que l'époque et le contexte ne se prêtaient pas encore à ce qui deviendrait l'image de Bogart. Il fallut presque deux ans avant qu'on lui propose de nouveau un rôle important

---

* Lors de l'apparition du parlant, on fit venir des metteurs en scène de théâtre pour diriger les scènes ne comprenant que des dialogues. On appelait ces coréalisateurs d'un type particulier des *dialogue directors*. *(N.d.T.)*

dans un grand film, et il n'eut plus l'occasion de jouer un héros romantique avec une grande star féminine avant 1942, dans *Casablanca*.

Neuf jours plus tard, en mars 1939, Bogart et Mayo se joignirent à un groupe de célébrités de la Warner qu'on envoyait au Kansas par le *Santa Fe Special* pour animer la première mondiale de *Dodge City (les Conquérants)* avec Errol Flynn. Tout le monde était dans le train de luxe, des plus grandes stars au gouverneur du Nouveau-Mexique en passant par les plus célèbres journalistes comme Ed Sullivan [52].

La Warner avait tout fait pour plaire à ses invités, y compris de transformer un wagon à bagages en saloon, le *Gay Lady*, avec danseuses et piano, et même des machines à sous. Les bénéfices iraient au Fonds pour le cinéma. On avait assuré Jack Warner que « toutes les précautions seraient prises contre les turpitudes morales [53] ».

« C'était un vrai saloon », dit Jules Buck, qui devait devenir plus tard producteur mais n'était à l'époque qu'un jeune reporter photo. « Et s'ils ne baisaient pas dans les compartiments, ils baisaient dans le saloon, parce que la Warner avait engagé dix ou douze filles. Quel voyage [54] ! »

Les Bogart, à quatre wagons du *Gay Lady*, voyageaient dans le salon A, près de Priscilla et Rosemary Lane, deux des trois ravissantes sœurs que la Warner avait engagées, et qui toutes trois avaient travaillé avec Bogart. Priscilla, la blonde, et Rosemary, la brune, étaient la coqueluche de la presse. Bogart, sensible aux charmes de ses voisines, se joignit aux reporters et aux jeunes dames pour une photo, et emprunta même un appareil à un journaliste pour faire des clichés.

Quelques heures plus tard, Bob Wallace, de United Press International, et Buck traversaient le train quand ils s'arrêtèrent net à l'entrée du wagon des Bogart. Humphrey, ivre, titubait, et Mayo écumait de rage, une bouteille de Coca vide dans une main. Tout à coup, elle cassa la bouteille contre une cloison et fonça sur son mari en brandissant le tesson. Les journalistes se précipitèrent.

« Wallace était grand, raconte Buck. Il lui saisit le bras pendant que je maintenais Bogie. Bob réussit à lui faire lâcher la bouteille. Elle lui hurlait des insultes et lui piétinait les orteils. Bob dut la frapper. Quant à Bogie, s'il savait ce qui se passait, c'était un miracle. Je connaissais heureusement le numéro de son compartiment et je l'y ai conduit. » Dans le couloir, Mayo se débattait encore pour échapper à Wallace et hurlait : « Tuez ce fils de pute ! »

Un vigile du studio, informé de l'évènement, pâlit. « Seigneur ! Est-ce que vous avez pris des photos ? » Buck lui assura que non. « Tous les acteurs étaient protégés dans cette ville, dit-il plus tard. Nous les protégions vraiment tous. »

Le mariage des Bogart devenait totalement chaotique. Mayo, comme son mari, buvait de plus en plus. Tandis que Bogie travaillait sans arrêt, elle n'avait eu que deux petits rôles depuis *Femmes marquées*. Sa carrière déclinante la rendait amère et augmentait son besoin d'alcool, ce qui ajoutait aux tensions d'un mariage vieux de deux ans, devenu un cycle infernal d'accusations acerbes, de querelles orageuses et de réconciliations dans les larmes.

C'était surprenant, mais rien de tout cela ne filtrait dans le travail de Bogie, à moins que cette intensité qu'il donnait à ses rôles n'y ait pris sa source. Il s'accrochait à son professionnalisme avec une détermination presque obsessionnelle : pas de retards, pas de congés de maladie, pas de récriminations sur le plateau.

Sur l'océan, Bogie et Mayo arrivaient à s'entendre. A la fin des années trente, ils avaient acheté un petit bateau à moteur (le *Sluggy,* en référence aux gnons que Bogie échangeait avec sa femme) et ils partaient pour Catalina chaque fois que le travail le permettait. Ils pouvaient partir seuls, Bogart à la barre, Mayo dans la cabine ou sur le pont, le fils du Dr Belmont DeForest et la fille du capitaine Jack Methot seuls ensemble, leurs démons calmés par la mer.

Il y avait peu d'autres îlots de paix, de rationalité et de calme : leur relation avec Buffy en était un, tout comme l'attitude de belle-fille parfaite de Mayo vis-à-vis de Maud. Mais la grande pacificatrice de leur vie restait l'éternelle Mary Baker. On a retrouvé, à la mort de Mayo, parmi ses rares possessions, ce petit mot de l'écriture d'artiste de Bogie :

Chérie,
Un après-midi avec Baker m'a convaincu que nous avons tous les deux tort — et que les pires offenses sont de mon fait — je t'aime et je t'aime

Bogie[55]

En dépit de sa jalousie pathologique, Mayo partageait la frustration de Bogie devant ses rôles monocordes, et en 1937, c'est en grande partie sur ses conseils qu'il joua dans *Stand-In (Monsieur Dodd part pour Hollywood)*, qui constituait un changement d'emploi. De plus, elle gérait sagement leur argent. Selon Hyams, c'est Mayo qui entraîna Bogart dans le bureau d'A. Morgan Maree, gérant de fortunes et conseiller en investissement des stars. Maree lui établit un budget et resta son conseiller pendant toute sa carrière. Et c'est encore Mayo qui soutint Bogart lors de l'inévitable changement d'agent.

Chez Leland Hayward, où on s'intéressait naturellement plus aux stars qu'aux acteurs à la carrière moins brillante, on l'avait toujours considéré comme quantité négligeable. Jamais l'agence ne signalait que Bogart comptait parmi ses clients.

« Leland Hayward l'avait pris à New York et l'avait eu pour des clous, dit l'agent Sam Jaffe vers qui Bogart se tourna fin 1938. Vous savez ce que c'était en ce temps-là. Il gagnait sept cent cinquante dollars par semaine et Leland n'avait pas beaucoup de temps à lui consacrer, alors que Bogie exigeait qu'on s'occupe de lui. Il avait déjà commencé à se battre pour obtenir de meilleurs rôles [56]. »

Ce fut Mary Baker, son éternelle bonne fée, maintenant chez Jaffe, qui amena Bogart à l'agence dont Fredric March était un client. Jaffe était un petit homme dur au travail dont les manières discrètes cachaient un cœur solide et intègre. Conformément aux habitudes en vigueur, il était aussi lié familialement au Tout-Hollywood : sa sœur et partenaire, Ad, était mariée à l'ancien directeur de production de la Paramount, B. P. Schulberg, et elle était la mère de l'écrivain Budd Schulberg. Jaffe, avec Mary Baker, prit en main la carrière de Bogart. En dix ans, ils feraient de Bogart le mieux payé des acteurs de cinéma.

Mais fin 1938, cette perspective était aussi invraisemblable que Bogart avait été peu convaincant en héros romantique. Il était un acteur de trente-neuf ans bien établi dans les rôles à forte personnalité, avec un contrat solide et beaucoup d'années devant lui dans le confort des seconds rôles. Un peu trop petit, devenant chauve, il espérait néanmoins s'élever au rang de star.

En août, Bogart, à l'occasion d'un déjeuner au Romanoff's, le restaurant des stars de Beverly Hills, demanda à Jaffe d'être son agent. Réaliste, celui-ci établit la liste de ce que Bogart avait pour et contre lui. Pourtant, la profonde détermination de l'acteur et ce mélange puissant d'intelligence et d'énergie l'impressionna. « J'avais là un homme qui lisait. Il avait reçu une bonne éducation. Les gens pensaient qu'il n'était qu'un ivrogne porté sur la bagarre, mais il s'entourait toujours d'écrivains — il admirait les écrivains. De ce point de vue, il était très différent de la plupart des acteurs, et il voulait aller de l'avant. Il était sincère dans sa demande de rôles. Il était ambitieux. Et il allait devoir se battre toutes griffes dehors dans une compagnie comme la Warner. » Jaffe accepta de rétrocéder à Leland Hayward la moitié de la commission de Bogart pour les quelques années à venir et le transfert fut effectué. « Nous allions avoir des ennuis, dit Jaffe, mais je sentais qu'il avait un avenir. J'étais un des rares à sentir qu'il pouvait tenir des premiers rôles. »

Si à la Warner certains partageaient cette opinion, ils la gardaient pour eux. Peu après que Bogart eut changé d'agent, on le mit dans les cachots d'une prison pour *You Can't Get Away With Murder (le Châtiment)*. Cette fois, Bogart montra sa déception. Des notes à la direction disent que Bogart « bafouillait continuellement ». Et pourquoi pas ? Il devait dire des phrase recyclées qu'il connaissait au point d'en rêver la nuit. Il n'avait aucune curiosité pour le produit fini. Les affiches montraient la noirceur habituelle qui donnait envie de s'exclamer : avec quelques centimes d'électricité en plus, il n'y aurait plus de menace !

La critique fut assassine. Dans le *New York Times*, Bosley Crowther, furieux contre la production, ajoutait à ses critiques : « Les meilleurs acteurs de la Warner, comme Humphrey Bogart..., sont autant tenus par leur contrat de cinq ans que par une condamnation à cinq ans de prison [57]. »

Tandis que le studio semblait peu prompt à gérer la carrière de Bogart, d'autres producteurs, grâce à *Victoire sur la nuit*, le suivaient avec attention. Walter Wanger le demanda pour ce qu'il appelait « un rôle très important » dans un film où jouait sa femme, Joan Bennett. La Warner dit non. Darryl Zanuck, à la Twentieth Century-Fox, le voulait pour un remake du succès de Paul Muni, *The Valiant* (1929), et proposa de retarder le tournage jusqu'à ce que Bogart soit disponible. J. L. et Wallis ne furent pas intéressés. Universal lui proposa de jouer avec Mae West et W. C. Fields dans *My Little Chickadee (Mon petit poussin chéri)* et s'adressa au chef de la distribution artistique, Steve Trilling, futur bras droit de J. L. « Ils n'ont qu'une esquisse de scénario, dit Trilling à Wallis, mais ils veulent vendre leur histoire à Bogart. Ils ont tellement confiance dans la qualité du rôle qu'ils sont prêts à se fier à son jugement [58]. »

Mais George Raft venait de refuser de faire *It All Came True (Rendez-vous à minuit)* et il fallait un méchant pour *la Caravane héroïque*. La Warner était bien décidée à mettre son cheval de trait préféré sur les deux à la fois. On repoussa la demande d'Universal — les projets de Bogart, décida le studio, étaient vraiment « trop incertains [59] ».

La proposition qu'il fut le plus frustré de voir refusée vint de Lewis Milestone, réalisateur de *A l'Ouest rien de nouveau*, qui voulait Bogart pour *Of Mice and Men (Des souris et des hommes)*, de John Steinbeck. C'était le genre de grand rôle que Bogart n'avait plus connu depuis *Rue sans issue*, et Jaffe supplia la Warner de le laisser le jouer. Non, répondit le studio. On avait besoin de Bogart pour *les Fantastiques Années vingt*, et comme on ne savait pas ce qu'il ferait après, on ne pouvait s'engager. *Des souris et des hommes* fut pressenti aux oscars comme meilleur film. Bogart resta à la chaîne.

« Ils ne lui donnaient rien, dit Jaffe. Mais enfin, que faisaient-ils pour lui ? Il n'obtenait jamais ce qui aurait dû lui revenir, on le maltraitait constamment, on lui donnait des ordres, on le menait à la baguette, on le rabaissait. » Jaffe aussi trouvait que ce contrat avec la Warner équivalait à une condamnation pénale ! Même dans les films qui deviendraient des classiques du genre, Bogart était relégué au rôle d'ombre tandis que les projecteurs en éclairaient d'autres.

La fin des années trente fut une époque de gloire créatrice pour Hollywood : *Autant en emporte le vent ; les Hauts de Hurlevent ; l'In-*

soumise ; Monsieur Smith au Sénat ; l'Impossible Monsieur Bébé ; Au revoir, Mr. Chips ; Vous ne l'emporterez pas avec vous ; la Chevauchée fantastique ; Ninotchka ; Victoire sur la nuit et *le Magicien d'Oz* sortirent presque tous en même temps. Mais pour Bogart, l'avenir ne s'éclaircissait pas.

Le mode de vie peu reluisant de Bogart posait un problème aux publicitaires de la Warner qui ne voyaient pas comment il pouvait espérer devenir plus célèbre. Carl Schaefer, correspondant de la presse étrangère qui pourtant admirait Bogart, dit qu'à cette époque, « il était un peu gênant ». Quand un reporter avait pris rendez-vous pour interviewer d'autres acteurs, Bogart se matérialisait et lançait un jovial : « Salut, comment ça va ? »

« On le voyait trop, il était trop disponible. On voulait les Gosses dans l'impasse, ou Jimmy Cagney, pas Humphrey Bogart [60] ! » On s'arrangeait pourtant souvent pour que le journaliste consacre quelques minutes à Bogart avant de passer au plat de résistance. Duke Mantee ne faisait plus recette, et depuis, il n'avait pratiquement eu que des seconds rôles.

Les difficultés de Bogart n'étaient pas seulement dues à la myopie du studio. L'Église catholique, à l'origine des campagnes de la Ligue de la décence contre les films « immoraux », accusés de glorifier le crime, poussa les Producteurs et distributeurs de films d'Amérique, organisme dirigé par Will H. Hays, à adopter en 1930 un code moral connu sous le nom de Code Hays. Le 1er juillet 1934, cette autocensure fut institutionnalisée par la Production Code Administration. Joseph I. Breen en était le directeur, et sans l'imprimatur de ce qu'on appelait le Bureau Breen, aucun film ne pouvait être distribué [61].

Les règles étaient nombreuses, strictes et claires. Parmi elles : « On ne doit pas introduire de scènes de passion quand elles ne sont pas essentielles à l'action » ; « On doit respecter la sainte institution du mariage. Les films ne doivent pas laisser entendre que de basses formes de sexualité sont acceptables ou courantes » ; « On ne doit pas présenter explicitement les méthodes permettant la réalisation d'un crime » ; « Jamais on ne doit montrer de trafic de substances illégales » ; « Les relations interraciales sont interdites » ; « Les blasphèmes (dont l'utilisation des mots Dieu, Seigneur, Jésus-Christ — sauf dans un cadre révérencieux), ou toute autre expression profane ou vulgaire sont interdits » ; « Les ministres du culte ne doivent pas être utilisés pour faire rire ou pour des rôles de méchants [62] ».

L'impact de ce code avait particulièrement touché la Warner, dont les films montraient un changement de ton certain par rapport au sentimentalisme courant. Comme le souligne Thomas Schatz, historien du cinéma : « Les personnages durs et antisociaux popularisés par Cagney, Robinson et Muni avaient été mis hors la loi par le Bureau Breen [63]. »

Pour que ces stars continuent à tourner, leurs personnages devaient être modifiés, et punis pour leurs pires fautes. Même mauvais, ils restaient de bons garçons rachetables : généreux, séducteurs, gentils avec les enfants — des méchants lavés de leurs crimes dans de splendides scènes d'agonie. Mais quelqu'un devait payer pour eux, et le personnage de Bogart remplissait parfaitement ce rôle. Son exubérante perversion le conduisait à tuer et à être tué dans des scènes violentes qui satisfaisaient tant le public que la PCA, en laissant le héros mourir noblement quels qu'aient été ses péchés. A la fin des années trente, ce personnage était devenu un concept, et le concept avait un nom : « le rôle de Bogart ». « On disait, raconte Vincent Sherman : si c'est un rôle de salaud, donnez-le à Bogart[64]. »

George Raft avait refusé le rôle de Grasselli dans *Rendez-vous à minuit*, disant que c'était « un rôle pour Humphrey Bogart » — donc inacceptable pour une star qui se respectait[65]. Pour *Victoire sur la nuit*, il y avait deux sortes de publicité. La publicité « classe » montrait Bette Davis seule. L'autre publicité avait été « conçue pour les situations où la publicité "classe" eût été inefficace[66] ». On y voyait la patricienne embrassant l'homme du peuple Bogart. Ce que les commerciaux de la Warner montraient par là, c'était que tout le monde trouvait Bette Davis « classe » et Humphrey Bogart, non.

L'incident qui plus que tout autre symbolise la position de Bogart au sein de la Warner est la façon dont, en 1939, il fut pour la première fois placé en haut de l'affiche.

En mai 1938, on l'avait associé à Kay Francis dans *Unlawful*, remake à petit budget du thriller de Paul Muni *Dr. Socrates* (*Docteur Socrate*, 1935). Sept ans plus tôt, Kay Francis avait été la reine de la Warner qui, à grands frais, l'avait arrachée à la Paramount. Pendant la Dépression, le public allait pleurer aux malheurs de la petite brune, admirer ses toilettes ou rire à ses comédies. Mais à l'époque qui nous intéresse, la plus jeune et plus dynamique Bette Davis l'avait éclipsée. La Warner se retrouvait avec sur les bras une actrice beaucoup trop payée pour le peu de gens qu'elle attirait dans les salles. Dans l'espoir de la voir renoncer à son contrat de deux cent mille dollars, le studio cessa de lui donner de bons rôles. Elle contre-attaqua en justice, exigeant l'annulation du contrat avec paiement total. La Warner voulait une séparation, mais à son avantage, si bien qu'elle envoya l'actrice à l'unité Foy. Cette forte femme, grande buveuse, qui avait été élevée dans un couvent, grinça des dents et dit qu'elle était prête à laver le parquet si cela pouvait lui permettre de toucher son salaire.

Unlawful était son sixième film de série B. « C'était une voie de garage », dit Sherman, qu'on avait chargé de réduire le scénario pour un tournage en vingt jours. « On envoyait à Brynie l'actrice la mieux payée du studio ! On pensait qu'elle allait partir, mais elle n'est pas partie[67]. »

113

Elle ne se faisait pas plus d'illusions que Bogart sur la raison de sa présence sur ce plateau. Ils étaient deux professionnels tirant le meilleur d'une mauvaise situation, et Bogart était bien décidé à ce que sa partenaire traverse cette corvée de façon aussi peu douloureuse et aussi rapide que possible. Ils s'entendirent bien. Il se trouvait que deux de leurs « ex » étaient mariés ensemble — au début des années trente, elle avait été brièvement Mme Ken MacKenna[68]. Ils étaient tous deux amis de Louis Bromfield et lui avaient rendu visite à Malabar Farm, sa nouvelle ferme de trois cent cinquante hectares près de Mansfield, dans l'Ohio. Bromfield, qui avait remporté le prix Pulitzer en 1924 avec *The Green Bay Tree (la Colline aux cyprès)*, était un écrivain prolifique — il avait publié trente-quatre livres en trente-trois ans et aussi écrit des scénarios — et un fermier enthousiaste qui prônait des idéaux agricoles utopistes. On voyait parfois Kay Francis, chez lui, transporter des bidons de lait sans avoir ôté son manteau de vison.

Sherman trouvait Kay gentille. Bogart et elle l'avaient même aidé pour le scénario. A la Warner, les scénaristes étaient interdits de plateau, mais Sherman vint tous les jours, complétant le scénario et tentant de donner un sens à cette histoire d'un meurtrier affligé d'un complexe napoléonien (Bogart, bien sûr) et d'un médecin (Kay Francis) qui le neutralise au moyen de gouttes oculaires toxiques. Le réalisateur, Lewis Seiler, ne regardait jamais le scénario la veille et arrivait chaque matin sans savoir ce qu'il allait faire. Le film se tournait tel qu'on l'écrivait au jour le jour, ce qui inquiétait le studio.

« Mlle Francis, Bogart et le scénariste continuent à travailler sur le scénario, se plaignit le chef de plateau au producteur Tenny Wright. Si le réalisateur connaissait son histoire et ne dépendait pas du scénariste pour l'arranger, nous ferions un bien meilleur travail[69]. »

Il y eut pourtant un épisode un peu léger. Arthur Silver, qui s'occupait de la publicité, écrivit un monologue dans lequel Bogart, le tueur, expliquait son ascension vers le pouvoir — morceau qu'on devait utiliser pour lancer le film. « C'était le baratin habituel, dit Silver : comment il avait grandi dans les rues de New York, comment il avait dû se battre pour trouver sa place et ce qu'il avait dû faire pour arriver au sommet de la pègre. Et vers la fin il devait dire quelque chose comme : "Je suis le roi de la pègre, et *personne* n'est meilleur que moi !" »

Silver fit placer la caméra sur le plateau et Bogart lut le texte. Puis, sans même une respiration à la fin, il pointa son doigt vers l'objectif et dit : « *Et ça vaut pour toi aussi, Jack Warner*[70] ! »

Mais le studio eut le dernier mot. En janvier 1939, le film sortit sous le titre *King of the Underworld (Hommes sans loi)*. Kay Francis n'était peut-être plus la star qu'elle avait été, mais on lui devait néanmoins la première place sur l'affiche. C'était d'ailleurs ainsi que le générique avait été conçu en août. Mais le studio faisait tout ce qu'il pouvait pour tirer un film de plus de l'actrice avant l'expiration de son contrat et le paiement des soixante mille dollars qu'il lui devait encore. Quand, peu avant la sortie du film, il sembla que ses efforts étaient vains, Jack Warner approuva un changement de présentation en harmonie avec le nouveau titre :

HUMPHREY BOGART
dans
HOMMES SANS LOI
avec
KAY FRANCIS

C'était sans doute la première fois que le second rôle gagnait neuf fois plus que la vedette. Le monde du cinéma, pourtant cynique, en resta stupéfait, tout comme la presse. Après avoir décrit la situation, le *New York Times* concluait : « Jamais on ne s'est montré aussi mesquin envers une dame [71]. »

Mais Kay Francis avait quitté la Warner, son contrat enfin échu, après quelques missives gracieuses échangées avec Jack Warner. En septembre 1938, elle annonça sa retraite. Elle tourna d'autres films — dont un pour la Warner — mais sa carrière était terminée. Pour Bogart, l'affiche était au mieux sans importance, au pire cruelle.

En décembre, il eut quarante ans — acteur d'âge mûr frustré qui non seulement était encore et toujours destiné à interpréter les méchants à l'écran, mais qu'on venait d'utiliser dans une sorte d'assassinat professionnel contre une collègue. Au bout de six ans à Hollywood, il avait un mariage tumultueux, deux agents qui croyaient en lui, et trois personnes à divers stades de maladies mentales et/ou d'alcoolisme qui dépendaient de lui. Malgré son bon salaire, il avait constamment besoin d'argent, et restait donc menotté à un studio qui semblait devoir décider de son avenir : des premiers rôles dans des films mineurs, des rôles mineurs dans les grands films, et de temps à autre une apparition dans un chef-d'œuvre — mais pour panser un cheval ou tirer quelques balles.

6

Le début d'une merveilleuse amitié

Tout acteur a besoin d'un rôle, tout rôle a besoin d'un scénariste, et personne n'écrivit mieux pour Humphrey Bogart, et pour les personnages de Bogart, que John Huston. On n'aurait pourtant pas pu le deviner au premier scénario de Huston dans lequel Bogart apparut. En 1938, il joua un voleur de bijoux, Rocks Valentine, dans *The Amazing Dr. Clitterhouse (le Mystérieux Dr Clitterhouse)*, un film construit autour d'Edward G. Robinson en psychiatre qui, en tentant de comprendre l'esprit d'un criminel, devient criminel lui-même. Comme d'habitude, Robinson se lave de ses crimes en tuant Bogart. Bogart, qui nommera toujours le film *The Amazing Dr. Clitoris*, n'avait eu aucun contact avec Huston pendant le tournage. Bogart était un acteur de genre du studio, expliqua Huston plus tard, et « je n'étais que le scénariste »[1].

Ils s'étaient croisés dans la salle verte de la Warner, où l'on pouvait se restaurer confortablement. Les scénaristes s'y rassemblaient autour d'une grande table où on n'était convié que sur invitation. Bogart était un des rares acteurs invités, et c'est là, dit Huston, qu'ils se saluèrent, « présentation formelle qui ne se transforma en autre chose que lorsqu'il tourna dans le film de gangsters [*High Sierra (la Grande Évasion)*] que j'avais écrit ».

En dépit des talents conjugués de Robinson, Claire Trevor et Bogart, le film n'eut qu'un succès moyen. On s'étonnera surtout que Huston ait eu là une occasion de s'occuper du scénario. Peu avant, presque tout le monde était prêt à le laisser tomber. Fils fantasque de l'acteur Walter Huston, il avait tour à tour été boxeur, peintre, acteur et mendiant. Il avait aussi servi dans la cavalerie mexicaine et avait de peu échappé à la prison pour avoir écrasé un piéton sur Hollywood Boulevard. Mais il s'était trouvé une niche à la Warner. Il avait assisté trois autres scénaristes pour *l'Insoumise* (1938), qui avait valu son second oscar à Bette Davis. Associé à deux autres, il avait écrit *Juarez* (1939), qui racontait la vie du président mexicain Benito Juárez, puis il avait regardé, impuissant, Paul Muni ordonner que son travail soit transformé en une nullité pontifiante. A la tête de l'équipe de trois scénaristes de *Dr. Ehrlich's Magic Bullet*, film courageux avec Robinson sur la guérison de la syphilis, il vit, à nouveau impuissant, le Bureau Breen enlever toute référence à une maladie vénérienne.

Ce dernier film et *l'Insoumise* avaient été d'honnêtes succès, et en 1940, Huston était devenu un des scénaristes préférés du studio. Las des biographies et des drames en costumes, il avait hâte d'écrire des histoires à lui à sa façon. Par chance, cela coïncida avec l'acquisition par la Warner d'une option sur *la Grande Évasion*, roman policier de W. R. Burnett. Cela se fit deux semaines après la publication, en mars 1940, grâce à une offre qui battit celle de tous les autres studios. Burnett considérait qu'il tenait là le meilleur de ses livres depuis *le Petit César*, et c'était aussi l'avis de Huston.

William Riley Burnett venait du centre des États-Unis. Ses scénarios avaient été torpillés pendant toutes les années trente. Pourtant, Huston avait le sentiment que le studio sous-estimait les personnages de Burnett en n'utilisant ses histoires que comme base de films tournés à la va-vite. La réécriture endémique dans les studios éviscérait généralement son travail et ne laissait plus grand-chose de l'original ; *Hommes sans loi* en était un exemple frappant.

Dans *la Grande Évasion*, Burnett racontait l'histoire du dernier desperado, Roy « Chien fou » Earldon (dit Earle dans le scénario), garçon de ferme qui a mal tourné, ancien taulard grillé qui a gardé des souvenirs d'innocence dans les champs de maïs. En sortant de prison, il se rend compte qu'il est devenu un anachronisme. Il prépare le cambriolage d'un hôtel, mais ses deux complices novices amènent une fille, en violation du code professionnel d'Earle, et dès cet instant, la tragédie est inévitable. Il est un Duke Mantee amolli par l'âge, et ses pulsions humaines réveillées l'amènent à l'inévitable chasse à l'homme dans la Sierra, et à la mort.

« Retirez l'âme de Burnett, ce sentiment étrange de l'inévitable qui accompagne une compréhension profonde de ses personnages, et il ne restera qu'un squelette d'histoire conventionnelle, écrivait Huston à Wallis. Ce pourrait facilement être le destin de *la Grande Évasion*. En revanche, si c'est fait sérieusement — avec le sérieux que mérite Burnett —, je crois que cela pourrait devenir un film exceptionnel[2]. »

On n'avait pas pressenti Bogart, bien que la description d'Earldon dans les premières pages du livre ait pu lui correspondre :

> *Il avait le visage buriné et les cheveux drus, noirs et ondulés ; il avait les sourcils fournis, un nez épais, et une bouche ferme et pleine qui parfois se réduisait à une ligne fine ; il avait les yeux sombres, mais contrairement à la plupart des yeux sombres, ils n'étaient pas doux ; il donnait une impression de laideur virile[3].*

Mais il considéra tout de suite que c'était un rôle pour lui. Afin de rompre avec la série de rôles tous semblables qu'il jouait depuis si longtemps, Wallis avait dit à Bogart de le prévenir s'il trouvait un rôle qu'il voulait vraiment interpréter. Dès que Bogart eut découvert la nouvelle de Burnett dans *Redbook*, avant la publication du livre, il voulut immédiatement jouer Earldon et l'écrivit à Wallis — qui ne répondit pas.

La raison de ce silence fut bientôt évidente : le matin de l'achat des droits du livre, Wallis avait envoyé un exemplaire à Paul Muni, leur plus grande star et le seul acteur correspondant mieux à la description d'Earldon que Bogart. Il approchait de la fin d'un congé de huit mois, et devait revenir à Burbank fin mai. Muni, dont le contrat stipulait qu'il pourrait, à son retour, faire selon ses souhaits une biographie de Beethoven, ainsi qu'un autre film encore sans titre[4], admit, dans un télégramme à Wallis, que *la Grande Évasion* présentait des possibilités, « à condition que cela ne devienne pas encore un film de gendarmes et de voleurs[5] ». Son agent, Mike Levee, qui représentait aussi Leslie Howard, soutint le projet. Il restait sept films au contrat de Muni, et celui-là semblait parfait pour un retour.

Certaines gloires durent plus que d'autres, mais peu ont été oubliées aussi précipitamment que celle de Paul Muni. L'idole d'une génération fut ignorée par la suivante. Pourtant, dans ses bons moment, il était un acteur aux grandes possibilités et à l'intégrité sans faille. Il fit une série de films biographiques populaires sur des Prix Nobel et de grands justiciers (de Pasteur à Zola), et prit diverses identités ethniques : Polonais ici, il était latin ailleurs, et même paysan chinois dans *The Good Earth (Visages d'Orient)*. C'est en 1932 qu'il interpréta deux de ses grands rôles : Al Capone dans *Scarface* et un innocent condamné dans *I Am a Fugitive from a Chain Gang (Je suis un évadé)*. En 1940, il était une des plus grandes stars, à Hollywood comme à New York. A la Warner, où ces dernières étaient un bien commercial au même titre que les films en stock et les bâtiments du studio, il était une sorte de duché indépendant, avec des privilèges de coproducteur et un droit de regard sur le montage[6].

De tous ses succès, le plus profitable avait été *Scarface*, qu'il avait tourné non pour la Warner mais pour Howard Hughes. W. R. Burnett était un des scénaristes, et pour la Warner, l'association de Burnett et Muni présentait les perspectives les plus rentables dans le meilleur des mondes : une histoire moderne pour sa star, et le succès d'un film de gangsters pour la caisse. Le 16 mars, trois jours après l'achat des droits du livre, le *New York Times* annonça que Paul Muni jouerait le premier rôle dans *la Grande Évasion*.

Pour Bogart, c'était comme revivre les prémices de *la Forêt pétrifiée*.

La réalité s'imposa. Les scénaristes, l'un après l'autre, exprimèrent

118

leur inquiétude. Comment écrire « un film sexy de glorification d'un gangster » qui soit acceptable pour le Bureau Breen ? Et si on retirait le côté sympathique du héros, que resterait-il ? Un film conventionnel où les montagnes remplaceraient les gratte-ciel[7].

Muni ou pas, Wallis commença à avoir des doutes. Le produit fini aurait sans aucun doute été très différent si Mark Hellinger n'était pas arrivé comme producteur associé (Wallis était le producteur de fait). Tout en sauvant le projet, il bouleversa la vie de Huston et celle de Bogart.

Hellinger était un personnage des années 1920. A trente-quatre ans, il était éditorialiste dans la presse nationale. C'est de sa nouvelle « The World Moves On » qu'on avait tiré en 1939 le film *les Fantastiques Années vingt*, où Cagney et Bogart jouaient deux des trois garçons revenant de la guerre en France et découvrant que les gangsters étaient les rois de la Prohibition. C'est la voix de Hellinger qui explique au début du film que tout ce qu'on va voir s'appuie sur des personnes ayant existé et des évènements réels dont il a traité dans la presse. En 1937, il était devenu producteur à la Warner. On lui doit *It All Came True (Rendez-vous à minuit)*, *They Drive by Night (Une femme dangereuse)* et *Brother Orchid*.

Hellinger était une anomalie à Hollywood : soigné, en costume élégant, chemise bleu sombre et cravate jaune, il cultivait son air de parrain depuis qu'il avait été critique à Times Square. Il se flattait de connaître la pègre de Los Angeles et circulait dans une Lincoln blindée qui avait appartenu au gangster Dutch Schultz. Il faisait tant de choses à la Warner que même les avocats du studio en perdaient leur latin. Il vivait dans le luxe sur une propriété de cinq hectares des hauts de Hollywood et se montrait si habile à tirer de l'argent des autres qu'il y avait réussi même avec un avare invétéré comme Jack Warner, qui lui avait payé le voyage de New York, non pas en train comme d'ordinaire, mais dans une suite sur un paquebot passant par le canal de Panama.

Mais Hellinger avait aussi l'aspect sombre des damnés de Burnett. Il y avait une sorte de désespoir dans sa vie privée, et en dépit d'antécédents cardiaques, il fumait, buvait et usait sans ménagement de barbituriques. Orphelin tôt, il venait de perdre son frère adoré, dernier membre de sa famille. Hellinger comprenait Roy Earle.

« Que fais-tu de la superbe rencontre entre l'homme et la jeune infirme ? écrivait-il à Wallis. Et de l'homme né fermier et qui se retrouve dans la pègre ? Et de ce merveilleux faux docteur, de ces gamins qui vont pêcher pour contrôler leur nervosité, de cette fille si forte prête à mourir pour l'amour inaccessible du plus étrange des hommes, un homme qui utilise son arme même quand il rêve des étoiles... Tout ce que je demande, Hal, c'est que tu me trouves quel-

119

qu'un qui ait juste la moitié de mon enthousiasme pour ce grand sujet[8]. »

Ce quelqu'un était bien sûr John Huston, lui qui dans le même temps suppliait aussi le studio de ne pas gâcher le sujet.

Au début, ils ne concentrèrent leurs efforts que sur Muni, qui contrairement à ce qu'on avait dit n'avait pas soulevé d'objections à l'idée de tourner dans un film de gangsters — tant que c'était « QUELQUE CHOSE DE VALEUR[9] ». Et si Huston avait été furieux des modification apportées par Muni à *Juarez*, il aimait assez l'idée de détourner la plus grande star de la Warner et de l'associer à l'aventure. Il avait proposé une idée révolutionnaire au studio : plutôt que d'écrire un scénario narratif conventionnel, qui entraînait inévitablement une grosse réécriture où l'original finissait par être méconnaissable, pourquoi ne pas sauter cette étape et travailler le scénario de tournage à partir du *livre*[10] ? Il demanda l'autorisation de prendre contact avec Muni afin de lui exposer son approche et de l'assurer qu'il ne s'agirait pas d'une « histoire de gangsters conventionnelle ». Wallis accepta, mais lui dit que le studio négocierait avec Muni.

Le premier jet fut envoyé début mai à Muni, qui ne répondit pas immédiatement. On commença à dire qu'il ne l'aimait pas. Bogart télégraphia à Wallis pour lui rappeler : « Je n'ai jamais eu de réponse [à ma proposition concernant *la Grande Évasion*], alors je me propose à nouveau puisque, à ce que je sais, il y a des doutes sur la participation de Muni[11]. »

Toujours pas de réponse. Muni avait laissé la porte ouverte à une réécriture — même Huston avait des problèmes avec le scénario — et son agent était prêt à négocier des changements. Burnett, ravi de la perspective d'avoir « un aussi grand acteur que Paul Muni[12] », avait proposé ses services, et on le fit venir de Glendale pour travailler avec Huston sous la direction de Hellinger. Burnett tapait tandis que Huston, qui aimait jouer les scènes à haute voix, dictait. « Jamais je ne me suis autant amusé que lorsque j'ai travaillé avec John, confia plus tard Burnett. Nous riions presque tout le temps, si bien que le travail n'avançait guère[13]. »

Hellinger riait moins. A en croire le biographe de Huston, Lawrence Grobel, Hellinger subissait de très fortes pressions de la part de Jack Warner, qui voulait que le scénario soit terminé rapidement, et il téléphonait souvent à ses auteurs pour leur rappeler leur retard. Lors d'un de ses appels, Hellinger dit à Huston : « John, je ne sais plus quoi faire. Warner va m'appeler d'une seconde à l'autre.

— Dis-lui d'aller se faire foutre », dit Huston.

Il entendit sonner le téléphone intérieur, puis il entendit Warner demander où en était le scénario.

« VA TE FAIRE FOUTRE ! » hurla Hellinger.

Huston n'en revenait pas. Warner fulminait. Le contrat de Hellinger expirait à la fin de l'année. Il ne fut pas renouvelé.

On était début juillet, et Muni était de retour. Il fallait commencer le tournage avant un mois, sinon le studio perdait son option. Huston avait eu la malencontreuse idée de toucher un sumac vénéneux, et c'est « couvert de lotion violette et mourant d'envie de se gratter », raconte Hellinger, qu'il accéléra le rythme avec Burnett. Le 10 juillet, on apporta à Muni, chez lui, le scénario révisé. « Je suis certain que vous conviendrez qu'il s'agit là d'un très bon travail », écrivait Hellinger dans la lettre d'accompagnement.

Au même moment, Muni apprenait que le studio tentait de ne pas honorer son engagement de tourner le *Beethoven*. Lors d'une réunion explosive que raconte son biographe Jerome Lawrence, on conseilla à Muni d'oublier Beethoven. Le monde étant en plein bouleversement, le public voulait des distractions. Au diable la promesse écrite, le film de gangsters était une priorité.

On dit que Muni déchira alors son contrat de cinq mille dollars par semaine. Sur une simple feuille de papier, préparée et signée, Muni et la Warner acceptèrent mutuellement d'interrompre leurs relations à dater du 17 juillet 1940.

Paul Muni l'ancienne superstar, comme Kay Francis avant lui, était devenu encombrant.

Six jours et bien des tergiversations plus tard, on maquilla Bogart pour des bouts d'essais.

En surface, on ne pouvait rêver acteurs plus différents que Muni, le produit du théâtre yiddish aux multiples facettes, enclin aux grands gestes spectaculaires, et Bogart, l'aristocrate new-yorkais qui jouait tout en subtilité.

Mais pour le studio, leurs ressemblances étaient plus évidentes. Tous deux étaient des acteurs rompus aux scènes de Broadway qui avaient prouvé leur capacité à interpréter des rôles différents, tous deux étaient des citadins bruns au regard intense dont le jeu reflétait les turbulences internes. Tous deux, bien que petits, avaient un air différent que les femmes trouvaient séduisant.

A la fin des années 1930, on dit que Bogart s'était plaint de ses rôles auprès de Wallis. « Écoute, lui avait dit Wallis, tu veux les rôles de Raft, Raft veut ceux de Robinson, Robinson veut ceux de Muni...

— C'est très simple, aurait répondu Bogart, on vire Muni et tout le monde monte d'un cran [14]. »

Quoique probablement apocryphe, cette histoire illustre bien le fonctionnement du monde du cinéma : quelles que soient vos bonnes intentions, pour gravir les échelons, il faut toujours marcher sur les autres. Quand la Warner se débarrassa de Muni, Bogart monta. Maintenant, c'était Bogart que voulait la Fox pour son remake de *The Valiant*. Et c'est Bogart qui reprit le rôle que Muni jouait au théâtre quand *Key*

Largo fut porté à l'écran en 1948. Bogart prit la place de Muni comme numéro un au box-office chez Warner Bros.

Le studio ne perdit pas de temps. On lâche une star, on en fabrique une autre. Le 17 juillet, le directeur de la publicité S. Charles Einfeld visionna *Victoire sur la nuit*, puis dicta une lettre à envoyer à Kansas City, base opérationnelle de Martin Weiser, le maître des coups d'épate de son service.

> *Cher Marty,*
> *Je voudrais que tu concentres tous tes efforts pour faire de Humphrey Bogart une star aussi vite que possible.*

Weiser pouvait vendre n'importe quel film, fabriquer n'importe quel acteur. Il avait le génie d'attirer l'attention de la nation entière sur les projets qui lui tenaient à cœur. Pour la promotion d'*Une femme dangereuse*, il avait fait traverser le continent à un quinze tonnes prétendument destiné à Ann Sheridan. Il apportait les bons vœux de cinq cent mille membres de la Fraternité internationale des camionneurs. A chaque arrêt entre Chicago et Los Angeles, camionneurs, maires, membres des fans-clubs peignaient dessus des autographes. Le véhicule vide fit la une des journaux, et bientôt tout le pays parla du « camion de Sheridan [15] ».

Einfeld, petit homme génial au visage rond qui adorait le cinéma, avait été le premier à sentir le potentiel de Bette Davis, et il s'était fait une réputation considérable de découvreur de talents. Le départ de Muni créait un vide à remplir, et après avoir regardé *Victoire sur la nuit*, Einfeld lança une opération qui aurait dû entrer en action bien plus tôt. Il écrivit à Weiser :

> *Bogart a été catalogué par la publicité dans les personnages de gangster. Nous voulons défaire cette image. Car Bogart est un des plus grands acteurs aujourd'hui sur les écrans. Ce type est un maître de technique dramatique et il peut tout faire. Dans* Victoire sur la nuit, *il montrait un « sex-appeal » nouveau et différent de celui de tous les autres acteurs... Voyons si en deux ou trois mois nous ne pourrions pas inonder le pays du talent de Bogart — avec des articles encensant Warner Bros. pour avoir su détecter un tel talent et lui prédisant un grand avenir. Ce sera ton plus important défi pour les mois qui viennent. Je sais que je peux compter sur toi [16]...*

C'était une publicité méritée, mais ce n'était pas le mérite qui l'avait déclenchée, c'était la nécessité. Les évènements de la semaine précédente avaient modifié la configuration de la pyramide, et il fallait combler la place vide. Cagney constituait toujours une catégorie à part,

Robinson, il fallait en convenir, avait son maximum de notoriété derrière lui, le jeune John Garfield, venu du Group Theater de New York en 1938, débordant d'énergie et de talent brut, n'était pas encore mûr. Ce qui laissait Raft comme dernier rempart à franchir pour Bogart avant de revendiquer le rôle de Roy Earle.

Raft était venu de la Paramount en 1938 et la Warner avait fait de lui une star. Il aurait dû passer l'été loué à la MGM, mais à cause d'un problème de mauvaise gestion du temps à la Metro, il se trouvait soudain libre. Son salaire faisait de lui le choix naturel pour jouer Earle, et il aurait bien pu avoir le rôle si Bogart ne l'avait pas manœuvré à la manière d'un parfait gangster.

Des années plus tard, Bogart, l'œil malicieux, raconta à un collègue comment il avait convaincu Raft. « Raft n'était pas très bon juge, dit Bruce Bennett, et Bogie le décourageait — "Oh, ce n'est pas un film pour toi, ils veulent seulement ton nom en haut de l'affiche pour vendre leur film." » Roy Earle était encore un salaud qui se faisait abattre. Les salauds meurent, les héros vivent. « Alors George est allé tout droit chez Warner et lui a dit "Je refuse de jouer dans ce film." [17] »

Il pouvait se le permettre, parce que, quelques mois plus tôt, il avait extorqué à Jack Warner une lettre confirmant qu'il n'aurait pas à jouer de « véritable salaud » [18].

Ainsi donc, tandis que Bogart jouait des coudes pour le rôle de Roy Earle, Raft jouait des coudes pour une virée à New York et une série d'apparitions bien payées. Le studio renâclait parce que le film *Une femme dangereuse*, qui devait sortir en juillet, avait déjà été **acclamé** par la critique, et qu'on voulait reprendre pour *la Grande Évasion* le couple Raft/Walsh. Il fallut que Raft exerce son droit de veto pour que Bogart ait la voie libre.

La seule personne plus heureuse encore que Bogart — si cela semble possible — fut Huston. « *Tout* avait été conçu pour George Raft à l'époque, et je n'étais pas un des plus grands admirateurs de Raft. Je trouvais qu'il avait l'air d'un *clown* dans son costume blanc moulant à épaulettes, flanqué de ses gardes du corps. Il avait l'air d'un type de la Mafia, et il en était fier. En fin de compte, le pauvre diable n'était rien. Il refusa tout ce qu'on lui lança. Et il refusa *la Grande Évasion*. Vous savez, c'était vraiment un *ignorant*. Pauvre diable. J'ai été ravi, parce que Bogie a pu avoir le rôle. Et je *savais* que Bogie était un grand acteur [19]. »

En l'absence d'une star rentable, la Warner choisit le talent. Huston alla voir Hellinger : « J'ai dit que je trouvais qu'on aurait de la chance d'avoir Bogart au lieu de Raft », et Hellinger en fut d'accord. Le studio ne fit rien pour rattraper Raft. Le 22 juillet, la veille du premier bout d'essai de Bogart, la Warner accorda à Raft l'autorisation d'aller à

New York. Neuf jours plus tard, *la Grande Évasion* reçut le numéro de production 324, « Star : Humphrey Bogart [20] ».

Raoul Walsh roulait ses cigarettes, et on le suivait aux brisures de tabac qu'il semait derrière lui. C'était le quatrième film de Bogart avec le réalisateur célèbre pour ses films énergiques et rapides *(le Voleur de Bagdad, les Fantastiques Années vingt, Une Femme dangereuse).* Walsh était aussi macho qu'était noire l'œillère qui couvrait son œil perdu des années plus tôt quand un lapin avait heurté le pare-brise de sa voiture. L'accident mit fin à sa carrière d'acteur, lui en ouvrant une meilleure.

Walsh savait exactement à quoi il voulait que Roy Earle ressemble. Bogart aussi. Tous deux avaient tiré leurs idées du livre. Le gangster entre deux âges se fait libérer de prison par son chef de gang pour un dernier coup :

> *Roy sortit dans la lumière en clignant des yeux. Il portait un costume de serge bleu que Big Mac lui avait envoyé. Il n'avait pas l'air trop mal, si on oubliait son teint pâli par la prison. Mais ses cheveux noirs épais étaient striés d'argent, et ses yeux sombres méfiants et tristes... Il était resté en tôle presque six ans, et le monde au-dehors était maintenant pour lui un lieu étrange et terrible.*

Walsh avait fait de nombreux essais : Bogart avec des mèches argentées, tous les cheveux blancs, les cheveux gris, les cheveux plus noirs encore qu'au naturel. Dans sa quête de réalisme, Bogart s'était fait faire une coupe de prisonnier, très courte, surtout sur les tempes, une mèche sombre au sommet contrastant avec le poil gris qui l'entourait. Sa coupe durcissait les lignes de son visage émacié, témoignage muet de l'art des figaros de prison dont l'objectif n'était pas de coiffer, mais de raser. Il avait établi visuellement ce qu'un critique devait appeler « l'air d'un homme qui essaie de trouver une mélodie dans une nouvelle sorte de musique qui lui irrite les oreilles... un homme qui préférera mourir plutôt que de s'adapter à un monde qui pense que ce genre de bruit vaut d'être écouté [21] ».

Pour Roy Earle, tout tourne mal : le vol prévu se termine en fusillade et en accident de voiture, les bijoux sont invendables, la jeune infirme qu'il fait opérer se révèle être une petite cruche égocentrique. Il ne lui reste plus qu'à fuir, avec pour seules attaches une gamine des rues et un chiot bâtard qui assistent à sa mort et à sa chute spectaculaire du haut d'une montagne.

Ida Lupino joue Marie, amoureuse de Earle. « C'était un bien beau rôle pour moi, et j'étais ravie de le jouer, dit-elle cinquante ans plus tard. Comme d'habitude, Bogart était un méchant tueur et j'étais amoureuse de lui. Rien que de tout à fait normal et naturel pour nous[22]. »

Ils s'étaient rencontrés brièvement quelques mois plus tôt sur le plateau d'*Une femme dangereuse*, où Ida, recyclant le rôle qui avait si bien servi Bette Davis dans *Bordertown (Ville frontière)*, jouait Lana, une meurtrière qui devient folle. Sa scène de folie au tribunal est le point culminant du film. Alors, dit-elle, « je n'ai échangé que quelques mots avec Bogie, parce que j'étais très préoccupée par le tournage. J'avais un bon rôle, mais c'était mon premier film pour la Warner, et j'étais un peu nerveuse, si bien que je ne l'ai pas vraiment connu à l'époque. Mais quand il a eu le rôle dans *la Grande Évasion*, j'en ai été ravie ».

Bogart fit ce que les stars ne font presque jamais : il assista aux bouts d'essais pour le rôle de la jeune fermière infirme. La Warner choisit Joan Brodel, une fraîche gamine de quinze ans, sur scène depuis l'âge de trois ans. Elle avait commencé en 1937 sa carrière cinématographique en jouant la petite sœur de Robert Taylor dans *Camille (le Roman de Marguerite Gautier)*, et enchaîné avec de petits rôles dans une douzaine de films. La Warner l'engagea en 1941 et changea son nom en Joan Leslie. Elle était un peu nerveuse à l'idée de travailler avec Bogart. « J'avais entendu dire qu'il était violent et fou, qu'il buvait et jurait — et c'était vrai ! Mais il était gentil, comme Walsh. Il contrôlait son langage en ma présence — "Je ne veux pas de ça devant Joan, disait-il, pas devant cette jeune dame."[23] » [Jack Warner arborait lui aussi vis-à-vis de Joan un intérêt paternel. Pour ses dix-sept ans, pendant le tournage de *Yankee Doodle Dandy (la Parade de la gloire)*, en 1942, il fit amener une voiture neuve sur le plateau et lui en offrit les clés en cadeau d'anniversaire sous le crépitement des flashs. Warner et la presse une fois partis, on emmena la voiture, on reprit les clés, et Joan ne revit jamais ni l'une, ni les autres[24].]

Le tournage de *la Grande Évasion* commença le 5 août. Pendant les quarante-quatre jours suivants, on passa du studio à un camp de pêche en montagne, de la station huppée de Arrowhead Springs aux montagnes de la Sierra Nevada — dans l'est de la Californie, à l'ombre du mont Whitney. Walsh et Hellinger insistèrent pour que la spectaculaire poursuite en voiture soit filmée sur place, au lieu d'avoir recours à l'habituelle transparence, beaucoup moins chère. Des cascadeurs arrivèrent et firent le travail, et pour les dernières scènes, l'équipement fut monté à dos de mules, au grand dam du chef de plateau.

C'est le célèbre cascadeur Buster Wiles qui fit la chute de Bogart, glissant comme s'il était un poids mort sur trente mètres de rochers pour s'arrêter dans les buissons. Il doubla aussi celui qui le tue, s'assassinant en fait lui-même. Il avait atterri à plat ventre, mais comme il avait rebondi quatre ou cinq fois, il dit à Walsh : « Je crois qu'on devrait la refaire.

— Pas question, répondit Walsh, c'est bien assez pour ce que paieront les spectateurs[25]. »

Wiles doubla également Bogart dans la scène où il meurt, à plat ventre dans la poussière, pleuré par Ida Lupino, quelques morceaux de gâteau entre les doigts pour que « Pard » le chien lèche la main de son maître mort[26]. En fait, le chien appartenait à Bogart[27], et il s'appelait « Zéro ». Il aboyait à la demande et restait caché dans le sac d'Ida sans bouger. « J'ouvrais le sac entre les prises, raconta-t-elle, et il se redressait, tête levée, regardant tout autour de lui. Quand il voulait se soulager, il émettait un petit bruit pour me le signaler. »

Le film cimenta une relation qui fut cruciale pour la vie et la carrière de Bogart. Contrairement à la plupart des scénaristes, qui assistent rarement aux tournages, Huston vint plusieurs fois sur le plateau. Il trouva Bogart modeste et détendu, comme il l'était en général avec les écrivains. Bogart était cultivé, et il appréciait ceux qui savaient écrire. Tous deux allaient souvent déjeuner à Lakeside, le country-club des acteurs près du studio, et ils consommaient, dit Huston « plus de cocktails qu'on ne devrait au déjeuner[28] ». Huston était stupéfait de constater que l'alcool n'avait apparemment aucun effet sur la concentration de l'acteur dans l'après-midi.

Contrairement à ce qu'on a dit plus tard, dans les souvenirs de toute l'équipe, Bogart et Ida Lupino s'entendirent très bien, « Nous étions tous copains », insista Ida. Elle venait d'une famille célèbre au théâtre, et avait beaucoup joué dans les music-halls londoniens. Elle trouva sa niche à Hollywood en interprétant ce qu'elle appelait les « méchantes filles » et elle adorait ça. « Ces rôles sont très faciles à interpréter, beaucoup plus faciles que d'autres. Bogie m'a dit : "Toi et moi, nous sommes nés pour être mauvais. Mais en fait, nous sommes des saints, Ida." Et j'ai répondu : "Qui ? Toi et moi ? Impossible. L'auréole ne tiendrait pas, tant nos cornes sont énormes !" »

Ils étaient inséparables. Irving Rapper, qui leur faisait répéter leurs rôles, dit que « Bogie était fou d'Ida ». Une photo prise par l'équipe à l'hôtel où ils résidaient montre Ida dans un fauteuil et Bogart, en maillot de bain, à genoux, comme s'il la vénérait. « Nous ne sommes pas devenus amants, dit Ida, mais nous nous aimions beaucoup. Sa compagnie était idyllique et paisible pour moi. Et je crois qu'il ne me trouvait pas trop mal non plus. » Quoi qu'il en soit, le mari d'Ida, l'acteur Louis Hayward, venait fréquemment les voir, de même que Mayo. « Ida était amoureuse de Bogart, dit Rapper, et elle était à l'évidence très charmante. Mayo Methot était jalouse[29]. »

Le jugement d'Ida concernant Mayo était plus succinct : « Une salope ! »

Quand la troisième Mme Bogart venait les voir à Lone Pine, le couple ne se cachait pas pour exprimer ses différends devant tout le monde. « Ils auraient dû signer un contrat pour un match de boxe au

Madison Square Garden, dit Buster Wiles. Mayo pouvait être très douce et gentille, mais de temps à autre, quand elle avait quelques verres dans le nez, elle devenait... irritable[30]. »

Mais le mauvais caractère de Mayo posait moins de problèmes que sa jalousie, comme le prouva le jour où elle envoya une couronne mortuaire au studio à l'intention de M. Bogart, « une grande couronne », dit un employé, posée sur un trépied, chaque feuille, noire et funèbre, ornée d'un préservatif. « Tout le monde a su qui l'avait envoyée. C'était Mayo, aucun doute[31]. »

Il est possible que ce soit Mayo qui ait mis fin à la perspective d'autres films que Bogie aurait tournés avec Ida Lupino. Jamais celle-ci ne fit écho aux rumeurs qui voulaient qu'il l'ait insultée et qu'elle ait par la suite refusé de travailler avec lui. Elle se souvenait au contraire très clairement de la façon dont Bogart était venu à son secours lors d'une scène où elle devait pleurer. « J'ai dit : "J'ai un problème, Bogie. Je n'y arrive pas." Et il a dit : "Alors pense à ce que ça veut vraiment dire : tu vas partir avec le petit chien, et vous n'allez plus jamais me revoir." Et ça a suffi. » Une autre fois, il fut plus brutal : « Écoute, ma fille, si tu n'arrives pas à pleurer, dis-toi bien que je vais te voler la vedette[32]. » Quelle qu'ait été la méthode, elle fut si efficace que la journée dut se terminer tôt. « Impossible de continuer, rapporta le directeur de plateau. Les yeux de Mlle Lupino sont rouges d'avoir pleuré pour la scène en début d'après-midi[33]. »

Il y eut pourtant des occasions où Bogart montra son mauvais caractère, en particulier la fois où, après une journée de douze heures en extérieur, l'équipe épuisée fut rembarquée dans les voitures et les cars à huit heures le lendemain matin pour aller travailler au studio jusqu'à dix-huit heures. Bogart renâcla à rejouer les scènes, et il dénigra les sandwiches qu'on leur servit pour le déjeuner. Mais la seule fois où Ida sentit Bogie vraiment malheureux, ce fut « vers la fin. Il n'était pas homme à sortir facilement d'un rôle ».

On peut penser que l'irascibilité de Bogart était plus en liaison avec un évènement survenu à Burbank qu'avec le film. Après cinq ans d'attente, il était enfin en tête d'affiche dans un grand film. Mais c'était compter sans le succès d'Ida dans *Une femme dangereuse*, sorti pendant le tournage de *la Grande Évasion*, et qui semblait devoir rapporter gros à la Warner.

Le 18 septembre, Hal Wallis envoya une missive à Jack Warner :

> *Ne crois-tu pas qu'on devrait inverser les premiers rôles pour* la Grande Évasion, *et mettre Lupino en tête d'affiche à la place de Bogart ?*
> *Lupino vient d'avoir une grande publicité avec* Une femme dangereuse, *alors que Bogart est catalogué comme un acteur de série B, ce qui risque de modérer le succès de* la Grande Évasion.

Les affiches viennent de sortir avec Bogart en tête, mais je crois qu'on devrait renverser la vapeur[34].

Dès le lendemain, ce fut fait. L'équipe était toujours à Lone Pine et devait rentrer à Burbank dans l'après-midi, mais Bogart était sans doute déjà au courant du changement. Les bureaux pouvaient être de véritables passoires, et cette fois, c'étaient sans doute les dactylos qui avaient diffusé la nouvelle avant même de taper la dernière lettre. Bogart, qui n'avait jamais besoin d'excuse pour une remarque caustique, eut cette fois toutes les raisons de se laisser aller. Pure coïncidence peut-être, mais le lendemain, alors que tout le monde était au courant, le directeur de plateau dans son rapport dit que « Mlle Lupino a eu une éruption. Ce matin, elle n'a pas pu travailler[35] ». On annonça qu'elle avait été piquée par une abeille. Le lendemain elle était encore malade. Mais le surlendemain, elle reprit le tournage. En l'absence de toute trace écrite, on ne sait pas si Bogart fit part de sa déception à Ida, ou même s'ils eurent une conversation en tête à tête. Il savait très bien qu'elle n'avait rien à voir avec cette décision, et plus tard elle souligna : « Il n'en a pas dit un mot. Tout ce qu'il a dit était : "Eh bien, on a fait ce que voulait la Warner. On est mauvais comme cochon, ma chère, et le public va nous adorer." C'était tout Bogie ! Il avait résumé tous les soucis, tous les ennuis. »

Et ce n'étaient pas les ennuis qui avaient manqué à Bogart pendant le tournage de *la Grande Évasion*, la tête d'affiche n'en étant qu'un parmi d'autres. Un mois plus tôt, il avait été confronté à un problème considérablement plus grave quant à ses conséquences.

En 1936, alors qu'il était toujours à son salaire de départ à la Warner, Bogart avait soutenu les ouvriers agricoles des champs de laitues de la vallée de San Joaquin, qui s'étaient mis en grève, et il avait aussi contribué à la collecte de fonds des reporters de la presse de Seattle en grève pour la sécurité de l'emploi et une paye décente. En octobre 1936, le FBI, dans un rapport secret sur l'influence communiste au sein de la Guilde des acteurs, avait — sans s'appuyer sur aucun fait — porté Bogart sur la liste des vingt et un membres ayant « de fortes inclinations pour le PC ». C'était la première page de ce qui deviendrait un énorme dossier. Le FBI avait jeté le filet très loin pour dresser cette liste. Elle comprenait des gens de gauche comme Gale Sondergaard — membre du Parti — et J. Edward Bromberg, qui figurèrent plus tard sur la Liste noire, des libéraux comme Melvyn Douglas, James Cagney et Fredric March, des conservateurs comme Gary Cooper et Robert Montgomery, et le démocrate Pat O'Brien, célèbre pour ses rôles de flics et de prêtres.

Le fait qu'il n'y eût aucun fondement à l'accusation portée contre

Bogart n'avait pas la moindre importance à une époque où il valait mieux être mort que rouge. A l'été 1940, le congressiste Martin Dies, président du Comité spécial des activités antiaméricaines du Parlement, fondit sur Los Angeles pour purger Hollywood de ses péchés politiques. Le Comité avait deux ans à l'époque, et ironiquement, il avait été organisé pour enquêter sur l'extrême droite après les révélations sur la Légion noire. Mais les membres du Comité s'étaient intéressés aux proies plus familières de la gauche. Les problèmes représentés avec tant de sérieux à l'écran dans les années trente — la violence économique de la Dépression, le chauvinisme, le racisme, la montée du nazisme en Europe et la guerre sociale aux États-Unis — avaient démontré la conscience sociale de la communauté cinématographique. Acteurs et producteurs offraient leur nom et leur talent, leur temps et surtout leur argent à tout un éventail de causes. Acteurs, scénaristes, réalisateurs et producteurs de tous bords se retrouvaient dans des organisations intitulées Ligue antinazie de Hollywood ou Comité d'artistes de cinéma ou Comité démocratique du cinéma. Ils s'unissaient pour des causes qui allaient de l'opposition à Hitler, Mussolini, Franco et le Japon impérial (mais jamais Staline) au soutien du New Deal, des droits civiques et du Congrès des organisations industrielles (CIO). Le Comité des 56, dirigé par Melvyn Douglas et comptant parmi ses membres James Cagney, Joan Crawford, Bette Davis, Henry Fonda, Dick Powell, Groucho Marx, Rosalind Russell, Ann Sheridan et Jack Warner (c'était sans doute l'unique point d'accord entre Warner et Cagney), lança une campagne réclamant le boycott économique de l'Allemagne nazie.

« Tout le monde fait partie d'un comité pour libérer les gars de Scottsboro, écrivait Robert Benchley à sa famille alors que Bogart et lui vivaient au Garden of Allah en 1936, ou aide les Juifs d'Allemagne, ou soutient la Guilde des scénaristes... Hier soir, je suis allé à un dîner antinazi à vingt dollars la place... c'est très louable — et très cher[36]. »

Martin Dies, grande gueule blonde du Texas qui voyait des conspirateurs partout et tenta un jour de prouver que Shirley Temple était communiste, n'avait rien à faire du New Deal, des organisation ouvrières, des Noirs ni des Juifs. Ce qu'il voulait, c'était de la publicité, et comme des millions d'autres, il considérait que Hollywood était le lieu rêvé pour devenir une star. Il était déjà un modèle pour ses collègues du Comité, dont J. Parnell Thomas, naguère gros agent d'assurances du New Jersey.

En juillet 1940, John L. Leech, qui se proclamait « secrétaire général » de l'organisation locale du Parti communiste, comparut devant le Comité Dies et cita Bogart, Cagney, March, le scénariste Philip Dunne et beaucoup d'autres comme communistes cotisant au Parti. Quatre semaines plus tard, Leech réitéra ses accusations devant le grand jury du comté de Los Angeles. Lors d'une audition mise en scène par le procureur Buron Fitts, Leech décrivit des réunions secrètes dans la propriété du directeur de production de la Paramount, B. P. Schulberg, à Malibu, où Bogart et d'autres se retrouvaient pour « lire les doctrines de Karl Marx [37] ».

Un an plus tôt, un juge d'instruction avait qualifié Leech de « menteur pathologique », fait noté dans les archives du FBI, mais apparemment sans importance pour Dies. En outre, les noms de la « grande liste » de Leech étaient presque identiques — était-ce pure coïncidence ? — à ceux du FBI dans son rapport vieux de quatre ans [38]. Ce témoignage, divulgué par un avocat général avide lui aussi de publicité, fut repris par les médias sous des titres comme « Des stars de Hollywood accusées d'être des rouges devant le Grand Jury ». En conséquence, le dossier de Bogart au FBI grossit un peu plus.

Bogart était furieux : « Je défie les hommes qui tentent de me mettre en accusation de me faire témoigner. Je veux les affronter en personne. »

Le vendredi 16 août, deux jours après la déclaration de Bogart, le tournage fut repoussé sur le plateau 19 de la Warner, le hall de l'hôtel de Tropico Springs où devait être filmée la scène du hold-up de *la Grande Évasion*. « Bogart absent ce matin, peut-on lire sur le journal de la production. Cité devant le Comité Dies. » Morgan Maree, l'avocat éminemment respecté de Bogart, l'accompagnait, prêt à témoigner de la pureté du carnet de chèques de son client. En dépit de l'envie qu'avait Bogart de se retrouver face à Leech et Fitts, quand Maree et lui furent introduits dans la suite sans numéro du Biltmore, en face d'eux à la table il n'y avait que Martin Dies, avec son éternel costume vanille et son nœud papillon, preuve que le Comité pouvait selon son bon plaisir nier le droit fondamental de tout Américain d'affronter et de contre-interroger son accusateur.

Interrogé sous serment, Bogart nia les accusations : Non, il n'était pas et n'avait jamais été membre du Parti communiste des États-Unis. Non, il n'avait jamais financé le PC. Non, il ne connaissait pas John L. Leech, il ne l'avait jamais vu et ne lui avait jamais parlé. Oui, un « rose » de Hollywood lui avait proposé une fois de la littérature, et il avait dit non. Il n'était pas un militant. Il n'appartenait qu'à la Guilde des acteurs de cinéma. Les « accusations » portées contre lui, dit-il, étaient ridicules et totalement fausses.

Dies changea son fusil d'épaule : Bogart était-il au courant d'une « activité communiste quelconque » parmi les acteurs et les scénaristes ? Non, répondit Bogart, il était mal placé pour savoir qui était communiste, libéral ou juste engagé. « Je ne suis au courant d'aucune activité communiste à Hollywood. Non. » La suite arriva logiquement :

« Connaissez-vous un acteur de Hollywood qui soit un communiste ?

— Je ne peux dire si quelqu'un est communiste s'il ne me montre pas sa carte du Parti », répondit Bogart qui l'avait vu venir avec ses gros sabots.

Coincé, Dies tenta de biaiser. Non bien sûr, dit-il, mais est-ce que « par le contenu d'une conversation » il aurait pu déduire qu'une personne était sympathisante du Parti ?

Bogart dit qu'il n'avait que des soupçons.

« Ils ne s'appuient pas sur des faits que vous connaissez ?

— Sur aucun fait. »

Bogart était resté calme pendant tout l'interrogatoire, mais quand finalement Dies lui demanda s'il avait quelque chose à ajouter, sa colère explosa : « Je suis né Américain. J'ai toujours été un citoyen loyal. J'éprouve un grand amour pour mon pays. Chaque fois qu'on m'appellera pour le servir, je me lèverai. Je m'insurge contre toute insinuation qui laisserait entendre que je sois quoi que ce soit d'autre... Je trouve tout à fait antiaméricain qu'un homme que les journaux qualifient de fieffé menteur soit autorisé à témoigner devant un grand jury sans que les accusés puissent répondre à ces accusations [39]... »

L'interrogatoire avait duré vingt minutes, mais Bogart ne devait jamais l'oublier. Il fonça au studio, endossa l'accoutrement de Roy « Mad Dog » Earle, et avant midi, arme à la main, il fit irruption dans le hall de l'hôtel — « *Un geste et je vous plombe le pantalon !* » — crachant son texte avec une férocité plus percutante encore que d'ordinaire.

Le jour de l'interrogatoire de Bogart, le *New York Times* se demandait pourquoi les témoignages devant le grand jury avaient été divulgués, et ajoutait : « Une conviction politique, même répugnante... n'est pas en elle-même un crime. » Ceux qui avaient été contraints de nier leur inclination pour le communisme étaient maintenant livrés à l'opprobre public. « Dans la mesure où ils ne font l'objet d'aucune accusation officielle, ils ne peuvent porter la chose devant un tribunal et doivent compter sur leurs seules dénégations... Dans une course de ce type, le mensonge a plusieurs longueurs d'avance [40]. »

Ces mensonges n'étaient peut-être même pas étrangers à la décision de la Warner de mettre Ida Lupino en tête d'affiche. Pour la Warner, il ne s'agissait pas de flatter la vanité d'une vedette, mais d'attirer les clients. Et qui pouvait en attirer davantage : une belle jeune femme jouant un personnage dur, ou un dur accusé d'être un communiste ?

Quelques jours après l'audition de Bogart, Dies, la crédibilité de son témoin star en lambeaux, déclara qu'« aucune preuve » ne liait Bogart et les autres au Parti communiste, et quitta la ville. « Il serait stupide, commenta le *New York Times*, de prétendre qu'il n'y a ni communistes ni sympathisants communistes à Hollywood. Ce dont on ne peut douter c'est qu'une part de propagande communiste s'insinue dans les films. Mais ce qui est le plus sinistre dans l'épisode actuel, ce n'est pas la possibilité d'une goutte de communisme dans l'océan des distractions offertes aux masses, mais l'utilisation frauduleuse d'une machine légale supposée juste[41]. »

Avec cet épisode, Bogart, l'homme qui épousait des causes mais ne rejoignait jamais aucun groupe, prit conscience que le temps était venu de choisir son camp. Il était resté en marge pendant les années trente et avait déclaré après son interrogatoire : « Jamais je n'ai contribué financièrement à quelque organisation politique que ce soit. Et cela inclut les Partis républicain et démocrate, la Ligue antinazie de Hollywood et le Parti communiste. »

Six semaines après sa confrontation avec Dies, il abandonnait sa neutralité : Humphrey Bogart soutenait financièrement la campagne pour la réélection de Franklin Delano Roosevelt et s'engageait dans un militantisme politique qui, en 1947, le conduirait à nouveau devant le Comité spécial des activités antiaméricaines du Parlement.

7

Naissance d'un héros

Le pacte germano-soviétique, à la fin de l'été 1939, divisa Hollywood. Les comités de libéraux et de gens de gauche soit disparurent, soit furent réduits à un petit noyau de prosoviétiques rejetant maintenant toute action contre l'Allemagne avec la même passion qu'ils avaient mise avant pour en soutenir une. Ils prônaient une stricte neutralité, refusaient toute aide aux Alliés, et rejoignaient ainsi leurs anciens ennemis de droite du groupe America First sous le slogan « Préservons l'Amérique de la guerre ».

Les plus conscients, dit le scénariste Ring Lardner Jr, s'inquiétaient à la perspective d'une armée américaine mal préparée devant affronter la Wehrmacht sur un front unique à cause d'une Russie à présent neutre et d'une Grande-Bretagne affaiblie[1].

Au printemps 1940, la Norvège et le Danemark étaient occupés, et ce serait bientôt le cas de la Hollande et de la Belgique. La Grande-Bretagne se protégeait, la France s'effondrait, et la Luftwaffe pourchassait les réfugiés de l'exode. La feuille publiée par ce qui restait du Motion Picture Democratic Committee de gauche qualifiait la guerre de « conflit entre deux impérialismes de moins en moins faciles à distinguer[2] ».

Treize mois plus tard, quand Hitler envahit la Russie, le « conflit entre deux impérialismes » devint guerre contre le fascisme, et les appels à une stricte neutralité se transformèrent en plaidoyers pour un second front. Les blessures de ces revirements idéologiques furent longues à cicatriser. Plus tard, on écrivit beaucoup de choses sur l'unité de Hollywood pendant la guerre, mais cette unité avait peu duré, et n'avait que dissimulé pour un temps des différences fondamentales. Quand les choses s'envenimèrent en 1947, on vit que certains n'avaient ni pardonné ni oublié.

Pour Bogart, apporter son appui à Roosevelt signifiait soutenir non seulement le New Deal mais aussi l'engagement international du gouvernement, et surtout aider la Grande-Bretagne qui, à l'automne 1940, restait le dernier bastion occidental contre Hitler. Pendant la bataille d'Angleterre, quand les bombardiers allemands pilonnèrent Londres, Ida Lupino et lui tournaient *la Grande Évasion*. « Cela me touchait de plein fouet, raconte Ida. Tout était bombardé, le théâtre de mon père, notre maison de Streatham Hill et l'église en face, et au bout de notre parc, la laiterie, si belle dans les collines vertes. Tout était rasé[3]. » Bogart et elle discutaient de ce qu'ils lisaient dans les journaux, de ce qu'ils entendaient à la radio, et cela l'aida beaucoup, dit-elle, d'être avec quelqu'un qui s'intéressait à un autre monde que celui du cinéma. « C'était merveilleux d'avoir un copain à qui parler. »

Bogart rejoignit le mouvement « Hollywood pour Roosevelt » au moment où le grand courant libéral de Hollywood s'investissait dans la politique présidentielle. Des stars militèrent pendant la campagne, creusant les fondations de la mobilisation politique du cinéma qui suscita l'entrée en guerre des États-Unis. Membre du bureau chargé de la communication, Bogart, avec John Garfield, Melvyn Douglas, Claude Rains et Edward G. Robinson, soutint le candidat démocrate contre Wendell Willkie, un républicain modéré. Lors d'interventions sur l'antenne de NBC et CBS, il se joignit à Henry Fonda, Walter Huston, Groucho Marx, Douglas Fairbanks Jr, John Garfield et Lucille Ball dans un *Salute to Roosevelt* diffusé deux fois avant l'élection. Des programmes spéciaux passaient six jours par semaine sur la station de la Warner (KFWB), et des transcriptions des déclarations des stars circulaient dans les comités du Parti démocrate de tout le pays.

Une semaine avant l'élection, « Hollywood pour Roosevelt » acheta toute une page du *New York Times* et, sous le titre : « Pourquoi nous, à Hollywood, nous allons voter pour Roosevelt[4] », proclama qu'on vivait « les heures les plus critiques de notre histoire nationale ». Bogart figurait dans le premier groupe d'environ deux cents noms.

Ses opinions différaient de celles de Mayo et de celles de ses grands amis, Eric et Gertie Hatch, qui habitaient alors chez lui. Ils venaient d'arriver en Rolls-Royce de leur résidence de Cedarhurst, sur Long Island. « Nous avons traversé le pays en voiture pour gagner Hollywood, notre domicile légal, expliqua Hatch, afin de voter pour Wendell Willkie — un vagabond sans chemise, hélas[5] ! »

Hatch parlait d'expérience quand il se moquait des riches. Son grand-père avait été président de la Bourse de New York, et lui-même, avant de se mettre à écrire, dirigeait une banque d'investissement.

Le dîner fut rapide le soir de leur arrivée. En dépit de la fatigue d'un long voyage, ils voulaient assister à une projection privée de *Road Show (Histoire de fous)*, tiré d'un roman d'Eric et produit par United Artists. On parla surtout du film, et Bogart s'en irrita. Inquiet pour les élections à venir et pour l'état du monde, il exposa clairement qu'il se moquait de *Road Show*.

« Bogie buvait trop à l'époque (comme beaucoup d'entre nous), écrit Hatch, et apparemment il s'est mis à ruminer ses idées — et à boire — pendant que nous étions sortis. »

Quand ils rentrèrent cette nuit-là, une enveloppe adressée à *Eric Hatch, Esq.*, était posée sur la commode de la chambre d'amis. Elle contenait trois longues pages couvertes recto verso d'une grande écriture au crayon qui conservait pourtant une partie de l'élégance de Bogart. Mais c'était la voix de sa femme qu'il avait empruntée.

Il s'agissait moins d'une lettre que du déversoir des émotions d'un homme pas vraiment sobre (« si jamais ils abrogent la loi sur la prohibition... je t'achèterai personnellement une magnitude *(sic)* de champagne et nous le boirons dans mon foutu escarpin ! »). C'était un mélange de phrases dites au dîner et régurgitées qui remontaient à la surface comme des bulles puis retombaient : politique, patriotisme, guerre, cinéma. « J'ai préféré ton film à *Naissance d'une nation*... Ce que je ne peux comprendre, c'est pourquoi tout le monde dans ton film parle tellement... Dans *Naissance d'une nation*, personne ne dit rien, et je préfère... Theodore Roosevelt est adorable — lui et son gros bâton !... Est-ce que tu pourrais donner une pièce aux gamins de Valley Forge qui n'ont pas de chaussures — eux aussi ont bien aimé ton film. Il faut que je te quitte parce que mon Mari Ouvrez les guillemets (ce fils de pute) Fermez les guillemets — le veut. »

C'était signé « Barbara Fritchie », l'héroïne patriotique d'un poème que tous les enfants apprenaient en classe (« Tire s'il le faut sur cette vieille tête grise / Mais épargne le drapeau de notre pays, dit-elle »). En dessous, un post-scriptum : « Un sur terre — deux sur mer — veinard ! Barbara. »

Après avoir lu la lettre, Hatch regarda de nouveau l'enveloppe. En haut, Bogart avait écrit « Vote pour Cleveland ! » et en bas, entre parenthèses : « Moi non plus je n'ai pas perdu mon temps [6]. »

Le 5 novembre, jour de l'élection, Bogart le passa sur le plateau 19 où l'on tournait *Carnival*, remake sans intérêt d'*Un direct au cœur*. Il y avait un cirque à la place du ring de boxe, le mauvais réalisateur Ray Enright au lieu de Michael Curtiz et un scénario considéré, même par les lecteurs de la Warner, comme « un traitement sans intérêt plus fait pour donner le frisson que pour paraître vraisemblable [7] ». On pouvait seulement s'interroger sur les raisons qui avaient poussé Wallis à le produire. Raft avait refusé le rôle du directeur du cirque [8], et cette fois pour de bonnes raisons. C'est ainsi que Bogart, que la politique mondiale préoccupait, passa le jour des élections à interpréter un directeur de cirque aux prises avec une Joan Leslie hystérique en propriétaire vengeresse qui jette l'innocent Eddie Albert en pâture à ses fauves.

Ce n'était pas vraiment le rôle qu'il attendait après *la Grande Évasion*, et on comprend mal comment une si belle distribution, avec à sa tête Bogart et Sylvia Sidney, était gâchée dans un film que le studio même jugeait sans valeur. Bogart passa ses nerfs sur le jeune Eddie Albert qui, livreur d'épicerie devenu dompteur, se retrouvait là sans protection face aux lions, sur un plateau représentant une cage. « On était entouré de barreaux de près de trois mètres de haut, et derrière, des gars avec des fusils étaient prêts à intervenir au cas où un des lions me sauterait dessus[9]. »

Bogart, à l'aide de la canne que tenait son personnage, s'amusait à provoquer les lions à travers les barreaux. « Il s'amusait beaucoup, dit Albert, mais j'avais déjà assez peur comme ça. » Il eut sa vengeance quand Bogart recommença son petit jeu à l'extérieur. Il avait garé sa LaSalle jaune hors champ, mais près de la cage. Après plusieurs coups de canne, un lion leva la queue et envoya un jet d'urine sur Bogart. Il le rata, mais atteignit la voiture. Ce fut le tour d'Albert de rire : « La peinture cloqua et Bogie en fut très irrité. »

Le 23 novembre, le lendemain du dernier jour de tournage, Maud Humphrey mourut après une longue lutte acharnée contre un cancer. Elle avait soixante-douze ans. Le *New York Times* consacra une brève nécrologie à l'artiste oubliée. Son code de dignité personnel avait exigé que personne ne sache à quel point elle était malade jusqu'à ce qu'il soit trop tard. Aussitôt arrivée à l'hôpital en urgence, elle sombra dans le coma. « Elle mourut comme elle avait vécu, dit Bogart, avec courage[10]. » Ses mots dissimulaient une relation, ou plutôt une absence de relation, qui les avait tous deux laissés sur leur faim. « Aussi cruel que cela puisse paraître, Maud n'était pas le genre de femme qu'on aimait, continue son fils. Elle avait une telle énergie qu'aucun de nous n'arrivait à la suivre. »

Les dernières années, Maud et Humphrey Bogart ressemblaient à deux anciens boxeurs qui reconnaissent finalement leur admiration et leur respect mutuels, mais sans trace d'intimité. Pendant toute la vie de Maud, les portraits qu'elle faisait de son fils avaient été leur seul point de contact. Son dernier atelier se trouvait dans son appartement de Sunset Boulevard, où elle travaillait toujours en tablier immaculé, tenant son crayon d'une main qui n'avait rien perdu de sa fermeté.

Après sa mort, Humphrey se demanda s'il avait eu raison de l'enlever à New York et à son travail. Il laissa le soin d'organiser les funérailles à Mayo, la femme-enfant qui savait si bien ce qu'était l'amour d'une mère, et qui avait pris soin de Maud et facilité les relations entre celle-ci et son fils. Et c'est à Mayo que Maud légua un médaillon de famille en forme de cœur, accompagné d'un mot de son inimitable écriture :

Voilà mon cœur —
Mais j'en ai fait modifier
les initiales. Au lieu de

M.H.B., elles disent M.M.B.,
si bien que maintenant,
c'est ton cœur.

Mayo conserva le médaillon jusqu'à sa mort.

Cet hiver 1940, les Bogart partirent dans l'Est pour deux semaines d'apparitions personnelles au Strand, le cinéma d'exclusivité de la Warner sur Times Square, où *la Grande Évasion* devait sortir un mois plus tard. Comme il était habituel à Broadway, le film serait suivi d'un spectacle sur scène, les deux se succédant de dix heures du matin à tard le soir. Les Bogart étaient les vedettes avec Ozzie Nelson et son orchestre, la chanteuse Harriett Hilliard et le numéro du « célèbre magicien égyptien » Galli Galli.

Il s'agissait d'un spectacle de music-hall, et on annonçait ainsi leur prestation : « M. Bogart sera assisté dans son sketch par son épouse, Mayo Methot, ancienne actrice de théâtre. » Mais le public se moquait de qui monterait sur scène. Il lui suffisait de savoir que c'étaient des dieux de l'écran descendus de leur Olympe californien, et que pour lui ils allaient parler, jouer, chanter ou danser.

Pour Bogart, il s'agissait surtout d'une visite à New York payée trois mille dollars par semaine pour peu de travail. Le soir, après le dernier spectacle, Bogie et Mayo soupaient au « 21 » ou au Bleeck's. Ils étaient bruyants et dérangeants, et les autre clients se demandaient toujours quelle part de ce numéro-là était mise en scène à leur intention. Un soir, le journaliste Junius Adams vit le couple entrer, riant mais très tendu. Bogart gagna le bar, Mayo le téléphone. Elle laissa la porte de la cabine ouverte et se lança en criant dans une longue conversation émaillée de mots orduriers, d'insultes et de vitupérations. Au bout d'un moment, elle s'interrompit, sortit la tête de la cabine et cria d'une voix qui interrompit toutes les conversations encore en cours : « Humph-*riiii* ! Tu veux parler à maman[11] ? »

Si rien n'avait changé entre Bogie et Mayo, il y avait des signes évidents d'une métamorphose dans la carrière de Bogart. Le premier soir au Strand, les Bogart et Mary Baker, qui les avait accompagnés, quittèrent la loge et empruntèrent le labyrinthe d'étroits couloirs jusqu'à la sortie des artistes, à l'arrière du théâtre. Ils s'attendaient à la bouffée d'air hivernal qui s'engouffra quand ils ouvrirent la porte, mais ce qu'ils virent, fantomatique sous les réverbères, ils ne s'y attendaient pas : une mer de visages serrés les uns contre les autres dans l'allée et jusqu'à la Quarante-septième Rue. C'étaient surtout des femmes, qui attendaient dans l'obscurité et la neige fondue pour apercevoir leur idole, Humphrey Bogart.

Cela confirmait ce que Mary Baker savait déjà : elle tenait là une future star. Elle se demandait seulement comment en convaincre la Warner. Rétrospectivement, étant donné les directives du studio depuis six mois, on peut penser que ce rassemblement de fans était moins une démonstration spontanée qu'un évènement habilement mis en scène par Charles Einfeld ou Martin Weiser. Mais quoi qu'il en soit, pour les trois personnes à l'entrée des artistes, il était clair que plus jamais les choses ne seraient pareilles.

Ces bonnes nouvelles pour Bogie avaient un revers pour Mayo. Au studio, on s'inquiétait de l'image qu'il donnait. Maintenant qu'il était monté en grade, ne devrait-on pas le voir en public avec une femme plus jeune et plus jolie ? Il n'y eut rien d'officiel, juste des murmures et des rumeurs. Mais l'effet de ces rumeurs sur Mayo fut dévastateur. Sa jalousie de plus en plus exacerbée, nourrie par un alcoolisme croissant, tournait à la paranoïa.

Quand *la Grande Évasion* sortit en janvier 1941, les espoirs de la Warner furent plus que comblés. Il y avait tout dans ce film, s'émerveillait le *New York Times*, « rapidité, excitation, suspense, et cette noble touche de futilité qui appelle l'ironie et la pitié. M. Bogart joue le rôle principal avec la perfection de son inépuisable vitalité... Mlle Lupino impressionne en adoratrice ».

La critique, confrontée au gangstérisme beaucoup plus terrifiant qui régnait sur l'Europe envahie par les nazis, vit dans ce film un adieu à une époque qui, en comparaison, semblait innocente. « On ne peut dire avec certitude qu'on a là le crépuscule du gangster américain, continuait le *Times*, mais Warner Brothers, qui doit le savoir mieux que tout le monde, semble considérer que c'est un fait. Dans une solennelle atmosphère wagnérienne, la Warner offre à ce personnage titanesque une fin digne d'un dieu... On s'étonne presque que le cadavre ne soit pas enveloppé du drapeau américain. »

Même ceux qui trouvèrent le traitement trop sentimental ne tarirent pas d'éloges pour les acteurs, la mise en scène, le scénario, et surtout, le rôle principal. Dans le *Herald Tribune*, Howard Barnes écrivit que le Roy Earle de Bogart était « une des plus grandes performances d'un grand acteur... Bogart... est à la fois sauvage et sentimental, fataliste et plein d'aspirations à demi formulées... C'est son jeu parfait, plus encore que la mise en scène saccadée de Raoul Walsh, qui rend ce mélodrame plus qu'excitant ».

Bogart avait créé un nouveau personnage de l'écran — un homme en lutte aussi bien contre la morale publique que contre lui-même, un étrange mélange de fourberie et d'intégrité, quelqu'un qui peut en même temps se trouver des deux côtés de la frontière de la loi, mais qui reste fidèle à l'homme au fond de lui et dont la conception du monde ne connaît ni idéal ni absolu. John Huston et W. R. Burnett venaient de créer le héros à la Bogart.

Les chiffres à la fin du mois montrèrent que le film avait été un grand succès sur tous les fronts, et pas seulement dans les grandes villes. « Ce film, déclarait le *Kansas City Star*, entraîne Humphrey Bogart et Ida Lupino vers un statut de star bien mérité et trop longtemps attendu. »

A la fin du tournage, Bogart avait télégraphié à Wallis : « ESPÉRONS AVOIR FAIT AUSSI BIEN QUE VOUS L'ATTENDIEZ » ; une certaine anxiété se mêlait à la gratitude pour s'être vu confier ce rôle. Au milieu de l'hiver, la réaction unanime de la critique et du public avait calmé tous les doutes. Bogie pouvait être confiant quand, début 1941, la Warner commença à distribuer les rôles pour sa dernière adaptation d'une pièce de Broadway, *The Gentle People* d'Irwin Shaw, où Franchot Tone et Sylvia Sidney avaient remporté un grand succès. Ida Lupino se vit offrir le principal rôle féminin, et Bogart voulait jouer Geoff, le promoteur côtier qui terrifie les élus locaux, plaît à leurs femmes et finit par se faire éliminer par les riverains anxieux de se protéger de lui. Certains lurent dans l'histoire une allégorie de l'action collective contre le nazisme, message que Bogart trouvait tout à fait acceptable. Mais surtout, c'était un projet de prestige, avec tous les ingrédients nécessaires au succès : suspense, sexe et violence.

Ayant entendu dire qu'on pensait à lui, Bogart envoya de New York un télégramme au producteur Henry Blanke. « SEMBLE UNE BONNE IDÉE SI VÉRITÉ DANS RUMEUR OU TU NE PEUX RIEN DIRE ? » Blanke ne pouvait rien dire, et il ne dit rien [12]. Une fois de plus, Bogart était en troisième place derrière Cagney et Raft. Einfeld avait beau le porter aux nues, Wallis hésitait encore. Bogart avait les faveurs de la critique et son dernier film rapportait de l'argent, mais ceux de Cagney et Raft étaient plus profitables encore pour la Warner.

Pourtant les deux stars refusèrent la proposition, en dépit des supplications du réalisateur Anatole Litvak. Le rôle n'intéressait pas non plus Robinson. Bogart, fort de son récent succès, court-circuita Wallis et s'adressa directement à Jack Warner : « IL ME SEMBLE ÊTRE LE CHOIX LOGIQUE AU STUDIO POUR JOUER "GENTLE PEOPLE", télégraphia-t-il en demandant une entrevue. SERAIS TRÈS DÉÇU SINON [13]. » J. L. fut convaincu.

Question : Ida Lupino l'était-elle aussi ? Son contrat lui donnait le droit de tourner ailleurs et aussi de refuser un scénario. Elle n'avait pas particulièrement envie de faire *The Gentle People*, car elle espérait tenir le rôle principal dans *Qu'elle était verte ma vallée*, qu'allait produire la Twentieth Century-Fox [14]. Warner céda à tous ses caprices dans l'espoir de l'éloigner du studio de Darryl Zanuck. Il était prêt à renégocier son salaire, à modifier le scénario et même à la laisser choisir son partenaire. On pensait qu'elle préférait son ami John Garfield, qu'on avait pressenti pour le rôle secondaire joué à Broadway par Elia Kazan. Puis arriva la nouvelle : « Lupino refuse de jouer avec Bogart », télégraphia le studio à Wallis, qui se trouvait à New York [15].

139

Cette histoire fut accréditée pendant des dizaines d'années. Elle s'appuyait sur des mots qu'auraient eus les deux acteurs pendant le tournage de *la Grande Évasion* — et dont personne n'a gardé le moindre souvenir, au contraire. Le télégramme et deux mémorandums de Warner au sujet du refus de Lupino sont curieusement dépourvus des détails habituels. John Huston, peu avant sa mort, alors qu'on lui demandait s'il était vrai qu'Ida Lupino aurait écarté Bogart du film, émit un « Aaargh ! » furieux et étranglé [16]. En 1991, la réponse d'Ida fut sans ambiguïté : « La Warner mentait. On ne m'aimait pas du tout, et on n'aimait pas non plus Bogart, ni Errol Flynn. Nous étions le trio infernal » — parce que la popularité croissante des acteurs menaçait le contrôle que le studio voulait continuer à exercer sur eux.

Garfield, de son côté, citadin dynamique plein de talent, avait été très soutenu dès le départ, y compris par Wallis, Litvak et le coscénariste Jerry Wald ; il avait le même agent qu'Ida Lupino. Jack Warner déjeunait avec cet agent dans sa salle à manger privée le jour où il reçut le télégramme de Bogart. Après avoir écouté la litanie des plaintes, qui se résumait au fait que les clients de l'agent n'étaient pas contents, J. L. mit tout entre les mains d'Ida Lupino [17]. Il voulait qu'Ida et Garfield — surtout Ida — soient contents. Le temps passa pourtant sans qu'une décision soit prise. Et il fallait commencer au moins les bouts d'essais [18].

Le budget de la production avait été établi le 31 janvier, et Bogart figurait dans la distribution. Ida toucherait quarante mille dollars et lui seize mille cinq cents. Puis le studio changea d'avis. Le 7 février, Trilling annonça la distribution définitive de *The Gentle People* : Garfield y figurait ; pas Bogart.

Le film, finalement intitulé *Out of the Fog*, sortit à l'automne 1941 et reçut un accueil mitigé. Mais pour Bogart, toute cette affaire avait été très embarrassante.

Warner le mit au travail face à George Raft dans *Manpower (l'Entraîneuse fatale)*, où ils se disputaient les faveurs de Marlene Dietrich, louée par la Warner à Universal. Réalisé par Raoul Walsh, produit par Hellinger, le film semblait la suite logique d'*Une femme dangereuse*, même si l'intrigue rappelait plutôt *Tiger Shark (le Harpon rouge)*, film réalisé par Howard Hawks en 1932, où un pêcheur portugais joué par Edward G. Robinson épouse par pitié une fille de mauvaise réputation — qui tombe amoureuse de son meilleur ami.

Mais les ennuis commencèrent avant même le tournage. Raft, comme pour singer la façon dont Bogart l'avait habilement induit à refuser *la Grande Évasion*, contacta Sam Jaffe et tenta de le convaincre que son client n'était pas fait pour ce rôle, que ce film serait néfaste à la carrière de Bogart. On rapporta de divers côtés à Bogart que Raft disait à tous les responsables du studio qu'il ne voulait pas jouer face à lui. Il faut dire que quelque temps plus tôt, Bogart s'était plaint que jouer avec Raft le rendait fou. « Il lit son texte toujours de la même façon. Un, deux, trois, silence. Un, deux, trois, silence. Comment lutter contre ça[19] ? » Fin février, la Warner songeait à nouveau à mettre Bogart sur une autre production, voire même à le louer à la MGM[20].

« Raft ne voulait pas de cette compétition, expliqua plus tard un ancien cadre de la Warner. De toute façon, Raft n'avait jamais pu comprendre pourquoi on le prenait pour une star, parce qu'il n'était qu'une caricature de premier rôle. Sauf dans quelques films, il était risible. Bogart, lui, savait lire, Bogart était intelligent, il venait du théâtre, il savait ce que c'était que jouer. Mais Raft était une plus grande star[21]. »

La tension s'exacerba une semaine plus tard quand Bogart, au studio pour un essayage, se querella avec Mack Gray, la doublure-garde-du-corps-ombre-personnelle de Raft. Gray avait provoqué l'incident, déclara plus tard Bogart dans un long télégramme à Wallis[22], « ET PERSONNE N'A RIEN FAIT POUR L'ARRÊTER ». Raft, introuvable, refusa de continuer si Bogart jouait dans le film. Le studio s'inclina. Pour la seconde fois en six semaines, Bogart était renvoyé d'un film. Il en fut blessé.

Pour le studio, il s'agissait de privilégier la plus chère de ses propriétés. Bogart avait un bon salaire hebdomadaire, mais Raft encaissait soixante mille dollars par film, et il avait déjà touché ses premiers chèques. Edward G. Robinson reprit le rôle de Bogart.

Finalement, Bogart se trouva mieux ailleurs. Il était clair que Raft avait un problème. Robinson ne tarda pas à devenir la cible de provocations paranoïaques qui culminèrent en une véritable bagarre au cours de laquelle, selon une déclaration sous serment à Warner, Raft « boxa violemment Edward G. Robinson en le poursuivant sur tout le plateau, lui adressant une volée d'insultes personnelles et de blasphèmes[23] ». Des photographes de presse avaient surpris la scène, et pour une fois le studio ne fut pas en mesure de dissimuler le comportement embarrassant d'une de ses stars. Le lendemain, tous les journaux en parlaient, et certains cadres de la Warner commencèrent à se demander si George Raft valait vraiment la peine qu'on en fasse tant pour lui.

Mais Bogart n'eut guère le temps de s'en réjouir, tant ses propres problèmes prenaient d'ampleur. La Warner avait horreur du vide. Les acteurs étaient payés pour *travailler*. Une semaine après l'incident, Bogart vit arriver chez lui le scénario de *Bad Men of Missouri*. C'était un western de troisième catégorie que devait réaliser Ray Enright et où Bogart jouerait le hors-la-loi Cole Younger.

Le paquet arriva un jeudi après-midi, avec ordre à Bogart de rencontrer Enright le lundi matin. C'était une dernière provocation. Il feuilleta le scénario, referma le paquet, griffonna quelques mots au crayon sur un bout de papier jaune à l'intention de Steve Trilling (« *Vous vous foutez de moi ?* »)[24]. Le studio était allé trop loin.

141

Le lundi matin Ray Enright attendit. Ce n'est qu'à treize heures qu'un messager rapporta le scénario à Trilling. Trilling appela chez Bogart. M. Bogart est sur son bateau à Balboa, lui dit-on. Trilling appela le port. Désolé, M. Bogart est en mer et on ne sait pas quand il rentrera. Trilling suggéra d'un ton sec que Bogart le rappelle dès son retour. De son bureau à l'angle du bâtiment administratif, J. L. donna des ordres pour que Bogart soit convoqué officiellement. Il devait se présenter au studio à dix heures le lendemain.

Le mardi matin, Steve Trilling attendit. Attendit. Dans l'après-midi, on envoya une lettre recommandée à l'agent de Bogart, Sam Jaffe. Le mercredi, le service juridique de la Warner annonça officiellement : « Soyez avisés que le contrat de Humphrey Bogart est suspendu [25]. » C'était la première de bien des suspensions à venir. Bogart était décidé à ce que le studio comprenne qu'il n'était plus le bon petit soldat tout reconnaissant qu'on lui confie des rôles de salaud.

Une suspension, c'était plus qu'une retenue de salaire ; c'était le calme plat : pas de scénario à lire, pas de proposition de rôle, pas de publicité, aucune apparition lucrative à la radio. Une suspension faisait de l'acteur rebelle une non-personne. Cela devint clair quand la Warner, ayant remplacé Bogart par le gentil et insignifiant Dennis Morgan pour *Bad Men of Missouri*, réfléchit à ce qu'elle allait faire de Bogart. Il s'agissait d'une sorte de danse rituelle : l'acteur qui avait refusé un rôle déclarait qu'il était prêt à en jouer un autre. Le studio, alors, soit le reprenait, soit le gardait au purgatoire sans compensation pendant des semaines, voire des mois.

Bogart s'était déclaré « prêt, disposé et apte [26] » à revenir travailler deux semaines après avoir été suspendu. L'avocat Roy Obringer formula l'alternative devant Warner et Wallis : acceptaient-ils l'offre de Bogart ou prolongeaient-ils sa suspension ? On prolonge, dirent-ils [27]. Sam Jaffe fit personnellement appel à Jack Warner, en vain.

En mai, *Carnival* fut livré au public sous le titre *The Wagons Roll at Night* (« Pour les millions de spectateurs qui ont adoré *Une femme dangereuse* », disait la publicité), et personne ne fut déçu. « *Un direct au cœur* avec des vêtements neufs [28] », écrivit un critique. « Quelques couleurs carnavalesques, fit remarquer le *Herald Tribune*, ne suffisent pas à flouer le cinéphile : il n'y a là rien de nouveau [29]. » Pire encore fut la réaction du public le soir de la première : il manifesta bruyamment. Dans un des cinémas au moins, il y eut de grands rires en commentaire des dialogues et des bruits grivois et suggestifs pendant les scènes d'amour. Le seul à sortir indemne de l'opération fut Eddie Albert, qui vola toutes ses scènes à Bogart. « Le public du Strand arriva pour ovationner Bogart, écrivit le *Post*, et resta pour applaudir Albert [30]. » Quant à Bogart, les critiques qui l'avaient porté aux nues en janvier le trouvèrent, en reprenant les mots du *Times,* « très gêné dans un rôle de vilain ridiculement suranné [31] ».

Ce fut un printemps amer pour lui. Il n'avait pas travaillé depuis six mois. Les promesses de promotion au rang de star après son grand succès de janvier s'étaient apparemment évaporées. Il commençait à comprendre qu'il en serait éternellement ainsi, sous une forme ou sous une autre, tant qu'il resterait à la Warner. Il grimpait péniblement la pente savonnée, puis glissait de nouveau en bas. Et les revers privés semblaient toujours contrebalancer les acclamations du public. Bogart ne pouvait bien sûr pas savoir que c'était alors la dernière fois qu'il touchait le fond. Jamais sa route ne serait aisée, mais grâce à la plus improbable des bonnes fées, il trouva celle qui le mènerait à un avenir plus prometteur.

Obèse et alcoolique, Louella Parsons était la reine des potins de Hollywood et la préférée du tout-puissant William Randolph Hearst. C'est à leurs risques et périls que stars et grands patrons ignoraient Louella. Une invitation à son programme radiophonique, *Hollywood Hotel*, était presque un ordre, et ce printemps-là, Louella voulait Bogart. Pourquoi voulait-elle tant qu'il vienne ? On ne le sait pas. Mais il avait toujours été honnête avec elle, et elle voyait peut-être là une occasion d'aider quelqu'un de fiable. Elle savait qu'il était suspendu, et elle savait aussi que cela signifiait que toute participation à une émission publique lui était interdite. Les mémorandums sillonnèrent le studio. Au téléphone avec le bureau de la publicité, elle dit sans ambages qu'elle se moquait du statut de Bogart. Est-ce qu'elle l'aurait ou non ? Il fallait qu'elle sache — aujourd'hui !

Que pouvaient-ils faire ? demanda un Obringer anxieux à J. L.[32]. Même Jack Warner se rendit compte qu'il était piégé. « Réintégrez Humphrey Bogart[33] », répondit-il.

Pour Bogart, son retour signifiait plus que d'autres films à tourner : sa rébellion avait payé. Pour une fois, son image était plus grande que ne l'aurait voulu le studio.

8

L'oiseau noir

Le petit Max Wilk, âgé de dix ans, adorait trembler aux aventures du magazine *Black Mask*. Jacob, le père de Max, recevait chaque jour gratuitement nombre de périodiques, dont les éditeurs espéraient qu'il souhaiterait porter une de leurs histoires à l'écran. Max, lecteur vorace, les regardait tous, mais il préférait *Masque noir*. Un après-midi de 1929, en rentrant de l'école, il vit le rouleau de papier portant le logo qu'il attendait. Il l'ouvrit et commença sa lecture. LE FAUCON MALTAIS. CHAPITRE 1 : SPADE ET ARCHER : « *Samuel Spade avait la mâchoire longue et anguleuse...* »

Fasciné, Max ne lâcha le journal qu'en arrivant au fatidique : « A suivre ». Il était furieux. Quand Jacob rentra ce soir-là, Max était à la porte et il lui cria : « Ces idiots du magazine, ils ont coupé l'histoire ! Il faut que je sache comment elle se termine[1] ! »

Le lendemain soir, Jacob Wilk dit à son fils qu'il avait appelé l'éditeur de *Black Mask* et lui avait demandé la suite de l'histoire. Il faudrait attendre deux jours, mais Max l'aurait.

Pas la Warner. Avant que la Warner l'obtienne, la Paramount tenta une adaptation, puis eut des problèmes d'attribution des rôles et renonça[2]. Cinq mois après la dernière livraison dans *Black Mask*, la Warner acheta les droits cinématographiques au jeune auteur de trente-six ans, Dashiell Hammett, et à son éditeur, Alfred A. Knopf, pour huit mille cinq cents dollars. « Voilà ! on l'a acheté, dit Jacob à Max. On va en faire un film. Mais c'est toi le responsable. J'espère que ce sera un bon film. »

Au cours des douze ans qui suivirent, la Warner tourna trois versions du *Faucon maltais*. La troisième fut la bonne.

Dans la première version, en 1931, Ricardo Cortez interprétait le rôle du détective et Bebe Daniels celui de la femme mystérieuse. Le film était superficiellement fidèle au texte et fut assez bien accueilli. Quand en 1936 on voulut recommencer sous le titre *Satan Met a Lady*, Hal Wallis insista pour qu'on suive le livre d'encore plus près[3]. Les scénaristes ignorèrent son conseil et écrivirent une sorte de comédie dont Bette Davis et Warren William ne sortirent pas grandis. Un troisième effort fut tenté en 1939 par Charles Belden, scénariste de *Charlie Chan*, sous le titre *The Clock Struck Three*, mais il ne parvint pas à écrire la seconde moitié de l'histoire.

John Huston appréciait Hammett autant que W. R. Burnett, et quand en 1941 la Warner lui donna l'occasion de réaliser son premier film (il avait mis en scène une séquence en extérieur pour *Jezebel,* en 1938), il demanda *le Faucon maltais*. « En fait, dit-il des années plus tard, le *Faucon* n'avait jamais été vraiment porté à l'écran[4]. »

Comme on était persuadé qu'il fallait bouleverser totalement une œuvre littéraire pour qu'elle devienne cinématographique, les scénaristes précédents avaient tenté d'apposer leur propre marque sur l'histoire. Huston remit en cause cette idée préconçue. « J'ai décidé, écrivit-il quelques années plus tard, d'adopter un procédé extrême : suivre le livre plutôt que m'en éloigner[5]. » En fait, il avait utilisé la même technique quelques mois auparavant pour *la Grande Évasion*. Maintenant, la méthode était éprouvée — et Bogart, juste réintégré, était disponible.

Il restait un problème. Le 19 mai, quand parut la liste des acteurs, Bogart ne figurait qu'en second choix pour Sam Spade. Le premier choix du studio était... George Raft, bien sûr ! Mais ce n'était pas celui de Huston, dont l'animosité envers Raft avait percé au grand jour au moment de *la Grande Évasion*. « Pourquoi est-ce qu'on ne prend pas Bogart, au lieu de Raft ? » demanda Huston lors d'une réunion houleuse avec Steve Trilling et Henry Blanke. « Non, il fallait proposer le rôle à Raft[6] ! »

Pour des artistes préoccupés par leur film, l'insistance de Jack Warner était incompréhensible, même après le succès d'*Une femme dangereuse*. Mais en réalité, l'obstination des dirigeants du studio faisait partie de ce jeu d'échecs de Hollywood où les studios avaient réduit les talents à des pions. La Warner n'avait pas vraiment pensé que Raft accepterait le rôle. Elle lui en avait fait la proposition simplement pour marquer son pouvoir. Jack Warner et Hal Wallis ne s'intéressaient à ce deuxième remake par un réalisateur novice qu'en tant que monnaie d'échange dans des négociations entre les différents studios : la Warner voulait Henry Fonda pour la comédie d'Elliott Nugent-James Thurber, *The Male Animal*. Fonda travaillait pour la Fox. La Fox voulait Raft.

Le marché était évident, sauf que Raft, d'après son contrat, pouvait refuser. *Le Faucon maltais* n'intéressait pas Raft, dit Huston, parce qu'« il ne voulait pas travailler avec un réalisateur qui n'avait encore rien fait. Et la Warner — je dois lui tirer mon chapeau — m'a soutenu. On aurait pu me remplacer par un autre metteur en scène, mais on ne l'a pas fait ». Ce que Huston n'a pas vu, c'était que prendre un autre réalisateur aurait peut-être modifié la position de Raft. Le studio soutenait son nouveau réalisateur parce que cela servait ses intérêts. Ce qui aida le plus Huston dans sa nouvelle carrière fut le fait qu'il effrayait George Raft !

Le studio joua tous les coups prévus. On notifia à Raft qu'il figurait dans la liste des acteurs. Un mot accompagnant le scénario qu'on lui envoya une semaine plus tard l'informait : « Vous jouerez le rôle de Samuel Spade[7]. » Le lendemain, cependant, dans le grand bureau en coin, J. L. assura Raft, lors d'une séance de pommadage comme on en faisait rarement à la Warner, qu'il pouvait très bien refuser de jouer dans ce film — s'il allait à la Twentieth Century-Fox. On se sépara sur un accord[8].

Six jours plus tard, une rumeur arriva de la Fox : Raft avait lu le scénario et ne l'aimait pas. Obringer envoya un mot à sa star récalcitrante : Raft avait jusqu'à dix-sept heures le lendemain pour signer avec la Fox, sinon, il devrait commencer *le Faucon maltais* le 4 juin, soit dans deux jours.

Huston se prépara à devoir finalement travailler avec Raft, qui, « pour montrer son autorité, était insubordonné sur le plateau... Mais je ne voulais pas de lui ».

L'heure de l'ultimatum passa sans qu'on ait de nouvelles de Raft. Le lendemain matin, Obringer reçut un appel de l'agent de celui-ci, confirmant ce que Raft avait déjà dit à Warner : il ne jouerait Sam Spade en aucune circonstance.

« Je me suis réjoui », dit Huston.

A seize heures quinze cet après-midi-là, Bogart était sur le plateau pour des bouts d'essais avec costumes et maquillage. En fait, ni Raft ni Bogart ne ressemblaient au détective du roman de Hammett. Il aurait dû être grand, le nez busqué, les cheveux blonds en pointe sur le front qui lui auraient donné « l'air d'un Satan plutôt plaisant » avec un sourire de loup et des yeux aux reflets jaunes. Bogart était sur le plateau, mais le rôle ne lui fut officiellement attribué que le lendemain, sur la liste définitive des acteurs.

Raft envoya alors une lettre au « Cher Jack », où il rappelait à Warner sa promesse de ne l'employer que dans des films importants. « Et comme vous le savez, j'ai le sentiment que *le Faucon maltais* n'est pas un film important[9]. » De fait, avec ses trois cent quatre-vingt-un mille dollars, le budget du *Faucon* était modeste, mais beaucoup plus important tout de même qu'un budget de film B.

Tout indiquait que la patience de Jack Warner envers Raft atteignait ses limites. On se demande même pourquoi elle avait duré si longtemps. Raft refusait sans cesse des rôles, ses caprices sur le plateau retardaient les tournages, il augmentait les coûts, il avait une mauvaise image publique. Il lui était arrivé d'accepter un rôle, d'être payé pendant la pré-production, puis de refuser de jouer tout en gardant le salaire. Il avait même fait payer à la Warner une note d'hôtel pour aller assister au bal d'anniversaire du Président, en 1941, à Washington. Pourtant, le studio se comportait comme s'il était l'acteur le plus fiable qui soit, renouvelait son option et augmentait sans un murmure son salaire par film.

Schaefer attribuait cette tolérance inhabituelle aux relations de Raft avec la pègre. « C'était la seule explication. Jamais il n'avait été considéré comme une grande star. Il jouait les gangsters, les rôles de durs, et il s'en sortait bien... Mais en dehors de ça, il ne valait rien. Et il obtenait toujours ce qu'il voulait en malmenant les gens. En général on n'aime pas ça [10]. »

Oui, Jack Warner en avait assez. Il est possible qu'il ait laissé à Raft juste assez de corde pour se pendre, et qu'il se soit contenté de le regarder détruire lui-même sa carrière à la Warner, permettant à Bogart de monter à nouveau d'un cran.

Quand se terminèrent les négociations avec Raft, l'attribution du rôle de l'irrésistible et trouble Brigid O'Shaughnessy avait été décidée. Au départ, la Warner voulait Geraldine Fitzgerald, une nouvelle venue lumineuse de vingt-sept ans au potentiel de star. Son succès avec Laurence Olivier dans *les Hauts de Hurlevent* et son soutien sans faille à Bette Davis dans *Victoire sur la nuit* séduisaient la presse et forçaient même le respect de Jack Warner. Le contrat qu'il lui avait fait signer ne l'attachait à la Warner que six mois par an et la laissait libre de travailler ailleurs si elle le souhaitait [11]. Début 1941, ce qu'elle souhaitait, c'était retourner dans l'Est.

Le studio tenta de l'en dissuader. A mille sept cent cinquante dollars par semaine, elle coûtait moins cher que Mary Astor, le second choix de la Warner. Elle était aussi de huit ans plus jeune que Mary, dont la carrière au studio remontait au muet — quand, adolescente, elle jouait face à John Barrymore. On pensa aussi à Olivia de Havilland, Rita Hayworth et, tout en bas de la liste, à la jeune Suédoise Ingrid Bergman.

Geraldine Fitzgerald ne voulait pas du rôle, à moins qu'elle n'ait pas voulu renoncer à un voyage sur la côte Est pour faire un film à petit budget avec un réalisateur novice et Bogart comme partenaire — même si elle l'avait bien aimé quand ils avaient travaillé ensemble dans *Victoire sur la nuit*. Mary Astor, en revanche, cliente de Jaffe et plus qu'amie de Huston, était très intéressée par le rôle. En mai, Huston et Bogart lui portèrent un scénario. « Leur excitation à tous deux était contagieuse, se souvint-elle. Je connaissais la qualité du livre, mais l'idée de le porter à l'écran *tel qu'il était écrit* me semblait très risquée [12]. »

Elle le lut pendant le week-end. « On n'a pas eu à me convaincre de jouer Brigid. Elle était belle, séduisante, charmante, féminine et fragile, et en plus menteuse et meurtrière. » Le lundi, elle appela Blanke pour dire qu'elle trouvait le scénario « sensationnel » et qu'elle adorerait jouer le rôle [13].

Les autres acteurs avaient en grande partie été recrutés hors du studio. Gladys George, la garce au grand cœur des *Fantastiques Années vingt*, jouait Iva Archer, l'épouse infidèle du partenaire de Spade. Lee Patrick était Effie, la secrétaire de Spade (pour laquelle on avait d'abord pressenti Eve Arden). L'acteur de théâtre anglais Sydney Greenstreet faisait ses débuts à l'écran à l'âge de soixante ans dans le rôle du méchant obèse, Kasper Gutman, dit *Fat Man* ; il était si imposant, avec ses cent soixante-deux kilos, que le studio devait faire tous ses costumes sur mesure [14]. Le brillant et bizarre Peter Lorre était l'associé homosexuel de Gutman, Joel Cairo. « N'essaie pas de lui donner un air de tapette, ordonna Wallis à Huston, parce que sinon on aura des problèmes pour sortir le film [15]. » Jerome Cowan, le reporter de *la Grande Évasion*, était parfait pour le rôle du partenaire minable de Spade. Elisha Cook Jr, qui avait joué pour la dernière fois avec Bogart sur Broadway dans *Chrysalis*, était Wilmer.

Ils forment l'assortiment hétéroclite de traîtres, de faux artistes et de meurtriers à la recherche avide d'une statue incrustée de pierres précieuses. Spade est lui-même entraîné dans cette chasse quand Brigid loue ses services, elle qui se débarrasse de ses divers noms et de ses divers passés un peu comme un beau serpent change de peau.

« J'ai tenté, écrivit Huston quelques années plus tard, de transposer le style hautement personnel de Dashiell Hammett en termes de caméra, c'est-à-dire en utilisant une image contrastée, des mouvements de caméra géographiquement corrects, des situations frappantes, voire choquantes [16]. » Beaucoup de choses sortaient de l'ordinaire dans ce tournage. Les mouvements de caméra, l'éclairage, l'histoire racontée en grande partie du point de vue d'un Spade souvent perdu. Huston dit à l'époque, lors d'une interview, qu'à n'en pas douter, quelqu'un comparerait ses innovations à celles d'Orson Welles dans le tout récent *Citizen Kane*. Mais non seulement il avait eu ses idées avant la sortie du film, mais Welles lui-même avait fort vraisemblablement pris quelques-unes des siennes dans *le Cabinet du Dr Caligari*, film muet de 1919. En vérité, il n'y avait pas de nouvelles idées, seulement de nouveaux moyens d'en adapter d'anciennes.

Huston, utilisant sa formation artistique, esquissa chaque scène des semaines avant le tournage. Puis il étudia ces centaines de dessins avec le chef opérateur et les acteurs, pour que chacun sache exactement ce qu'il voulait. Une publicité proclamera lors de la sortie : « Cette méthode qui consiste à "dessiner" un film à l'avance n'est pas nouvelle à Hollywood. Mais c'est la première fois que toute l'opération, du scénario à la réalisation, en passant par le dessin, a été confiée à un seul homme — un homme dont c'est la première mise en scène [17]. »

On expliquait aussi que le tournage avait eu lieu dans « de vraies pièces, dans de vrais bureaux, avec de vrais plafonds, et non en studio avec des passerelles d'où pendent des projecteurs. Les acteurs ont beaucoup apprécié ce nouveau style de décor ». Pas question de signaler que Welles avait utilisé le même procédé dans *Citizen Kane*. Éliminer l'éclairage d'en haut en faveur d'une lumière plus naturelle conférait aux scènes un grand réalisme et renforçait l'impression de claustrophobie qui ressortait de cette histoire jouée essentiellement dans des intérieurs oppressants — chambres d'hôtels anonymes, bureaux étouffants de Spade et d'Archer, appartement de célibataire de Spade. C'était ainsi que l'ancien enquêteur Hammett voyait le détective privé : sans gloire, dur, amoral ; un homme qui va de client en client, risquant sa santé et sa vie pour vingt-cinq dollars par jour.

Le tournage commença le lundi 9 juin, dans le bureau de Spade. L'éclairage du chef opérateur Arthur Edeson recrée une journée grise à San Francisco. Par une fenêtre, on aperçoit la ville et la Baie. Au premier plan, en lettres noires vues à l'envers, on lit : SPADE ET ARCHER. Huston introduit les personnages avec la même économie que Hammett dans son livre. Comme Hammett, il les laisse se présenter eux-mêmes.

A l'inverse de Mary Astor et de Greenstreet, Bogart avait fourni ses propres costumes. Ils n'étaient pas si différents de ceux de ses films antérieurs. Contrairement aux souvenirs des nostalgiques, le détective Bogart ne portait pas de gabardine sanglée en guise de cape de justicier : ce sera pour plus tard, dans *Casablanca*. Il portait le costume croisé à rayures — épaules larges et près du corps — qu'on lui connaissait bien, et à un moment un costume droit gris. Pour l'acteur soucieux d'économie, cela signifiait que ses costumes de travail servaient une fois de plus. Pour le public, l'écho des anciens films reliait Sam Spade à la longue lignée de tueurs interprétés par Bogart et ajoutait à son air moralement douteux.

Astor trouva l'attitude qui convenait pour ensorceler par sa fragilité Spade et Archer, qu'elle engage pour rechercher l'homme censé avoir séduit une sœur qu'elle n'a jamais eue, et qui est en fait son rival dans la quête du Faucon. Au soir du deuxième jour, Huston avait terminé la longue première scène et l'équipe déménagea dans l'appartement de Spade, où le détective est réveillé en pleine nuit par un appel qui lui annonce l'assassinat de son associé.

Ce n'était pourtant pas assez enlevé pour Hal Wallis. En visionnant les scènes, le soir, il ne retrouva pas la cadence propre aux thrillers de la Warner. Il y manquait « le tempo percutant et rapide qu'exige ce genre de film, écrivit-il à Huston via Blanke. Mes critiques s'adressent surtout à Bogart, qui a adopté une diction lente et suave. Je ne pense pas que nous puissions supporter cela tout au long du film ; cela ralentit l'action... Bogart doit retrouver sa diction rapide et haletante, sinon, je crains que nous n'ayons des ennuis [18] ». C'était une question de rythme, insistait Wallis. Mais il énonçait aussi une règle générale : qu'il joue un tueur ou un détective, Bogart devait rester Bogart.

Huston promit de rendre sa direction d'acteurs plus « rapide et haletante [19] » — il ne l'avait pas fait au départ pour ménager la progression, dit-il —, et assura Wallis qu'à mi-course l'ensemble « tournerait comme un moulin ». On retourna même les premières scènes, avec la diction habituelle de Bogart.

Dans les mois qui suivirent la sortie du film, on salua à juste titre les brillants débuts de Huston dans la réalisation. Il admit sa dette envers William Wyler, qui avant le tournage avait regardé ses dessins et fait des suggestions constructives, et reconnut que Henry Blanke lui avait donné le meilleur conseil possible pour un réalisateur : « Tourne chaque scène comme si c'était la scène clé du film [20]. » Ces débuts furent aussi facilités par l'œil exercé de Hal Wallis, et aussi, à un moment critique, par Jack Warner. Mais la véritable force du film résidait dans l'équipe rassemblée par Huston et Blanke.

A quarante-deux ans, Bogart était au sommet de sa forme, assez jeune pour exprimer la vitalité de Spade, mais avec le métier consommé d'un vétéran de l'écran. Sydney Greenstreet avait besoin de plus de temps pour répéter et il était très nerveux dès le départ. « Ma petite Mary, tiens-moi la main et dis-moi que je ne vais pas me ridiculiser », avait-il demandé à Mary Astor avant sa première scène. Pourtant, il passa sans heurt de la scène à l'écran. Il fut « parfait dès le top de départ, dit Huston, le *Fat Man* intérieurement comme extérieurement [21] ». Le petit Peter Lorre, qui murmurait son texte et agissait toujours de la manière la plus douce, cachait un esprit tranchant et une intelligence très cultivée. Huit ans plus tôt, il était entré dans l'histoire du cinéma en jouant le tueur d'enfants du film allemand *M le Maudit*. Huston dira avoir trouvé derrière son visage poupin un des acteurs les plus subtils avec qui il ait jamais travaillé.

Dans le rôle de Brigid, Mary Astor était, dit Huston, « la meurtrière enchanteresse correspondant à mon idée de la perfection [22] ». A l'évidence, elle satisfaisait aussi à d'autres critères de perfection. Huston était alors marié à Lesley Black, la deuxième de ses cinq épouses, que peu avant sa mort il décrivit ainsi : « Une danseuse de revue, une dame, une actrice de cinéma, une ballerine et un crocodile [23] ». Mais cela ne l'empêcha pas d'avoir avec sa vedette une aventure qui ajouta du piquant au tournage.

C'était une caractéristique de Huston. « Il avait des aventures avec toutes les femmes », dit Meta Wilde, scripte du film sous le nom de Meta Carpenter. « Je crois que c'était dans la nature de Johnny. Il voulait toutes les femmes qui passaient. » Familière des liaisons romantiques — elle était la maîtresse de William Faulkner — elle n'eut aucune difficulté à décrypter les signaux qu'échangeaient le metteur en scène et son actrice principale. « Il y avait une bonne alchimie entre eux [24]. »

Conditionné par des années de rôles de méchant considérant ses partenaires féminines comme des collègues plutôt que comme des objets de désir sexuel, Bogart, quant à lui, resta indifférent aux charmes de Mary Astor. « Les femmes aimaient Bogie, se souvient Huston, mais il n'était pas un homme à femmes [25]. »

Pour Mary Astor, il y avait chez Bogart un élément de tristesse qu'elle ne discernait que trop bien sous une façade assurée. « Bogie regardait le monde, sa place dans ce monde, le cinéma, la vie en général, écrit-elle dans un brouillon jamais publié, et il y sentait quelque chose qui le rendait malade, méprisant, amer. Et cela se voyait. Dans ses relations avec les autres, on aurait dit qu'il n'avait pas de vêtements sur lui — et pas non plus de peau d'ailleurs [26]. »

Pour Bogart, il était facile de considérer Mary comme une copine vive et amusante. S'il avait changé d'avis, il y avait toujours Mayo dans l'ombre, présence palpable sur le plateau et au-dehors. « Bogie faisait tout pour la calmer, écrira Huston, mais dès qu'elle sentait qu'il ne lui accordait pas assez d'attention, c'était la grande scène [27] ! » « Elle occupait toujours le centre de la scène, dit-il en une autre occasion. Elle était très jalouse de Bogie et elle crânait toujours. C'était une emmerdeuse. Elle avait l'aspect et le comportement d'un bull-terrier. Sauf qu'elle n'était pas aussi jolie [28]. »

Pour Huston, Mayo devint l'Ennemie. Pendant toutes les années où Bogart avait joué des salauds, sa vie personnelle n'avait jamais posé de problème. Il arrivait, il faisait son travail, il rentrait chez lui. *Le Faucon maltais*, c'était un autre monde. Il avait le rôle principal dans un ensemble qui fonctionnait comme une famille de professionnels où les personnalités fusionnaient, et les membres de l'équipe étaient d'autant plus proches qu'ils avaient conscience de créer quelque chose de nouveau. C'était aussi la première fois que Bogart était lié ainsi au réalisateur, personnellement et professionnellement, par une merveilleuse amitié qui excluait explicitement Mayo Methot Bogart.

Avec Huston, il pouvait céder à son humour et plaisanter sur sa vie personnelle. Il s'amusait à faire référence au « Bouton de rose », le nom qu'on donnait jadis à son épouse sur Broadway, et qui maintenant lui allait aussi bien qu'un vêtement de la mode de 1924. Le divorce, cependant, ne semblait pas être un choix possible. « Bogie était d'une fidélité *morbide*, insistait Huston, au point qu'en le voyant avec le "Bouton de rose", je n'arrivais pas à comprendre. »

Au fur et à mesure que progressait le tournage, la vie sociale après le travail devenait de plus en plus indispensable à Bogart. La troupe faisait une pause déjeuner au Lakeside Country Club — « avec de l'alcool, dit Huston, toujours de l'alcool » — où elle trouvait un bon

151

buffet et où l'amitié entre Huston et Bogart était née devant des martinis pendant le tournage de *la Grande Évasion*.

Mary Astor a écrit qu'ils prenaient tous place autour d'une grande table près de la piscine. « Les gens des autres studios nous regardaient avec suspicion, parce que nous n'étions pas pressés et que, devant leur étonnement, nous répondions : "Nous sommes en avance sur le plan de tournage[29]." » La conversation était toujours vive, les plaisanteries nombreuses, et les railleries aussi, qu'il fallait supporter sans flancher si l'on voulait rester membre du groupe.

Les plaisanteries et les clowneries relâchaient la tension. « C'était impératif, dit Mary Astor, car sinon l'intensité émotionnelle des diverses relations, la vitesse vertigineuse des scènes, le torrent de paroles auraient été épuisants. » Car bien que *le Faucon maltais,* presque entièrement tourné en intérieur, en studio, n'ait pas été éprouvant au sens habituel, ce fut un film difficile à faire. Il s'agissait essentiellement de scènes dialoguées ponctuées par une violence soudaine. Trois des protagonistes sont des personnages louches à la recherche d'une statue sans prix et prêts à tuer pour l'avoir, et l'histoire est un enchevêtrement d'intrigues. Au centre de ce labyrinthe de duperies surnage le détective, que seule guide sur cette piste sinueuse sa menteuse de cliente.

Huston tourna le film par séquences au lieu de suivre l'habituelle méthode économique qui consiste à tourner des scènes groupées sans lien entre elles hormis leur décor. Mais selon Mary Astor, l'intrigue comportait tant de complexités et de renversements que les acteurs étaient fréquemment perdus et finissaient par crier et se disputer. Huston tirait alors une chaise, s'installait et les faisait taire pour tout expliquer calmement.

On tournait des scènes longues de plusieurs minutes sans interruption, la caméra passant de celui qui parlait à celui qui lui répondait, ou de celui qui parlait à celui qui écoutait, surprenant les réactions des uns et des autres, comme le dit un critique, comme l'œil « d'un spectateur silencieux et indifférent ». L'effet recherché, écrivit Huston à un ami, était que « le public n'en sache ni plus ni moins que Spade[30] ».

L'image était un commentaire, l'œil de la caméra tenait un rôle crucial, comme lorsque Edeson la posa par terre et regarda Sydney Greenstreet en contre-plongée, le transformant en une montagne de menace, lors de la longue séquence ininterrompue de la rencontre entre Sam Spade et *Fat Man.*

Meta Wilde, dont la collaboration avec Huston commença avec *le Faucon maltais* et dura jusqu'en 1985 avec *l'Honneur des Prizzi*, raconte dans ses Mémoires à quel point cette séquence l'avait impressionnée : « La caméra suit Bogart dans le couloir puis dans un salon ; là, elle monte, descend, puis décrit un panoramique de gauche à droite avant de revenir sur le visage de Bogart ; le panoramique suivant nous amène à l'énorme ventre de Greenstreet tel que le voit Bogart. Dans cette chorégraphie exigeante et passionnante, une erreur, et il fallait tout recommencer. Mais tous comprenaient que nous tentions une démarche purement cinématographique que personne n'avait encore abordée, et tous sur le plateau — acteurs, cameramen, électriciens — faisaient de leur mieux pour y parvenir. Au bout de sept minutes épuisantes, Huston cria : "Coupez, elle est bonne !" Un tumulte s'éleva et tout le monde félicita Bogart et Greenstreet, mais aussi Edeson et son équipe[31]. »

Le poids de la continuité à assurer reposait cependant en grande partie sur le détective qui traverse le film à la poursuite d'un objectif inconnu. Bogart devait être calme et concentré, et pourtant refléter tout le spectre des émotions au fur et à mesure qu'il élimine l'une après l'autre les couches de surface pour arriver à la vérité, qui montre que tout le reste n'était que mensonge. Bogart tint son rôle sans fausse note et dépassa les espoirs de son réalisateur, qui dira plus tard : « Il me surprenait sans arrêt par la qualité de son jeu. Je n'avais presque rien à lui dire — il était *excellent*. Il appliquait instantanément les rares indications que je lui suggérais. Ce fut un plaisir de travailler avec lui. Tout ce qu'il faisait était juste. C'est l'instinct. Ce superbe sens du rythme — peu de musiciens l'ont[32] ! »

Mary Astor apprécia elle aussi le talent de Bogart : « Il maintenait les autres acteurs sur le qui-vive, parce qu'il les *écoutait* pendant la scène, il les regardait, il les observait. Il n'était pas au centre de l'action en train de jouer en solitaire... il était lié aux autres[33]. »

Si on devait retenir un seul jour comme marquant le tournant de la carrière cinématographique de Bogart, on pourrait choisir le 20 juin 1941, quand son personnage embrasse Mary, acte qui lui confère enfin le statut d'acteur principal. Mais comme tout le reste dans sa carrière, ce ne fut pas facile.

Scène 35, intérieur. Appartement de Brigid. Spade et O'Shaughnessy s'affrontent passionnément devant un feu de cheminée qui flambe de manière suggestive. Les yeux de Mary brillent, et sa voix, comme le veut le scénario, est « rauque et vibrante » : « Je vous ai donné tout l'argent que j'ai... avec quoi d'autre puis-je vous acheter ? »

Le scénario donnait des directives précises : *Spade prend son visage entre ses mains, l'embrasse brutalement et dédaigneusement sur la bouche, puis la lâche et s'enfonce dans son siège.*

L'action était directe, mais Bogart n'y arrivait pas. Les prises se succédaient, plus mauvaises les unes que les autres. Le maquilleur venait tamponner le visage de Bogart avec une peau de chamois humide. Quelqu'un plaisanta à propos du feu.

« Bon sang, c'est juste un petit baiser, s'écria soudain Huston. Attrape-la, embrasse-la et lâche-la. C'est tout ce que tu as à faire ! » Il fallut sept prises avant que Huston arrête les frais.

Gêné, Bogart plaisanta sur les années où il avait joué des salauds qui n'embrassaient pas. Mais on peut penser qu'il ressentait une certaine pudeur à montrer des gestes intimes à l'écran — en plus de problèmes physiologiques dont Mary Astor ne parla que beaucoup plus tard : Bogart, dit-elle, était ce qu'on appelle « un mouilleur ». A cause de sa lèvre supérieure blessée, la salive s'accumulait dans un coin de sa bouche, et cela s'aggravait avec la nervosité. Il n'aimait pas les scènes d'amour. Elle conclut que si Bogart n'était pas le genre de type qui embrasse, « il n'avait pas à embrasser une fille. Il n'avait pas à la toucher. On savait tout, rien qu'à sa façon de la regarder ».

Un an plus tard, quand il fallut qu'il l'embrasse à nouveau pour *Across the Pacific (Griffes jaunes)*, cela ne se passa pas mieux. « Essaie de ne pas me casser les dents, la prochaine fois ! » lui dit Mary après la première tentative. Bogart était tellement gêné que c'est Mary qui finit par s'excuser.

La Warner avait accordé trente-six jours de tournage au *Faucon maltais*. Grâce à la préparation méticuleuse de Huston, aux conseils sûrs de Henry Blanke et à sa médiation pleine de tact avec Wallis, tout tendait à montrer qu'ils finiraient en avance. Ce professionnalisme fut applaudi même par le directeur de plateau Al Alleborn : « Cette équipe fait du bon boulot[34]. » Wallis, qui visionnait chaque soir les scènes tournées, veillait comme d'ordinaire aux plus petits détails. Une ecchymose sur la joue de Bogart après que Spade se fut fait malmener ne lui parut pas naturelle : il ordonna qu'on la refasse. La limite de la perruque maintenant obligatoire de Bogart « se voyait trop[35] ». La diction de Peter Lorre devenait trop molle, il accrochait tous les mots ensemble. Mary Astor, quant à elle, devenait « trop coquette et trop dame du monde. »[36]

Le vieux Walter Huston fit une apparition. Sans mention au générique, il joua le capitaine Jacobi de *la Paloma* qui, mortellement blessé, entre en titubant dans le bureau de Spade, un paquet contenant l'oiseau noir sous le bras, et s'effondre sans vie. On raconte que John, tout sourire, fit rejouer la scène à son père de multiples fois, jusqu'à ce qu'après tant de chutes il ne soit plus qu'un amas grognon de plaies et de bosses.

Les étrangers à la production n'étaient pas les bienvenus sur le plateau. « Nous ne voulions pas que quelqu'un nous espionne », raconte Mary Astor, et toute l'équipe y veillait. Un club féminin venu du Middle West fut accueilli par Peter Lorre qui, à leur intention, sortit de la loge de Mary Astor en reboutonnant sa braguette et cria « A la revoyure, Mary ! » de la voix d'un homme ivre. Dès lors, les guides du studio évitèrent soigneusement le plateau du *Faucon maltais*.

On tourna en dernier la longue et dure confrontation qui réunit les cinq principaux protagonistes. Il s'agit en fait d'une série de scènes liées entre elles qui se terminent par le dévoilement — au sens propre et au sens figuré — du Faucon maltais, ainsi que par la révélation, pourrait-on dire, de Brigid O'Shaughnessy. La séquence devait couler sans accroc. Issue tout droit du théâtre, jouée en temps réel, elle commençait quand Spade entre dans son appartement avec Brigid et y trouve les escrocs qui l'attendent, et se terminait quand le détective remet la femme qu'il aime à la police et probablement au bourreau.

Cette séquence occupe presque vingt des cent minutes du film, et se termine près de la fin. C'est un drame de mots nourri par une menace constante de mort et de trahison, avec de longs dialogues presque sans action. Il fallait que ce soit joué à la perfection pour que chaque point culminant domine le précédent jusqu'à la fin. C'était la partie la plus difficile du film. « Une séquence ininterrompue qui occupe trente-cinq pages du scénario, et tous les acteurs y participent[37] », écrivit Blanke à Wallis, dont il voulait obtenir un jour supplémentaire de répétitions avant de faire tourner les caméras. Alors que Huston avait de l'avance sur le plan de tournage, il fallut néanmoins tout le pouvoir de persuasion de Blanke pour arracher cette journée à un studio si près de ses sous.

Le 3 juillet ils commencèrent le tournage, qui dura plus d'une semaine, avec une interruption le 4 juillet pour la fête nationale. Cinq grands acteurs s'affrontaient, du premier hoquet de stupéfaction de Mary Astor jusqu'à Greenstreet dont les gros doigts débarrassent l'oiseau de la ficelle et du papier qui l'entourent — et qui s'écrie, furieux : « C'est un faux ! »

Les méchants partis, Bogart et Mary Astor jouent leur dernière scène, huit pages de dialogues durant lesquelles Spade arrache à Brigid l'aveu que c'est elle qui a tué son associé. Cela prit trois jours, jusqu'à tard le samedi soir : Mary pleurait sur le canapé ; Bogart, dans un fauteuil, regardait droit devant lui. Les acteurs recommencèrent la scène avec la même intensité pour que la caméra puisse les prendre sous divers angles. Le lundi matin, la police emmena une Brigid pareille à une somnambule. Huston refit la scène sept fois.

Le 18 juillet, après trois jours pour tourner des raccords, on brûla *la Paloma*, le bateau maudit du capitaine Jacobi. Sur le plateau 19, Spade et le *Fat Man* se retrouvaient une dernière fois. A deux heures du matin, le film était officiellement terminé. Le tournage avait coûté cinquante-quatre mille dollars de moins et duré deux jours de moins que prévu[38].

Concernant la fin, on avait pris, en cours de réalisation, une décision qui s'écartait de la rudesse délibérée de Hammett pour rendre à jamais romantique le personnage de Sam Spade. Jusque-là, le scénario de Huston avait suivi le roman, presque à la lettre. A la fin, Spade pousse la fille à se confesser afin, apparemment, de les sauver tous deux, puis la livre à la police. Exit Brigid, menottes aux poignets.

Il y avait encore une scène sur le papier : la fin selon Hammett — selon Huston aussi, au départ — dans le bureau de Spade. Effie est à la fenêtre, les lèvres serrées, le regard lourd de reproches.

« Tu lui as fait ça, Sam ?
— Elle a tué Miles, mon ange...
— S'il te plaît, ne me touche pas. »

Des pas dans le couloir. Effie va voir, revient et annonce Iva Archer. L'histoire se termine sur une note de défaite : Spade, avec un frisson, accepte de recevoir Iva dont l'amoralité n'a d'égale que la sienne propre. *« Fais-la entrer. »*

La scène ne fut jamais tournée. Le dernier jour, Huston et Blanke décidèrent de la retirer. « Ils considèrent qu'ils peuvent laisser le film sans cette fin, rapporta Al Alleborn, et si nécessaire ils peuvent toujours revenir chercher Bogart[39]. » Lors d'une réunion ultérieure avec Jack Warner, tout le monde tomba d'accord pour que le film s'achève ainsi. J. L. accepta de retourner la séquence de l'arrestation pour qu'elle se termine sur « un dernier regard entre Bogart et Astor[40] ».

Meta Wilde nota au crayon deux répliques supplémentaires :

Polhaus : « Hum — [c'est] lourd — Qu'est-ce que c'est ? »
Spade : « Ce dont sont faits les rêves[41]. »

Huston dira à Lawrence Grobel que cette dernière réplique, empruntée à Shakespeare, était une idée de Bogart.

Sur le plan dramatique, ce changement était logique. Il mettait les stars en valeur, mais il modifiait aussi la nature de l'histoire et du héros de Hammett. La note finale, loin d'être amorale, était à l'honneur des détectives : ils trouvent le meurtrier de leur partenaire même si cela signifie renoncer à l'amour ; ils sont fidèles à leur code moral, même si cela doit leur briser le cœur.

Début septembre, J. L. visionna le montage final. Le lendemain matin, il dit à Wallis qu'il fallait retourner la première scène pour la rendre plus claire[42]. Lors de l'avant-première, le public adora le film. Il adora aussi Bogart. A la suite de quoi, Jack Warner prit quelques décisions.

Celle qui concerna la hiérarchie des crédits bouleversa le cours de la carrière de Bogart à la Warner. J. L. regarda et écouta les divers publics et fit des commentaires que William Schaefer prit en note. Il y eut ensuite une réunion dans son bureau. On se pencha sur la pile de cartes où les spectateurs avaient noté leurs impressions, en s'attachant tout particulièrement à celles des femmes, le public le plus important et le plus fidèle des salles obscures.

Début juillet, on avait prévu une affiche qui, comme d'habitude, citait Bogart tout en bas, juste au-dessus de Mary Astor, dans un corps plus petit que le titre du film [43].

WARNER BROS. PICTURES, INC.

PRÉSENTE

« LE FAUCON MALTAIS »

AVEC

HUMPHREY BOGART

MARY ASTOR

Le lundi qui suivit la présentation du samedi, les presses du studio sortaient la nouvelle affiche approuvée par J. L. et mettant les acteurs en valeur [44] :

WARNER BROS.

PICTURES, INC. PRÉSENTE

HUMPHREY BOGART — MARY ASTOR

DANS

« LE FAUCON MALTAIS »

DE DASHIELL HAMMETT

Bogart était arrivé.

9

« Les durs ont-ils du *sex-appeal* ? »

Vincent Sherman, en retard comme toujours, tournait tard ce samedi soir de l'automne 1941. Artisan consciencieux et réalisateur spécialiste des réécritures de dernière minute, il était agréable à vivre et Bogart l'aimait bien. Tous deux avaient fait leurs classes dans les films de série B — dont, ensemble, *le Retour du Dr X* — et les journées de travail se passaient sans ennuis ni querelles, du moins dès que le tournage commençait. Sherman considérait Bogart comme « un solide professionnel », même s'il pouvait être difficile au début. « Mais ensuite, personne ne travaillait plus dur[1]. »

Cette fois, ils tournaient *All Through the Night (Échec à la Gestapo)*, que George Raft avait refusé. Le scénario n'avait pas passionné Bogart non plus, mais après une longue conversation, Sam Jaffe avait fini par le convaincre que ce n'était pas aussi mauvais qu'il le croyait.

Un samedi, un assistant fit signe à Sherman de le rejoindre et lui dit discrètement : « Mayo est dans la loge de Bogie. Elle veut vous voir. » Sans un mot, Sherman gagna la caravane. Quand il ouvrit la porte, Mayo attendait, décoiffée, les larmes délayant son maquillage. Elle sortait à l'évidence d'une nuit de beuverie solitaire. Elle tituba jusqu'à Sherman, lui jeta les bras autour du cou, et gémit : « Oh, Vince, il ne m'aime plus ! »

Sherman pensa qu'« il valait mieux le dire à Bogart » et retourna sur le plateau, où Bogart et William Demarest bavardaient en prenant un café. « Écoute, Mayo est dans ta loge, dit-il, elle est très... enfin, elle est bouleversée... Elle dit que tu ne l'aimes plus.

— Ces actrices frustrées ! » grogna Bogart.

Sherman avait bien compris que c'était là le vrai problème. « Il faisait carrière et elle n'avait pas de rôle, et pourtant c'était une bonne actrice. »

Sur le plan conjugal, cet automne-là, les choses s'aggravaient du dramatique à pis encore, exacerbées aussi par les premières critiques proclamant que *le Faucon maltais* était un des grands films de l'année et Bogart une star et un sex-symbol. « Sa secrétaire le couve des yeux,

158

écrivait un critique à propos de Sam Spade. Sa jolie cliente succombe à son charme ténébreux, l'épouse de son partenaire lui saute dans les bras avant que le cadavre de son époux soit froid[2]. » La publicité de la Warner misait sur cette nouvelle image de Bogart. Le dossier de presse titrait : « Les durs ont-ils du *sex-appeal* ? », et soulignait que soixante-quinze pour cent des lettres d'admirateurs que recevait Bogart étaient écrites par des femmes.

Les journaux spécialisés reprirent ce thème : « Il ne sait pas qu'il a du sex-appeal... Mais les femmes le savent », disait un article intitulé « La vie amoureuse d'un tueur de l'écran[3] ». Pendant ce temps, le studio proposait l'image du mariage parfait, avec « la délicieuse Mayo Methot ». Pour preuve, des photos des Bogart chez eux, Mayo servant le thé. « Elle a renoncé à sa carrière pour assurer leur bonheur commun[4]. »

Sans travail depuis deux ans, Mayo devenait de plus en plus l'ombre de Bogie. « Pour que leur mariage dure, expliquaient les magazines de fans, elle s'arrange pour être avec son mari à chaque moment qu'il ne passe pas devant la caméra. » C'était bien là le problème.

L'actrice Marsha Hunt rencontra Mayo en novembre, à l'occasion d'une émission de radio d'une demi-heure où elle devait donner la réplique à Bogart. La jolie brune fut surprise de trouver Bogart posé et un peu réservé. Davantage que son épouse, qui jetait des regards noirs à toutes les femmes. Marsha s'étonna de sa présence « parce que nous n'amenions pas nos compagnons au travail. Je ne sais s'ils traversaient une période de réconciliation après une scène particulièrement violente, ou si c'était la jalousie qui l'avait poussée à venir surveiller son homme. Mais c'était bizarre, qu'une épouse vienne à une répétition et à un enregistrement d'une émission de radio. Ce n'était qu'un petit boulot[5] ».

Mayo n'était pas d'accord. Elle était assise, silencieuse, raconte Marsha Hunt, avec « une féminité *zaftig*, sensuelle, dure, indépendante. Elle se moquait qu'on l'aime ou non. Il lui suffisait qu'on ait conscience de sa présence. Et quelle présence ! ». La jeune actrice ne fut pas la seule à la remarquer. Le producteur et directeur du programme, Harry Ackerman, trouva que le couple avait l'air de « deux pétards assemblés », l'explosion couvant.

Ils arrivaient encore à plaisanter de leurs différends, du moins quand ils ne prenaient pas le dessus. Le cascadeur Buster Wiles se souvient qu'un dimanche matin, dans le port de Catalina, son ami Errol Flynn et lui vinrent apporter dans le bateau des Bogart quelques poissons qu'ils avaient pris. Bogie, comme d'habitude, les attendait avec de quoi boire. Cette fois, il avait les deux yeux au beurre noir. « Flynn a dit : "On dirait que tu as des lunettes de soleil." Bogart a souri. "Ouais, c'est le direct de Mayo." »

De l'avis de Wiles, « ils aimaient ça[6] ». Et ils aimaient faire des pieds de nez au monde, ne serait-ce que pour se convaincre que tout cela était drôle. Invités au premier bal de la fille d'Eric et Gertie Hatch sur Long Island (coorganisé par leurs amis, les Timpson, qui avaient envoyé les invitations), ils répondirent de manière peu orthodoxe :

> *Nous, M. et Mme Bogart, sommes désespérés... parce que nous avons vraiment l'impression que cela va nous coûter trop cher... : train, 600 $, excursion au Grand Canyon en chemin, 150 $, boissons pendant le trajet et au « 21 », Dieu sait combien !...*
>
> *Alors comme vous pouvez le voir, ce voyage est vraiment hors de question. Expliquez-le aux Timpson. Au fait, connaissez-vous bien les Timpson ?*
>
> *Encore une question : D'où sortent-ils, et comment ce monsieur et cette madame Timpson savent-ils que notre compagnie serait un plaisir ?*
>
> *Vous voyez, tout cela est idiot.*
>
> Bien à vous,
Mayo et Bogie [7]

Mais les occasions de rire se faisaient de plus en plus rares, les affrontements de plus en plus brutaux. Pour Walter Seltzer, futur producteur qui venait d'arriver à la Warner, « c'était un combat continuel ». Sans arrêt, Mayo faisait irruption sur le plateau à la recherche de Bogart « un œil au beurre noir, ou des ecchymoses multicolores sur le visage ». Le couple disparaissait dans la loge de Bogart, mais le bruit des disputes franchissait les cloisons. « On entendait des bruits. Elle criait, vulgaire, obscène. Et il répondait de même. Ce n'était pas une bataille unilatérale. »

A l'époque, on considérait au studio que Bogart était malheureux et disponible. Il semblerait que lorsque Huston trouvait Bogart « d'une fidélité morbide », il faisait plus allusion à la perpétuation de son mariage qu'à son abstinence. Pourtant, le comportement de Bogart n'avait rien de scandaleux dans un milieu où la monogamie était une exception notable parmi les stars. Règle de base : soyez discrets. Surtout depuis *le Faucon maltais*, il ne manquait pas de jeunes femmes — figurantes ou petits rôles — qui tournaient autour du plateau dans l'espoir de rencontrer la star, et qui étaient prêtes à lui laisser discrètement une boîte d'allumettes où elles auraient écrit leur numéro de téléphone. Ne serait-ce qu'à cause de Mayo, Bogart était d'une grande discrétion. Une danseuse qui avait organisé une rencontre entre une amie et lui confirme qu'« il ne disait jamais rien de ses liaisons, jamais il ne s'en vantait [8] ».

A une exception près : Helen Menken. Toujours aussi adorable, elle venait parfois le voir à Los Angeles et l'accueillait toujours volontiers à New York. Assez de temps avait passé pour cicatriser les vieilles blessures et raviver par instants les meilleurs souvenirs. « Il trompait Mayo avec Menken, dit Sam Jaffe. Et puis quand il était ivre, il le disait à Mayo, un peu comme un vilain petit garçon qui cherche à se faire gronder[9]. »

Mayo, qui savait ce que c'était que de prendre son mari à une femme depuis qu'elle avait pris Bogie à Mary Philips, se sentait de plus en plus menacée et son amertume s'exprimait même quand elle était sobre. « Jamais elle ne ratait une occasion, raconte un ami, de rappeler à Bogie combien elle était importante et combien il n'était rien quand ils s'étaient rencontrés. »

Quelle que fût la fréquence des visites de Mayo au studio, il y avait des occasions dont elle était maintenant exclue. Comme d'autres Blancs, Bogart s'était souvent rendu à Harlem dans les années 1920 pour écouter de la musique et voir les spectacles — et aussi les jolies filles. Il n'y était pas retourné depuis des années quand, à l'occasion d'un de ses voyages à New York, un agent de publicité du studio demanda au journaliste Allan McMillan de l'accompagner à Harlem. Allan était un des premiers Noirs à être éditorialiste dans un grand journal, et aussi l'agent de stars comme Cab Calloway, Duke Ellington et Ethel Waters ; il fut ravi d'accepter.

La sympathie entre Bogie et Allan fut immédiate. « Il aimait s'amuser, il aimait boire ; c'était un des types les plus gentils que j'aie rencontrés dans ma vie. Je crois qu'il n'avait aucun préjugé racial. Il était un type tout à fait ordinaire, même s'il était une grande star, tout simple au fond du cœur[10]. »

Bogart arriva en taxi. Il voulait d'abord se rendre au Cotton Club, fief de la Mafia, au public exclusivement blanc même si tous les artistes y étaient noirs. McMillan dit qu'il vit un jour W. C. Handy, le compositeur de *St. Louis Blues*, se faire refouler à la porte. McMillan lui-même ne fut admis que parce qu'il représentait la presse et qu'il accompagnait une star blanche. « C'était l'endroit où être, tout le monde voulait y aller. Lena Horne y jouait, et Cab Calloway, et Duke Ellington. Il y avait de grands spectacles, et douze des plus belles filles noires du monde... Quand il a vu tout ça, il a dit : "Nous y voilà !" Il y avait une certaine chanteuse qu'il voulait rencontrer. Il était fou d'elle... Tard le soir, il y avait toujours des endroits où aller boire un verre, alors on l'a emmenée avec nous, et je crois qu'on n'a pas quitté Harlem avant sept heures du matin... Ce fut une merveilleuse aventure pour elle. »

Par la suite, Bogart appelait régulièrement McMillan de Californie : « Je viens à New York. Garde-moi du temps pour qu'on se voie. » Et ils partaient à Harlem pour une nuit de spectacles et de musique. Un matin, après une nuit dehors, Bogie eut faim. Il était six heures, et bien que très fatigué, McMillan ne voulait pas laisser Bogie seul. « Il fallait que je le protège. Je connaissais quelques gros bras de Harlem. De vrais durs, mais ils me respectaient. » McMillan l'emmena au restaurant Wells, sur la Septième Avenue, un café ouvert toute la nuit où les gens du spectacle allaient prendre leur petit déjeuner avant de rentrer chez eux. McMillan présenta son compagnon au propriétaire :

« Joe Wells, je te présente Humphrey Bogart.

— Tu parles ! »

Il faut dire qu'à six heures du matin sur la Cent trente-deuxième Rue, il fallait un peu d'imagination. Comme McMillan insistait, Wells appela son cuisinier.

« McMillan dit que son ami est Humphrey Bogart, tu te rends compte ?

— Dis-lui, Humphrey, dis-lui qui tu es », demanda McMillan.

L'acteur se mit à parler comme un de ses personnages. Au bout d'un moment, le cuisinier hocha la tête.

« Ouais, c'est Bogie ! »

Les critiques du *Faucon maltais* parues le 1er octobre étaient vraiment « ce dont les rêves sont faits ». *Variety* parla de « perfection ». *The Hollywood Reporter* assura que ce serait « un des plus gros succès de l'année ». Selon le *Motion Picture Herald*, « Humphrey Bogart n'avait pas eu de rôle équivalent depuis *la Forêt pétrifiée* ». Quand le film sortit, le 4 octobre, les quotidiens de New York confirmèrent l'enthousiasme : « Un boulot renversant, un classique dans son domaine... avec Humphrey Bogart qui nous donne là une des meilleures interprétations de sa carrière » *(Herald Tribune)* ; « Un brillant succès. John Huston peut venir saluer » *(New York Post)* ; « Le meilleur mystère de l'année », comparable aux meilleurs Hitchcock, dit le *New York Times*. « Humphrey Bogart atteint des sommets. Mary Astor est parfaite... Sydney Greenstreet, du vivier de la Theatre Guild, est magnifique. » Seule fausse note dans la *Hollywood Motion Picture Review*, qui trouvait le film « bavard... trop long et aux personnages convenus ».

L'impact fut d'autant plus grand sur les critiques qu'ils étaient pris par surprise. Voilà un film majeur qui arrivait en ville « sur des semelles de crêpe [11] », comme le dit l'un d'eux. La Warner s'était montrée « étrangement discrète » à la sortie du film, remarquait *The Times* — « peut-être voulait-on faire une bonne surprise [12] ! ». La vérité était que ce film à petit budget avait aussi un petit budget publicitaire. Le studio était ravi de ce succès bon marché, en dépit des supplications de Henry Blanke, et même de Hal Wallis. « J'aurais cru, écrivit Blanke à Wallis, que la compagnie, après avoir découvert ce qu'elle avait entre les mains, se serait donné un peu de mal pour ce film, mais il est sorti sans crier gare, et malgré tout il remporte un grand succès [13]. »

Oui, quel succès ! En 1941, *le Faucon maltais* fait partie des dix films nommés pour le Meilleur Film de l'année, avec *Citizen Kane, The Little Foxes (la Vipère), Sergeant York, Here Comes Mr. Jordan (le Défunt récalcitrant), Suspicion (Soupçons)* et *Qu'elle était verte ma vallée*, qui l'emporta. Greenstreet fut nommé dans la catégorie du meilleur second rôle masculin, et Huston pour le meilleur scénario. Mary Astor remporta l'oscar du meilleur second rôle féminin, mais pour *The Great Lie (le Grand Mensonge)*, non pour *le Faucon maltais*. On négligea de récompenser la performance clé de Bogart.

Mais sa vie et sa carrière n'en avaient pas moins pris un tournant. Quelques mois plus tôt seulement, il était encore le remplaçant de Raft. Soudain, il était « le jeune premier aux cheveux blancs de Hollywood [14] », comme l'écrivit un scénariste. En décembre, pour consacrer ce nouveau statut, il fut invité à apparaître dans une émission de Noël avec Shirley Temple, la princesse du cinéma. Raft, en revanche, était maintenant l'homme qui avait glissé sur une peau de banane, et les critiques en firent des gorges chaudes. De retour à Burbank, Jack Warner rassembla toutes les coupures de presse ironiques dans un dossier intitulé « Raft-Bogart », qu'il envoya à ses avocats pour qu'il soit joint au contrat de Raft. J. L., pour une fois, semblait se moquer qu'un de ses acteurs soit tombé de son piédestal dans la dérision. Raft tourna encore dans un film pour la Warner, puis, son contrat terminé, il interpréta encore quelques petits rôles pour d'autres studios.

Même si c'était un film de routine, *Échec à la Gestapo* constituait une preuve de la nouvelle importance de Bogart. Rudi Fehr, qui monta aussi *Key Largo* (et fut plus tard chef monteur à la Warner), se préparait à un film B à gros budget. « Bogart, dit-il, en a fait un film de série A. »

« Avec Bogart à l'affiche, déclara la Warner à ses directeurs de salles, on a la star mâle la plus "excitante" de tout Hollywood. »

Le film, sur un scénario des humoristes Leonard Spigelglass et Leonard Q. Ross (pseudonyme de l'écrivain Leo Rosten), fut meilleur qu'on ne s'y attendait, meilleur qu'un résumé de l'intrigue ne le laisse prévoir : « blanches colombes » et « vilains messieurs » pourchassent des espions nazis tout en étant pourchassés par la police. Bogart est le joueur professionnel Gloves Donahue. Quand le pâtissier qui fabrique son gâteau au fromage blanc préféré est assassiné, ses hommes et lui se lancent à la recherche du tueur. Pour Gloves, la Gestapo n'est qu'une autre mafia qui essaie de s'imposer, même quand elle le fait arrêter pour meurtre. En fin de distribution apparaît un jeune comédien corpulent, Jackie Gleason, que Jack Warner avait engagé à cinq cents dollars par semaine après l'avoir vu dans un night-club.

« Tu as l'air du type qui est venu dîner, dit Bogart à Gleason, et qui a mangé les invités [15]. »

L'idée de l'histoire venait de Malvin Wald, frère de Jerry, qui en 1936 travaillait pour un hebdomadaire local, le *Brooklyn World*. « Le rédacteur en chef était en relation avec des gangsters juifs qui n'appréciaient pas que des nazis se réunissent à Yorkville dans le but de propager des doctrines hitlériennes et antisémites. Les gangsters, une fois informés du lieu de réunion, pouvaient faire ce qui était interdit à la police : casser quelques têtes et interrompre les réunions, avec les photographes du *World* pour illustrer un article sur l'infiltration hitlérienne en Amérique[16]. »

Ce qui n'était au départ qu'une petite comédie sans prétention — au budget pourtant double de celui du *Faucon maltais* — fut comme une répétition de *Casablanca*. Le brillant acteur allemand exilé Conrad Veidt, qui l'année suivante jouera le colonel Strasser, est ici glacial en agent de la Gestapo secondé par Peter Lorre. Les scénaristes de *Casablanca*, Philip et Julius Epstein, retouchèrent le scénario. Les décors étaient de Carl Weyl, qui concevra le café de Rick. Des acteurs réfugiés jouaient à la fois les méchants nazis et leurs victimes. Mais il manquait un personnage central de *Casablanca*. L'héroïne, une mystérieuse Européenne fuyant un passé qu'elle ne peut expliquer, était jouée par la fade Kaaren Verne, l'ex-Mme Peter Lorre. Hal Wallis se contenta d'elle quand il ne put obtenir la récente découverte de David Selznick : Ingrid Bergman.

L'affiche montrait Bogart l'arme au poing, avec pour légende : « LE TUEUR BOGART FAIT COURIR LA GESTAPO ! » Mais *Échec à la Gestapo* était essentiellement une métamorphose guerrière du film de gangsters. Comme le nota l'assistant de Wallis, Walter MacEwen : « Les nazis font d'excellents salauds[17]. » On se souviendra surtout du film pour la grande scène où Bogart et William Demarest s'infiltrent dans une réunion nazie. Quand soudain on demande à Bogart, « Herr Mannheimer », de venir à la tribune pour expliquer la façon dont il compte faire sauter un navire de guerre dans le port de New York, Demarest et lui comprennent que leurs identités d'emprunt sont celles de deux hommes de main de Detroit. Bogart, désespéré, consulte Demarest du regard. Celui-ci s'adresse alors à lui dans une sorte de langage crypté, auquel Bogart répond de même. Vincent Sherman avait prévu de ne glisser qu'une réplique dans ce charabia, mais lors de la projection « le public rit tellement que j'ai décidé de garder tout l'échange[18] ». Rudi Fehr, qui venait souvent sur le plateau, avait lui aussi remarqué que cet artifice amusait beaucoup Bogart, qu'il l'utilisait sans peine. Il faut dire que Bogart et Demarest aimaient également se fréquenter hors caméra : « Ils riaient aux plaisanteries et aux histoires l'un de l'autre[19]. »

Une telle farce politique eût été inconcevable un an plus tôt. En fait, un scénario comparable avait été refusé par Jack Warner et Hal Wallis en 1940. Le studio qui avait produit *Les Aveux d'un espion nazi* en

1939 se réfugiait soudain, nerveusement, dans la neutralité. De même tous les studios, après que des isolationnistes eurent accusé Hollywood (donc les juifs) de pousser l'Amérique (donc les chrétiens) à entrer en guerre. La Warner pouvait distribuer des films britanniques de propagande comme *London Can Take It*, et même offrir des avions de chasse à la Grande-Bretagne avec ses bénéfices, au studio même, le seul film sur une guerre menée par les Anglais était *The Sea Hawk (l'Aigle des mers)*, dans lequel Errol Flynn combattait les Espagnols au XVIe siècle. Chez United Artists, le film antinazi de Hitchcock *Foreign Correspondent (Correspondant 17)* réussit l'exploit qu'on n'y mentionne ni les nazis ni l'Allemagne.

Mais en 1941, l'atmosphère avait changé. En l'espace d'un an, l'opinion publique s'était retournée, passant d'une neutralité stricte que résumait le slogan « Toute l'aide possible sauf la guerre », à l'expression « En cas de guerre... », favorable à une aide ouverte, après que le Congrès eut approuvé la fourniture d'armes à la Grande-Bretagne par Roosevelt. Sur l'Atlantique, des navires marchands américains armés transportaient le ravitaillement jusqu'aux ports anglais, avec ordre de répliquer s'ils étaient attaqués. Ce nouveau climat permit à la Warner de produire *Sergent York*, où Gary Cooper interprétait le héros de la Première Guerre mondiale qui prouve que des hommes de paix doivent parfois faire la guerre.

Le long des côtes de la Californie du Sud, jalonnées d'usines d'armements et de raffineries, les gardes-côtes renforcèrent leurs effectifs en demandant aux navires privés de les rejoindre, leurs propres embarcations ayant été réquisitionnées par la marine. Bogart fut un des premiers à répondre, proposant le *Sluggy*, avec ses douze mètres et son moteur Diesel, et passant un difficile examen de capitaine. Après une inspection à Long Beach, il fut recruté comme auxiliaire des gardes-côtes de Californie du Sud, et passa ses jours de congés à patrouiller au large.

Pour le pays, le débat se réduisait à une simple et énorme question : combattre ou ne pas combattre. A Washington, les opposants à Roosevelt au Sénat tenaient des conférences sur le mal venu de Hollywood, fustigeant aussi bien le New Deal que les origines ethniques des hommes à la tête des studios. Cités à comparaître, ceux-ci ne se laissèrent pas impressionner. Harry Warner, assis au milieu de ses confrères, toisa les juges, refusa de s'excuser d'avoir produit des films traitant de politique étrangère ou de problèmes contemporains, et soutint ce qu'il appelait le droit du public de connaître la vérité. Le moraliste parmi les frères Warner estimait que les films devaient éduquer autant que distraire, et les accusations portées par les sénateurs isolationnistes Gerald Nye, Bennett C. Clark et d'autres, selon qui *Sergent York*, de même que *Les Aveux d'un espion nazi,* avait « créé une hystérie belliqueuse » le mirent en rage.

« Je nie de toutes mes forces ces accusations malveillantes et sans fondements, dit-il au comité. Je nie que les films produits par ma compagnie soient de la "propagande", comme on le prétend... *Sergent York* est un portrait réel de la vie d'un des plus grands héros de la dernière guerre. S'il s'agit là de propagande, je plaide coupable. *Les Aveux d'un espion nazi* est un portrait réel d'un cercle d'espions nazis qui opéraient à New York. S'il s'agit là de propagande, je plaide coupable... [Nous nions] que Warner Bros. ait produit des films relatifs aux affaires du monde et à la défense nationale dans l'unique but de prétendument inciter notre pays à entrer en guerre. [Nous nions] que les films de Warner Bros. concernant les affaires du monde et la défense nationale soient inexacts et infléchis dans un but précis... Si Warner Brothers n'avait produit aucun film concernant le mouvement nazi, notre public aurait eu de bonnes raisons de nous critiquer. Nous aurions vécu dans un monde de rêve... Vous pouvez m'accuser à juste titre d'être antinazi. Mais personne ne peut m'accuser d'être antiaméricain[20]. »

A l'automne, certains réclamaient une censure des films, sous le prétexte de diminuer la violence à l'écran. Bogart, répondant au *Hollywood Reporter,* traita la censure d'« ennemi numéro un d'une démocratie libre » et affirma que les films étaient « un moyen d'expression public au même titre que la radio ou les journaux ». Les tentatives de contrôle du contenu des films allaient bien au-delà d'une inquiétude concernant l'influence possible des gangsters de la Warner sur les jeunes, dit-il, et sans nommer le comité du Sénat il déclara qu'il s'agissait là d'un rideau de fumée dissimulant d'autre buts : « Nous avons là des hommes qui prônent des types beaucoup plus dangereux de censure au cinéma, et si l'Amérique veut continuer à jouir de la liberté de la presse et de la radio... ces ennemis insidieux de la liberté doivent être contrés avec force. Une fois le cinéma muselé, ces hommes passeront aux autres moyens d'expression publics. On l'a vu dans d'autres pays, et cela peut certainement arriver ici[21]. »

Déjà, il avait rejoint un comité de lutte pour la liberté, Fight for Freedom, afin de s'opposer aux efforts isolationnistes d'America First. La position du comité était en faveur d'« une participation totale des États-Unis à la guerre[22] ». A l'opposé du mouvement de droite America First, Fight for Freedom était un groupe fortement favorable au mouvement ouvrier et à la lutte pour les droits civiques. Ses membres s'organisaient dans tout le pays pour convaincre que le combat de la Grande-Bretagne et de l'Union soviétique était aussi celui de l'Amérique. « Nous faisions des discours partout[23] », racontera Gloria Stuart. Les Sheekman, qui se trouvaient en Europe quand la Pologne avait été envahie, et qui avaient réussi à regagner l'Angleterre d'abord, puis les États-Unis, étaient revenus hantés par les souvenirs de ce qu'ils avaient vu et ils luttaient en première ligne de ceux qui voulaient mettre fin à une prétendue neutralité.

Échec à la Gestapo fut terminé à la mi-octobre. A l'exception d'une émission de radio le jour de Thanksgiving, début novembre, Bogart n'avait rien de prévu avant janvier. La première semaine de décembre, il s'apprêtait à prendre l'avion pour Saint Louis, dans le Missouri, pour se joindre à d'autres personnalités — dont Melvyn et Helen Gahagan Douglas, Sam Levene et Linda Darnell — qui devaient participer le mercredi 10 décembre à une réunion du comité Fight for Freedom dans la salle municipale de douze mille places.

Tout fut modifié le matin du 7 décembre, quand les Japonais bombardèrent Pearl Harbor. Les employés et les acteurs du studio partirent en masse s'engager dans les forces armées. Bogart, qui avait déjà participé à une guerre mondiale, était trop âgé pour se battre dans une seconde. Il servit donc à la Warner, où il fallait s'adapter pour éviter que les films de demain deviennent les nouvelles d'hier.

Depuis un certain temps, le studio négociait les droits de *Aloha Means Goodbye*, un thriller publié en feuilleton cet été-là dans le *Saturday Evening Post*. Il s'agissait d'un complot japonais contre des installations militaires à Hawaii, et on avait pensé à Bogart pour le rôle principal. Après en avoir discuté, on considéra qu'il serait plus sage de situer l'action non plus à Honolulu mais sur le canal de Panama. « Vous feriez mieux de vous dépêcher, commenta Bogart, avant qu'ils ne prennent aussi le canal[24]. »

Les hasards de la guerre sourirent à Murray Burnett et Joan Alison, deux modestes dramaturges de New York. Dans les semaines précédant Pearl Harbor, ils avaient vendu une pièce antinazie à Otto Preminger, mais le contrat fut très vide dénoncé. Le sujet était trop brûlant, leur dit le producteur. Étant donné le climat d'intimidation créé par les auditions sénatoriales, il n'arriverait pas à trouver le financement d'un film. Les deux écrivains ne se découragèrent pas et exhumèrent une autre pièce antinazie qu'ils avaient écrite un an plus tôt. Ils la donnèrent à un agent pour qu'il tente de la vendre. Elle se déroulait dans un pays exotique, elle mettait en scène des salauds de fascistes intemporels et elle comportait une histoire d'amour. Elle avait pour titre : *Everybody Comes to Rick's* — tout le monde vient chez Rick.

10

« Ça va être une belle merde, comme *Casbah* »

Au studio, ce 8 décembre, le changement d'atmosphère fut immédiatement évident. On avait fermé les lieux à tous les visiteurs « à l'exception de la presse toujours bienvenue[1] », et tout le monde, sous le choc de l'attaque, suivait à la radio les nouvelles sur l'ampleur du désastre[2]. A douze kilomètres de là, dans le centre de Los Angeles, de longues files se formaient devant les bureaux de recrutement. Un sixième de ceux qui travaillaient dans l'industrie du cinéma finirent par rejoindre les forces armées[3].

Tandis que les Robert Taylor, Clark Gable et James Stewart partaient à l'armée et parfois même au combat, ce qui causait bien des turbulences dans les studios où ils étaient sous contrat, la Warner se servit de sa réserve d'acteurs. Ils n'étaient pas beaux, à l'exception notable d'Errol Flynn. De plus, ils n'étaient pas jeunes. Cagney, Bogart et Robinson avaient passé la quarantaine, et même le jeune premier chantant Dick Powell avait fêté ses trente-huit ans.

C'est ainsi que, de tous les studios, la Warner se retrouva sans doute le mieux préparé pour se lancer dans les films de guerre. On passa sans peine des messages déguisés de la Première Guerre mondiale (*The Fighting 69th [le Régiment des bagarreurs]*, *Sergeant York*) à d'autres plus ouvertement en harmonie avec l'entrée de l'Amérique dans la guerre. Jack Warner en personne arrêta les négociations pour le best-seller de William Shirer *Berlin Diary*, datant de 1940, considérant qu'il était dépassé : « Maintenant, tout le monde sait tout ce qui s'est passé là-bas[4]. » Le traitement réservé à deux sujets acquis par le studio, l'un juste avant et l'autre juste après Pearl Harbor, est symbolique du changement d'attitude. Leur histoire croisée constitue un résumé des ironies de Hollywood et de l'alchimie du cinéma.

Deux jours après l'attaque, Jack Warner télégraphia à Jake Wilk, à New York : « ATTAQUE JAPONAISE NE CHANGE PAS NOTRE POSITION SUR *WATCH ON THE RHINE* SAUF QU'IL FAUT LE SORTIR VITE[5]. »

Si un sujet semblait parfaitement cadrer avec le moment, c'était bien le drame antifasciste de Lillian Hellman *Watch on the Rhine*. La pièce, qui fustige puissamment la complaisance de l'Amérique, avait été un des grands succès de 1941 sur Broadway. La Warner avait commencé à en négocier les droits pour le cinéma à la fin de l'automne. Maintenant que l'Amérique était activement engagée dans la guerre, on craignait que la pièce n'ait perdu de son énergie propagandiste, comme le disait Jack Warner, mais les réservations à la caisse sur Broadway ne baissaient pas, et les louanges étaient intarissables. Énorme succès commercial, la pièce avait remporté le prix de la critique théâtrale de New York et le prix Pulitzer ; Roosevelt en personne avait demandé une représentation privée à Washington. On aurait du mal à trouver une pièce qui ait fait plus de publicité gratuite aux cinéastes à venir, un sujet qui ait paru plus sûr d'attirer les foules. En tout cas, à cette époque, personne n'aurait pu penser qu'une pièce jamais jouée de deux auteurs inconnus pourrait lui faire de l'ombre.

Jake Wilk était tellement occupé par ses négociations pour *Watch on the Rhine* qu'il prit du retard dans ses lectures des pièces et des scénarios qu'on lui soumettait régulièrement pour en faire des films. Son bureau croulant sous les dossiers gardait cette atmosphère désuète des installations de la Warner sur la côte Est, dans leur immeuble de la Quarante-quatrième Rue Ouest. Irene Lee arriva de la côte Ouest pour utiliser une partie des bureaux de la compagnie et fouiller dans la pile de manuscrits. Wilk la regarda de travers, furieux de cette intrusion dans ce qu'il considérait comme son domaine privé. « Il était là depuis si longtemps, commenta Irene Lee, qu'il croyait que ça lui appartenait. Je crois qu'il m'a trouvée très présomptueuse[6]. »

L'humeur maussade de Wilk n'affecta pas Irene, jolie personne qui avait été actrice et possédait un instinct très sûr concernant les sujets rentables. C'était à elle qu'on devait l'acquisition de certains des meilleurs scénarios de Bette Davis comme *Jezebel (l'Insoumise), The Old Maid (la Vieille Fille)* et *Now, Voyager (Une femme cherche son destin),* d'Olive Higgins Prouty, auteur de ce summum du mélodrame qu'était *Stella Dallas*. C'était Hal Wallis qui avait attiré Lee à la Warner et il lui faisait une confiance totale. Trente-cinq lecteurs travaillaient pour elle, dont certains, comme Dalton Trumbo ou Aeneas MacKenzie, avaient fait une carrière de scénariste.

Jamais elle n'hésitait à proposer directement à Wallis ce qu'elle trouvait particulièrement bon, sans s'occuper de la quantité de travail qu'il avait, et Wallis la recevait toujours promptement. Ils n'étaient pas toujours d'accord. Elle voulait acheter *Autant en emporte le vent*, que la Warner refusa. Mais, comme elle le dit, « il entre tellement de chance et d'instinct » dans le choix de ce qui fera un bon film, qu'elle n'apportait « pas non plus toujours de grands sujets ».

La seule chose qui l'intéressa dans le bureau de Wilk fut un manuscrit écorné et poussiéreux relié par trois anneaux et dont le titre, *Everybody Comes to Rick's*, était souligné de deux traits. En bas de la page elle trouva l'adresse et le numéro de téléphone des auteurs qui l'avaient oublié depuis un an. « Personne ne l'avait remarqué, mais je l'ai bien aimé », dit-elle. Elle le rapporta à Hollywood et le donna à Stephen Karnot, un de ses lecteurs qui gagnaient un dollar douze *cents* de l'heure, pour qu'il en tire un synopsis [7].

Quatre jours après Pearl Harbor, la pièce et le synopsis arrivèrent chez Wallis, qui savait que tout ce qui venait d'Irene Lee méritait d'être pris en considération. « Hal réagissait vite s'il aimait. Il aima. » Comme de coutume, on envoya des exemplaires à divers producteurs pour connaître leurs réactions. La plupart furent positives. La Warner « aima aussi la bonne affaire et l'acheta ». Le prix était de vingt mille dollars [8].

Tout le monde n'était pas aussi enthousiasmé par l'histoire. Située en Afrique du Nord sous le contrôle de Vichy après l'invasion de la France, elle était centrée sur un milliardaire tchèque antinazi, sa maîtresse américaine et son ancien amant, un propriétaire d'une boîte de nuit qui fuit son passé. A la fin, le propriétaire de la boîte de nuit renonce pour une noble cause à la fois à l'amour et aux lettres de transit qui lui permettraient de s'échapper. Le scénariste Robert Buckner déclara que c'était « une niaiserie sentimentale [9] », et le producteur Robert Lord y retrouva « une imitation évidente de *Grand Hôtel* [10] ».

« C'était de la merde, dit Vincent Sherman, mais une *superbe* merde — ce qui vaut souvent mieux que de la vraie littérature [11]. » Il existait des parallèles évidents avec *Algiers (Casbah)*, le succès romantique de Walter Wanger, en 1938, avec Charles Boyer et Hedy Lamarr, lui-même tiré du film français de 1937, *Pépé le Moko,* avec Jean Gabin, d'où était également issu le *Scarface* de Howard Hawks. Le scénariste et producteur Jerry Wald, plein de bon sens commercial et qui avait à son actif *les Fantastiques Années vingt* et *Une femme dangereuse*, considéra qu'un film taillé selon les normes de *Casbah* « ferait un bon sujet pour Raft ou Bogart [12] ».

Et Bogart avait justement besoin d'un bon sujet. Il rentrait de ses réunions de Fight for Freedom, ragaillardi par l'accueil qui lui avait été réservé de Saint Louis à Chicago, et par le sentiment d'être un comédien d'envergure nationale. Ses actions avaient monté dans l'industrie après les réactions au *Faucon maltais*, et il était impatient de retrouver un rôle qui rendrait justice à son nouveau statut. La distribution des rôles que Warner dévoila en janvier lui fit donc l'effet d'une douche froide.

La sortie d'*Échec à la Gestapo* avait coïncidé avec le retournement de l'opinion publique, et ses recettes à la caisse étaient même meilleures que celles du *Faucon maltais*. Avec cet autre succès à son crédit,

Bogart semblait effectivement « la star masculine la plus excitante », comme le prétendait la publicité de la Warner. Mais en fait, le studio n'avait rien de prévu pour lui.

On voulait une suite au *Faucon*, et Jack Warner avait envoyé Jake Wilk demander à Hammett s'il pourrait l'écrire — sans bien sûr le personnage que jouait Mary Astor, puisque Brigid, selon toute apparence, avait été condamnée à mort, mais en réutilisant Bogart, Greenstreet et d'autres. Wilk n'arriva à rien. Hammett, alcoolique, souffrant d'emphysème, usé à quarante-huit ans, adaptait *Watch on the Rhine,* de sa compagne Lillian Hellman. En outre cela faisait des années qu'il n'avait pas produit d'œuvre originale (*le Faucon maltais* datait de 1929) et doutait de pouvoir le faire. Mais il pouvait essayer, si on lui garantissait le paiement quel que soit le résultat. La Warner était prête à offrir une petite avance, mais les négociations furent interrompues quand elle refusa d'aller au-delà de cinq mille dollars. « S'IL N'EST PAS CERTAIN D'ÊTRE CAPABLE D'ÉCRIRE UNE HISTOIRE ACCEPTABLE, LAISSONS TOMBER [13] », télégraphia Jack Warner à Wilk. Dashiell Hammett, le maître du suspense, le fondateur de l'école du roman policier, le créateur de Sam Spade, n'écrivit plus jamais de roman. Jack Warner dit à Wilk de tout laisser tomber pour le moment et d'acheter plutôt le titre *Across the Pacific* pour le substituer à *Aloha Means Goodbye*, le projet Bogart-Astor-Greenstreet en cours, qui sortit en français sous le titre *Griffes jaunes*.

Rétrospectivement, les carrières de Bogart et Huston, séparées seulement par les exigences de la guerre, semblent étroitement liées à partir du *Faucon maltais*. Mais début 1942, cependant, Huston avait le regard fixé non pas sur un *Faucon II,* mais sur *Watch on the Rhine*. Au lieu d'un autre exercice dans le genre film noir, il voulait un grand film, et rien n'était plus grand qu'un succès de Broadway sur un sujet d'actualité.

Au début, le studio était d'accord. « On peut envisager de confier la réalisation du film à Huston [14] », dit Jack Warner à Wilk. Huston voulait aussi avoir son mot à dire sur le scénario si la version de Hammett avait besoin de retouches. Il en résultait une marginalisation de Bogart qui, en dépit de deux récents succès retentissants et d'un nouveau contrat en négociation, se retrouvait inexplicablement affecté à un film noir de troisième catégorie que son vieil ennemi George Raft, arrivé aux derniers mois de son contrat moribond, avait soudain refusé. *The Big Shot (le Caïd)*, pâle variation sur le thème du tueur vieillissant, était voué à l'échec dès le départ. Mary Astor s'en était retirée. Au dernier moment, on remplaça le réalisateur Vincent Sherman par Lewis Seiler, à qui il fallut rappeler qu'il devait arriver sur le plateau avant les acteurs. Même le producteur Walter MacEwen admit qu'il aurait besoin d'« un peu de chance [15] », et il la trouva en Bogart, qui sauva le film d'un désastre total.

171

Pour Bogart, au cours de ces premières semaines de 1942, ce film confirmait que, malgré son statut de star, il n'était qu'un salarié parmi d'autres. Pourtant, il était monté trop haut pour redescendre si bas. Pendant qu'il tournait en fulminant contre ses patrons, Jack Warner et Hal Wallis prenaient des décisions qui allaient déclencher une réaction en chaîne dont Bogart, pour une fois, sortirait vainqueur.

« NOTRE COMPAGNIE DOIT FAIRE DE NOUVELLES STARS, télégraphia Warner au bureau de New York. NOUS NE POUVONS CONTINUER AVEC LES SEULES STARS ANCIENNES, PARCE QUE CHAQUE JOUR ELLES DEVIENNENT PLUS INCONTRÔLABLES ET MOINS RENTABLES [16]. » L'opinion de Warner sur son écurie était claire.

Aucun film n'était produit dans le vide. Aussi usée que soit la métaphore, le programme du studio ressemblait à un échiquier géant sur lequel les dirigeants déplaçaient les pièces — les acteurs, les réalisateurs, les scénaristes —, chaque mouvement d'une pièce affectant toutes les autres.

Début janvier, afin de régler le sort de *Watch on the Rhine,* J. L. avait accepté à contrecœur certaines des exigences de Lillian Hellman. Le producteur de Lillian sur Broadway, Herman Shumlin, devait assurer la réalisation et Hammett écrire le scénario. Ni l'un ni l'autre n'était libre pour l'instant, mais c'était ceux qu'elle voulait. J. L. avait des doutes. Il espérait qu'étant donné son passé de scénariste — entre autres pour *These Three* (tiré de sa pièce *The Children's Hour*), *Rue sans issue* et *la Vipère* — elle adapterait sa pièce elle-même. Hammett, dit-il, n'était pas scénariste. De surcroît, la pièce se déroulant avant Pearl Harbor, elle vieillissait un peu chaque jour, même si le public de Broadway ne semblait pas s'en lasser. Si Hellman et Hammett n'étaient pas disponibles, Warner voulait mettre l'œuvre entre les mains des deux meilleurs adaptateurs du studio, Julius et Philip Epstein, et sortir le film très vite. Mais Lillian Hellman resta inflexible, et Jack Warner céda.

Les pièces de l'échiquier que cette décision affecta le plus furent Huston et Bogart. Wallis télégraphia à Wilk d'oublier Huston pour l'adaptation de *Watch on the Rhine*. On l'avait mis sur un autre film, *Griffes jaunes*, qui, bien que n'étant pas une suite au *Faucon maltais,* réunissait la même équipe. *Watch on the Rhine* fut repoussé pour des mois. Cela laissait une ouverture pour *Everybody Comes to Rick's*, que Wallis rebaptisa très vite *Casablanca*, en souvenir d'*Algiers*, que l'on connaît en France sous le titre *Casbah*. On n'en attendait pas grand-chose. « Comparé à la belle et profonde pièce de Hellman, disait-on, *Casablanca* est un mauvais traitement d'un sujet sur l'antinazisme [17]. »

Tout avait commencé avant Pearl Harbor. Murray Burnett, qui enseignait dans un lycée de New York pour compléter ses maigres revenus d'auteur, fit à l'été 1938 un voyage en Europe avec son épouse. Il avait vingt-sept ans. Arrivés à Vienne, ils découvrirent qu'ils venaient de pénétrer dans un cauchemar nazi : « Hitler avait envahi l'Autriche et les Viennois en étaient ravis [18]. » Les Burnett traversèrent une semaine de violences antisémites au rythme du martèlement des bottes et des chants nazis. Burnett, « soudain face à la réalité », fut terrifié. Quand son épouse et lui quittèrent la ville, ils emportèrent des objets de valeur que leur avaient confiés des amis juifs et le souvenir d'une haine fasciste sans limite. Arrivés dans le sud de la France, ils voulurent hurler. « Nous avons rencontré des gens, nous leur avons dit : "Regardez ce qui se passe — Qu'est-ce qui vous arrive ?" Mais ils nous fuyaient. Ils se détournaient, trouvaient des excuses, nous laissaient seuls. Ces gens ne voulaient pas entendre ce que j'avais à leur annoncer. »

Un soir, des amis les emmenèrent dans une boîte de nuit, oasis de joie et d'oubli où Burnett vit « un Noir au piano. J'ai dit à ma femme : "Quel cadre pour une pièce !" »

De retour à New York, Burnett appela son amie l'écrivain Joan Alison, et ensemble ils esquissèrent une pièce sur l'engagement individuel à une époque d'inhumanité collective. Le héros devait être la métaphore de l'Amérique encore neutre, et le message : il n'existe pas de neutralité morale. Le titre *Everybody Comes to Rick's*, raconte Murray, établissait le thème de base : « C'est l'endroit où l'on va, mais plus profondément, cela veut dire que tout le monde, tôt ou tard, doit prendre position. »

« Malheureusement les meilleurs sont déjà pris », annonça Steve Trilling à Wallis tandis que la Warner commençait les bouts d'essais pour *Casablanca* en février 1942. « [Arthur] Kennedy et Reagan bouclés jusqu'à jeudi, Dennis Morgan, Brent et Bogart tous les jours de la semaine [19]. » Début janvier, le service de publicité avait annoncé Ann Sheridan et Ronald Reagan, les amants de *Kings Row (Crimes sans châtiment)*, pour les rôles principaux de *Casablanca*, avec Dennis Morgan comme « troisième membre du trio star » [20]. *The Hollywood Reporter* [21] diffusa l'information sans que personne y prête attention ; ce fut un ballon d'essai vite dégonflé. Reagan dit plus tard qu'on ne l'avait pas sérieusement pressenti : jamais Trilling ne l'avait appelé pour qu'ils parlent du rôle, et il n'avait pas même su qu'on avait pensé à lui [22]. De plus, Reagan était sous-lieutenant de réserve dans la cavalerie et attendait à tout moment d'être appelé.

En février, en tout cas, le scénario était en panne. La version des deux premiers scénaristes — le beau-frère de Wallis, Wally Kline et son partenaire, Aeneas MacKenzie — fut abandonnée, et tout le projet remis en cause. Bogart, toujours sur la liste des Rick Blaine potentiels, allait commencer *Griffes jaunes*.

On a dit que le rôle de Rick Leland dans *Griffes jaunes* était un avant-goût de Rick Blaine, mais en décembre 1941, Robert Lord considérait plutôt le personnage comme un recyclage lucratif de Sam Spade. Il avait demandé Bogart parce que Rick Leland était « un mélange d'acide et de comédie, un peu comme son rôle dans *le Faucon maltais* ». Si on lui donnait aussi Ann Sheridan, le film pourrait être « un grand succès commercial [23] », ajoutait Lord, qui avait produit plusieurs films pour Wallis.

Bogart et Sheridan avaient déjà tourné ensemble dans six films, et jamais ils n'avaient été un couple romantique, mais ils fonctionnaient bien ensemble, le dur au cœur tendre et la belle aux répliques incisives. Dans la vie, elle savait aussi trouver la formule qui frappe. On dit qu'elle détestait porter un soutien-gorge, et quand le studio insista pour qu'elle en mette un, elle déclara : « OK, un hamac pour deux ! » Mais Ann Sheridan était retenue par *George Washington Slept Here (la Maison de mes rêves)*, et on donna alors le rôle à Mary Astor. Avec Sydney Greenstreet jouant le méchant, *Griffes jaunes* ressemblait bien à un *Faucon II* ; il y avait même Peter Lorre. Sans prévenir les autres, Huston le fit venir comme serveur. Greenstreet et Mary Astor lui tournaient le dos. Il présenta le plateau du petit déjeuner et effleura le bras de Greenstreet en prenant une tasse. Puis il surprit Mary en lui déposant un baiser sur la joue. Les deux acteurs se retournèrent et éclatèrent de rire quand ils se rendirent compte de qui il était [24].

Le titre était celui d'un film muet de 1926 avec Monte Blue, qu'on fit revenir pour le rôle muet du père de Mary Astor. Bogart jouait un agent double américain qui, à lui seul, défait et désarme une multitude de soldats japonais. A ce point de la guerre, les Américains ne remportaient guère de victoires que sur les écrans, et les exploits de Bogart permirent au public d'oublier les frustrations de l'année passée, quand les défaites s'additionnaient aux défaites et aux pertes humaines à Pearl Harbor, Corregidor et Bataan. Les affiches montraient un Bogart déterminé, qui décochait un puissant coup de poing dans la mâchoire d'un officier japonais. « CLICHÉ D'UN TYPE QUI AIME SON TRAVAIL », disait la légende. On en avait aussi prévu une autre : « LES GARS, J'ATTENDS ÇA DEPUIS LE 7 DÉCEMBRE ! »

Mais comme pour la plupart des films d'action, c'était essentiellement une distraction. Le scénariste Richard Macauley, qui avait écrit *Une femme dangereuse*, fournit à Bogart et Mary Astor l'occasion de retrouver des échos des dialogues de Hammett dans *le Faucon*.

> « *Dis-moi, tu es malade ?*
> — *Je n'en sais rien. Comment réagissent les filles, d'habitude, quand tu les embrasses ?*
> — *Elles ne virent pas au vert.*
> — *Alors, je suis malade.* »

Le tournage avait la qualité d'une réunion d'amis et il avait été agréable en dépit des problèmes d'emploi du temps posés par la laryngite de Mary, qui, dans un murmure rauque, avait souhaité bonne chance à Huston et était rentrée se coucher avec une forte fièvre.

Les problèmes personnels de Bogart continuaient de s'amplifier au rythme des beuveries de Mayo et de ses accès de violence physique. Bogart aimait aller se détendre, éliminer les toxines de l'alcool et oublier un peu Mayo aux Bains finlandais, sur Sunset Boulevard. Mais Mayo réussit à se convaincre que les bains étaient en fait un bordel. Selon Joe Hyams, un soir, Bogart rentra et trouva « Mayo qui l'attendait dans le salon, les yeux gonflés et luisants. Elle fredonnait *Embraceable You*... Elle fondit sur lui avec un couteau. Il esquiva et tenta de gagner la porte. Mais elle réussit à le toucher au milieu du dos ». Par chance, la lame ne pénétra pas profondément.

L'indispensable Mary Baker, la seule femme, semblait-il, dont Mayo n'était pas jalouse, arriva dès qu'elle apprit l'incident. Elle connaissait un médecin qui pour cinq cents dollars soignerait la blessure dans la discrétion la plus absolue. Jamais la police ne fut mise au courant.

Après le départ du médecin, « Mayo étouffa Bogie de baisers, comme toujours après une bagarre particulièrement violente. Comme il ne réagit pas à cause de la douleur, elle l'accusa de rentrer fatigué "à cause des filles des Bains". Elle voulait aller mettre les Bains finlandais à sac, mais Mary réussit à la calmer [25] ».

Le lendemain, Bogart, qui avait la réputation d'être la ponctualité même, arriva en retard sur le plateau. Huston, étonné, alla le voir dans sa loge. « Il s'habillait et il avait un bandage dans le dos. Il avait reçu un mauvais coup [26]. »

Une autre fois, Mayo mit le feu à la maison. Mary arriva avec Blayney Matthews, chef de la police du studio, qui aida Bogart à éteindre l'incendie. Cette fois non plus, l'incident ne fut pas ébruité. Hyams dit que Mayo menaçait de tuer Bogart s'il la quittait, et après le coup de couteau, craignant qu'elle ne le fasse même s'il restait, Bogart insista pour que Mary Baker et Jaffe prennent une assurance de cent mille dollars sur sa vie. Il était la principale source de revenus de leur agence, et il voulait s'assurer qu'ils seraient ainsi à l'abri d'une catastrophe financière [27].

Bogart ne perdit aucune journée de travail à cause de sa blessure, mais au bout de six semaines de tournage, Huston dut quitter le film. Des mois auparavant, il avait fait une demande d'engagement dans l'armée, et on l'appelait alors qu'il restait neuf jours de tournage. On avait transformé le plateau 8 en une plantation ravagée au fin fond de la jungle, et gardé pour les derniers jours les grands moments de l'histoire — le héros sous la menace d'une arme alors qu'un avion ennemi traverse l'écran, en route pour bombarder le canal de Panama.

Tout le monde savait que Huston ne tournerait plus de films avant un moment. Pendant des années, on raconta la même histoire, qu'il confirma malicieusement : comment il avait quitté le plateau pour servir son pays, laissant Bogart attaché à une chaise, entouré de gardes armés. La fin du film n'était toujours pas écrite et il laissait au nouveau réalisateur, Vincent Sherman, la tâche de libérer Bogart pour qu'il puisse accomplir ses actes héroïques.

Mais Huston, s'il aimait plaisanter, aimait aussi raconter des histoires. Les archives de la production indiquent qu'il eut en fait une semaine de préavis et qu'il prit toutes les mesures nécessaires pour que la transition se fasse sans heurt. Le 22 avril, son dernier jour, il rassura Sherman tandis qu'ils tournaient les premières séquences de la dernière confrontation entre Bogart et Greenstreet. Huston était un trop grand professionnel pour compliquer encore un tournage déjà en retard et dont l'actrice principale était terrassée par la grippe, et il avait trop envie de continuer sa carrière pour dilapider le capital de confiance de la Warner afin de faire une bonne blague.

Bien sûr, à la fin, Bogart sauve le canal. Mais ce spectacle divertissant eut un aspect malheureux. Les officiers du bateau japonais en route pour Panama étaient respectables, mais le scénario décrivait l'homme de main de Greenstreet, le jeune Nisei, comme « très américanisé, la gâchette facile, hypocrite ». En d'autres termes, un homme dont l'occidentalisation et la loyauté envers l'Amérique étaient superficielles. Ce portrait renforçait le stéréotype du Japonais déloyal à une époque où, sur toute la côte Ouest, on regroupait les Nippo-Américains, quelle que fût leur nationalité, dans des camps d'internement, sans autre raison que leurs origines ethniques. A cause de ces déportations, justement, presque tous les acteurs « japonais » étaient en fait chinois.

Dès les premières projections, la Warner sut qu'elle tenait un succès. Hal Wallis, fatigué, malgré son salaire annuel de plus d'un quart de million de dollars, de ces huit années où, bras droit de Jack Warner, il avait supervisé chaque minute de tournage des quelque quatre-vingts films que la Warner produisait par an, avait décidé de devenir producteur indépendant. En février 1942, il avait signé un accord qui l'engageait à produire quatre films par an pour Warner Bros., avec le choix des scénarios et la possibilité de puiser dans les talents sous contrat — réalisateurs, acteurs, scénaristes, équipes techniques et même secrétaires et assistants. S'il voulait d'autres personnes, le studio ferait de son mieux pour les lui obtenir. Le studio lui accordait même une indépendance presque totale et dix pour cent des bénéfices des films dès qu'ils avaient rapporté cent vingt-cinq pour cent de leur coût [28]. En dépit de la générosité de ce contrat, on se demanda si Jack Warner pourrait accepter que son ex-lieutenant ait une telle autonomie et si le contrat durerait au-delà des quatre années prévues. J. L. affirma qu'il s'agissait simplement là d'une récompense pour des années de collaboration loyale et talentueuse [29]. En fait, le contrat se termina deux ans et demi et neuf films plus tard.

Wallis, s'il avait changé de bureau et ne voyait plus chaque soir le résultat des journées de tournage, se faisait tout de même une idée assez claire de ce qui était bon ou non, et il avait décidé que *Casablanca* serait un de ses rares films. La tension, la rudesse et l'humour qu'il perçut dans le jeu de Bogart lui confirmèrent qu'il avait trouvé son Rick Blaine.

Peu après que Wallis eut signé son contrat, il discuta avec Philip G. et Julius J. Epstein, appelés Phil et Julie, et plus connus comme « les Garçons ». Ces deux grands jumeaux chauves, parfaitement identiques, avaient la réputation d'écrire les dialogues les plus drôles et d'être les meilleurs adaptateurs de pièces de théâtre pour le cinéma. Ils étaient les maîtres des répliques cinglantes et des reparties fulgurantes. Mais le studio appréciait autant la façon dont ils savaient tirer le meilleur parti d'un scénario. Une histoire banale scintillait sous leur plume, au point que James Cagney exigea qu'ils s'occupent de *Yankee Doodle Dandy (la Parade de la gloire)* s'il devait jouer George M. Cohan [30].

Âgés de trente-deux ans, les frères étaient « désireux d'écrire ce scénario », dit Paul Nathan, le secrétaire de Wallis, à Jack Warner, et Wallis « était désireux qu'ils le fassent » [31]. Mais ce n'était pas parce qu'ils voyaient en ce film quoi que ce soit de spécial. « Vous ne devez pas oublier que personne ne pensait que ce serait un succès, dit plus tard Julius Epstein. Warner Bros. faisait un film par semaine, comme la plupart des grands studios. Ce n'était qu'un film parmi d'autres [32]. »

Avant d'être formellement choisis pour le scénario de *Casablanca*, ils furent convoqués à Washington pour trois semaines de travail avec le metteur en scène Frank Capra sur une série de films de propagande, *Why We Fight (Pourquoi nous combattons)*. « Il fallait absolument que nous y allions, dit encore Julius, même si le studio était assez furieux contre nous. Mais à notre retour, tout allait bien. »

C'était le caractère irrévérencieux des jumeaux qui donnait ce tranchant à leurs dialogues, et jamais Julius ne prit les Warner au sérieux. « C'étaient des bouchers de Youngstown, dans l'Ohio, et je les appelais ouvertement les Bouchers de Burbank. » Les Epstein étaient sous contrat à une époque où les scénaristes faisaient toute leur carrière dans le même studio ; mais après plusieurs années à la Warner, ils espéraient en sortir : « Nous étions sous-payés, dit Julius, et nous n'avions pas les films que nous voulions. » Warner en avait conscience et « savait que nous ferions n'importe quoi pour nous dégager de notre contrat ».

« Nous ne travaillions que deux heures par jour, explique Julius. Je continue à ne travailler que deux heures par jour. » (Philip est mort en 1952.) L'idée de la concentration du génie était étrangère à Harry et Jack Warner, qui voulaient une journée complète de travail — ou du moins une journée complète de présence — pour un salaire quotidien complet. « Un jour, nous sommes arrivés à une heure et demie ou deux heures et nous sommes tombés sur J. L. Il était furieux. "Relisez votre contrat ! hurla-t-il. Les directeurs de banque arrivent au bureau à neuf heures et vous ne venez que l'après-midi !" Nous avions un scénario à demi terminé dans notre bureau. Nous le lui avons envoyé avec un mot : "Que le directeur de banque termine le scénario." Un an plus tard environ, nous sommes arrivés à neuf heures et nous lui avons envoyé une scène. "Cette scène est horrible", nous dit-il. Et mon frère lui répondit : "Comment est-ce possible ? Nous l'avons écrite à neuf heures du matin. — Vous allez me rendre mon argent", hurla Jack. A quoi mon frère répondit : "Je serais ravi de vous rendre votre argent, mais je viens de faire construire une piscine. En revanche, si vous passez dans le coin et que vous ayez envie de piquer une tête..." »

Il arrivait souvent que les frères — et d'autres scénaristes — n'écrivent que ce qui était nécessaire pour le tournage du lendemain, et *Casablanca* ne fit pas exception. « Parfois, le jour même, on nous disait : "Il faut une autre scène." Alors on s'asseyait, on l'écrivait et on apportait les pages nous-mêmes sur le plateau. » Prenaient-ils des idées sur le plateau ?

« Nous n'avons jamais eu d'aide ni des acteurs, ni du réalisateur, ni de personne.

— Vous apportiez la scène et vous retourniez dans votre bureau ?

— Ça marchait », répond Epstein en haussant les épaules.

C'était cette confiance en soi irrévérencieuse que Wallis voulait traduite à l'écran pour son nouveau film. Les dialogues spirituels portaient l'histoire, mais les frères Epstein ne furent pourtant pas seuls à travailler au scénario. Howard Koch avait écrit pour Orson Welles l'adaptation de *la Guerre des mondes* qui, diffusée le soir de Halloween 1938, avait convaincu la moitié du pays que les États-Unis étaient envahis par les Martiens. Il avait aussi à son actif des scénarios : *l'Aigle des mers, la Lettre*, et *Sergent York*. On l'appela pour renforcer les aspects politiques et dramatiques de l'histoire. Koch refusa que Rick soit un avocat expatrié fuyant un scandale et en fit un idéaliste blessé au secret passé antifasciste ; il n'était plus l'alcoolique pitoyable que Bogart détestait mais un dur cynique. Pour le côté romantique, Wallis s'adressa à Casey Robinson, scénariste des « films de femmes » les plus réussis (dont *Victoire sur la nuit*), pour qu'il écrive les scènes d'amour qui compléteraient l'intrigue. C'étaient ses dialogues pour Bogart dans *Victoire sur la nuit* qui avaient convaincu Charles Einfeld que Bogart pouvait jouer les premiers rôles, et il allait fournir les scènes qui feraient de l'acteur le symbole du nouveau héros romantique.

Les trois équipes de scénaristes, qui travaillaient chacune de leur côté, jouèrent en faveur de Bogart, et leurs efforts disparates se liguèrent pour obtenir un résultat légendaire. « Personne, dit Julius Epstein, n'aurait pu savoir ce qui allait en sortir. Maintenant, *tout le monde* prétend avoir écrit des scènes du film ! Et ce n'est pas mon film préféré. Non. Le mien, c'est *Light in the Piazza (la Lumière sur la place)* [1962] ; personne ne l'a vu. » Les mois de préparation et de réécriture du film sont très bien détaillés dans *Round Up the Usual Suspects*, d'Aljean Harmetz, récit complet du tournage de *Casablanca* [33].

Tous les éléments de base se trouvaient déjà dans la pièce *Everybody Comes to Rick's* : la boîte de nuit dans une ville dangereuse et ambiguë, l'Américain expatrié qui se cache de son passé et de lui-même, l'officier de Vichy amoral et l'immoral officier de la Gestapo, les indispensables lettres de transit, l'élégant chef de la Résistance et la belle héroïne déchirée entre l'homme qu'elle aime et celui qu'elle vénère.

On retrouve dans le scénario définitif des scènes entières, parfois intactes, parfois retravaillées : Laszlo entraînant les clients à entonner *la Marseillaise*, les échanges acerbes entre Rick et l'as du marché noir Ugarte, entre Rick et le préfet de Vichy, entre Rick et le chef de la Gestapo, entre Rick et Sam, ainsi que des dialogues qui sont devenus des classiques pour des générations de cinéphiles.

En avril, le projet prenait forme et Michael Curtiz avait été choisi pour le réaliser. George Raft réclamait le rôle de Rick Blaine, comme l'expliqua Warner à Wallis. Qu'en pensait-il [34] ? Wallis déclina la proposition : « Il n'a pas fait de grande composition chez nous depuis qu'il était gamin. Bogart est idéal pour ce rôle, qui a été écrit pour lui [35]. »

Il est heureux pour Bogart que Joan Alison n'ait pas été chargée du choix des acteurs. Belle et riche divorcée de dix ans plus âgée que son collaborateur Burnett, elle avait une idée très précise de ce à quoi Rick Blaine devait ressembler : « Mes deux époux avaient les épaules larges et ils étaient de beaux athlètes, dit-elle à Harmetz, et Rick aurait dû leur ressembler. J'aurais voulu Clark Gable. Je détestais Humphrey Bogart, ce médiocre ivrogne. »

Mais Wallis connaissait son homme. Après des années de luttes, Bogart tenait enfin un rôle sur mesure.

Quant à l'héroïne, Lois Meredith, une merveilleuse aventurière américaine, elle avait laissé tomber Rick à Paris pour épouser un homme dont elle avait brisé le mariage, puis, arrivée à Casablanca, elle retombait dans le lit de Rick. Quelles qu'aient été les divergences des scénaristes la concernant, ils se retrouvaient sur un point : Lois Meredith pouvait aller à Paris et à Casablanca, mais jamais elle ne ressortirait vivante du Bureau Breen.

« Essayez de trouver une étrangère pour le rôle, avaient écrit les

179

Epstein de Washington. Une Américaine avec des gros seins ferait l'affaire [36]. »

Renonçant à Ann Sheridan, la Warner demanda à la MGM de lui prêter Hedy Lamarr, la petite brune originaire de Vienne qui était l'héroïne de *Casbah*. Louis B. Mayer refusa. On auditionna la blonde Michèle Morgan, dont les exigences — cinquante-cinq mille dollars — semblèrent un peu élevées, et la brune danseuse Tamara Toumanova, qui allait devenir Mme Casey Robinson.

Mais Wallis avait déjà en vue une autre actrice. Il avait dû y renoncer pour *Échec à la Gestapo*, mais il était bien décidé, pour *Casablanca*, à associer Humphrey Bogart et Ingrid Bergman. Cette fois, la politique aida la Warner. Le producteur David O. Selznick, qui avait sous contrat cette actrice, alors âgée de vingt-sept ans, s'inquiétait d'une rumeur annonçant que la Suède pourrait rejoindre l'Axe. Apparemment, la Warner n'en avait pas eu vent et Selznick était impatient de sceller le pacte avant que sa déesse scandinave ne devienne une denrée périmée [37].

La carrière hollywoodienne d'Ingrid Bergman avait en trois ans montré plus de promesses que de succès. Selznick l'avait appelée en Amérique en 1939 pour jouer avec Leslie Howard dans une version d'*Intermezzo*, le grand succès romantique suédois de 1936 qui avait attiré l'attention de Hollywood. Depuis, elle avait tourné dans trois films pour d'autres studios, obtenant de bonnes critiques mais pas une véritable reconnaissance. On savait aussi qu'elle voulait le rôle principal dans l'adaptation par la Paramount de *Pour qui sonne le glas,* d'Ernest Hemingway, film de prestige auprès duquel *Casablanca* semblait bien modeste.

Désireux sans doute de ne pas paraître trop pressé d'abandonner son actrice, Selznick dit qu'il voulait en savoir plus sur le projet avant de la céder à la Warner. Début avril, deux semaines après leur retour de Washington, on délégua les Epstein dans la demeure aux colonnes blanches de Culver City d'où Selznick dirigeait ses productions. Leur consigne était simple : parler du scénario de *Casablanca* à Selznick et revenir avec un « oui » quant à Bergman — le tout sans scénario définitif.

La suite est devenue une légende de Hollywood. Les jumeaux furent introduits dans le bureau de Selznick où le producteur, sa tête de bison avec sa masse de cheveux bouclés et brillantinés penchée sur une assiette, engloutissait son déjeuner.

« Il mangeait bruyamment de la soupe, raconte Julius Epstein, et à aucun moment il n'a levé les yeux sur nous. Je commence à lui raconter l'histoire : "Euh, c'est à Casablanca, et il y a des réfugiés qui essaient d'en partir, et il faut des lettres de transit, et un type en a, et les flics viennent l'arrêter" — et je me rends compte que j'ai parlé vingt minutes sans la moindre allusion au personnage de Bergman.

Alors je dis : "Bon, enfin ! Ça va être une belle merde, comme *Casbah.*" Et Selznick a levé les yeux et hoché la tête. Nous avions Bergman[38]. »

L'arrivée d'Ingrid Bergman acheva de modifier la personnalité de l'héroïne. Le public aurait accepté Ann Sheridan dans le rôle tel qu'il était — à supposer qu'il ait franchi le sas du Bureau Breen —, mais non Ingrid Bergman. Son public au début des années 1940 aimait en elle la pudeur, la franchise de la jeune fille aux bonnes joues qu'on voulait croire vierge. Son image resta telle jusqu'en 1949, quand elle quitta son mari, le dr Peter Lindstrom. Son aventure avec le réalisateur Roberto Rossellini, dont elle était enceinte, choqua le monde et l'éloigna des États-Unis pour sept ans. Lois Meredith était « une femme d'expérience, intelligente, cosmopolite, qui couchait avec qui elle voulait », dit Epstein. Mais en 1942, « qui allait croire ça d'Ingrid Bergman ? »

Lois passa à la poubelle des personnages abandonnés et à sa place naquit la mystérieuse Ilsa. C'est Michael Curtiz qui avait trouvé le nom, dit Epstein. Né Mihali Kertesz en 1888 à Budapest, il parlait un anglais atroce, mais il était à même de trouver le nom d'une héroïne européenne. Il l'avait pris dans un poème du *Voyage dans les montagnes du Hartz* de Heine : « *Je suis la princesse Ilsa...* »

Mais comme le souligne Harmetz, Ilsa avait aussi des aspects dangereux. Elle était mi-amante, mi-destructrice, une enchanteresse dont l'innocence pouvait charmer un homme mais aussi le conduire à sa perte. Ou du moins le laisser sur le quai d'une gare parisienne avec l'impression d'avoir pris un coup dans l'estomac.

Bogart termina *Griffes jaunes* début mai. Après ces neuf semaines de travail presque ininterrompu, il demanda et obtint un temps de repos avant de commencer son troisième film en moins de six mois. Il avait discuté de tout avec Mike Curtiz, assura-t-il à Steve Trilling, et presque tous ses costumes étaient prêts. Il voulait juste monter sur son bateau et rester en mer aussi longtemps que possible[39].

Son nouveau contrat, négocié en janvier, lui assurait pour la première fois quatre semaines de vacances. Son ancien contrat le liait encore pour deux ans, mais le studio, conscient de l'évolution de Bogart sur le marché, avait préféré le renégocier le plus vite possible pour ne pas avoir à payer très cher plus tard. C'était une indication de la réussite de Bogart. Maintenant, quand il traitait avec son agent, son homme d'affaires et son avocat, le studio n'avait pas la même attitude envers lui. Les exigences de Bogart étaient claires, et la plupart furent acceptées. Bogart voulait un contrat de sept ans comparable à celui de Clark Gable à la MGM. Le studio ne pourrait plus lui imposer des conditions qu'il jugeait inacceptables, il serait payé en plus pour toute apparition personnelle et il pourrait faire de la radio quand il ne tournerait pas. Et bien sûr, il y avait le salaire. L'ancien contrat lui accordait mille huit cent cinquante dollars par semaine pour 1942. Il en demanda trois mille et en obtint deux mille sept cent cinquante. « J'espère sincèrement, écrivit l'avocat Roy Obringer à Sam Jaffe à la mi-janvier, que M. Bogart est maintenant prêt à exécuter son contrat[40]. »

Jaffe n'insista pas pour que Bogart puisse choisir ses sujets, point central de ses différends avec la Warner. Soulever le problème, expliqua-t-il, eût été sans espoir. « Ça ne pouvait pas marcher. A ce stade, il ne pouvait obtenir le droit d'approuver les sujets. En cas de désaccord, un acteur n'avait d'autre choix que refuser et être suspendu. » Mais quelques acteurs du studio l'avaient obtenu, et le problème de Bogart, c'était que son agent n'avait pas su taper du poing sur la table.

Pourtant, c'était sous les auspices de Jaffe que la carrière de Bogart avait pris son envol, et il était le plus gros client de l'agence. Jaffe travaillait dur et lui était tout dévoué. Mais, non, il n'était pas un Leland Hayward ou un Myron Selznick, capable d'arracher des concessions pour le bonheur de son client. Jaffe pouvait argumenter, râler, supplier, mais il ne savait pas exercer de pressions.

Il faut dire que Bogart était une star, mais pas encore une grande star. Un bon agent connaît les limites de ce qui peut être exigé du studio, et Bogart et Jaffe avaient probablement conclu le meilleur contrat possible. Mais la question de l'approbation des rôles continuait d'être une pierre d'achoppement dans les relations entre Bogart et la Warner.

Le 21 mai, quatre jours avant le début du tournage de *Casablanca*, la Warner organisa une projection test de *Griffes jaunes* à Washington. Jack Warner télégraphia au bureau de la publicité que le film était un succès éclatant : « RÉACTION DU PUBLIC ME CONVAINC SANS L'OMBRE D'UN DOUTE QUE HUMPHREY BOGART EST UNE DE NOS PLUS GRANDES STARS ; EN BOGART NOUS TENONS CE QUE JE CONSIDÈRE HONNÊTEMENT COMME L'ÉQUIVALENT DE CLARK GABLE[41]. »

J. L. n'avait pas fait le voyage de Washington pour la seule projection. Il possédait là un bureau qui tentait d'influer sur la politique. Le soir du 7 juin, M. et Mme Jack Warner dînèrent à la Maison-Blanche avec le Président et Mme Roosevelt[42]. Entre autres amabilités, Roosevelt indiqua qu'il apprécierait une autre rencontre avec Warner, avant qu'il ne parte rejoindre sa famille à Miami.

Ils se retrouvèrent à quatorze heures le jour où Warner devait prendre le train à dix-sept heures, et dès quinze heures trente, William Schaefer, en nage, arpentait le quai de Union Station. Il devait s'occuper de la belle et autoritaire Ann Warner, de sa montagne de valises et de boîtes à chapeaux et de ses récriminations contre la réunion à venir avec les autres Warner. A seize heures trente, Schaefer frôlait la panique, prêt à tout sauf à appeler le Bureau ovale. A quelques minutes du départ du train, J. L. arriva. On chargea précipitamment les bagages, et les passagers montèrent dans le train à la seconde où il quittait la gare.

Installé dans son compartiment, le bouillant Jack Warner était d'un calme anormal. Il aurait dû se montrer intarissable sur sa rencontre avec le Président. Il finit par prendre conscience du regard interrogateur de Schaefer.

« Nous avons parlé d'un film que je vais faire [43] », dit-il.

Dans les semaines qui suivirent, Schaefer apprit qu'il s'agissait de *Mission to Moscow*, tiré du grand succès de librairie prosoviétique de Joseph E. Davies, ancien ambassadeur en URSS. Il avait été publié avec les encouragements discrets de la Maison-Blanche et visait — comme le projet de film — à créer un élan de sympathie national en faveur des Russes. Les communistes sans foi ni loi de l'année précédente étaient maintenant les alliés de l'Amérique. Mais c'était aussi un geste de bonne volonté à l'intention des Soviétiques, comme Roosevelt l'avait expliqué à Warner, qui transmit le message à ses lieutenants : « Les Russes, dit Schaefer, demandaient aux États-Unis de lancer une offensive qui détournerait quelques forces du front russe, mais nous n'y étions pas encore prêts, même si nous leur envoyions des tonnes d'équipement. Alors, pour les faire patienter, Roosevelt pensait à l'évidence que tourner *Mission to Moscow* aiderait à l'entente entre les deux pays. »

Astucieusement, Roosevelt s'était adressé au directeur de studio le plus favorable au New Deal pour lui demander son aide discrète. Jack Warner était politiquement proche du Président, mais de surcroît, comme la plupart des hommes qui se sont élevés à des postes d'autorité dans leur royaume mais doivent affronter des adversaires à l'extérieur, il cherchait toujours un biais pour s'élever au-dessus de ses égaux. Quoi de mieux que de voir le président des États-Unis vous présenter une requête secrète ? *Mission to Moscow* était plus qu'un film ; c'était un service rendu à la nation. « C'est notre devoir de patriotes de mener cette mission à bien », écrivit-il à Jake Wilk, ajoutant au crayon : « Extrêmement confidentiel ; tu sais que Washington est derrière tout ça. » Pour permettre à Roosevelt de nier tout rapport avec l'affaire en cas de problème, la demande de la Maison-Blanche resta orale. Warner devait prétendre qu'il avait eu l'idée du film, même face à la critique, comme un bon soldat obéissant à son commandant en chef. Bien des années plus tard, les conservateurs du Congrès et d'autres anticommunistes accusèrent Warner d'avoir été un pion, et assurèrent que Roosevelt lui avait forcé la main pour qu'il fasse le film. « Il a toujours affirmé que ce n'était pas le cas, dit Schaefer. Mais Roosevelt avait tout de même donné ses ordres. »

Avant que le mot existe, le projet devint un *docudrama*. *Mission to*

Moscow était de la propagande qui se voulait de l'histoire. Le film entreprenait d'effacer des années de démonisation en recouvrant d'un halo doré les aspects les plus sombres du règne de Staline, légitimant même les procès et les purges qui avaient décimé la direction du pays. Pour l'ambassadeur Davies, qui aimait l'Union soviétique et haïssait le stalinisme (« les purges et la terreur sont ici d'une incroyable horreur », avait-il écrit de Moscou)[44], il s'agissait de sacrifier quelques principes pour un bien plus élevé. Il savait qu'on ne pourrait vaincre Hitler sans l'aide de l'URSS. Sa tâche, expliqua-t-il au journaliste Edward R. Murrow, consistait à conserver par tous les moyens possibles les Soviétiques du côté des Alliés[45]. *Mission to Moscow* était un mauvais film fait pour de bonnes raisons, et c'était aussi une bombe à retardement qui finirait par éclater dans les mains de Jack Warner.

On devait à l'origine commencer le tournage de *Casablanca* fin avril, puis on le repoussa à la mi-mai, avant de le différer encore jusqu'à la fin du mois. Même alors, la situation n'était guère prometteuse. Une semaine plus tôt, Bogart, Ingrid Bergman et Geraldine Fitzgerald s'étaient retrouvés tristement autour d'une table dans la salle verte de la Warner. Geraldine jouait avec Bette Davis dans *Watch on the Rhine*, qu'on tournait enfin, ce qui était pour elle un recul au stade où sa carrière en était en 1938. Elle avait eu sa chance avec *le Faucon maltais*, elle l'avait perdue, et en dépit de l'attention personnelle que lui portait Jack Warner, elle n'intéressait plus le studio.

En déjeunant, les deux vedettes de *Casablanca* exprimèrent leurs propres frustrations et leur découragement. « Tout tournait autour de la façon dont ils pourraient se dégager de ce projet, dit Fitzgerald à Aljean Harmetz. Ils trouvaient les dialogues ridicules et les situations invraisemblables. Et Ingrid était terriblement inquiète de devoir jouer la plus belle femme d'Europe, personne n'y croirait ! "Je ressemble à une fille de ferme", disait-elle. Je connaissais très bien Bogart, et je crois qu'il voulait joindre ses forces à celles d'Ingrid pour s'assurer que tous deux allaient dans le même sens. Il avait tellement souffert pendant tant d'années à la Warner ! » C'est là la seule trace de relations entre Bogart et Bergman hors du plateau.

On a beaucoup écrit sur le manque d'entente personnelle entre deux des plus célèbres amants du cinéma. « Je l'ai embrassé, mais je ne l'ai jamais connu », aurait dit Ingrid Bergman de Bogie, déclaration qu'elle n'a jamais confirmée, mais jamais désavouée. La seule trace de commentaire de Bogart est galante mais insignifiante : « Quand la caméra s'approche du visage de Bergman, et qu'elle vous dit qu'elle vous aime, elle rendrait n'importe qui romantique[46]. » A en croire la mythologie hollywoodienne, Jack Warner, en présence d'Ingrid Bergman, aurait dit :

« Qui voudrait embrasser Bogart ?

— Moi », aurait-elle répondu.

Malgré son aura virginale, on savait qu'Ingrid Bergman avait des aventures avec ses partenaires. Pas cette fois. Pour Bogart, acteur de neuf à dix-huit heures, le tournage quotidien était un travail qu'il faisait consciencieusement et terminait aussi vite que possible. Rien d'autre ne comptait, de toute façon, que ce qu'on voyait à l'écran — et c'était la seule chose qu'un acteur devait à son public. Il se trouvait que le public, à cette époque, élevait Bogart au statut de héros romantique.

Quand le tournage de *Casablanca* commença, le 25 mai, on n'avait toujours pas de scénario définitif, mais la Warner n'avait plus le choix. Le prêt d'Ingrid Bergman par Selznick spécifiait des dates précises, et il aurait fallu payer des pénalités substantielles pour garder l'actrice plus que les huit semaines convenues. Pourtant, à l'exception de Bogart et Bergman, on n'avait pas encore choisi tous les acteurs ; pis encore, peu des acteurs désirés étaient sous contrat à la Warner. Il s'agissait d'un ensemble de talents engagés dans d'autres studios. Sydney Greenstreet et Peter Lorre, que Wallis voulait pour jouer Ferrari et Ugarte, les trafiquants du marché noir, ne montraient aucun enthousiasme dans les négociations. Pour le rôle de Victor Laszlo, Wallis avait espéré l'acteur hollandais Philip Dorn, qui avait interprété un chef antinazi dans *Underground* (1941) mais il était loué à la MGM[47]. Paul Henreid, le second choix, n'était guère enthousiaste, et de toute façon, il n'était pas libre.

Pour le rôle important de Sam — le pianiste, ami, serviteur et chœur du drame — le choix prit des semaines. Wallis songea même à se rabattre sur une femme. On pensa à Lena Horne (« Grand talent — très jolie fille assez claire de peau »), Ella Fitzgerald, et Hazel Scott, qui épousa plus tard le député Adam Clayton Powell. On abandonna l'idée, peut être parce que associer Bogart à une belle Noire eût été inacceptable pour les sensibilités américaines de 1942.

Quand on décida que Sam serait un homme, Wallis voulut Clarence Muse, un des Noirs les plus demandés à Hollywood. C'était un bon baryton avec plus de quarante films à son actif, dont *Show Boat* (1936) et *Huckleberry Finn* (1931), où il jouait Jim. Wallis fit faire un essai à Arthur « Dooley » Wilson, recruté à Broadway un an plus tôt par la Paramount. Pour la scène « Patron, partons d'ici », Wallis ne lui attribua qu'un maussade « assez bien » ; et puis Wilson était percussionniste, pas pianiste (dans le film, la musique était enregistrée par le pianiste du studio Elliot Carpenter). C'est tout de même Wilson qui obtint le rôle. Wallis l'accepta avec une de ces phrases que l'histoire rend ironiques : « Il n'est pas idéal pour le rôle, mais comme on est coincés et qu'on ne peut pas trouver mieux, je pense qu'il y arrivera[48]. »

Pour le premier jour de tournage, la scène se passait à Paris : Rick

185

et Ilsa au café La Belle Aurore, Sam au piano, Elliot Carpenter hors champ jouant « As Time Goes By ». Quatre jours plus tôt, cette séquence en flash-back n'existait même pas. Casey Robinson l'avait écrite à toute allure et envoyée à Wallis, qui l'avait fait suivre à Curtiz. « Le dialogue est un peu précieux, disait le mot d'accompagnement, mais cela convient à la scène, à la situation et à ce que nous essayons de faire sentir au public en cinquante pieds [environ trente-trois secondes] de film — c'est-à-dire une histoire d'amour intense entre deux personnes [49]. »

Julius Epstein dit que son frère et lui récrivirent la scène pour améliorer le dialogue. « La seule réplique de Robinson qui est restée, et nous avons pourtant bataillé pour l'enlever parce que ça ne ressemblait pas du tout au personnage de Bogart, c'est : "Un franc pour tes pensées." Mais le réalisateur et tout le monde aimaient cette réplique, alors on l'a gardée [50]. »

Pendant des semaines, le scénario resta incomplet. Les nouvelles moutures ne cessaient d'arriver, sujettes à leur tour à une autre réécriture. Wallis s'inquiétait du temps qui passait et l'humeur sur le plateau était électrique. Curtiz s'emportait un jour contre l'ingénieur du son Francis Scheid, et le lendemain contre le chef opérateur Arthur Edeson. Bogart, au début, restait tranquillement assis, jouant aux échecs par courrier avec un partenaire de Brooklyn, Irving Kovner, frère d'un employé de la Warner. Le match avait commencé au début de l'année, Bogart notait les déplacements des pièces au dos de cartes postales, de son écriture si particulière. Les missives commençaient toujours par « Cher Irving » et comportaient immanquablement un message personnel : « Tu es trop impulsif, calme-toi » ; « Maintenant, je suis dans le pétrin » ; « Ne t'en fais pas, je joue ». « Le jeu l'intéresse beaucoup, écrivit un jour à son adversaire la secrétaire de Bogart, Kathryn Sloan. Il en retire un grand plaisir [51]. » Ce fut Howard Koch qui eut l'idée d'incorporer les échecs au film. Le match était une métaphore de la relation Rick/Renault (Claude Rains), dit-il à Wallis, et « des intrigues semblables à un jeu d'échecs qui règnent à Casablanca [52] ».

L'échiquier fait partie de la présentation de Rick Blaine. Autour de lui, on voit aussi un verre de vin à moitié vide, une cigarette qui finit de se consumer et une reconnaissance de dettes de jeu qu'on présente à l'acteur encore hors champ, qui l'endosse au crayon noir d'un ferme « OK Rick ». Le public sait dès le départ que c'est un homme réfléchi, joueur, buveur, et un stratège qui contrôle son territoire. La caméra recule et révèle Bogart qui tire sur sa cigarette, concentré sur son jeu, la lampe au-dessus de lui transformant ses orbites en taches noires indéchiffrables.

Peter Lorre (Ugarte) tente d'entrer en conversation avec lui qui, les yeux toujours fixés sur l'échiquier, répond par monosyllabes d'une manière méprisante et distraite. La séquence se termine quand Ugarte révèle qu'il est en possession des documents de voyage volés sur deux courriers allemands assassinés et qu'il voudrait que Rick les cache. C'est un duel verbal et émotionnel, les deux hommes manœuvrant en contrepoint du déplacement des pièces sur l'échiquier.

Hors caméra, Bogart jouait contre Paul Henreid. « Bogart avait très envie de jouer aux échecs, dit Henreid, et je n'arrêtais pas de le battre. C'était un bon joueur d'échecs, très bon. J'étais juste un peu meilleur [53]. »

L'acteur viennois était arrivé un mois après tout le monde. Il avait fallu des semaines pour négocier le contrat, et plus longtemps encore pour attendre qu'il ait fini de tourner *Now, Voyager* avec Bette Davis, dont la production prenait chaque jour plus de retard. Curtiz, dans le café de Rick, évita Henreid tant qu'il le put. Il tourna les scènes avec Bogart, avec Bergman, avec Rains — avec tout le monde et n'importe qui, sauf Henreid. Hal Wallis écrivit même une scène juste pour qu'ils puissent rester sur le plateau 8 [54]. Enfin, le 25 juin, Henreid, en costume blanc, passa la porte du café. « *J'ai réservé une table. Victor Laszlo.* »

Presque tout le monde arriva chez Rick de la même façon, et les acteurs formaient un mélange ethnique sans précédent pour le Hollywood de 1942, du Noir Dooley Wilson aux acteurs réfugiés bien contents d'avoir du travail, qu'ils jouent des réfugiés ou, ironiquement, des nazis. Conrad Veidt, l'élégant et glacial commandant de la Gestapo qui aime le champagne millésimé et le caviar bien frais, avait joué dans des films muets aussi bien en Amérique qu'en Allemagne. Il interprétait un zombie dans un classique de l'expressionnisme allemand datant de 1919, *le Cabinet du Dr Caligari*, un homosexuel victime d'un chantage dans *A Man's Past*, et l'amant de Vivien Leigh dans *Dark Journey (le Mystère de la section 8)*. Acteur au visage ciselé et aux mouvements de danseur, il avait quitté l'Allemagne avec son épouse juive et pris la nationalité britannique. Il jouait maintenant les méchants étrangers et les nazis. Sur l'écran, il incarnait la menace hitlérienne. Hors écran, c'était un homme charmant et très aimé, que ses amis appelaient M. Démocratie.

Peter Lorre, né Laszlo Lowenstein, était un acteur juif qui avait eu le courage de faire une satire des nazis au début de leur ascension à Berlin, avant une carrière au cinéma où il devait incarner sa dose de nazis et autres psychopathes. Paul Henreid, lui-même réfugié, avait attiré pour la première fois l'attention en ennemi aryen blond en 1940 dans le thriller *Night Train*, entraînant un flot de lettres de femmes amoureuses de ce « mignon nazi ». Né Paul Georg Julius von Henreid, il aimait se dire de la vieille aristocratie autrichienne, et racontait ses souvenirs dans la propriété familiale en Tchécoslovaquie. Les origines de son père, un banquier qui cultivait des orchidées, élevait des pur-sang et était des proches de l'Empereur, sont vagues, mais il avait probablement au moins quelques ancêtres juifs, ce qui pouvait expliquer que l'acteur ait fui l'Europe et tant haï le nazisme.

Presque tous les acteurs avaient une histoire exotique. Marcel Dalio, le croupier, avait été une grande star en France *(la Grande Illusion, la Règle du jeu)*. Le tremblant S. Z. Sakall, qui jouait Carl, le serveur, venait de Budapest. Gregory Gaye, le banquier allemand interdit de salle de jeu, et Leonid Kinsky, le barman Sascha, avaient été acteurs à Saint-Pétersbourg. Greenstreet et Rains venaient en tête des seconds rôles, mais on avait hésité à confier à Rains le rôle du préfet de police, le capitaine Renault.

« Nous avons demandé, raconte Julius Epstein : "Il y a tant de bons acteurs français, pourquoi choisir un Anglais ?" Nous avions tort [55]. »

C'est à Steve Trilling que l'on doit le bon fonctionnement de l'ensemble. Mais cela coûtait aussi très cher. Greenstreet et Rains touchaient chacun trois ou quatre mille dollars par semaine, qu'ils travaillent ou non.

Le plus gros problème continuait d'être le scénario inachevé, mais Bogart réussit à rester calme. Il était un vétéran des réécritures de dernière minute et des colères de Curtiz. « J'ai déjà vécu tout ça », dit-il à Koch, qu'il avait appelé dans sa loge pour qu'il « se détende et prenne un verre ». Koch se rappelle qu'« il était serein et gardait son calme. Je ne me souviens pas de l'avoir vu énervé. Il arrivait, regardait les dialogues qu'on venait d'écrire ; s'il avait des suggestions, il les faisait. En général, il n'en avait pas. Il faisait juste son boulot, et il le faisait bien [56] ».

Dan Seymour qui, avec son imposante silhouette, jouait le portier arabe, a le souvenir d'un Bogart agréable et amical, qui lui demandait chaque matin en arrivant : « Tu as laissé entrer quelqu'un que tu n'aurais pas dû ? »

« Il avait toujours du temps pour les bavardages habituels entre les prises, dit Leonid Kinsky, mais ceux qui croyaient que Bogie ne travaillait pas ses rôles se trompaient lourdement. Jamais il ne jouait sans avoir réfléchi sérieusement à chaque étape de son personnage [57]. » Et comme toujours, ses collègues plus jeunes apprécièrent son aide. Joy Page, âgée de dix-sept ans, jouait la jeune réfugiée bulgare terrorisée qui demande l'aide de Rick pour que son mari et elle puissent partir en toute sécurité. Non seulement elle avait peur à l'idée de sa première apparition devant une caméra — une longue scène avec Bogart, de surcroît — mais elle était aussi la belle-fille du très impopulaire Jack Warner. Des années plus tard, elle raconta à Harmetz comment, tremblante dans sa loge, elle avait vu arriver Bogart. Il lui avait dit de ne pas s'en faire. Et puis, « avec patience et gentillesse », il avait relu la scène avec elle et il était resté très protecteur [58].

Ingrid Bergman charma rapidement tous les membres de l'équipe. Mike Curtiz, difficile et irritable avec les acteurs, l'appelait

« Christmas Baby » — peut-être, dit l'assistant à la mise en scène Lee Katz, parce que « Ingrid ressemblait à quelque chose qu'on adorerait avoir pour Noël [59] ». Dan Seymour lui prêta une histoire des États-Unis quand elle eut besoin de réviser pour son examen de naturalisation. Il en fut récompensé de temps à autre par un « Pose-moi une question ! » accompagné de l'incomparable sourire radieux de l'actrice.

La différence entre les deux acteurs principaux était flagrante dans leur approche de leur travail. Bergman se perdait souvent dans le côté romantique de ses rôles, ce qui expliquait peut-être ses élans vers ses partenaires. Elle détestait quitter le studio parce qu'elle trouvait l'imagination devant la caméra préférable à la réalité d'un mariage bourgeois où elle suffoquait. Pour Bogart, ses partenaires n'étaient en général que des collègues, même — ou surtout — dans les scènes d'amour, qu'il trouvait plus embarrassantes qu'agréables.

Pourtant, « il aimait bien Bergman, dit Leonid Kinsky. Il la respectait parce qu'elle était très bonne actrice. Mais je ne crois pas qu'il se soit passé quelque chose entre eux [60] ».

L'amour à l'écran n'était peut-être pas pour lui, mais son image dans *Casablanca* est celle d'un homme désespérément amoureux.

« Une chose concernant Bogart que beaucoup de gens ne comprennent pas, remarque Dan Seymour, c'est qu'il était un comédien. Je ne veux pas dire qu'il n'aimait pas Bergman, mais il travaillait avec elle. Pourtant, au début, on avait l'impression qu'ils se faisaient face comme deux chiots dans un même quartier, marquant leur territoire [61]. »

Au départ, naturellement, chacun était inquiet de travailler avec l'autre. Ingrid Bergman confia plus tard à Nathaniel Benchley que, pour se préparer à l'épreuve, elle avait visionné maintes fois *le Faucon maltais*. Elle dit qu'elle avait l'impression d'être une grande Scandinave avec une petite liste de films à son actif, et elle était très nerveuse à l'idée de rencontrer Humphrey Bogart — qui, s'il la dominait par le nombre de ses films, dut porter des blocs de bois de huit centimètres sous ses semelles pour rattraper leur différence de taille [62]. Des années plus tard, elle le dit attentionné et gentil, même à la fin du difficile tournage, quand il commença à s'énerver contre tous les autres [63].

C'est le professionnalisme des deux stars qui crée la magie à l'écran, leur talent d'acteur, beaucoup plus puissant que les élucubrations des magazines de fans concernant une aventure entre eux. Quand finalement Bogart aura une aventure avec une partenaire, ce sera l'exception à la règle et cela durera beaucoup plus longtemps que l'espace d'un tournage.

Qu'il y ait eu ou non de réels sentiments entre Bergman et Bogart n'avait pas d'importance, parce que Mayo ne lâchait pas son époux, persuadée, elle, qu'il était amoureux de sa partenaire. Quand le studio inonda la presse de commentaires sur « la délicieuse Ingrid Bergman... la beauté suédoise à la peau laiteuse... une des stars les plus populaires de Hollywood... », Mayo réagit en téléphonant constamment à Bogart au studio. Il arrivait qu'elle vienne déjeuner dans la salle verte[64], ou qu'elle entre sur le plateau, « la colère de Dieu sur le visage, dit Lee Katz. En fait, vous souhaitiez en la voyant que jamais elle ne vienne assombrir votre vie[65] ».

Elle avait conscience des regards et des commentaires qu'elle atti-rait, mais ses démons la possédaient trop pour qu'elle reste discrète, et elle hantait littéralement le plateau 8. Tout le monde plaignait Bogart d'avoir à vivre avec cette femme au visage bouffi, au corps alourdi par l'alcool. Après qu'elle eut poignardé Bogart quelques mois plus tôt, son médecin avait diagnostiqué un alcoolisme avancé et l'avait envoyée à un psychiatre, qui à son tour l'avait trouvée tout à la fois paranoïaque et schizophrène, l'avait mise en garde contre d'autres accès de violence, et avait insisté pour qu'elle commence un traitement sur-le-champ — ce qu'elle avait refusé[66].

Répondant à l'excès par l'excès, Bogart semblait aussi incapable que son épouse de faire face à la situation. Bob William, qui avait travaillé pour Sam Jaffe avant de se retrouver à la Warner, se souvient d'une soirée avec eux, dans leur salon. Leurs vitupérations réciproques gagnaient en virulence à chaque verre. Finalement, Mayo, rendue furieuse par l'alcool, tomba derrière le canapé, où elle continua à crier tandis que Bogart la frappait en pleurant de fureur et de frustration : « Espèce de garce, sale garce[67] ! » Ainsi se termina la soirée.

Le dialogue du film que tout le monde connaît maintenant se construisit bribe par bribe au fil des semaines de réécriture. Pour les membres de l'équipe, cela devint un rituel quotidien d'apprendre, de désapprendre, d'apprendre à nouveau des pages entières, et la tension devint telle qu'on frôla le point de rupture. L'humeur de Bogart s'en ressentit.

Son rôle était le plus long, sa charge de dialogue en constant change-ment de plus en plus lourde, et le comportement décontracté des premières semaines n'y résista pas. Ingrid Bergman se souvenait de retours de pauses de déjeuner qu'il avait passées à se quereller avec Wallis[68]. Il y avait aussi les discussion avec Curtiz mais, s'agissant de ce Hongrois aussi fort de tempérament que talentueux, elles étaient inévitables même sur les tournages les plus harmonieux. Curtiz arpen-tait le plateau en bottes d'équitation et dirigeait les opérations en autocrate, oscillant entre le charme sucré et les éclats d'humeur où il explosait en obscénités dans son anglais boiteux. C'était le quatrième film que Bogart et lui faisaient ensemble — le dernier ayant été *Virginia City (la Caravane héroïque)* en 1940 — mais jamais auparavant Bogart n'avait tenu le premier rôle, et naturellement l'acteur s'affirmait davan-tage, maintenant que son nom était en tête d'affiche. « Bogie était à bout de patience avec Mike », raconte Lee Katz. Mais il n'y eut pourtant « pas de feu d'artifice ». Bogart se contentait de répliquer calmement, voire de tourner les talons et de s'en aller pour faire valoir son point de vue. Avant la scène où Leonid Kinsky jouant Sascha le barman est en tête à tête avec Bogart, Curtiz accablait l'acteur russe d'instructions minutieuses. « Bogie le regarda et dit : "S'il te plaît, ferme-la. Tu ne peux pas dire à Leonid ce qu'il doit faire." Et ce fut tout [69]. »

Mais Curtiz était un grand professionnel dont deux des films qu'il tourna en 1942 attestent les vastes capacités : la brillante biographie musicale *la Parade de la gloire* et le mélodramatique *Casablanca*. Il était particulièrement doué pour les scènes d'action, et son conseil à un jeune collègue sur la façon de mettre en scène une foule avec seulement vingt figurants est devenu un classique : « Mets-en dix de chaque côté, dit-il, et fais-les courir devant la caméra — ils feront un bordel ! » De l'époque du muet, il avait aussi appris que les mots étaient superflus, qu'on pouvait dire beaucoup avec un regard, un sourcil levé, un hochement de tête.

C'est un hochement de tête « presque imperceptible » de Rick qui marque le tournant de l'intrigue dans *Casablanca*. Il indique à l'orchestre de jouer *la Marseillaise* et donne le départ d'une succession de scènes où les clients réfugiés de Rick, chantant la tête haute, leur dignité retrouvée, noient le chant des soldats allemands. Bien que ce soit Victor Laszlo qui ordonne à l'orchestre du café de jouer l'hymne national, c'est l'assentiment silencieux de Rick qu'attendent les musiciens pour l'entonner.

Sans un mot de dialogue, la séquence marque le retour du héros dans la bataille. Le tournage fut un moment d'émotion intense pour l'équipe, dont beaucoup de membres avaient des parents en camps de concentration. Madeleine LeBeau, qui jouait la prostituée Yvonne, avait fui la France avec Marcel Dalio, dont la mère était toujours à Paris, cachée dans une cave pour éviter la déportation. Dan Seymour, au fond du plateau, regardait les autres. « Je voyais leurs visages. Ils pleuraient [70]. » La caméra fait un gros plan d'Yvonne, dont la voix s'élève au-dessus des autres. Les citoyens réfugiés de 1942 chantaient l'hymne des citoyens de 1792 lors d'une autre invasion allemande. Le scénario prévoyait que les officiers allemands chantent l'hymne du parti nazi, mais il n'était pas dans le domaine public, et, guerre ou pas, le diffuser sans autorisation eût été une violation d'un accord international. Les avocats de la Warner craignirent que cela ne nuise à l'exportation du film dans des pays neutres comme l'Argentine, où beaucoup avaient des sympathies pour les Allemands.

Mi-juillet, après sept semaines de tournage et deux semaines à courir, les problèmes fondamentaux du scénario n'étaient toujours pas résolus. Une fois, J. L. en personne, désireux de trancher sur les divergences d'opinion concernant l'issue de l'aventure, fit retirer au matin la dernière version distribuée la veille[71]. Tous les scénaristes voulaient conserver la fin de la pièce, où Rick perd la fille ; mais le studio voulait une fin conforme aux conventions de Hollywood. « On se réunissait dans les coins pour en discuter, dit Howard Koch, le studio insistant lourdement : on a Bergman, on a Bogart, pourquoi ne resteraient-ils pas ensemble[72] ? » Le seul qui ne semblait pas avoir d'opinion était Bogart, dit Julius Epstein. « Tout ce qui l'inquiétait, c'était de savoir s'il pourrait faire du bateau le week-end[73]. »

Il y avait d'autres problèmes : même si Ilsa partait avec Laszlo, comment la faire partir ? Devait-elle se détourner et partir en courant ? Pas convaincant. Dans la pièce, Lois Meredith était pratiquement entraînée de force. L'idée de Casey Robinson était un direct du droit qui permettrait d'emmener l'héroïne inconsciente. Mais Rick[74] ? Serait-il arrêté ?

« Vers la fin, dit Epstein, c'était le chaos complet : pas de dénouement, aucune idée de ce qui allait arriver[75]. » Bergman en appela à Koch : « Comment jouer la scène d'amour si je ne sais pas avec qui je vais partir ? » Curtiz, ajoute Koch, avait un air de chien battu et s'inquiétait beaucoup. « Il voulait toujours qu'on en parle, ça se voyait sur son visage[76]. » Et il reportait ses frustrations sur les acteurs. Après une insulte de trop, le gentil Kinsky voulut quitter le plateau, jurant de ne plus revenir. Curtiz, pour une fois, s'excusa immédiatement. « On n'a pas de fin pour le film, dit-il pour expliquer son attitude. Tout le monde est nerveux. »

Le 17 juillet, le tournage ayant pris presque une semaine de retard, l'équipe se retrouva pour la scène à l'aéroport. Le plateau 1 était enveloppé de brouillard, parce que les mesures de sécurité interdisaient tout tournage en extérieur la nuit. Il fallut d'innombrables demandes, réunions et paperasses pour pouvoir insérer les plans de coupe des moteurs de l'avion. En arrière-plan, un avion peint artistement créait l'illusion. On avait aussi engagé des nains pour entourer le faux avion et faire croire qu'il était de taille normale[77].

Tout le monde avait les nerfs à vif. « Rick ne résout pas simplement le problème d'un triangle amoureux, expliqua Robinson à Wallis. Il force la fille à se montrer à la hauteur de l'idéalisme de sa nature, il la force à continuer le travail qui à ce moment-là est bien plus important que les problèmes individuels[78]. » Rick devient le *deus ex machina* remettant tout en place.

Tout reposait sur le monologue de quatre pages avec quelques brèves interruptions qu'on avait récrit pour la troisième fois en trois semaines et remis à l'acteur la veille au soir pour qu'il l'apprenne. Pour Bogart, qui apprenait son texte le matin sur le plateau parce qu'il n'arrivait pas à se concentrer chez lui, c'était un double fardeau, et les derniers lambeaux de sa patience se déchirèrent.

La querelle, dont les origines sont un peu vagues un demi-siècle plus tard, éclata au déjeuner. Bogart avait son idée sur la façon de jouer la scène, et Curtiz en avait une autre. « Ils se sont mis à crier de plus en plus l'un contre l'autre — mais Curtiz n'était pas le genre de type à qui on s'adresse en criant [79] », raconta Bob William. Le chef de plateau Al Alleborn, en désespoir de cause, alla chercher Hal Wallis dans son bungalow pour qu'il apaise tout le monde. Une heure plus tard, les disputes repartirent de plus belle. Et ce n'est qu'alors, nota Alleborn, qu'il fut « finalement décidé de la façon dont on tournerait la scène [80] ». La perte de temps fut consignée sur le rapport de production comme « conférence entre MM. Curtiz et Bogart [81] ».

Quand le moteur des caméras ronronna, la magie revint sur le plateau. Ce fut un de ces moments où la réalité reste suspendue, où on ne pose pas de question — comme de savoir comment Bogart a réussi à serrer la ceinture de son trench-coat tout en continuant à menacer Rains de son arme. Wallis et Koch avaient résolu le problème du départ de Bergman en faisant intervenir Henreid — « *Êtes-vous prête, Ilsa* [82] *?* »

Bogart, dit un jour Huston, n'était pas très impressionnant face à face, mais dès que la caméra tournait, il se passait quelque chose, et une certaine noblesse prenait le dessus. Le tournage des adieux de Rick et Ilsa prit plusieurs jours. Bogart se concentrait sur le visage lumineux de sa partenaire, et l'image en noir et blanc rendait ses yeux plus sombres encore. L'éclairage d'Arthur Edeson fait ressortir le profil presque enfantin de l'homme, et sur l'écran, on sent l'intensité, l'énergie, le magnétisme — tout ce qu'on demande à un grand acteur de cinéma.

Bogart termina le tournage le 1er août 1942 ; les autres, deux jours plus tard. Il restait quelques scènes à tourner et quelques raccords. Wallis demanda à Bogart « un peu plus de tripes... un peu plus de ce langage dur qu'on associe à Rick. Maintenant que la fille est partie, j'aimerais te voir redevenir comme avant... » [83]. Le destin de Rick après qu'il a tué Strasser se retourne grâce à la réplique laconique de Renault : « Arrêtez les suspects habituels. » Les Epstein racontent que l'idée leur en est venue un soir en voiture sur Sunset Boulevard.

Malgré tout, il était difficile de lâcher prise, et il fallut l'intervention de forces extérieures pour que le film soit bouclé. Le 3 août, deux jours après la nouvelle date de fin de tournage prévue, Ingrid Bergman, appelée au téléphone, poussa un cri. La Paramount venait de la choisir définitivement pour tourner *Pour qui sonne le glas*, et la voulait sur place immédiatement — le soir même, si possible. La Warner avait déjà largement dépassé les limites de son engagement. Wallis supplia qu'on lui laisse un jour ou deux de plus, mais Al Alleborn eut une meilleure idée : arrêter le film. Ce soir-là. Regarder ce qu'on avait et déterminer s'il fallait retourner des scènes. Wallis accepta, et on ferma le plateau de *Casablanca*.

Pourtant, on n'avait toujours pas décidé de ce que serait la scène finale. La dernière réplique de Rick à Renault serait enregistrée en studio et insérée plus tard dans la bande-son tandis qu'on verrait les deux hommes s'éloigner dans le brouillard. Longtemps après la fin du tournage, Wallis, qui n'aimait aucune des suggestions qu'on lui faisait, pensa à diverses versions, dont une était : « Louis, j'aurais dû savoir que vous mêleriez un peu de filouterie à votre patriotisme[84]. » Mais il continua à chercher la phrase juste et la trouva finalement le 21 août : *« Louis, je crois que c'est le début d'une belle amitié. »*

Alors que tant de scénaristes de talent avaient travaillé aux dialogues, c'est le producteur qui avait trouvé la chute. « C'est tout Hal Wallis, dit Casey Robinson des années plus tard. Il a trouvé cette réplique, qui était merveilleuse. Inspirée, même[85]. »

C'est aussi Wallis qui décida du style documentaire du début : sur un globe terrestre se dessine le trajet suivi par les réfugiés de Paris à Casablanca, puis cette image se mêle à celle de masses humaines en mouvement ; le commentaire s'inspire d'une émission d'actualité populaire, *The March of Time,* et la voix off est celle d'un présentateur de KFWB, la radio de la Warner. L'effet produit par le lien entre l'intrigue du film et les évènements mondiaux eut un retentissement que personne n'avait pu prévoir.

Oubliant les problèmes de la production, Warner sut très tôt qu'il tenait là un grand succès. Fin août, l'austère Joe Breen, en extase après avoir visionné le montage final, appela Wallis : *Casablanca* était exceptionnel — un des meilleurs films du studio — non, un des meilleurs films qu'il ait jamais vus ! « Je ne l'ai jamais entendu parler d'un film comme il m'a parlé de celui-là », dit Wallis à Einfeld. Est-ce que Charlie voudrait bien préparer « une campagne de publicité pour un très grand film[86] » ?

On avait déjà fait des projections à la presse quand, le 6 novembre, Wallis attira l'attention de J. L. sur un article à la une de la *San Francisco Chronicle* qui signalait que la ville de Casablanca « prenait une importance accrue sur le théâtre des opérations[87] ». Au matin du 8 novembre, les troupes américaines et britanniques débarquèrent à Alger et à Casablanca.

J. L. télégraphia au bureau de New York d'arrêter le tirage de toutes les copies — « Nous envisageons de changer la fin[88]. » Wallis établit la liste des préparatifs pour deux jours de tournage en vue d'une actualisation de dernière minute. Il voulait des uniformes de la France libre, de nouveaux décors, un billet d'avion pour Claude Rains, qui était parti dans l'Est. De façon tout aussi abrupte, deux jours plus tard, on abandonna l'idée, et Warner envoya un autre télégramme à New York :

NE TOUCHERONS DÉFINITIVEMENT PLUS AU FILM. RÉACTION INCROYABLE DU PUBLIC A LA PROJECTION HIER. DU GÉNÉRIQUE A LA FIN, APPLAUDISSE-

MENTS ET ANGOISSE. CENTAINES DE GENS CONTRE TOUCHER AU FILM. MON OPINION PERSONNELLE : SI ON TOUCHE AU FILM, IL FERA RAPIÉCÉ [89].

Même David Selznick fut d'avis de ne pas toucher la fin. J. L. approuva : « Une petite scène rajoutée sur le débarquement des troupes américaines serait une histoire complète en elle-même et ne fonctionnerait pas dans le cadre du film actuel [90]. »

Les évènements historiques avaient rattrapé le film juste à temps pour sa sortie, et la publicité de la Warner ne l'oublia pas (« CASABLANCA, c'est bien plus qu'une ville d'Afrique... »). Ce qui avait commencé onze mois plus tôt comme une nouvelle mouture de *Casbah* semblait maintenant une superbe prémonition. « Une fois encore, Warner Bros. a programmé la sortie d'un film important à la seconde où le sujet devient d'actualité [91] », écrivit un éditorialiste du *Los Angeles Times*. Certes, les studios étaient puissants à Los Angeles, mais même les Warner ne conduisaient pas la guerre comme agent publicitaire de leurs produits. « Casablanca ! mot magique, s'exclamait le *Film Daily*. Un mot qui ouvrira les portes des cinémas et les gardera ouvertes... un mot qui pique l'intérêt et éveille l'imagination... Ce film de la Warner devrait avoir l'impact d'une bombe [92]. »

La première new-yorkaise eut lieu le jour de Thanksgiving au Warners Hollywood, la plus grande salle d'exclusivité du studio sur la côte Est. C'était un bon jour pour présenter ce film auquel non seulement la critique mais aussi l'histoire apportaient leur soutien, et les publicitaires de la Warner en profitèrent. Les résistants français partirent en formation de leur quartier général de la Cinquième Avenue jusqu'au cinéma de la Cinquante et unième Rue, et firent flotter sur Broadway la croix de Lorraine du général de Gaulle. Il y eut des discours de chefs de la Résistance et des guichets de la France libre recrutèrent des volontaires dans le hall du cinéma. La cérémonie fut diffusée en direct sur les ondes courtes par le Bureau d'information sur la guerre, nouvelle arme de propagande du gouvernement américain.

Dans un télégramme de Londres, le général de Gaulle demanda une copie du film pour la montrer à son équipe. Aux États-Unis, tout le monde fut gagné par la fièvre de *Casablanca*. Sur Broadway, on faisait la queue des heures dans le froid pour acheter son billet d'entrée. Le studio publia des dossiers de presse à l'aspect de bulletins d'information, avec en titre : « L'armée à Casablanca — ET WARNER BROS. AUSSI ! » Des publicités demandaient : « QUOI ? Vous n'avez vu *Casablanca* qu'*une fois* ? »

Et ce n'était que le début. Martin Weiser s'était rendu à San Francisco pour préparer la ville à la première du film. Un matin, un ami qui travaillait au quotidien *Call Bulletin* appela Weiser dans sa chambre du Palace Hotel et lui dit d'arriver immédiatement. « Je veux te montrer quelque chose que tu ne reverras jamais. » L'hôtel n'était qu'à quelques pâtés de maisons du journal, et Weiser courut y retrouver le journaliste. « Il m'a introduit dans la salle de composition et m'a montré la une du journal. Sur toute la largeur, un titre s'étalait : « FDR, CHURCHILL, DE GAULLE SE RÉUNISSENT A CASABLANCA [93]. »

Le film fit des bénéfices record et reçut des critiques enthousiastes, non seulement pour Curtiz et les principaux acteurs, mais aussi pour les rôles secondaires. Dooley Wilson fut déclaré une « découverte ». Dans un télégramme à Wallis et Curtiz, David Selznick reconnut que le film avait enfin mis Ingrid Bergman sur la voie du succès. « INGRID VA DEVENIR CE QUE J'AI LONGTEMPS PRÉDIT : UNE DES GRANDES STARS MONDIALES... » Le seul à ne pas récolter les lauriers du film fut Casey Robinson, qui trébucha sur sa vanité : il exigea d'être le seul scénariste reconnu, et refusa d'être associé aux Epstein et à Koch. Cela lui coûta un oscar.

Mais le cœur du film, comme pour *le Faucon maltais*, était la performance de Bogart dans un ensemble de merveilleux acteurs. La publicité et la presse le reconnurent. « Bogart et Bergman ont montré une autorité et une crédibilité brillantes, chacun dépassant tout ce qu'il avait pu faire auparavant », s'émerveilla le *Los Angeles Times*. La Warner, ajouta le *New York Times*, avait « utilisé la personnalité de Bogart, si bien établie dans d'autres grands films, pour injecter une dose de résistance opiniâtre au mal ».

Quant à *Watch on the Rhine*, malgré ses hautes qualités et ses bonnes intentions, il resta un produit fabriqué historique. Le film fut terminé presque en même temps que *Casablanca*, mais on repoussa sa sortie pour que la Warner n'ait pas deux grands films antinazis en salle en même temps, puis on la repoussa encore en faveur de *Mission to Moscow*. En dépit de bonnes critiques et de nominations aux oscars pour le meilleur film et le meilleur scénario, quand le film sortit à l'automne 1943, son heure était passée, et contrairement à *Casablanca*, il n'a pas résisté au temps.

Casablanca fit Bogart ; Bogart fit *Casablanca*. En smoking blanc ou en trench-coat et chapeau mou, Bogart devint le nouveau symbole de l'Amérique après Pearl Harbor : dur mais plein de compassion, sceptique mais idéaliste, trahi mais prêt à accorder de nouveau sa confiance, et surtout adversaire potentiellement implacable.

Avec Errol Flynn, Bogart s'élevait au statut incontestable de premier rôle à la Warner. Ne serait-ce qu'à cause de l'âge de ses stars, le studio misait non pas sur la jeunesse mais sur l'expérience et la sagesse qui viennent avec la maturité. On avait remplacé l'exubérance par une mélancolie qui voilait même les films d'action. Dans les personnages de Bogart, il y avait un humour désabusé né de l'expérience, des allusions à un passé troublé qui restait dans l'ombre, et une vision noire du monde conforme à l'époque.

Le plus souvent, les héros incarnés par Bogart seraient désormais des déracinés. Dans *Griffes jaunes*, il jouait un agent secret de l'armée traîné en cour martiale pour donner de la crédibilité à sa tentative d'infiltration de l'espionnage japonais. Dans *Casablanca*, il était un Américain qui ne pouvait retourner dans son pays pour des raisons qu'on laissait à l'imagination du public. Dans *Action in the North Atlantic* (*Convoi vers la Russie*, 1943), l'hommage de la Warner à la marine marchande en temps de guerre, il joue un ancien capitaine qui a perdu son commandement. Dans *Passage to Marseille* (*Passage pour Marseille*, 1944), adapté du roman *Men Without a Country (Hommes sans patrie)*, Bogart joue un journaliste antifasciste victime d'un gouvernement corrompu et envoyé à l'île du Diable, dont il s'évade. Dans *To Have and Have Not* (*le Port de l'Angoisse*, 1944), il est encore un Américain expatrié dans un environnement hostile. Tous ces hommes annoncent les errants, les expatriés et les solitaires — les Fred Dobbs, Charlie Allnut ou Philip Queeg — qui marqueront sa carrière après la guerre.

« Le plus heureux des couples »

Quatre semaines après avoir terminé *Casablanca*, Bogart troqua le smoking blanc de Rick pour le caban de Joe Rossi, second sur le *Sea Witch*, un cargo apportant du matériel militaire à l'Union soviétique à travers des mers infestées de sous-marins dans *Convoi vers la Russie*. On avait remplacé romance et intrigue par une sorte de tract politique, deux heures de *docudrama* sur les convois de ravitaillement, et on avait échangé le désert d'Afrique du Nord pour les eaux de l'Arctique au large de Mourmansk (même si le port russe était en fait les quais de Santa Barbara). Mais c'était le même personnage que Bogart avait incarné dans d'autres films, seul le costume avait changé.

Il avait accepté avant de faire *Casablanca* ce rôle où l'homme disparaissait entre les cargos en feu, les canots de sauvetage renversés et autres calamités maritimes. Il aurait sans doute pu s'en dégager, mais cela lui était égal. Il aimait bien Lloyd Bacon, le réalisateur de *42nd Street* [*42e Rue* (1933)] et de toute une série de succès à la Warner. Bacon avait dirigé Bogart dans sept autres films.

Et Bogart était heureux d'en avoir terminé avec l'Afrique du Nord. Pour lui, la fin ne sonnait pas juste : « Mlle Bergman n'est pas le genre de femme qu'un homme laisserait partir volontairement, même au son de toute une philosophie ronflante [1]. » Il n'en était pas moins « fier de ses scènes d'amour avec Ingrid Bergman, rapporta Sidney Skolsky dans son journal, mais il lui restait à se voir sur l'écran [2] ». Des mois après la sortie du film, Bogart prétendait encore ne pas l'avoir vu. « On ne me l'a pas permis », dit-il à un ami.

Personne ne sait s'il plaisantait ou non, mais, vérité ou fiction, c'était un commentaire parlant sur son mariage. A nouveau, il fallait qu'il apprenne son texte sur le plateau parce qu'il ne pouvait trouver le calme chez lui. Mais c'était la première fois, cependant, que ses tourments domestiques retentissaient sur son travail et sur ses collègues.

« Espèce de fils de pute ! Tu ne sais pas ton texte ! » cria Bernie Zanville à Bogart avant de se souvenir qu'il était un petit acteur à la semaine tournant son premier film et qu'il s'adressait à la star. Zanville avait attendu des jours, intimidé et inquiet, tandis que Bogart retardait le tournage par ses plaintes quotidiennes. « Je déteste cette réplique », annonçait-il, et un dialoguiste accourait sur le plateau pour effectuer les changements. Zanville finit par comprendre ce qui arrivait. Il ne s'agissait pas seulement de la propagande trop grossière ou de l'action du film, ni du scénario creux de John Howard Lawson. Il s'agissait de Bogart lui-même, incapable de faire entrer le texte dans sa tête.

Après l'intervention de Zanville, Bogart éclata de rire, et dit qu'il avait raison. Ce fut le début de leur amitié. Zanville, fils d'un chantre de Brooklyn, était un nouveau venu sur le plateau et à ce titre une proie facile pour les plaisanteries des vieux routiers. La Warner, impatiente de lui trouver un autre nom (« On ne pouvait avoir un type qui s'appelait *Bernie Zanville*[3] », dit un employé du studio), proposa sa liste habituelle allant de Brick Bernard à Zane Clark. Bogart suggéra Dane Clark, et c'est ce qu'on décida. Bogart ayant raconté au jeune acteur que le studio avait décidé de le transformer en vedette sud-américano-irlandaise sous le nom de Jose O'Toole, il se précipita chez Jack Warner, indigné, tandis que Bogart et son ami Raymond Massey hurlaient de rire[4]. Une autre fois, lors d'une des nombreuses scènes de catastrophe du film, Clark se mit à courir sur le pont du bateau en feu dans les flammes, qui n'étaient qu'en partie simulées. Bogart l'avait convaincu que les acteurs devaient exécuter leurs propres cascades. Un assistant réalisateur horrifié l'arrêta : est-ce qu'il ne savait pas qu'il y avait des cascadeurs ? Du coin de l'œil, Clark vit que Bogart riait[5].

Le film, plein d'effets spéciaux, traîna jusqu'au vendredi précédant Noël. Il avait pris quarante-trois jours de retard. Jerry Wald, qui produisait là son dernier film avant de partir pour l'armée, en fit un ulcère. Était-ce la peur de l'armée, se demandait le directeur de plateau, « ou le tournage de ce film[6] » ? Bogart et Mayo espéraient passer les vacances avec Louis Bromfield dans sa ferme de l'Ohio, mais le studio voulait garder sa star à proximité au cas où il faudrait en urgence tourner des raccords. Les Bogart renoncèrent donc à leurs projets, et pour Noël expédièrent à Bromfield, descendant de Daniel Boone, une toque en fourrure de raton laveur[7]. Il leur envoya en échange une photo de Malabar Farm, « pour que vous ayez des regrets, écrivit-il. Vous nous manquez beaucoup tous les deux pour ces vacances ; tous ici vous embrassent et souhaitent plein de succès pour la nouvelle année à leur couple préféré[8] ».

En janvier 1943, Bogie et Mayo partirent pour un tournage en extérieur à Brawley, en Californie du Sud, un lieu que peu de gens regrettent de quitter. Bogart était loué à la Columbia pour *Sahara*, un sinistre film sur la survie dans le désert, et Brawley, perdue dans le désert de Borego, juste au nord de la frontière mexicaine, dans l'Imperial Valley, convenait parfaitement. La vallée, qui est presque entièrement à soixante-dix mètres sous le niveau de la mer, jouit d'un climat extrême. Même au milieu de l'hiver, on y étouffe, par plus de 35°. Bogart et ses collègues, volontairement mal rasés, jouaient des tankistes perdus dans le désert en Afrique du Nord. On installa l'équipe au Planter's Hotel, en bordure de la ville et à soixante kilomètres du lieu de tournage. Brawley, entourée de fermes qui produisaient de la luzerne, du coton et des betteraves sucrières, était *la* ville de cette région. Les fermiers employaient surtout des étrangers en situation irrégulière qu'ils usaient au travail pour un salaire de misère et dont les protestations conduisaient à des heurts sanglants avec la police, de mèche avec les propriétaires.

Comme Brawley offrait peu de distractions le soir, Bogart invitait régulièrement ses collègues dans sa suite. L'acteur allemand Kurt Krueger, qui jouait un aviateur nazi abattu, passa d'agréables soirées très arrosées dans les pièces chichement meublées de la star. Bogart animait les conversations et « n'aurait pu être un meilleur hôte ». Un jour, Krueger emmena Mayo sur le tournage, dans sa voiture. Elle tenait une bouteille Thermos. Pourquoi, lui demanda-t-il, emportait-elle du café alors qu'il y en avait sur le plateau ? Mayo renversa la tête en arrière et éclata d'un rire rauque. « Du café ? Mais non ! Bogie a besoin de ses martinis glacés[9]. »

Bruce Bennett, qui jouait un des tankistes de Bogart, et son épouse Jeannette étaient venus de Los Angeles dans leur limousine, et le premier jour de repos, ils partirent pique-niquer de l'autre côté de la frontière, à Mexicali. Ils avaient parcouru quatre ou cinq kilomètres quand Bogie et Mayo jaillirent sur le siège arrière et demandèrent joyeusement : « Alors, où est-ce qu'on va, aujourd'hui[10] ? »

Les deux couples jouaient aux fléchettes dans la cour de l'hôtel après la journée de travail, ou se retrouvaient pour dîner. Bennett était une anomalie parmi les acteurs. Né Herman Brix, il était diplômé de l'université de Washington, et il avait été médaillé d'argent aux jeux Olympiques de 1928 en lancer du poids, discipline dans laquelle il avait plusieurs fois battu le record du monde. Bogart aimait sa compagnie, et Bennett avait été surpris de trouver en lui un homme instruit et aimable, « une personne sincère qui parfois laissait voir le *vrai* Bogart. Il était très agréable de discuter avec lui et il ne supportait pas les gens faux. Il appelait ceux qui ne savaient pas de quoi ils parlaient des "bavards de salon de coiffure". Il n'aimait pas les conversations pour ne rien dire. Quand les échanges étaient signifiants et pleins d'humour, ça allait. Il avait un grand sens de l'humour ».

Et il ne dissimulait rien de sa situation personnelle. Bennett avait clairement vu que « Mayo était une femme très malheureuse. Nous savions qu'elle avait été une actrice pleine de talent à New York, et elle n'avait pas pu faire carrière ici, ça n'avait pas pris. Bogart et elle se lançaient sans cesse des piques. Elle disait : "Tu ne fais rien devant cette petite boîte noire — tu ne joues pas — tu poses et tu fais des grimaces !" et il répondait : "En tout cas, ça rapporte bien. Alors retourne à New York et travaille pour des clous !" ».

Les disputes continuaient tard dans la nuit. Des cris perçaient les murs trop fins de leur suite, ponctués par le tintement du verre brisé et le choc des meubles renversés. Bogart arrivait en titubant sur le plateau le lendemain matin, instable, querelleur, la gueule de bois. « Il lui fallait un moment avant que son esprit s'éclaircisse et qu'il se mette au travail. » Comme pour *Convoi vers la Russie*, il commençait la journée en discutant et en remettant les dialogues en question. Bien après la fin du film, le réalisateur Zoltan Korda, frère d'Alexandre Korda, le magnat hongrois du cinéma installé à Londres, se plaignit du comportement de Bogart, ne comprenant pas pourquoi il discutait ainsi tous les matins. « Est-ce que tu n'as pas compris ? lui demanda Bennett. Il apprenait son texte !

— Seigneur, répondit Zoltan, si je l'avais su, ça m'aurait bien soulagé ! »

« Il se faisait entrer le dialogue dans la tête, ajoute Bennett. Puis Mayo arrivait sur le plateau avec son Thermos de martinis et il buvait un coup avant de déclarer : "Très bien, je suis prêt." L'excellent acteur qu'il était faisait alors un travail remarquable. Et le soir, tout recommençait. »

Le seul moment où le plateau retrouva son calme fut quand Bogart partit pour Burbank filmer une scène avec le comédien S. Z. Sakall pour le film qui servait de vitrine à la Warner, *Thank Your Lucky Stars*. Le sketch de trois pages sans imagination où Sakall intimidait un Humphrey Bogart peureux avait remplacé au dernier moment une bien meilleure idée : Bogart, en pantalon de golf, devait chanter et danser, et former avec Ida Lupino et Olivia de Havilland un trio appelé « les Rhythmaniaques ». Malheureusement, le plan de travail de *Sahara* était tel que la Columbia n'avait pu le libérer quand les actrices étaient disponibles.

Les bagarres nocturnes des Bogart, qui allaient bientôt célébrer leur cinquième anniversaire de mariage, continuèrent pendant les quatre mois du tournage qui se termina en avril. Bogart attendait avec impatience de passer un long moment sur le *Sluggy*. On ne lui avait pas prévu de travail avant la mi-mai, quand devait commencer *Passage pour Marseille*[11]. Ce succès potentiel qui allait réunir Wallis, Curtiz et presque tous les principaux acteurs de *Casablanca* était en préparation depuis six mois. Wallis avait aussi retenu Carl Weyl, le directeur artistique de *Casablanca*, son monteur Owen Marks, et le grand chef opérateur James Wong Howe, que Wallis aurait voulu pour *Casablanca*. L'idée originale était de Charles Nordhoff et James Norman

Hall, dont la trilogie *Mutiny on the Bounty, Men Against the Sea* et *Pitcairn Island* avait formé la base des *Révoltés du « Bounty »* avec Clark Gable et Charles Laughton.

Bogart devait jouer le rôle d'un journaliste français qui dénonce la faiblesse des Alliés quand en 1938, à Munich, ceux-ci permettent à Hitler d'annexer les Sudètes. En retour, il est accusé de meurtre par un gouvernement avide d'apaisement et fort désireux de le réduire au silence en l'envoyant dans l'enfer de Cayenne. Cet homme sans pays qui pense, au moment de la capitulation, que la France n'a que ce qu'elle mérite, finit par donner sa vie pour sa patrie. Le scénario de Casey Robinson et Jack Moffitt traitait plus qu'aucun autre film de l'époque du sujet tabou du fascisme français. Sydney Greenstreet, qui jouait Duval, un officier sympathisant du gouvernement de Vichy, détestait tant son personnage qu'il fit tout ce qu'il put pour éviter de le jouer [12].

Mais la veille du dernier jour de tournage de *Sahara*, c'est un scénario tout différent qu'on apporta à Bogart. Il portait le titre *The Pentacle*, et parlait d'un homme qui tue sa femme juste après leur cinquième anniversaire de mariage. Bogart appela Steve Trilling, devenu l'assistant de Jack Warner, qui lui assura que le studio ne s'était pas trompé. Il s'agissait d'un film qu'ils voulaient qu'il tourne avant *Passage pour Marseille*. Bogart dit à Trilling qu'il n'en était pas question. L'écriture était fade, le mobile inconsistant et en plus il n'aimait pas le personnage. J. L. lui télégraphia immédiatement : était-ce là la coopération que Humphrey avait promise lors de la signature de son contrat de sept ans ? Et où serait Bogart si lui, Jack Warner, ne l'avait pas sorti de New York pour *la Forêt pétrifiée* ? « SOUVIENS-TOI, HUMPHREY, QUE C'EST NOTRE STUDIO QUI T'A OUVERT TOUTES LES PORTES [13]. »

La Warner consentit à récrire l'histoire et Bogart accepta de faire le film. On décida de commencer le tournage en mai, *Passage pour Marseille* étant repoussé à juin. Le lendemain, toute l'équipe de *Sahara* reprit le chemin de Los Angeles. Juste avant de partir, Bogart s'arrêta dans la chambre des Bennett avec des verres à liqueur, de couleur vive et merveilleusement ciselés, qu'il avait trouvés au Mexique. En les offrant à la jeune Jeannette Bennett, il lui dit avec nostalgie : « Tu ne devrais pas te trouver dans un milieu pareil. Tu es une personne trop bien [14]. »

Il passa les semaines suivantes sur son bateau à Newport Beach, attendant la nouvelle mouture promise du scénario de *The Pentacle*. Rien n'arrivait. Cinq jours avant le début prévu du tournage, un coursier à moto apparut sur le quai, apportant le nouveau scénario. Tout commençait avec la célébration du cinquième anniversaire de mariage, où des amis bien intentionnés levaient leur verre « au plus heureux des couples ». En privé, cependant, le plus heureux des couples était tout sauf cela.

« Je veux divorcer... Je ne t'aime plus... Non seulement je ne t'aime plus, mais... je ne peux plus supporter ta présence...
   — Eh bien, je ne vais pas divorcer... et je vais rendre le reste de tes jours aussi misérables et désespérés que les miens... [15] *»*

Steve Trilling allait de la salle à manger à la salle de projection quand Bogart l'appela pour lui dire qu'il ne tournerait pas cela. Trois mois après le nouveau contrat, les poignées de main et les promesses de coopération, Bogart et la Warner revenaient au schéma habituel de l'acteur récalcitrant et du studio alternant menace et flatterie. « Nous avons du mal à croire que le message envoyé exprime votre véritable attitude [16] », écrivit à Bogie l'avocat Roy Obringer.

Son contrat ne l'autorisant pas à refuser un sujet, Bogart était en terrain mouvant. Début mai, on avait à bon escient changé le titre pour adopter *Conflict (La mort n'était pas au rendez-vous)* et le ton de la compagnie devenait agressif, elle menaçait de tenir Bogart pour responsable des dommages causés au film par ses atermoiements. Jack Warner menaça de le remplacer dans *Passage pour Marseille*, et montra qu'il le pensait en envoyant le scénario à Charles K. Feldman, le puissant agent de Jean Gabin. Depuis le classique sur la Première Guerre mondiale qu'était *la Grande Illusion*, on considérait Gabin comme le Spencer Tracy français. « Il faut que Bogart comprenne que je suis sérieux [17] », dit J. L. à Wallis, à qui il fit rencontrer Gabin. Dans le même temps, Warner continuait une approche plus douce de sa star rétive en la bombardant de lettres et de télégrammes. « CHER HUMPHREY, disait l'un, TU NE DOIS PAS OUBLIER QUE JE DÉPENDS DE TOI, LE TYPE RÉGULIER QUE JE CONNAIS [18]. »

Comme par hasard, Bogart était toujours en mer quand un télégramme ou un appel arrivait, à une exception près. On sait ce qui s'est dit alors, car le studio a fait retranscrire la conversation par une sténographe. Le 6 mai, Bogart décrocha parce qu'il attendait un appel de Trilling. « Allô, Steve ! » Une autre voix répondit, non moins familière.

« Ce n'est pas Trilling, Humphrey, dit Jack Warner qui appelait de New York. Cela n'a rien de personnel, continua-t-il. Je dirige une grosse affaire et j'essaie de faire qu'elle fonctionne pour le bien de tous.
   — C'est personnel entre toi et moi, Jack. Je suis plus sérieux que jamais, et je ne veux pas faire ce film. Si tu veux me le faire payer, tu le peux, et je sais jusqu'où tu peux aller, mais si tu mets tes menaces à exécution, je saurai que j'ai perdu un ami. Je te le demande comme une faveur personnelle : sors-moi de ce film, parce que j'y suis très

fortement opposé. Je suis désolé de t'avoir promis de le faire, parce que si j'avais réfléchi une minute, jamais je n'aurais accepté... Je ne peux pas le faire ! »

J. L. et sa principale star masculine discutèrent pendant une demi-heure. Ils ne lâchèrent pied ni l'un ni l'autre. Bogart demanda lui-même qu'on le suspende. En théorie, c'était déjà le cas, mais ce n'était pas ce que voulait Warner. La discussion se transforma en bataille entre l'autorité que l'un voulait asseoir et la prise en compte de sentiments personnels qu'exigeait l'autre. La coercition était audible sous le ton égal de J. L. quand il dit : « Ne fais pas les bêtises que d'autres ont faites. » Il ne menaçait personne, continua-t-il, mais il avait déjà eu ce genre de conversation avec d'autres, et pour l'information de Bogart, un d'entre eux tentait désespérément, maintenant, de trouver des journées de figuration.

Ils étaient dans une impasse.

« Lâche tes chiens sur moi.

— Tu commets une terrible erreur.

— Est-ce que tu essaies de me faire peur ? Pourquoi est-ce que tu ne brûles pas ce scénario pour l'oublier une fois pour toutes.

— J'ai brûlé des centaines de scénarios... Mais je sais que tu pourrais être formidable...

— Eh bien je suis désolé, Jack, mais je ne peux pas le faire.

— Bon, je suis à bout d'arguments. Au revoir et bonne chance [19]. »

Warner raccrocha et envoya une lettre à Hal Wallis. « Si tu peux avoir Gabin pour *Marseille*, vas-y. Avec les autres acteurs, l'histoire formidable et Mike à la mise en scène, je sais que tu auras un grand film [20]. »

Étant donné le budget de *Passage pour Marseille*, la décision était presque un suicide. Bien que Gabin fût un choix logique pour jouer un Français et qu'il fût une énorme vedette en France, il n'était pas très connu en Amérique, et en tout cas pas en position de disloquer l'équipe gagnante de *Casablanca* ni de se trouver en tête d'affiche d'un film de plus de deux millions de dollars.

Si la réaction de Warner semble excessive — après tout, il était constamment en conflit avec ses stars —, il faut peut-être chercher la raison de sa fureur contre Bogart dans le fait que l'acteur n'était qu'un pion dans la lutte entre la direction du studio et son principal producteur. Hal Wallis avait brillamment réussi sa première année de production. Tous les grands succès du studio — *Casablanca ; Now, Voyager ; Watch on the Rhine* — étaient les siens. En vérité, il avait trop bien réussi. Warner, dont l'obsession était que retombe sur lui la gloire créatrice de ses producteurs, éprouvait devant les triomphes de Wallis une jalousie croissante.

Peu après l'appel de J. L. à Bogart, des rumeurs (probablement fondées) circulèrent : Wallis discutait avec Darryl Zanuck la possibilité de passer à la 20th Century-Fox. Warner télégraphia à Wallis une demande de démenti public : « NE PEUX TE CONFIER FILMS IMPORTANTS AVEC CES RUMEURS[21]. » Suivit un autre télégramme : « N'ACCEPTE PAS QUE COMME DANS "DAILY NEWS" DU 23 TU TIRES CONTINUELLEMENT LA COUVERTURE A TOI[22]. » Suivit un télégramme à Charles Einfeld, chargé de la publicité : « INFORMER DIPLOMATIQUEMENT TOUS PRODUCTEURS QUE DANS RELATIONS AVEC LA PRESSE ILS M'ACCORDENT TOUT LE CRÉDIT D'UN PRODUCTEUR EXÉCUTIF. EN AI MARRE DE VOIR LES AUTRES RÉCOLTER LES LAURIERS ET MINIMISER MON ROLE ALORS QUE JE FAIS L'ESSENTIEL DU TRAVAIL[23]... » Afin qu'il ne subsiste aucun doute sur l'état des relations entre Wallis et lui, Warner lui télégraphia : « ARRÊTE CE DOUBLE LANGAGE DANS TA PUBLICITÉ... J'ENGAGERAI DES ACTIONS JUDICIAIRES SI MON NOM EST ÉLIMINÉ D'UN ARTICLE... CAR C'EST MOI QUI SUIS CHARGÉ DE LA PRODUCTION[24]... »

Tout cela tend à suggérer que le véritable problème résidait en ceci que *Passage pour Marseille* était un film de Wallis et que *La mort n'était pas au rendez-vous* n'en était pas un. Le message était très clair. Si Bogart pouvait tourner pour Wallis, il pouvait aussi le faire pour le studio, c'est-à-dire pour Jack Warner.

La première réaction de Wallis fut de tenter d'aller dans le sens de J. L. en ordonnant qu'on récrive les dialogues pour Gabin. Il semblait prêt à renoncer à Bogart[25]. Une semaine après l'affrontement Warner-Bogart, Sam Jaffe, poussé par le studio, supplia Bogart d'accepter *La mort n'était pas au rendez-vous* comme une faveur personnelle. Warner, à New York pour affaires, lui demanda d'être raisonnable : « CHER HUMPHREY, POURQUOI NE PAS JOUER LE JEU[26] ? » Obringer confia à Warner : « Je crois, entre nous, que Bogart faiblit, et que nous devrions continuer nos pressions[27]. » Mais le résultat de toutes ces intrigues, de toutes ces menaces et de toutes ces supplications fut annoncé au téléphone par Jaffe à Trilling : « Bogart n'a pas changé d'avis[28]. »

J. L., furieux, demanda à Feldman si Gabin acceptait le rôle[29]. Pour Bogart, les pressions se transformaient en punition. Qu'il fasse ou non *La mort n'était pas au rendez-vous*, on tournerait sans doute *Passage pour Marseille* avec Gabin. Pourtant, fin mai, Warner était dans de sales draps : le rôle n'intéressait pas Gabin, et Sydney Greenstreet, prévu sur les deux films, parlait de se retirer.

Le jeudi 3 juin, la une du *Los Angeles Times* était barrée d'un gros titre : L'AVION DE LESLIE HOWARD ABATTU PAR L'ENNEMI. Le vol commercial de Lisbonne, avec treize passagers et membres d'équipage, avait été abattu dans la baie de Biscaye par des avions de chasse allemands, persuadés, semblait-il, que Winston Churchill était à bord.

Bogart n'avait pas été en relation avec Howard depuis un certain temps. En 1939, l'acteur britannique avait quitté Hollywood et était rentré en Angleterre avec sa famille. Trop âgé pour l'armée, il se consacrait au tournage de films de propagande pour les Alliés. Il ren-

205

trait à Londres après une tournée de conférences en Espagne et au Portugal neutres. Il aurait dû prendre l'avion trois jours plus tôt, mais il était resté à Lisbonne pour assister à la première d'un nouveau film. Finalement, l'orgueilleux, le fort, l'arrogant Leslie Howard était devenu un véritable héros, plus proche de ses personnages qu'on ne l'aurait cru.

Pour Bogart, Howard avait longtemps été un modèle. Le soutien de l'acteur anglais avait joué un grand rôle dans sa vie, et sa mort lui confirmait que ce qu'on fait a peu d'utilité et d'importance. Un film était un film, rien de capital. Dans la soirée, Steve Trilling reçut un appel de Bogart. Il ferait leur film ; il ferait ce qu'ils voudraient.

Aucun des deux films ne fut un énorme succès. *La mort n'était pas au rendez-vous*, qui sortit deux ans plus tard, obtint des critiques mitigées sauf pour la performance de Bogart en meurtrier de son épouse, d'Alexis Smith en belle-sœur dont il est amoureux et de Greenstreet en ami de la famille et psychiatre qui piège le meurtrier. *Passage pour Marseille*, en dépit de tous les espoirs qu'il portait, s'enlisait dans un labyrinthe de flash-back et de thèses trop lourdement appuyées. L'intrigue romantique avec Michèle Morgan laissa le public froid.

Le studio craignait que l'évocation de la très contestée colonie pénitentiaire de Cayenne ne pose des problèmes ; les protestations du consulat de France bloquaient un film de 1940 sur le même sujet. Mais cette fois, les objections au film vinrent d'un tout autre côté et pour de tout autres raisons. Un grand moment du film est l'attaque aérienne allemande du cargo qui transporte Bogart, avec beaucoup de morts sur le pont. Bogart, d'une rafale de mitrailleuse très cinématographique, abat l'avion qui revient pour un second passage. Puis, fou de rage, il élimine l'équipage allemand qui émerge de l'épave. Des groupes religieux, qui jusque-là étaient restés silencieux sur le meurtre en masse des Juifs d'Europe, protestèrent contre cette tuerie sur pellicule d'« hommes sans défense ». Quelques censeurs menacèrent, dans certains États, de couper la séquence.

A la suggestion du Bureau d'information sur la guerre, la scène fut supprimée des copies d'exportation. Pour la distribution intérieure, cependant, la Warner tint bon ; elle garda cette séquence et la suivante, où Victor Francen, le noble officier français, fait des reproches à Bogart. Bogart montre alors les corps allongés sur le pont, et en particulier un garçon de cabine au premier plan, et il dit : « Regardez autour de vous, capitaine, et dites-moi *qui* sont les assassins. » Parmi les adolescents qui tournèrent des bouts d'essais pour le rôle du garçon de cabine se trouvait Marcel Ophuls, qui réalisera plus tard *le Chagrin et la Pitié* (1970), étude de référence sur les divisions politiques de la France en guerre.

Le film attira des foules respectables, mais Bogart, qui avait laissé voir sa calvitie naissante dans les séquences d'action, dit plus tard que

206

n'importe qui aurait pu jouer son rôle. Réussir une suite à *Casablanca* exigeait plus que de reprendre la même équipe.

Le 20 août, les Bogart passèrent leur cinquième anniversaire de mariage sur le plateau de *La mort n'était pas au rendez-vous*. Mayo, pomponnée comme on la voyait rarement, en short et chemisier à fleurs, offrit à Humphrey un jeu d'échecs aux pièces taillées à la main et dont l'échiquier était gravé des initiales HDB. Il lui offrit des boucles d'oreilles en or. Le studio ne manqua pas cette occasion de parler du « long et heureux mariage » des Bogart.

En fait, la détérioration de leur union était constante. Rose Hobart, une amie de Broadway qui interprétait l'épouse superflue dans *La mort n'était pas au rendez-vous*, fournissait à Bogie une oreille compatissante entre les prises pour qu'il exprime son inquiétude concernant la façon dont Mayo sombrait. « Il savait qu'elle avait du talent, et qu'elle se détruisait[30]. » Rose était une des actrices qui tournaient le plus à Hollywood, et Bogart et elle s'amusaient beaucoup du fait qu'elle joue sa femme pour la troisième fois. Elle le trouvait cordial et gentil, mais profondément malheureux. Le film n'était pas fait pour améliorer son humeur. « Il détestait ce film », dit-elle, mais son sens de l'humour n'en était pas affecté. Le film commence par une querelle du couple sur le fait de manger ou non du mouton au dîner. « Il n'y a que chez Warner Brothers, lui dit-il, qu'on tue sa femme pour une tranche de gigot froid. »

Pendant les pauses, il retournait à son échiquier. « Il devait avoir trois parties en cours, dit Rose, et c'est un exemple de ce dont personne ne se rendait compte : à quel point ce type était intelligent. Il avait du talent, il savait qu'il devait l'entretenir, et il avait jugé cette ville pour ce qu'elle valait. » Rose Hobart aimait travailler avec lui. « Il était là *avec* vous. Il ne jouait pas Bogart, il ne prenait pas de grands airs. Il était le personnage. Cela fait toute la différence. Et quand il a tourné la scène où il me tue, il était vraiment effrayant. J'ai hurlé de peur. »

Le passage le plus intéressant de *La mort n'était pas au rendez-vous* ne fut jamais tourné ; c'était une séquence de deux pages proposée par Bogart au milieu du film, très révélatrice de ses propres sentiments. « Bogey m'a donné une idée il y a quelques semaines, écrivit le scénariste au producteur, et je crois vraiment que ce serait *sensationnel*[31]. » Dans cette séquence, Bogart, après s'être débarrassé de sa femme, bavarde avec un barman :

"Avez-vous déjà été marié ?
— Oui, monsieur, trois fois.
— Comment vous êtes-vous débarrassé d'elles ?"

Puis il se lance dans un monologue. Est-ce que ce ne serait pas formidable, rêve-t-il, si les femmes pouvaient être mises en bouteille, comme de l'alcool, si elles n'étaient grandes que de quelques centimètres...

> *On pourrait les emmener partout dans sa poche et les en sortir quand on aurait besoin d'elles... Quand on les voudrait de taille normale, il suffirait de les embrasser, ou de les chatouiller. Et puis, quand elles se mettraient en colère ou commenceraient à crier, il suffirait de souffler dessus et elles rapetisseraient à nouveau pour qu'on puisse les remettre dans la bouteille.*

Le barman réfléchit et repousse cette idée : « Ce serait *trop* bien [32] », dit-il. Trilling fit de même : « Pas question de tourner ça [33]. »

En 1943, la vie extraconjugale de Bogart faisait l'objet de ce que l'avocat de la Warner, Bob William, appelait « des ragots discrets » au sein du petit cercle des familiers du studio [34]. On sait déjà que sous prétexte de la promotion de ses films à New York, il rendait visite à son ex-épouse, Helen Menken. A Los Angeles, la plupart des rumeurs impliquaient Verita Thompson, une petite brune, ancienne reine de beauté en Arizona, qui était venue à Hollywood pour devenir actrice, et y était restée pour faire des postiches. William se souvient qu'on l'appelait « "la fille de Bogart". Elle avait des taches de rousseur, et elle était intelligente. Je la trouvais très jolie ».

Elle s'appelait Verita Peterson quand Ann Sheridan l'avait présentée à Bogart lors d'une fête de fin de tournage à la Warner, en 1942. Dans les années qui suivirent, Verita fut sa coiffeuse personnelle, elle lui confectionna les postiches essentiels pour préserver son image d'homme encore jeune. Près d'un demi-siècle plus tard, elle continuait à affirmer qu'ils avaient été amants. Comme Bogart, elle était piégée dans un mariage malheureux. « Il me racontait ses problèmes, et je lui racontais les miens [35]. » Son mari était un technicien qui passait ses journées dans les studios, et leur maison se trouvait tout près de la Warner, ce qui était très pratique. Bogart « m'appelait de la cabine téléphonique, ou d'ailleurs, et on se retrouvait quelque part. On peut toujours arriver à se voir, quand on le veut ». Elle prétendait que certains soirs, il arrivait ivre et à demi vêtu sur son seuil quand Mayo l'avait jeté dehors. Elle ne disait pas comment son mari réagissait.

Verita disait de Mayo qu'elle était « un vrai pétard. Elle vous aurait tranché la gorge pour quelques centimes. Elle était pourtant gentille, mais dure. Et le divorce n'était pas vraiment souhaitable pour un grand acteur. Ça n'aurait pas plu à la Warner. Nous nous retrouvions toujours en secret. A l'époque, ce n'était pas comme maintenant. Warner l'aurait tué — il m'aurait tuée. C'est difficile d'expliquer ça aux gens. Ils ne peuvent pas imaginer comment c'était à l'époque ». Quant à Bogart, il était « un amant merveilleux et très agréable. Il ne pensait pas toujours à lui. Très gentil et doux. Pas comme certains porcs ».

Elle prétendait aussi que Bogart l'avait fait employer par le studio comme maquilleuse. Mais bien qu'elle ait été une présence visible dans la vie de Bogart, dans les archives pourtant précises de la Warner pour les années 1943-1950, son nom n'apparaît qu'une fois, comme « coiffeuse » [36].

Peu de gens se souviennent d'avoir entendu parler de leurs relations, explique William, parce que « ce n'était pas un secret connu de tous ; c'était discret ». Sam Jaffe ajoute : « Je ne savais pas grand-chose d'elle, je savais juste qu'elle existait. Elle venait s'occuper de ses cheveux. Oui, il est *possible* qu'ils aient... vous savez. Enfin ! Ces filles venaient le chercher et il était déprimé, triste, inquiet à cause de son mariage et des problèmes au studio. Oui, peut-être... Et alors [37] ? »

Que sa relation avec Verita ait été intime ou non, il avait de plus en plus de soucis avec Mayo. Gloria Stuart se souvient d'un dîner chez les Bogart, sur North Horn Avenue, avec son mari Arthur Sheekman et Mel Baker. Mayo restait invisible, mais sa présence n'en était pas moins lourde. « Elle était à l'étage, dans sa chambre, avec un pistolet, et nous dînions en dessous. Je n'arrêtais pas de dire à Arthur et Bogie : "C'est dangereux, je ne veux pas être mêlée à ça, je veux rentrer chez moi." Et Bogie répondait : "Oh, voyons. Tu sais qu'elle plaisante." Finalement, Mel a dit : "Je ne sais pas si elle plaisante ou non, mais elle a un pistolet !" Les trois hommes se sont levés de table et sont montés. Enfermée dans la chambre, elle criait : "Je vais vous plomber à travers la porte !" Elle ne l'a pas fait — mais ces gens jouaient à de tels jeux [38] ! »

Un autre jour, Mayo tenta de se couper les veines. Comme le seul souci du studio était de garder la situation secrète, on lui fit rencontrer un avocat au lieu du psychiatre dont elle avait tant besoin. Jaik Rosenstein trouva Mayo en larmes. « Je ne sais pas ce que je vais faire, pleurait-elle en s'accrochant à lui de ses mains aux poignets bandés. Je sais qu'il me trompe. » Tout ce que Rosenstein put lui dire fut que si elle voulait pousser son mari dans les bras d'une autre, c'était le meilleur moyen d'y parvenir [39].

Dans le Hollywood de 1940, on pouvait dissimuler ce genre de problèmes, mais rarement les résoudre. On dit simplement à Mayo, malade et alcoolique, de se ressaisir. Bogart qualifia les entailles aux poignets de « pas très profondes » et il s'enferma davantage encore dans le cynisme qui lui permettait de tenir ses problèmes à distance. Avec sa mère et sa sœur, il avait déjà dû affronter deux cas de maladie mentale. Il semblait décidé à nier l'existence du troisième.

« Ma femme est une actrice, dit-il à Rosenstein. C'est une très bonne actrice. Et il se trouve qu'elle n'a pas de travail en ce moment. Une actrice qui ne travaille pas doit trouver des scènes à jouer [40]. »

Pourtant, Bogart ne pouvait pas plus ignorer les orages qu'elle créait qu'elle ne pouvait cesser de le harceler. Verita Thompson pensait qu'il craignait que Mayo ne tente vraiment de se suicider, ou bien que l'un d'entre eux ne blesse gravement — ou peut-être tue — l'autre. Pourtant, il n'arrivait pas à s'arrêter de la provoquer. Selon un ami, il y prenait même plaisir.

Néanmoins, à en croire Verita, son rôle dans la dégradation de Mayo « lui pesait beaucoup. Il n'était pas sans reproches, il n'était pas seulement la victime d'un mauvais mariage. Il y avait quelque chose en lui qui le poussait à provoquer les gens, et sa femme était excessivement sensible à ses provocations [41] ».

A l'époque, la stabilité de Bogart lui-même était précaire. Il n'arrivait plus à supporter le cycle des dures journées de travail, des cuites du soir et des nuits sans sommeil. En 1943, on sentait que l'homme de fer de la Warner, le professionnel toujours à l'heure et prêt à travailler, commençait à rouiller. Pendant le tournage de *Passage pour Marseille*, le directeur de plateau Eric Stacey signala : « Humphrey Bogart souffre d'une très mauvaise cuite et il se montre indiscipliné et difficile à diriger. Mike [Curtiz] dit qu'il a perdu une heure à une heure et demie [42]. »

Art Silver, chargé des loges, fut appelé un matin de délire où Bogart était arrivé ivre et bouleversé. « Il dit qu'il vous aime bien », dit-on à Silver, et une présence apaisante était nécessaire.

« Bogie titubait. Et pour ne rien arranger, Mayo arriva, et elle était lamentable. Quelqu'un a dit que Bogie avait dormi dans sa voiture. Pendant qu'on traçait ses déplacements par terre pour la scène suivante, je lui ai dit quelques mots, pas grand-chose. Je servais de comprimé d'aspirine. Et puis l'assistant a dit : "Bon, on est prêts à tourner." Je me suis écrié : "Mon Dieu, comment pouvez-vous tourner comme ça ?" Quelqu'un a donné une tape dans le dos de Bogie, et il est allé se mettre sur la marque de départ. Il a dit son texte comme s'il était absolument sobre. Puis il s'est retourné et a ordonné : "Coupez, elle est bonne." Quelqu'un a fait sortir Mayo du plateau, je ne sais pas comment. Elle était dans un état épouvantable. Mais Bogart a fait son boulot. Il était miraculeux [43]. »

Mais les incidents s'accumulèrent, et Jack Warner dut parfois intervenir en personne. « Tu sais, dit un jour J. L. à Bogie, tu te conduis comme un con. Tu nous coûtes un fric fou sans aucune raison [44]. » Une autre fois, on l'appela tôt le matin. Jeté dehors par Mayo, Bogie était venu à Burbank et il avait dormi quelques heures dans sa loge. Au réveil, il avait trouvé là une bicyclette et, en pyjama et toujours ivre, il refusait de descendre du vélo avant qu'arrive Jack.

Un matin de Pâques, Arthur Wilde, un agent de publicité du studio, fut chargé d'aller prendre Bogart chez lui à quatre heures pour célébrer les matines au Hollywood Bowl. A minuit, Mayo appela pour dire qu'il était sorti pour boire. Finalement, Wilde le trouva chez un ami,

« aussi ivre, mal rasé et puant qu'un putois ». Mais une fois au théâtre, il monta sur scène et lut si bien le Notre Père que l'énorme auditoire, de même que les prêtres assemblés, en fut ému aux larmes. On l'entoura pour le féliciter à la fin de la cérémonie, mais tout ce qu'il sut dire fut : « Où est-ce que je peux vomir [45] ? »

Le Bogart qui arrivait jusque-là à contrôler ses excès ressemblait maintenant de plus en plus tristement à une autre star de la Warner, John Barrymore, qui un an plus tôt était mort d'un coma éthylique.

A l'été 1943, jamais la Warner Bros. n'avait remporté autant de succès. Deux ans plus tôt, l'unité chargée des films de série B était devenue l'une des victimes de l'époque, et le studio tournait moins de films, mais à plus gros budget, pour attirer un public nombreux. Il semblait que la Warner, grâce à un sixième sens, savait ce qui plairait le plus. Elle allait rafler cinq des onze nominations du New York Film Critics Circle pour le Meilleur Film de l'année.

La première de *Mission to Moscow* eut lieu à Washington, avec une projection pour les plus grands noms du gouvernement, le corps diplomatique et la presse. Roosevelt fut « ravi » [46] du film. Même Maxime Litvinov, l'ambassadeur d'Union soviétique, applaudit bruyamment à la fin [47]. J. L. télégraphia à Charles Einfeld : « [L'ambassadeur] Davis m'a dit au téléphone que Warner Bros. était vraiment le prochain président ! »

La critique fut généralement positive. Le *Hollywood Reporter* salua « le courage et le patriotisme » du studio. Dans un télégramme adressé à une conférence sur le cinéma américain et britannique à Moscou, Jack Warner en appela à l'industrie du cinéma pour créer une compréhension mutuelle. Il exprima sa confiance dans « les bonnes volontés russo-américaines si vitales pour l'avenir du monde », et promit « les plus grands efforts pour brosser un portrait honnête de l'URSS, digne de nos vaillants alliés dans le combat [48] ».

Mais les louanges ne furent pas unanimes pour *Mission to Moscow*. Le magazine *Life*, entre autres, dit qu'il s'agissait d'un badigeonnage. Dans le *New York Times*, Suzanne LaFollette, nièce d'un sénateur progressiste du Wisconsin, traita le film de « propagande totalitaire pour la consommation de masse ». Néanmoins, les affaires marchaient bien. « Naturellement, le film est engagé, disait J. L. à Einfeld, et c'est ce qui en fait un si grand succès [49]. » L'alliance américano-soviétique étant fermement établie pour la durée de la guerre et la bénédiction de la Maison-Blanche acquise, aucune critique ne pouvait inquiéter les producteurs du film.

Tandis que la guerre tournait en faveur des Alliés, Bogart souffrait des frustrations communes aux hommes de son groupe d'âge, trop jeunes pour la Première Guerre et trop vieux pour celle-là. A la Warner, les jeunes premiers étaient partis au combat, laissant les stars plus âgées livrer bataille sur la pellicule. Pour Bogart et les autres acteurs de sa génération, il n'y avait rien de mieux à faire que des tournées dans les bases de l'armée, des émissions sur la radio publique et des appels à acheter des bons pour soutenir l'effort de guerre. Il se mêla même, à la Hollywood Canteen, aux recrues en route pour combattre dans le Pacifique.

Peu après Pearl Harbor fut formé le Comité pour la victoire. Il était chargé d'utiliser plus de quinze cents acteurs pour divers services en faveur de l'effort de guerre. Il en envoyait peu en Europe, mais à l'automne 1943, Bogart demanda une autorisation d'absence à la Warner pour en être. Son contrat lui accordait le droit à quatre semaines de vacances, rappela-t-il au studio. Et il ajouta, « je voudrais passer mes vacances à distraire les troupes ».

Toutes les tournées hors du pays étaient organisées en coopération avec le département de la Guerre. Le Comité et l'USO (théâtre aux armées) se chargeaient de l'organisation, et les studios fournissaient les talents — quand on leur donnait l'assurance que ceux-ci, qui restaient leur propriété et valaient des millions de dollars, reviendraient de la zone de guerre à une date précise. Bogart, comme Errol Flynn, ne devait pas partir pour plus de huit ou dix semaines.

On fit la publicité habituelle avant la tournée, avec des photos de Bogart, torse nu, se faisant vacciner sur le plateau de *Passage pour Marseille*. D'autres préparatifs furent plus discrets. Sans que Bogart le sache, le ministère de la Guerre fit faire une enquête de loyauté à son sujet. Les enquêteurs s'appuyèrent sur les sources anonymes habituelles et collectèrent des renseignements auprès des voisins, du syndicat, de la police locale ainsi que dans les dossiers des agents fédéraux. En pleine lutte contre le fascisme, où l'Union soviétique était le principal allié, le ministère de la Guerre semblait s'intéresser uniquement aux possibles relations de Bogart avec les communistes.

Il en ressortit lavé de tout soupçon. A la surprise amusée des renseignements militaires, le dur de légende apparaissait presque comme un citoyen parfait, un homme d'« excellent caractère » qui jamais ne manquait une journée de travail pour avoir commis quelque excès ou s'être mal conduit. « Son seul défaut est un tempérament violent et ses querelles... avec son épouse. Les allégations selon lesquelles le sujet aurait été lié au Parti communiste ne semblent reposer sur aucun fait », concluait le rapport le concernant [50]. On ne sait pas si tous les artistes envoyés en zone de guerre étaient soumis à une semblable enquête, ni si les retombées de la rencontre entre Bogart et Martin Dies en 1940 étaient devenues pour les responsables de la sécurité nationale un aspect permanent de la personnalité politique de l'acteur.

En novembre, Mayo et lui entamèrent une tournée de dix semaines et cinquante-cinq mille kilomètres en Afrique du Nord et de l'Ouest et en Italie. Ils se produisirent pour des milliers de G.I.'s, assurant au moins deux représentations par jour, avec des visites aux hôpitaux pendant leur temps libre. Ils faisaient partie d'une petite troupe avec l'acteur Don Cummings et l'accordéoniste Ralph Hark, et s'étaient donné le nom de « Filthy Four » — les Quatre Dégueulasses. Lors de leur première étape, à Dakar, au Sénégal, ils jouèrent devant un public énorme sur une scène construite en plein air avec les techniques pittoresques du lieu. Un orchestre les accueillit et vingt chanteurs entonnèrent « As Time Goes By ».

En quittant les États-Unis, ils ne savaient pas vraiment ce qu'ils allaient faire. Bogart s'inspira du public et improvisa un rôle de dur à partir de tous ses rôles à la Warner. Mayo, accompagnée par Hark, chanta des blues et des airs de comédies musicales. « Mon épouse est ici la seule véritable artiste de scène », dit Bogie à un journaliste. Que leur spectacle fût assez primitif n'avait pas d'importance. Pour ce public de jeunes hommes à peine sortis de l'adolescence, ce qui comptait, c'était Bogie, l'incarnation du mâle dur et incorruptible. La nouvelle de sa venue s'était répandue comme un feu de forêt. Même la propagande allemande en fit état, et souligna que la venue du gangster Humphrey Bogart illustrait le déclin moral des Américains [51].

A Casablanca, les soldats reconnaissaient Bogart dans la rue et lui demandaient sans cesse où était le bar de Rick. La ville n'avait rien à voir avec sa reconstitution en studio, surtout en décembre. « Pas de chauffage ni d'eau chaude, écrivit Mayo à sa mère, mais nous avons des vêtements chauds et dormons en sous-vêtements. Tu devrais nous voir [52] ! »

Bogart ajoutait toujours un mot affectueux, mais c'était Mayo qui se chargeait de la correspondance familiale, commençant par « Buffy chérie », et signant « Ton bébé ». Elle écrivait à sa mère deux ou trois fois par semaine des lettres pleines de tournures affectueuses dignes d'une gamine de huit ans et qui révélaient deux personnalités dans le psychisme divisé de la jeune femme : la mégère alcoolique et bagarreuse et la petite fille peureuse et soumise, restée pathologiquement attachée à sa mère.

La bataille d'Afrique du Nord était terminée, mais les Bogart promenaient leurs batailles privées à travers le continent. Pourtant, ils travaillaient beaucoup et prenaient même le temps de bavarder avec les hommes et les officiers, offrant une cigarette à de jeunes esseulés qui auraient voulu recevoir plus de lettres de chez eux et se demandaient quand Ann Sheridan allait venir. Les fêtes approchant, un fantassin reconnaissant composa un « Joyeux Noël, Afrique 1943 » de la part des forces françaises en Afrique du Nord à M. et Mme Bogart — avec toute la reconnaissance et les remerciements des soldats pour ce qu'ils avaient fait pour eux [53].

Le front s'était déplacé en Italie, et en décembre, les Bogart s'envolèrent pour Naples. La ville était maintenant une base sûre d'opération, mais les combats faisaient rage au nord, où il fallait enlever de haute lutte chaque colline. On installa les Bogart dans un bâtiment réservé aux officiers. « Partout la boue, la pluie et le froid, écrivit Mayo à Buffy, mais nous portons des vêtements de soldats et ils sont chauds. Tu devrais voir ta fille en G.I. ! » Les soldats voulaient les voir, mais en Italie, où les troupes étaient chaque jour plus nombreuses, le public était très différent de celui pour lequel ils avaient joué en Afrique.

L'armée les fit se produire à l'opéra San Carlo, près du bord de mer, qui pouvait recevoir trois mille cinq cents spectateurs. Les bombardements allemands pourtant quotidiens n'avaient pas endommagé le bâtiment. La venue des stars était très attendue pour éclairer un Noël quant au reste bien sinistre. Mais ce fut une des pires expériences de leur vie.

C'était un curieux cadre : des artistes en uniforme, un public en tenue de combat, et tout autour les pâtisseries crème et or de l'opéra où venaient se distraire les rois de Naples. La fumée des cigarettes voilait les balcons et les loges et les cendres maculaient le velours rouge des fauteuils. Bill Mauldin, qui raconta en bande dessinée l'histoire de la guerre des G.I.'s, couvrait à l'époque l'Italie du Sud pour le quotidien de l'armée, *Stars and Stripes*, mais monta plus au nord pour voir Bogart.

Mauldin était au milieu de la foule, « serré entre ces machines de combat amaigries et durcies, ces gars qui revenaient du front et avaient gardé leur casque, l'air épuisé et mauvais. Bogart est arrivé sur scène — pas trace de Mayo — dans un assez piteux état. Le couple s'était fait une réputation d'ivrognes bagarreurs, et je crois qu'il avait un œil au beurre noir. Il n'était pas ivre, mais il avait l'air souffrant. Il commença tout de suite son numéro de gangster : "Écoutez, les gars, je réunis une bande pour rentrer au pays — il y en a parmi vous qui veulent se joindre à moi ?" Ils se contentèrent de le fixer des yeux. Ils revenaient tous du front, pour l'amour du Ciel ! Ils avaient la grippe, les pieds en bouillie, ils étaient épuisés, leurs unités pour la plupart étaient réduites à vingt-cinq, vingt, voire quinze hommes, ils n'étaient pas assez nourris, mal vêtus, ils avaient tout le temps les pieds mouillés parce qu'on ne les chaussait pas non plus comme il aurait fallu. Et ils étaient amers parce qu'ils savaient pourquoi les fournitures ne leur arrivaient pas : à l'arrière, on les volait et on les vendait au marché noir. Alors les gangsters... Ces types ne lui étaient pas hostiles, ils ne voyaient seulement pas ce qu'il disait de drôle. On le voyait fléchir. Il disait ses blagues dans un silence absolu. Pour un acteur, n'obtenir aucune réaction, c'est pire que des huées. En bon soldat, il resta là et fit de son mieux, et ils sont restés très polis. Ils appréciaient qu'il ait pris la peine de venir. Mais ces gars savaient que jamais ils ne rentreraient. Ils essayaient juste de survivre. Il n'y avait pas eu de relève, et ils savaient que la seule façon de rentrer était les pieds devant. Mais ils applaudirent certaines choses, et rirent même une ou deux fois tandis que Bogie accélérait le rythme. Ce fut un moment terrible ».

Des années plus tard, alors qu'ils se connaissaient mieux, Mauldin demanda à Bogart s'il se souvenait de cette soirée au San Carlo. « Seigneur, si je m'en souviens ! J'aimerais pouvoir l'oublier ! Ces yeux... » C'étaient ces yeux dont il avait gardé le souvenir depuis la Première Guerre mondiale, sur le *Leviathan* et le *Santa Olivia*, alors qu'il ramenait les hommes des tranchées d'Europe [54].

Mais Bogart apprenait vite, et la tournée italienne continua avec plus d'assurance et des plaisanteries modifiées. « Il a compris, dit Mauldin, et il était formidable avec les gars. » Les Bogart se déplaçaient constamment, sans jamais savoir où on les envoyait, assurant deux à trois représentations par jour. Parfois, on les transportait en avion (une des lettres de Mayo était datée de « quelque part au-dessus de l'Italie »), d'autres fois ils voyageaient dans des camions ou des Jeeps de l'armée sur des routes de terre cahotantes et boueuses à cause de la pluie qui ne cessait de tomber. Plus près du front, ils jouaient pour un public moins nombreux mais non moins avide de les voir montés sur une plate-forme jetée en travers de deux remorques de camions. Bogart faisait son numéro et Mayo, accompagnée par Ralph Hark, chantait à la demande des succès de Broadway. « Nous avons la situation bien en main », écrivit Mayo à Buffy. A une étape, les G.I.'s leur chantèrent « Noël blanc », et Mayo fondit en larmes.

Dans les hôpitaux de campagne, ils s'assirent sur d'innombrables lits, parlant aux blessés à la lumière des lampes à pétrole. « Si les gens savaient ne serait-ce que la moitié de ce qui se passe ! écrivit Mayo à sa mère. J'aimerais que tout le monde puisse venir sous ces tentes. Je n'ai jamais vu autant de courage. Quelle que soit la gravité de leurs blessures, ils ont tous un sourire pour ceux qui viennent les voir du pays. » Mais elle faillit perdre son sang-froid en regardant Bogie, avec toute la conviction dont il était capable, assurer un jeune triple amputé que oui, son amie l'attendait chez eux, puis ajouter un post-scriptum à une lettre écrite par le jeune garçon anxieux [55].

Mayo était mieux que jamais pendant ces semaines : infatigable, attentionnée, utile à nouveau. Les jeunes malades étaient instinctivement attirés par cette femme au visage large et aux yeux brillants, au sourire chaleureux et à l'humour indéfectible.

Le couple se querellait, se réconciliait, se querellait à nouveau, offrait des fêtes débridées aux soldats et mangeait ce qu'on lui donnait. « En rentrant, je vais manger de la laitue comme un lapin », écrivit à Buffy la pauvre Mayo, qui ne dégustait jamais rien de frais. Ils acceptaient aussi le manque d'alcool de qualité. « On n'obtient que du mauvais cognac qui a un goût d'huile de friture, mais on le boit. »

215

Leurs bagarres, comme leur consommation d'alcool, étaient acceptées. Un jour où ils étaient entassés dans une Jeep et où Mayo chantait à tue-tête, Bogart se retourna et cria : « Est-ce que quelqu'un peut lui donner un coup de clé à molette ? » Tout le monde éclata de rire, et Mayo plus fort que les autres.

« Nous avons passé le réveillon du nouvel an à boire de l'huile de friture, écrit Mayo dans une lettre du début janvier 1944, et nous avons fait notre propre feu d'artifice. Nous avons eu un million de fous rires et jamais je ne me suis plus amusée de ma vie. Dieu te bénisse, mon ange, et nous te souhaitons tous les deux une heureuse nouvelle année. »

Ils rencontrèrent même des visages familiers. Le jeune beau-frère de Sam Jaffe, Phil Gersh, obtint une courte permission, nettoya la boue des collines qui lui collait à la peau et se présenta un soir à leur résidence, à Naples. En dépit de ces ablutions, dit-il, « je crois que je devais avoir un aspect assez repoussant. Pas étonnant après tant de semaines à dormir par terre sous la tente ». Le planton de garde appela la suite de Bogart sans quitter le jeune soldat de ses yeux de poisson, puis l'autorisa à contrecœur à monter quand Bogart lui en donna l'ordre. Dès que Bogart vit Gersh, il lui dit : « Écoute, mon garçon, tu vas rester chez nous. Je vais parler à tes supérieurs. » Mais il n'était pas si facile de faire accepter un simple soldat dans un quartier d'officiers.

Naples, nom de code PBS, pour *Peninsular Base Section*, était dirigée par une bureaucratie militaire qu'obsédaient les apparences et un système de castes dans lequel les combattants étaient au plus bas de l'échelle. L'hôtel qu'occupaient les officiers de haut rang n'avait plus grand-chose à voir avec sa splendeur d'avant-guerre, mais il possédait néanmoins trois choses qui, dit Gersh, manquaient cruellement au simple soldat : « des chambres, des salles de bains et des lits ». Mais il était interdit à tout militaire de grade inférieur à celui de lieutenant-colonel.

Bogart parla à l'officier responsable, qui lui répondit non. Le pauvre caporal Gersh, maigrichon et épuisé, assistait à la discussion de plus en plus échauffée. « Mais il est mon *manager*, bon Dieu ! Je veux un lit. Mettez-le dans ma chambre ! » Finalement Bogart menaça d'arrêter la tournée, et on installa un lit dans le petit salon. Gersh s'allongea sur le premier lit qu'il voyait depuis des mois et quelques minutes plus tard il dormait. Au petit matin, ce sont des coups de feu qui le réveillèrent. Pas ceux de l'ennemi. Ceux que tiraient Mayo et Bogart de retour d'une virée après le spectacle. « Ils étaient ivres tous les deux. On leur donnait toujours une arme pour qu'ils puissent éventuellement se défendre. Et les voilà qui tiraient en l'air — et le plafond commença à nous tomber dessus. Une nuée de généraux sont arrivés en courant — quel spectacle ! — et ils les ont désarmés[56]. »

Un soir plus calme, à Caserte, juste au nord-est de Naples, ce fut au tour d'un certain capitaine John Huston, d'un lieutenant Jules Buck et de l'auteur anglais de romans policiers Eric Ambler de camper dans le salon des Bogart. Huston et Buck, le talentueux jeune chef opérateur de la Warner, étaient en Italie pour tourner *The Battle of San Pietro* (1945), qui deviendra un classique du documentaire de guerre.

Ils étaient au front, sous le feu, depuis quatre jours. « On m'annonça au téléphone, dit Huston, que Bogart arrivait et que je pourrais aller le voir[57]. » Les amis se retrouvèrent dans un vaste palace plein de courants d'air qui avait jadis hébergé l'armée de l'air italienne et accueillait maintenant le quartier général de la cinquième armée.

Bogart et Mayo étaient au bar. « Tu tournes encore des films, mon gars ? » demanda Bogart à Buck. Puis Huston et Buck présentèrent Ambler, qui avait fourni le scénario du dernier film de Raft à la Warner, *Background to Danger (Intrigues en Orient)*.

Il était évident que les Bogart buvaient depuis quelques heures et qu'« *elle* ne marchait plus droit ». Les retrouvailles tournèrent lentement à l'aigre quand Mayo ne put ignorer la joie de son mari à revoir Huston. Le réalisateur et la femme qu'il appelait avec mépris « Bouton de rose » n'avaient jamais eu d'atomes crochus, et elle se sentait exclue.

Soudain, raconte Huston, « Mayo décida qu'elle voulait chanter ». En titubant, elle se fraya un chemin jusqu'au milieu de la salle et entonna « More than you know... »

« Elle avait beaucoup bu. Elle chantait faux, d'une voix tremblante. Elle était hors d'état de chanter. C'était très embarrassant. Il y avait un piano dans un coin, et quelqu'un essaya de l'accompagner, mais ça ne l'aida pas. Elle n'avait plus de voix. Elle n'avait plus grand-chose... »

Prolongée de deux semaines à la demande générale, la tournée des Bogart devait continuer jusqu'à la mi-février. Mais elle se termina brusquement à la fin de la première semaine du mois. Il était sans doute inévitable que Bogart ait hurlé une fois de trop contre les autorités de la PBS.

« Il faisait du scandale, poursuit Huston. Bogie adorait faire du scandale. C'était tout à fait inoffensif. Je veux dire qu'il aimait mettre la pagaille et faire du bruit, presque comme un petit garçon qui arpente un appartement en jouant du tambour. Enfin, il y avait un général dans la suite contiguë à la leur, et les Bogart avaient invité des copains, de simples troufions pour la plupart, qui buvaient sec. Alors le général a frappé à la porte et leur a demandé de mettre une sourdine. Je crois que Bogie lui a suggéré d'aller se faire foutre. Il n'a pas apprécié. On a ordonné sans aucun ménagement à Bogie de ficher le camp de Naples. »

Quoi qu'il en soit, son retour était attendu depuis longtemps. Le studio pensait que le couple reviendrait à la mi-janvier et le début du prochain film avait déjà été retardé deux fois. Il s'agissait de *To Have and Have Not (le Port de l'angoisse)* [58].

Les Bogart avaient toutes les raisons d'être satisfaits d'un travail bien fait. Leurs vestes portaient les insignes que leur avaient offerts des soldats reconnaissants des côtes occidentales de l'Afrique aux collines de l'Italie du Sud. Mises à part leurs querelles habituelles, ils n'avaient pas été aussi proches depuis des années. Avant de partir, Bogie écrivit à Buffy de les retrouver à Los Angeles : « Nous voudrions que tu viennes — vingt caisses de bière ! » et Mayo ajouta : « Comme ça tu pourras voir que ton fils et moi avons hâte de te retrouver. »

Le vol de retour prit deux jours dans des avions militaires mal chauffés et inconfortables avec d'interminables arrêts pour faire le plein. Tous deux étaient plus épuisés qu'ils ne voulaient l'admettre par leurs dix semaines de travail ininterrompu dans des conditions difficiles. Quand ils atterrirent à New York, sans avoir remis de vêtements civils, ils étaient éreintés et irritables. Ils descendirent au Gotham, l'hôtel de la Cinquième Avenue que fréquentait le personnel de la Warner. Peu après, toujours en tenue de combat, ils se mirent à crier et à se jeter à la figure des lampes et tous les meubles qu'ils pouvaient soulever.

Une tante de Phil Gersh, qui avait appris leur arrivée par Sam Jaffe, lui aussi au Gotham, pensa qu'elle pourrait obtenir leur autographe. Elle tomba en pleine scène de ménage. « La chambre était sens dessus dessous, dit Jaffe, et Mme Gershe [cette branche de la famille mettait apparemment un "e" à la fin de son nom] était là, son carnet d'autographes à la main, stupéfaite et horrifiée [59]. » Elle était encore là quand Bogart se précipita vers la porte et disparut. Jadis, ses bagarres avec Mayo se terminaient généralement dans la chambre à coucher. Cette fois, on n'arriva pas à le retrouver. Mayo, de plus en plus hystérique, ne cessa d'appeler la chambre de Jaffe. Elle avait jeté Bogie dehors, sanglotait-elle, et il s'était sans doute fait tuer par une voiture.

Il revint le lendemain matin, mortellement calme. Chaque geste était délibéré ; il exerçait sur lui-même un contrôle glacial face à l'hystérie de Mayo. Où avait-il passé la nuit ? demanda-t-elle. Il sembla prendre plaisir à lui dire précisément où il était : avec Helen Menken. Puis il décrocha le téléphone et appela Jaffe. Son agent était parfaitement au courant de sa relation avec Helen, mais il était chargé de la carrière de son client, pas de sa moralité. Pourtant, même s'il n'aimait guère Mayo, qu'il traitait de « salope », Jaffe n'appréciait pas ce qui se passait dans le couple. « Il jouait avec les émotions de Mayo. Je le sais, parce qu'il me l'a dit [60]. »

Il tenta de jouer aussi avec les nerfs de Warner. Ramené par l'armée, il avait informé les autorités militaires qu'il souhaitait s'arrêter à New York plutôt que de continuer directement sur Los Angeles. Après les épreuves de la tournée, il voulait quelque repos avant de rentrer travailler. Pour la Warner, Bogart avait demandé des vacances et les avait obtenues ; la façon dont il les avait passées ne regardait que lui. *Le Port de l'angoisse* attendait depuis la mi-décembre. Bogart en était la vedette, et il était temps pour lui de commencer le tournage. Bogart, quant à lui, exprima clairement son indifférence envers le film. Il était fatigué et il n'était pas prêt à rentrer.

Jack Warner était blanc de rage. Céder au ministère de la Guerre était une chose. Accepter le caprice d'une star égocentrique en était une tout autre. Il télégraphia à New York au responsable des tournées de célébrités sous l'égide de l'armée, Abe Lastfogel, que Bogart n'était pas en croisière, qu'il était sous les ordres de l'armée, et que s'il ne voulait pas rentrer de lui-même, c'était à l'armée de le ramener de force.

Dans une langue juridique impérieuse, J. L. rappelait que Bogart aurait dû rentrer le 1er février au plus tard. Si l'armée ne pouvait tenir parole, elle allait « trouver terriblement difficile d'emmener d'autres stars en Europe ». Lastfogel, imaginant son programme en lambeaux, assura Warner que jamais il ne s'était trouvé dans une telle situation auparavant. Washington était aussi ennuyé par l'« affaire Bogart » que lui, et il ajoutait qu'il transmettait le câble de J. L. au Pentagone [61].

Une nuée de télégrammes circulèrent alors entre Burbank, New York et Washington, dans le seul but de forcer la main à un acteur pour qu'il revienne travailler. L'armée fit son travail en donnant à Bogart l'ordre de rentrer, et le bureau de New York se démena pour lui obtenir l'autorisation de traverser le pays, ce qui n'était pas évident en temps de guerre. Jaffe fut réquisitionné pour mettre Bogart dans le train.

Mort Blumenstock, le directeur de la publicité que Warner harcelait depuis des jours, tira les ficelles et finit par trouver des places sur le *Twentieth Century Limited* pour le 10 au soir, un jeudi. Le mercredi matin, il alla l'annoncer à Bogart au Gotham, puis, précipitamment, télégraphia à Burbank : « Il refuse absolument de partir [62]. »

Le jeudi matin, Bogart avait disparu. Ne vous fatiguez pas à le chercher, télégraphia-t-on de Burbank au bureau de la Warner à New York, l'armée s'en charge. Quelques heures avant le départ du train, Bogart appela Blumenstock, qui lui confia que « tout son avenir professionnel » dépendait du fait qu'il prenne le train ce soir-là. « JE CROIS LUI AVOIR FAIT ASSEZ PEUR POUR QU'IL MONTE DANS LE CENTURY ET VOUS CONFIRMERAI SON DÉPART DÈS QUE LE TRAIN S'ÉBRANLERA [63] », télégraphia-t-il à Warner.

Finalement, comme toujours, Bogart oublia ses désirs pour sacrifier à la sécurité. Mayo et lui apparurent à la gare où Blumenstock les attendait, billets à la main. On avait prévenu Chicago pour que leur changement de train se fasse sous étroite surveillance. Non seulement

Blumenstock les fit monter dans le train, mais il attendit que le convoi prenne de la vitesse pour être sûr que sa vedette ne sautait pas en marche, puis il télégraphia la confirmation du départ à Warner. Ce voyage ressemblait moins au retour du héros ayant servi son pays qu'à l'extradition d'un indésirable. « Ils l'ont traité comme un criminel [64] », dit Jaffe. Mais c'était Bogart qui avait choisi.

Quatre jours plus tard, à Los Angeles, une nuée de journalistes et de photographes les attendaient à la gare. Mayo, les dents serrées, portait un chemisier propre. Bogart restait impassible sous les flashs des photographes. La guerre est « triste et sale, dit-il à la presse, et elle n'a rien d'héroïque [65] ».

Steve Trilling avait joint Bogart en route pour lui demander de s'arrêter au studio avant de rentrer chez lui, « car il y a beaucoup de choses urgentes qui attendent ton retour [66] ». Le réalisateur Howard Hawks et lui avaient hâte de le voir, ne serait-ce qu'un moment, pour régler quelques problèmes avant qu'il vienne tourner le mardi. Il fallait discuter du scénario et de la distribution, et parler aussi d'une nouvelle actrice, une protégée de Hawks.

12

Betty

L'actrice en question était si jolie qu'Earl Robinson, chargé de l'escorter pendant les quatre jours de voyage en train de New York à Los Angeles, se sentit obligé d'écrire en route à son épouse « pour lui assurer qu'il ne se passait rien[1] ». Robinson, compositeur connu, avait été appelé à Hollywood par son agent Charles K. Feldman pour travailler sur un film. Feldman lui avait dit qu'il aurait de la compagnie — juste une gamine qu'il envisageait d'engager. Jamais elle n'avait voyagé seule, est-ce qu'Earl accepterait d'avoir un œil sur elle ?

Elle arriva sur le quai de la gare pour monter dans le *Twentieth Century Limited* début avril 1943, toute en jambes et longs cheveux, adolescente habillée simplement d'un corsage couleur gardénia, et accompagnée de sa mère. Personne n'aurait reconnu là la blonde sophistiquée aux yeux embrumés qui avait fait la couverture de *Harper's Bazaar* en mars. Robinson ne perçut dans la jolie jeune fille aucune « qualité de star », mais il était avec sa femme, et il « ne les cherchait pas ». Pour lui, c'était une gamine qui voulait réussir au cinéma, et comme Robinson avait « une attitude new-yorkaise vis-à-vis de Hollywood », son opinion sur les starlettes n'était pas bien reluisante, même si elles étaient jolies. « Pour moi, Hollywood était irréel, et je ne le lui ai pas caché, ce qui était stupide de ma part. » Il trouva néanmoins qu'avec ses dix-huit ans, elle était « franche et amicale ».

Ils passèrent ensemble la journée à Chicago jusqu'au départ du *Super Chief*. Alors qu'ils dînaient ce soir-là, Robinson se dit : « Elle gagne autant que moi, elle peut payer. » Si bien qu'il suggéra que, comme ils étaient tous deux engagés par Feldman, ils payent chacun pour soi. Elle trouva cela tout à fait juste, et Earl Robinson commença à réviser son opinion de Betty Joan Bacal, qu'on appellerait bientôt Lauren Bacall.

Pour le bureau de Feldman, la jeune Betty Bacal n'était qu'un joli visage de plus, un investissement minime de quelques appels téléphoniques et d'un bout d'essai. Feldman ne l'avait même pas rencontrée à New York, occupé à des choses plus importantes pour lui, comme de trouver des filles pour figurer aux côtés de Rita Hayworth dans *Cover Girl (la Reine de Broadway),* ou des essais avec la brune Ella Raines qu'il devait préparer avant qu'on la présente comme la dernière découverte de Howard Hawks.

L'amie d'enfance de Betty, Gloria Nevard, dit qu'elle était « une jeune dame décidée avec une volonté de fer ». Toutes deux avaient partagé une chambre à Highland Manor, pension installée à Tarrytown, dans l'État de New York et étaient devenues inséparables. Enfants du divorce, élevées par leurs mères qui devaient travailler, elles avaient reçu une éducation « inhabituelle pour leur époque ». Elles devaient avoir du caractère, « être très indépendantes et très fortes[2] ». D'abord inscrite sous le nom d'un père disparu de sa vie, Perske, Betty choisit très vite de prendre le nom de sa mère.

Déjà très jolie, elle jouait dans les pièces que montait la troupe de l'école. Elle était au centre de l'attention d'une grande famille juive, avec un cercle de tantes et d'oncles qui l'adoraient, sans parler de sa grand-mère qui avait émigré de Roumanie avec ses jeunes enfants. Leur nom était Weinstein-Bacal, mais à l'entrée aux États-Unis, le préposé au bureau de l'immigration n'avait apparemment écrit que la première moitié du nom, si bien qu'ils étaient devenus les Weinstein[3]. Après son divorce, la mère de Betty, Natalie Perske, se fit appeler Natalie Bacal.

Un des oncles de Betty avait prêté à sa mère l'argent nécessaire pour payer cette pension très chère. Les Weinstein-Bacal avaient été élevés dans le respect du travail et des cours du soir, et la conviction que dans ce nouveau pays rien n'était hors de portée quand on travaillait dur pour l'avoir. Lorsqu'elle entra en pension, Betty connaissait déjà la valeur de l'opiniâtreté. Quand un matin on servit aux élèves des bols de céréales trop cuites qui formaient d'énormes grumeaux dans une masse peu appétissante, les autres enfants réussirent à les avaler, mais elle refusa. Contrainte de rester sur sa chaise jusqu'à ce qu'elle ait mangé son bol, Betty demeura dans la salle à manger vide toute la matinée, le dos droit, le bol intact. Mais de retour dans l'intimité de sa chambre, elle pleura toute la nuit. Dans sa carrière future, elle devait toujours faire preuve de ce mélange de détermination et d'émotivité.

Quand Betty sortit de Highland Manor, la famille décida qu'elle fréquenterait le lycée Julia Richman, à New York, où elle fut à nouveau inscrite sous le nom de Betty Perske[4]. Après la classe, elle allait prendre des cours de comédie à l'American Academy of Dramatic Arts, dans la Cinquante-septième Rue, mais elle dut arrêter au bout d'un an parce qu'elle n'avait pas assez d'argent et qu'aucune bourse n'était prévue pour les filles.

Elle s'engagea donc sur la dure route des débutantes, travaillant alternativement comme mannequin dans une boutique, comme ouvreuse au théâtre, comme vendeuse de guides des spectacles devant Sardi's, le restaurant des passionnés de théâtre. Elle apprit à l'occasion que rien ne sert d'être discrète, qu'il vaut mieux être jeune, jolie et se faire remarquer.

Elle apprit aussi que ce n'était pas un avantage d'être juive. Elle avait seize ans quand elle trouva son premier travail de mannequin. Un jour, une autre fille lui demanda : « Qu'est-ce que tu es ? » Ne sachant pas que l'autre l'interrogeait plus sur le pays de ses ancêtres que sur sa religion, elle répondit :

« Je suis juive.

— Non ! Mais tu n'en as pas l'air du tout. »

Peu après, Betty fut renvoyée, sous prétexte qu'elle était trop mince pour les vêtements du créateur[5].

Quand Gloria Nevard vint lui rendre visite, elle semblait déjà appartenir au monde de Broadway. Elles déjeunèrent au Sardi's, dont les murs étaient couverts de photos de sa célèbre clientèle. Horrifiée par les prix, Gloria commanda ce qui lui sembla le moins cher sur le menu, puis rougit d'embarras quand le serveur lui apporta une assiette sur laquelle reposait un cylindre de thon tout droit sorti de sa boîte. Au théâtre où elle était ouvreuse, Betty emmena Gloria en coulisses pour voir les acteurs. Elle qui n'avait jamais vraiment connu son père était particulièrement attirée par les hommes d'âge mûr qui jouaient les premiers rôles[6].

Elle avait le don de la comédie et une qualité spéciale, sur scène et hors de scène, qui faisait qu'on la remarquait. Arthur Sheekman et Gloria Stuart, sur la côte Est afin d'auditionner pour la pièce *Franklin Street*, furent ravis de cette grande ingénue dont l'entrée en bottines à boutons, chapeau plat et regard lointain déclenchait les rires chaque fois qu'elle apparaissait. Pour Gloria Stuart, « elle était adorable. Très ambitieuse, pleine de talent et très bonne dans la pièce[7] ». Joyce Gates, qui jouait aussi dans *Franklin Street* et devint une grande amie de la jeune actrice, était bien d'accord : « Elle était d'une beauté stupéfiante, avec beaucoup d'humour. Très ambitieuse et déterminée[8]. »

La pièce, mise en scène par le géant de Broadway George S. Kaufman, continua à Washington, et la grande blonde laissa une impression durable. Elle fut la seule à qui Kaufman écrivit après la fin des représentations : « Sans doute savez-vous que nous arrêtons la pièce jusqu'à ce qu'elle ait été remaniée. J'espère qu'il y en aura une autre, à moins que nous ne reprenions celle-ci » — même si par erreur il l'appelait « Peggy »[9]. Grâce à son réseau d'amis plus âgés et plus influents, elle fut présentée à la rédactrice de mode Diana Vreeland, arbitre du goût pour des millions de femmes. Enchantée par le physique de la jeune fille, elle la fit figurer dans *Harper's Bazaar* de janvier et février 1943, puis en couverture pour l'édition de mars. Dans le numéro de février, qui sortit juste au moment où Feldman s'apprêtait à quitter New York, on avait écrit son nom « Becall ».

Nancy « Slim » Gross Hawks, épouse de Howard Hawks, partenaire et client de Feldman, avait vu la photo de Betty et de deux actrices présentant des chemisiers en feuilletant le magazine à Los Angeles, et elle avait incité son mari à contacter la jolie jeune fille. D'autres l'avaient aussi remarquée : David Selznick et Howard Hughes se renseignèrent tous deux sur elle, et la Columbia lui proposa un contrat. La différence entre Hawks et la Columbia était que Hawks proposait un contrat personnalisé avec garantie que, si les essais étaient concluants, il la ferait jouer dans un de ses films. La Columbia ne proposait que le contrat standard assorti de toutes les servitudes et corvées conformes aux intérêts du studio. Elle accepta donc la proposition de Feldman et Hawks qui lui offraient un voyage en Californie, persuadée qu'elle saurait vite si elle avait ou non un avenir à Hollywood.

Hollywood avait été inventé pour des gens comme Charlie Feldman (né Charles Gould en 1904). Avocat, il était devenu agent, puis producteur. Au cours de sa carrière, il compta parmi plus de trois cents clients John Wayne, Gary Cooper, Greta Garbo et Marilyn Monroe. Pour quelqu'un qui voulait réussir dans le monde du spectacle, il fit des choses qui auraient coupé les jambes d'un homme moins talentueux, comme d'épouser Jean Howard, l'actrice au cheveux d'or, ancienne meneuse de revue et petite amie du tyrannique président de la MGM, Louis B. Mayer. La beauté de Jean obsédait Mayer au point que non seulement il interdit à Feldman l'entrée de son studio mais essaya aussi de le faire rejeter des autres ; en revanche, Feldman était le seul agent avec qui Darryl Zanuck, chef de production de la Twentieth Century-Fox, traitait personnellement. Il croyait passionnément dans le « star system » et trouvait justifiés les hauts salaires de ses clients. « Personne n'avait jamais entendu parler d'Ali Khan avant qu'il épouse Rita Hayworth, dit-il un jour, et personne ne s'intéressait au prince Rainier avant qu'il épouse Grace Kelly. » Il obtenait donc pour ses clients des contrats sans précédent. Il négocia cent cinquante mille dollars pour Claudette Colbert, jusque-là payée deux mille cinq cents dollars par semaine, afin qu'elle tourne dans *It Happened One Night* [*New York-Miami* (1935)]. Il obtint autant la même année pour Irene Dunne afin qu'elle joue dans *Magnificent Obsession (le Secret magnifique)* à une époque où elle gagnait soixante mille dollars par an avec son contrat. Il fit grimper le salaire de John Wayne à sept cent cinquante mille dollars par film, plus un pourcentage des bénéfices, et se présenta comme le premier agent à avoir obtenu une part du gâteau pour ses vedettes. Il fut aussi le premier agent à obtenir des contrats groupés, rassemblant scénariste, vedettes et réalisateur, tous généralement ses clients. Il confia à Woody Allen son premier scénario et son premier rôle dans *What's New, Pussycat ?* [*Quoi de neuf Pussy Cat ?* (1965)] et parmi la douzaine d'autres films qu'il produisit, on peut citer *la Ménagerie de verre* (1950), *Un tramway nommé Désir* (1951), *Sept Ans de réflexion* (1955) et *le Groupe* (1966).

Son associé, Howard Winchester Hawks, né en 1896, fils d'un riche fabricant de papier, avait un diplôme d'ingénieur en mécanique de l'université Cornell, ce qui faisait de lui un homme instruit dans un milieu que dirigeaient des « échecs scolaires ». Il n'avait pas froid aux yeux non plus. A seize ans, il conduisait des voitures de course. Le cinéma l'attirait aussi, et il passa ses vacances de 1916 et 1917 comme accessoiriste chez Famous Players-Lasky. Après l'université et son service dans les forces armées pendant la Première Guerre mondiale, il conçut et pilota des avions avant de revenir à la Famous Players-Lasky dans le département des scénarios, où il travailla sans gloire sur des dizaines de textes.

Le critique et historien du cinéma David Thomson a écrit : « Comme Monet peignait et repeignait des nymphéas, les œuvres de Hawks revenaient toujours à la même chose : les hommes en disent plus long en roulant une cigarette qu'en sauvant le monde. » Ses films montrent des hommes d'honneur qui affrontent l'adversité avec constance. Les besoins respectifs des hommes et des femmes, en dépit de leur joyeuse incompatibilité, créaient le côté sombre de ses films les plus drôles, qui montrent que la vie, même jalonnée d'inévitables désillusions, vaut la peine d'être vécue. L'amour du langage imprègne ses films ; ses personnages parlent souvent d'une voix rapide et se coupent la parole, ce qui donne aux scènes leur rythme, leur humour et produit l'impression d'une véritable conversation. Il a réalisé plus d'une douzaine de grands classiques que l'on regarde encore avec autant de plaisir qu'à leur sortie : entre autres *l'Impossible Monsieur Bébé* (1938), *Scarface* (1932), *Seuls les anges ont des ailes* (1939), *le Grand Sommeil* (1946), *la Rivière rouge* (1948), *Les hommes préfèrent les blondes* (1953), *Rio Bravo* (1959).

Hawks était aussi « un menteur chronique et un diviseur, un solitaire roublard, un dandy hypocrite et un homme à femmes ruineux [10] ». Meta Wilde, qui devint la scripte préférée de John Huston, commença sa carrière dans les années 1930 comme secrétaire de Hawks avant d'être aussi sa scripte. Elle le trouvait « froid et impitoyable... austère et distant. C'était *Monsieur* Hawks ». Une fois admis dans son bureau — il fallait encore traverser toute la pièce pour l'approcher —, un jeune acteur le voyait penché sur son travail ; quand il en levait enfin les yeux, il disait : « Alors [11] ? »

Lorsqu'elle était sa secrétaire, Meta travaillait sans ménager son temps, véhiculant les enfants de son patron, remettant de l'argent à ses bookmakers et rassurant sa première femme délaissée, Athole Shearer, sœur de Norma Shearer. Il lui fallait aussi supporter ses longs silences glacials, son étroitesse d'esprit, sa misogynie sous-jacente qui allait détruire ses trois mariages. Sa cruauté affleurait en phrases monocordes, sa colère cristallisait en gel. Un jour, dans les années 1950, William Faulkner posa ses grands yeux tristes sur la troisième femme de Hawks, Dee Hartford (plus tard Dee Cramer), et dit avec son accent doux et traînant : « Mademoiselle Dee, je ne voudrais être ni le chien ni le cheval ni la femme de M. Hawks[12]. »

Hawks et Feldman avaient une âme de joueurs et la fidélité sexuelle d'un lapin en chaleur. Mais ils avaient de l'imagination et ils étaient loyaux et dévoués à leurs clients. Ils menaient une vie luxueuse et ostentatoire, souvent aux dépens des autres, mais à Hollywood, ce n'était pas rare. Le monde du cinéma était parfait pour eux. Et, au moins pour un temps, il fut parfait pour Betty Bacal.

On attendait Bacal et Robinson à la gare de Los Angeles pour les conduire aux productions Hawks-Feldman, sur Wilshire Boulevard à Beverly Hills, puis au Claremont Hotel dans Westwood Village. Ce soir-là, ils dînèrent avec Feldman et Robert Ritchie, ex-représentant de la MGM à Vienne qui avait découvert Hedy Lamarr et Luise Rainer. Feldman souhaitait qu'il jauge les possibilités de celle qu'il voulait engager.

Le lendemain, ils déjeunèrent avec Feldman et Hawks au Brown Derby. Hawks raconta plus tard qu'en pull et jupe de toile, la jeune femme sexy de *Harper's* lui avait semblé « juste une gosse ». Il prétend avoir dit : « Faites-lui visiter le studio pour qu'elle puisse dire qu'elle y est venue, et renvoyez-la chez elle[13]. » Comme bien des souvenirs de Hawks, celui-là est plus pittoresque que véridique. Les archives de Feldman détaillent clairement l'argent avancé et les promesses faites avant d'amener la « gosse » en Californie : un essai avant une date fixée, jusque-là une modeste allocation pour couvrir ses dépenses. Le matin de son arrivée, la directrice de son hôtel, Mme McCall, appela l'agence pour demander qui réglerait la note. Feldman lui répondit que la jeune fille, comme Robinson, paieraient eux-mêmes[14].

Betty Bacal n'était pas une priorité pour Hawks et Feldman. Cet honneur revenait à Ella Raines, qu'ils avaient fait venir deux mois plus tôt. Contrairement à Betty, qu'on avait amenée discrètement et logée modestement, Ella s'était vu accorder toutes les faveurs dues à une future star[15].

Les essais d'Ella avaient ravi tout le monde. Le grand séducteur Charles Boyer voulait qu'elle joue dans son prochain film, et Hawks était certain de tenir là une graine de star. La liste des actrices dans lesquelles il avait cru comprenait Katharine Hepburn, Rosalind Russell, Frances Farmer, Barbara Stanwyck et Rita Hayworth. Il se préparait à lancer sa dernière trouvaille [16].

Non qu'on négligeât Betty. En plus des repas avec Feldman et Hawks et des réunions dans leurs bureaux, le dimanche qui suivit son arrivée, Feldman et Jean Howard l'invitèrent à déjeuner chez eux à Beverly Hills. Feldman demandait toujours à sa femme son avis sur les nouveaux talents — John Wayne lui avait semblé « juste un grand et beau cow-boy » — ce qui était précisément le cas. De Betty, Jean dit : « Je la trouve décidée pour une gosse, et elle est très jolie [17]. »

Il se trouvait justement que Hawks et Feldman avaient besoin d'une gosse décidée venant de Russie. Hawks avait signé un contrat pour la Warner, et il s'agissait en l'occurrence du film de guerre qui mettrait fin à tous les films de guerre : une superproduction multinationale associant si possible plusieurs studios et qui célébrerait les principes de la Déclaration des Nations unies de 1942 (à ne pas confondre avec la Charte des Nations unies signée à San Francisco en 1945), et récemment réaffirmée à Casablanca.

Battle Cry, qui n'avait rien à voir avec le roman de Leon Uris ni avec le film qui en fut tiré en 1955 *(le Cri de la victoire)*, devait être la célébration d'un monde unique. Il serait écrit par les plus grands scénaristes de Hollywood, avec une distribution éblouissante. Ce serait une succession de séquences dépeignant tout ce qu'il y a de bon et de bien dans les nations éprises de liberté qui s'étaient levées contre le fascisme [18], un amalgame de musique et de narration, d'histoire et de fiction ; la séquence américaine devait inclure *The Lonesome Train*, la cantate de vingt-sept minutes composée par Earl Robinson en mémoire d'Abraham Lincoln [19]. Hawks voulait que ce soit le plus grand film d'action de tous les temps.

Ni Bette Davis ni Claudette Colbert n'avaient accepté de rôle. Mais Betty Bacal, avec ses pommettes hautes et son regard exotique, était faite pour l'épisode russe. Des écrivains étaient venus de New York pour jeter sur le papier les premières idées ; elle arriverait en parachute dans un champ où elle rencontrerait justement un soldat. Étant donné la façon dont tourna le climat politique, il serait intéressant de se demander ce que serait devenue la vie de Betty Bacal si elle avait commencé sa carrière hollywoodienne par un film intitulé *Journal d'une femme de l'Armée rouge* !

Tandis qu'elle attendait qu'on décide de son avenir, Betty appelait le bureau de Feldman trois ou quatre fois par jour pour lui rappeler que, même si son agenda était constellé de noms comme Cary Grant, Ingrid Bergman et Marlene Dietrich, elle était là, elle aussi. D'autres jours, elle rencontrait ceux qui préparaient le film — le tout est consigné dans les archives de l'agence, où son nom est encore mal orthographié : Becall [20].

Robinson et elle étaient souvent ensemble, parce qu'ils avaient été engagés dans les mêmes circonstances. Robinson, proche ami du chanteur Woody Guthrie et membre de la gauche musicale, était aussi pressenti pour le film. Musicien hors pair, il avait été incité par Feldman et Hawks à montrer ses talents à l'élite de l'industrie lors de fêtes à Beverly Hills et Bel Air. Betty était souvent là et, au grand plaisir de Robinson, se joignait à lui quand il jouait du piano. « Elle avait une belle voix, très musicale. Charlie nous a montrés dans tout Hollywood. Je chantais mes chansons, et Betty m'accompagnait[21]. »

Environ trois semaines après son arrivée à Los Angeles, un mémorandum fut diffusé à la Warner depuis le bureau du responsable de la distribution Steve Trilling : « M. Hawks va tourner des bouts d'essais pour *Battle Cry* lundi 26 avril. A dix heures : Betty Becall[22]. » L'assisterait Charles Drake, qui avait travaillé avec Hawks et était sur le point de commencer à travailler avec Bogart sur *La mort n'était pas au rendez-vous*. On ne devait pas tourner une scène de *Battle Cry*, qui n'était pas encore écrit, mais d'une pièce de Broadway, *Claudia*. C'était un rôle que Betty connaissait bien.

Le dimanche soir, elle alla passer la nuit chez les Feldman. Jean Howard raconte : « Elle était nerveuse et effrayée. J'ai fait ce que je pouvais, sans lui tenir la main. Elle savait qu'elle était entourée d'amis. Mon neveu l'a conduite à la Warner pour les essais[23]. » Contrairement aux essais bâclés qui avaient sonné le glas de bien des rêves d'aspirants comédiens, ceux de Betty furent très soignés. Hawks veilla à tout, du maquillage à l'éclairage. Une photo qui nous est parvenue de ce matin-là montre une jeune fille aux yeux rêveurs et aux cheveux ondulés qui lui tombent sur les épaules ; la lumière souligne à la perfection la structure du jeune visage.

Le 3 mai, Betty signait un document de quatre pages denses qui la plaçait sous contrat personnel avec Howard Hawks, à cent dollars par semaine au début, avec une option allant jusqu'à sept ans et un maximum de mille cinq cents dollars par semaine. Hawks, en retour, obtenait les services exclusifs de la jeune fille, ainsi que le droit de la louer à d'autres grands producteurs, clause dont l'importance ne devait lui apparaître que plus tard. Pour l'instant, elle était la protégée — et la propriété — d'un des réalisateurs américains les plus accomplis, un homme qui vivait dans la splendeur, jouait aux courses, payait rarement ses factures et avait toujours besoin de liquide.

Fin mai, Betty devenait une véritable résidente de Beverly Hills et elle passait son permis de conduire. Le bureau de Feldman établit un budget mensuel sur la base d'un salaire net de quatre-vingts dollars par semaine et d'une allocation de trente-cinq dollars par mois. Une fois payés la location de son petit appartement, les notes de téléphone, la nourriture, la voiture et le dentiste, une fois déduits les dix pour cent pour l'achat de bons de guerre, il lui restait chaque mois quatre dollars quatre-vingts plus son allocation à dépenser à sa guise[24]. Quand Natalie Bacal eut renoncé à tout droit sur les gains de sa fille, elle s'installa avec elle dans le meublé du 275 South Reeves Drive, à quelques pas de l'agence.

En juin, Hawks, son avocat, Natalie Bacal et « Betty Bacal, mineure » se présentèrent devant un juge pour obtenir l'approbation du contrat. Un compte-épargne fut ouvert pour la mineure, sous la responsabilité de sa mère[25]. Pour le reste, Natalie était heureuse de s'effacer et de laisser les mentors de sa fille décider ce qu'il y avait de mieux pour sa carrière. Jean Howard la trouvait « très solide, une femme de valeur, et une véritable mère. Pas du genre à traîner sa fille aux castings[26] ».

Puis vinrent les mois de transformation. Pour commencer, il y avait la question de la voix. Feldman venait de renoncer à une jeune fille engagée à trois cent cinquante dollars par semaine à l'agence Conover. On considérait qu'elle était une des plus belle filles de New York, elle possédait grâce, charme, beauté et raffinement — mais une voix suraiguë[27]. Feldman avait payé des cours et s'apprêtait à l'engager dès qu'elle se serait améliorée. Cela n'avait pas été le cas.

En dépit de ce qu'on a pu dire plus tard, Betty Bacal n'avait pas de véritable problème vocal, même si sa façon de parler trahissait ses origines new-yorkaises. Jean Howard dit que son débit était simplement « plus rapide et plus dur » que le ton lent et modulé des héroïnes de Howard Hawks. Bob William, dont la sœur avait fréquenté le même lycée qu'elle, reconnut Betty Perske et dénonça immédiatement « son véritable accent de New York ». Une employée de la Warner se souvient d'« une voix grave. Mais Howard la voulait très, très grave, pour qu'elle ne grince pas à l'écran[28] ».

Hawks insista plus tard sur le fait qu'elle avait « une petite voix flûtée », en s'attribuant comme d'ordinaire le rôle du faiseur de miracles. Mais le timbre qu'elle finit par acquérir fut davantage le résultat de ses efforts que de l'alchimie de son mentor. Chaque jour la jeune fille empruntait Benedict Canyon ou Coldwater Canyon, qui relient Beverly Hills à Mulholland Drive, ruban d'asphalte qui domine la ville d'un côté et la vallée de San Fernando de l'autre. Elle s'arrêtait en un lieu désert et lisait à haute voix *The Robe (la Tunique)*, forçant délibérément sa voix dans les graves pour la rendre plus masculine, plus sexy. C'est Hawks qui lui avait suggéré cet exercice.

Hawks raconte qu'un jour sa secrétaire avait laissé un message : « cette fille » avait demandé à le voir. « Et quand elle est arrivée, elle parlait... très grave, vous savez. Elle avait changé sa voix. Et... enfin, on ne pouvait pas ne pas remarquer une fille comme ça[29] ! »

Jean Howard était bien d'accord : « Elle avait une très belle voix. Une voix qui possédait une personnalité[30]. »

Puis se posa la question de son style. On l'envoya à Hog Canyon, la propriété seigneuriale de Hawks sur Moraga Drive, dans les collines de Bel Air ; elle écrivit plus tard que l'énorme ranch tout en rez-de-chaussée et plein d'antiquités « était la plus belle maison qu'elle avait jamais vue[31] ». Dee Cramer, mariée à Hawks de 1953 à 1959, était du même avis : « Le style de la maison était tout bonnement incroyable. » Il y avait aussi des granges, une maison de jardinier, une armada de camions et une écurie de course pleine de pur-sang[32].

Pendant trois ans, la jeune actrice fut placée sous la supervision de l'épouse de Hawks, « Slim », arbitre de la mode, une des femmes les mieux vêtues d'Amérique. La seconde Mme Hawks, d'environ vingt ans plus jeune que son mari et seulement sept ou huit ans plus âgée que Betty, ne tarda pas à devenir son modèle. Toutes deux devinrent presque interchangeables. Pour Dee Hawks Cramer, qui connaissait et admirait celle qui l'avait précédée, « Slim *était* Lauren Bacall. Je veux dire qu'elle avait cette allure assurée presque masculine, cette façon de porter les plus beaux vêtements, cette capacité à dire avec élégance des mots grossiers. Et elle avait un *esprit* incroyable. Betty était vraiment l'émule de Slim — elle était devenue Slim[33] ». Cette métamorphose n'avait aucun sens pour Jean Howard. « Je savais que Betty était impressionnée par Slim, et je me demandais pourquoi, parce que je trouvais Betty bien mieux que Slim, en fait — plus personnelle, plus réelle[34]. »

Vêtue des atours de Slim, placée dans le cadre élégant et de bon goût de la maison des Hawks, elle fut photographiée par John Engstead, dont les clichés avaient formé l'image publique de Carole Lombard, Claudette Colbert et Marlene Dietrich. Il en résulta la pose classique qui devint la signature de Lauren Bacall : tête baissée, cheveux clairs et doux, levant ces yeux passionnés qui lui valurent plus tard son surnom : *The Look* — le Regard.

Fin juillet, il apparut clairement que la production de *Battle Cry* rencontrait des problèmes insurmontables. C'était trop compliqué, il y avait trop peu de scénaristes disponibles[35] et trop peu de stars engagées ; plus grave : c'était trop cher. Jack Warner dit à Hawks et Feldman que le coût était estimé à quatre millions de dollars, presque le double des chiffres d'origine, et qu'il n'était pas prêt à dépenser des sommes pareilles, même s'il avait déjà versé à H-F Productions plus de quatre-vingt-douze mille dollars[36]. A la mi-août, tous se résolurent à oublier le projet et à passer à autre chose. On n'avait pas encore décidé quoi, mais le nom de Hawks signifiait des profits en perspective et la Warner, en échange d'un accord, était prête à garantir la participation de Humphrey Bogart.

Hawks, lors d'une réunion ultérieure avec J. L., lui dit que s'il était prêt à racheter à Howard Hughes les droits d'*En avoir ou pas*, le roman de son ami Ernest Hemingway, ils pourraient le faire [37].

Ce roman était un des moins populaires de Hemingway, et personne à Hollywood ne montrait un empressement particulier à s'en assurer les droits. La Warner l'avait repoussé en 1937, mais en 1943, il était soudain la réponse à tous les problèmes. Le studio voulait oublier *Battle Cry* et réduire les pertes, alors que Hawks, harcelé par le fisc pour des impôts en retard, avait besoin des cent mille dollars que lui garantissait un nouveau film à réaliser. Il avait réussi à s'arranger pour que Hog Canyon ne tombe pas entre les mains du gouvernement en réglant peu à peu les sommes dues avec ce que lui versait la Warner [38]. En moins d'une semaine, Hawks racheta le roman à Hughes et le revendit à la Warner. Une partie des bénéfices entra dans les caisses de H-F Productions, et une autre dans celles d'oncle Sam. Le 7 septembre, tout était prêt pour commencer la production du *Port de l'angoisse* [39].

Pour donner la réplique à Bogart, on pensa d'abord à Ann Sheridan. Elle était une des plus grandes stars de la Warner et, comme elle le prouva six ans plus tard dans *I Was a Male War Bride (Allez coucher ailleurs)*, elle correspondait exactement au profil des héroïnes sûres d'elles qu'aimait Hawks. Mais quand la Warner suggéra qu'on pourrait trouver un nouveau visage, Hawks et Feldman saisirent l'occasion d'en fournir un. Hawks demanda qu'on projette à Jack Warner le bout d'essai que Betty Bacal avait tourné en avril, et celui-ci en fut enchanté. Si elle devait avoir le rôle principal du nouveau film, la Warner partagerait son contrat [40].

Hawks et Feldman lancèrent discrètement une campagne pour augmenter la notoriété de Betty en l'invitant chez eux à des soirées réservées aux célébrités, ou en l'emmenant à des fêtes chez des personnages influents [41]. Elsa Maxwell, l'amie des gens qui comptaient, donna en son honneur un charmant déjeuner dont Hedda Hopper parla dans le *Los Angeles Times*. La jeune fille ne se rendait pas bien compte des calculs de Hawks. Tout ce qu'elle savait, c'était qu'on avait organisé une fête pour son dix-neuvième anniversaire.

Malgré toutes leurs gentillesses, ses plus proches alliés présentaient aussi des dangers, qu'elle traita un peu comme l'incident du porridge à la pension : avec une visible détermination mais aussi un grand trouble intérieur. Feldman, malgré sa très jolie épouse, était connu pour ses nombreuses aventures. Certains pensaient qu'il avait jeté son dévolu sur Betty. Earl Robinson n'en doutait pas : « Charlie avait un faible pour Betty. Il tentait de la séduire, et elle lui résistait [42]. » Jean Howard était tout aussi convaincue du contraire : « Jamais il n'a fait la moindre tentative, je peux vous l'assurer. Betty n'était vraiment pas son type. Elle était un peu trop dure, peut-être. Un peu trop... juive. Je n'aime pas dire ça, parce qu'il n'avait pas de préjugés contre eux, mais je sais qu'il n'aurait pas eu d'aventure avec elle[43]. »

Les préjugés de Hawks, en revanche, s'étalaient au grand jour. Il émaillait sa conversation de plaisanteries antisémites qui choquaient sa protégée. Elle avait remarqué qu'en dehors de Feldman, jamais il n'invitait de Juifs à Hog Canyon, et elle se demanda si Hawks connaissait ses origines. Sans doute. Mais au souvenir de la façon dont elle avait perdu son premier travail de mannequin, elle était à la fois contrainte au silence et pleine de remords pour ne pas tenir tête à son bienfaiteur qui l'agressait de ses insinuations en même temps qu'il lui offrait le rêve américain. « Sa judaïcité la confrontait à un dilemme avec Hawks et son groupe d'amis antisémites, dit Jules Buck. Elle se sentait coupable[44]. »

Quels qu'aient été les préjugés de Hawks, on se rendait compte à des signes plus ou moins subtils qu'il voulait plus qu'une simple associée en affaires[45]. Joyce Gates, amie de Betty depuis la pièce de Kaufman, était aussi venue pour un bout d'essai et demeurait avec sa mère au Beverly Hills Hotel. Betty lui dit ce qui se passait. « Elle était très jeune et très effrayée[46]. »

Pourtant, à l'inverse de tant d'autres, elle évita les complications du divan de casting — ce qui ne fut pas le cas d'Ella Raines. « Pauvre fille[47] », commenta simplement Jean Howard quand elle l'apprit. Jules Buck, le photographe et plus tard producteur qui épousa Joyce Gates et qui connaissait aussi bien Ella que Betty, déclara : « Ella était adorable, mais c'étaient deux personnalités tout à fait différentes. Betty était une force. Elle se poussait sans en avoir l'air. Ella était en retrait. Elle n'avait pas le charisme de Betty[48]. » Dans les huit années qui suivirent, jamais elle ne travailla avec Hawks, et la place de la femme idéale de Hawks resta vide.

L'essentiel des détails relatifs à la production du *Port de l'angoisse* furent réglés à l'automne, mais la question du principal rôle féminin restait ouverte. Même si des semaines plus tôt Roy Obringer avait noté le nom de Bacal comme une possibilité, le studio n'avait pas entériné cette idée, attitude courante dans un milieu où les enthousiasmes retombent du jour au lendemain. Jouait dans le dernier film de Bette Davis, *Old Acquaintance (l'Impossible Amour)*, une jeune blonde de dix-huit ans, Dolores Moran, qui, contrairement à Betty Bacal, était déjà employée de la Warner. Quant à Betty, Jack Warner dit que le studio signerait un contrat quand ils l'utiliseraient — s'ils l'utilisaient — « mais rien ne nous y oblige[49] ».

A H-F Productions, on était si impatients que le film se fasse, maintenant que Bogart y était engagé et que cela libérait Hawks de ses impôts, que lors de la signature du contrat préliminaire on laissa tomber par consentement mutuel la clause indiquant une possible participation de Betty Bacal. Trilling montra les essais de « nos diverses jeunes beautés » et promit à J. L. de faire de son mieux pour convaincre le réalisateur de renoncer à « Betty Becall »[50].

En dépit de son urgent besoin d'argent, Hawks ne céda pas. En octobre, il amena la jeune fille sur le plateau de *Passage pour Marseille* et la présenta à Bogart. Ils échangèrent quelques mots polis. Petite silhouette en tenue de prisonnier avec un pantalon trop grand et une chemise de coton, Bogart fut amical, mais il n'y eut pas de coup de foudre, dit plus tard la jeune femme. Lui se souvint d'avoir vu arriver une jolie starlette qui pouvait être un atout pour un film aussi bien que sa ruine, et de s'être demandé si elle était capable de jouer[51].

Pendant que Bogart était en Italie, on programma les essais de Dolores Moran et Betty Bacal pour le rôle de Marie. Il s'agissait d'une scène clé entre Marie Browning et Harry Morgan, le personnage qu'interprétait Bogart, et Hawks devait diriger les essais.

Dolores passa en premier, le dernier vendredi de l'année 1943. Betty devait tourner le lundi après-midi. Dans ses Mémoires, elle raconte comment elle passa tout le week-end à répéter avec l'acteur John Ridgely à la place de Bogart. Hawks les avait fait recommencer autant de fois qu'il avait fallu pour que le choix tourne en sa faveur, et non en faveur de la pouliche de Jack Warner. Le lundi, il y eut encore une heure et demie de répétitions avant le début de l'essai. Le lendemain, Hawks, Trilling et Feldman visionnèrent les essais avec J. L., et tous surent à l'instant qu'ils avaient trouvé Marie. Le mercredi, lors d'une réunion avec leurs hommes d'affaires, Feldman et Hawks déclarèrent que la nouvelle venue avait un énorme potentiel, et H-F Productions reprit formellement le contrat de Hawks avec Betty Bacal[52].

Même dans les premières versions, où Marie s'appelait Corinne, il est clair que le rôle avait été écrit pour Betty. Le scénariste Jules Furthman, vétéran de deux films avec Hawks et trois scénarios pour Marlene Dietrich, dont le classique *Shanghai Express* (1932), avait émaillé ses dialogues de références explicites *(Ce mélange pêche et crème aux yeux de lynx et aux longues jambes[53])* et d'indices évidents *(Tu dois l'avoir prise incroyablement jeune. Elle n'a pas l'air d'avoir plus de dix-neuf ans[54])* qui prouvent que Betty était son modèle.

C'était à l'origine un plus petit rôle, celui d'une pauvre môme qui se prostitue, parle haut et aime boire. Le rôle le plus valorisant était celui de Helen Gordon, l'ex-épouse et ancienne maîtresse du héros, « une belle New-Yorkaise de vingt-cinq ans », indépendante, mondaine et à la vie sexuelle débridée — la femme selon Hawks. Quand finalement elle perd face à la plus jeune, elle part la tête haute et laisse un collier de perles à sa rivale. Dans les premières versions, Bogart devait fréquenter plusieurs femmes encore.

Mais la « belle New-Yorkaise » ne pouvait pas plus franchir la censure du Bureau Breen que ne l'aurait pu Lois Meredith dans *Casablanca*, et peu à peu les rôles de femmes furent réduits à deux. Le personnage de Helen Gordon devint un second rôle, celui d'Hélène de Brusac, l'épouse capricieuse d'un chef de la Résistance française, qui, dans le film, interprété par Dolores Moran, disparaît presque. Hawks contribua à étoffer le rôle de Marie Browning, transformant la gamine qui buvait du rhum en son idéal de femme : franche, assurée, agressive dans sa manière de séduire, à la fois jeune et sans âge. La route était libre pour Betty Bacal.

Jack Warner trouva le scénario compliqué de Jules Furthman trop long et trop bavard, et il demanda à l'auteur de le réduire et d'y insérer un peu d'action[55]. Même après, il fallut retravailler les scènes d'amour. On mit trois autres scénaristes au travail, dont William Faulkner. Alcoolique et fauché, comme l'expliqua sa maîtresse Meta Wilde, il écrivait des scénarios pour la Warner afin de survivre dans le Mississippi. Petit homme propret aux yeux sombres dont les cheveux se raréfiaient, timide, la pipe perpétuellement entre les dents, Faulkner était de retour à Hollywood après six mois d'absence, et son vieil ami Howard Hawks l'avait mis au travail. Il fut de mise, plus tard, de rabaisser le travail de Faulkner au studio au niveau d'un simple gagne-pain. Mais Jack Warner se moquait de la notoriété littéraire de ses scénaristes. Comme pour tous ses employés, il ne s'intéressait qu'à leur valeur commerciale. Et Faulkner, dit J. L., était « un sacré scénariste ».

Même si Jules Furthman continuait à réviser son propre scénario, Faulkner reprenait le travail[56]. Cela signifiait qu'ils étaient souvent à peine en avance sur le tournage, mais ce n'était pas un problème pour Hawks. Il aimait les réécritures de dernière minute sur le plateau, souvent en étroite collaboration avec les acteurs.

Mais ce furent en fait deux personnes de moindre talent que le studio désigna en décembre pour ce que Trilling appelait « le polissage nécessaire[57] », et ce furent eux qui écrivirent, du moins dans sa première version, la scène la plus célèbre du film — une des plus célèbres du cinéma américain. Beaucoup ont prétendu en être l'auteur, dont Slim Hawks. Elle avait donné son élégance et même son surnom à Marie et, dans ses Mémoires, elle décrit son époux, crayon et papier à la main, notant ses mots en pleine nuit afin de les utiliser le matin. Mais la paternité de la scène où Marie explique à Harry comment siffler appartient à d'autres.

Cleve F. Adams, client épisodique de Feldman, avait écrit une douzaine de romans à suspense et plus de trois cents nouvelles pour des magazines[58] ; quant à Whitman Chambers, il n'avait signé qu'un scénario pour un film de série B intitulé Sinner Takes All[59]. Tout début janvier, les deux hommes se mirent au travail pour construire le rôle de Marie et créèrent une nouvelle scène, à peine suggérée dans les premières versions. Chacun travailla de son côté, mais ils suivirent la même ligne de pensée, sans doute inspirée par Hawks et par ce qu'ils avaient vu de la jeune fille dans le bout d'essai. Une semaine plus tard, ils livrèrent quelques pages dactylographiées établissant le personnage d'une femme sexuellement agressive et celui d'un homme intrigué. Tout commence par un badinage et se termine, à l'initiative de la femme, dans les bras l'un de l'autre. Moins de trois semaines plus tard sortit une version plus affinée, où l'amertume du départ s'était transformée en humour :

> *Vous savez, vous n'avez pas à jouer un rôle avec moi, Steve. Vous n'avez rien à dire, et vous n'avez rien à faire, rien. Ou peut-être seulement siffler. Vous savez siffler, Steve ? Vous avancez les lèvres et vous soufflez* [60].

Il y eut d'autres changements, et même on écarta provisoirement la scène. Il est possible que Hawks en personne y ait mis la touche finale. Néanmoins, dans une production regorgeant de grands noms, on doit la scène la plus célèbre à deux obscurs scénaristes dont les noms n'apparaissent même pas au générique.

Fin janvier 1944, il ne manquait plus que Bogart et un scénario qui ne poserait pas de problème de censure. Furthman avait conservé Cuba comme cadre du roman de Hemingway, mais également un portrait peu flatteur d'une dictature qui pouvait irriter un bon ami de l'Amérique, l'homme fort de Cuba, le colonel Fulgencio Batista. Hawks proposa de se rendre à La Havane pour une rencontre au plus haut niveau organisée par Hemingway. Le metteur en scène, dit Trilling à Warner, « pense qu'il pourrait tout clarifier... avec ces hommes importants que Hemingway fréquente, probablement même avec Batista en personne [61] ».

Deux semaines plus tard, pour des raisons que l'on ne connaît pas, l'idée d'un voyage à Cuba fut abandonnée, sans doute parce qu'à un certain point des négociations le gouvernement américain menaça de refuser au film son visa d'exportation. Afin d'éviter d'autres ennuis, on déplaça l'action en Martinique.

Bogart posait un problème plus grave, avec son séjour en Italie qui se prolongeait et qui avait entraîné deux ajournements du début du tournage alors que l'équipe était réunie et payée — et personne plus que Howard Hawks, qui touchait trois mille dollars pour chaque semaine de dépassement. « Nous voulons êtres prêts le jour de son retour [62] », dit Jack Warner en parlant de Bogart. Que Bogart soit prêt ou non ne comptait pas.

Il arriva à Los Angeles épuisé par les rigueurs de la tournée et par Mayo. De retour chez eux sur North Horn Avenue, elle resta fascinée par les armes à feu qu'ils avaient rapportées et ne cessa d'aller tirer dans les collines.

Le tournage avait à nouveau été repoussé de deux semaines — à cause de problèmes de scénario plutôt que par générosité — mais il ne restait presque pas de temps pour que Bogart se repose et récupère. Hawks et Trilling avaient besoin de Bogart pour discuter du film, et la Croix-Rouge avait besoin qu'il tourne un *Rapport du front*, exigé par le Bureau d'information des armées. Il s'agissait de six minutes à diffuser dans les cinémas du pays avant que les ouvreuses passent collecter des fonds. Un homme célèbre de retour du front apportait la crédibilité nécessaire, mais on voulait éviter les comiques, depuis que Bob Hope, qui avait pourtant consacré un temps considérable aux troupes, avait déclenché plus de rires que de générosité[63].

Six jours après son retour, Bogart, en trench-coat et chapeau mou, arriva sur le site devant les ateliers de la Warner où il devait sortir d'un avion factice, accueilli par la presse, qu'interprétaient une demi-douzaine de figurants. Il connaissait le scénario de quatre pages, et y avait même apporté quelques modifications, comme de transformer la demande polie de la fin (« *Voulez-vous faire un don, maintenant ?* ») en un ordre : « *Faites un don généreux... Maintenant*[64] ! » Puis, au bout de deux heures de préparation, les caméras prêtes à tourner, il refusa de commencer si Mme Bogart ne participait pas au film. Le producteur Gordon Hollingshead, responsable des courts métrages de la Warner, n'avait pas le choix. On retarda le tournage d'une journée, que Bogart consacra à l'enregistrement de son texte[65].

Le lendemain matin, Bogart sortit de l'avion, puis se retourna et fit sortir Mayo, avec galanterie et élégance, comme il le devait à son épouse et compagne, pour le meilleur et pour le pire, depuis presque sept ans.

A un certain moment dans les deux semaines qui précédèrent le début du tournage du *Port de l'angoisse*, il rencontra sa collègue à la porte du bungalow de Howard Hawks au studio. Cette fois, il la regarda : une adorable jeune femme aux yeux bleu-vert, aussi grande que lui, peut-être plus. Il lui dit qu'il avait visionné son bout d'essai, et elle devait ne jamais oublier son verdict : « On va bien s'amuser ensemble[66]. »

13

On commence à s'amuser

On commença à s'amuser à neuf heures du matin le 29 février 1944, un mardi, quand l'équipe du *Port de l'angoisse* se réunit à la Warner pour le premier jour de tournage. Seul problème : il n'y avait que trente-six pages du scénario !

Pour un réalisateur moins imaginatif, les changements subis par le film eussent été traumatisants, mais Hawks avait toujours été un grand improvisateur. On inversa les rôles, on révisa la liste des acteurs. Des acteurs qui avaient fait des essayages de costume se retrouvaient sans rôle. Les documentalistes abandonnèrent toute référence à l'Espagne et s'attelèrent à la couleur locale française. Dan Seymour, l'Arabe de *Casablanca* engagé pour jouer un révolutionnaire cubain, lut les pages qu'on lui avait apportées et téléphona immédiatement à son agent : « Mon personnage n'est pas dans ce scénario ! Ici, on a : "Dan Seymour : capitaine Renard", et c'est un chef de la police de Vichy qui gouverne la Martinique ! Qu'est-ce qui se passe ? » L'agent rappela quelques minutes plus tard : « Hawks dit que tu peux aussi bien jouer un Français qu'un Cubain [1]. »

Le premier jour, on commença par l'entrée de Marie dans le hall de l'hôtel, et par la première de ses deux répliques : « *Quelqu'un a-t-il une allumette ?* » Betty a écrit que pendant les répétitions, elle tremblait de peur, depuis la tête jusqu'à la main qui tenait la cigarette. « J'espère qu'on n'entendra pas ses genoux s'entrechoquer [2] ! » murmura l'ingénieur du son à Bogart. Les caméras entrèrent en action. La première prise fut un faux départ. La deuxième mauvaise : NGA *(no good action)*. Bogart tenta de plaisanter pour qu'elle soit moins nerveuse. Puis « je m'aperçus que la seule façon d'empêcher ma tête de trembler, c'était de la garder baissée, le menton presque sur la poitrine, les yeux levés vers Bogart... Ce fut là l'origine du surnom dont on me gratifia : "*The Look*" [3] ». La troisième prise fut la bonne. A la projection, on ne décelait aucune nervosité : on gardait l'image d'une très belle jeune femme dans l'embrasure d'une porte, observatrice froide, tout à fait sûre d'elle.

Le jeudi soir, les Bogart assistaient à la remise des seizièmes oscars, qui se déroulait pour la première fois au Théâtre chinois, sur Hollywood Boulevard[4]. C'était une cérémonie sans fastes ni tenues de soirée, à cause de la guerre. Bogart portait son costume sombre habituel à fines rayures et Mayo une robe courte en soie fleurie sous un vison, des gardénias au revers et une fleur dans les cheveux[5]. La Warner figurait au moins deux douzaines de fois dans la sélection, y compris pour le meilleur film, le meilleur réalisateur, le meilleur scénario, le meilleur acteur et le meilleur second rôle. *Casablanca* était en compétition avec *Watch on the Rhine*, et Bogart, pour sa première sélection en tant que meilleur acteur, dut affronter Paul Lukas, qui avait repris son succès de Broadway dans la pièce de Hellman.

Dans l'esprit de l'époque, la cérémonie fut menée presque militairement, depuis le court métrage de l'armée en ouverture *(Motion Pictures on the Fighting Front)*, jusqu'à la présentation patriotique montée par le Comité pour la victoire, où Lena Horne, Betty Hutton, Red Skelton et Ray Bolger jouaient devant deux cents hommes et femmes en uniforme qui se pressaient sur dix niveaux de gradins. Le grand moment de la soirée fut l'arrivée d'un immense drapeau américain.

A vingt-deux heures quinze commença la remise des oscars, diffusée sur ondes courtes vers les G.I.'s du monde entier. Meilleure production : *Casablanca*. Il y eut dans le public un instant de surprise, suivi de longs applaudissements et d'un éclat de rire quand Jack Warner coiffa Hal Wallis au poteau et prit possession de la statuette[6]. Comme le dit Aljean Harmetz : « Wallis ne pouvait rien faire d'autre que retourner à son siège et écouter Jack Warner plaisanter avec Jack Benny, maître des cérémonies. Presque en passant, Warner remercia Wallis et les vedettes du film, dont il ne se souvenait pas bien[7]. » Quelques minutes plus tard, Wallis recevait l'oscar Irving Thalberg pour « la qualité la plus soutenue de la part d'un producteur durant l'année passée ». Le choix était logique. Des huit récompenses de la Warner ce soir-là, sept allèrent à des films de Wallis et le huitième à Wallis en personne. « Tous les films de Wallis sortis en 1943 reçurent au moins un oscar », dit Harmetz.

Casablanca fut récompensé dans presque toutes les catégories importantes : Mike Curtiz pour la réalisation, Phil et Julie Epstein et Howard Koch pour le scénario. Il semblait que le film allait tout remporter quand on ouvrit l'enveloppe du meilleur acteur. Bogart avait été surpris par sa sélection, et il ne s'attendait pas vraiment à gagner, mais il n'attendait pas non plus l'enthousiasme des applaudissements quand on annonça Paul Lukas. C'était une réponse sentimentale au choix d'un vieux cheval de bataille : les vingt-cinq ans de carrière de Lukas étaient sur le déclin, et tout le monde avait apprécié son retour sur le devant de la scène[8].

Après la cérémonie, le secrétaire de Wallis réclama l'oscar au secrétaire de Warner, William Schaefer. Warner « refusa même de laisser Wallis se faire photographier avec la statue[9] ». Il faut dire qu'il n'était pas complètement dans son tort. S'il n'y avait pas de règle concernant celui qui devait recevoir ce type de récompense, jusqu'en 1948, cela fut l'apanage du directeur du studio. Plus grave était le fait que Warner s'avérait incapable de gérer de façon productive le succès de Wallis.

Cette soirée accéléra la dissolution du partenariat entre Warner et Wallis. Avant la fin de l'année, ce dernier aurait quitté le studio. Le difficile mariage de Bogart touchait aussi à sa fin, sapé de surcroît par l'attirance entre Bogie et Betty Bacal. Lors des premières rencontres, il n'y avait à l'évidence rien eu de plus que la considération que la star montrait toujours à ses jeunes collègues. Quand Dolores Moran n'arriva pas à dire son texte le premier jour, il la mit elle aussi à l'aise avec un « ne t'affole pas, petite, tu vas y arriver »[10].

Mais il y eut bientôt des signes révélateurs qu'il se passait quelque chose de plus entre les deux acteurs principaux. En dépit de sa jeunesse et de sa nervosité, chaque soir, lors de la projection, Betty montrait le talent et la stature d'une forte personnalité qui savait occuper l'écran, contrairement à Dolores, dont on raccourcit les scènes au fur et à mesure que Betty prenait de l'importance.

« Moran ne passait pas, dit simplement Walter Surovy, l'acteur viennois qui jouait un résistant français. Elle était belle — et fade. A Vienne, on aurait dit : pas de *schmaltz*. Mais Betty n'était pas seulement belle, elle était *merveilleuse*[11]. » Marié à la superbe diva Risë Stevens, Surovy savait jauger une femme.

« Betty avait quelque chose de spécial, surenchérit Dan Seymour. Elle avait le sens du rythme d'une scène, et bien sûr Howard Hawks savait exactement que faire d'elle. » Marcel Dalio, le croupier de *Casablanca* qui jouait maintenant un propriétaire d'hôtel, suivit chacun de ses mouvements et, en bon Français, montra ses sentiments à son entourage : « Ooooh, attention à elle ! »

Elle combinait naïveté et savoir, douceur et caractère d'acier, et Bogart, intrigué, testa son sens de l'humour et sa capacité à supporter la plaisanterie. Il raconta plus tard une réunion, au début du tournage, où Hawks discutait avec les acteurs et où la jeune femme inexpérimentée avait donné son petit avis. Bogart n'avait pu résister : « *Excellente* suggestion, mademoiselle Davis », dit-il comme s'il avait affaire à une autre Bette pleine d'expérience. Il vit frémir les narines de la jeune fille, sa tête se lever, son visage se figer. Puis elle éclata de rire[12].

« Au début, dit Seymour, elle s'est fait chahuter, par Bogart et par tous les autres. C'était une nouvelle gosse sur le plateau, la protégée de Hawks, mais elle avait de l'ambition. Elle savait ce qu'elle voulait. Elle travaillait dur. Et elle était vraiment amusante, elle avait un grand sens de l'humour. Bogie adorait la mettre au parfum. Il était le chef de la bande. Tout le monde voyait bien que cette gamine savait ce qu'elle faisait et qu'elle était à la hauteur. »

Un autre jour, Bogart menotta Betty à un des portants de sa loge et partit déjeuner avec tous les autres. « Bien sûr, on est revenus et on l'a libérée, mais elle a joué le jeu. Elle aimait s'amuser, et elle était très intelligente. » Mais Seymour sentait autre chose derrière ces plaisanteries. « Je crois que Bogie voulait qu'elle se sente à l'aise. Il s'était rendu compte que cette gamine n'avait jamais fait de film avant celui-là, et c'était un grand rôle. Quand on donne la réplique à Humphrey Bogart, qu'on n'a que dix-neuf ans, un texte à dire, et qu'on doit donner corps à un personnage, ce n'est pas facile. Alors je crois qu'il voulait qu'elle se détende, qu'elle fasse partie de l'équipe. Et elle a su s'y faire [13]. »

L'évolution de leurs relations fut si progressive que tout d'abord l'équipe ne remarqua rien, de même peut-être que les intéressés. Betty dit que c'était « presque imperceptible » [14]. La scripte Meta Wilde, qui en était à son quatrième film avec Hawks, ne vit rien venir pendant les premières semaines de tournage. « Tout était si nouveau pour Betty. Elle n'était pas habituée au plateau, aux caméras, aux équipes. Il fallait qu'elle se concentre. Alors je crois que c'est après qu'ils eurent tourné ensemble un moment que l'alchimie a commencé [15]. »

Betty raconte qu'elle était dans sa loge en train de plaisanter avec Bogart quand il s'était penché vers elle, lui avait relevé le menton de la main et l'avait embrassée. Puis il avait sorti une boîte d'allumettes de sa poche et lui avait demandé d'écrire son numéro de téléphone dessus [16].

Jamais il n'avait eu d'aventure avec une partenaire, ni avec une femme tellement plus jeune que lui — d'un quart de siècle plus jeune, pour être précis. Dans un milieu où l'on considérait les jeunes femmes comme autant de proies, il avait conservé un comportement absolument correct. Il estimait qu'il fallait les laisser tranquilles.

Betty Bacal, bien que jeune, avait l'âge du consentement, et elle n'avait pas de petit ami. Quatre semaines après le début du tournage, ils jouèrent la scène où elle lui dit de siffler. « A la façon dont ils ont joué, on a compris que quelque chose se passait, dit Dan Seymour. On voit très bien à l'écran ce drôle de sourire qu'il avait. »

Pour Walter Surovy, « ce fut comme une explosion. Ils se sont regardés comme... enfin, est-ce que vous vous êtes déjà trouvé devant quelqu'un de fascinant en sachant soudain que c'est une rencontre fatale ? Ça arrive. Alors, j'ai cru dès le départ que ça allait marcher [17] ».

« Elle est merveilleuse, dit Bogart lors d'une interview. Elle a ses idées. Elle m'étonne parfois. Je plisse les yeux et je me rends compte qu'elle regarde les choses avec des yeux plus jeunes, plus clairs, et qu'elle en sait plus que moi. Alors je me demande : comment cela se peut-il qu'elle en sache plus que moi ? Et je comprends : elle est plus intelligente, voilà tout [18]. »

Bogart ne fut pas le seul sur le plateau à tomber amoureux d'elle. « Elle était différente, avec une sorte de qualité animale dans ses grands yeux », dit Fred De Cordova, qui devint plus tard un éminent producteur de télévision, mais qui, en 1944, était un jeune *dialogue director* à peine arrivé de New York. « Je la trouvais fascinante, tout à fait fascinante. » Il lui avait téléphoné chez elle, après avoir arraché son numéro à un ami au bureau des contrats, et l'avait invitée à dîner. Ce n'était pas un bon soir, lui avait-elle répondu. Dix jours plus tard, il avait rappelé. A nouveau, ce n'était pas un bon soir. Il appela une troisième fois. « Je ne renonçais pas facilement à l'époque. C'est une voix d'homme qui m'a répondu. J'ai dit : "Bonjour, c'est Fred De Cordova" et Bogie a dit : "Y a-t-il un moyen pour que tu comprennes que Betty et moi sommes ensemble et que tu cesses de nous ennuyer avec ces coups de fil idiots ?" J'ai dit : "Je crois que j'ai compris." Et ce fut tout [19]. »

Sur le plateau, tous deux devinrent inséparables, marchant main dans la main au vu et au su de tous. « Ils étaient vraiment fous l'un de l'autre, dit Joy Barlowe, une danseuse engagée pour les scènes du café. Ça se voyait tout de suite. Il la tenait toujours par l'épaule, et il l'appelait Baby. Ils n'arrêtaient pas de disparaître. Alors le réalisateur disait à tout le monde : "D'accord, on fait une pause, on reprend dans un quart d'heure." Nous revenions quinze minutes plus tard, mais eux restaient parfois plus longtemps dans l'une ou l'autre de leurs loges. On se disait : "Oh, qu'est-ce que ça peut faire !" Et ils revenaient, l'air très heureux, un peu chiffonnés, mais rien d'irréparable. Je veux dire qu'il n'y avait rien d'obscène dans leur attitude. »

Walter Surovy, en les voyant revenir, pensait aux comédies romantiques de sa Vienne natale, et trouvait cela tout à fait délicieux et normal. « Étant européen, je trouvais que ce n'étaient pas nos affaires [20]. » D'autres étaient d'accord, comme Meta Wilde : « Ils allaient dans une loge pour le déjeuner et nous attendions qu'ils soient prêts à en ressortir [21]. »

Pour Joy Barlowe, « Bogie était plus sérieux. Betty plus gamine. Mais mignonne et drôle. Et Bogie devenait plus gamin grâce à elle [22] ». Sur le plateau, ajoute Meta Wilde, Bogart chantait des chansons idiotes de sa voix rauque de fumeur, se moquant bien que tout le monde sache qu'il était amoureux de Betty et qu'elle était amoureuse de lui.

Inévitablement, cette relation affecta la production. « Bogie avait un grand pouvoir, explique Joy Barlowe. Il en savait long sur la caméra et les angles de prise de vue, et comme Betty était nouvelle, s'il n'aimait pas quelque chose, il disait : "Est-ce bien nécessaire ?" Ou : "Est-ce qu'on pourrait couper ça ?" Il allait jusqu'à se faire oublier pour la mettre en valeur. »

Hawks, quand on l'interrogea plus tard, insista sur le fait que Bogart avait facilité le travail. « J'aurais pu avoir des problèmes avec cette gosse toute nouvelle... Eh bien Bogart est tombé amoureux d'elle. Sans ça, ç'aurait été l'enfer pour moi[23]. »

Les acteurs adoraient travailler pour Hawks, parce qu'il était plein d'imagination et de talents divers. Il était considéré comme un directeur d'acteurs, parce qu'il discutait les scènes une à une, et quand il les récrivait, comme il le faisait pendant tout le tournage, il n'utilisait le scénario que comme point de départ et prenait ses idées dans l'équipe.

Dan Seymour raconte comment cela se passait : « On s'asseyait chaque matin autour de lui, Marcel Dalio, Bogie, Betty, tout le monde. Hawks disait, par exemple : "Tu connais l'essence de l'histoire, Bogie ?" Et Bogart disait : "Ouais, je la connais. Elle pue." Alors Hawks disait : "Bogie, dis ça et ça à Dan." Puis il se tournait vers moi : "Qu'est-ce que tu vas lui dire ?" Et je disais : "Qu'est-ce que tu veux que je dise ?" Et il disait : "Réponds-lui. Fais ce que le personnage ferait, c'est tout." Une secrétaire notait tout, et on recommençait, on répétait. Puis Hawks regardait Faulkner et demandait : "Qu'est-ce que tu en penses ?" Et Faulkner répondait : "Je crois que ça va. Ça fonctionne." Et c'est ainsi que tout le film fut fait[24]. »

« Le scénario était là, explique Dee Hawks Cramer, mais chaque scène était comme manufacturée. C'est comme ça que Howard faisait pour que ses actrices parlent juste — "Dis-le, *toi*." Et venait alors cette merveilleuse spontanéité et les dialogues qui se chevauchaient, ce qui était très en avance sur l'époque. C'était sa spécialité[25]. »

« Un bon metteur en scène, dit Bogart à un journaliste sur le plateau, c'est comme un bon psychiatre. Il donne confiance à ses acteurs jusqu'à ce qu'ils oublient leurs peurs et leurs inhibitions. Une fois que vous avez cette confiance, vous n'avez plus peur de prendre des risques[26]. »

Hawks ne craignait pas non plus d'engager un mélange d'acteurs confirmés et de novices et de leur faire confiance à tous. Il y avait Bogart, Walter Brennan, Dalio et Seymour, et il y avait aussi Betty Bacal et le pianiste compositeur Hoagy Carmichael, un ami de Hawks qui n'avait jamais fait de cinéma et à qui Bogart trouva de surprenantes qualités d'acteur. Bogart confia même à un ami qu'il était troublé par la facilité avec laquelle Carmichael avait abordé l'épreuve : « Je n'aime pas beaucoup qu'on fasse croire que ma profession est si simple[27]. »

Bogart se rendit compte aussi que Carmichael était « très, très sérieux » dans son travail. Un jour, il le trouva devant son miroir en train d'étudier les rides autour de ses yeux. Il s'était couché tôt la veille et s'inquiétait maintenant que ses rides puissent ne pas correspondre à celles du jour précédent. Une autre fois, il avait eu l'idée de mâchonner une allumette, ce qui était une nouveauté pour lui, même si les acteurs chevronnés connaissaient le truc. Le lendemain, Bogart lui apporta une boîte d'allumettes de cuisine multicolores. C'étaient, dit-il, des « allumettes d'humeur » pour acteurs. Il l'assura solennellement que les couleurs étaient un code utilisé pour diverses ambiances.

L'atmosphère sur le plateau était irrévérencieuse et détendue. Aldo Nadi, ancien champion d'escrime italien qui jouait un garde du corps du capitaine de Vichy, avait insisté pour avoir, comme les stars, sa propre chaise. Bogart n'apprécia pas. « Nadi n'avait pas un mot à dire dans tout le film, explique Seymour, et il était vraiment puant. Le premier jour, il a apporté une chaise avec son nom dessus. Alors Bogie m'a dit : "Assieds-toi sur la chaise et casse-la !" Tout le monde s'est assis sur cette chaise ! Bogie est tombé dedans aussi lourdement qu'il a pu, et puis est venu mon tour, avec mes cent quarante kilos, jusqu'à ce qu'on la casse. Nadi était dans tous ses états. Alors Bogie a dit à l'accessoiriste : "Apporte-lui une chaise standard." »

Dès que les caméras tournaient, Bogart n'était plus qu'un acteur professionnel. « Il plaisantait avec moi, mais quand on tournait ensemble, il était à son boulot. C'était un échange — ce que vous donniez, il vous le rendait. Et la scène fonctionnait, elle avait un but. J'ai travaillé avec beaucoup de grands acteurs. La plupart s'inquiétaient surtout de savoir de quoi ils auraient l'air à l'écran et ils jouaient leur personnage. Mais avec Bogart, c'était chaque fois une création. Il jouait pour vous, pas pour la caméra. Et il voulait que vous jouiez pour lui. »

Seymour cite comme exemple la scène au bar où les gros bras Sheldon Leonard et lui-même tentent d'interroger Walter Brennan, qui joue Eddie, le vieux pochard. Bogart entre, et d'abord lui, puis Seymour, prennent une bouteille et la posent. « Ce n'était pas répété. C'est arrivé parce que nous travaillions ensemble. Quand vous avez un metteur en scène qui vous laisse jouer, qui sent que vous savez ce que vous faites, ça marche merveilleusement. Mais on ne peut le faire qu'avec un bon acteur comme Bogart[28]. »

Ce genre d'approche impliquait un rythme lent dans un studio où même un film de série A n'avait pas droit à plus de six semaines de tournage et où la direction fulminait de rage au moindre retard. Mais Hawks avait derrière lui les énormes succès de *Sergent York* et *Air Force*, et il était le WASP au milieu de tous ces immigrants. Il établissait ses propres règles avec une nonchalance princière qui arrivait à intimider même Jack Warner.

Un jour, pendant des répétitions, l'assistant réalisateur Jack Sullivan s'approcha de Hawks et murmura quelque chose. Hawks sourit, se leva, et remercia Sullivan en silence, puis sortit du plateau, laissant les acteurs et les techniciens ébahis. Bogart demanda à Sullivan ce qui se passait. L'assistant lui murmura une réponse. Bogart sourit et retourna s'asseoir.

Une minute plus tard, la lumière du jour entra à une extrémité du plateau sombre et Jack Warner surgit, accompagné de la reine des ragots, Louella Parsons. « Pourquoi est-ce que vous ne travaillez pas ? demanda-t-il. Où est le reste de l'équipe ? Je veux que Mlle Parsons voie comment vous travaillez. » Jack Sullivan le prit à part et lui murmura quelque chose. Warner passa par toutes les nuances du rouge jusqu'à l'aubergine et fit précipitamment sortir Louella du plateau. Tout le monde suivit. Quand ils arrivèrent dehors, ils se rendirent compte que la voiture de Hawks était partie. C'était une lutte de pouvoir dans laquelle, pour une fois, Jack Warner était arrivé second. Hawks travaillait sur un plateau fermé, et même Warner en personne ne pouvait y entrer sans autorisation [29]. Il n'y avait pas eu d'éclat, juste l'affirmation tranquille d'une autorité à ne pas remettre en question. Cette autorité, jusque-là, personne n'avait été plus attentif à la respecter que sa jeune protégée.

Meta Wilde l'observait avec intérêt. Betty « s'asseyait par terre aux pieds de Howard et levait les yeux vers lui avec adoration, comme une petite fille — ce qu'elle était — et l'écoutait comme le Messie ; et je crois que lui-même se prenait pour Dieu parfois. Elle était sa création. Il la formait et la faisait débuter dans la carrière. Il *faisait* Betty Bacall ».

Hawks n'était pas un homme auquel on s'opposait. Il était grand et mince, avec des yeux bleu pâle dans un long visage aristocratique et des cheveux gris ; il fascinait les femmes et on l'appelait parfois le Renard d'argent. Il parlait d'un ton égal et contrôlé, monotone, sans jamais élever la voix, et restait toujours poli, même s'il était distant. Il tenait en laisse ses émotions, sa vie privée et son plateau. Et cela avait bien sûr un prix. Au début de sa carrière, quand il rentrait chez lui après une journée au studio, il arrêtait toujours sa voiture au même endroit, descendait la vitre et vomissait [30].

Ce contrôle strict s'appliquait aussi à son foyer. Il y avait le cercle des amis prestigieux, dont Ernest Hemingway, Gary Cooper et Cary Grant. Et bien sûr, il y avait la propriété de Moraga Drive, dont s'occupait son épouse. Le couple vivait une vie qui semblait plus écrite que réelle, comme s'ils étaient des personnages dans un film de Howard Hawks.

Slim Hawks, toujours élégante, venait presque tous les jours au studio, accompagnée de son caniche gris foncé aux griffes laquées de rouge. Dan Seymour le trouvait « très beau, le plus cabotin qui soit. Elle le posait sur le bar, et il paradait, tout fier. Ses griffes étaient si longues qu'on les entendait taper. C'était comique, mais c'était ainsi que vivait la haute société. Elle parlait d'abord à son mari, puis elle prenait Betty à part. Elles étaient très proches, mais Betty restait elle-même ».

La liaison naissante avec Bogart menaçait d'altérer l'adoration de Betty pour Hawks. Sur le plateau, il était un mentor patient, créatif et compréhensif pour ce nouveau talent. Mais il était aussi possessif, un Pygmalion peu disposé à autoriser la moindre interférence avec ce qu'il considérait comme sa création. Ses sentiments n'avaient rien de romantique. Il s'agissait de contrôle et d'intérêt personnel.

« Howard était froid — glacial, explique Dee Hawks Cramer. Jamais il ne s'attachait à ses stars, les filles qu'il créait, parce qu'il en trouvait toujours de nouvelles. Je suis sûre qu'entre eux, c'était un contrat de travail très calculé. »

Pendant les premiers mois, Betty ne connut que les avantages de la situation. Puis, un soir, fin avril, environ deux semaines avant la fin du tournage, elle fut convoquée chez les Hawks. Dans ses Mémoires, Lauren Bacall, femme mûre, revit la terreur de la jeune fille pendant cette confrontation. Son mentor lui dit d'une voix calme qu'elle ne signifiait rien du tout pour Bogart, qu'elle renonçait à une grande chance, que lui, Hawks, se lavait les mains de ce qui la concernait et qu'il allait l'envoyer chez Monogram, un studio de seconde classe sur ce qu'on appelait l'avenue de la Pauvreté à Hollywood, et qui produisait des films d'une médiocrité consternante. En larmes, elle l'assura qu'elle allait se reprendre, puis rentra chez elle et pleura toute la nuit[31].

Le lendemain, Bogart ramassa les morceaux et calma ses craintes. Elle était bien trop précieuse à Hawks, et il n'avait aucun moyen de l'envoyer chez Monogram, affirma-t-il. Howard était tout simplement jaloux. Bogie l'assura aussi de ses sentiments pour elle. Elle se calma, mais pas Bogart. Il s'ensuivit, à en croire les archives du studio, une confrontation violente entre les deux hommes qui mit en péril le film, Bogart menaçant clairement de claquer la porte. Jack Warner, appelé comme pacificateur, demanda à Bogart de venir dans son bureau pour « une conversation personnelle afin d'arranger les choses[32] ».

Une convocation chez Warner suscitait généralement une certaine crainte. Son bureau avait été conçu pour intimider les visiteurs. Des marches conduisaient de la porte à ce qui semblait un trou qu'éclairait une triple rangée de plafonniers agencés à l'avantage de Warner. Sur un mur, une immense carte des États-Unis. Assis en hauteur derrière le grand bureau noir, en diagonale dans le coin le plus éloigné et face au visiteur, Jack L. Warner dominait comme un buste vivant sur un piédestal sombre.

Mais Bogart était maintenant une star rentable et l'équilibre des pouvoirs n'était plus celui de 1937, quand il venait demander quelques dollars de plus. Sam Jaffe, l'avocat de Bogart, et son homme d'affaires

Morgan Maree avaient poussé à une renégociation du contrat[33]. *Le Port de l'angoisse* avait deux semaines de retard. Warner s'empara de la querelle avec Hawks pour utiliser le seul appât qui avait toujours marché avec Bogart : l'argent. Naturellement, lui dit Warner, le contrôle des salaires à cause de la guerre rendait difficile toute modification du contrat. Mais si Humphrey voulait bien oublier le nouveau contrat un moment et coopérer en terminant le film, eh bien le studio oublierait les déductions opérées entre deux tournages et ajouterait donc au moins trente-trois mille dollars à son salaire. Tout cela fut fait, écrivit Obringer, dans l'espoir que Bogart « serait un gentil garçon et se remettrait au boulot[34] ».

Bogart accepta. Hawks évita toute autre menace. Le tournage continua. Le lundi suivant, 1er mai, Betty, en fourreau de satin noir très décolleté, s'approcha du piano et, accompagnée par Hoagy Carmichael, chanta « How Little We Know », la chanson que Carmichael et Johnny Mercer avaient écrite pour elle.

Peut-être ne dois-je rester qu'un temps entre tes bras,
Comme d'autres l'ont fait.
Est-ce ce que j'ai attendu ?
Suis-je la dernière ?...

On raconta plus tard qu'elle était doublée par le très jeune Andy Williams. Mais les archives du studio indiquent très clairement qu'elle chanta elle-même[35].

Tandis qu'elle chantait, dans les bureaux de la direction, on mettait la dernière touche à l'accord convertissant la découverte de Howard Hawks en star de la Warner. De surcroît, on lui accordait la permission légale de changer de nom : « Son nom professionnel est maintenant Lauren Bacall[36]. »

Ce même mois d'avril, Mayo fêta ses quarante ans. Les derniers vestiges de sa beauté s'étaient fanés. Elle s'était laissée aller, péché capital dans le milieu du cinéma. La belle Betty était le désastre qu'elle redoutait.

Au début, Bogart tenta de faire comme s'il ne se passait rien. Le couple fêta l'anniversaire de Mayo chez leur vieil ami Mischa Auer. Mayo adora l'onéreux bracelet-montre que son mari lui offrit[37] et l'acteur russe prépara le dîner. Ce fut une soirée amicale où ils rirent beaucoup au souvenir d'Auer baissant son pantalon lors de leur mariage.

Le bureau de publicité du studio continuait à diffuser des histoires sur l'heureux couple afin de renforcer l'image du mari fidèle face aux rumeurs encore discrètes mais de plus en plus nourries : « Il est évident depuis leur retour du front que le couple ne s'entend plus très bien, écrivait Louella Parsons. On voit de plus en plus Bogey en compagnie de ses amis célibataires et à des dîners sans Mayo, qui jusque-là était presque son ombre [38]. » Quand il s'avéra qu'il fallait dire quelque chose au sujet de Betty, le directeur de la publicité Alex Evelove et son équipe transformèrent leur relation en un flirt de plateau, le genre d'attirance inoffensive entre deux acteurs qui ajoute un peu de sel à un film [39].

Betty a parlé de rencontres furtives dans une rue calme, dans la caravane d'amis navigateurs et même dans son appartement, où Natalie Bacal, mécontente, gardait ses distances. Comme à l'époque de *Casablanca*, l'équipe savait toujours quand Mayo était au studio. Il suffisait d'un appel du portail signalant son arrivée pour que les deux vedettes se lâchent la main et s'écartent l'une de l'autre [40]. Mayo, belliqueuse, tenta d'utiliser le téléphone comme arme. Bogart a raconté à Joe Hyams comment elle téléphonait sur le plateau et lui disait d'une voix corrosive : « Salut, grand séducteur, comment ça marche avec ta fille ? Tu sais qu'elle a la moitié de ton âge [41] ? »

C'était le recommencement de la situation connue du temps d'Ingrid Bergman, mais cette fois, ce n'était pas un simple effet de l'imagination de Mayo. Les retards ou les absences de Bogart augmentèrent et, que Mayo appelle des amis, son agent ou le studio, on lui répondait toujours la même chose : « Il est sorti avec l'équipe. » Sur le plateau, on commença à appeler Betty « l'Équipe »[42]. Un jour, après avoir entendu que Bogart était sur son bateau avec « l'équipe », Mayo fila à Newport, bien décidée à une confrontation. Peu après, Mary Baker reçut un appel de la police du port lui disant que Mme Bogart faisait du scandale. Mary arriva et trouva Mayo en train de chercher son mari sur tous les bateaux, suivie par des agents de sécurité inquiets.

Dès le début du tournage, il fut évident que la Warner tenait là une future star. Martin Weiser, qu'on avait chargé de construire l'image de Lauren Bacall, trouva qu'elle était un rêve pour un publicitaire. Elle n'était avare ni de coopération ni de reconnaissance. Contrairement à la plupart des actrices, elle était aimable avec les publicitaires, et ses efforts étaient récompensés.

« C'était la fille la plus adorable qui soit, disait encore Weiser avec enthousiasme quarante ans plus tard. Elle venait deux ou trois fois par semaine. Elle connaissait nos prénoms. Nous adorions penser à elle pour la publicité. Nous l'avons vite appelée le Regard. Elle baissait la tête et levait les yeux. Elle jouait un rôle et nous lui pardonnions. Mais nous savions qu'elle le savait, et c'était drôle et formidable [43]. »

Le studio avait désigné un photographe pour prendre les clichés nécessaires à la campagne de promotion. Un des clichés servirait de base à l'affiche qui définirait le film pour un public impatient. L'endroit le plus naturel pour prendre les photos était le plateau pendant le tournage, mais les réalisateurs refusaient souvent d'avoir les photographes de la publicité dans les jambes. Quand ils ne pouvaient se servir du plateau, ceux-ci utilisaient un studio tout en haut d'un escalier en bois très raide, derrière New York Street, mais il était difficile d'obtenir des acteurs qu'ils montent là-haut. « Quand un film est terminé, explique Weiser, les stars veulent partir en vacances, ou bien elles ont un autre film qui les attend. Ou encore elles promettent de venir au studio, comme Errol Flynn, puis se rétractent. Mais on pouvait compter sur certaines autres, comme Ida Lupino ou Bette Davis. »

Weiser contacta Bogart pour voir s'il pourrait le convaincre de l'aider à obtenir une bonne photo pour la publicité. « Il m'a regardé, a souri et a dit : "Je sais que tu veux que je monte au studio. Tu sais que je déteste poser pour des photos, et que je n'aime pas aller au studio. Pourquoi n'utilises-tu pas une de mes photos ? Elles sont toutes pareilles. Mais ne les retouche pas." "Je ne veux pas ressembler à Van Johnson", avait-il dit quand, au début de sa carrière, nous avions voulu retoucher la petite cicatrice sur sa lèvre. Il avait refusé. "Non, non, non, c'est moi ! C'est comme ça que je suis ! Ne retouchez pas les photos !" On ne l'a pas fait. »

Bogart avait gentiment dit non à Weiser, « mais il était sérieux ». Le seul espoir de Weiser était d'installer un petit studio dans un coin du plateau, d'attendre une pause pendant le tournage et de prier pour qu'il coopère. Ou bien de trouver quelqu'un qui pourrait le persuader.

Quand Betty alla le voir dans son bureau la fois suivante, Weiser lui fit une proposition en rapport avec la réalité du studio. D'accord, Betty était très prometteuse, mais elle restait une nouvelle venue qui n'avait pas encore fait ses preuves, un premier rôle dont le nom ne venait que sous le titre ; seul celui de Bogart serait au-dessus. A l'origine, on l'avait même placée après Dolores Moran. Weiser suggéra donc un arrangement qui pourrait servir leurs intérêts à tous deux.

Même si elle tenait un grand rôle dans le film, lui expliqua-t-il, cela ne voulait pas dire que les affiches la montreraient au côté de Bogart. « J'espère que ce sera le cas, pour ton bien, mais jusque-là, rien n'est fait. Dans le passé, on a toujours mis Bogart en gros plan, ou Bogart avec une arme. Il est possible que tu ne paraisses pas du tout. Ton nom sera là, mais on ne le verra pas. Alors peut-être pourrais-tu m'aider. » Weiser lui parla de son projet de prendre des photos sur le plateau pendant la pause d'une demi-heure. Si elle pouvait lui amener Bogart, « on aurait des clichés avec toi. Pas de lui tout seul. Tu crois que tu peux y arriver ?

— Laisse-moi faire, dit-elle. Il viendra, j'en suis sûre. »

Quelques jours plus tard, l'assistant réalisateur Jack Sullivan appela Weiser pour lui annoncer une pause imminente. Le publicitaire et son photographe se précipitèrent sur Betty. Ils attendirent un court moment. Bogart et Betty arrivèrent, main dans la main.

Weiser voulait que Bogart enlace Bacall et l'attire vers lui jusqu'à ce qu'ils aient l'air d'être sur le point de s'embrasser. « Je leur ai montré comment je voulais que la main de Bogart se pose sur son dos, avec le pouce sur son épaule. Puis j'ai pris les photos en rafale. C'était comme les filmer. Ce n'était pas posé. "Ne vous en faites pas, leur ai-je dit, vous ne posez pas vraiment. C'est comme faire un film, tellement ça va vite. Vous pouvez bouger, mais comme on ne sait pas ce qu'on aura sur la pellicule, on doit le refaire plusieurs fois." Nous avons recommencé plusieurs fois. J'ai même pris Betty dans mes bras pour lui montrer ce que je voulais. "Je sais très bien ce que tu veux", a-t-il dit, et il l'a fait à la perfection. Il adorait cette fille et cela lui plaisait de le montrer. Quand j'ai su que j'avais ce que je voulais, je leur ai dit : "Merci beaucoup." Alors il a dit : "Non, non, non, je crois qu'il te faut d'autres clichés. Que dis-tu de ça ? et de ça ? Il te faut un baiser." Et il l'embrassa. Sur la moitié des clichés on ne voyait que sa nuque, et je savais qu'on ne les utiliserait pas, mais ils s'amusaient, alors... Qu'est-ce que ça coûtait ? Juste un peu de pellicule. »

Le lendemain matin, le directeur de la publicité Alex Evelove jeta un regard noir à Weiser derrière son bureau où s'empilaient les clichés, et lui infligea un sermon sur le gaspillage. « Tu prends l'arrière de la tête de Bogart, les narines de Betty ! Tu crois qu'on a besoin de ça ? » Weiser expliqua à quel point Bogart refusait toute photo et plaida qu'un seul bon cliché justifiait tout. Evelove, à bout de patience, finit par dire : « Tu as peut-être raison. Mais tu devrais me prévenir avant. — Je ne savais pas, avant, explosa Weiser. Bogart voulait d'autres photos ! »

Des années plus tard, Weiser dit : « Il était tellement heureux dans les bras de Betty. Très heureux. Et elle s'y prêtait merveilleusement. Quelle actrice ! Et ces photos ! On ne pouvait pas rater une photo de Betty Bacall. New York a choisi celle que j'avais prévue. » Il s'agissait du cliché où Betty se penche en arrière, retenue par les bras de Bogart, les cheveux dégagés, leur visage à quelques centimètres [44]. Le poster qui en sera tiré deviendra plus tard un classique du genre.

Au bout de soixante-deux jours de tournage, *le Port de l'angoisse* fut terminé le 10 mai. Il fallait d'autres photos pour la publicité, l'équipe travailla au-delà de l'heure du dîner et termina la journée par la scène finale de l'orchestre qui joue dans le café tandis que Marie et Morgan — Slim et Steve — passent la porte pour aller vers le bateau et leur bonheur commun. Puis Betty et Bogie partirent dans des directions opposées : Betty pour dîner chez les Hawks, Bogie sans doute chez lui. Betty parla plus tard du vide qu'elle avait ressenti en le regardant s'éloigner. Le studio diffusa la nouvelle selon laquelle M. et Mme Bogart allaient passer quelque temps à Newport sur le *Sluggy*. « On y verra sans doute Mayo penchée sur un fourneau de bateau pour préparer le repas de Humphrey, dont l'air marin aura stimulé l'énorme appétit[45]... »

Deux petites choses venaient troubler cette image idyllique : Bogie et Betty continuaient à se retrouver en secret et Mayo s'était cassé le pied. Un accident sur le bateau, dit la publicité du studio. Une chute pendant une beuverie, dit Bogart à Betty.

Il avait travaillé sans interruption depuis le printemps 1943, et il était physiquement et émotionnellement épuisé, même si la Warner semblait décidée à l'ignorer. Il avait espéré quelques vacances, mais le studio lui envoya immédiatement un nouveau scénario tiré d'un succès de librairie, *God Is My Co-Pilot*, recyclage des poncifs des films de guerre sur fond de religion. Bogart devait jouer un aviateur habité par la Bible.

Pas question, dit-il au studio, enclenchant le cycle habituel des ordres et des récriminations. Après avoir reçu un télégramme acerbe de Trilling[46], Jack Warner répondit directement à Bogart en lui rappelant le passé, mais aussi en lui disant qu'il lui coupait la digestion[47].

En réponse, Bogart proposa de déchirer son contrat. « TU PARLES DE MON SUCCÈS COMME SI TU EN ÉTAIS SEUL RESPONSABLE. JE CROIS AVOIR MA PART DANS CETTE RÉUSSITE... TU UTILISES LA VALEUR MARCHANDE QUE JE REPRÉSENTE HEUREUSEMENT AUJOURD'HUI POUR ME FORCER A JOUER UN ROLE MÉDIOCRE, AVEC UN RÉALISATEUR EN QUI JE N'AI PAS CONFIANCE... J'AI ATTENDU TOUTE UNE ANNÉE QUELQUES SEMAINES DE VACANCES POUR RETROUVER LA SANTÉ ET ÉVITER UN EFFONDREMENT TOTAL, ET AU BOUT DE DIX JOURS RECOMMENCENT LES TÉLÉGRAMMES ET LES MENACES, COMME D'HABITUDE... J'EN AI ASSEZ QUE LE STUDIO ME TRAITE ENCORE COMME UN GAMIN IDIOT[48]... »

Roy Obringer envoya l'habituelle fiche de suspension. Moins de trois semaines après la fin d'un de ses plus grands films, Bogart était interdit de travail à la Warner, et interdit dans tous les autres studios, sauf autorisation de la Warner. Sam Jaffe, qui tentait d'arranger les choses, fut aussi interdit de studio. Il était incapable de « contrôler » ses acteurs, persifla Obringer. Jaffe répliqua qu'il était désolé, mais que Bogart ne travaillait pas pour lui — c'était lui qui travaillait pour Bogart[49].

Le seul rayon de soleil pour Bogart durant cet été de colère et de frustrations fut Betty, source de jeunesse radieuse et d'optimisme dans ce qui aurait dû être le désert de l'âge mur. Le cinéma et la vie réelle se confondaient. Ils s'appelaient entre eux Slim et Steve, les surnoms de leurs personnages, les surnoms de Howard et Nancy Hawks[50].

« Bogart était ravi par Betty, dit un ami à Joe Hyams. Je crois qu'il était fasciné par cet être inachevé qu'il pourrait transformer en épouse parfaite. Et elle voulait devenir Mme Bogart[51]. » Comme le dit Mary Baker : « Elle le courtisait autant qu'il la courtisait. »

Betty a raconté qu'elle allait le retrouver sur le bateau, ou quelque part sur l'autoroute de la côte. Elle avait, dit-elle, tant à donner — « Tout cet amour que j'avais amassé pour un père invisible. » L'âge n'avait aucune importance. « J'étais à bien des égards plus âgée que mes dix-neuf ans et il débordait d'une telle énergie, d'une telle vitalité, qu'il ne me semblait pas avoir d'âge en particulier[52]. » Bogart lui écrivit des lettres touchantes de tendresse et de vulnérabilité. Elle était son dernier amour, écrivait-il, et même s'il la perdait, il l'aimerait et veillerait sur elle toute sa vie. Il regrettait de ne pas être plus jeune, pour qu'il y ait plus d'années devant eux[53].

Mais en même temps, son sens du devoir le retenait. Mayo, après tout, était sa femme, et elle était dans un état de désintégration physique et mentale avancé. Il savait aussi qu'il n'avait pas fait grand-chose pour l'aider. Leur mariage avait été destructeur pour eux deux, mais il avait un avenir, et pas elle.

Il avait été élevé avec quelques principes intangibles. Selon la morale victorienne du devoir, du sens des responsabilités, de la nécessité de faire ce qui devait être fait. Il avait fait la preuve de sa droiture en remboursant les dettes de son père, en prenant soin de sa mère âgée et malade, en soutenant sa sœur maniaco-dépressive. Maintenant ce même code de l'honneur le torturait. Le bonheur s'offrait à lui, mais le saisir signifiait abandonner Mayo. S'il la laissait, il se sauverait, mais il la jetterait aussi dans le néant.

En juin, trois voitures descendirent vers Huntington Beach pour une projection en avant-première du *Port de l'angoisse*. Jack Warner, Steve Trilling et Charlie Einfeld étaient en tête, suivis de Howard et Slim Hawks, les scénaristes Faulkner et Furthman fermant la marche[54]. La réaction du public dépassa tout ce qu'on avait espéré. Einfeld déclara que ce serait un plus grand succès encore que *Casablanca*, et que Betty était un mélange de Greta Garbo et de Marlene Dietrich. Comme l'héroïne de *42ᵉ Rue,* elle était arrivée inconnue sur le plateau et en ressortait star.

Ceux qui tenaient sa destinée entre leurs mains, la Warner et H-F Productions, entrèrent en compétition pour définir leurs droits sur cette propriété qui valait maintenant un million de dollars. Ils se mirent d'accord pour associer leurs intérêts et détenir chacun « les services de la mineure », comme le dit le tribunal, pour deux films par an. Le partage des obligations et des intérêts était si complexe qu'on ne savait pas bien où commençaient ni où finissaient les droits de Hawks[55]. Les documents furent rédigés à l'automne. Betty les signa. Sa mère les signa. Le nouveau sex-symbol de la Warner était encore une mineure, et chacune de ses décisions devait obtenir l'approbation des autorités judiciaires.

Betty était peut-être la plus grande depuis Garbo, elle était en tout cas l'affaire du siècle. Elle restait sous contrat avec Hawks, et tandis que progressaient les négociations cet été-là, l'homme d'affaires qu'il était monta généreusement son salaire à deux cents dollars par semaine alors que, pour tout le film, elle avait touché un peu plus de la moitié de ce que Bogart touchait par semaine — ce que la publicité négligea de mentionner[56].

Sous-payée, Betty était pourtant spéciale et protégée. Elle appartenait autant à Hawks qu'au studio, et il faisait tout ce qu'il pouvait pour protéger son investissement — qui ne lui avait encore rien rapporté. Le nouveau contrat accordait à Betty un salaire versé par la Warner et cinq mille dollars de bonus, mais pour Hawks, il n'y eut pas de retombées immédiates. Il voulut obtenir de Jack Warner qu'il partage le coût d'une année de préparation pour que la jeune fille soit au point, et lui présenta une note détaillée de quatre mille neuf cents dollars[57]. J. L. refusa de payer. C'était l'investissement de Hawks, et le studio avait fait sa part en confiant à la jeune fille un rôle dans un grand film[58]. De plus, H-F Productions recevrait vingt pour cent des bénéfices du film[59].

Cet été-là, l'équipe de publicitaires de Charlie Einfeld passa à la vitesse supérieure pour vendre Lauren Bacall comme la nouvelle attraction la plus excitante du cinéma. Sur la couverture de l'épais dossier de presse, on avait mis la photo de Weiser, si suggestive, avec un bandeau : BOGART AMOUREUX DE CE GENRE DE FEMME ! La double page centrale était un collage d'articles et de photos du film.

On lui réinventa un passé : Mlle Bacall venait de New York, et avait été prénommée Lauren en souvenir de sa grand-mère — une invention qui aurait amusé Sophie Weinstein. « Elle est la descendante d'une lignée d'ancêtres américains dont on peut remonter plusieurs générations », continuait l'article, suggérant des liens avec la haute société. On imprima des affiches disant : LA WARNER ASSOCIE UNE GRANDE STAR ET UNE BRILLANTE DÉCOUVERTE.

Mais la grande star était suspendue et la brillante découverte allait retrouver l'homme qu'elle aimait à des rendez-vous secrets, souvent à Newport, où elle habitait sur le bateau d'amis à lui. Bogart participa à de petites régates et en gagna deux, ce qui d'après elle « lui procura plus de satisfaction que n'importe quel film[60] ». La paix sur l'eau le revigorait. « C'est ça que j'aime, dans la navigation, dit-il à Betty. La mer, l'air... On respire tellement bien, loin des potins et des sangsues de Hollywood. »

Fin août, il l'amena à bord du *Sluggy* pendant que Mayo faisait soigner son pied cassé. Le rendez-vous fut interrompu par le retour inopiné de l'épouse. Lauren Bacall a raconté comment elle se cacha dans la cabine tandis que Bogart et des amis compatissants entraînaient Mayo loin du bateau.

La bataille continuait avec le studio. Warner proposa à Bogart une issue à la situation : qu'il tourne pour la Columbia un western réalisé par le talentueux Sam Wood, à qui on devait entre autres *Au revoir, Mr. Chips, Une nuit à l'opéra*, et *Pour qui sonne le glas*. Wood, qui avait grande envie de travailler avec Bogart, se rendit à Newport pour lui parler, et Bogart, après des mois d'inactivité, se dit à nouveau prêt à travailler. Sam Wood était un crack, dit-il à Trilling lors d'une conversation téléphonique fin juillet. Si le scénario était bon, cela pourrait l'intéresser. Une seule chose le retenait : qu'allait faire Howard Hawks ? Trilling dit qu'il n'en savait rien. Juste le projet d'une histoire de détective. Alors, est-ce que Bogart allait à la Columbia ou non ? [61]

Hawks, pourtant, ne travaillait pas sur n'importe quelle histoire. Il négociait les droits du roman de Raymond Chandler *The Big Sleep (le Grand Sommeil)* — « une histoire de détective très risquée pour la censure », dit Trilling à J. L. [62]. Mais contrairement au film de Sam Wood, il y avait là un rôle pour Betty.

Bogart décida de faire traîner les choses. Il attendrait que Sam puisse lui montrer quelque chose de plus abouti, dit-il à Trilling. Il adorerait retravailler, mais il pouvait attendre. En fin de compte, il attendit un bon bout de temps. Au sommet de sa popularité, il dut affronter une des plus longues suspensions de sa carrière.

A l'automne, la Warner se prépara pour sa plus grande sortie depuis *Casablanca*. La situation dans laquelle se trouvaient les stars était pleine d'ironie. Le sex-symbol du film était une gamine de dix-neuf ans sans expérience et son célèbre acteur était rejeté dans les limbes de la profession, tandis que le studio, cherchant désespérément à contrôler les problèmes, présentait à la presse comme un modèle de réussite son mariage en pleine déliquescence.

Au reporter de *Life* qui venait admirer leur vie de rêve sur leur bateau, Mayo annonça que dans cinq ans ils prendraient leur retraite — « à condition que Pa arrive à garder ses cheveux et ses dents jusque-là [63] ! » dit-elle en regardant Bogart. Elle souriait. Le journaliste y vit un exemple de l'humour de ce couple célèbre pour ses bagarres et ses réconciliations. En fait, c'était une déclaration de guerre.

14

Les longs adieux

Après une trêve précaire, les hostilités sur North Horn Avenue atteignirent des sommets en octobre 1944, après le début du tournage du *Grand Sommeil*. Pendant un court laps de temps, à la fin de l'été et au début de l'automne, Bogie et Betty ne se virent pas. Il fallait se méfier après le désastre évité de justesse sur le *Sluggy*, et ils avaient décidé de limiter leurs contacts aux fleurs qui arrivèrent chez la jeune fille le jour de ses vingt ans. Mayo, larmoyante et pitoyable, avait juré d'arrêter de boire. Bogart, bien qu'impatient et plein de rancœur, accepta une dernière tentative pour sauver leur mariage[1].

Il expliqua ses raisons quand il retrouva Betty le 10 octobre, premier jour de tournage du *Grand Sommeil*. Il l'assura de nouveau de son amour et lui dit combien de fois il avait voulu l'appeler ; mais Mayo avait promis de se racheter, et il lui devait cette chance.

« Je lui ai dit que je devais respecter sa décision, écrit Lauren Bacall, mais que je n'étais pas forcée de l'aimer. »

Au début, Hawks n'avait pas été tenté d'associer à nouveau Bogart et Betty. Ses meilleurs films étaient des histoires d'amour drôles, et il avait envie de revenir à la comédie avec *Dark Eyes*, un succès de Broadway. Mais le sujet sembla trop risqué au studio et il n'arriva pas à réunir la distribution souhaitée, si bien qu'il dut accepter l'inévitable. *Le Port de l'angoisse* ayant déclenché lors de deux avant-premières l'enthousiasme pour son couple vedette et en particulier pour Bacall Hawks n'eut pas le choix : comme son film précédent, *le Grand Sommeil* serait un compromis, et le réalisateur tournerait le film qu'on lui proposait plutôt que celui qu'il aurait aimé faire.

Le tournage commença un mardi. Le mercredi de la semaine suivante, Bogart fit ses valises et déménagea du 1210 North Horn.

Mayo était une alcoolique qui devait lutter seule contre sa dépendance. Elle avait tenté et réussi un moment à ne pas s'approcher du bar installé au coin du salon, mais il fallait plus que de la détermination pour surmonter la dépendance chimique, à laquelle s'ajoutait maintenant l'angoisse de voir son mari passer ses journées auprès d'une rivale de vingt ans. Un soir, Bogart rentra et la trouva ivre. Les cris et les coups recommencèrent. Bogart, déprimé, se joignait parfois à elle pour boire, mais le plus souvent disparaissait dans la nuit.

Le 19 octobre 1944, la Warner annonça, par un communiqué que diffusa Associated Press, que M. et Mme Humphrey Bogart avaient décidé de se séparer après six ans de mariage. « J'espère que le public comprendra que c'est une décision cruelle, dit Bogart par l'intermédiaire du studio, et respectera le fait que nous sommes tous deux trop affectés pour en parler[2]. »

« Il le regrette, écrivit Alex Evelove à Jack Warner, mais il a le sentiment qu'il n'y avait rien d'autre à faire[3]. »

Le Beverly Hills Hotel, sur Sunset Boulevard, voyait défiler les célébrités, si bien que le garçon d'étage Ken Leffers ne fut pas particulièrement impressionné quand on l'envoya apporter un verre, de la glace et une canette de bière dans la chambre de Humphrey Bogart, qui venait d'arriver. La suite 207 était une des plus petites, près du hall. Bogart lui ouvrit la porte, prit le plateau et le posa avant de sortir de sa poche une poignée de pièces qu'il compta soigneusement pour payer la bière et laisser un pourboire de cinq *cents* seulement. « Il a peut-être fait une erreur en ne me donnant pas les vingt-cinq *cents* traditionnels, mais j'en doute[4] », commentera Leffers.

Bogart s'arrangea pour que Betty vienne incognito à l'hôtel. Elle a raconté comment elle se glissa par une entrée dérobée, un soir, et déçut Bogart, qui l'attendait seule, en arrivant accompagnée d'une amie qu'elle voulait lui présenter.

Mayo téléphona tout de suite à l'hôtel, mais Bogart refusa de prendre ses appels. Malade et seule, elle n'avait plus comme carte à jouer que sa santé qui se détériorait rapidement, et elle s'en servit dans un télégramme à leur ami Louis Bromfield, qui séjournait à New York au Gotham. La réponse fut : NE BOUGE PAS[5]. Bromfield et son secrétaire, George Hawkins, se mirent en quête de Bogart. Quelques heures plus tard, le mari et la femme se parlaient au téléphone. Elle lui promit d'aller à l'hôpital. Buffy Methot arriva de Portland et servit de pacificatrice et d'infirmière. D'accord avec son mari, Mayo, sobre et pomponnée, se présenta à la porte de la suite 207, pénitente venant chercher l'absolution. Ken Leffers, en apportant un plateau un peu plus tard, trouva le couple assis à une petite table sur laquelle trônait un gâteau de mariage miniature.

Le 1er novembre, moins de deux semaines après la séparation des Bogart, la presse annonça leur réconciliation. Des photographes surprirent le couple dans une boîte de nuit sur Sunset Strip, Bogart dans son éternel costume sombre à rayures souriant de ce fameux sourire en coin et levant son verre, et Mayo en robe de soie à fleurs, rougissante, les cheveux ondulés retenus de chaque côté par des fleurs blanches.

« Mayo et moi avons décidé d'essayer à nouveau, dit-il aux journalistes. Nous reprenons nos batailles habituelles.

— Je l'aime, annonça Mayo. En fait, je l'adore. »

Le journaliste ajoutait : « Tous deux ont décommandé leurs avocats et il n'y aura pas de divorce[6]. »

Sur le plateau du *Grand Sommeil*, Lauren Bacall appliquait des poches de glace sur ses yeux gonflés de pleurs. Après une semaine sans scène à jouer, le dernier jour d'octobre, elle était au maquillage quand Bogart s'approcha d'elle pour lui dire qu'il avait emménagé à nouveau chez sa femme. Mayo était malade et avait besoin de lui, expliqua-t-il. Ce jour-là, on éloigna la presse du plateau. Hawks ne dit rien. « Il serait soulagé lorsque le film serait terminé[7] », écrit Lauren Bacall.

Jusque-là, le tournage s'était raisonnablement bien passé. Bogart s'était glissé facilement dans le personnage de dur à cuire fatigué du monde du détective Philip Marlowe. Oubliant le chaos de sa vie personnelle, il arrivait chaque matin à neuf heures, prêt à travailler, mû par son professionnalisme et son respect pour le réalisateur, même si Howard Hawks était excessivement exigeant.

« Howard ne tarissait pas d'éloges à son sujet, expliquera Dee Hawks Cramer. Bogart avait tout pour lui : une excellente éducation, l'expérience de la scène — ce qui impressionnait beaucoup Howard —, une sorte d'humilité ; il ne se donnait pas de grands airs. C'était un type ordinaire, mais un vrai professionnel. Il était *présent* sur le plateau, en dépit de tout ce qu'il buvait. » Un vétéran des films de Hawks et de Frank Capra, Regis Toomey, jouait l'ami de Marlowe au bureau du procureur. « Bogie savait toujours son texte, il savait ce qu'il faisait à chaque instant. S'il voulait changer quelque chose, il le notait sur son exemplaire du scénario, et avant qu'on y arrive, il demandait au réalisateur : "Est-ce que ça t'ennuierait si on faisait ça ?" Et en général, le réalisateur était d'accord avec lui[8]. »

A nouveau William Faulkner était là pour satisfaire aux besoins sur le plateau. Leigh Brackett, une petite blonde très vive qui écrivait les meilleurs dialogues qui soient, vint le rejoindre. Avec *le Grand Sommeil,* elle commençait une carrière qui devait compter trois autres films de Hawks et une première version de *L'empire contre-attaque,* de George Lucas, qu'elle ne put terminer avant de mourir en 1978. Vers la fin de l'année, on appela à l'aide Jules Furthman à cause de la fin problématique. C'était, à la manière de Hawks, une équipe soudée et tout le monde visionnait les scènes du jour ensemble. Le scénario évoluait à travers les croisements d'idées des divers auteurs, du réalisateur et des acteurs. Hawks disait que sur le plateau, Bogart était « inspiré ». « Il apportait tant ! Il était totalement préparé. Il avait des idées merveilleuses[9]. »

Lors d'une scène — où Marlowe, en se faisant passer pour un client, tente de saisir le secret d'une librairie qui cache une affaire pornographique — Bogart, le chapeau relevé, les lunettes sur le bout du nez, conférait au rôle un côté obsessionnellement tatillon. Il l'avait déduit du texte de Chandler, mais il y avait ajouté un humour tranchant qui lui était propre.

Comme toujours, Bogart aida les rôles secondaires. A la fin d'une scène où elle conduisait un taxi hélé par Marlowe pour une séquence de poursuite, Joy Barlowe devait extraire une carte de la poche de son gilet et la tendre à Bogart (« *Appelez à ce numéro.* — *Jour et nuit ?* » — *La nuit, plutôt... le jour, je travaille* »). Assez simple, mais les gants qu'elle portait pour conduire la gênaient pour saisir la carte.

« J'entendais déjà le public, raconte Joy Barlowe : "Quant est-ce qu'elle va sortir cette carte ?" Ou bien : "Où est-ce qu'ils ont été chercher cette gourde ?" J'avais une peur bleue qu'on me renvoie du plateau. » Mais Bogart réfléchit et suggéra tranquillement que la carte se trouve au-dessus du pare-soleil. « Il avait une telle patience ! et pourtant, qu'est-ce que j'étais pour lui ? Il était fou de Lauren Bacall et je n'étais qu'une gamine aux bonnes joues de plus. Mais il a pris son temps, il a dit "Essaie comme ça, petite", au lieu de dire : "Est-ce qu'on ne pourrait pas trouver quelqu'un de moins empoté ?" Il a été si gentil et j'ai été tellement soulagée[10] ! »

Regis Toomey, visionnant les rushes un jour avant le déjeuner, regarda une des scènes qu'il avait tournées avec Bogart et s'écria : « Oh, merde ! » Regis se trouvait figé. « Ce n'était pas une scène cruciale, mais nous étions là tous les deux, et elle faisait avancer l'intrigue. » Hawks demanda l'opinion de Bogart. « C'est bon », dit-il. Quand Hawks lui expliqua que Regis n'était pas content, Bogart proposa sur-le-champ de retourner la scène. Toomey s'étonna : « C'était très inhabituel pour une star, parce qu'il aurait pu dire : "Qu'est-ce que ça me fait qu'il ne soit pas content, si moi je le suis ?" » Le plateau avait déjà été préparé pour la scène suivante et il fallut attendre que le décor soit remis en place, mais ni Hawks ni Bogart ne se plaignirent. Après la projection, Bogart complimenta un Regis Toomey très reconnaissant. « C'était une petite chose, mais je m'en souviens. Jamais il ne vous donnait l'impression que vous deviez le considérer comme une star. Tout sauf ça. Il faisait partie de l'équipe[11]. »

C'est la complicité, les plaisanteries, les petits incidents amusants dont se souviennent la plupart des acteurs. Martha Vickers, une adolescente qui jouait la jeune sœur nymphomane de Lauren, devait simuler un orgasme dans une scène qui fut coupée au montage. Le problème était que Martha, très innocente, loin de pouvoir simuler un orgasme,

ne savait même pas ce que c'était. Pour une fois, Hawks fut décontenancé. On laissa à Toomey, produit d'une stricte éducation catholique
irlandaise, le soin d'expliquer à la jeune fille ce qu'on attendait d'elle.
Tout se passa bien. Howard dit : « Regis, si jamais je dois à nouveau
expliquer ce qu'est un orgasme, je te ferai appeler. » Et Bogie riait,
riait !

L'après-midi du lundi 6 novembre, le tournage se termina tôt.
« M. Bogart doit aller faire un discours électoral », nota le directeur
de plateau Eric Stacey dans son rapport.

Les élections de 1944, où Franklin D. Roosevelt briguait un quatrième mandat, seraient le dernier exemple pour bien des années du
libéralisme triomphant à Hollywood en osmose avec Washington. Les
militants, sous la bannière du Comité démocrate de Hollywood (HDC),
animèrent des campagnes d'inscription sur les listes électorales, présentèrent des candidats et soutinrent une politique étrangère
transparente. Ils étaient en faveur des lois sur le travail et des « droits
de tous les groupes raciaux et minoritaires » — en réaction aux tensions croissantes que connaissait Los Angeles qui, naguère « grande
petite » ville de Blancs arrivant de l'est du pays, devenait une méga-
pole urbaine multiraciale avec tous les problèmes qui en découlaient :
un afflux de gens de couleur et de Blancs pauvres qu'attiraient les
emplois liés à l'effort de guerre, le manque de logements, la discrimi-
nation dans le travail, l'hostilité raciale et la montée des activités du
Klan. L'année précédente, des groupes de soldats s'étaient répandus
dans les rues, agressant des *latinos* sous l'œil passif de la police. Le
HDC réclama une enquête.

Les dirigeants des studios rivalisaient de mises en scène pour la
réception des hommes politiques nationaux et la diffusion de leurs
idées. La salle à manger privée de Jack Warner avait été transformée
en salle d'état-major, où les partisans de Roosevelt établissaient leur
stratégie et où les cadres du studio travaillaient à la propagande. Les
républicains du cinéma, regroupés à la MGM, organisèrent un rassemblement de plus de cent mille personnes au Los Angeles Memorial
Coliseum pour le concurrent de Roosevelt, le gouverneur de New
York, Thomas E. Dewey, qui avait toujours attaqué les films noirs de
la Warner. Le spectacle, mis en scène par Cecil B. DeMille, avec
Ginger Rogers, vice-présidente du mouvement Hollywood pour
Dewey, fut présenté comme un évènement dans la « mobilisation
contre le New Deal[12] ». Trois semaines plus tard, Hollywood pour
Roosevelt, avec à sa tête Jack Warner, Sam Goldwyn et Katharine
Hepburn, accueillait le colistier de Roosevelt, le sénateur Harry
Truman, au sombre Shrine Auditorium. Ensuite, après un dîner de col-
lecte de fonds pour le Comité national démocrate (NDC) où l'on

dégusta un cocktail de crevettes et du blanc de chapon à l'hôtel Ambassador, stars et producteurs assistèrent à un spectacle où Groucho Marx et Danny Kaye dansaient sur une chorégraphie de Gene Kelly et où Judy Garland chantait « La chanson du carnet de chèques ».

Bogart faisait partie du comité d'organisation. Comme ses problèmes personnels le conduisaient de chez lui à l'hôtel pour revenir chez lui, le Comité national démocrate avait eu du mal à le joindre pour lui demander s'il accepterait de prendre la parole cinq minutes pour Roosevelt. La réponse, quand on le joignit, fut très simple : « Disponible presque n'importe quand [13]. »

Un samedi soir, fin octobre, Bogart lut un texte qu'il avait approuvé sur « un homme nommé Roosevelt », et s'attaqua aux républicains qui s'opposaient à ce que les G.I.'s servant à l'étranger puissent voter. Les types qu'il avait rencontrés en Afrique et en Italie, dit-il, pensaient à l'avenir — « à la paix et aux relations internationales, à l'emploi et à la sécurité » — quand ils n'étaient pas occupés à rester en vie. « Et je sais à quel point le sénateur républicain Robert A. Taft se trompe quand il dit — et je cite — : "Ils n'ont plus le contact avec le pays." Il me semble que si un homme est prêt à mourir pour son pays, il n'a pas vraiment perdu le contact avec lui [14]. »

C'était Rick Blaine en campagne pour Roosevelt, et Bogart était un atout essentiel pour les démocrates dans ce qui promettait d'être une lutte serrée. Le président du Comité national, Robert Hannegan, demanda à Jack Warner, à New York pour une rencontre avec les dirigeants du Parti, de leur prêter Bogart pour une émission spéciale la veille des élections.

Le Comité avait prévu une émission en direct d'une heure diffusée sur les quatre grandes chaînes de radio (CBS, NBC, ABC et Mutual), un défilé de stars, de personnages publics et de citoyens ordinaires. C'était là une utilisation sans précédent des médias dans un effort final pour toucher les indécis. Son créateur, Norman Corwin, principal rédacteur et producteur de CBS, poète lauréat des ondes et militant du New Deal, voulait Bogart à la barre.

Corwin lui trouvait « un magnétisme très américain. Il avait un charme universel. Il ne s'agissait ni de gros biceps, ni de mâchoire carrée. Il n'était pas Dick Tracy. Mais il ne manquait pas de qualités. Il était dur sans agressivité, c'était un type qu'on avait envie de retrouver pour boire un verre dans un bar, et même d'inviter chez soi [15] ».

Quand la Warner eut donné son approbation, Corwin passa chez Bogart, qu'il trouva « cordial et aimable. Pas de chichis, très direct. Il dit oui tout de suite. Il n'y eut pas de si, pas de conditions, pas de : "Oui, si j'approuve le texte", pas d'impression qu'on devait passer par son agent. Il était très au fait des questions politiques et heureux de participer à l'effort commun pour faire gagner Roosevelt ».

Plus de trente vedettes passèrent à l'antenne le 6 novembre. Earl Robinson et E. Y. Harburg chantèrent, Judy Garland entonna « Il faut aller voter ». En plus des stars et des hommes politiques, on avait soigneusement sélectionné des anonymes — soldats, fermiers, femmes au foyer, employés de bureaux — qui faisaient l'éloge du New Deal et fustigeaient « le gros fric ». Des effets sonores créèrent un « train de Roosevelt » (« Tous à bord pour demain ! ») qui entraînait les célébrités : Rita Hayworth, Gene Kelly, Lana Turner, John Garfield, Claudette Colbert et bien d'autres montrèrent toute leur ferveur et leur foi dans le Président. « Je les ai fait défiler devant un micro, dit Corwin, et ils ont crié : "Je suis Groucho Marx ! Je suis Linda Darnell ! Je suis Jane Wyman !" Je sais que ça paraît enfantin aujourd'hui, mais ça tenait le coup, il y avait un bon rythme et une énergie contagieuse. »

C'était le spectacle du New Deal ; on y mettait l'accent sur l'emploi, la justice sociale, la paix à venir, l'égalité des races et l'espoir dans les Nations unies. Clarence Muse, qui avait failli jouer Sam dans *Casablanca*, chanta le blues « Libres et égaux » avec Earl Robinson. James Cagney, Danny Kaye, Keenan Wynn et Groucho Marx chantèrent en quatuor que « le péril rouge n'est plus ce qu'il était ».

Bogart, qui ne quittait pas le micro, assurait l'unité de l'ensemble, tandis qu'intervenaient des personnalités d'une côte à l'autre du pays, jusqu'à Roosevelt en personne, introduit non par Bogart mais par la plus jeune électrice d'Amérique, elle-même introduite par le plus vieil électeur du pays. Bogart, à l'aise en société, s'intégrait parfaitement à tous ces grands noms. Pour Corwin, « il ne jouait pas un rôle. Il ne jouait pas Bogie. Il était superbement lui-même ».

Le lendemain, Roosevelt devançait Dewey de trois millions de voix, dont un tiers au moins, dit le NDC à Corwin, était dû à des retournements d'opinion après l'émission de la veille. Sans le vouloir, les partisans de Dewey en avaient accru l'effet : dans l'espoir de toucher l'énorme auditoire attendu pour l'émission démocrate, le Comité national républicain avait acheté la tranche horaire suivante. Mais au dernier moment, le comédien Jimmy Durante, soumis à des pressions conservatrices menaçant sa vie professionnelle, se retira de l'émission de Corwin. Ce désistement imprévu créa un trou de cinq minutes. L'émission se termina donc à vingt et une heures cinquante-cinq, et la chaîne combla le trou avec de la musique d'orgue. Tous les Américains éteignirent leur poste et allèrent se coucher.

Cependant, le succès de l'émission dissimulait des fractures entre les divers courants démocrates. Corwin lui-même avoua que l'émission avait été « plutôt radicale ». En conséquence, Jack Warner, qui au début avait été très coopératif — donnant l'autorisation aux employés de « faire toute apparition publique ou autre qui puisse aider à la victoire du Parti démocrate [16] » —, se rétracta peu à peu, jusqu'à demander au bureau de la publicité : « QUE MON NOM NE SOIT PLUS UTILI-SÉ [17]. »

Warner, sensible aux changements politiques, avait conscience de la montée des courants de droite à Hollywood. Après l'élection, un petit nombre de conservateurs de l'industrie du cinéma se regroupèrent pour évaluer les dommages à attendre de la réélection de Roosevelt. Sous le nom d'Alliance des gens de cinéma pour la préservation des idéaux américains, ils s'étaient déjà organisés plus tôt dans l'année pour combattre « les idées non américaines » dans le cinéma. L'Alliance avait ses partisans à Washington et à Sacramento, et soutenait le comité chargé des activités non américaines de Martin Dies. Parmi ses membres, on trouvait des stars, des réalisateurs, des producteurs, des scénaristes : Sam Wood, Walt Disney, Clark Gable, Gary Cooper. Beaucoup étaient à la MGM, mais le comité exécutif comportait aussi le beau Casey Robinson, qui avait tant contribué au succès de *Casablanca*. La guerre touchant à sa fin, la fragile coalition de Hollywood commençait à se déliter. Les espoirs des libéraux reposaient sur le Président réélu, un homme âgé, à la santé visiblement chancelante, et l'Alliance voulait exercer son influence partout où c'était possible.

Après le retour de son époux, Mayo se montra de plus en plus agressive et reprit ses vieilles habitudes. Un jour, à trois heures du matin, Bogart trébucha jusqu'au téléphone et appela Betty. « Tu me manques, Baby », dit-il avant que le combiné lui soit arraché des mains. Betty, paralysée, entendit une Mayo hystérique qui lui criait : « Alors, petite garce juive, qui est-ce qui va lui laver ses chaussettes ? » et se répandait en obscénités contre sa rivale [18].

Le 4 décembre, les médias annoncèrent que Humphrey Bogart était à nouveau parti de chez lui. « Cette fois, dit-il, sa séparation d'avec son épouse depuis six ans est définitive [19]. » Mme Bogart, expliquait aussi Louella Parsons, avait engagé le célèbre avocat Jerry Giesler. « Il est difficile de dissoudre un mariage de six ans, dit Bogart à la journaliste, mais nous avons eu tant de disputes que je crois qu'il n'y a rien d'autre à faire... Je donnerai tout ce qu'elle voudra, pourvu qu'elle me laisse tranquille — et je la crois trop intelligente pour vouloir me retenir. »

En privé, ce n'était pas aussi simple. « Je ne veux pas de grosse pension, dit Mayo à Hedda Hopper, la grande rivale de Louella Parsons. Ce que je veux, c'est lui, parce que je l'aime [20]. »

Pendant leur mariage, elle avait souvent semblé la plus forte des deux, dominatrice et intimidante. « N'importe quelle femme l'aurait mis au tapis [21] », dit Clifton Webb, un vieil ami de Mayo. Un autre, qui préfère rester anonyme, déclara que « Mayo ne laisserait jamais aucune fille lui voler Bogie. Elle préférerait être pendue pour meurtre plutôt que de le voir marié à une autre [22] ». Mais à cette étape, celle que tout le monde appelait « Sluggy » semblait imploser. Elle s'effondrait en larmes au téléphone chaque fois qu'elle racontait son histoire à un journaliste.

Comme Mayo s'écartait de plus en plus de la réalité, Buffy arriva à nouveau de Portland. Malgré tous les conseils qu'on lui prodiguait, Mayo continuait à tenter de joindre son mari, et poussait Buffy en avant à sa place quand il refusait de répondre à ses appels. L'affection de Bogart pour sa belle-mère était intacte, et c'est aussi gentiment qu'il le pouvait qu'il lui expliqua qu'il ne reviendrait pas. Mayo ne renonça pas.

« Qu'est-ce que je peux faire ? pleura-t-elle au téléphone quand Hedda Hopper la rappela. Il n'est pas revenu à la maison, et il me dit qu'il ne reviendra pas. Mais c'est sa maison, et je veux qu'il y soit. Je ne veux rien faire qui lui fasse du mal... » Buffy prit le combiné au milieu de la phrase : « Mayo est incapable de prendre une décision pour le moment. Elle est bouleversée [23]. » Fin de la conversation.

« Mayo n'a plus la force de se battre », dit Louella Parsons à ses lecteurs.

Celle qu'on appelait Lolly Parsons, grassouillette et alcoolique, avait toujours eu un faible pour les Bogart. Leur première séparation, elle l'avait annoncée en exclusivité. Elle avait contraint Warner à réintégrer Bogie lors de leur première grande querelle en 1941, mais aussi avide de pouvoir qu'elle ait été, aussi impitoyable qu'elle ait pu se montrer pour décrocher un scoop, elle était bouleversée qu'une femme, jadis reine de toutes les fêtes, ne puisse retenir ses larmes au téléphone et la supplie d'appeler Bogart pour lui demander quand il rentrerait à la maison.

Quand Louella l'appela au Beverly Wilshire Hotel, il fut direct. Personne n'aimait les reines des ragots. Elles étaient tout à la fois les gardiennes de la morale imposée par les studios et les violatrices de l'intimité ; elles considéraient les stars comme leurs chiens savants. Mais dans un milieu où une carrière pouvait être brisée par un seul ragot, c'était Louella que Bogart préférait.

Le mariage était terminé, lui dit-il, et il lui demanda de le faire comprendre à Mayo. « J'ai essayé de lui parler par l'intermédiaire de sa mère, mais elle ne veut rien entendre. Je ne reviendrai pas à la maison. Je ne peux continuer les batailles que nous menons depuis six ans. Je veux une nouvelle vie. »

Au cours des semaines tumultueuses de son premier puis de son second départ de chez lui, il avait mis son point d'honneur à remplir toutes ses obligations sur le plateau. C'est seulement lorsqu'il était seul dans sa chambre d'hôtel qu'il pouvait réfléchir, sans être distrait, au passé et à l'avenir. Ses doutes et ses craintes refaisaient alors surface.

Il s'inquiétait pour Mayo, qui avait souvent menacé de se suicider et dont la vie entière n'était plus qu'un exercice d'autodestruction. Même s'il voulait repartir de zéro, il avait l'impression de l'abandonner. Plus qu'une affaire d'argent à partager, il y avait un problème de conscience pour lui. A l'évidence, il serait généreux, mais ce serait une nouvelle chaîne, et cela réveillait sa vieille crainte du dénuement. Et puis il y avait la question de la jeunesse de Betty, le fait qu'il avait un quart de siècle de plus qu'elle. Ses épouses avaient toujours été ses contemporaines. Maintenant, il s'engageait avec une jeune fille dont la vie entière était moins longue que leur différence d'âge [24]. Elle voudrait des enfants. Il n'en avait pas encore, en dépit de trois mariages.

Pour Bogart, à quarante-quatre ans, l'avenir était plus intimidant encore que le passé et tous ses problèmes. Pendant les moments où ils arrivaient à être seuls, Betty le trouvait « hypersensible », son humour habituel faisait place à une grande nervosité. Elle était amoureuse de l'homme qui bouleversait maintenant sa vie [25]. Et qui bouleversait aussi le tournage d'un film.

Jack Warner fulminait contre les retards, et Hawks promit de mieux faire, mais les pressions exercées pour qu'il termine le tournage le forcèrent à couper dans une histoire qui était devenue trop compliquée à suivre. *Le Grand Sommeil* de Raymond Chandler, comme *le Faucon maltais* de Hammett, raconte l'histoire d'un détective à qui ses clients mentent et qui doit trouver son chemin dans un labyrinthe meurtrier. Les scénarios successifs étaient restés remarquablement proches du livre, Hawks n'y avait ajouté que quelques morceaux de bravoure pour Bogart dans le rôle de Marlowe et pour Lauren Bacall, la fille du millionnaire mourant.

Novembre, à Los Angeles, fut humide et froid. Hawks attrapa la grippe et fut incapable de venir travailler plusieurs jours de suite. Le tournage prit encore du retard. Peter Godfrey, un sous-fifre de la Warner, fut désigné pour reprendre le flambeau au cas où le retard deviendrait insupportable [26]. Une semaine après le retour de Bogie chez Mayo, Betty attrapa un gros rhume qui tourna à la laryngite [27]. John Ridgely, dans le rôle du joueur beau parleur Eddie Mars, eut aussi la grippe, et deux des tueurs quittèrent le plateau à cloche-pied, chacun avec une cheville foulée.

En extérieur, les rues du décor étaient trempées de pluie, en dépit des bâches qu'on avait tendues au-dessus, et il fallut encore perdre du temps pour attendre qu'elles sèchent [28]. Il y avait en outre des problèmes plus personnels. Le dernier vendredi du mois, le directeur de plateau, Eric Stacey, rédigea une note pour le directeur de production Tenny Wright : « M. Bogart ne s'est pas réveillé à l'heure ce matin [29]. »

Il arriva une heure en retard, les yeux cernés et chassieux, comme le signala Stacey.

« 14 décembre : l'équipe a attendu M. Bogart une heure et demie[30]. »

« 15 décembre : M. Bogart a retardé l'équipe pendant une heure le matin[31]. »

« 20 décembre : trente minutes de retard. Il a été nécessaire que M. Hawks parle à M. Bogart pendant une demi-heure pour aborder le problème "Bacall", qui affecte leur jeu dans le film[32]. »

Pour une fois, la direction était incapable de traiter le problème. Il ne s'agissait pas d'un Flynn ou d'un Barrymore qui ne se serait pas montré professionnel. C'était Humphrey Bogart, leur cheval de trait ! Ironiquement, le succès de la sortie en octobre à New York du *Port de l'angoisse* augmentait les difficultés. Le film avait pulvérisé les records d'entrées, toute la ville en parlait, et aussi de la nouvelle venue, Lauren Bacall[33]. Elle constituait, de l'avis de Warner, un phénomène du box-office. Les premières publicités, si soigneusement distillées pendant des mois, s'épanouissaient maintenant dans les pages de *Look* et de *Collier's*, à la une de la rubrique spectacles du *New York Times* et en couverture de *Life*, de même que dans les articles des grands critiques. Le studio avait de quoi se réjouir.

Mais être ainsi catapultée dans le halo de la célébrité n'avait rien de facile pour une jeune femme à peine sortie de l'adolescence. Une journaliste de *Silver Screen*, sur le plateau du *Grand Sommeil* pour une interview, observa un des publicitaires du studio qui s'approchait de la nouvelle sensation pour faire les présentations. « Elle posa sur la femme que j'étais un regard impatient et demanda, dans le plus pur style Bogart : "Quelle emmerdeuse veut encore me parler ?" »

Bogart posa doucement une main sur son épaule : « Voyons, Baby, ne deviens pas si vite insupportable[34]. »

Son succès n'en entraîna pas moins un déplacement de l'équilibre des pouvoirs sur le plateau. L'ancienne Galatée de Hawks était soudain une star à part entière, liée à une plus grande star encore. Le puissant réalisateur voyait son autorité diminuer.

« Il sentait qu'il avait perdu. La fille qu'il avait inventée ne lui appartenait plus[35] », écrit Lauren Bacall. Dee Hawks Cramer dit qu'il était convaincu que Betty et Bogie « faisaient front contre lui. Il avait des idées précises sur la façon dont on devait tourner une scène, et on s'opposait à lui. Elle n'était plus sa chose et il n'aimait pas la façon dont elle se comportait[36] ».

Le jeudi 21 décembre, Hawks travailla au montage, mais on ne tourna pas une page du scénario. « L'équipe a perdu beaucoup de temps, rapporta Stacey, à cause de discussions à propos de l'histoire entre MM. Bogart et Hawks et Lauren Bacall[37]. » Hors du plateau, Bogart tenta de parler divorce avec Mayo, mais elle ne voulut rien entendre. Il était visiblement déprimée. « A plusieurs reprises, nota Stacey, Hawks a dû le prendre à part et lui parler longuement parce qu'il n'était pas satisfait de son jeu, ce qui a certainement pour cause ses ennuis personnels [38]. »

Le lendemain de Noël, la situation devint critique.

L'équipe avait travaillé jusqu'à midi le samedi 23 décembre, avant de s'interrompre pour le long week-end. Le mardi, tout le monde était de retour sur le plateau, sauf Bogart. Ce matin-là, Mayo avait obtenu ce qu'elle voulait : son mari était revenu à la maison — mais pas de la manière dont elle l'avait souhaité.

Pour Noël, il avait offert à Betty une montre en or, mais il avait passé la journée seul. C'était son quarante-cinquième anniversaire. Sa vie était figée : sa femme ne voulait pas divorcer, il vivait à l'hôtel — tous les éléments étaient rassemblés pour conduire à une dépression ou à des actes incontrôlés. Personne ne sait combien il but le soir de Noël, ni s'il s'arrêta avant d'arriver à la porte du 1210 North Horn.

Sur le plateau 19, on attendait Bogart. Quand l'assistant réalisateur Bob Vreeland appela le Beverly Wilshire peu après neuf heures, on lui dit que M. Bogart était parti [39]. Un quart d'heure plus tard, un coup de téléphone hystérique de Mayo leur apprenait que son mari était arrivé chez eux, « très ivre ». Ce n'était pas là une situation nouvelle, pas plus que la voix terrifiée de Mayo. Après en avoir informé la direction, Vreeland et Stacey se précipitèrent chez Bogart, suivis par le vigile en chef de la Warner, Blayney Matthews, et de son second. Une scène tout droit sortie de *La mort n'était pas au rendez-vous*.

D'autres, alertés par la direction de la Warner, arrivèrent aussi. Parmi eux Sam Jaffe, dont l'assistant avait déjà appelé un médecin fiable et discret pour qu'il vienne administrer les sédatifs nécessaires. Mais Bogart avait perdu conscience — « Il était dans un état épouvantable et dormait à notre arrivée », nota Stacey dans son rapport à Wright. Tandis que tout le monde attendait au salon que le médecin arrive, Bogart apparut, les yeux rouges et le menton hérissé de barbe. « L'atmosphère se tendit à l'extrême, nota Stacey. Bogart n'arrêtait pas de demander : "Est-ce que c'est une veillée funèbre ?" » Finalement le directeur de plateau, conscient que sa présence n'avait aucun sens, partit et laissa le vigile démêler la situation. Bogart aime bien Matthews, se dit-il, alors qu'il se débrouille.

« Je ne pense vraiment pas que l'état de Bogart puisse s'arranger d'ici demain, concluait le rapport à Wright, car cela fait près de trois semaines qu'il boit, et il ne s'agit pas seulement d'alcool, mais de tourments liés à sa vie personnelle. Je pense que le mieux serait qu'un psychiatre le prenne en charge et en réfère directement à M. Warner quand il le considérera en état de reprendre le travail. »

De retour au studio, Howard Hawks tenta de faire quelques prises sans sa star et dut se contenter de gros plans avant de finalement renvoyer tout le monde. « L'équipe ne peut absolument rien tourner sans M. Bogart », nota Stacey. Le tournage s'interrompit donc dans l'attente du rétablissement et du retour de Bogart. « MERCI DE NE PAS ÊTRE VENU AUJOURD'HUI [40] », télégraphia un Jack Warner furieux et frustré.

Le mercredi matin, Hawks vint sur le plateau vide. La fiche quotidienne indiqua simplement : « L'équipe n'a pas travaillé aujourd'hui parce que M. Bogart est malade [41]. »

Hawks n'avait jamais obéi qu'à lui-même : le studio, qui savait qu'il tenait un gagnant, le laissait libre, mais sa patience s'épuisait et Hawks réagissait en se montrant agressif. Il était évident pour Meta Wilde que Hawks « était très en colère. Jack faisait pression sur lui et Howard n'aimait pas qu'on le pousse au travail. Il ne voulait pas qu'on discute sa manière de faire — ni l'argent qu'il dépensait, ni le temps qu'il prenait [42] ».

Le retard entrait maintenant dans son second mois. Le tournage avait avancé jour après jour au fil des discussions et des réécritures, au point que le scénario n'était plus qu'un amas de feuilles froissées, barré en première page d'un « Temporaire » que suivaient des dates successives. Il restait un quart du film à tourner. L'équipe étant immobilisée par l'absence de Bogart, de durée indéfinie, Hawks s'installa à une table avec Leigh Brackett et Jules Furthman et entreprit de tout revoir. Faulkner avait déjà posté ses dernières pages d'une gare où avait fait halte le train qui le ramenait chez lui, accompagnées d'une lettre au scénariste réviseur de la Warner, James Geller.

Les scènes récrites et ajoutées au *Grand Sommeil* ont été rédigées par l'auteur dans un état de joie respectueuse et d'admiration jubilatoire une fois le versement de son salaire arrêté et durant son voyage de retour dans le Mississippi. Avec tous ses remerciements et toute sa reconnaissance au studio pour les journées réjouissantes et bien remplies qui seules lui ont évité de perdre son temps à bêtement dormir sans but. Amicalement,

WILLIAM FAULKNER [43]

Pendant les semaines passées à se battre pour raccourcir le scénario — Faulkner condensant les scènes, Brackett récrivant Faulkner, Hawks récrivant les deux —, ils étaient plus ou moins restés fidèles à Chandler, ils avaient même conservé le dénouement où Marlowe sauve sa vie en commettant un meurtre. A travers toutes les réécritures, c'était la seule scène qui était restée en place et qu'ils considéraient tous comme essentielle à l'équilibre de l'histoire.

Ce mercredi, pourtant, Hawks n'avait plus le choix. Il ne lui restait plus qu'à déchirer, couper, et espérer que les choses s'arrangeraient au montage. Il ôta onze scènes, presque treize pages. « C'était le genre de choses que Howard était capable de faire, comme un enfant gâté, dit Meta Wilde. Une sorte de réaction viscérale : "Rien à foutre. Au panier. Douze pages. C'est ce que vous voulez ? D'accord !" [44] »

266

Le toujours professionnel Furthman commença à reconstruire une nouvelle fin raccourcie, conçue comme une rafale de coups de feu, mais c'était une chirurgie mutilante, et même si la cicatrice était belle, l'opération rendait franchement incompréhensible une intrigue déjà complexe.

A un moment, Hawks envoya même un télégramme à Chandler pour demander si le chauffeur de Sternwood, Owen Taylor, avait été assassiné ou s'il s'était suicidé. « Bon sang, je ne savais pas non plus ! » raconta plus tard Chandler à son éditeur anglais. Ayant appris que Jack Warner avait rouspété devant le coût du télégramme — soixante-quinze *cents* —, Chandler ajouta : « Warner a appelé Hawks et lui a demandé s'il était vraiment nécessaire d'envoyer un télégramme pour une question pareille [45]. »

Presque un an après la fin officielle du tournage — qui avait eu lieu en janvier 1945 —, toute l'équipe tomba d'accord : il fallait tourner quelques scènes supplémentaires. Ces scènes faisaient plus que compenser les problèmes d'intrigue, et le génie de Hawks — le style et le rythme du film, l'association du jeu d'acteurs, des prises de vues, du décor et de la musique — fit du *Grand Sommeil* un classique et un des plus grands succès de la Warner. Chandler fut particulièrement impressionné par la mise en scène de Hawks et par la performance de Bogart. Il écrivit à un ami : « Tu te rendras compte de ce que peut faire de ce genre d'histoire un réalisateur qui a le don de créer une atmosphère et possède la touche nécessaire de sadisme caché. Bogart, bien sûr, est tellement meilleur que d'autres acteurs qui jouent les durs qu'il fait oublier les Alan Ladd et autres Dick Powell. Comme on le dit ici, Bogart peut être dur sans arme. Il possède aussi un sens de l'humour qui contient ce petit fond irritant de mépris. Ladd est dur, amer et parfois charmant, mais il n'est que l'idée que se font les petits garçons de ce que doit être un dur ; Bogart est un dur authentique. Comme Edward G. Robinson quand il était plus jeune, il n'a rien d'autre à faire pour dominer une scène que... d'entrer en scène [46]. »

Malgré l'enthousiasme de Chandler, Dee Cramer avait le sentiment que pour Hawks « c'était le film le plus troublant qu'il ait jamais fait. Les scènes isolées — qui étaient de toute façon le fort de Howard — restaient brillantes, mais l'intrigue n'était pas maîtrisée. Il n'a jamais aimé ce film parce qu'il ne l'a jamais compris [47] ». Même si en public Hawks s'est toujours montré fier du *Grand Sommeil*, le film lui rappelait des souvenirs amers et la rancune qu'il gardait à sa star.

Hawks ne pardonna jamais à Bogart, mais le studio, si. Le mardi où il ne vint pas, la comptabilité commença à faire le calcul des pertes, juste au cas où la Warner déciderait de présenter la note [48]. C'est un allié imprévu, le directeur de production Tenny Wright, qui fit remarquer que jusque-là Bogart était toujours venu à l'heure, qu'il n'avait pas perdu une journée de tout le film, et que la faute — avec un réalisateur constamment en retard — n'était pas entièrement sienne.

Bogart facilita les choses en revenant travailler le 28 décembre, après seulement deux jours d'absence, « apparemment en bonne forme »[49]. Les évènements de ce Noël perdu avaient été cathartiques et il était guéri, sinon détendu.

En pleine crise personnelle dramatique, Bogart termina de créer le personnage du détective privé moderne commencé avec Sam Spade dans le Faucon maltais. « Il est le descendant direct de Sherlock Holmes, écrit Alistair Cooke, un célibataire déprimé et excentrique très savant qui, au moment où il résout l'intrigue, fait une coupe franche dans la confusion ambiante. Célibataire victorien, Holmes doit être asexué. Bogart aussi est un loup solitaire. Pourtant, de son comportement vis-à-vis des femmes on déduit qu'il est irrésistible, et il est sauvé du ridicule en n'ayant jamais à le prouver[50]. »

Le charme de Bogart en Spade ou Marlowe ne vient pas tant de son côté dur (avec ou sans arme), mais de son côté romantique. Ses personnages sont d'autant plus désirables qu'ils sont distants, trop cyniques et trop honorables à la fois pour être vrais ailleurs que dans l'imagination du public. Ces qualités contradictoires existaient déjà dans les romans, mais Bogart les a amplifiées par ce qu'il a de spécial en tant qu'acteur : son pouvoir de suggestion, la capacité qu'il a de faire sentir qu'il se passe quelque chose sous la surface. Sa façon de jouer fait autant progresser l'intrigue que le récit même. C'est une qualité qu'il partage avec un Robert Mitchum dans Adieu ma jolie, tiré aussi d'un roman de Chandler, ou avec un James Dean dans ses quelques films.

Spade et Marlowe finiront en caricature : aucun danger ne peut faire transpirer le beau et fantastique James Bond, aucune douleur ne peut le briser. Mais comme l'écrit la critique Judith Crist, « quand Spade ou Marlowe sont blessés, ils ont mal et il leur faut du temps pour se remettre, quand ils tuent, ils souffrent et sont rongés par les remords. Mais surtout, ils ont fait ce qu'ils devaient faire parce que ce sont des hommes, dans la tête et dans le cœur, pas seulement dans le bas-ventre[51] ».

A la fin du Grand Sommeil, la récompense de Marlowe pour s'être battu dans un labyrinthe de mensonges et de brutalité, pour avoir reçu des balles, pour s'être fait rouer de coups, pour avoir tué et avoir évité de se faire tuer, est de se retrouver dans les bras de Lauren Bacall, qui lui dit que quels que soient les problèmes dans la vie, il n'y a rien qu'on ne puisse arranger. En décembre 1944, luttant pour sa propre survie, Bogart ne souhaitait rien davantage qu'une telle fin dans sa vie personnelle.

15

L'époque la plus heureuse

En janvier 1945, Humphrey et Mayo Bogart entrèrent dans une période que leurs avocats qualifièrent de « trêve armée[1] ». Le week-end de Noël avait brisé les dernières illusions de réconciliation qu'avait pu nourrir Mayo, mais elle n'était pas encore tout à fait prête à lâcher prise. Mme Bogart se repose, dit son avocat Jerry Giesler, et pour le moment ne veut prendre aucune décision concernant un divorce.

Quand on en venait aux armes légales, personne n'avait plus de puissance de feu que Giesler, qui avait fait acquitter Errol Flynn d'une accusation de viol, et évité la prison à Busby Berkeley après qu'il eut tué trois personnes dans un accident de voiture alors qu'il était ivre. Giesler était un adversaire particulièrement au fait des lois complexes relatives à l'adultère dans l'État de Californie.

La réaction rapide de la Warner au matin du 26 décembre avait évité que la crise n'éclate au grand jour, mais les rumeurs allaient bon train. La liaison entre Bogie et Betty risquait de devenir une contre-publicité désastreuse au moment même de la sortie nationale du *Port de l'angoisse*. Le studio élabora un plan pour encaisser les recettes de la publicité tout en séparant les amants, évitant ainsi tout risque de scandale. « Mets Bacall dans le train de New York », ordonna-t-on à Charlie Einfeld[2].

Pour Betty, un voyage à New York — capitale culturelle de l'Amérique en 1945 — présentait l'attrait supplémentaire qu'elle y retrouverait sa famille. Malheureusement pour Einfeld, Bogart indiqua que lui aussi projetait de se rendre à New York.

Le tournage du *Grand Sommeil* se termina à la mi-janvier, « les problèmes personnels de M. Bogart ayant entraîné à nouveau un retard dans l'emploi du temps de M. Hawks[3] ». On avait organisé le départ presque immédiat de Bogart par le *Super Chief* avec Louis Bromfield et son secrétaire George Hawkins, pour deux semaines de vacances dans la ferme des Bromfield, à Mansfield, dans l'Ohio. De là, il irait à New York attendre l'arrivée de Betty.

Le dernier jour de tournage de Bogart, le 12 janvier, fut particulièrement tumultueux. Il y eut des raccords tournés sur le plateau 5, des scènes avec Betty refaites sur le plateau 12, et une incursion sur le plateau 1, où Arthur Silver, avec l'aide du chef opérateur de Hawks, Sid Hickox, devait tourner une bande-annonce spéciale pour le film. On ne faisait l'effort et la dépense de produire ainsi un mini-film que pour les plus grandes stars. La bande-annonce était comme un court métrage, avec une scène où Bogart entrait sur un plateau aux murs couverts de livres censé reproduire la bibliothèque publique de Hollywood et disait : « Je cherche un roman à suspense, quelque chose qui sorte de l'ordinaire. »

Bien que Silver eût écrit des centaines de bandes-annonces, jamais il n'en avait mis une en scène, et il n'était guère compétent en la matière. Avant peu, Bogart déclara sans méchanceté : « Il faut que je parte. Alors je vais mettre en scène. Je crois que ce sera formidable. » Bogart établit tous les mouvements de caméra, tous les déplacements, et décida de la façon dont les autres acteurs et lui allaient dire leur texte. Silver lui en fut très reconnaissant. « Il a tout fait à ma place. Avant qu'il parte, je lui ai dit : "Je ne l'aurais jamais fait aussi bien. Merci. Et bon voyage."[4] »

A New York, Gary Stevens, jeune publicitaire de l'agence Blaine et Thompson qui s'occupait de la publicité à la radio pour la Warner Bros., attendait impatiemment l'arrivée de Bogart. A l'exception de l'émission de Milton Berle, rien n'avait été organisé, parce que personne ne savait exactement ce que Bogart allait faire — et savoir ce qu'il allait faire était important pour le studio.

Il arriva le lundi 29 janvier et concrétisa immédiatement les pires craintes de la Warner. Mayo avait finalement accepté de divorcer, mais les détails n'avaient pas été réglés. Quelques jours plus tôt, le directeur de la publicité de Warner à New York, Mort Blumenstock, avait supplié le journaliste Earl Wilson de ne pas divulguer l'affaire Bogart-Bacall avant que le divorce n'ait été prononcé. Mais ce soir-là, Bogart, une fleur blanche au revers, assis à sa table dans un coin du « 21 », vit Wilson et l'appela, ainsi que George Frazier, du magazine *Life*. Expansif après plusieurs verres de gin, il parla sans retenue en montrant des photos de « Baby ». « Je suis à nouveau amoureux — à mon âge ! »

On sortit les blocs-notes. Avait-il l'intention d'épouser la jeune dame ? « C'est tout à fait ça[5] ! »

Le lendemain matin, sans doute conscient de l'utilisation que Jerry Giesler pourrait faire de ses paroles, il fit marche arrière. La journaliste Inez Robb le trouva dans sa suite du Gotham, en pleine gueule de bois — « J'ai choisi ce costume gris, lui dit-il, pour l'assortir à mon teint. » Oui, Mayo avait accepté de divorcer, mais il était encore marié.

« Mayo est une gentille fille, mais ça n'a pas pu marcher. Vous n'avez qu'à dire que c'est une incompatibilité d'humeur[6]. » Sur le manteau de la cheminée il avait exposé trois grandes photos de Betty, mais il affirma que le divorce n'avait rien à voir avec elle. « C'est une gosse formidable, mais je crois que je lui ai rendu les choses difficiles... J'ai probablement tout gâché. »

Dans les bureaux de la Warner, Quarante-quatrième Rue, Blumenstock lut les journaux, prit de l'aspirine, en référa à Burbank et appela Bogart plusieurs fois, allant jusqu'à menacer de faire venir Mayo s'il ne se taisait pas[7].

En attendant l'arrivée de Betty prévue pour le vendredi, Bogart, prisonnier de son sentiment d'insécurité, but beaucoup. Devant Inez Robb, il avait plaisanté sur leur différence d'âge. « Je me tiens grâce à des fils de platine, de la colle et de la laque pour cheveux que je m'injecte dans les veines. Je suis plutôt bien conservé, vous ne trouvez pas, pour un vieux ? » Sous les plaisanteries bravaches, il s'inquiétait d'être une charge pour la jeune fille de vingt ans qui allait bientôt avoir New York à ses pieds.

Gary Stevens emmena Bogart au studio qui deviendrait bientôt celui d'Ed Sullivan, à l'angle de Broadway et de la Cinquante-troisième Rue, pour l'émission de Milton Berle. Stevens, futur directeur général de Warner Television, avait une solide réputation : il savait mettre en valeur à la radio les stars du studio afin d'obtenir une publicité gratuite pour les films de la Warner. Mais Bogart était la première grande star qu'on lui ait confiée, et il avait reçu des instructions simples : « Fais tout ce qu'il veut. » Les premiers contacts furent agréables : Bogart était bavard et ils ne parlèrent ni l'un ni l'autre des articles dans les journaux. Si bien que Stevens ne s'attendait pas à ce qui se passa au studio.

« Bogart est arrivé en trench-coat boutonné jusqu'au cou, comme un personnage de ses propres films ; il ne lui manquait plus que du brouillard autour des pieds et Sydney Greenstreet en train de rire dans un coin. Il s'approcha de Berle, qu'il n'avait jamais rencontré, et dit : "Établissons les règles : si tu ouvres la bouche au sujet de Baby, il ne te restera plus aucune dent." Berle crut à une plaisanterie, mais Bogart le foudroyait du regard, et il se rendit compte qu'il était sérieux. L'émission s'est quand même bien passée[8]. »

Quelques jours après, il y eut une scène plus dérangeante encore. A part l'incident avec Berle, Stevens trouvait l'acteur « très coopératif, très affable, très gentil, et même un peu timide ». Il semblait n'avoir aucune vanité. Signer des autographes ne le flattait pas, et il était gêné quand des étrangers lui donnaient des tapes familières dans le dos. En fait, Bogart était bien élevé, instruit et intelligent — du moins tant que l'alcool ne prenait pas le dessus. « C'était vraiment Dr. Jekyll et Mr. Hyde. Dès qu'il avait quelques verres dans le nez — quand un verre était de trop et vingt pas assez — il devenait irritable, méchant, vicieux, tyrannique. »

Un soir, au Gotham, l'alcool et la tension dans laquelle il attendait Betty se combinèrent pour provoquer une explosion. Dans l'après-midi, Stevens avait accompagné Bogart au « 21 », où il avait mangé un sandwich et bu quelques verres. Il en but d'autres au bar de l'hôtel.

Dans sa chambre, Bogart se frotta le cou et les épaules. « Seigneur, que je suis tendu ! dit-il à Stevens. Il me faut un massage. » La Warner avait un masseur salarié pour ses cadres, et Stevens appela le bureau pour demander qu'il vienne.

Vingt minutes plus tard, le masseur et sa table pliante étaient à la porte. Bogart voulut un massage énergique et demanda à Stevens d'appeler pour qu'on leur apporte à boire. Quarante minutes et plusieurs verres plus tard, le massage terminé, Bogart invita Stevens à rester dîner. Quand Stevens tenta un refus poli, Bogart s'écria : « Non ! Tu ne rentres pas chez toi ! Tu restes avec moi ! »

Stevens, fidèle aux instructions reçues, s'installa. Bogart prit une douche sans fermer la porte de la salle de bains — « la douche la plus rapide que j'aie jamais vu prendre. Moins de quarante-cinq secondes. Pas de savon, rien. Il a pris la serviette et il est sorti. Puis il a fini un verre et il a dit : "Je ne sais pas ce qui se passe avec mon cou et mes épaules... Où est donc ce masseur ?" Je lui dis qu'il venait de le masser. "Je sais ! Mais il m'a à peine effleuré. Ramenez-moi ce fils de pute !" Je lui fis remarquer qu'il était plus de dix-neuf heures et que je ne savais pas où habitait cet homme, il s'est mis à crier : "Débrouille-toi, fais-le revenir ! Je veux qu'il vienne me faire un *vrai* massage !" »

Stevens trouva le masseur chez lui à Brooklyn et lui demanda de revenir. L'homme et sa table prirent le métro, et une heure plus tard il était de retour au Gotham. Au bout d'une heure de massage épuisant, il repartit.

Bogart continua à boire, mais ne toucha pas au dîner qu'il avait commandé, et ordonna à Stevens de sortir de la chambre la table chargée de nourriture intacte. Sa rage allait croissant. Il exigea que Stevens fasse des réservations à l'El Morocco. Une minute après, il choisit plutôt le Stork Club, puis le Toots Shor's. Cinq minutes après, il décida qu'il voulait dormir.

Mais vers dix heures il déclara qu'il n'arrivait pas à dormir tant il était perclus de douleur. Il fallait rappeler le masseur. Cette fois, c'est le masseur qui hurla dans les oreilles de Stevens. Bogart menaça d'appeler Jack Warner et de leur faire perdre leur emploi. Alternant menaces et gémissements, il était déjà dans un autre monde. Le masseur arriva en taxi. Bogart but pendant son troisième massage de la soirée, qui fut exécuté et reçu avec des insultes des deux côtés. Puis Stevens vit que Bogart redevenait gentil. Il se leva et remercia le masseur avant de lui donner deux ou trois billets de vingt dollars. Le masseur était plutôt content ; pas étonnant ! En 1945, c'était l'équivalent d'une semaine de salaire.

Quand le *Twentieth Century Limited*, Lauren Bacall à son bord, entra en gare de Grand Central le vendredi, le quai était plein d'adorateurs bruyants que la neige et le froid n'avaient pas découragés. Un cordon de police dirigea le petit groupe — la star, son avocat, sa mère et son chien — jusqu'à une limousine qui les conduisit au Gotham, à huit cents mètres de là. D'autres journalistes et d'autres photographes attendaient dans la suite 801, où la jeune actrice répondit aux questions avec l'aplomb d'une professionnelle. « BACALL S'EN SORT A MERVEILLE ; SANS AUCUN DOUTE LE PLUS GROS SUCCÈS JOURNALISTIQUE POUR UNE ARRIVÉE DE HOLLYWOOD [9] », télégraphia Blumenstock à Einfeld.

A l'étage au-dessus, au 901, Bogart attendait près du téléphone, soignant sa cuite après une folle soirée en compagnie de Louis Bromfield et George Hawkins, qui étaient venus à New York avec lui après leur arrêt dans l'Ohio, et qui étaient descendus dans le même hôtel. Craignant de se réveiller trop tard et de rater l'arrivée de Betty, il s'était sorti du lit, avait commandé un petit déjeuner, s'était déshabillé et était passé dans la salle de bains pour se raser, la porte entrouverte sur le couloir pour qu'entre le garçon d'étage. Quelques minutes plus tard, il entendit une voix féminine demander : « Mlle Bacall est-elle arrivée ? » Il se retourna et vit une journaliste... qui elle vit tout Bogart. Il jura plus tard que c'était Inez Robb, qui le nia toujours. « Je dois dire pour sa défense que ses yeux n'ont jamais quitté mon visage. C'est ce que j'appelle du journalisme ! »

Pour le bien de Betty autant que pour le sien, Bogart voulait garder un profil bas. C'était son moment de gloire à elle, *sa* conférence de presse, mais il n'appréciait pas les circonstances qui l'avaient placé dans un rôle secondaire. Il était un homme d'âge mûr seul dans sa chambre, tandis qu'en bas sa jeune future épouse goûtait ses premiers instants de célébrité.

Il appela plusieurs fois la chambre de Betty pour lui demander quand elle allait monter et se plaindre que « ce foutu studio » dirigeait sa vie. Quand elle arriva enfin, il était assis sur le canapé, seul, le visage mouillé de larmes. « Il croyait peut-être que j'avais changé d'avis, écrit-elle, qu'après avoir réfléchi, je renonçais à l'épouser [10]. » Elle fut décontenancée de le trouver si désarmé, et surprise qu'il ait besoin d'être rassuré, alors qu'il lui avait toujours semblé si fort.

Peter Lorre était aussi en ville, à quelques pâtés de maisons de là, au Sherry Netherland. Quand Bogart l'appela, il proposa de venir au Gotham, mais Bogart dit qu'il était d'humeur sentimentale et voulait aller à l'hôtel Astor, sur Broadway, entre la Quarante-quatrième et la Quarante-cinquième Rue, son endroit préféré quand il n'était encore qu'un jeune acteur de théâtre. Bogart invita aussi Gary Stevens. Stevens s'était souvent occupé de Peter Lorre lors de ses visites à New York, et lui avait même procuré des compagnes pour la nuit.

Tous trois prirent une table près du bar. Stevens, qui connaissait mieux Lorre que Bogart, était au courant de leur amitié, des blagues qu'ils avaient jouées à Michael Curtiz, et des nuits où Bogart avait cuvé son alcool chez Lorre. Il savait aussi que Bogart prêtait souvent de l'argent à son ami, sans grand espoir de remboursement, car le gros salaire de Lorre ne parvenait pas à couvrir les frais de son style de vie et de la drogue qu'il lui fallait. De fait, en fin de soirée, Bogart sortit de sa poche un paquet de billets qu'il tendit à son ami. « Il adorait Peter », affirma Stevens.

Bogart but tranquillement, d'humeur nostalgique. Il se souvenait du début des années vingt. Quand Betty n'était même pas encore née. Et soudain Stevens comprit que Bogart les avait conviés à le rejoindre ici, Lorre et lui, pour qu'ils le rassurent quant à la différence d'âge. « Si seulement je pouvais avoir cinq bonnes années avec elle, tout ce qui viendrait en plus serait un bonus. Je sais que ce ne sera pas facile. Je sais que ça ne durera pas. »

Et Peter Lorre fit ce que Bogart attendait de lui : « Oh Bogie ! Ne dis pas ça ! Je crois que tu pourras être heureux. Je crois que tout va aller bien avec elle. Je l'aime beaucoup ! »

Outre la question de la différence d'âge, se posait celle de la différence de culture. Quand elle avait parlé à Bogie du fait qu'elle était juive, il avait écarté le problème ; non, c'était elle qu'il aimait, il se moquait de sa religion. Pourquoi même poser la question ? De toute façon, ils étaient tous deux agnostiques. Mais en privé, il s'inquiétait auprès de Mary Baker « qu'elle soit juive, parce qu'elle voudrait des enfants, et il s'interrogeait sur l'opportunité d'avoir des enfants à demi juifs [11] ».

Ses réserves pouvaient provenir des préjugés propres à sa classe, à son époque et à la société américaine. Lee Gershwin, qui avait connu sa mère à Hollywood, n'avait pas oublié l'antisémitisme social rigide de Maud Humphrey [12]. En revanche, des collègues comme Dan Seymour et Art Silver avaient toujours trouvé Bogart très ouvert, plein de sympathie et « très respectueux des Juifs [13] ».

Si dans les années quarante il était difficile, même pour un libéral, d'introduire des Juifs dans sa famille, le comportement de Bogart ne montra en rien que cela lui posait personnellement un problème. Pendant les semaines qu'il passa à New York, il fit une émission sur CBS pour l'American Jewish Committee, et pendant la même période écrivit aussi des articles sur la tolérance, soutint la cause juive en Palestine et dénonça le racisme dans les programmes sociaux. La chanteuse noire Lena Horne dit qu'il « fit un scandale » quand il apprit que des propriétaires de sa rue faisaient circuler une pétition pour qu'elle ne s'installe pas dans la maison qu'elle avait louée en secret. Bogart et elle ne se connaissaient pas, mais après l'incident avec les voisins, « il a envoyé une lettre disant que si quelqu'un m'ennuyait je le lui fasse savoir [14] ».

Pour Betty, les deux semaines à New York furent un triomphe sans partage. On parlait de son film sur toutes les antennes, dans tous les journaux. « POUR UNE NOUVELLE VENUE QUI N'A FAIT QU'UN FILM, LAUREN BACALL REÇOIT UNE DES RÉCEPTIONS LES PLUS FORMIDABLES JAMAIS ACCORDÉES A UNE STARLETTE [15] », télégraphia Blumenstock à Burbank. On remplit ses journées d'interviews et de séances de photos, de dix heures trente le matin jusqu'à six heures du soir, mais cela laissait Bogart seul ensuite avec elle. « Ce qu'ils font après dix-huit heures, dit Blumenstock à un reporter curieux, c'est leur affaire [16]. »

Le soir, Bogart la montrait dans son New York — aux célébrités du « 21 », aux journalistes du Bleeck's, aux vieux amis du théâtre. Quand elle la rencontra, Helen Menken se montra aimable, accueillante, multipliant les mots gentils pour Bogie, et insista sur le fait qu'elle était seule responsable de l'échec de leur mariage.

Entre les interviews et le dîner, les amis de Betty venaient au Gotham partager des souvenirs et quelques instants de sa gloire. Son ancienne camarade de chambre, Gloria Nevard, travaillait comme hôtesse chez NBC et jouait dans des pièces radiophoniques ; comme Betty, elle était fiancée à un homme beaucoup plus âgé qu'elle. Les deux jeunes femmes parlèrent avec enthousiasme de leur vie et de leurs amours. « Betty était tout excitée à propos du film et de tout le reste. J'en étais muette d'étonnement, c'était *tellement* excitant ! »

Elles continuèrent à parler dans la salle de bains tandis que Betty se savonnait dans la baignoire avant de se changer pour le dîner. « Elle m'a dit qu'elle allait se marier, mais je savais que je ne pouvais le dire parce que ce n'était pas encore officiel. » Pour Gloria, le contraste fut frappant entre le froid sex-symbol des histoires et des photos qui envahissaient les médias et la petite Betty Bacal aux yeux brillants qui se rinçait dans la baignoire, parlant de Bogart comme une adolescente qui a un coup de foudre. « Elle était amoureuse. Elle était complètement transportée [17]. » Pendant ce temps, au salon, les mères de Gloria et de Betty partageaient leur tristesse de voir leurs filles se tourner vers des hommes aussi âgés.

Il est certain que pour Natalie Bacal, un pilier de bar de quarante-cinq ans, marié trois fois, et qui n'était même pas juif, semblait loin de l'idéal pour une fille qui n'avait que vingt ans. Bogart était même plus âgé que deux des oncles de Betty. « Bon dieu ! s'exclama Bogart après avoir rencontré la grande famille Weinstein-Bacal, comme famille nombreuse, la tienne se pose un peu là [18] ! »

Charlie Einfeld organisa la venue de Betty à un déjeuner du National Press Club, à Washington. C'était l'affaire d'une journée, et il y aurait toute la presse de la capitale. Mais Betty dit non. Elle ne voulait pas quitter Bogie. Blumenstock proposa de l'y emmener par avion et de la ramener à six heures. Elle refusa encore. Elle n'aimait pas les avions. Blumenstock, dans l'impasse, télégraphia son refus à Einfeld.

Alors Jack Warner envoya aussi un télégramme : « CHÈRE LAUREN, TRÈS SURPRIS D'APPRENDRE QUE TU AS REFUSÉ D'ALLER A WASHINGTON... [19]. » Il lui demandait de coopérer et espérait qu'elle s'amusait bien. Il gardait en réserve une phrase plus ferme.

« Je voulais rester avec Bogie, expliqua-t-elle plus tard, et encouragée par lui... j'adoptai très tôt l'attitude qu'il avait à leur égard [20]. »

Jack L. Warner avait son ton propre, qu'il utilisait toujours avec les jeunes stars soudain conscientes de leur pouvoir (« AVONS TENTÉ DE TOUT ORGANISER EN FONCTION DU TOUR DE TÊTE DE BACALL [21] », disait un télégramme). Derrière ce voyage se cachait l'idée de séparer les amants pour une journée au moins. Betty finit par accepter et se retrouva en photo dans tous les journaux du pays, perchée sur un piano, ses longues jambes sur le côté, le vice-président Harry Truman au clavier.

Pour le studio, les deux semaines où Bogart et Bacall furent ensemble à New York se transformèrent alternativement en rêve et en cauchemar. Malgré les précautions prises — des suites séparées, la jeune fille chaperonnée par sa mère et son agent — les publicitaires restaient hantés par la bienséance et la possibilité que les choses tournent mal. Un publicitaire du studio accompagnait le couple chaque fois qu'il sortait de l'hôtel. Jack Diamond ne s'occupait pas seulement de la publicité de Betty, il était aussi un ami en qui le couple avait confiance. Mais il se trouvait aussi qu'il informait le studio de tout ce que lui confiait Bogart, ce qui ne fut connu que des années plus tard, quand on eut accès aux archives du studio [22].

On soupira de soulagement à la Warner quand Bogart et Diamond quittèrent New York à la mi-février pour une semaine chez les Bromfield avant de continuer sur Los Angeles. Le lendemain, Betty et sa mère s'embarquaient aussi pour Mansfield, où tous passèrent une agréable semaine bucolique. A la fin de leur séjour, Bogie et Betty acceptèrent l'invitation de Bromfield de se marier à Malabar Farm.

Dans les années qui suivirent, si des amis demandaient à Bogie quelle avait été l'époque la plus heureuse de sa vie, il répondait toujours : « Quand je courtisais Betty. » Il se réinstalla au Garden of Allah, peuplé des compagnons de ses jeunes années : Gloria et Arthur Sheekman, Robert Benchley, l'acteur Louis Calhern et son ex-épouse Natalie Schafer, l'actrice Shirley Booth, avec qui il avait joué dans *Hell's Bells*. Dorothy Parker y vivait aussi, ainsi que tout le groupe de brillants et bruyants écrivains qui faisaient de l'endroit en partie un cercle littéraire, et en partie une sorte de résidence universitaire.

La fille des Sheekman, Sylvia, était l'« enfant » du Jardin. A dix ans, elle était une experte en fabrication de martinis pour les invités qui venaient dans le bungalow de ses parents dîner des mets disparates que permettaient de confectionner les cartes de rationnement. La liste des invités était comme le Who's Who des talents. Sylvia sentait « l'électricité qui passait d'une personne à l'autre, l'étincelle des conversations passionnantes. L'intelligence, la réussite et le talent — tout était là. Un mélange de New York et de Hollywood, des gens extraordinaires [23] ».

Un de ses préférés était oncle Bogart, qui s'était installé dans la villa 8, celle qu'on appelait la villa des acteurs. Il la saluait toujours d'une bourrade et d'un « Salut, gamine ! ». Il bavardait avec elle pendant qu'elle mélangeait les alcools, ou la prenait sur ses genoux pour discuter de choses qui les intéressaient tous deux. Pour un petit dîner de tourte au poulet et de *guacamole* sur des tortillas pendant la deuxième semaine de mars, il leur présenta une nouvelle amie, terriblement élégante et qui avait dans les vingt ans. La petite fille de dix ans se sentit soudain bizarre. « La façon dont elle bougeait... tout le monde était sous le charme. Je ne savais pas qui elle était, mais je sentais qu'il était fou d'elle. »

Toujours polie et consciente de ses devoirs d'hôtesse, Sylvia demanda à la nouvelle venue comment elle aimait son martini. « Elle posa sur moi son merveilleux regard et dit : "Fais juste passer le vermouth au-dessus du gin." J'ai trouvé ça d'une telle classe ! Elle me traitait en égale. Elle n'était pas condescendante ni protectrice. Je l'ai adorée tout de suite. »

Il n'y avait pas beaucoup de monde, ce soir-là : le compositeur de chansons Arthur Schwartz, à qui on devait *Cover Girl*, le dernier succès de Rita Hayworth ; Adrian Scott, le scénariste et producteur à la mode connu pour ses opinions progressistes et pas encore remis de son premier succès à l'écran, une adaptation du *Farewell, My Lovely (Adieu, ma jolie)* de Raymond Chandler, intitulée *Murder, My Sweet (Adieu ma belle* ou *Le crime vient à la fin)*. Sa jolie femme, l'actrice Anne Shirley, l'accompagnait. Pour Betty, c'était un monde nouveau, un monde dans lequel elle entrait avec doigté et discrétion.

Betty était si calme, si posée, que, de l'avis de Sylvia Sheekman, « le beurre ne fondait pas dans sa bouche. Elle se savait en compagnie de vieux amis très chers qui avaient vécu bien des choses ensemble. Elle était d'une certaine façon une feuille blanche, sur laquelle on pouvait écrire ce qu'on voulait. Elle n'avait pas de problème de vanité. Elle adorait cet homme et elle était heureuse d'être là avec lui. J'étais submergée d'admiration pour elle ».

Sylvia n'était pas seule dans ces dispositions. Dorris Bowdon

Johnson, une autre amie du passé, épouse du scénariste Nunnally Johnson, dit que « tout le monde adorait Betty. Elle était jolie, vive, intelligente. Bogie était fasciné par elle, à l'évidence, et non sans raison [24] ».

Bogie emmena Betty à Balboa pour un week-end sur le bateau. Il adressa à son ami Louis Bromfield une lettre enthousiaste écrite sur le papier du yacht-club, et qui commençait par « Cher Père Bromberg ». Elle montrait un nouvel élan et une joie de vivre qu'on associait mal avec Bogart. Il avait cru que quelque chose n'allait pas dans ses relations avec Betty, écrivait-il avec un sérieux moqueur, et maintenant tout était clair : « Elle est trop vieille pour moi — et je suis trop jeune pour me marier. » Cette semaine-là, il y avait eu plusieurs mariages de célébrités d'âges disparates, dont celui d'un chef d'orchestre de soixante-dix ans passés avec une jeune fille de bonne famille d'une vingtaine d'années. C'est très bien pour eux, continuait-il, « mais moi ? Je suis un enfant — un bébé ».

Il venait de dire à « Lauren », écrivait-il, qu'elle risquait d'être arrêtée pour détournement de mineur, « pour m'avoir entraîné sur ce bateau et m'avoir fait "Dieu Sait Quoi". Elle ne cesse pas de parler de mariage... ! » Il avait signé : « H. DeF. Bogart Jr, troublé [25]. »

C'est Buffy Methot qui aplanit les dernières difficultés du divorce avec Mayo, comme elle avait aplani les difficultés de leur mariage Tout en lui montrant sympathie et soutien, elle fit comprendre la réalité à son enfant qui n'avait jamais grandi. « Elle doit savoir que son mariage est terminé, dit-elle à Louella Parsons, et refaire sa vie [26]. »

A la mi-mars, les avocats conclurent enfin un accord. Jerry Giesler refusa de donner des chiffres à la presse, mais indiqua que Mme Bogart avait reçu beaucoup plus que la loi ne lui accordait sous le régime de la communauté des biens [27]. On raconta que Mayo conservait la maison de North Horn, deux tiers de l'argent liquide, l'assurance-vie de Bogart et ses investissements dans deux supermarchés Safeway. Il avait acheté son divorce. Mary Philips MacKenna, qui le vit le soir de l'accord, trouva son ex-mari « abattu et misérable. La fin de son mariage l'attristait, bien qu'il se rendît compte qu'il faisait ce qu'il fallait [28] ».

« MME BOGART PART POUR LE NEVADA », titrait le *Los Angeles Examiner* du 15 mars. Mayo partit par le train pour Las Vegas, où elle devait passer les six semaines de résidence qu'exigeait un divorce au Nevada. L'acteur Victor Mature la retrouva chez des amis communs où elle tenta de faire bonne figure. Elle était « très gentille et agréable, mais désorientée. Elle semblait très malheureuse [29] ». Deux semaines après son arrivée, elle retourna à Los Angeles, incapable de tenir ses engagements. Sa mère et son avocat la persuadèrent de repartir, et elle reprit le train vers le désert pour recommencer le compte à rebours.

Cette fois, elle resta. Le 10 mai, portant des lunettes noires, un tailleur sobre et les éternelles fleurs blanches dans ses cheveux, Mayo Methot Bogart se présenta devant le préposé aux divorces. Après avoir accusé son époux de « cruauté mentale » en une litanie de plaintes qui furent notées en privé puis scellées, elle obtint le divorce d'avec Humphrey Bogart, qui n'avait opposé aucune objection. « Bogey et moi sommes les meilleurs amis du monde, dit-elle à la presse. C'est un très gentil garçon. Notre mariage a été très agréable [30]. »

Le couple s'était rencontré quelques fois durant les étapes finales des négociations, presque toujours en présence des avocats. Après le 10 mai, contrairement à ce qui s'était passé avec ses autres épouses, il n'eut plus aucun contact avec elle.

Deux semaines plus tôt, Bogart avait commencé à travailler sur *The Two Mrs. Carrolls (la Seconde Madame Carroll)*, un film d'angoisse avec Barbara Stanwyck, produit par Mark Hellinger et réalisé par Peter Godfrey. Une décision de distribution malheureuse faisait de lui un artiste psychotique qui, dans la campagne anglaise, peint des portraits de ses épouses en ange de la mort avant de se débarrasser d'elles avec un verre de lait chaud empoisonné.

En juin, Lauren Bacall devait commencer *Confidential Agent (Agent secret)*, tiré d'un roman d'espionnage de Graham Greene qui se déroulait pendant la guerre d'Espagne. Le héros en était Charles Boyer, et Peter Lorre jouait un fasciste particulièrement répugnant. C'était le premier film de Lauren découlant des nouveaux arrangements qui la cédaient à la Warner, au terme de négociations commencées par Howard Hawks et Charles Feldman juste après la fin du *Grand Sommeil*. En trois mois, Hawks, Feldman et Warner Bros. Pictures, Inc. avaient conclu un accord d'un million de dollars par lequel le studio achetait les avoirs de H-F Productions : quelques droits d'adaptation, deux films avec la jeune actrice Ann Blythe, un contrat avec la scénariste Leigh Brackett et le scénario de *Battle Cry* depuis longtemps enterré. Mais la pièce maîtresse figurait dans la liste « Artistes » : les droits sur Lauren Bacall.

Hawks, écrivit plus tard Slim, avait un rêve de la femme idéale. « Jusqu'à ce que Howard rencontre Betty Bacall, il n'y avait eu aucune actrice capable d'incarner ce rêve à l'écran [31]. » Le problème était que l'idéal et la réalité se confondent rarement.

D'après Dee Cramer, qui entendit l'histoire des dizaines de fois, « c'était un contrat financier. Howard dépensait sans compter. Slim dépensait sans compter. Et ils avaient l'occasion de vendre l'entreprise. Howard en avait assez de Bacall. Quand il parlait d'elle, c'était en termes agressifs... Mais c'était surtout pour l'argent dont ils avaient désespérément besoin... De toute façon, Howard était déjà passé au projet suivant [32] ».

Pendant toute la négociation, la Warner insista pour abandonner une clause essentielle : l'annexe qui limitait le nombre de films que la jeune fille devrait tourner chaque année, annexe qui constituait son unique protection contre le travail à la chaîne des acteurs de la Warner. Hawks accepta qu'on l'omette. En avril, tandis que Mayo tuait le temps à Las Vegas et que Bogie et Betty organisaient leur mariage, la Warner et H-F mirent au point un contrat écartant expressément « toute limitation ou restriction quelle qu'elle soit au nombre de films où les services de Mlle Betty Bacal seraient requis » [33].

Pour Betty, qui dans ses deux premiers films avait été protégée par un mentor qui lui avait donné des rôles sur mesure, le changement était désastreux. Quand ses avocats se firent communiquer le projet de contrat, Roy Obringer envoya ce qu'on lui demandait [34]. L'annexe n'y figurait pas. Betty ne s'en rendit compte qu'une fois le contrat signé.

Mais en ce printemps 1945, la vie de Betty Bacall était un vrai conte de fées. Même les observateurs les plus blasés étaient impressionnés. « Une situation qui ne se produit qu'une fois dans une vie, écrivit Obringer à son confrère Ralph Lewis, où une personnalité se développe du jour au lendemain et devient un formidable succès populaire [35]. » On rédigeait un contrat où la Warner lui accordait mille dollars par semaine. Il y avait aussi un bonus de cinq mille dollars — une des manœuvres du studio pour contourner la limitation des salaires en période de guerre et permettre ainsi aux vedettes de vivre selon leur statut de star, comme l'expliqua Obringer aux fonctionnaires des impôts [36]. Ce qu'il ne dit pas, c'était à quel point le studio était ravi du contrôle des salaires : sans ces limitations officielles, il aurait dû payer beaucoup plus la nouvelle star.

La date du mariage fut fixée au 21 mai, à Malabar Farm. Earl Wilson, de passage à Hollywood, trouva Bogart affligé d'une panique de dernière minute : « Quelque chose de terrible va arriver. Peut-être que le type qui doit nous marier ne viendra pas... Ou alors je gâcherai tout en laissant tomber l'alliance... Baby n'est pas du tout nerveuse. Elle vient chaque jour et lève ses doigts en disant "plus que quatre jours", "plus que trois jours !". La tigresse ! J'ai l'impression d'être une souris qui va se faire déchiqueter par un lapin [37]. »

Il montrait aussi sa nervosité en privé. Une fois, sur le bateau ancré à Balboa, il était entré dans une rage alimentée par trop d'alcool. Puis il avait pris le canot et laissé sa fiancée effrayée pleurer seule toute la nuit. Avec ou sans Mayo, comprit-elle, la vie avec Bogart ne serait pas facile.

Le studio accorda au couple quelques jours pour se marier et Hellinger s'organisa pour tourner les scènes sans Bogart pendant son absence. Le projet comprenait un arrêt à Chicago pour une apparition

Humphrey DeForest
Bogart à l'âge
de deux ans.
*Wisconsin Center for
Film and Theater
Research, collection
Warner Bros.*

Bogart vers dix-huit ans.
Corbis-Bettmann.

Quand Bogart épousa Helen Menken en 1926,
elle était une star de Broadway,
alors qu'il n'était qu'un petit acteur.
Ils divorcèrent moins de dix-huit mois plus tard,
mais se rapprochèrent par la suite.
Corbis-Bettmann.

Le marin de seconde classe
Bogart, vers 1919.
Corbis-Bettmann.

Avec Raymond Guion *(à gauche)*, Raymond Hackett et Mary Boland
dans la comédie *Cradle Snatchers* (1926), à Broadway.
Avec l'aimable autorisation de l'Academy of Motion Picture, Arts and Sciences, collection Hollywood Museum.

Photo publicitaire de Bogart pour *Invitation to a Murder* (1934),
où il interprétait sur Broadway le dernier de ses rôles de jeune premier.
Wisconsin Center for Film and Theater Research, collection Warner Bros.

Femmes marquées (1937)
fut un des six films que Bogart
tourna avec Bette Davis.
Entre eux, à gauche,
Mayo Methot, que Bogart
épousa en 1938.
Avec l'aimable autorisation
de Warner Bros. © 1937,
Turner Entertainment Co.

Entre Jack Warner
et Mme Eleanor Roosevelt,
lors d'une visite de la
Première Dame au studio.
Edward G. Robinson
est le deuxième à droite.
Bogart, chaud partisan
du Président
Franklin D. Roosevelt,
fit activement campagne
pour lui.
Performing Arts,
avec l'aimable autorisation
de Warner Bros.

Chez lui avec Mayo Methot,
peu après leur mariage.
Le portrait de Bogart
est un dessin de sa mère,
Maud Humphrey, artiste
célèbre au début du siècle.
Avec l'aimable autorisation
de George Eastman House
et Warner Bros.

Bogart se prépare
pour interpréter
dans *Le Retour du Dr X*
(1939) Marshall Quesne,
alias Dr Xavier,
un scientifique fou
et sanguinaire qui ressuscite
après avoir été électrocuté.

Casablanca (1942)
fit de Bogart
un premier rôle
romantique
et d'Ingrid Bergman
une star.
*Avec l'aimable autorisation
de Warner Bros. © 1943,
Turner Entertainment Co.*

Avec le réalisateur
Michael Curtiz, Peter Lorre
et Hal Wallis *(à droite)*
sur le plateau de
Passage pour Marseille
(1944).
*Archives de Warner Bros. University
of Southern California, avec l'aimable autorisation de Warner Bros.*

Pour cette photo destinée
à la publicité du
Port de l'angoisse, les deux
comédiens n'avaient pas
besoin de feindre leur
évidente affection
l'un pour l'autre.
*Avec l'aimable autorisation
de George Eastman House
et Warner Bros.*
© 1945, Turner Entertainment Co.

Bogart et Lauren
juste après leur mariage
lc 21 mai 1945.
Corbis-Bettmann.

Le mot que Bogart inscrivit dans le ciment
pour Sid Grauman *(à gauche)* au-dessus de
l'empreinte de ses mains et de ses pieds dit :
« Sid, puisses-tu ne pas mourir
avant que je te tue. »
Lauren Bacall l'assiste, un an environ
après leur mariage.
Avec l'aimable autorisation de Warner Bros.

Bogart et Lauren Bacall menant le comité
pour le Premier Amendement
aux auditions de la commission
sur les activités antiaméricaines,
à Washington, en octobre 1947.
Derrière Lauren marche June Havoc.
Danny Kaye est entre Bogart et Lauren.
Bogart devint le point de mire
de la critique qui s'attaqua à ce groupe.
Photo d'archives.

Après six mois
de tournage en Afrique
pour *African Queen*,
Bogart et son épouse
retrouvent à Londres
leur fils Stephen.
Bogart s'était laissé pousser
la barbe pour son rôle
dans le film.
AP/Wide World Photos ;
collection des journaux Hearst,
section des collections spéciales,
Bibliothèque de l'University of
Southern California.

Avec Lauren Bacall
et Marilyn Monroe,
qui viennent de terminer
le tournage de
Comment épouser
un millionnaire
(1953).
Photo d'archives.

Avec Stephen et Leslie,
vers 1955.
Photo d'archives.

devant une foule enthousiaste à Soldier Field, à l'occasion d'une fête patriotique. Après le mariage, il y aurait un week-end de lune de miel, puis le retour sur le plateau.

A la gare, le vendredi 18 mai, les deux stars posèrent pour les photographes de presse avant d'embarquer sur le *Super Chief* en partance pour l'Est. Bogart, comme toujours en costume gris, était monté sur une marche du train pour dominer, souriant, sa bien-aimée, vêtue d'un tailleur strict et d'un chemisier garni de fleurs au revers. Pour assurer leur protection, la Warner les avait fait conduire en voiture privée jusqu'au train, évitant ainsi un trop long contact avec la foule des admirateurs.

Tout avait été prévu pour que l'opération ne dure pas plus de deux jours. Le couple arriva dans l'Ohio le dimanche et se fit prélever du sang pour les examens médicaux indispensables. Les résultats prenaient normalement cinq jours, et Bromfield avait appelé Bogart à Los Angeles peu avant leur départ pour dire qu'il n'était pas certain de contourner la difficulté. Mais dès qu'il eut raccroché, l'épouse du médecin de l'endroit, une de ses voisines invitée à la fête, avait appelé pour dire que son mari pourrait obtenir les résultats en une demi-journée[38].

Le lundi matin, les fiancés se rendirent à Mansfield pour s'y faire délivrer leur licence. La loi de l'Ohio exigeait que la mariée réside dans l'État. Betty, un foulard dissimulant ses bigoudis, donna comme adresse personnelle celle de Malabar Farm. Pour Hope Bromfield, une jolie adolescente blonde, deuxième des trois filles Bromfield, Betty était comme une apparition d'un autre monde : « Vraiment belle, avec un sacré sens de l'humour. Elle pouvait se montrer très sarcastique quand elle le voulait, mais restait drôle. Elle faisait marcher George et Papa — et Bogart. Une personne amusante et vive[39]. »

Le mariage fut une affaire de famille, avec très peu d'invités. C'était George Hawkins qui devait donner le bras à la jeune fille pour la conduire devant le juge. Les Bogart restaient le couple préféré de tous, quelle que soit la deuxième moitié. « Louis aimait beaucoup Mayo[40] », dit un ami de la famille. Mais Bogie assurait la continuité.

La cérémonie se tint sous le haut plafond du hall d'entrée de la grande maison. Contre le papier vert, blanc et or des murs, Louis avait fait agencer des bouquets de fougères et de gueules-de-loup. Les portes coulissantes en bois étaient ouvertes sur le salon et la salle à manger, avec ses grandes fenêtres et ses lustres de cristal français. Au piano, dans le coin, Hope Bromfield attendait le signal pour jouer le chœur nuptial de *Lohengrin*.

Peu après midi, le cortège s'ébranla, pour s'arrêter brutalement quand la nervosité força la mariée à se précipiter aux toilettes. Puis, aux accords familiers de Wagner, Betty, au bras de George Hawkins, commença à descendre le large escalier, grande et droite, tenant un bouquet d'orchidées blanches, son tailleur rose mettant en valeur son bronzage, ses longs cheveux blonds tombant sur ses épaules, à peine une trace de rouge à lèvres pour seul maquillage visible.

Bogart, en costume de flanelle grise, un œillet blanc à la boutonnière, attendait au pied de l'escalier. Bromfield, son témoin, le dépassait d'une tête. Le juge Herbert S. Schettler, qui allait officier, observait la scène avec le petit groupe d'invités qui comprenait Natalie Bacal, la vieille mère de Louis Bromfield, son épouse Mary et leurs filles, la cuisinière de la famille et un chien, un boxer du nom de Prince, qui s'approcha avec désinvolture et s'installa sur les pieds du juge.

La cérémonie fut une simple affaire de trois minutes. Le juge, lisant dans un carnet les phrases prescrites par la loi, s'adressa à « Humphrey » et « Betty Joan ». Bogart, les larmes aux yeux, répéta les mots d'une voix basse mais nette. La voix toujours grave de la mariée était encore plus rauque que d'habitude. Elle lui passa au doigt une alliance en forme de chaînette d'or jaune, et lui un large anneau gravé en harmonie avec la bague sertie d'un chrysobéryl taillé en émeraude qu'il lui avait offerte en janvier. Quand on les déclara « mari et femme », le marié enleva la mariée dans ses bras et lui déposa un petit baiser sur la joue. Un télégramme d'Associated Press affirme que la mariée dit « Oh, c'est trop beau ! » et lui rendit son baiser, puis alla embrasser Hawkins. Betty remonta quelques marches et jeta son bouquet d'orchidées, que rattrapa Hope, qui n'avait que quatorze ans.

Dehors, le bataillon des reporters et des photographes, qui avaient transformé le simple mariage de campagne en un évènement médiatique, attendaient avec impatience. « Tous les photographes du monde étaient là ! dit Ed Clark, qui était arrivé par avion de Los Angeles pour *Life*. Bon Dieu, nous étions une foule ! Et tout le monde rouspétait parce qu'on ne pouvait pas entrer. Certains disaient : "Mais pour qui est-ce qu'ils se prennent ?"[41] »

Clark, homme doux et excellent photographe, connaissait un peu Bogart. Ses collègues du magazine et lui passaient beaucoup de temps sur les plateaux pour une rubrique régulière intitulée « *Life* va au cinéma ». Bogart sembla se souvenir de Clark, car, à sa grande surprise, quand il ouvrit la porte après la cérémonie, il l'appela et le fit entrer. « Les autres étaient livides. Surtout ceux de *Harper's Bazaar*. Mais ce n'était pas que moi, c'était *Life*. Nous avions nos entrées ; tout le monde voulait être dans *Life*. »

A l'intérieur, Clark trouva une atmosphère détendue. « Lauren Bacall descendait l'escalier, Bogart était tranquille, même s'il fumait et buvait sans arrêt. Mais très calme, maître de lui. Il savait très bien ce qu'il faisait. » Clark aussi. « J'avais couvert des milliers de mariages. J'ai juste dit : "Mets-toi ici, donne-lui un bout de gâteau" », et en quelques minutes, *Life* eut ses clichés du mariage.

Puis tous les autres journalistes arrivèrent, faisant crépiter leurs appareils pour retenir l'image des jeunes mariés et leur criant des questions concernant leurs projets. Finalement, tout le monde sortit pour des portraits de groupe. A l'exception de Natalie, il n'y avait pas de Bacal ni de Weinstein au mariage. Ce n'étaient ni son oncle Jack ni son oncle Charlie, que Betty considérait comme ses pères de substitution, qui l'avaient escortée dans l'escalier, mais le secrétaire anglo-saxon d'un ami de son mari. Les stéréotypes étaient préservés. Devant la presse nationale, il n'y eut aucun signe que la déesse américaine blonde fût juive.

Il n'y eut pas non plus de débordements d'ivrognes comme au mariage avec Mayo. Personne n'enleva son pantalon, et le marié ne partit pas pour le Mexique. Le nouveau couple passa la nuit dans une chambre au papier fleuri, entre des coqs en céramique, sous des gravures d'Audubon[42]. Le lendemain matin, ils partirent pour Chicago, avant de prendre un autre train jusqu'à Los Angeles. Le lundi, une nouvelle semaine de travail les attendait.

Mais en fait, rien n'était pareil. Tandis que les nouveaux mariés organisaient leur petit monde, le grand monde changeait à jamais. L'homme qui avait joué du piano au National Press Club tandis que Betty croisait les jambes sur le couvercle était maintenant président des États-Unis et, peu le savaient, en possession de la première arme atomique de l'histoire. Cinq semaines avant le mariage à Malabar, Ed Clark s'était rendu pour *Life* à Warm Springs, en Géorgie, pour rendre compte de la mort soudaine de Franklin D. Roosevelt. Dès la victoire acquise en Europe en mai, l'alliance que Roosevelt avait aidé à former pour gagner la guerre commença à montrer des fissures, qui ne tardèrent pas à avoir des effets dévastateurs à Hollywood.

En avril 1945, la découverte par les Alliés des camps de concentration nazis en Europe confirma les rumeurs antérieures de chambres à gaz, de torture systématique et de génocide. Bouleversé, le général Dwight Eisenhower appela les journalistes, qui montrèrent les empilements de corps dans les charniers, les survivants à demi morts, tatoués, malades, décharnés. C'est Jack Warner qui, au nom de l'industrie du cinéma, demanda à partir « constituer des archives visuelles afin d'éduquer le peuple américain quant aux fruits amers de la haine raciale[43] ». Le refus du ministère de la Guerre vint directement du général George Marshall, chef d'état-major de l'armée et supérieur d'Eisenhower, qui déclara qu'il était impossible d'élargir la liste des journalistes et congressistes réunis « dans la précipitation[44] ». Ce rejet de la Warner est ironique quand on sait que plus tard les néonazis prétendront que les atrocités des camps n'avaient été qu'un canular monté de toutes pièces par Hollywood.

Pendant tout le mois de juillet, une douzaine de patrons de l'industrie du cinéma, dont Warner, Darryl Zanuck, de la Fox, et Harry Cohn, de Columbia, réussirent à aller constater l'horreur de leurs propres yeux. Il n'y eut pas de caméra au camp de Dachau pour immortaliser l'image des cinq mille derniers déportés, un huitième des effectifs d'origine. On montra aux visiteurs les chambres à gaz, les lits de planches où les déportés étaient parqués la nuit, les lieux d'expérimentation médicale et les fours crématoires. Les patrons des studios restèrent muets devant une réalité qui dépassait de loin tout ce qu'ils avaient imaginé dans leurs films de guerre — et tout ce qu'aurait autorisé le Bureau Breen. Les preuves, sous leurs yeux, leur reprochaient en silence l'insuffisance criante de leurs films.

« DEPUIS COMBIEN DE TEMPS TE DIS-JE DE FAIRE UN FILM DÉNONÇANT CES ATROCITÉS [45] ? » demanda Harry Warner à son frère dans un télégramme. Mais en minimisant l'holocauste, les studios avaient suivi la presse et le gouvernement, et J. L. Warner n'était pas en position de remettre en cause les décisions du département d'État, du ministère de la Guerre ni de son cher ami Franklin Roosevelt. Ce qu'il vit eut pourtant un énorme effet sur lui.

En août, Bogart et un petit groupe d'employés de la Warner se réunirent dans la salle de projection 5 pour un rapport privé sur le voyage en Europe. Mais Jack Warner écartait constamment le texte de son discours pour laisser parler son émotion — « Ce camp, à Dachau... Nombre de ceux qui y étaient encore vont mourir... Nous sommes entrés dans la chambre à gaz... Ils y ont entassé des centaines de milliers de personnes — en leur donnant une serviette et un savon [46]... »

Malgré la dégradation des relations Est-Ouest, Warner avait tenté d'aller en URSS. Les Soviétiques désiraient accueillir le distingué représentant de Hollywood qui avait produit *Mission to Moscow*, et le puissant diplomate Andreï Gromyko tenta de court-circuiter la bureaucratie pour obtenir un visa au patron en voyage. Mais les papiers ne le rattrapèrent pas.

« Et maintenant... tout le monde accuse les Russes d'être des méchants, dit Warner à son auditoire. On ne laisse personne aller là-bas. Mais enfin, ils s'en sortent avec dans les vingt millions de tués dans leurs rangs ! Les seuls qui font vraiment tout ce qu'ils peuvent pour déclencher une autre guerre sont les journaux qui publient des histoires sur le fait qu'on doit se préparer à la prochaine guerre contre la Russie. C'est ridicule ! Une guerre avec quoi et contre qui ? Le monde ne pourrait supporter une autre guerre. »

La Warner allait se battre contre tout ça, se battre contre les mensonges et la haine, dit-il. La Warner montrerait du doigt les fauteurs de guerre, mobiliserait l'opinion, produirait des films pour contrer les forces qui voulaient diviser et conquérir. « C'est une escroquerie de garder les ouvriers, les groupes religieux, tout le monde sur le pied de guerre, Noirs contre Blancs... juifs contre catholiques... C'est ce que Hitler a si bien réussi à faire. » L'auditoire était galvanisé. Ce fut la grande heure de J. L.

Le mercredi 15 août, le plateau de *Confidential Agent* resta silencieux. On inscrivit sur l'agenda : « L'équipe n'a pas travaillé. Jour férié. Fin de la guerre. »

Comme le reste du pays, Los Angeles célébrait bruyamment la victoire sur les Japonais et la fin de la Seconde Guerre mondiale. Les conducteurs, oubliant le rationnement de l'essence, parcouraient Hollywood Boulevard en klaxonnant. Une foule joyeuse et dissipée s'était rassemblée au croisement de Hollywood et Vine, le carrefour du monde du cinéma. « C'était comme Times Square le soir du jour de l'an, sauf que le soleil brillait et qu'il y avait beaucoup de gars en uniforme[47] », dit un témoin.

D'autres célébrèrent ce jour de manière différente. Jack Warner envoya des télégrammes de félicitation à la Maison-Blanche, à Winston Churchill, aux chefs des armées, à Eleanor Roosevelt et à l'ambassadeur Joseph E. Davies[48], l'inspirateur de *Mission to Moscow*.

Dans un baraquement en tôle, aux Philippines, trois mille marines venaient de s'installer pour une projection du *Grand Sommeil* quand on annonça par haut-parleur la fin de la guerre. Il y eut une seconde de silence, puis le rugissement de trois mille fusils qui tiraient en l'air. Gary Moore plongea sous son siège[49].

La fin de la guerre donna une nouvelle dimension au Hollywood politisé. Lors d'une réunion de célébrités, le Comité démocrate de Hollywood vota la fusion avec le Comité indépendant des citoyens des arts, des sciences et des professions libérales, organisation indépendante dont la section de Hollywood, le HICCASP, devint le fer de lance. Il s'agissait de lutter pour les droits civiques, les droits économiques, l'abolition du Comité des activités antiaméricaines et de promouvoir « la compréhension mutuelle, l'amitié et la coopération » entre les grandes puissances[50].

Bette Davis était au Legion Hall pour faire l'éloge de Roosevelt dans un discours écrit pour elle : « Notre bras droit nous a quittés. » Bogart n'y était pas. Il travaillait de nuit, et il détestait en outre les réunions et les comités. Mais il avait accepté de rejoindre le bureau exécutif du HICCASP, et son nom s'étalait sur la page qui parut dans les journaux pour recruter des adhérents afin d'assurer la paix du monde.

Le fait qu'il eût signé ne correspondait pas à l'image d'un Bogart solitaire. Il jouait si bien les cyniques, devant les caméras ou non, que beaucoup le croyaient apolitique, même après sa participation au HICCASP, début 1945. Les sacs de lettres haineuses qui étaient arrivées à son intention après l'émission de soutien à Roosevelt en novembre 1944 achevèrent de le convaincre de s'engager davantage, surtout quand, anonymes, elles l'accusaient de « contaminer l'air de l'Amérique libre [51] ».

Bogart, insulté et furieux, envoya un télégramme à son ex-beau-frère Stuart Rose, du *Saturday Evening Post*, lui demandant s'il voulait publier un article où l'acteur exposerait clairement son point de vue. « Si tu l'écris, répondit Rose, sans mettre au boulot à ta place un foutu attaché de presse. Et je le saurai dès la première phrase [52]. »

L'article parut en février, trois pages intitulées « Je me suis mouillé ». Son contenu avait été gardé secret pour tout le monde, y compris au studio.

> *Le 6 novembre 1944 au soir, j'ai exercé le privilège que m'accorde la Constitution des États-Unis et que me garantit la Déclaration des droits : j'ai exprimé mon choix pour la présidence. A haute voix, à l'antenne, j'ai dit que j'espérais que F. D. Roosevelt serait élu... Dans les semaines qui ont suivi l'exercice de cette prérogative simple et fondamentale de tout citoyen américain, mon courrier s'est enflé au même rythme que les mots et les épithètes qu'il contenait...*

C'était Sam Spade empruntant la langue des pères fondateurs, Bogart révélant un aspect de lui que seuls quelques intimes connaissaient jusque-là. Il avait toujours dissimulé son haut niveau d'instruction au grand public, à la presse, et parfois à lui-même, comme quelque secret honteux et décadent. Ceux qui avaient fondé la République, écrivait-il, n'avaient pas semblé s'inquiéter particulièrement du fait que des acteurs expriment leurs opinions.

> *Mais bien sûr, il n'y avait pas de Hollywood quand ils rédigèrent la Déclaration d'indépendance, la Constitution, et la Déclaration des droits.*
>
> *Ces documents me sont très familiers. Dans aucun d'eux on ne trouvera de clause empêchant des acteurs d'exercer l'un quelconque des droits ou des privilèges qu'ils affirment et garantissent. En revanche, j'y ai trouvé la claire affirmation de l'égalité des droits de tous les hommes.*
>
> *« Tous les hommes », à mon avis, cela comprend les acteurs aussi bien que les industriels, les ouvriers, les conservateurs et les libéraux, les Blancs et les Noirs, les chrétiens et les juifs, les protestants et les catholiques...*
>
> *Les moins caustiques de mes... correspondants ont adouci leurs attaques verbales en expliquant que les acteurs exercent une influence considérable sur le public. Disons que nous avons une*

petite influence... Cela ne nous donne pas d'avantage sur le docteur de la famille, le pasteur de la paroisse, le journaliste local ou national ou n'importe quel individu qui ait un poids dans la société...

Je ne pense pas qu'un démocrate malade annulerait une appendicectomie parce qu'il découvrirait soudain que son chirurgien est républicain... Ni qu'une maîtresse de maison républicaine supporterait longtemps un évier bouché plutôt que d'appeler un plombier démocrate... Personnellement, je n'ai jamais vu d'opinion politique honnête affecter le talent d'un chirurgien, empoisonner les légumes d'un fermier ni influencer la performance d'un acteur.

Il est vrai que les nazis de Hitler ont quelques nouvelles idées en la matière. Ils ont interdit certaines des plus grandes œuvres musicales allemandes parce que leurs compositeurs n'étaient pas cent pour cent aryens. Ils ont brûlé des tableaux et des livres de nombre de leurs grands maîtres parce que ces artistes et ces auteurs n'approuvaient pas la philosophie politique nazie. Et ils ont banni des acteurs pour les mêmes raisons...

Dans ce pays qui est le nôtre, un citoyen n'a pas à gagner ses privilèges. Il les a en naissant, comme moi, ou les acquiert par simple décision de justice. Nous bénéficions de la gratuité de la liberté conquise par le sang et le courage de nos ancêtres. Sauf que je ne crois pas à la gratuité, et c'est pour cela que je serai probablement perpétuellement mouillé. Je pense qu'on doit payer sa vie en démocratie en travaillant de toute son intelligence pour la garder vivante. Et cela, selon moi, implique que l'on exprime ses opinions réfléchies concernant les problèmes du moment, et même sur celui qui doit être notre prochain président...

Les journaux, concluait-il, semblaient craindre que les acteurs, en s'exprimant, ne nuisent au succès commercial de leurs films.

Je n'ai jamais eu d'aversion pour l'argent. J'en suis même friand. Mais pas assez pour le gagner en fermant la bouche quand je veux exprimer mes honnêtes convictions...

On peut se demander quel bien, sauf à eux-mêmes, font les acteurs, les peintres, les musiciens et tous les autres artistes, en s'engageant en politique. Nous sommes peut-être des écervelés ou des rêveurs irréalistes... Sauf que je crois me rappeler le très distingué Ignacy Paderewski, qui n'était pas seulement le plus grand pianiste du monde mais aussi premier ministre de Pologne... Winston Churchill, que sa voix et ses talents d'orateur qualifient pour n'importe quel rôle à la scène ou à l'écran, et qui est aussi écrivain, semble ne pas avoir mal réussi en politique...

George Washington était fermier... Benjamin Franklin imprimeur, auteur, homme de science...

Paul Revere... était plus connu à son époque pour ses gravures et ses objets en or et en argent que pour ses talents de cavalier. Et Thomas Jefferson était un excellent violoniste. Il est possible que certains pensent encore que le pays se serait mieux porté si Jefferson s'était contenté de jouer du violon, mais je doute qu'aucun Américain puisse souhaiter que Paul Revere soit resté à son établi au lieu de galoper pour prévenir de l'arrivée des Anglais.

Si cela ne donne pas de droits particuliers aux acteurs, cela leur donne en tout cas des chances égales et des droits égaux à ceux de tous les citoyens. Nous, les acteurs, ne voulons que notre part de droits...

Personnellement, je vais continuer à me mouiller, sans m'inquiéter des effets possibles sur ma carrière. J'aime le faire. On rencontre tant de gens intéressants, de cette façon[53].

Rétrospectivement, l'article, sans le vouloir, s'avère prémonitoire. Bogart, en passant, mentionne l'acteur français Talma, le tragédien ami de Napoléon et aussi son conseiller politique. « *Il est mort en 1826. Donnez-nous un peu de temps, et il est possible que nous fournissions un premier ministre ou un Président.* »

Beaucoup d'Américains croyaient que la fin de la guerre marquerait le début d'une ère de prospérité et de paix. Mais ils ne tardèrent pas à ressentir les premiers frissons de la guerre froide. Un fossé se creusa dans la grande alliance quand reparurent les oppositions mises de côté pendant la guerre ; l'Est et l'Ouest retombèrent dans leurs vieilles habitudes et dans leurs slogans familiers. A Hollywood, le changement d'atmosphère politique se fit violemment ressentir.

En dépit de la certitude de J. L. que les Russes ne cherchaient pas la guerre, dès le milieu de l'été 1945, la Warner avait commencé à établir la liste des scénaristes de gauche, quels qu'aient été les profits tirés de leur travail par le studio. Il s'agissait en général des scénaristes des films d'action antifascistes avec Bogart, Garfield et Flynn en vedette, et l'idée du jour était simplement d'orienter ces scénaristes dans une direction plus neutre — ou, pour reprendre les termes d'un mémorandum d'août, de les entraîner « loin de sujets où on percevrait trop leur couleur rose[54] ».

En octobre 1945, ce qu'on devait appeler la grève des studios modifia la politique de Jack Warner. Au printemps, une dispute juridique entre deux syndicats, la vieille International Alliance of Theatrical Stage Employees (IATSE) et la nouvelle Conference of Studio Unions (CSU) avait divisé les sympathies de Hollywood. Ce qui était en jeu, c'était le contrôle de l'armée de techniciens de Hollywood. L'IATSE, forte de seize mille membres, bénéficiait, en dépit de ses liens prouvés avec le crime organisé, d'une crédibilité considérable auprès des dirigeants des studios, qui savaient qu'une grève des projectionnistes de l'IATSE signifierait le noir absolu dans tous les cinémas du pays. La CSU « était tout ce que n'était pas l'IATSE : militante, de gauche et honnête [55] ».

Le conflit avait son origine dans la formation, en 1937, par soixante-dix-sept décorateurs de plateau, de leur propre syndicat pour négocier des contrats de cinq ans avec les studios — à une époque où l'IATSE s'évertuait à englober toutes les guildes des métiers du cinéma. Deux ans plus tard, l'IATSE exigea que les studios reconnaissent une nouvelle section de décorateurs affiliée à elle. Les studios refusèrent puisqu'ils avaient déjà un contrat avec les indépendants, et l'IATSE recula. Quand les contrats signés en 1937 expirèrent en 1942, les décorateurs se joignirent à la section locale du syndicat des peintres, qui regroupait les maquettistes, les illustrateurs et les dessinateurs, et avait à sa tête Herbert Sorrell, le tout sous les auspices de la CSU. En 1945, alors à la tête de la CSU, Sorrell, qui avait été le guide de la grève victorieuse des dessinateurs d'animation en 1941 chez Walt Disney, représentait neuf syndicats comptant près de dix mille membres. Quand il proposa un nouveau contrat pour les décorateurs, le président de l'IATSE, Richard Walsh, menaça de mettre ses hommes en grève si les studios négociaient avec la CSU.

Sorrell en appela au très officiel War Labor Board, expliquant que son syndicat avait le droit de représenter les décorateurs, quels que soient les accords de 1939 entre l'IATSE et les studios, et l'instance consultée en fut d'accord. Les studios protestèrent de leur impartialité et tentèrent ostensiblement d'éviter le conflit, mais on ne pouvait ignorer qu'ils préféraient travailler avec l'IATSE. Quand en mars 1945 la CSU demanda à tous ses adhérents de se mettre en grève dans tous les studios pour exiger leur reconnaissance, l'IATSE envoya des briseurs de grève. La Guilde des scénaristes soutint la CSU avec enthousiasme, et c'est à contrecœur que la Guilde des acteurs de cinéma vota en sens contraire. Néanmoins, peu se mirent en grève et, alors que beaucoup considéraient Sorrell comme un provocateur communiste, les communistes se rangèrent du côté de ceux qui considéraient qu'on ne fait pas grève pendant une guerre. D'autres guildes refusèrent de soutenir la grève pour la même raison [56].

La guerre terminée, il y eut un effet d'écho dans toute l'industrie du cinéma, où les groupes d'employés choisirent leur camp. Le Congrès des organisations industrielles (CIO) soutint les grévistes ; pas le syndicat des camionneurs, les « Teamsters ». Les studios se rangèrent du côté de l'IATSE et engagèrent des briseurs de grève. L'animosité s'accrut et ce qui n'était qu'un conflit entre syndicats se termina en lockout de la part des studios. Au début de l'automne, la CSU, dans l'espoir d'ouvrir une brèche dans le front des producteurs ligués contre elle, choisit la Warner pour une manifestation de masse.

On peut trouver curieux que le syndicat ait choisi le studio synonyme de « libéralisme », celui qui avait été le bras cinématographique de Roosevelt et le héraut de la politique du New Deal. L'année précédente, un représentant officiel de l'industrie cinématographique soviétique, de passage à Hollywood, avait demandé à visiter la seule Warner — la compagnie, dit-il, « la plus progressiste sur tous les plans [57] ». Les dossiers de Jack Warner contenaient même une photographie du déjeuner offert par le studio en 1942 à Mme Litvinov, épouse de l'ambassadeur d'Union soviétique.

Personne ne s'attendait donc à ce qui se passa le vendredi 5 octobre au matin, quand des centaines de grévistes s'attroupèrent devant les murs d'enceinte du studio, en une mise en scène tout droit sortie d'un film contestataire de la Warner, sauf que cette fois, au lieu de Paul Muni ou James Cagney se colletant avec les hommes de main d'une entreprise, cela se passait vraiment sur West Olive Avenue, juste devant le portail. Tandis que Warner et d'autres cadres regardaient depuis le toit du studio, les grévistes en vêtement de travail huaient les adhérents de l'IATSE qui entraient travailler. Ils retournèrent même trois de leurs voitures. D'autres membres de l'IATSE vinrent prêter main-forte à leurs camarades en difficulté et les bagarres commencèrent. A midi, le chef de la police de Burbank, Elmer Adams, ordonna la dispersion de la foule au nom du peuple de l'État de Californie.

Rose Hobart, de retour d'une tournée aux armées et ne sachant rien de ce qui se passait, s'arrêta sur son trajet vers le studio et se joignit à une foule de curieux de l'autre côté de la rue. Le studio, entouré de ses hauts murs, ressemblait à une forteresse assiégée. Des photographes étaient juchés sur les toits. Au bout d'un moment arriva une équipe de policiers et de gardes du studio qui, de l'intérieur, visèrent les grévistes avec les jets puissants de leurs lances à incendie.

« Ils ont tourné les lances vers ces gens et ont ouvert les vannes, raconte Rose Hobart. Je me suis dit : ils ne peuvent pas nous faire ça ! Je venais de rentrer des Aléoutiennes — C'était ridicule ! Je n'arrivais pas à comprendre dans quel monde j'étais revenue [58]. »

Avant l'aube, le lundi suivant, la violence s'amplifia. Quand on hissa les couleurs au mât du studio, à six heures du matin, une phalange d'assaillants munis de matraques sortit par la porte principale et se jeta sur les grévistes.

La famille Warner Bros. éclatait. Ce fut ce que le syndicat appela le Lundi sanglant. Il y eut de nombreux blessés. Le soir, Steve Trilling appela Arthur Silver, qui n'avait pu entrer le matin. « M. Warner veut que tu viennes. Comment veux-tu qu'on gagne si tout le monde reste dehors ? On ne peut pas faire venir les petits employés, mais les cadres au moins, sinon, on est perdus. »

« Alors je suis venu. Avec Dave Weisbart, un chef monteur, nous avons occupé une grande suite de bureaux. Henry Blanke et des accessoiristes ont apporté des lits. S'ensuivirent deux semaines folles, avec des parties de cartes et la meilleure des nourritures. Chaque soir, la police nous informait du départ des piquets de grève pour que nous puissions aller voir nos familles. Puis nous revenions à minuit pour taper le carton. Certains types ont même fait venir des filles. Quelle ambiance [59] ! »

La bataille de Burbank, comme on l'appela, fit prendre les armes au Hollywood libéral. Des centaines de télégrammes de protestation arrivèrent au studio. Le HICCASP et la Guilde des scénaristes dénoncèrent la violence « perpétrée par des mercenaires et des policiers », qu'ils considéraient comme une « violation des libertés civiques américaines » [60]. Steve Trilling, qui à l'évidence n'était pas allé en Russie, écrivit que le siège du studio par les grévistes ressemblait à celui de Stalingrad [61] ! Le studio rassembla des témoignages de non-grévistes protestant contre le fait qu'on ait choisi le studio pour cible et disant qu'ils cherchaient seulement à en garder les portes ouvertes [62]. Le studio affirma « associer un bon sens civique avec la production de bons films », tandis que les tracts syndicaux l'appelaient « la Bête de Burbank ». Tout cela était très exagéré.

Si la Guilde des acteurs se disait neutre, ses membres, soucieux à la fois de leur réputation et de leur sécurité, soutinrent souvent le studio.

Fin octobre, le Bureau national des relation interprofessionnelles déclara que les décorateurs pouvaient se faire représenter par qui ils voulaient. Les studios et l'IATSE reculèrent, mais les différends ne s'atténuèrent pas pour autant. L'IATSE, comme la Motion Picture Alliance et le bureau californien du Comité des activités antiaméricaines, prétendit que la grève était d'inspiration communiste. Des télégrammes furent envoyés à Blayney Matthews, le vigile en chef des stars, en contact avec le FBI, qui protestaient contre la grève et lui demandaient de rendre publiques les enquêtes sur le passé des employés du studio qui avaient fait grève [63]. Meta Wilde, dont le contrat était renouvelé de film en film, dit au studio qu'elle refusait de travailler contre les grévistes [64]. Il fallut des mois et l'intervention personnelle de Matthews pour qu'elle soit rengagée sur un film. Quelques années plus tard, dénoncée comme communiste par Lee J. Cobb, Rose Hobart fut traduite devant une commission d'enquête et confondue, en dehors d'autres « preuves » concernant ses opinions politiques, par une photo d'elle devant le portail de la Warner le matin du 5 octobre. Plus jamais elle ne tourna d'autre film.

Début novembre, Steve Trilling écrivit à Jake Wilk : « La colombe

291

de la paix survole la forteresse de Burbank. Donc — au travail, comme d'habitude[65] ! » Mais en fait, le travail, à la Warner, avait subi des changements fondamentaux. Jusque-là, les libéraux avaient eu un allié en Jack Warner, mais pour lui, la grève avait été déclenchée à l'instigation d'ingrats qui voulaient réduire à néant tout ce qu'il avait construit. Par la suite, il vira à droite. Son réalignement politique renforça l'anticommunisme endémique à Hollywood, et mena à un cataclysme pour Humphrey Bogart.

16

Après la guerre

A leur retour de l'Ohio, les Bogart s'installèrent au Garden of Allah et se mirent à tourner chacun de son côté. Il termina *la Seconde Madame Carroll* en juin ; elle termina *Agent secret* en août. En apparence, *Agent secret* semblait un grand film : Charles Boyer dans le rôle principal, une histoire de Graham Greene et une équipe très prestigieuse. De surcroît, Herman Shumlin, metteur en scène de *Watch on the Rhine,* présélectionné aux oscars, et producteur de succès de Broadway comme *Grand Hotel*, était venu de New York pour la réalisation.

Mais les points positifs du film restèrent pour la plupart sur le papier. L'histoire d'espionnage opposant loyalistes et fascistes espagnols à Londres avant la guerre n'était plus d'actualité. Et la mise en scène constituait une faiblesse plus grave encore. Talent exceptionnel à Broadway, Shumlin n'avait pas sa place à Hollywood. *Watch on the Rhine* devait beaucoup à Hal Wallis, qui avait soutenu le réalisateur et traduit ses instructions à une équipe désorientée. Mais sans Wallis, le studio se rendit compte que Shumlin avait beaucoup à apprendre sur le cinéma[1]. Coléreux et inflexible, il substituait les cris au savoir-faire, et cela se voyait sur la pellicule.

A l'opposé des tendres conseils de Howard Hawks, Shumlin laissa Lauren Bacall se débrouiller seule au milieu d'acteurs chevronnés alors qu'on lui avait donné un rôle impossible d'aristocrate britannique. Ce désastre était une conséquence directe du contrat qui l'avait vendue à la Warner.

« C'était dès le départ une erreur de distribution, écrivit Bogart plus tard. Betty n'aurait jamais dû le faire. Elle n'aimait pas le rôle[2]. » Mais Shumlin avait insisté. Il regretta pourtant son choix. On parla jusque dans les journaux[3] des querelles entre le réalisateur et sa vedette. « Betty n'acceptait rien de personne, dit Dan Seymour. Parfois elle restait là, debout, les bras croisés, regardant Shumlin avec l'air de dire : "Crève !"[4] »

Le studio n'était pas plus heureux que les acteurs de la myriade de

293

prises, des délais sans fin ni d'un réalisateur qui ne faisait aucun gros plan de sa star à un million de dollars. « Il faut que le public *voie* cette fille ! » rugit J. L. après une projection[5]. Le summum fut atteint pendant une prise de vue de nuit. Une arme devait tirer quelque part à l'arrière-plan. L'accessoiriste dit que c'était trop dangereux. Shumlin insista. L'accessoiriste apporta un pistolet chargé à balles réelles et prévint tout le monde qu'elles allaient ricocher. Une des balles traversa la fenêtre d'un bungalow — celui de Harry Warner, endormi à cette heure. L'apparition furieuse de Warner drapé dans un peignoir qui ressemblait à une couverture indienne — et en chapeau mou — marqua la fin de l'utilisation de vraies munitions[6].

« J'ai passé l'essentiel de mon temps à tenter de défendre ou d'expliquer ta façon de travailler, écrivit à Shumlin le producteur Robert Buckner. J'ai souvent regretté tes manières arbitraires et ton mauvais caractère[7]. » Malgré tout, le studio, après tant d'argent dépensé, voulut se convaincre qu'il tenait là un futur grand succès et, persuadé que le film aiderait la carrière de Lauren Bacall, décida de retarder la sortie du *Grand Sommeil* et de présenter d'abord *Agent secret*.

Peut-être Charlie Einfeld, créateur de la publicité de Betty, aurait-il pu sauver le film, mais il avait laissé le studio travailler indépendamment de lui. Ses successeurs tentèrent de persuader le public que la sombre histoire de Graham Greene, où un ancien combattant de la liberté, fatigué et d'âge mûr, gagne à sa cause une femme blasée de la haute société, était un autre *Port de l'angoisse*, même si la seule scène un peu excitante — un rapide baiser entre les deux vedettes juste avant le fondu final — était bien terne. Pour aggraver encore les choses, la post-production fut si lente que les publicitaires de New York durent montrer le film avant le montage définitif à la presse censée le promouvoir auprès du public[8].

Un des publicitaires de New York appela Silver en catastrophe : « Arrêtez tout ! Nous allons perdre notre chemise avec ce film ! Nous avons la nouvelle déesse du cinéma et le type censé être le plus sexy de l'écran et ils s'embrassent à peine ! Il faut qu'ils fassent quelque chose ensemble ! »

Pour Silver, la solution semblait claire : épicer la bande-annonce. « Ils avaient trouvé un slogan du genre : l'Amant rencontre le Regard. Alors si New York voyait les choses ainsi, il fallait qu'on ait quelques scènes plus chaudes. » Quand il demanda à Shumlin une scène où Betty et Boyer s'embrasseraient, le réalisateur refusa. « Je ne changerai pas un mot du scénario. Pas un mot ! Je le trouve merveilleux. » Par chance, Bogart était de passage sur le plateau, et il suggéra que Silver explique le problème à Betty, qui accepta immédiatement de coopérer. De même que Boyer, qui était de fait soulagé : « C'était un vrai souci pour moi », dit-il à Silver avec son merveilleux accent français.

On décida de tourner le soir même, dès que Shumlin ferait une pause pour aller aux toilettes. Silver raconta que l'assistant, Art Lueker, « dé-testait tant Shumlin » qu'il accepta de tourner quatre ou cinq prises sous des angles différents. Lueker, Bacall et Boyer firent ce qu'on voulait d'eux et Silver inséra le baiser dans la bande-annonce. « Bien sûr, c'était une arnaque, parce que dans le film, il n'y avait presque rien, et la publicité annonçait le film le plus chaud qu'on ait jamais tourné [9]. »

Mais aucune bande-annonce, même trafiquée, ne pouvait réparer le préjudice que le film causait à Lauren Bacall.

Les ennuis commencèrent avec la projection pour les critiques spé-cialisés. « Bacall, dit *Variety*, n'est pas à la hauteur [10]. » Le critique de la *Hollywood Review* était d'accord : « Entre nous, c'est désastreux. Bacall joue comme un disque coincé sur un phonographe [11]. »

Dans l'ensemble, les critiques du film furent cependant étonnam-ment positives. A New York, le *Times* et le *Herald Tribune* le trouvèrent respectivement « captivant » et « sauvagement excitant ». Mais le *Times* ajoutait que la performance de Lauren Bacall « n'était pas loin de l'ennui total », et le *Herald Tribune* lui reprochait « son maigre éventail d'expressions » [12]. Le magazine *Time,* pour sa part, considérait qu'elle avait été « poussée trop loin trop vite... Elle n'a même plus la personnalité intéressante qu'une mise en scène attentive avait révélée dans *le Port de l'angoisse* [13] ». C'était un thème récurrent dans de nombreuses critiques : elle avait besoin de Hawks et de Bogart pour donner le meilleur d'elle-même. Le public ne fut pas plus indul-gent, et rit aux passages prétendument tragiques [14].

Les Bogart étaient sur le bateau à Balboa quand les premières criti-ques leur arrivèrent. « J'ai observé la réaction de Betty, écrivit plus tard son époux, ne sachant pas tout d'abord comment l'aider. Elle était profondément blessée. » La seule chose à faire, décida-t-il, était de plaisanter, « et bientôt elle en est venue à plaisanter aussi. Elle avait un grand sens de l'humour. Elle avait aussi le sens des valeurs. Et elle avait des tripes [15] ».

Pour couronner le tout, le Club de la presse féminine de Hollywood élut Lauren Bacall « actrice la moins coopérative de l'année ». Bogart la défendit contre ceux qui « faisaient tout ce qu'ils pouvaient pour l'abattre, exactement comme ils l'avaient adulée » quelques mois plus tôt.

« Betty est passée de l'anonymat presque total aux feux de l'atten-tion mondiale. Puis, avant qu'elle ait eu le temps de reprendre son souffle, elle a pris un coup qui aurait abattu même une star confirmée. En fait, les louanges pour le premier film étaient disproportionnées, et les critiques pour l'autre n'étaient pas méritées. Ce n'était pas entière-ment sa faute. Elle a admis sans peine qu'elle n'était pas bonne dans le film, et ce n'est pas facile pour une gosse qu'on a propulsée au sommet. Il n'y a que très peu de véritables grandes actrices à l'écran.

Elles ont une forte personnalité, et je crois que Betty est l'une d'elles... Elle n'abandonnera pas avant de l'avoir prouvé, et je la soutiendrai jusqu'au bout[16]. » Des années plus tard, Lauren Bacall confia combien Bogie l'avait aidée dans cette épreuve[17].

Seuls de rares critiques orientèrent correctement leurs condamnations. « La faute ne revient pas à Mlle Bacall, écrivit le journal new-yorkais *PM*, mais plutôt au studio et à ses agents, pour avoir propulsé cette jeune fille au niveau des stars, situation à laquelle elle n'était sans doute pas préparée[18]. » Un journal de Chicago, dans son analyse, rendait le réalisateur et le producteur responsables de ne pas avoir vu que le rôle ne lui convenait pas et de l'avoir ensuite mal conseillée. Et Archer Winsten, dans le *New York Post*, affirma ce qui était une évidence : Lauren Bacall n'était pas une actrice de studio corvéable à merci. « Elle est unique dans tous les sens du terme[19]. » La Warner apparaissait maintenant aux yeux de ses confrères comme un studio qui n'avait pas su utiliser correctement l'actrice de talent qu'il s'était acquise.

Le seul critique qui aima le jeu de Lauren et sympathisa avec sa colère à la lecture des critiques était celui qui se trouvait dans la meilleure position pour la juger : Graham Greene écrivit en 1979, dans une lettre au *Sunday Telegram* de Londres : « En tant qu'auteur du livre, j'ai été blessé par les critiques. *Agent secret* reste pourtant le seul bon film jamais tiré d'un de mes livres par un réalisateur américain... On a dit qu'on n'aurait pas dû confier le rôle d'une grande dame anglaise à une jeune actrice américaine. Mais dans mon livre, cette grande dame n'est qu'à une génération d'un mineur de charbon... Son jeu était admirable[20]. »

Bien que la décision de Jack Warner de repousser la sortie du *Grand Sommeil* en faveur d'*Agent secret* ait pu sembler une erreur au départ, elle permit au studio d'opérer des modifications fondamentales dans *le Grand Sommeil* afin de protéger les sommes investies sur une actrice dont le statut de star était remis en cause. Comme le dit le *Los Angeles Times* dans une critique d'*Agent secret* : « Il y a encore une promesse dans "le Regard"[21]. »

A part quelques avant-premières, *le Grand Sommeil* n'avait été projeté qu'à des G.I.'s en pleine action[22]. Au début de l'hiver 1945, Charles Feldman, qui dépendait de la bonne volonté de la Warner à qui il venait de vendre pour un million une actrice exposée à une dévaluation brutale, avait un plan pour éviter le désastre.

Feldman n'avait jamais été très à l'aise quant au rôle de Betty dans *le Grand Sommeil*. Pour lui, ce n'était qu'un petit rôle gonflé au dernier moment. En novembre, ce film signifiant tout ou rien pour sa protégée, Feldman, dans une longue lettre à Jack Warner, lui expliqua comment sauvegarder à la fois sa cliente et l'avenir financier du studio. Ce qu'il proposait était entièrement nouveau : une succession de scènes avec Bogart et Bacall seuls, pleines de provocation. Il voulait souligner l'« insolence » qui avait rendu Betty précieuse tant à la critique qu'au public. Feldman était certain que ce qu'arriverait à faire Betty justifierait largement la dépense, si J. L. acceptait de tourner de nouvelles scènes. Oui, ce serait cher, mais un autre échec de Bacall serait plus coûteux encore. Si elle recueillait pour *le Grand Sommeil* des critiques aussi mauvaises que pour *Agent secret* — « ce qui arrivera à coup sûr si on n'introduit aucune modification » —, la Warner risquait de perdre un de ses biens les plus précieux [23].

Il se trouvait que J. L. avait eu la même idée, et on lança l'affaire. Philip Epstein, le maître des dialogues brillants et incisifs, fut appelé pour récrire la copie. Bien que Howard Hawks, lors d'une bataille entre deux orgueils, eût rompu avec le studio quelques mois plus tôt, dix mille dollars de prime le persuadèrent de revenir pour six jours de tournage [24]. Ce que Louella Parsons appela une « discussion franche » entre Hawks et les deux vedettes permit également la cicatrisation d'une autre vieille querelle. En janvier 1946, Bogie et Betty reprirent ainsi pour la troisième fois le tournage du *Grand Sommeil*. On refit certaines scènes, on en tourna d'autres qu'Epstein avait tapées à la hâte le week-end précédent et que Hawks avait arrangées pour qu'on y retrouve autant de Slim et de Steve que possible.

Quand le film sortit enfin, en août 1946, il apporta tout ce que Feldman et le studio en avaient espéré. Même si personne ne savait très bien de quoi parlait l'histoire, qui cela gênait-il ? « Que vous compreniez ou non, écrivit un critique, *le Grand Sommeil* est excitant [25]. » Pourtant, en dépit de critiques enthousiastes, les dommages causés à Lauren Bacall ne pouvaient s'effacer si vite. *Variety* déclara la jeune femme « rachetée », mais la plupart des autres ne furent pas convaincus. « Mlle Bacall est bonne dans un rôle du même genre que celui où elle avait déjà réussi [26] », trouvait-on le plus souvent. « Sa carrière cinématographique est encore à déterminer », annonçait le *Hollywood Reporter*.

Mais quoi qu'aient pensé les critiques, *le Grand Sommeil* fit de Bogart et Bacall une légende de la culture américaine. « Le chant d'amour de l'héroïne Bacall et du héros Bogart est accompagné par les sirènes de la police, écrivit Cecilia Ager dans *PM*. C'est le contrepoint de la violence, du brouillard et de la confusion [27]. » Malgré tout, la carrière de Bacall n'était pas encore remise sur ses rails. Il lui faudrait des années, écrivit-elle plus tard, pour revenir à mi-hauteur des sommets grisants d'où elle était tombée [28].

Sur le plan personnel, les dommages étaient plus dévastateurs encore. Quand à vingt et un ans elle avait signé son contrat avec la Warner, elle avait placé sa jeune carrière, la plus prometteuse de la décennie, entre les mains d'un studio qui fit immédiatement passer l'urgence avant l'intérêt de son actrice, erreur qu'elle paya pendant presque toute sa vie professionnelle. On ne sera pas surpris que Betty se soit sentie trahie. Jamais plus elle ne fit confiance à Jack Warner, et le climat de soupçon permanent qui s'instaura entre eux, exacerbant les relations déjà difficiles entre Bogart et le studio, prépara le départ de la star qui en était venue à symboliser la Warner.

Cependant, pour les Bogart en tant que couple, ce furent pour Betty les plus heureuses années de sa vie [29], et la fin de 1945 et le début de 1946 furent aussi pour Bogie une période de satisfaction. Peu après leur mariage, Betty et lui s'installèrent sur Kings Road dans une maison à trois niveaux accrochée au versant qui domine Sunset Boulevard. Ils y trouvèrent une énorme baignoire bleue à la romaine et une terrasse ombragée d'où on découvrait Hollywood Ouest. Le personnel de North Horn Avenue — cuisinière, majordome et jardinier — suivit Bogie à la fois par choix et par nécessité. Mayo avait vendu la maison et était retournée vivre à Portland.

Pour Bogart, le changement était évident et fondamental. « Lors de ses précédents mariages, expliqua Gloria Stuart, il avait toujours été l'aimé. Avec Betty, il était l'amoureux [30]. » Il offrit à sa jeune femme un bracelet avec un petit sifflet en or, souvenir de la célèbre scène du *Port de l'angoisse.*

Bogart réduisit sa consommation d'alcool. Au lieu du champ de bataille du passé, les amis trouvaient chez eux une confortable vie de famille. « Il était avec elle un homme différent, dit Sam Jaffe. Il était très heureux [31]. » John Huston, le dernier à rentrer de la guerre, déclara que la vie de Bogart était « améliorée par la présence de Betty. Oh, elle lui faisait un bien ! Elle était ouverte, chaleureuse, directe. Avec de l'humour — et une sorte de témérité. Je l'ai adorée dès la première minute [32] ».

Les amis du couple décrivaient la nouvelle Mme Bogart avec des mots tels que « merveilleuse », « énergique », « pleine de panache ». Vive et sûre d'elle, elle répondait largement aux exigences d'un époux difficile, même s'il était très amoureux. « On sentait qu'il l'adorait et elle le vénérait », dit un ami [33].

Il était un peu étrange de voir un homme d'âge mûr avec une jeune femme incroyablement sage qu'il appelait Baby et qui était en même temps sa fille de substitution, une mère apaisante comme il n'en avait pas eue et un grand amour. « Ils s'aimaient, dit Evelyn Keyes, l'actrice de la Columbia qui venait d'épouser John Huston. Ils se complétaient parfaitement. Je ne parle pas d'amour, ce n'est pas le problème. Ils se respectaient. Il y avait une grande différence d'âge, mais Betty semblait très mûre, plus que lui. Ils prenaient soin l'un de l'autre. Comme ils avaient de l'argent, ils avaient aussi toute l'aide nécessaire, tout le confort. L'important, c'est qu'ils se comprenaient [34]. »

298

La famille s'était agrandie d'un chiot appelé Harvey, du nom du lapin invisible dans une comédie populaire ; c'était aussi un des noms que Bogie donnait à Betty quand il la courtisait. Cadeau de mariage des Bromfield, fils de Prince, qui avait été le seul animal admis à leurs noces, Harvey avait été amené en Californie par Max Wilk, le gamin qui, en 1929, avait convaincu son père d'acheter *le Faucon maltais*. Seize ans plus tard, il était maintenant soldat de première classe et il n'arrivait pas à rentrer chez lui à cause du nombre de soldats qui remplissaient les trains. Il se rendit donc au bureau de Chicago de la Warner, dans l'espoir que quelqu'un pourrait l'aider, et on lui trouva rapidement un compartiment à bord du *Super Chief.* Ou plutôt, on en trouva un pour Harvey — ce qui montre quelle influence détenait la Warner à l'époque : le seul moyen pour le soldat Wilk de rentrer chez lui était de chaperonner le chien de Humphrey Bogart !

Deux nuits et une journée plus tard, Wilk et Harvey arrivaient chez les Bogart. Il n'était que onze heures du matin, mais Bogart tenait déjà à la main un shaker de martinis glacés. « "On a eu une nuit difficile, expliqua-t-il. Baby dort encore. Elle a la gueule de bois. On était chez les Hellinger hier soir. Elle va adorer le chien. Viens t'asseoir au jardin sous l'arbre." Nous nous sommes donc installés sous l'arbre. Je crois que j'ai bu un verre. Deux ou trois sans doute. "Tu sais, m'a dit Bogart, je suis très heureux de te rencontrer. Je respecte et j'admire sincèrement ton père. Il est le seul à la Warner qui connaisse son métier." Et puis *elle* est arrivée, pâle comme la mort. Mais elle a vu le chien et est tombée follement amoureuse de lui [35]. »

A Noël, Betty organisa une surprise-party pour le quarante-sixième anniversaire de Bogie. Il était à peine rentré qu'elle lui tendit un verre et lui demanda d'aller voir la baignoire, parce qu'il y avait un problème. Quand il pénétra dans la salle de bains, Mark Hellinger, Raymond Massey, Nunnally Johnson, Arthur Sheekman, Robert Benchley et le gang du Garden of Allah l'accueillirent, tous tassés dans la baignoire romaine bleue, verres levés et criant « Surprise ! ». Bogart était « comme un gosse », touché qu'on tienne tant à lui [36].

Une ou deux semaines plus tôt, le couple s'était rendu à Balboa avec le journaliste du *New York Herald Tribune* Thornton Delehanty pour réaliser un vieux rêve de Bogie.

Le yawl à gréement bermudien qui portait le nom de *Santana* était un aristocrate de la mer, un voilier de vingt mètres tout d'acajou, de teck et de cuivres polis, un bateau de course avec sous le pont des quartiers aussi spacieux que le permettait la vitesse. Un petit équipage pouvait se serrer dans le carré tout de blanc et d'acajou. Il y avait une petite cuisine et à la poupe une cabine où l'on pouvait dormir confortablement à deux. Le bateau avait été construit en 1935 pour un millionnaire californien du pétrole, et il était passé ensuite d'un acteur à un autre, dont George Brent, Ray Milland et, plus récemment, Dick Powell, qui avait dû le vendre parce que ses sinus ne supportaient plus la mer. Bogart le lui avait payé cinquante mille dollars[37]. Le yacht était connu dans le monde de la voile, et considéré comme « un délice pour tout navigateur. Le pont s'allongeait, lisse... la coque fuselée ressemblait à une peau blanche immaculée[38] ».

Powell fit son dernier voyage sur le *Santana* avec les Bogart et Delehanty — une traversée de nuit très agitée jusqu'à Catalina. Bogart mit joyeusement en marche le moteur, hissa les voiles en dépit d'un vent nul, et le bateau fila. Une fois le yawl ancré dans une baie calme de l'île, Betty s'affaira dans la cuisine pour produire ce que Delehanty décrivit plus tard comme « une ratatouille enchanteresse de foie, de pommes de terre et de salade[39] », et Bogart était béat de bonheur avec sa barbe de deux jours. « C'est le bel homme le plus laid que j'aie jamais vu », dit Betty à Delehanty. Le lendemain, le groupe reprit sa course pour rentrer ; le vent qui s'était levé gonflait les voiles, la coque parfaite du bateau fendait les flots. « Bogie en était tombé amoureux[40] », écrivit plus tard Lauren Bacall. Le *Santana* fut la seule rivale qu'elle ait jamais connue.

Plus que le bateau précédent, le *Santana* reliait Bogart aux seuls souvenirs heureux de son enfance. Être sur l'eau, c'était être aimé, en sécurité, hors d'atteinte de serviteurs brutaux, de parents autoritaires, de patrons impatients. « Je n'utilise pas le bateau pour boire ou séduire les femmes, dit un jour Bogart à un journaliste. Je l'utilise pour fuir. Hemingway a dit que la mer était le dernier endroit de liberté du monde. Je la respecte et je l'aime[41]. »

Fin 1945 et début 1946, Bogart dut croire que sa vie était presque parfaite. On négociait un nouveau contrat à long terme et il déménageait à nouveau, cette fois pour une maison en haut d'une colline, avec un vaste jardin et une piscine, achetée à Hedy Lamarr. Hedgerow Farm, bien que située à Beverly Hills, n'était pas vraiment en ville, mais au bout du Benedict Canyon, qui monte des plaines ombragées au sud de Sunset Boulevard jusqu'aux crêtes des collines séparant Beverly Hills de la vallée de San Fernando. C'était Betty qui avait eu l'idée du déménagement, qui représentait une dépense énorme pour son époux plutôt économe. « Il n'aimait pas dépenser de l'argent, dit Sam Jaffe. Elle l'y a poussé et elle lui a fait un vrai foyer[42]. »

Un magazine décrivit la vaste maison blanche, de plain-pied avec ses portes-fenêtres et huit vastes pièces, comme étant « confortable, luxueuse, mais pas ostentatoire ». Le salon était lambrissé de noyer et le manteau sculpté de la cheminée était d'origine anglaise. A l'arrière, une pelouse s'étendait jusqu'à l'ombre des arbres du jardin, à la piscine et à la clôture. Les Bogart s'installèrent avec quatorze poules, huit canards et bien sûr Harvey, qui courait dans les collines toute la journée et rentrait le soir avec des tiques que Betty lui retirait même quand ils recevaient[43].

Le public adorait l'idée de Slim et Steve s'installant après la guerre dans une maison de rêve, en famille, pleins de projets professionnels. Tous les magazines reprirent les photos : le Dur et la Bombe sexuelle vivant comme tout le monde dans une maison, détendus, sur un canapé, les pieds sur la table basse, près de la radio.

Cet été-là, Bogart reçut l'adoubement suprême de la profession quand il s'agenouilla dans la cour du Théâtre chinois de Sid Grauman et apposa l'empreinte de ses mains et de ses pieds dans le ciment frais. Il avait tourné toute la journée, puis quitté le plateau en fin d'après-midi après avoir chaussé les chaussures qui, disait-il, lui portaient chance — celles de *Casablanca* et du *Grand Sommeil*. Il tournait pour la Columbia *Dead Reckoning (En marge de l'enquête)* après une année loin de la Warner. En fait, les Bogart n'avaient rien fait depuis longtemps, en partie à cause de la grève, en partie parce qu'ils avaient refusé des rôles. Mais cela n'avait pas d'importance, à l'époque. Le sourire aux lèvres, dans les bras de Betty tandis que les flashs crépitaient, Bogart replongea un doigt dans le ciment et ajouta : « Sid — Puisses-tu ne pas mourir avant que je te tue[44]. »

L'équilibre du pouvoir entre les stars et les studios se déplaça quand l'industrie du cinéma traversa les grands bouleversements qui suivirent la guerre. Il y eut aussi un changement dans les habitudes de sorties des familles de la classe moyenne parties habiter dans les banlieues résidentielles. Une population aisée et mobile grâce à l'abondance des voitures et au bas prix de l'essence remplaçait le public captivé de l'époque de la guerre. Le cinéma n'était plus qu'une distraction parmi d'autres. Au premier rang des changements venait la télévision. Les grands studios pensèrent qu'ils pourraient contrôler ce nouveau moyen de communication, mais ils n'avaient pas plus de chances d'y réussir que de remettre un génie dans sa bouteille. Cela n'empêcha pas Harry Warner de continuer d'espérer.

Au début des années 1950, Jack Warner, qui jouait souvent avec lui au tennis, invita Richard Dorso à déjeuner avec quelques autres cadres du studio. Entre autres exploits, Dorso avait été un des premiers à faire des shows télévisés. Harry Warner, qui ne l'avait jamais rencontré, se joignit au groupe. Au bout de quelques minutes de conversation générale, Harry regarda Dorso et demanda : « "Qui est-ce ?" Avant que quiconque ait pu m'arrêter, je répondis : "Je fais de la télévision." Et Harry bondit sur ses pieds. "De la télévision ! Mais qu'est-ce qu'il fait là, Jack ? La télévision ! C'est notre pire ennemi ! Toi et tes relations avec Harry Truman ! Je t'avais bien dit de lui demander d'arrêter la télévision ! Elle va nous nuire ! Et il n'a pas voulu t'écouter. C'est de ta faute !" Arrêter la télévision ? C'était le genre de discours ignorant qu'on entendait couramment à l'époque[45]. »

Quand se termina la Seconde Guerre mondiale, la Warner avait besoin de stars. Cagney était parti en 1942 et Flynn, avec l'âge, s'enfonçait dans l'alcool. Les studios se trouvaient soudain dépendants d'un groupe de plus en plus restreint d'acteurs chers, et les nouveaux venus étaient moins prêts que leurs collègues de l'époque de la Dépression à se laisser lier par de longs contrats à salaires fixes. Les stars — Burt Lancaster et John Wayne entre autres — avaient constitué leurs propres compagnies de production et concluaient avec les studios des accords qui, pour la première fois, leur accordaient une part des bénéfices. Bogart ne disposait pas encore de ce luxe, mais chacun de ses rôles garantissait maintenant de grosses rentrées d'argent, et son absence risquait de nuire gravement au studio. Même les distributeurs de la Warner disaient au studio : « Nous voulons un film avec Bogart[46]. » Le Grand Sommeil battit tous les records de recettes, mais son succès ne fit que souligner que, à l'exception de la semaine de tournage supplémentaire, cette nouveauté de la Warner datait de janvier 1945.

En 1946, une chose était claire pour Jack Warner : le studio avait plus besoin de Bogart que Bogart du studio. On lui proposait des rôles qu'il refusait. Les suspensions ne l'affectaient pas. Incapable de trouver un projet seyant à Bogie et Betty, Trilling se plaignait à J. L. de voir deux de leurs « plus importantes stars » devenir « hypercritiques »[47].

La Warner donnait toutes les raisons de la critiquer. Elle soumettait à Bogart des remakes de William Burnett, ou lui offrait des contre-emplois aussi grossiers que le rôle de Will Rogers, ou celui d'un capitaine anglais du temps de Napoléon, ou encore celui d'un entraîneur de football. A chaque refus, le studio menaçait Bogart de sanctions et l'inondait de télégrammes au ton très ferme, mais il ne cédait pas, sachant que la Warner devrait contourner la difficulté. L'entreprise dont il était une partie intégrante avait éclaté ; Wallis était parti, de même que Hawks, et le studio tentait de se redéfinir. Dans ce nouvel environnement, les menaces de Jack Warner sonnaient creux et il se plaignait d'être enfoncé par les employés qu'il avait aidés à s'élever jusqu'aux étoiles.

Un jour, on rapporta chez Bogart, à l'heure du dîner, un scénario qu'il avait déjà refusé. Fred Clark, le majordome jamaïcain, transmit le paquet à son patron tandis que le coursier de la Warner attendait. Une minute plus tard, le coursier entendit une voix des plus reconnaissables qui criait « Non ! ». Clark reparut avec le paquet et les deux reçus non signés. Il les rendit cérémonieusement au coursier et dit en teintant d'un certain dédain son accent d'aristocrate britannique : « M. Bogart ne veut pas ce scénario. »

La seule manière dont Warner semblait pouvoir séduire Bogart était de le laisser d'abord faire de la radio. Le 14 octobre 1946 fut diffusée une adaptation du *Port de l'angoisse* avec ses deux vedettes dans le cadre de *Lux Radio Theatre*. Présentée par William Keighley, qui avait mis en scène Bogart et Robinson dans *Guerre au crime*, cette émission était la plus populaire de la chaîne. Et elle était royalement payée. Le studio considéra qu'il s'agissait d'une publicité « en or[48] ». Mais sachant cela, il n'accorda son consentement que lorsque Bogie et Betty eurent accepté de tourner un épisode de la future comédie *Two Guys from Milwaukee*. Le studio y gagnait une apparition des Bogart dans un film en échange des dix mille dollars que le couple avait gagnés en une soirée de travail. Pourtant, quelques mois plus tôt, le studio avait décidé de ne pas laisser Betty passer à l'antenne parce que, selon un mémorandum confidentiel, « elle a une mauvaise diction et articule mal[49] ».

A en juger par le tonnerre d'applaudissements qui accueillit le couple, le public du studio d'enregistrement se moquait bien de sa diction. Bogart fut égal à lui-même et Betty révéla qu'elle convenait parfaitement à ce mode de communication. La scène du sifflet électrifia les auditeurs et fut suivie d'un grand éclat de rire de Humphrey[50].

L'état d'esprit de la nation se refléta dans les élections de 1946, un retour de bâton conservateur frappant le pays. Pour les libéraux du cinéma, cela aurait dû être une année de consolidation où ils se seraient enracinés solidement dans la nouvelle situation politique. Le génie du dessin animé de la Warner, Chuck Jones, créateur de Bugs Bunny, travailla pour les candidats du HICCASP et Bogart mena une liste de soutien allant du fils aîné de l'ancien Président, James Roosevelt, au scénariste Dalton Trumbo. Le nom de Bogart parut dans le programme d'un dîner de stars au Beverly Wilshire Hotel pour demander plus de transparence quant à la recherche nucléaire. L'ex-capitaine Ronald Reagan lut un passage de *Set Your Clock at U-235*, de Norman Corwin :

Maintenant on est dedans tous ensemble...
Les secrets de la terre ont été dévoilés,
Un à un, jusqu'à ce que le noyau soit nu.
La recette est secrète,
Enfermée dans un livre bien gardé,
Mais la puanteur de la mort est publique
Dans le vent qui vient de Nagasaki...[51].

Bogart soutint aussi un forum sur « Les défis du monde d'après-guerre pour le mouvement libéral », qu'organisa le magazine de centre

303

gauche *The Nation* à l'Ambassador Auditorium. Chez lui, à Benedict Canyon, les réunions du soir associaient fortes opinions et alcools forts. Les habitués étaient « des penseurs, des écrivains, des journalistes et des intellectuels libéraux, des hommes qui parlent et discutent [52] ». Louis Bromfield constituait une exception, car il était de plus en plus conservateur. Bogart et lui avaient souvent des discussions animées. Betty, avec son humour pratique, confectionna une pancarte : « Danger ! Alcool et Bogart en action ! NE PAS parler de : politique, religion, femmes, hommes, films, pièces — ni de rien d'autre [53] ! »

Bromfield soutenait le futur vainqueur. Lors des élections primaires, au printemps, la défaite des candidats que soutenaient les libéraux de l'État avait injecté un nouveau virus dans le processus politique. Le HICCASP disait ses propres candidats « immobilisés » par la « chasse aux rouges » [54]. En novembre, Jerry Voorhis, une de ses stars au Congrès, perdit son siège prétendument inexpugnable au profit d'un inconnu, Richard Nixon, qui dans sa campagne accusait Voorhis de prôner « la ligne de Moscou ». Dans le Wisconsin, une tactique similaire tourna à l'avantage d'un autre inconnu, Joseph R. McCarthy. Dans la capitale de la Californie, Sacramento, on dénonça le HICCASP comme un ramassis de communistes.

Le libéralisme de Hollywood sombrait lentement. Ni le soutien de certaines stars, ni l'invocation du souvenir de Roosevelt ne suffirent à endiguer le flot. Au lieu de laisser Hollywood montrer le chemin, on l'avait remis à sa place. Ses militants, qui avaient perdu leur influence nationale, furent relégués dans leurs rôles factices au sein d'un monde irréel. Sur le plateau d'*En marge de l'enquête*, réalisé par John Cromwell, l'actrice Lizabeth Scott voyait parfois Bogart s'arrêter, regarder au loin, sourire amèrement et dire sans s'adresser à personne en particulier : « N'est-ce pas une manière stupide de gagner sa vie [55] ? »

Lizabeth Scott était une découverte de Hal Wallis. Ses pommettes hautes et ses longs cheveux blonds avaient amené les journalistes à la baptiser « la Menace ». Au début inquiète à l'idée de travailler avec Bogart, elle l'avait finalement trouvé « chaleureux, charmant, délicieux ». Il mangeait toujours seul dans sa loge le déjeuner qu'il apportait de chez lui avec une ou deux bouteilles de bière, et faisait ensuite une demi-heure de sieste [56]. Jamais il ne tournait au-delà de dix-huit heures. Mais malgré le calme de ses journées, son mécontentement restait évident pour ses jeunes collègues comme Lizabeth : « Ce n'est pas qu'il ne voulait pas être acteur, qu'il n'appréciait pas la célébrité, le succès, l'aisance matérielle ; mais quelque part en lui, il pensait qu'il aurait dû faire des choses plus importantes. »

Richard Brooks, qui en 1955 réaliserait *The Blackboard Jungle (Graine de violence)* et en 1960 *Elmer Gantry*, mais qui n'était alors qu'un jeune écrivain tentant de percer à Hollywood, eut la même réaction quand il rencontra Bogart fin 1946. A peine libéré des marines, le jeune homme avait écrit *The Brick Foxhole*, un roman sur l'homophobie dans l'armée. Bogart donna le scénario à Mark Hellinger, qui soutint le projet, mais dit à l'auteur : « Si tu en sors vivant, viens me voir [57]. »

Ils se rencontrèrent au Players, le restaurant à la mode sur Sunset Boulevard qui appartenait à l'écrivain et réalisateur Preston Sturges. Hellinger y attendait Brooks à une table discrète avec son épouse et les Bogart. L'acteur, impressionné par le roman, fut très aimable. Brooks tenta de trouver un compliment adéquat et dit : « Vous êtes un homme très important, monsieur Bogart... » Un grognement l'arrêta. « Mais enfin ! Je joue le beau-frère de George Raft depuis des années ! » Puis il se lança dans une diatribe à propos de ses débuts à la Warner. Brooks se dit que l'acteur n'était pas à l'aise face aux louanges, que les rejets dont il avait été victime dans le passé étaient plus vivaces en lui que ses succès présents. Il montrait aussi une amère conscience de ce que signifiait la célébrité. Il avait dévoilé son pragmatisme en adressant à Jack Warner, après le succès du *Port de l'angoisse*, un télégramme dans lequel il faisait allusion à « la valeur financière [qu'il avait] la chance d'avoir pour le moment [58] ». Jamais Bogart ne sembla croire à la publicité qu'on faisait autour de lui, aux compliments qu'on lui adressait, ni à la permanence de quoi que ce soit.

Brooks, qui ne tarda pas à rejoindre le cercle des proches de Bogart, comprit que, pour l'acteur, le pessimisme était une attitude réaliste. « Son expérience personnelle lui avait appris que les gens puissants vous aiment tant que vous pouvez leur faire gagner de l'argent. C'est le fond des choses. Vous avez du succès ? Vos films ont du succès ? Tant mieux, sinon vous avez disparu, vous êtes effacé du tableau. Vous n'avez jamais existé. »

Au cours de l'hiver 1946, les Bogart se rendirent à San Francisco pour tourner leur premier film ensemble depuis *le Grand Sommeil*, presque deux ans auparavant. Bogart avait donné les épreuves d'un roman, *The Dark Road*, au producteur Jerry Wald [59]. Le rôle principal l'attirait, celui d'un homme qui, accusé du meurtre de sa femme, recherche les meurtriers tandis que la police le traque. Il y avait aussi pour Betty le rôle de la femme qui croit en lui. L'auteur du livre, David Goodis, était payé par la Warner et client de Jaffe. Un autre roman de Goodis, *Shoot the Piano Player (Tirez sur le pianiste)*, sera adapté plus tard par François Truffaut.

Sous le nouveau titre *Dark Passage (les Passagers de la nuit)*, l'histoire reflétait l'atmosphère de l'époque. Les évènements se déroulent dans un climat de paranoïa et de constante menace de désastre. Le héros harcelé lutte dans un filet de méchancetés, d'erreurs et de trahisons. « Il est toujours certain qu'il se fera prendre la prochaine fois qu'il bougera ou qu'il parlera, écrivit Wald à Warner, mais quelque chose le pousse à continuer. »

Ce film devait avoir une postérité, en particulier la série télévisée des années 1960, *le Fugitif*, et le film qui en fut tiré en 1993. Mais le studio fut a priori réticent et ne céda qu'après que Bogart et Wald, producteur d'une série de succès allant de *Griffes jaunes* à *Mildred Pierce (le Roman de Mildred Pierce)*, eurent lourdement insisté. Wald était le champion des vaincus et des marginaux — plus tard, il poussa la Warner à tourner *Rebel Without a Cause (la Fureur de vivre)* — et il réussit à convaincre J. L. de le laisser réaliser un projet que Bogart accepterait sans hésiter.

Le fait que Betty eût aussi un rôle avait été un argument dans la décision de Bogie, mais pas une cause déterminante. Wald et le réalisateur Delmer Daves envisagèrent même un moment de la remplacer par la nouvelle Suédoise aux cheveux auburn, Viveca Lindfors. Bogart ne protesta pas — il accepterait leur choix [60]. Il proposait Betty pour des rôles qui lui semblaient lui convenir, mais jamais il ne faisait de l'emploi de sa femme une condition d'acceptation pour lui.

Ce fut un tournage agréable, en dépit de la pluie, du brouillard et des curieux munis de carnets d'autographes. Daves, ancien scénariste — il avait participé à l'équipe de *la Forêt pétrifiée* — était une sorte d'ours blond qui adorait travailler avec ses acteurs. Les journalistes entraient et sortaient sans arrêt de la suite des Bogart au Mark Hopkins Hotel. De l'autre côté de la rue, au Fairmont, l'orchestre jouait « Bogey Man Boogie » en l'honneur des visiteurs. Au pont du Golden Gate, quinze cents admirateurs créèrent un tel embouteillage qu'on dut appeler la police.

On retiendra surtout *les Passagers de la nuit* pour la façon dont le protagoniste devient la caméra. Au début, le spectateur voit les évènements se dérouler par les yeux du fugitif. Cette entreprise ambitieuse nécessitait une caméra à l'épaule qui pourrait rappeler les mouvements du héros invisible, qu'on découvre par étapes, d'abord couvert de bandages, puis chez un chirurgien qui finit par dévoiler le visage de Bogart.

« J'entends déjà les hurlements de Jack Warner, dit Bogart. Il me paie une fortune pour un film où personne ne me verra avant la fin du premier tiers [61] ! »

Le film progressa harmonieusement vers sa conclusion et un nouveau contrat avec Warner fut enfin signé après des mois de marchandages si âpres qu'à un moment, Bogart fut sur le point de renoncer. Finalement, Jaffe et lui décidèrent de clauses non négociables : un contrat de quinze ans, un film par an pour la Warner, à deux cent mille dollars, sur des scénarios et avec des réalisateurs approuvés par Bogart — qui garantissait son accord pour une liste de réalisateurs comme Howard Hawks, John Huston, John Cromwell, Delmer Daves et Michael Curtiz —, et l'autorisation de faire un film par an pour un autre studio.

« C'était à prendre ou à laisser, écrivit Thornton Delehanty dans le *Herald Tribune*. Le studio a pris. Bogart et Jack Warner se sont serré la main... et ont décidé que dorénavant ils s'aimeraient comme des frères [62]. » Quand on sait combien Jack et son frère Harry s'aimaient peu, c'était sans conséquence.

Le document de soixante-sept pages — le plus long jamais enregistré pour un acteur à l'époque [63] — dut être ratifié par le conseil d'administration de Warner Bros. Pictures, Inc. [64]. On était loin de l'époque de *la Forêt pétrifiée*, et du premier contrat de deux cents dollars conclu avec Vitaphone. A Burbank, les photographes de la Warner fixèrent le sourire de Bogart en train de signer. Betty était près de lui, ainsi que Sam Jaffe, Mary Baker et Morgan Maree, alignés derrière le couple comme de fiers parents.

Le jour de Noël 1946, Humphrey Bogart eut quarante-sept ans. Il était le roi de Hollywood, avec pour l'année écoulée un salaire de quatre cent soixante-sept mille trois cent soixante et un dollars, le plus élevé au monde pour un acteur [65]. Il avait une jeune femme merveilleusement belle, une nouvelle maison et un gros contrat. L'année à venir semblait pleine de promesses. Les dernières pages du contrat explicitaient une partie de ces promesses : il s'agissait du « scénario tiré de la propriété littéraire intitulée *le Trésor de la Sierra Madre* », qui attendait sur les étagères de la Warner depuis des années. Pendant la guerre, on avait à l'occasion envisagé d'en faire un film, avant d'y renoncer, en notant sur le rapport : « En attente d'un nouveau scénariste [66]. » Mais enfin le studio avait trouvé l'oiseau rare, et depuis quelques mois, une nouvelle mention avait remplacé la précédente : « En attente de John Huston [67]. »

« Un personnage méprisable »

Fin 1946, Bogart était considéré comme un premier rôle romantique crédible, et reconnu comme une valeur sûre aux caisses des cinémas. Après une douzaine d'années passées à jouer presque uniquement des personnages imposés par le studio, il était enfin en mesure de choisir ses rôles. Il exerça cette liberté en décidant d'interpréter dans *le Trésor de la Sierra Madre* un perdant que l'appât du gain pousse vers une paranoïa stupide et meurtrière.

L'histoire sinistre de trois hommes à la dérive dans le Mexique des années 1920 et de leur quête destructrice d'or marquait une rupture flagrante avec le héros qu'incarnait d'ordinaire la star masculine d'un film, ainsi qu'avec les drames sociaux et les histoires de gangsters, spécialité de la Warner dans les années trente. Fred C. Dobbs est un ouvrier, un mendiant, un prospecteur et finalement un meurtrier en puissance sans guère de rédemption possible — le type même d'homme qui, joué par Bogart dans ses premiers films, était tué à la fin par Edward G. Robinson ou James Cagney. Mais les brutes comme Bugs ou Turkey n'étaient que des personnages secondaires, des boucs émissaires punis à la place du héros — tout aussi mauvais mais rachetable. Dobbs est au centre de l'histoire ; sans lui, pas de morale. « Attends un peu de me voir dans mon prochain film, cria joyeusement Bogart au critique du *New York Post* Archer Winsten sur le trottoir devant le "21". Je joue le pire salaud que tu aies jamais vu[1]. »

Cela faisait partie de son attrait : « Bogart est un homme prêt à prendre de grands risques, dit John Huston quelques années après la sortie du film. Il va aux courses et parie dix dollars quand d'autres en parient des centaines. Au poker, il joue prudemment. Mais quand l'enjeu en vaut vraiment la peine, c'est un joueur de haut vol[2]. »

Le scénario était une adaptation d'une triste histoire située dans la campagne mexicaine et qui avait d'abord été publiée à Berlin. Son auteur, un immigré allemand qui se prétendait américain, se faisait appeler B. Traven, mais son vrai nom était probablement Ret Marut[3]. Reclus, presque clandestin, il était célèbre pour sa volonté d'anonymat.

On le disait ancien acteur, polémiste et révolutionnaire, qui aurait fui au Mexique après l'échec du soulèvement communiste à Munich et le bref épisode de République soviétique bavaroise après la Première Guerre mondiale. Quand on voulait acheter les droits, on obtenait comme réponse que l'auteur ne les vendrait qu'à « un pays non capitaliste[4] ». On disait qu'il avait échappé à un peloton d'exécution en Allemagne et qu'on l'avait expulsé de Grande-Bretagne pour communisme. Redoutant en permanence ses ennemis, il empruntait de nombreuses identités différentes tout en publiant des romans toujours aussi désespérément sombres qu'on admirait dans le monde entier. On a vendu plus de vingt-cinq millions d'exemplaires de ses livres en plus de trente langues[5].

Le Trésor de la Sierra Madre a pour point de départ une ballade d'un poète mineur allemand du XIXe siècle, qui parle de trois prospecteurs américains dans un pays étranger — *Ils convoitaient l'or et les richesses / Trois types sauvages, hâlés et burinés par le soleil et par le vent*[6]. La ballade était très populaire et donc familière à un ancien acteur comme Traven. Les trois hommes trouvent un filon. Tandis que l'un d'entre eux va chercher du vin pour fêter cette découverte, les deux autres décident que la moitié de l'or vaut mieux qu'un tiers, et complotent son meurtre. Le premier homme revient avec la bouteille, mais il ne boit pas avec les autres. Quand ils ont fini le vin, ses partenaires l'attaquent au couteau. « *Je crois que c'est ce qui m'attendait de toute façon*, dit-il en mourant. *J'avais empoisonné le vin.* »

Le poète avait appelé les trois Américains Sam, Will et Tom. Traven choisit Howard, Curtin et Dobbs, et il les rendit plus allégoriques. Howard est le vieux prospecteur réaliste qui sait que rien ne dure. Curtin est jeune, immature, sans morale ni dureté. Dobbs, le plus faible, finit en victime de ses propres peurs et de son cynisme.

Dans le film, il n'y a qu'un meurtre : Dobbs, après avoir tenté de voler Howard et de tuer Curtin, se fait voler et tuer par des bandits. Howard, contrepoids des deux plus jeunes, va vivre chez les Indiens comme guérisseur. Curtin, après avoir frôlé la mort, trouve que la vie vaut mieux que la richesse. Les bandits, qui ne voient pas la valeur de la poudre d'or si durement gagnée, la jettent ; elle retourne à la terre lors d'une violente tempête de sable, et cela provoque les rires des deux survivants, qui voient là une grande plaisanterie cosmique.

On doit la dernière scène à John Huston, dont le premier film d'après-guerre brise toutes les règles des studios : il ne comporte ni histoire d'amour, ni femmes (à l'exception de l'apparition fugitive d'une Ann Sheridan bien déguisée en prostituée et dont le nom n'est même pas mentionné au générique), ni fin heureuse. Le Mexique de B. Traven n'a rien d'un rêve touristique exotique en Technicolor ; c'est une région sinistre avec ses villes pétrolières poussiéreuses, ses villages misérables et ses buissons desséchés. Les scènes finales se déroulent sur une terre aride symbolique du désert du cœur et de l'esprit.

Tout cela ravissait Bogart, qui dit à son ami Thornton Delehanty que le film offrait « de grandes possibilités pour un acteur ». A quarante-sept ans, il était au sommet de son art, confiant et prêt pour des rôles nouveaux et exigeants. Il avait hâte de commencer le tournage. « Il considère que le scénario du *Trésor de la Sierra Madre* est le meilleur qu'il ait jamais lu, écrivit Delehanty dans le *Herald Tribune*. Depuis qu'ils ont travaillé ensemble pour *le Faucon maltais,* il a une admiration sans limite pour Huston, à la fois comme écrivain et comme réalisateur[7]. »

Après *le Faucon maltais*, Huston avait demandé à la Warner d'acquérir les droits du *Trésor de la Sierra Madre* quand ils furent disponibles, en 1941[8]. Pendant des années, l'agent de Huston, Paul Kohner, avait courtisé Traven par courrier, et à travers leur correspondance, il en avait appris beaucoup sur l'écrivain. Il était aussi devenu l'agent de Traven pour le cinéma, même si les deux hommes ne s'étaient jamais rencontrés. Quand Kohner apprit qu'un producteur indépendant, qui avait pris une option, n'arrivait pas à réunir la somme nécessaire, il appela Huston et lui demanda s'il pouvait obtenir que la Warner fasse une offre. L'accord pour les droits et pour que Huston réalise le film fut conclu en moins d'une heure. Pour le militant Traven, la Warner était le studio idéal, et Huston l'adaptateur parfait.

Malgré tout, le film faillit être réalisé sans Huston ni Bogart. La Warner voulait tourner immédiatement, et le premier choix du studio pour Dobbs fut le père de Huston, Walter, qui six ans plus tard remporta un oscar dans le rôle de Howard. On parla de John Garfield pour Dobbs, et aussi d'Edward G. Robinson. Kohner apprit que, pour le rôle de Howard, contre toute attente, Traven voulait Lewis Stone, mieux connu comme le juge Hardy, le père de Mickey Rooney dans la série Andy Hardy de la MGM.

Les cadres de la Warner avaient immédiatement décelé le potentiel du livre. Ils avaient vu la superbe histoire d'action avec trois grands rôles pour leurs mauvais garçons, une réalisation qui, comme le dit l'un d'eux, pourrait bien « devenir un des plus grands films de tous les temps[9] ». J. L. donna sa bénédiction au projet et Hal Wallis voulut amener l'auteur à Hollywood. Mais le tournage, qui devait commencer début 1942, s'enlisa dans un monceau de problèmes quand les juristes insistèrent pour régler la question des droits internationaux. Traven protesta en vain par courrier que ses éditeurs étaient soit morts soit en camps de concentration, mais les avocats restèrent convaincus que même avec la moitié du monde en flammes, il risquait d'y avoir quelqu'un, quelque part, qui serait prêt à les traîner en justice pour usurpation de droits. C'est l'insistance de Jack Warner en personne qui empêcha qu'on renonce au projet[10].

A l'époque, Huston était à l'armée. « Pendant tous le temps passé sous les drapeaux, raconte-t-il, j'ai craint qu'un autre ne fasse le film [11]. » En effet, on fit et refit le scénario, et on pensa à d'autres réalisateurs [12]. Le projet prit corps au point que Tenny Wright dit à ses menuisiers de se tenir prêts, et le tournage aurait eu lieu si le Bureau Breen n'avait pas trouvé le sujet diffamatoire pour le Mexique, et donc potentiellement offensant pour un allié en temps de guerre.

Une fois démobilisé, Huston se mit immédiatement au travail sur le scénario. Il le termina début 1947, après des mois de travail et de nombreuses suggestions de la part de Traven, d'abord par lettre, puis, après une longue correspondance, face à face. Peu après qu'il eut terminé, il se rendit au Mexique avec quelques employés du studio pour des repérages. Bogart, qui terminait *les Passagers de la nuit*, attendait avec impatience ses six semaines de vacances avant de commencer le nouveau film avec son vieil ami.

Un autre projet se dessinait avec un autre vieil ami de Bogart. Comme Huston, Mark Hellinger était parti à la guerre, mais en tant que correspondant dans le Pacifique de 1943 à 1945. Il était ensuite devenu un des plus dynamiques producteurs indépendants. *The Horn Blows at Midnight* (1945), avec Jack Benny, mis en scène par Raoul Walsh, était hilarant, mais c'est dans les films d'action que Hellinger donnait le meilleur de lui-même. *The Killers* (*les Tueurs*, 1946) et *Brute Force* (*les Démons de la liberté*, 1947), bien écrits, filmés dans l'esprit de ce nouveau réalisme de l'après-guerre, s'étaient attiré un vaste public et les louanges de la critique. *The Naked City (la Cité sans voiles)*, son projet suivant, devait être tourné non pas en studio, mais dans les rues de New York.

Après le traitement très réussi des *Tueurs*, Hemingway vendit aussi à Hellinger les droits de ses meilleures nouvelles, dont *les Neiges du Kilimandjaro* [13]. Début 1947, Hellinger et Bogart décidèrent de tourner un film ensemble chaque année, et l'acteur devint directeur et actionnaire de Mark Hellinger Productions [14]. C'était la « Dream Team » de l'époque ! Le plus célèbre voyou du cinéma, le plus accrocheur des producteurs indépendants, et le plus baroudeur des écrivains célèbres. MGM et la Columbia se mirent sur les rangs pour financer l'aventure, de même que David O. Selznick. Ben Hecht, coauteur de *The Front Page (Spéciale première)* et scénariste des *Hauts de Hurlevent*, de *Notorious (les Enchaînés)* et de *Spellbound (la Maison du Dr Edwardes)*, fit savoir par un intermédiaire qu'il aimerait travailler sur un film de Bogart [15].

Pour Bogart, acteur sous contrat depuis le début, cet accord était synonyme d'indépendance, d'un statut de producteur et d'un contrat d'artiste distinct, qui lui garantissait un cachet minimal par film de cent quatre-vingt-dix-neuf mille neuf cent quatre-vingt-dix-neuf dollars [16]. Il signifiait aussi des gains potentiels dépassant tout ce qu'aurait pu lui

311

offrir un contrat à la Warner : une part des bénéfices de son travail, et l'application de règles d'imposition qui lui permettaient de conserver soixante-quinze pour cent de ces gains en tant qu'actionnaire. Avec *la Grande Évasion*, en 1940, Mark Hellinger avait fait avancer la carrière de Bogart. Ce partenariat promettait d'améliorer sa vie.

A la propriété art déco de Hellinger, dans les collines de Hollywood, écrivains, stars et « parrains » financiers de l'industrie se mêlaient dans une atmosphère détendue, où l'alcool stimulait les échanges. Parmi les habitués figuraient les Bogart, Richard Brooks et John Huston, qui avait discrètement aidé à l'écriture du scénario des *Tueurs* au cours de ses derniers mois à l'armée. (Son nom ne figure nulle part, parce qu'il était sous contrat avec la Warner. Quand le scénario fut sélectionné pour les oscars, Hellinger et les autres se demandèrent ce qu'ils devaient faire. On raconte que Huston aurait dit, les yeux pétillants : « Prions pour qu'il ne l'ait pas. ») Au bar en noyer, leur hôte désespérément accueillant et fragile, qui s'interrogeait constamment sur la fidélité de ceux qui l'aimaient, servait lui-même les alcools.

Même s'il jouissait du respect de presque toute l'industrie du cinéma, Hellinger ne parvint jamais à se convaincre de son succès. Selon Richard Brooks, il accueillait chaque journée comme si quelque nouvelle catastrophe était imminente [17]. Hellinger, bouillonnant d'activité toute la journée, était nerveux le soir. La nuit, quand il était seul chez lui, il téléphonait à ses amis et nourrissait des soupçons sur leurs occupations s'ils ne décrochaient pas. A l'arrière-plan, son épouse Gladys Glad déambulait dans une maison aux stores tirés et aux lumières tamisées pour adoucir ses traits vieillissants. Grande et blonde, elle avait été une des plus belles filles de Broadway et se consolait maintenant dans l'alcool. Hellinger suivait sa propre voie d'autodestruction et répondait aux signaux d'alarme de son cœur malade par une énorme quantité de travail et l'ingestion de plus de deux litres d'alcool par jour. Avec ce qu'il buvait lui-même, Bogart était mal placé pour faire la leçon à son ami. En fait, il était reconnaissant à Hellinger de lui avoir appris à boire. Avant leur rencontre, Bogart, dans une même soirée, alternait martinis, bière et Drambuie. Hellinger lui expliqua qu'il buvait « comme un enfant [18] ». Ainsi guidé par un expert, il passa presque exclusivement au scotch, qu'il qualifiait de « très importante partie de la vie ».

Bogart admirait la créativité de Hellinger, sa farouche indépendance, son œil sûr pour déceler le talent — la plus précieuse qualité de toutes à Hollywood. Hellinger était généreux de son temps, de son argent, de son énergie, il innovait et agissait, et sa poignée de main valait un contrat en béton.

Ils étaient tous deux new-yorkais, quoique d'origines opposées :

Bogart, WASP d'un quartier chic de Manhattan ; Hellinger, Juif d'un quartier populaire, qui avait revêtu les paillettes de Broadway et ne parlait pas de ses origines. Chez les deux hommes, l'apparence dure d'hommes de spectacle masquait un besoin éperdu d'amour qu'ils avaient du mal à accepter. Tous deux étaient fondamentalement pessimistes, conscients que le pendule du destin balance des deux côtés, conscients aussi du gouffre béant à leurs pieds, mais leur sens de l'humour contrebalançait pourtant leur sombre vision de la vie. Une fois, Hellinger paya un scénariste qu'il connaissait à peine, il lui envoya régulièrement des fonds jusqu'à ce que le texte lui parvienne. C'était une violente diatribe antisémite. Hellinger signa un dernier chèque et l'envoya, non pas pour payer le travail, mais, comme il le disait dans la note d'accompagnement, parce que « même un salaud sans talent doit manger ».

L'amitié de Bogart avec Huston, dont un simple signe de tête avait marqué le début dans les années 1930, était maintenant solide, tant sur un plateau, où Huston était son réalisateur favori, que dans la vie de tous les jours. « Il avait un énorme respect pour John, se souvient leur ami Jules Buck. Il faut dire que c'est John qui avait fait de lui une star [19]. » Certains se demandaient pourtant si ce respect était toujours réciproque. Huston aimait beaucoup Bogart, mais parfois, en tant que réalisateur, il semblait que l'affection qu'il lui portait passait après un sentiment de supériorité. Pourtant, son amitié était sincère, et si Huston méprisait Mayo, il adorait la nouvelle Mme Bogart. Son propre mariage au milieu de l'année 1946 avec Evelyn Keyes créa un quatuor inséparable ; pour Evelyn, les Bogart étaient « de charmants invités et de merveilleux hôtes, pleins de joie de vivre [20] ». Les couples profitaient des plaisirs de la nature chez les Bogart, à Benedict Canyon, ou chez les Huston, dans la vallée de San Fernando, avec les chevaux, les chiens et le chimpanzé qui faisait des grâces à Bogart et s'intéressait de près aux martinis des invités.

Les deux épouses étaient beaucoup plus jeunes que leurs maris, mais Evelyn note : « Toutes celles que je connaissais étaient mariées à des hommes plus âgés. » Et parfois, les âges semblaient inversés quand les deux hommes faisaient les fous sous l'influence de l'alcool, tandis que leurs épouses les regardaient patiemment. Même si l'alcool augmentait la tendance de Bogart à lancer des remarques incisives, cela n'ennuyait pas Huston, qui lui aussi aimait bousculer les gens. « Bogie aimait boire, insulter les gens et puis sourire, dit Huston. Cela l'amusait énormément [21]. »

Pour Evelyn, « c'était l'enfance de John et Bogie. Ils se comportaient tout le temps comme des gamins. John adorait les jeux, si bien qu'il y entraînait tout le monde autour de lui. Ils fumaient beaucoup, aussi, ce qu'ils payèrent plus tard [Huston mourut d'emphysème], et ils buvaient énormément. Je me souviens de conversations entre John et Bogie, le lendemain matin : "Oh ! On a vraiment fait ça ?" "Oh, tu tu souviens de ça ?" "Est-ce que tu crois que nous avons..." C'est puéril, non ? Ils n'agissaient pas comme des hommes mûrs, ils ne savaient pas qu'ils étaient trop vieux pour ça. Ils s'amusaient, c'est tout ».

Les amusements pouvaient prendre une curieuse tournure, comme un soir chez les Huston, où le scénariste Charles Grayson, Ida Lupino et son mari Collier Young, cadre de la Warner, étaient invités. Bogart et Huston avaient abondamment puisé dans la réserve d'alcool. Retirant vestes et chaussures, ils décidèrent de jouer au football — et de surcroît, devant Evelyn hésitant entre l'amusement et l'horreur, dans le salon, avec un vase Ming. « Il était là, splendide, près de la cheminée, et Charlie Grayson l'a pris et l'a *jeté* — et personne ne l'a rattrapé. Tout le monde a rugi de rire. Ne croyez pas que Bogie et John allaient pleurer ou protester parce qu'on avait cassé un vase Ming ! Ils ont continué à bondir de chaises en canapés, titubant dans la pièce, plus ivres que jamais. Ils trouvaient tout cela hilarant et ne ressentaient aucune douleur. »

Bogart finit par en ressentir. Pour ne pas glisser par terre, il avait aussi retiré ses chaussettes, et les tessons du vase lui avaient entaillé la plante des pieds. Betty retira les morceaux de porcelaine en disant d'une voix douce : « Oh, honnêtement, comment peux-tu te conduire ainsi ? » Pendant ce temps, raconte Evelyn, « Ida Lupino regardait, figée dans son fauteuil. Elle était la personne la plus immobile de la pièce. Elle se contentait de regarder, en proie à la plus intense stupéfaction. Mais Bogie et Johnny se trouvaient terriblement drôles, et ils en ont longuement reparlé le lendemain, se réjouissant encore malgré les pieds pansés de Bogie [22] ».

Au fil des années, l'identité de l'homme qui se faisait appeler B. Traven entra dans la mythologie entourant *le Trésor de la Sierra Madre*. Dans son autobiographie de 1980, Huston parle de vaines tentatives pour rencontrer Traven lors des repérages au Mexique. Puis un matin, Huston, qui jamais ne verrouillait sa porte, se réveilla dans sa chambre d'hôtel à Mexico et vit au pied de son lit un petit homme timide. Il dit s'appeler Hal Croves, traducteur de Traven, mandaté pour parler avec lui [23]. D'autres rencontres, écrivit Huston, le convainquirent que ce visiteur falot ne pouvait être le génie qui avait écrit *le Trésor de la Sierra Madre*. Les archives de la Warner montrent que Huston rechercha l'écrivain invisible. Après avoir renvoyé au studio ceux qui l'accompagnaient pour les repérages, il se rendit à Acapulco, à l'adresse postale de Traven que Kohner lui avait donnée, « afin de discuter avec l'auteur, si possible [24] ». Kohner était convaincu que

Croves et Traven étaient le même homme, et Croves l'admit peu avant sa mort en 1969 [25].

Des lettres prouvent que Traven était ravi du scénario de Huston ; il le trouvait « aussi proche du livre qu'un film le permettra jamais [26] ». Les deux hommes travaillèrent donc ensemble sur le texte, et parcoururent à cheval les collines de la Sierra Madre entre les séances de travail. Huston s'arrangea pour que Traven puisse assister au tournage, et lui obtint un défraiement de cinq cents dollars par semaine au nom de Croves. Ils parlèrent d'une expédition commune dans la jungle quand le film serait terminé. Huston partit pour Los Angeles avec la promesse de Traven d'envoyer ses commentaires au fur et à mesure. Traven promit aussi de retrouver le portefeuille volé à Huston, et de distribuer à cette fin des tracts dans tout Acapulco. « Tu n'en reviendrais pas si tu étais là et voyais l'immense propagande, écrivit-il à Huston. On ne parle plus que de ça. Mon affection à Evelyne *(sic)* et une bourrade dans les côtes pour toi [27]. » La lettre était signée « H. C. ». Perpétuer la supercherie était un jeu comme un autre pour Huston, mais cela permettait à Traven d'avancer masqué, même si le masque était transparent, et à Huston d'entretenir la légende du « fantôme au Mexique », comme les cadres de la Warner appelaient l'homme de paille factice.

Dans ses longues lettres à Huston, écrites dans un étrange mélange de structures grammaticales allemandes et d'argot américain, Traven suggéra des scènes qui devinrent de grands moments du film. Par exemple, au début, les trois hommes voyagent dans un train qu'attaquent des bandits. Dobbs tire sur leur chef — l'homme au sombrero doré qui sera son meurtrier à la fin — mais il le rate et le bandit s'enfuit. Traven suggéra « une sorte de duel entre Dobbs et Chapeau d'or... Je crois que Bogart pourrait l'exprimer par son visage et par quelques gestes, sans aucun dialogue sauf quelques mots [28] ». Huston fut ravi et répondit : « Dès cet instant, leur destin est lié d'une mystérieuse façon [29]. »

Une autre suggestion de Traven touchait personnellement Huston. A Acapulco, Traven l'avait regardé distribuer son argent généreusement, avec nonchalance, sans un regard pour ceux à qui il le donnait. « Je me demandais, écrivit-il à Huston, pourquoi tu ne jouerais pas toi-même l'Homme en complet blanc ? Tu serais très naturel [30]. »

Traven était convaincu par Bogart : il « fera un grand Dobbs. Il attirera le public comme personne [31] ». Mais il ne l'était guère par Walter Huston, son Dobbs de six ans auparavant, qui devait maintenant jouer Howard. Huston père avait soixante-trois ans, et Traven le trouvait trop jeune et trop costaud pour un vieil homme grisonnant. « C'est Howard qui est l'âme du film, écrivit Traven. Peux-tu faire qu'il ait l'air d'avoir plus de soixante-dix ans ? » On y réussit en retirant à Huston ses fausses dents, et Traven oublia bientôt ses réserves. « Howard vole le film... Ce sera le film de Walt... Ne le dis pas à

Humphry...[32] » Bogart, qui n'avait pas travaillé avec Walter Huston depuis leur *Henry IV* à la radio en 1937, se rendait déjà compte que le film appartiendrait au maître. « Pour commencer, c'est un gentleman, dit Bogart à un journaliste, puis un acteur, et quel acteur ! Il est probablement le seul à qui je céderais volontiers une scène[33]. »

Si les rôles de Dobbs et Howard furent rapidement attribués, restaient les deux autres personnages centraux : le prospecteur Curtin et Cody, l'intrus qui se fait tuer en défendant le campement. Deux « bonnes possibilités », écrivit Huston à Traven, étaient Ronald Reagan dans le rôle de Curtin et Zachary Scott dans celui de Cody, mais on les affecta à d'autres productions et le rôle de Cody alla à Bruce Bennett, qui avait travaillé avec Bogart dans *Sahara* et *les Passagers de la nuit*. Pour celui, plus important, de Curtin, la décision prit davantage de temps. C'est Barton MacLane qui jouera l'Américain McCormick. Huston voulait éviter les visages habituels de bandits ; il choisit pour jouer Chapeau d'or une star mexicaine, Alfonso Bedoya, et d'autres acteurs mexicains pour de plus petits rôles.

Les lieux de tournages étaient divers. Certaines scènes devaient être tournées à Burbank, d'autres dans les mines de Californie, dans les montagnes près de Sacramento. Mais l'essentiel du film devait se faire au Mexique, sur des lieux que Huston avait repérés et photographiés avec le directeur artistique John Hughes, décorateur de *la Forêt pétrifiée* et d'*Une femme dangereuse*.

Pendant la préparation, Huston se rendit à Tampico pour filmer quelques plans où ne figuraient pas les acteurs. Tout semblait en ordre. Le scénario avait passé la censure au Mexique[34], si bien que Huston, qui avait l'autorisation de tourner, ne s'attendait pas à voir arriver en voiture des fonctionnaires qui lui ordonnèrent d'arrêter sur-le-champ et de remettre la pellicule au gouvernement mexicain.

Un journal local avait accusé l'équipe de vouloir dénigrer le Mexique, et quand on le sut dans la capitale, on ordonna à Huston d'interrompre le tournage jusqu'à ce qu'on ait visionné ce qu'il avait déjà filmé. Le bureau de la Warner à Mexico tira les ficelles nécessaires et le maire de Tampico intercéda en leur faveur. Au bout de deux jours d'attente dans la rue, caméras prêtes à tourner, Huston fut autorisé à continuer. Le gouvernement, indiqua-t-on à la Warner, n'avait rien trouvé d'insultant pour la dignité du pays[35]. Dans les souvenirs plus pittoresques de Huston, les deux jours devinrent deux mois, et son sauveur fut Diego Rivera qui en aurait appelé directement au Président.

Le tournage commença en studio le 17 mars. Grâce aux centaines de photos des repérages, John Hughes avait reconstitué la place de Tampico avec une stupéfiante fidélité. Sur le plateau 22, Dobbs et

Curtin, sans travail, malchanceux, partageaient un banc et se plaignaient de leur sort. Pour le rôle de Curtin, Huston était allé pêcher, hors du vivier de la Warner, Tim Holt, qui avait si efficacement joué le fils destructeur dans *la Splendeur des Amberson*, d'Orson Welles, en 1942. Le père de l'acteur, le cow-boy vedette Jack Holt, fait une brève apparition au côté de Walter Huston dans le rôle du sac de puces Oso Negro, à qui Howard raconte des histoires de fabuleux filons d'or. Les autres écoutent et rêvent d'un trésor, mais ignorent sa mise en garde : « *L'or est diabolique... Je sais ce que fait l'or à l'âme des hommes.* »

Dans l'ombre, attendant sa scène, Bobby Blake, alors âgé de treize ans, était le garçon des rues qui finit par contraindre Dobbs à acheter un billet de loterie ; un billet gagnant, insiste l'enfant, parce que ses chiffres ajoutés totalisent 13. Adulte, Blake jouera le tueur infirme dans *In Cold Blood (De sang-froid)* d'après Truman Capote et le détective dans la série télévisée *Baretta*. Blake, observant Bogart devant la caméra, se sentit attiré vers lui « comme un insecte vers la lumière. Il était sans histoires, pas du tout "vedette". Très gentil [36] ».

Leur première scène ensemble se déroulait dans un café où Dobbs, qui dépense pour une tasse presque tout ce qu'il lui reste de l'argent mendié à l'Homme au costume blanc, essaie de se débarrasser du gamin. Finalement, Dobbs achète un vingtième du billet qui le mènera à la fortune et à la mort, mais seulement après avoir lancé un verre d'eau à la figure du petit vendeur pour tenter en vain de le faire partir. Blake raconte que Huston « le lui a fait faire plusieurs fois, et il ne voulait pas. Il était gentil avec moi. Mais quand la caméra tournait, il jetait l'eau de toutes ses forces, parce qu'il était un professionnel, et que la scène devait sembler vraie ».

Blake, gamin débrouillard originaire du New Jersey, avait débuté dans les comédies de la série *Our Gang* et passé presque la moitié de sa jeune vie sur les plateaux. Il adorait les durs de la Warner. « J'avais travaillé avec Eddie G. [Robinson], et aussi avec Greenstreet, toute la troupe, mais Bogart était spécial. Je l'observais comme un gosse observe son père. Vous savez, vous regardez votre père quand il se rase, et vous apprenez comment vous raser. Bogie emportait le scénario dans sa loge et il lisait son texte face au miroir. Je le regardais par la porte entrouverte ; j'étais tout petit, et personne ne faisait attention à moi. Il regardait le miroir et disait une réplique, puis il se frottait l'oreille. Une autre réplique et il faisait quelque chose avec ses lèvres. Et puis il prenait un crayon et il biffait une ou deux lignes. La première fois, j'ai eu peur. Mais après, comme il semblait que Bogie ne me remarquait pas, ou qu'il se moquait de ma présence, j'ai même posé les doigts sur la porte pour l'ouvrir un peu plus. J'étais fasciné de le voir couper ses dialogues. Je me disais : "Ouah, il ne veut pas parler !" »

Le but était de réduire les répliques à l'essentiel, de retrouver le rythme du langage quotidien et d'en acérer le sens. Une fois son texte ramené à ce qu'il voulait, Bogart allait parler à Huston. « "John, je ne veux pas dire ça. Que le gosse le dise", ou "Que le vieux le dise". Il était différent des autres acteurs. James Cagney était brillant sur le plateau. Eddie Robinson avait une approche très érudite de son travail. Mais Bogart — on aurait pu le prendre pour un machiniste. Il était silencieux, mais il était au centre de tout. Il n'était ni insistant ni voyant, il ne donnait pas d'interviews entre les prises, il était seulement ce petit homme presque fragile, avec un pantalon trop grand, une chemise trop grande, mais il avait une formidable autorité naturelle. Quand je suis venu sur le plateau afin d'auditionner pour le rôle, John Huston et Bogie étaient là. John était très pittoresque, très grand, très large, ses bras agitaient l'air autour de lui. Il a baissé les yeux vers moi, et il m'a paru grand comme une montagne. Et puis il s'est penché, m'a pris sous les bras et m'a lancé en l'air comme s'il voulait me soupeser. "Je ne sais pas... a-t-il dit, je crois que ça ira. Qu'est-ce que tu en penses, Bogie ?" Et Bogie a grommelé quelque chose. J'ai eu le rôle. »

Quand arriva le moment de la première scène, « Huston pensait que j'allais me lancer et que tout irait bien ». Mais Blake était complètement coincé. Bogart — « sensible et chaleureux » — fit toute la différence. « Il n'était pas du genre allez-mon-garçon-t'en-fais-pas-je-vais-t'aider ; ce ne sont que des paroles. Mais il vous donnait le senti-ment que tout irait bien, et c'était bien plus important. J'avais peur de ne pas être dans le coup, mais Bogie m'a beaucoup aidé, parce qu'il était tellement bon ! Quand il me soutenait, il me soutenait vraiment ; et il a vraiment lancé cette eau. On sentait que tout irait bien. On savait que près de lui, on était en sécurité. »

Le dernier jour, Blake voulut un souvenir de ses quelques scènes avec Bogart. Sur la table du café où Dobbs lui avait jeté de l'eau à la figure, le verre était toujours là, près de la tasse à café vide. Après s'être assuré que personne ne le regardait, le gamin subtilisa les deux objets.

Le soir du dimanche 6 avril, l'équipe, avec Betty et Evelyn, s'em-barqua pour Mexico — neuf heures en vol direct sur un avion de la Pan Am. La Warner avait organisé l'accueil à l'aéroport et retenu des limousines pour convoyer tout le monde sur les lieux du tournage à temps pour un brunch. Mais le brouillard força l'avion à tourner en rond entre ses multiples tentatives d'atterrissage, et les remontées abruptes après chaque échec ne laissèrent pas indifférent l'estomac des passagers. Finalement, comme le carburant diminuait, l'avion se détourna sur Vera Cruz, à une heure de là. Les passagers débarquèrent, les jambes en coton, tandis que l'avion faisait le plein. Quand enfin ils arrivèrent à Mexico, des fanfares, de jolies filles chargées de fleurs, des photographes de presse et des notables les attendaient.

Ils allaient résider à l'hôtel de luxe Reforma à San José de Purura, ville d'eaux huppée à deux cents kilomètres de Mexico. Pendant presque huit semaines, Huston tourna dans la campagne sous un soleil implacable, selon une routine rigoureuse qui rechargea son énergie et épuisa celle de Bogart. « Oui, nous étions très agréablement logés, dit Bogart avec humour à un publicitaire du studio. Mais John n'a pas fait une prise dans le ravissant village où nous habitions. Non. Il fallait qu'il parte dans les collines. Les MONTAGNES, je veux dire ! S'il voyait une belle montagne toute *proche*, alors ce n'était pas la bonne. Si on pouvait arriver au lieu de tournage sans avoir à traverser un ou deux fleuves, enjamber un nid de serpents à sonnette ou griller au soleil, alors il disait que ce n'était pas vraiment ce qu'il cherchait. Il ne nous facilitait pas la tâche[37]. »

Quand Huston n'arrivait pas à trouver ce qu'il voulait, il le créait, comme il le fit pour le lieu de la rencontre finale et fatale avec Chapeau d'or. Dobbs trébuche jusqu'à un trou d'eau, se penche pour boire et voit le reflet de son meurtrier. On avait trouvé près d'une hacienda en ruine le site parfait. Le fait qu'il n'y eût pas d'eau n'avait aucune importance pour Huston. Il ordonna qu'on creuse un trou autour duquel les accessoiristes plantèrent des buissons et des cactus, et on apporta l'eau par camion dans de gigantesques tonneaux.

Si épuisé qu'il fût, Bogart ne perdait pas son goût des blagues. Un jour où le photographe de plateau semblait ne s'intéresser qu'à Tim Holt, Bogart apostropha le publicitaire Bob Fender et exigea de savoir *qui* était la star de ce film ! Fender, voyant déjà son emploi lui échapper, en eut des sueurs froides jusqu'à ce que Holt et Bogart, écroulés de rire, lui disent qu'il n'y avait pas de pellicule dans l'appareil[38].

On plaisanta beaucoup aussi de la présence d'une coiffeuse pour un film sur trois vagabonds. Chaque matin à sept heures, Betty Lou Delmont n'en vérifiait pas moins que ses stars étaient bien hirsutes. Appliquant ce qu'elle appelait du shampooing à la boue, elle veillait chaque jour à ce que chacun ait les cheveux juste aussi sales qu'il le fallait. Des perruques de diverses longueurs suggéraient le passage du temps. Pour Bogart, elles étaient essentielles. « Vous savez qu'il n'a pratiquement plus de cheveux », nota le producteur Henry Blanke pendant la préparation[39]. La calvitie, qui posait un problème à Bogart depuis les années trente, prit une tournure dramatique pendant le tournage des *Passagers de la nuit,* quand ses cheveux tombèrent par plaques. Joe Hyams dit que la chute des cheveux avait été accélérée par un traitement hormonal que suivait Bogart en 1946 parce qu'il voulait avoir des enfants[40]. Des injections de vitamines B12 ordonnées par un médecin permirent aux cheveux de repousser un peu, les perruques firent le reste — bien qu'imparfaitement. Dans une scène du début du film, Dobbs dépense une grosse partie des pesos de l'Homme au costume blanc pour se faire raser et couper les cheveux. Quand il quitte la boutique, les cheveux lissés, le raccord à l'arrière est très visible. En mai, le scénariste Charles Grayson signala pourtant que les cheveux de Bogart repoussaient très bien[41].

Les Américains en visite gardèrent longtemps présents à l'esprit certains spectacles et certains sons : les tournages de nuit à la lumière des projecteurs alimentés par d'énormes générateurs installés sur des camions qu'on avait fait passer sur des pistes forestières, élargies pour l'occasion ; le cri de « Silencio » sur le plateau, suivi de « Listo señor Bogart » ; les figurants du cru — fermiers indiens venus du village tout proche, accompagnés de leurs épouses et de leurs enfants — rassemblés dans l'obscurité, au-delà du périmètre éclairé ; le silence que seuls perçaient le cri d'un oiseau de nuit ou le chant des criquets.

Pour les villageois, la rémunération du studio, dix pesos, soit deux dollars par jour, était une bénédiction, et la communauté accueillit les visiteurs par une cérémonie officielle, que présida le jeune maire, très sérieux ; Huston répondit par un discours approprié. A la fin de chaque journée, on remerciait les figurants, en espagnol, pour leur excellente coopération, et le trésorier du village s'assurait que les pesos promis étaient harmonieusement répartis.

Raul Perez Herrera, le jeune médecin de l'endroit qui soignait aussi l'équipe, emmena les Américains visiter les localités alentour. Partout ils virent des enfants souffrant de malnutrition, au ventre gonflé et aux jambes arquées. Herrera, comme Belmont DeForest Bogart, avait obtenu son diplôme à Columbia University. « Dès qu'il constate que tout le monde va bien dans l'équipe, écrivit Bogart (et comment aurions-nous pu aller mal après avoir vu ces gosses ?), il se plonge dans son travail... Parfois, il arrive le matin sans avoir dormi du tout. » L'équipe se cotisa pour lui offrir un cabinet médical mobile, et Bogart fit les présentations tandis que les publicitaires de la Warner montaient en épingle les distributions de lait aux enfants du village. Mais toute l'équipe savait qu'il ne s'agissait là que d'un palliatif.

Chaque matin, un petit personnage silencieux, vêtu de kaki, arrivait sur le plateau, regardait tout ce qui se passait, et ne partait qu'une fois la dernière scène en boîte. Il figurait sur la liste du personnel sous la catégorie « conseiller ». « Il y a un type dans l'équipe, rapporta un observateur à Burbank, qui se fait appeler Hal Croves — l'homme mystère. Certains disent qu'il serait Bruno Traven[42]. » Il fournit de la matière au publicitaire Bob Fender en lui parlant longuement de son ami et employeur, le célèbre auteur, qui élevait des chèvres près d'Oklahoma City. Il eut aussi, de toute évidence, des contacts avec Bogart, à qui il envoya plus tard une idée d'histoire en l'appelant familièrement

« Bogey »[43]. Tout indique que « Croves » joua jusqu'à la fin son rôle d'humble intermédiaire. Lauren Bacall, dans ses Mémoires, ne parle pas du petit homme aux yeux pâles et aux cheveux grisonnants qui ne quittait jamais le plateau mais n'intervenait pas.

Vers le milieu du tournage, Bruce Bennett arriva pour jouer son personnage d'intrus qui impose sa présence à Bogart, Holt et Huston. Il ne tarda pas à remarquer « la merveilleuse entente entre les trois acteurs quant à leurs personnages ». Bennett constata la même camaraderie entre Bogart et Huston. « Ils étaient très proches. On sentait que tout allait bien entre eux. » Holt, présence calme et sereine, ne semblait pas à Bennett « particulièrement fasciné par le cinéma », et restait un peu à l'écart. Le vieux Huston était authentique et pragmatique, grand seigneur du théâtre.

Bennett se joignait aux Huston et à Bogart quand ils visitaient le pays. Dans un village, ils s'arrêtèrent pour écouter des guitaristes qui jouaient des chants tristes sur les marches d'une vieille église espagnole. Walter fredonna avec eux et chanta ensuite de vieilles ballades dans la voiture pendant tout le chemin du retour.

« En tant qu'acteur, il était fantastique, au-delà de toute comparaison, dit Bennett. John le laissait pratiquement faire ce qu'il voulait, ce qui allait dans le sens de ses habitudes, de toute façon. Il essayait toujours de voir quelle était l'interprétation d'un acteur dans une scène avant de lui donner des directives. Il pouvait comprimer la scène, ou la réorganiser physiquement, mais il n'interférait pas avec l'interprétation. Quand le chef opérateur disait : "S'il pouvait venir juste un peu plus près et regarder dans cette direction, on pourrait avoir ça sur la pellicule", John répliquait : "Arrête ! Je ne veux pas de ça. Je veux qu'il joue la scène comme il le veut. S'il faut changer la caméra de place pour le prendre, on changera la caméra ; mais on ne change pas les acteurs." Huston était très espiègle. Mon personnage tente de s'associer aux chercheurs d'or, il arrive avec son âne et s'assoit. Les autres lui donnent à manger et discutent autour du feu de camp pour décider s'ils doivent le laisser rester ou non. On a fait des gros plans, et pour les miens, j'étais censé manger gloutonnement, parce que j'avais très faim. On m'avait donné une sorte de ragoût que les trois autres avaient préparé, et je mangeais vraiment. Huston était près de la caméra, Bogart à côté de lui, et il disait : "Coupez ! Recommence, et cette fois, comme ça !" Bon, on l'a refait au moins trois fois avant que je comprenne : la caméra ne tournait même pas. Ils l'avaient arrêtée après la première prise et ils voulaient juste que je continue à manger. "Pause déjeuner !" annonça alors Huston[44]. »

Au bout de deux mois de tournage en extérieur, le film prenant du retard, l'amitié entre Huston et Bogart connut quelques tensions. Il y avait de constants problèmes logistiques et linguistiques, puis arriva la pluie. Le film, commencé à la mi-mars, devait se terminer début juin. Bogart avait prévu de participer le 4 juillet à la régate de Honolulu, une grande course trans-Pacifique de Californie à Hawaii, interrompue depuis l'attaque de Pearl Harbor. C'était le plus grand évènement nautique de la côte Ouest, et pour Bogart la réalisation d'un rêve. Il avait réuni un équipage de sept membres pour le *Santana*, et investi quinze mille dollars pour de nouvelles voiles, de nouveaux cordages et le réagencement des emplacements de rangement. Huston lui avait assuré au début de la production qu'ils auraient terminé à temps. Mais à la mi-mai ils avaient déjà deux semaines de retard, et il faudrait encore tourner d'autres scènes en Californie. Bogart devint nerveux.

« En général, ce n'était pas un bilieux, raconta Huston des années plus tard, mais il adorait son bateau, et c'était pour ça que ce petit contretemps l'ennuyait tant... Il voulait participer à la grande course. Il était inscrit. Et il voulait savoir quand on aurait terminé pour tenir ce très important engagement. Au début, j'ai cru que ce serait possible, et puis... je n'en ai plus été aussi sûr. Il s'est mis à m'*harangueuler* à ce sujet. » Lors d'un dîner à l'hôtel, « il a été un peu bruyant, et j'ai étendu le bras à travers la table pour le prendre par le nez ». Il le tordit au point que de grosses larmes coulèrent sur les joues de Bogie, qui ne poussa pas un gémissement, ne bougea pas. Il supporta. « Enfin, dit Huston, c'est difficile de faire quoi que ce soit quand votre nez est entre les doigts de quelqu'un[45]. »

Pour Evelyn Keyes, qui avait quitté le Mexique plus tôt et n'apprit l'incident qu'au retour de l'équipe à Los Angeles, « c'était comme le Grand-papa et son petit garçon. C'est comme ça que John traitait ses propres enfants Anjelica et Tony — "*Ce n'est plus drôle, tenez-vous tranquilles !*" Et Bogie réagissait exactement comme les enfants, comme nous tous ! Quand John parlait, on écoutait[46] ».

C'est Betty qui est intervenue, raconte Huston : « Elle a dit : "John, tu lui fais mal !" Je savais que je lui faisais mal. J'ai arrêté. Et ce fut tout. Peu après, Bogie est venu me voir et a dit : "John, pour l'amour de Dieu, redevenons amis comme avant !" Et on l'est redevenus. » De façon très typique, c'est Bogart qui s'excusa.

Le soir du 30 mai, l'équipe rangea le matériel et tout le monde reprit la route de Mexico. On convainquit « Hal Croves » de venir passer une dernière nuit avec l'équipe du film avant qu'elle ne reparte pour Los Angeles. Il restait quatre jours de tournage en extérieur près du studio et dix dans les montagnes de la Californie minière, plus vingt-six sur les plateaux de Burbank.

Bedoya et deux acteurs amenés du Mexique, cette fois flanqués de bandits de la Warner, assiégèrent le campement, d'abord à la Kelley's

Rainbow Mine de Kernville, puis sur le sombre plateau 7 de la Warner. Walter Huston dansa « une sorte de gigue » comme le voulait le scénario[47], quand le vieil homme se rend soudain compte qu'ils ont trouvé de l'or et se moque des deux amateurs qui ne savent pas reconnaître ce qui gît sous leurs pieds. Il restait encore à Bogart à jouer les scènes cruciales de la descente de Dobbs dans la folie, qui révèle le pouvoir qu'a l'or de pervertir et de détruire.

Au bout de soixante-seize jours de tournage, et encore bien loin de la fin, on commença à dire que Jack Warner en avait assez des scènes en espagnol, du coût exorbitant et de ce héros qui avait l'air d'un clochard. Huston fit son possible pour se reprendre. On tourna des scènes si disparates qu'elles étaient parfois à cinquante pages de distance dans le scénario. Et au milieu de cette folie, Bogart devait maintenir l'intensité et la paranoïa qui sont le fil conducteur du texte de Traven : la métamorphose d'un travailleur en un maniaque obsessionnel, avide, persuadé que tous conspirent contre lui et prêt à tuer un ami à bout portant. Le secret d'un bon acteur, avait-il dit un jour, c'est la concentration. Cette certitude était mise à l'épreuve.

Helga Smith, une étudiante que Blayney Matthews avait introduite sur le plateau pourtant très fermé, observa Bogart pendant les scènes où Fred C. Dobbs se désagrège complètement. La jeune femme en vit plus encore qu'elle ne l'avait espéré. « Dès qu'on prononçait le mot "coupez !", il retournait toujours dans le même coin sombre, se laissait tomber dans son fauteuil, les bras agités, et il faisait une crise de folie. Il criait contre tous ceux qui approchaient, et on faisait bien de rester à distance. »

Fascinée, Helga entendit les flots d'insultes couler de la bouche de l'acteur qui « répétait ses blasphèmes jusqu'à ce qu'il soit un peu calmé, puis recommençait. Pendant les prises, il était parfait, jamais on n'eut à recommencer à cause de lui. Et en quelques secondes il était une autre personne. C'était comme regarder des jumeaux. Il fallait vraiment qu'il soit très fort pour se ressaisir et jouer aussi bien. Il ne se contrôlait pas, mais il savait parfaitement bien ce qu'il faisait. C'était simplement... l'intensité[48] ».

Matthews lui expliqua que le plateau était interdit parce que M. Bogart ne voulait pas que des étrangers le voient se perdre dans ce rôle difficile.

C'est dans les deux derniers jours de tournage que Bogart, épuisé par la centaine de jours de travail, dut affronter sa dernière scène, la plus difficile : Dobbs, seul, quasi-meurtrier de son partenaire, est pris de panique quand il croit que le corps a disparu, et devient fou. Huston passa une matinée en répétitions, puis filma l'après-midi. Bogart était fatigué. Pour un des plans, il fallut onze prises.

Tous les critiques n'étaient pas prêts à accepter que le célèbre dur du cinéma devienne un psychopathe terrorisé qui parle tout seul.

Humphrey Bogart, déclara *Time* après la sortie du film en janvier, n'arrivait pas à éliminer totalement l'existence de Humphrey Bogart. Si les lauriers allèrent, comme il était prévisible, à Walter Huston, *Time* se joignit au *New York Times*, au *Hollywood Reporter* et à presque tous les grands journaux pour déclarer que Bogart avait donné là la performance de sa carrière[49] — et comme le souligna le *Reporter*, c'était le rôle d'« un personnage méprisable que peu de stars auraient accepté de jouer[50] ».

Le 22 juillet, Bogart fut libéré. Henry Blanke visionna un premier montage le 1er août avec Jack Warner, qui envoya un télégramme lyrique à New York : « C'EST LA INDUBITABLEMENT LE PLUS GRAND FILM QUE NOUS AYONS JAMAIS FAIT[51]. » *Life* considéra que *le Trésor de la Sierra Madre* appartenait à la demi-douzaine de films « qui méritent vraiment d'être dits de "grands" films ».

Malgré tous les applaudissements, il y eut une fausse note : une lettre à la rédaction de *Life* signée Hal Croves et envoyée de San Antonio. « Croves » était venu sur le plateau 7 pour la dernière semaine de tournage. Il figurait encore sur la liste des employés comme conseiller[52], mais il partit au bout de deux jours pour des raisons inconnues, même si l'on peut penser que la réduction brutale de son défraiement de cinq cents à cent dollars par semaine constitue une explication logique. C'était le directeur de production Tenny Wright qui l'avait décidé, mais Traven, amer, accusa Huston, qui aurait montré par là son peu d'estime pour le grand écrivain. « Plus jamais M. John Huston n'aura l'occasion de réaliser un film tiré d'un autre des quatorze ouvrages de Traven. Traven n'a pas besoin de M. John Huston[53]. »

Paul Kohner, qui avait pris le projet sous sa houlette depuis des années et même avancé les émoluments de Traven de sa propre poche, conseilla à l'écrivain lunatique de consulter un psychiatre ; Traven mit fin à leur correspondance. Vingt ans plus tard, les deux hommes se rencontrèrent enfin, et s'embrassèrent. « Cela aurait pu arriver il y a bien longtemps », dit Kohner. « Je sais », répondit le vieil homme frêle avec un sourire triste[54].

Bogart retrouva enfin le *Santana* à la fin de l'été 1947. Il dit aux journalistes qu'il avait l'intention d'organiser une course pour compenser l'Honolulu Classic qu'il avait ratée ; il l'appellerait la « Bogart-a-couru-aussi ». Puis, Betty et lui firent voile sur la Basse-Californie pour une longue croisière détendue afin d'évacuer les tensions et la paranoïa du travail sur le film. Au retour, ils se trouvèrent confrontés à une autre paranoïa, qui faisait de Fred C. Dobbs un modèle de rationalisme.

18

M. Bogart va à Washington

Juste après les élections de 1946, la *Tribune de Chicago* publia pendant deux semaines une série d'articles incendiaires prétendant que des communistes s'étaient emparés de Hollywood, Franklin Roosevelt à leur tête. Robert Rutherford McCormick, éditeur de la *Tribune* et du *New York Daily News*, était le plus implacable des adversaires de Roosevelt, et, avec ses publications qui tiraient à plus de cinq millions d'exemplaires, il était aussi le plus puissant. McCormick « mena campagne contre les gangsters et le racket, la Prohibition et ses défenseurs, les politiciens locaux, régionaux et nationaux, Wall Street, New York, l'Est et ses habitants, les démocrates, le New Deal et le Fair Deal, les républicains libéraux, la Société des nations, la Cour internationale de justice, les Nations unies, l'impérialisme britannique, le socialisme et le communisme[1] ». Mais l'animosité de McCormick se concentrait essentiellement sur Roosevelt, dont la politique internationale lui semblait une hérésie envers la philosophie de non-engagement à l'étranger définie par George Washington, et dont les programmes sociaux, il en était convaincu, minaient l'individualisme et conduisaient au collectivisme.

La *Tribune* disait depuis toujours que les studios de cinéma étaient des foyers de subversion. En 1907, un éditorial proclamait que les *nickelodeons* faisaient appel « aux plus basse passions de l'enfance... Tout à fait pervers, ils devraient être censurés et supprimés[2] ». Il était facile de désigner les principaux responsables de la subversion morale et politique à Hollywood. Les articles de 1946 parlaient en mal des dirigeants de studios « nés en Russie » — un euphémisme pour « Juifs » — qui auraient à dessein livré aux mains du Kremlin un public sans méfiance[3]. La liste comportait à tort les frères Warner — Harry était né en Pologne, Albert à Baltimore, et Jack au Canada — mais plusieurs autres dirigeants de studios avaient en effet émigré de Russie, à commencer par Louis B. Mayer de la MGM, dont la famille avait immigré au Canada quand il était enfant, et Joseph Schenck, cofondateur de la Twentieth Century. Schenck était arrivé en Amérique

325

à seize ans avec son frère âgé de douze ans, Nicholas, qui devint le directeur de Loew's, Inc., la société financière de MGM qui possédait la chaîne des cinémas Loew's. Bien sûr, tous étaient juifs, quel que fût leur lieu de naissance, et c'était l'argument suprême. Mayer et tous les directeurs de studios étaient pourtant aussi communistes que Karl Marx était capitaliste, ils comptaient parmi les hommes d'affaires les plus influents d'Amérique, et en général ils étaient plutôt conservateurs — Mayer avait été pendant des années à la tête du Parti républicain de Californie. Jack Warner était un des rares démocrates.

Comme preuve de la menace rouge, la *Tribune* citait *Mission to Moscow* comme « un des plus grands triomphes de la propagande des communistes de Hollywood et de leurs compagnons de route... On avait là tout ce qu'il fallait pour glorifier la Russie et promouvoir le type de communiste particulier que représente le dictateur Staline[4] ».

Les opinions de McCormick n'avaient rien de rare à une époque où seules les restrictions imposées aux Noirs quant aux lieux où ils étaient autorisés à résider surpassaient celles qui visaient les Juifs. Bien des membres du Congrès partageaient de telles vues. Associée aux préjugés d'une grand partie de la population, qui voyait dans les changements sociaux et géopolitiques du siècle un affront au passé et une menace pour l'avenir, la xénophobie religieuse et culturelle se cristallisait en anticommunisme.

Le Comité des activités antiaméricaines (HUAC) promit que « la grande priorité[5] » du Congrès élu en janvier 1947 serait d'enquêter sur l'influence communiste à Hollywood. Au printemps, un tribunal itinérant du Comité des activités antiaméricaines s'installa derechef à l'hôtel Biltmore de Pershing Square, dans le centre de Los Angeles, où Bogart avait été convoqué devant le Comité Dies en 1940. Son but était de recueillir les témoignages de membres de la Motion Picture Alliance qui étaient impatients, selon les mots de William Randolph Hearst dans son journal le *Los Angeles Herald-Express*, « de dire ce qu'ils savaient de l'infiltration communiste dans l'industrie du cinéma[6] ».

Des problèmes de santé avaient contraint Martin Dies à retourner au Texas en 1944, et la présidence de l'HUAC était échue à John Rankin, démocrate du Mississippi. Rankin, furieux antisémite qui considérait que partout où les Juifs étaient en position dominante, on était sûr de découvrir des actes condamnables et le communisme, clama que l'enquête de la Commission dans la capitale du film allait mettre au jour « le plus grand foyer d'activités subversives des États-Unis » et « un des plus dangereux complots jamais fomentés pour renverser le gouvernement »[7]. Au Congrès, où en général les échanges revêtaient au moins un semblant de civilité, il avait appelé son collègue Emanuel Celler « le gentleman juif de New York ». Quand Celler avait protesté, Rankin avait demandé d'une voix mielleuse d'innocence : « L'élu de

New York désapprouve-t-il, le concernant, l'utilisation du mot "juif" ou du mot "gentleman"[8] ? »

Le Congrès une fois aux mains des républicains, le pugnace J. Parnell Thomas, du New Jersey, remplaça Rankin comme président. Le véritable nom de Thomas était Feeney, mais après la mort de son père, il avait demandé à prendre le nom de jeune fille de sa mère pour paraître moins catholique et moins irlandais, ce qui, à son avis, pouvait nuire à sa carrière[9].

Lors des auditions de la Commission à Los Angeles en mai, Jack Warner fut un témoin réticent et déconcerté. On lui demanda : « On a souvent dit que *Mission to Moscow* avait été produit à la demande du gouvernement. Cette affirmation est-elle sans fondements ? » Il répondit : « Non, elle n'est pas sans fondements[10]. » C'était la première fois qu'il admettait que Roosevelt ou des membres de son administration lui avaient demandé de faire ce film. Après quoi, afin de montrer qu'il était un anticommuniste sincère, Warner cita quelques scénaristes qu'il qualifia de non américains, dont les jumeaux Epstein[11]. Puis il supplia les enquêteurs de ne pas rendre son témoignage public.

Le personnel de Thomas ne perdit pas une minute pour transmettre le dossier à la presse, qui en fit des gorges chaudes. « OBLIGÉ A FAIRE UN FILM PROROUGE »... « PRESSIONS DE LA MAISON-BLANCHE »... « LA CHASSE AUX ROUGES DU CINÉMA VA S'ÉTENDRE AUX MEMBRES DU GOUVERNEMENT ». Un éditorial de la *Tribune de Chicago* accusa Roosevelt d'avoir voulu devenir « le Staline américain ». En conclusion, le président Thomas se déclarait « stupéfié » par ces révélations et ordonnait une enquête à Washington, « pour donner au peuple américain tous les faits et toutes les informations concernant cette dangereuse situation »[12].

Au début, le *Los Angeles Times* avait défendu l'industrie du cinéma et même justifié le tournage de *Mission to Moscow* : « Les scénaristes et les acteurs, comme la plupart des créateurs, ont tendance à soutenir la cause des plus démunis... Mais affirmer que les gauchistes contrôlent Hollywood ou sa production est un pur et simple non-sens. »

En une semaine, pourtant, le journal avait fait volte-face, s'était rangé derrière la Commission, et déclarait qu'elle « commençait juste à gratter la surface ».

Dans l'immeuble fédéral, au centre de Los Angeles, Richard Nixon, nouveau membre du Congrès, le plus jeune et le plus brillant des membres de la Commission, annonça des assignations à comparaître[13]. Deux mois plus tard, il déclara à Associated Press qu'on était sur le point de découvrir le « réseau rouge », et promit de révéler des noms. « Ce sera sensationnel », dit-il[14].

Même s'il y avait certainement quelques communistes dans l'industrie du cinéma, le nombre de noms que l'on parlait de livrer excédait toujours celui des noms qu'on révélait effectivement. De même que plus tard le sénateur Joseph McCarthy prétendrait avoir une liste de deux cent cinq membres du Parti au département d'État — chiffre qui s'avéra totalement fantaisiste —, le Comité Thomas annonça « des centaines » de noms éminents[15].

Finalement quarante et un scénaristes, acteurs, producteurs et réalisateurs furent cités à comparaître devant la Commission à Washington. Parmi eux, dix-neuf déclarèrent a priori qu'ils ne coopéreraient pas et on les étiqueta comme les « dix-neuf réfractaires » avant même qu'ils quittent Hollywood. Treize d'entre eux étaient auteurs : Alvah Bessie, Bertolt Brecht, Lester Cole, Richard Collins, Gordon Kahn, Howard Koch, Ring Lardner Jr, John Howard Lawson, Albert Maltz, Samuel Ornitz, Waldo Salt, Adrian Scott et Dalton Trumbo. A l'exception de l'acteur Larry Parks, qui venait de remporter un oscar pour *The Jolson Story*, tous les autres étaient des auteurs passés à la production ou à la réalisation : Herbert Biberman, Edward Dmytryk, Lewis Milestone, Irving Pichel et Robert Rossen.

La communauté cinématographique s'indigna, y compris des conservateurs comme Louis B. Mayer, qui commença par déclarer à l'HUAC : « Personne n'a à me dire comment gérer mon studio[16]. » La gauche et le centre libéral de Hollywood, qui s'étaient divisés au cours des deux années passées, se rassemblèrent pour une dernière manifestation de la vieille alliance rooseveltienne. Le scénariste Philip Dunne *(Qu'elle était verte ma vallée)*, le réalisateur William Wyler, l'acteur Alexander Knox et John Huston se réunirent d'urgence pour déjeuner. « Toute la ville filait aux abris, dit plus tard Huston. Nous nous sommes dit qu'il devait y avoir des représentants... qu'il était temps que quelqu'un dise quelque chose, et que si cela pouvait être orchestré, tant mieux[17]. »

Le groupe mit sur pied une stratégie, s'accorda sur un comité directeur informel, et fut rejoint par Anatole Litvak, réalisateur du *Mystérieux Dr Clitterhouse* et de *Confessions of a Nazi Spy (les Aveux d'un espion nazi)*, qui avait valu à la Warner d'être accusée « d'antifascisme prématuré[18] », selon le terme méprisant que la droite appliquait à ceux qui avaient des sympathies pour l'Union soviétique avant qu'elle devienne l'alliée des États-Unis dans la guerre. Ils acceptèrent la suggestion de Dunne d'appeler la nouvelle organisation Comité pour le premier amendement (CFA), certains que « les procédés de la Commission menaçaient les libertés fondamentales garanties à tous par la Constitution[19] ».

La débâcle des libéraux aux élections de 1946 avait gravement affaibli le Hollywood Independant Citizens Committee of the Arts, Sciences and Professions (HICCASP). Le groupe s'était divisé selon des lignes idéologiques et, après s'être radicalisé à gauche, il avait fusionné avec d'autres groupes pour former les Citoyens progressistes d'Amérique. Bogart fut candidat au nouveau bureau exécutif mais, curieusement pour une personnalité de sa stature, il ne fut pas élu. Le Comité pour le premier amendement attira beaucoup de membres de la communauté cinématographique qui partageaient les anciens idéaux du HICCASP. Huston appela Bogart, qui s'engagea immédiatement. « Betty était tout à fait pour, dit Huston. Je crois qu'elle était plus politisée que Bogie. »

Pour aider le CFA à trouver de l'argent afin d'acheter des plages publicitaires, des volontaires, menés par Joyce Buck et Jane Wyatt, téléphonèrent à une foule de donateurs possibles. Des chèques arrivèrent de tous les secteurs de l'industrie cinématographique. Le publicitaire Charlie Einfeld, qui avait quitté la Warner, fut un soutien actif. D'autres, en particulier ceux qui dépendaient encore des studios, demandèrent à rester anonymes. Charles Feldman donna dix mille dollars, mais en petits chèques et sans qu'on puisse utiliser son nom [20]. Le don de l'agent Irving « Swifty » Lazar fut inscrit : « cinquante dollars (pas de nom) [21] ».

C'est à Philip Dunne qu'on doit surtout l'organisation du Comité. Son épouse, l'actrice Amanda Duff, et lui venaient de s'installer à Malibu, et n'avaient pas encore pu obtenir le téléphone, alors qu'« à dix maisons de là, un bookmaker avait dix lignes. Quand Amanda se plaignit auprès de la compagnie du téléphone, on lui dit : "Ils paient leurs notes." Elle répondit : "Et si vous nous donniez l'occasion de payer les nôtres ?" ».

En attendant, Dunne utilisait le téléphone de sa voisine Isobel Lennart, qui écrivit plus tard *Funny Girl*, la pièce et le scénario. A New York pour affaires, elle avait laissé ses clés aux Dunne pour qu'ils s'occupent de sa maison. Dunne nota chaque appel pour la rembourser. Quand elle revint, il lui parla du Comité. « Au fait, ajouta-t-il, pour l'organisation de tout ça, j'ai utilisé ton téléphone [22]. » Elle pâlit. Dunne pensa que c'était à cause de la note à venir et la rassura. Des années plus tard, elle lui avoua qu'elle était membre du Parti communiste.

Fin octobre, une page entière parut dans la presse professionnelle et dans plusieurs journaux de Los Angeles, portant les cent quarante signatures de ceux qui s'opposaient aux comparutions. Bacall et Bogart, par le fait de l'ordre alphabétique, étaient dans les tout premiers.

Nous soussignés, citoyens américains, croyant à un gouvernement démocratique constitutionnel, exprimons notre indignation et notre écœurement devant les tentatives répétées de la Commission des activités antiaméricaines pour salir l'industrie cinématographique.

Nous estimons que ces auditions sont moralement inacceptables pour les raisons suivantes :

Toute enquête sur les opinions politiques d'un individu est contraire aux principes fondamentaux de notre démocratie.

Toute tentative visant à entraver la liberté d'expression et à imposer des critères arbitraires d'américanisme constitue en elle-même une trahison de l'esprit et de la lettre de notre Constitution.

Certains des signataires avaient déjà l'expérience personnelle des restrictions. Katharine Hepburn avait protesté publiquement en mai contre les comparutions lors d'une réunion en l'honneur de l'ancien vice-président Henry Wallace, qui critiquait la politique étrangère américaine et était le candidat possible d'un troisième parti à la présidentielle. Katharine Hepburn, protégée par ses origines yankees, demanda à des collègues plus vulnérables, comme Edward G. Robinson, immigrant de fraîche date, de la laisser monter en première ligne. « J'ai dit : "Eddie, non ! Laisse-moi faire, parce que — Seigneur ! Je suis pratiquement le drapeau américain ! Ils ne peuvent *rien me faire* !"[23] »

Le *Los Angeles Herald-Express* essaya pourtant. En octobre, il publia une photo de l'actrice avec en gros caractères : « A LA FOIRE DE WALLACE EN ROBE ROUGE[24] ». « Ils pouvaient porter des attaques très basses », dira-t-elle plus tard.

Pourtant, avec l'expérience engrangée pendant la campagne pour Roosevelt, les libéraux du cinéma avaient le sentiment qu'ils pourraient gagner. « Ceux de Hollywood sur lesquels le Comité Thomas-Rankin "enquête" sont des citoyens, proclamaient dans une publicité les Americans for Democratic Action. Si leurs libertés civiques peuvent leur être retirées, les libertés civiques de tout Américain ne sont plus garanties. Pas besoin de fagots en flammes pour mettre en scène une chasse aux sorcières. Le crépitement des flashs et les projecteurs suffisent[25]. »

« Ça a fait boule de neige, dit Dunne des années plus tard. Tout le monde s'est indigné[26]. »

Tant de gens voulaient assister aux réunions du CFA qu'on dut occuper les maisons assez vastes pour les accueillir. L'immense salon du compositeur Ira Gershwin était leur lieu de rencontre préféré. Le 9 octobre, chez William Wyler, toutes les stars étaient là : Bogart et Bacall, Danny Kaye, Judy Garland, Rita Hayworth, Edward G. Robinson et Gene Kelly, qui sautait à cloche-pied en raison d'une cheville foulée. Les soutenaient aussi : Groucho Marx, Frank Sinatra, Paulette Goddard, Fredric March, George S. Kaufman, Archibald MacLeish, Jerry Wald et Walter Wanger.

Dehors, dans l'ombre, des silhouettes circulaient entre les voitures pour noter les numéros des plaques minéralogiques[27]. L'identité de ceux qui avaient renseigné la police sur le lieu de la réunion resta consignée dans ses archives, et dans le dossier de plus en plus gros de Bogart au FBI.

Les audiences de la HUAC sur l'influence communiste à Hollywood commencèrent le 20 octobre à Washington. Au début, on avait parlé d'interdire les micros et les caméras de crainte d'une atmosphère de « cirque[28] », mais seuls les plus naïfs pouvaient croire que les membres de la Commission seraient prêts à renoncer à une telle publicité. Cabell Phillips, du *New York Times,* nota : « Le Comité nous promet cette enquête sur Hollywood depuis des mois. Elle est conçue pour avoir un maximum d'impact sur la conscience populaire. En substance, elle veut démontrer que les communistes ont choisi l'industrie du cinéma comme principal véhicule pour empoisonner l'esprit des Américains[29]. » Trois jours avant le début, on annonça que tous les médias seraient admis. Même la télévision naissante mit en place une transmission en direct à destination de Philadelphie et New York. On décréta que les avocats des témoins ne seraient pas autorisés à témoigner, à faire des déclarations ni à procéder au contre-interrogatoire des autres témoins[30].

La Commission avait à dessein choisi le lieu de la capitale le plus vaste et le plus intimidant possible, avec des ornements, des lambris et un sol de marbre. La salle pouvait accueillir quatre cents personnes et on avait muni ses lustres de cristal d'ampoules puissantes pour que les images soient meilleures ; elles augmentaient aussi la chaleur dans la salle pleine. Le président Thomas, qu'il avait fallu jucher sur des annuaires téléphoniques recouverts d'un coussin de soie rouge pour qu'il émerge au-dessus de la tribune[31], fit entrer les caméras le samedi 18, afin qu'elles filment sa « déclaration préliminaire » devant une salle vide, levant ainsi le rideau sur ce que *Variety* appela « une vision d'Hollywood sous l'angle du Congrès, un spectacle que Barnum aurait pu mettre en scène[32] ». Thomas avait un don pour le spectaculaire : jeune congressiste au milieu des années 1930, il avait présenté un projet de loi demandant la pendaison publique des kidnappeurs.

Jack Warner et Louis B. Mayer furent les premiers témoins importants appelés à la barre à propos d'une prétendue infiltration du cinéma par les communistes. Warner, qui pensait ne devoir prouver que son patriotisme ainsi que celui de ses frères, fut stupéfait quand, après avoir lu sa déclaration préparée, il fut la cible de questions agressives concernant *Mission to Moscow* de la part de l'enquêteur principal Robert E. Stripling. Ce qui était pour Warner un devoir patriotique en 1942 devenait presque une trahison en 1947.

Jack Junior, rentré de l'armée et assis dans le public, regarda son père s'agiter sous les questions, surpris qu'il ne se soit pas mieux protégé. « Il est évident qu'il aurait dû s'y attendre, car la Warner avait fait l'objet de beaucoup de critiques de la part de la droite conserva-trice, d'"America First". La guerre était terminée maintenant, mais ils n'avaient pas changé[33]. »

J. L. transpirait sous les rayons de ses propres projecteurs — ceux de Pathé, qu'il venait d'acheter — et fut pris de panique. Il énuméra des noms d'auteurs qu'il aurait renvoyés en raison de l'orientation de ce qu'ils écrivaient — alors que certains étaient encore à la Warner et d'autres en étaient partis depuis des années. On lui relut son témoi-gnage du mois de mai, sur la présence de communistes à la Warner, et il nia qu'ils fussent communistes, ils étaient seulement « non améri-cains ». Il avait à l'origine donné les noms de seize auteurs supposés rouges, et dit alors qu'il n'y en avait que douze, et qu'il avait eu tort pour les Epstein et deux autres (tous quatre étaient connus pour leurs critiques du communisme)[34]. L'homme qui avait envoyé ses vœux per-sonnels aux Russes en 1943, qui avait gardé la photo du déjeuner offert à Mme Litvinov, qui avait essayé à peine deux ans plus tôt de se rendre à Moscou, suggérait maintenant la constitution d'un « fonds de nettoyage de la vermine » afin d'envoyer « les termites idéologiques » en Russie s'ils préféraient ce qui s'y passait. Juste après le témoignage de Warner, des télégrammes partirent de Burbank vers tous les bureaux de distribution pour qu'ils détruisent tout matériel lié à *Mission to Moscow*[35].

Mais les hommes de la Commission avaient une plus grosse cible en tête, ils voulaient tout savoir sur le rôle qu'avait joué Roosevelt dans la décision de tourner ce film. J. L. revint sur son témoignage de mai et tenta de couvrir Roosevelt. Ce n'était pas l'ambassadeur Davies qui lui avait demandé de faire le film. « Mon frère a contacté M. Davies après avoir lu son livre... Mon frère a conclu un accord avec M. Davies pour en tirer un film. C'est mon frère qui l'a suggéré. » La Commission n'avait pas convoqué Harry, et on ignore ce qu'il pensa des explications de Jack. Jack déclara que parler de pressions de la part de la Maison-Blanche était « pure fantaisie », et défendit non pas le film mais ses intentions[36]. « Si réaliser *Mission to Moscow* en 1942, déclara-t-il avec une dignité retrouvée, était une activité subver-sive, alors les bateaux américains qui ont apporté de la nourriture et des armes aux alliés russes et les vaisseaux de la marine nationale qui les ont escortés se sont aussi rendus coupables d'activités subversives. Le film n'a été réalisé que pour contribuer à un effort de guerre déses-péré, non pour la postérité[37]. »

Les questions continuèrent. « Je crois qu'il s'est mis en colère, dit son fils, parce que le chef de l'État lui avait demandé de ne rien dire, et qu'il ne pouvait le trahir. Et pourtant on le crucifiait, en quelque sorte. C'étaient nos alliés ! Enfin, il y avait plein de soldats russes dans les quartiers généraux américains pendant la guerre ! C'était une guerre livrée pour une raison précise. Mais il était coincé... Tout avait changé. Tous les hommes qu'il avait connus étaient partis [38]. »

Jack Warner sortit du tribunal avec son avocat et son fils. Dans la voiture, il s'effondra. « Seigneur, je n'ai même pas réussi à les faire rire ! » se lamenta-t-il.

« Il n'a pas réussi à les faire rire ! s'étonna plus tard son fils. Ces hommes n'étaient pas là pour rire ! »

Warner donna la meilleure image publique possible. « HEUREUX QUE TOUT SOIT TERMINÉ, télégraphia-t-il au publicitaire Mort Blumenstock au bureau de New York. AGRÉABLE DE SE SAVOIR PARMI CEUX QUI PENSENT JUSTE [39]. » A l'intention de Benjamin Kalmenson, chef de la distribution des films, un de ses plus anciens et de ses plus proches associés à New York, il fut plus réaliste : « TOUT S'EST PASSÉ AUSSI BIEN QU'ON POUVAIT S'Y ATTENDRE. ESPÈRE QUE TU VAS BIEN. AIMERAIS POUVOIR EN DIRE AUTANT [40]. »

Au fil de la semaine, les accusations s'empilèrent au fur et à mesure que se succédaient de soi-disant témoins « amicaux » qui vendaient ceux de Hollywood qu'ils pensaient vendus à l'ennemi. La Motion Picture Alliance, enfin du côté du pouvoir, rendit coup pour coup. Le réalisateur Sam Wood traita trois de ceux qui avaient été cités à comparaître par la Commission — Dalton Trumbo, Donald Ogden Stewart et John Howard Lawson — d'« agents d'un pays étranger [41] ». Walt Disney dit que les communistes avaient tenté de prendre le pouvoir dans son studio. L'acteur Adolphe Menjou, qui se proclamait expert en communisme, en appela à l'Amérique pour qu'elle « s'arme jusqu'aux dents » [42]. Robert Taylor se plaignit qu'on l'eût fait jouer dans un film prorusse. Il déclara qu'il ne voudrait jamais travailler avec des communistes et engagea les studios à « les renvoyer tous ». Après son témoignage, il descendit de Capitol Hill flanqué de policiers engagés pour le protéger de la foule de ses adorateurs.

Les témoins nourrirent le Comité de noms sur la base de rumeurs, de soupçons, de paroles en l'air. John Cromwell, le réalisateur de *Dead Reckoning (En marge de l'enquête)* dans lequel jouait Bogart, fut montré du doigt pour une remarque lors d'un dîner : il avait exprimé l'opinion que le capitalisme était condamné à disparaître.

Leo McCarey, réalisateur de *Going My Way (la Route semée d'étoiles)*, déclara qu'il n'était pas populaire en Russie à cause d'un personnage toujours présent dans ses films.

« Bing Crosby ? demanda l'enquêteur.

— Non, Dieu [43]. »

Un Gary Cooper stupéfait, ses longues jambes sortant de sous la table des témoins, parla de scénarios qui n'étaient pas « au niveau », mais refusa de citer des noms. De même que Ronald Reagan. En tant que président de la Guilde des acteurs de cinéma, il reprit la position centriste qui reconnaissait la présence de quelques communistes dans l'organisation syndicale mais niait leur influence. La meilleure réponse au communisme, déclara-t-il, était de « faire fonctionner la démocratie » — ce qui lui valut des applaudissements du public en dépit des admonestations du président [44].

Les « révélations » des témoins furent amplifiées dans la presse à travers tout le pays — « HOLLYWOOD DÉNONCE SES ROUGES »... « RÉVÉLATION DU NOM DES ROUGES DANS LE CINÉMA »... « DES ANTIAMÉRICAINS TRAVAILLENT DANS LE CINÉMA »... Et concernant le témoignage de Louis B. Mayer : « UN GRAND MANITOU DU CINÉMA DIT QU'IL A DÛ ÉVINCER LES IDÉES ÉTRANGÈRES. » Pendant ce temps, la presse fustigeait les dix-neuf réfractaires alors que leur tour de témoigner n'était pas encore venu. Certains étaient effectivement membres du Parti communiste, d'autres non. Quelle qu'ait été leur situation, aucun grand studio n'avait jamais hésité à les employer.

Plusieurs étaient des collègues depuis les premiers temps de la Warner, des auteurs talentueux dont les scénarios patriotiques pendant la guerre avaient fourni de grands rôles aux mauvais garçons du studio et procuré ainsi d'énormes succès financiers pour le producteur, ce qui leur avait valu en retour de constantes propositions de travail. John Howard Lawson, qui avait écrit *Convoi vers la Russie*, était effectivement un cadre du Parti, ce qu'il avait admis dans un article du magazine *New Theatre* en 1934 [45]. Albert Maltz *(Destination Tokyo, Pride of the Marines — la Route des ténèbres)* et Alvah Bessie *(Hotel Berlin*, l'histoire originale d'*Objective Burma — Aventures en Birmanie)* étaient aussi convoqués. Howard Koch, qui avait coécrit *Casablanca*, était sous le feu pour son travail sur *Mission to Moscow*, tâche qu'il n'avait jamais voulu accomplir.

Avant même qu'ils aient eu l'occasion de se défendre, les réfractaires furent considérés non comme des témoins mais comme des traîtres, déjà jugés et condamnés par la presse et la Commission. C'est la « publicité quotidienne, les nouvelles listes de noms », racontera Dunne, qui amena le Comité pour le premier amendement à une seconde phase dans ses activités. « C'est ce qui nous a motivés. Ça et les pressions de la censure [46]. »

Lors d'une réunion chez William Wyler (ou chez Ira Gershwin, les témoignages divergent), Dunne et certains membres du CFA téléphonèrent aux dix-neuf réfractaires et à leurs avocats réunis dans une chambre de leur hôtel de Washington. « Ils dirent : "Tels noms ont été mentionnés aujourd'hui" ; suivit une liste de toutes sortes de noms prononcés par ces gentils témoins, ces fous, ces droitiers grotesques. »

Ce soir-là, dit Gene Kelly, « nous avons décidé de porter l'affaire sur la place publique, ces miasmes de peur et d'oppression. Et nous avons décidé de louer un avion — pour nous, les gens de cinéma [47] ! ».

Betty, présente avec Bogart, considéra le coup de téléphone comme une promesse d'aide. Elle se tourna vers son mari : « Il faut y aller[48]. »

En dépit des noms célèbres qui soutenaient le CFA, l'industrie cinématographique était loin de l'approuver unanimement. Howard Hawks était horrifié : « Ils ont tort ! Ils devraient garder leurs opinions pour eux — c'est ce genre de chose qui donne une mauvaise image de Hollywood ! » Lors de son interview, Dee Hawks Cramer nous confia : « Howard détestait ça. Il était violemment apolitique, et chaque fois qu'on parlait des Bogart qui allaient à Washington, il levait les bras au ciel. »

Jack Warner, lui aussi, malgré son interrogatoire désagréable, était furieux contre la délégation du CFA — constituée pour une bonne part d'employés à *lui* — qui allait protester et peut-être aggraver les choses pour les affaires. « Tout ce que nous avons fait pour eux, se plaignit-il à son fils, et voilà qu'ils essaient de nous trancher la gorge ! »

Mark Hellinger appela Jules Buck, qui avait écrit pour lui et figurait dans la délégation. Buck se rendit tout de suite compte qu'il était le bouc émissaire de la colère de Hellinger contre Bogart :

« Comment peux-tu partir avec cette bande de cocos ?

— De quoi tu parles ? Quels cocos ?

— Eh bien, euh... Tu sais que le CFA est un groupe coco.

— Mais tes amis en font partie.

— Ouais, je sais qu'ils en font partie... Ils sont fous ! Bogie fait une bêtise.

— C'est son droit de faire une bêtise[49] ! »

Pourtant, Hellinger venait d'engager Albert Maltz, un des plus en vue des dix-neuf, pour écrire la version définitive de *Naked City (la Cité sans voiles)*.

La direction du CFA fut très agréablement surprise de compter Bogart parmi la délégation. Connu pour ses opinions libérales, il n'avait pourtant participé récemment à aucune réunion de protestation, et il partait comme simple soldat. « Il n'était qu'un troufion parmi d'autres, dit Huston, mais il fallait un certain courage pour simplement participer à la lutte. » Pour Bogart, il y avait aussi le souvenir de 1940 et du large visage suffisant de Martin Dies, que son enquête avait conduit à remettre en question la loyauté de l'acteur envers son pays.

Ses collègues et lui n'aimaient pas la façon dont les choses se passaient, dit Bogart, très en colère, à un journaliste, et ils avaient tout simplement décidé d'agir. « Nous nous sommes dit : "D'accord, si ces salauds veulent de la publicité, on va leur en donner !"[50] »

L'actrice Marsha Hunt, qui jouait Mary Bennett dans *Pride and Prejudice (Orgueil et Préjugé)*, remarqua chez Bogart « une sorte de tension fervente[51] ». « Betty et lui étaient en colère. Je n'ai pas eu l'impression qu'ils partaient pour faire plaisir à un ami qui les aurait entraînés. Non, j'ai eu l'impression qu'ils étaient là par conviction, une très forte conviction. » Richard Brooks sentit le pessimisme, le fatalisme même, de Bogart, quant à ce voyage. Pour Brooks, l'acteur ressemblait à certains de ses personnages d'idéaliste sceptique qui fait ce qu'il trouve juste, mais n'en attend rien. « Il était toujours présent pour les bonnes causes. A propos de Washington, je crois qu'il craignait qu'ils ne soient *tous* blessés. Il le savait d'avance. Il ne savait pas comment ni par quelle méthode ils seraient blessés. Mais je crois qu'il savait que c'était une mission à la Don Quichotte. Ils n'arriveraient à rien. Ils luttaient contre des moulins à vent. » Bogart dit à Brooks : « Ils finissent toujours par vous abattre, quand l'heure est venue. Ils finissent par vous avoir[52] ! »

La liste des membres de la délégation, divulguée au cours du dernier week-end d'octobre, comprenait Danny Kaye, Gene Kelly, Paul Henreid, Evelyn Keyes, Jane Wyatt, Marsha Hunt, June Havoc, Geraldine Brooks, Richard Conte et Ira Gershwin, ainsi que les Bogart, Dunne et Huston[53]. Un certain nombre de producteurs indépendants, dont David O. Selznick et Walter Wanger, soutenaient dans l'ombre leurs efforts. Charlie Einfeld mit son assistant personnel à la disposition du CFA.

On s'accorda pour que Huston et Dunne soient les porte-parole, mais Bogart était leur joker. Il était le plus célèbre de tous, et servirait d'aimant pour les médias. Dunne considérait sa présence comme « essentielle ».

Howard Hughes — aviateur, producteur de cinéma et surtout directeur de TWA — leur fournit un avion au prix cassé de six mille trois cents dollars[54]. « Je crois que c'est John Huston qui lui a arraché ça, dit Dunne. Peut-être avait-il quelque chose à demander à John. » Mais Hughes avait ses propres comptes à régler. Quelques mois plus tôt, il avait été traîné devant la Commission d'enquête militaire du Sénat à propos de sommes qu'il aurait dépensées pour un des fils de Roosevelt, Elliott. Le jeune Roosevelt faisait partie d'une équipe qui devait choisir un nouvel avion de reconnaissance, et qui avait fini par désigner un avion de Hughes. En dehors du fait que Hughes avait touché soixante millions de dollars pour des avions qu'il n'avait jamais livrés, le but de la Commission était de salir Roosevelt et son gouvernement.

Le départ avait été fixé à sept heures du matin le dimanche 26 octobre, ce qui permettait aux membres du CFA de s'arrêter en chemin et d'arriver à temps pour la reprise des audiences le 27. Avant le départ, certains membres du CFA firent pourtant une dernière chose pour leur cause. L'émission *Hollywood Fights Back* (« Hollywood réplique ») fut diffusée dans tout le pays, un peu comme celle qui avait été organisée en 1944 pour l'élection de Roosevelt, et Norman Corwin était à nouveau aux commandes. Le vendredi, les auteurs requis pour *Hollywood Fights Back*, des anciens du Comité démocratique de Hollywood et du HICCASP, écrivirent les textes dans les locaux de la

Music Corporation of America, à Beverly Hills. A leurs côtés était Jerome Lawrence, l'ancien étudiant venu en stop de l'Ohio à New York en 1935 pour assister à la dernière de *la Forêt pétrifiée* sur Broadway. Maintenant auteur de radio reconnu, il était scandalisé par les auditions et se demandait : « A quoi a bien pu servir la guerre, si tout recommence [55] ? » Lawrence et les autres s'étaient installés dans la rotonde de l'immeuble. Dunne, Huston et Corwin peaufinaient le texte tandis que d'autres occupaient les téléphones pour s'assurer la participation de diverses vedettes.

Lawrence écrivit les remarques de Bogart, en parfaite adéquation avec son personnage : « Ici Humphrey Bogart. La démocratie est-elle si faible qu'elle risque d'être pervertie par un simple regard, une simple réplique ? » On ajouta un extrait d'un tout récent éditorial du *New York Herald Tribune* : « Les convictions des hommes et des femmes qui écrivent pour le cinéma ne concernent qu'eux-mêmes... Ni M. Thomas ni le Congrès où il siège n'ont le pouvoir de dicter aux Américains ce qu'ils doivent penser. »

L'enregistrement eut lieu le samedi ; c'était une des douze interventions enregistrées pour s'insérer dans ce qui serait une émission en direct avec quarante-trois intervenants, à commencer par Charles Boyer et par une Judy Garland étonnée et sérieuse qui dit, de la petite voix de Dorothy dans *le Magicien d'Oz*, qu'elle n'aimait pas beaucoup ce qui se passait, et qu'elle n'était plus sûre de vivre au Kansas. Puis ce furent Myrna Loy, Burt Lancaster, Paulette Goddard, Melvyn Douglas, William Holden, Lucille Ball, Fredric March, Van Heflin, Robert Ryan, Jackie Gleason, Gene Kelly, Danny Kaye, Humphrey Bogart, Lauren Bacall et aussi Hunt, Henreid, Huston, avant les sénateurs démocrates Elbert D. Thomas, Harley M. Kilgore, Claude Pepper et Glen H. Taylor. John Garfield, Frank Sinatra et Helen Hayes participèrent en duplex de New York. Tous les meilleurs de Broadway et de Hollywood en furent, d'Ethel Barrymore à Robert Young. Le chef d'orchestre Artie Shaw proclama : « Seuls sont réellement créatifs les gens libres, qu'ils créent sur une machine à écrire, à la clarinette ou pour le cinéma... La Commission des activités antiaméricaines veut... approuver les notes que nous jouons et les paroles que nous prononçons... Quand il n'y a plus de liberté, presque toutes les bonnes choses de la vie américaine ne sont plus là non plus. Vous feriez mieux de descendre de l'estrade, monsieur Thomas, personne ne danse ! »

ABC, la chaîne la plus récente, accepta de diffuser l'émission dans tout le pays à treize heures trente, heure du Pacifique, et à seize heures trente, heure de la côte Est. A cet instant, la délégation aurait décollé et serait en chemin pour Washington.

Avant de partir, ils se réunirent une dernière fois au restaurant chez Chasen pour une mise au point, et une mise en garde. « La plupart des membres du groupe étaient en quelque sorte politiquement candides, dit plus tard Dunne. On leur a dit : "C'est une affaire très dangereuse — vous ne pourrez *pas* choisir les gens dont vous défendrez les droits. Ce sont les droits qui sont importants, pas les gens. Et faites attention, parce qu'en réalité, il s'agit de procès pour trahison — c'est à cela que ça revient. Un verdict sera rendu, et le châtiment administré par ceux qui établissent la Liste noire." »

Sur un point au moins, Dunne lui-même était presque aussi candide que ses troupes. « Nous ne pensions pas qu'il y aurait une Liste noire. Mais il pouvait y en avoir une, et nous allions nous y attaquer. » Ring Lardner Jr, lui non plus, ne concevait pas l'énormité des conséquences de ces auditions. « Nous pensions que nous étions des gagnants. Nous ne nous attendions pas à ce que nos carrières soient brisées[56]. »

Dans l'arrière-salle de chez Chasen, William Wyler, qui ne pouvait plus prendre l'avion à cause d'une blessure de guerre à l'oreille, leur donna un conseil de dernière minute : éviter l'aspect « star » : pas de manteaux de fourrure, ni de grands chapeaux, ni de pantalons pour les femmes, mais des tailleurs stricts et des gants. Pour les hommes, des costumes et des cravates, pas de vestes de sport, pas de tenue négligée. « Ce n'était pas vraiment un rôle que nous allions jouer, dit Marsha Hunt, mais nous devions être vêtus convenablement et nous tenir bien, parce qu'il y aurait forcément des photographes. »

Le voyage avait été organisé pour coïncider avec l'audition du président de la Motion Picture Association of America, Eric Johnston, qui avait exprimé publiquement sa désapprobation de toute censure et de l'établissement d'une Liste noire. Le *New York Times* et le *Washington Post* avaient repris ses lettres dénonçant la HUAC aux membres du Congrès. Il avait rencontré discrètement les dix-neuf et leurs avocats et leur avait dit : « Nous partageons vos sentiments, messieurs, et nous soutenons votre cause[57]. » Il avait aussi déclaré que ses associés et lui étaient « embarrassés par le fait que Jack Warner se soit ainsi ridiculisé » lors de ses témoignages. Les membres du CFA faisaient partie du grand nombre de ceux qui croyaient Johnston sur parole. « La Motion Picture Association of America nous avait promis maintes et maintes fois qu'il n'y aurait pas de Liste noire et pas de censure, dit Dunne plus tard. Nous étions là pour nous en assurer ; nous étions un groupe de travailleurs qui montraient que les producteurs avaient le soutien de ceux qui faisaient vraiment les films. »

Le Comité pour le premier amendement se rendait à Washington spécifiquement pour soutenir Johnston, même si ses membres considéraient aussi que les droits des dix-neuf étaient bafoués. (Les dix-neuf avaient leur propre calendrier et leur propre système de soutien, notamment de la part des Progressive Citizens of America, qui prirent l'avion le même jour que le CFA et se retrouvèrent à New York pour soutenir le moral des artistes cités à comparaître[58].) Pourtant, la réalité du nouveau climat politique était telle que Dunne, Huston et d'autres comprirent que la ligne de séparation entre le CFA et les dix-neuf serait floue pour le public. Le CFA fondait sa réaction sur les droits garantis par la Constitution plutôt que sur une quelconque perspective politique partisane, et il avait pu en conséquence attirer quelques conservateurs avec les modérés et les libéraux[59] ; mais tous savaient qu'on les accuserait de travailler pour la gauche.

Pendant leur réunion chez Chasen la veille du départ, ils se posèrent à eux-mêmes la question que le gouvernement, d'après eux, n'avait aucun droit de leur poser. « Nous avons demandé, dit Huston, que, s'il y avait des communistes parmi nous, ils le disent, que cela ne ferait aucune différence, mais que nous devions le savoir. Personne n'a rien dit[60]. »

Tôt le dimanche 26 octobre, les voyageurs se retrouvèrent à l'aéroport de Burbank. Les flashs crépitèrent quand la délégation se présenta au contrôle. Tout le monde s'était levé avant l'aube, et Bogart, Betty près de lui, avait l'air de manquer de sommeil. Portant un pardessus sur son costume gris et un nœud papillon, il dit aux journalistes : « Nous sommes contre le communisme et tout ce qu'il représente, mais nous avons le sentiment que l'enquête actuelle est un écran pour obtenir la censure du cinéma et de la presse[61]. » Puis il embarqua dans le quadrimoteur Constellation, salué derrière les barrières par des sympathisants venus, dans le froid du petit matin, les voir décoller.

Tout le monde ne vint pas de bon cœur. Paul Henreid, qui par la suite fut lui aussi victime de la Liste noire, a raconté : « J'ai été stupide. Je ne voulais pas m'engager là-dedans. » Mais son épouse était volontaire. « Elle a dit : "Tu perdras tous tes amis si tu dis non. Tu ne travailles pas, tu as le temps, tu peux prendre ce vol." Alors j'ai pris l'avion, contre mon instinct et pour la chère compagne de ma vie, mon amour, Liesel. Elle est toujours heureuse. Pas moi[62]. »

Mais ce dimanche, l'excitation emplissait tout le monde d'énergie. Il y avait « un air de vacances, et le sens d'une mission », dit Marsha Hunt. Le trajet de dix-sept heures comportait des escales à Kansas City, Saint Louis et Pittsburgh, officiellement afin de faire le plein, mais comme le Constellation était conçu pour traverser le pays sans se ravitailler, les escales étaient en fait destinées à la publicité, avec conférences de presse et discours sur le tarmac.

La compagnie d'aviation, que sa publicité nommait « la Route des étoiles », avait l'habitude de s'occuper des célébrités. A la TWA, on appelait ce genre de voyages les « Vols sur un plateau d'or », et on doublait l'équipage pour veiller au confort des invités. A bord, les passagers, les pilotes et les stewards plaisantèrent et bavardèrent. Danny Kaye émergea du cockpit en uniforme de pilote, la veste boutonnée de travers, et demanda : « Quelqu'un a-t-il une carte aérienne ? » Il était interdit de servir de l'alcool sur les vols intérieurs, mais beaucoup de passagers avaient pris leurs précautions et les bouteilles circulaient. L'atmosphère était à la croisade, à la fête, au départ en colonie de vacances. Les passagers chantèrent tout le répertoire irlandais de Frank McHugh et James Cagney. Bogart, qui d'habitude adorait chanter, ne se joignit pas à eux. « Il avait une très belle voix et aimait la faire entendre, dit Jules Buck. C'était une voix de baryton. Dans ses films, il la descendait d'une octave [63]. » Mais Bogart but tranquillement tandis que la puissante voix de Huston remplissait l'avion avec « Oh my Daaaaarling Clementine ».

L'esprit de camaraderie fut encore renforcé quand tous écoutèrent l'émission *Hollywood Fights Back*. Marsha Hunt se joignit aux autres à l'avant de l'appareil. « Nous nous agglutinions pour entendre ce que nous avions enregistré. C'était comme un *Who's Who*. Nous avons tous remarqué que l'animateur s'était laissé entraîner par la fièvre. A la fin, il a dit : "Vous écoutez l'*American* Broadcasting Company." Oh ! Comme il a lancé le mot *American* ! Nous avons poussé des cris et applaudi. C'était formidable. »

« Nous étions engagés dans une grande, grande aventure, dit Jules Buck. Ça faisait du bien de quitter Hollywood pour leur montrer, à Washington, que nous étions sérieux. » Mais la tension était presque aussi élevée que l'adrénaline. Comme le dit Marsha Hunt, il y avait « un mélange de rire et d'inquiétude quant à ce qui nous attendrait une fois là-bas ». De constantes mini-réunions animaient l'étroit couloir, où de petits groupes discutaient, se séparaient, se regroupaient.

Marion Hirlman Stevenson, une des hôtesses embarquée à Kansas City lors du changement d'équipage, remarqua la bonne humeur, mais décela le sérieux sous-jacent : « Ce n'était pas un jeu amusant, ce n'était pas un rôle dans une pièce. C'était leur vie qu'ils jouaient. C'était une affaire grave [64]. »

Au fond de l'appareil, le publicitaire Henry Rogers conférait avec Huston, Dunne et David Hopkins, fils du plus proche conseiller de Roosevelt, Harry Hopkins, qui avait passé son adolescence à la Maison-Blanche et connaissait les arcanes de Washington. Ils convinrent que les autres membres du groupe en référeraient à Huston et Dunne pour les questions difficiles, afin de réduire les risques de gaffe et de s'assurer que la délégation parlait d'une voix homogène. On s'inquiétait un peu au sujet de Bogart, qui considérait qu'il avait une bonne culture politique ; il était leur plus grand nom, on l'interrogerait beaucoup, mais que se passerait-il s'il avait bu ? Huston sourit et dit qu'il allait parler à Betty. Si nécessaire, « elle ferait ce qu'il faudrait pour qu'il ferme sa gueule [65] ».

Une question s'était posée : *Que ferons-nous si on nous cite à comparaître ?* Et que feraient-ils si on leur posait la grande question .

Êtes-vous ou avez-vous jamais été... ? Ils décidèrent qu'ils ne coopére-raient pas, et Dunne rédigea une déclaration à lire au Comité.

« Je refuse respectueusement de répondre à cette question parce que cette information est protégée par le Premier Amendement de la Constitution. »

Ils convoqueraient alors une conférence de presse, et une fois que le juge de la Cour suprême, Felix Frankfurter, un ami de famille de Dunne, leur aurait fait prêter serment, ils répondraient à toutes les questions pour qu'il soit bien clair qu'ils étaient prêts à satisfaire à la curiosité de la presse, mais non à se soumettre à une enquête gouverne-mentale.

« C'était un compromis, dit plus tard Dunne. Un peu tordu, mais c'est ce que nous avions décidé. »

L'avion atteignit Saint Louis dans l'après-midi, et Pittsburgh à la nuit tombée, sous une pluie battante. Marsha Hunt se souvient de la piste d'atterrissage luisante et de la foule dans l'obscurité. « Ils avaient attendu sous la pluie glacée. Huston et Dunne étaient nos porte-parole, mais on ne pouvait rien refuser à ces gens. Ils voulaient voir Betty Bacall et Bogart ; ils voulaient voir Danny Kaye et Gene Kelly. Je me souviens de leur avoir parlé. Je voulais qu'ils recouvrent leur confiance dans le cinéma, qu'ils comprennent que nous n'avions rien à voir avec le communisme, que ce n'était pas notre problème. Notre problème, c'était la liberté de pensée, la liberté d'expression ; il ne fallait pas qu'ils s'y trompent. »

Peu après vingt-deux heures l'avion se posa à Washington. Le CFA avait demandé qu'il n'y ait pas de questions à la volée, que les journa-listes attendent la conférence de presse que ses porte-parole donneraient à l'hôtel Statler. C'était comme demander à la marée de se retirer ! Jules Buck n'en revint pas : « Nous sommes arrivés dans une foule *énorme*. Seigneur ! Jamais je n'avais rien vu de tel ! »

Les arrivants furent conduits dans une salle d'attente et bombardés de questions, tous serrés sur des banquettes. Aux fenêtres, des dizaines d'admirateurs se poussaient pour mieux voir, transformant la pièce en un aquarium géant.

Ils donnèrent lecture d'une déclaration officielle : « Nous ne repré-sentons aucun groupe ni aucun parti politique. Nous sommes de simples Américains qui croient en un gouvernement démocratique constitutionnel[66]... » La presse les trouva prudents et fatigués. Ainsi qu'on pouvait s'y attendre, Bogart fut immédiatement considéré comme le chef du groupe.

Non, dit-il alors qu'ils gagnaient leurs voitures, ils n'avaient pas été cités à comparaître, ils étaient seulement bouleversés par la façon dont les interrogatoires étaient menés. Leur groupe représentait cinq cents artistes et techniciens de Hollywood. « Nous avons le sentiment que nos droits civiques sont violés. » Le journaliste ajoutait : « Il a mené la délégation épuisée à l'hôtel et déclaré qu'il espérait rencontrer demain des sénateurs et des députés en accord avec eux afin de "prendre conseil" sur la façon dont ils pourraient agir. »

Plus tard dans la soirée, la conférence de presse attira une foule énorme. Les représentants de la presse de Washington s'assirent non seulement sur les sièges mais sur les rebords des fenêtres et à même le sol. Huston et Dunne répondirent aux questions devant une forêt de micros. Ils n'étaient pas venus pour attaquer quiconque, dit Huston, mais pour défendre leurs droits en tant que citoyens. Ils n'avaient pas l'intention de déclencher un scandale, mais de discuter avec des membres du Congrès des abus de pouvoir commis par la HUAC, et ils espéraient que la Commission serait « légalement dissoute ». Puis Bogart prit le micro et se montra plus offensif. Les témoignages de la semaine précédente n'étaient que « des suppositions et des ragots », dit-il, et il critiqua la façon dont la Commission ne demandait aucune preuve de ces allégations tout en muselant les avocats des accusés. « Ce n'est pas correct[67]. »

Le CFA espérait que cette conférence de presse et sa présence à Washington feraient les gros titres le lendemain. Mais malgré leur ferveur pleine de bonnes intentions, ses membres n'étaient que des amateurs face à de féroces professionnels. Parnell Thomas répliqua immédiatement par l'annonce de l'arrestation d'un agent soviétique qui aurait eu des liens avec Hollywood. C'est sa promesse de révélations sensationnelles concernant les activités de cet agent qui fit les plus gros titres le lundi matin.

Alors que la HUAC n'était à l'évidence pas prête à se laisser voler la vedette par ce qu'elle considérait comme un ramassis de libéraux à la petite semaine, le CFA avait quant à lui des problèmes internes. Avant le départ de Los Angeles, Dunne et Huston avaient demandé aux autres de n'avoir aucun contact avec les dix-neuf, pas même s'ils comptaient un ami personnel parmi eux. Rien ne devait indiquer la moindre collusion entre eux, ni laisser entendre qu'ils étaient là pour défendre un copain et non un principe. Ils espéraient ainsi priver Thomas de munitions contre eux.

La direction du mouvement ne voulait pas que les deux groupes emmêlent leurs lignes. A deux heures du matin, Huston et Dunne se rendirent en taxi à l'hôtel Shoreham pour une réunion secrète avec quelques-uns des dix-neuf et leurs avocats, « comme ça, dit Dunne, nos acteurs ne seraient pas impliqués » si la nouvelle de la réunion filtrait malgré tout.

Les dix-neuf étaient confrontés à des choix difficiles. Répondre « non » à la question concernant un lien passé ou actuel avec le communisme pouvait revenir à un parjure ; répondre « oui » signifiait reconnaître à la HUAC le droit de poser la question et donc ouvrir la voie à d'autres questions et à la demande de dénonciations. Huston et

Dunne conseillèrent aux témoins d'utiliser une stratégie assez semblable à la leur. Refuser respectueusement de répondre, invoquer les droits garantis par le Premier Amendement et s'asseoir. « Je doute qu'on puisse s'opposer à une telle attitude, expliqua Dunne, parce que je suis persuadé que devant un tribunal, ces droits seraient reconnus. »

Huston suggéra une autre stratégie : « Si vous êtes effectivement communistes, pourquoi ne le dites-vous pas à la presse sur les marches du tribunal ? Et ensuite, à l'intérieur, vous refuseriez de témoigner. » Mais pour Lardner et les autres, cette stratégie voulait toujours dire qu'ils répondraient à des questions sous la contrainte, sans parler du fait qu'aucun studio, en 1947, avec la guerre froide, ne garderait un communiste reconnu, présent ou passé, au sein de son personnel. « Phil Dunne et John Huston, expliquera Lardner, considéraient plus ou moins qu'il serait mal pour n'importe quelle entreprise cinématographique d'inscrire des noms sur une Liste noire. En conséquence, n'importe qui avait le droit d'appartenir à ce qu'il voulait, y compris au Parti communiste, et on pouvait donc le dire. Nous avons objecté que nous ne devrions le dire que si nous le voulions, où et quand nous l'aurions choisi, et que nous ferions mieux de l'éviter parce que ce serait attirer les ennuis. »

Les dix-neuf et leurs avocats, doutant que l'argument du Premier Amendement suffise, déclarèrent à Huston et Dunne qu'ils avaient établi une stratégie différente. Selon Ring Lardner, son avocat la formulait ainsi : il « insistait pour que nous montrions que nous *essayions* de répondre. Il a dit : "Écoutez, il est possible que vous soyez mis en accusation pour ça... Le seul point sur lequel on pourrait vous attaquer est de savoir si oui ou non vous avez délibérément refusé de répondre... En conséquence, vous devez dire que vous essayez de répondre à la question à votre façon." Ça n'a pas marché ».

Le lundi 28 était une belle journée ensoleillée d'été indien. Les membres du CFA laissèrent leurs manteaux à l'hôtel et marchèrent deux par deux jusqu'au bâtiment parlementaire, Bogart et son épouse menant la troupe que précédaient et suivaient journalistes et photographes. Personne n'était insensible au phénomène Hollywood. De vénérables parlementaires étaient désarçonnés par les visiteurs, surtout par Bogart. Pour les politiciens, il n'était pas un petit homme presque chauve qui veut convaincre. Il était Rick Blaine et Sam Spade, incarnation de nombre de leurs fantasmes. Il les intimidait, et ils lui en voulaient d'autant. Devant les anciens locaux du Congrès, le dôme du Capitole faisant comme un décor de théâtre, le flot des voitures ralentit quand la délégation posa pour les photographes ; trois des femmes portaient des fourrures, en dépit des conseils de Wyler. Bogart se tenait en avant et au milieu, dans son habituelle attitude de dur, les pouces glissés dans la ceinture de son pantalon. « On le plaçait devant, et il se laissait placer, dit Dunne. John et moi avions le sentiment de n'être que ses agents. »

Un visage manquait sur la photo de groupe : celui de Gene Kelly. Il avait quitté l'avion à Pittsburgh pour passer la nuit chez ses parents et il arriva à Washington plus tard dans la matinée, ce qui, étant donné ce qui se passa par la suite, était un signe de la Providence.

La salle était déjà bondée quand les stars entrèrent et gagnèrent les sièges qui leur avaient été réservés au fond. La Commission attendit avec impatience que les spectateurs retrouvent leur calme.

En dépit de ses promesses, la HUAC n'avait jusque-là produit que très peu d'informations, et en tout cas rien de nouveau ni de scandaleux. Les auditions lui avaient même fait une contre-publicité : les journaux conservateurs, choqués par sa désinvolture envers de respectables avocats, commençaient à s'interroger sur le bien-fondé de ses agissements. En outre, le spectacle devenait ennuyeux. Une semaine de témoignages sans fondements commençait à déclencher des bâillements dans les rangs de la presse, et on sentait les journalistes prêts à débrancher micros et caméras pour aller les installer devant un combat de catch dans la boue, plus intéressant.

Pour conserver son auditoire, la HUAC avait besoin d'un temps fort. Thomas en créa un.

Jusqu'au dimanche soir, le président de la Motion Picture Association of America, Eric Johnston, aurait dû être le témoin principal, parlant au nom des producteurs qui le payaient cent mille dollars par an pour diriger leur organisation. Soudain, il y eut un changement de programme : l'interrogatoire de Johnston, qui désapprouvait ouvertement aussi bien les listes noires que la HUAC, fut reporté à l'aprèsmidi. A sa place, le comité appela John Howard Lawson, le premier des réfractaires. Les membres du CFA avaient pris place, s'attendant à montrer leur soutien silencieux au représentant de leur industrie. La comparution de Lawson les transforma en supporters des dix-neuf et fit d'eux des éléments de la confrontation imminente et maintenant inévitable. « Thomas a réagi vite, déclara Dunne. C'était une manœuvre très intelligente de sa part. »

Le *New York Sun*, conservateur, avait prédit de violentes escarmouches, « dans la mesure où ceux qui sont là pour qu'on révèle qu'ils sont communistes ont déjà indiqué leur intention de résister au Comité », et la tension était évidente. On disposa trente et un policiers autour de la salle, officiellement pour assurer la sécurité. L'un d'eux sursauta quand un projecteur explosa avec un petit « plop », projetant des fragments de verre sur les spectateurs proches [68].

Deux motions — l'une tendant à annuler les citations à comparaître et l'autre à rappeler à la barre d'anciens témoins — furent refusées sans ménagement. On appela le premier témoin.

Tous ceux du fond connaissaient Jack Lawson. Conducteur d'ambulance pour la Croix-Rouge au cours de la Première Guerre mondiale, puis directeur de la publicité pour l'organisation à Rome, il était devenu dramaturge, et neuf de ses pièces avaient été jouées sur Broadway. Il était arrivé à Hollywood à la fin des années 1920, et en 1933 il avait été le premier président du syndicat des scénaristes. (Dans les années 1950 et 1960, on consultait beaucoup son ouvrage *Theory and Technique of Playwriting and Screenwriting,* publié en 1949 ; les dramaturges et scénaristes ont eu par la suite d'autres références de travail.) Épais, émotif, chaleureux et dogmatique, il était le gourou et le doctrinaire du Parti depuis la fin des années trente. Pourtant, ses pièces n'indiquaient guère plus sur le plan politique que son horreur de Franco et de Hitler.

La plupart des « gentils » témoins des premiers jours d'audience avaient lu une déclaration préliminaire. Lawson demanda la permission d'en faire autant et passa son texte à la tribune.

« Des gens rationnels ne discutent pas avec la boue. J'ai l'impression qu'on a déversé sur moi tout un camion de saletés... Les prétendues "preuves" viennent d'un défilé de mouchards, de clowns en mal de publicité, d'agents de la Gestapo... », lut le président Thomas. Il posa la feuille.

« Demande rejetée. »

Lawson explosa. En temps normal, dire qu'il était impétueux eût été un euphémisme charitable. Alors, quand la Commission qui, comme la presse, l'avait calomnié depuis une semaine lui refusa la parole, un échange verbal violent commença entre le président et le témoin : « Répondez directement ! » « Je ne suis pas devant un tribunal... Vous vous ingérez dans la liberté de la presse. » « Vous vous donnez en spectacle... »

Leurs voix, enflées et déformées par les micros, s'élevaient au-dessus des sifflets, des huées et des applaudissements du public.

Dunne nota que « Thomas et Lawson se comportaient de la même manière, ils criaient et hurlaient. Jack s'en est pris directement à la Commission en la traitant de ramassis de fascistes. Cette invective était sans doute juste, mais il n'en demeure pas moins qu'il comparaissait devant une commission parlementaire. Son attitude a fini par lui mettre les autres élus à dos ».

Pour beaucoup, les paroles, qui ressemblaient plutôt à des aboiements amplifiés entre deux adversaires furieux, restèrent inintelligibles. Frappant de son marteau, le président, sa tête et son cou de taureau écarlates, et Lawson, à trois mètres, étaient engagés, comme le dit un journal pourtant jusque-là sympathisant des réfractaires, dans « une querelle de poissonnières [69] ».

Le réalisateur Edward Dmytryk, un des dix-neuf, puis un des dix de Hollywood, était assis devant. Instinctivement il se tourna vers la délégation du CFA, en se disant : « Ce n'est pas pour ça qu'ils sont venus[70]. » De sa place au fond, Philip Dunne regardait les gradins et se demandait : « Qui va tomber après ça ? »

Bogart se leva de son siège, tendu. Près de lui, Danny Kaye et l'actrice June Havoc s'étaient levés aussi. Betty, depuis son siège, tendait le cou pour voir quelque chose par-delà la mer de têtes[71]. Plus personne ne faisait attention aux stars. Le public était fasciné par le drame qui se jouait sur le devant de la salle d'audience.

Evelyn Keyes était horrifiée. « La rangée de lumières si brillantes sur la tribune, et le public dans le noir. Et ce marteau qui frappait, près du micro, étouffant la voix de John Lawson. Il frappait ces Américains qui n'avaient pas le droit de parler. Le marteau frappait de plus en plus fort. Ce bruit nous était destiné. Je regardai le visage de Betty, de Bogie, de Danny Kaye. Ils étaient tous très sombres[72]. »

On demanda à Lawson s'il était ou avait jamais été membre du Parti communiste.

Silence de mort, puis : « Cette question n'a rien à voir avec votre enquête, qui ne vise qu'à prendre le contrôle des films... » Bang ! D'autres arguments, puis la voix du président : « Vous pouvez vous retirer ! » Lawson protesta mais des policiers le prirent chacun par un bras. Il descendit les quelques marches, remonta son pantalon, et s'éloigna tandis qu'on prononçait une accusation d'outrage au Congrès et qu'on donnait lecture d'une litanie de neuf pages énumérant son appartenance, non seulement au Parti, mais à de prétendus « fronts » — dont le Comité démocrate de Hollywood[73].

Quels qu'aient été les mérites de l'argumentation, en tant qu'exercice de relations publiques, c'était un désastre. Les deux côtés firent mauvaise impression. Pour les acteurs, qui savaient comment se passait une bonne représentation, c'était l'effondrement. Mais à la presse et au public, le CFA montra un visage uni : un citoyen américain, un des leurs, avait vu ses droits piétinés.

Cet après-midi-là, cinquante journalistes s'entassèrent au Statler dans la suite où les stars passaient tour à tour au micro. Henreid, bras croisés, était adossé à un mur. Bogart, enchaînant cigarette sur cigarette, était assis par terre. Danny Kaye, près de lui, se rongeait les ongles. John Garfield et les frères Epstein étaient venus de New York avec une autre délégation pour se joindre à eux.

Dans l'atmosphère étouffante de la pièce, il fut vite clair que personne n'allait reculer. « Nous nous en sommes tenus au même principe, dit plus tard Dunne, même après que Lawson et son groupe nous eurent offert un aussi regrettable spectacle. » Bogart parla d'« une censure par la peur de la part du Congrès », Gene Kelly protesta contre la façon dont on avait traité Lawson, qui était « un déni de la liberté de parole... Et même s'il est communiste ! ». Betty demanda à un journaliste ce qu'il penserait si le Congrès s'attaquait ainsi à la presse[74].

346

Mais ils étaient des néophytes, mal préparés à Washington et à sa presse spécialisée, des acteurs devant jouer un rôle inconnu et découvrant qu'ils ne savaient pas leur texte. Bogart se frotta la joue à la manière connue de millions de spectateurs tandis qu'il cherchait vainement le nom de son député — « Seigneur, que je suis bête... attendez... je vais trouver[75] » — et prit son célèbre sourire en coin en disant à la correspondante de *Life* à la Maison-Blanche, May Craig, « nous ne valons pas grand-chose, comme politiciens[76] ». Décrivant plus tard l'aventure, il dit assez justement : « Nous nous sommes frayé un chemin dans la boue[77]. »

Ces stars étaient à des années-lumière des tournées de promotion et des interviews pour des magazines d'admirateurs. « Nous étions face à des journalistes politiques, dit Evelyn Keyes. Ils n'essayaient pas de nous montrer sous notre meilleur jour. C'était délicat. Les gens prenaient parti. Et nous étions là pour nous plaindre de notre gouvernement ! Alors on nous posait des questions vaches. Mais j'avais aussi le sentiment qu'on nous traitait comme de petits enfants tombés du nid. Nous étions des gens du cinéma. "De quoi est-ce qu'ils se mêlent ?" avaient-ils tous l'air de penser. »

Aux journalistes chevronnés, les visiteurs parurent corrects, agréables, pleins de bonnes intentions, mais mal informés des actions de leur gouvernement. Dans *Life*, Sidney Olson les appela les « Libéraux perdus », et les montra, privés de Franklin Roosevelt, à la recherche d'un nouveau centre de gravité[78]. Pourtant, la guerre froide pointait dans les insinuations de certaines questions.

« Soit vous êtes pour les cocos, soit vous êtes contre eux, leur cria un journaliste canadien.

— Il s'agit d'être pour ou contre la Constitution », lui rétorqua Dunne.

L'après-midi, quand le groupe revint dans la salle d'audience, il lui fut difficile de trouver où s'asseoir tant il y avait de monde. Beaucoup ratèrent donc Eric Johnston, leur champion désigné, quand il dit que, personnellement, il licencierait Lawson si son appartenance au Parti était prouvée. Johnston assura que les producteurs avaient l'intention de tout faire pour que les films soient libres à la fois de la subversion et de la censure gouvernementale. Il critiqua la Commission pour ses allégations sans preuves et la mit au défi de citer des exemples précis de propagande communiste dans un film. « A moins que vous n'apportiez une preuve et que les intéressés aient la possibilité de se défendre lors d'une de ces auditions publiques, vous avez l'obligation d'absoudre l'industrie du cinéma de toute accusation[79]. » Puis il insista pour qu'on découvre qui était communiste, parce qu'« un communiste découvert est un communiste désarmé », mais il fallait qu'ils soient découverts « à la manière traditionnelle américaine ». En conclusion, il rappela à la Commission : « Je ne me suis jamais opposé à ce que vous enquêtiez sur Hollywood. Je vous ai dit que vous étiez les bienvenus, et je suis sincère. »

Pour les dix-neuf et le CFA, des amis comme Johnston rendaient les ennemis superflus. « Notre erreur avait été de nous attendre à autre chose, dit Samuel Ornitz, un des dix-neuf. [Johnston] a commencé par un beau discours libéral avant de donner un bon vieux coup de grâce [80]. » Le CFA n'était pas moins choqué par la volte-face de Johnston.

Le mardi, il y eut d'autres confrontations. Dalton Trumbo, scénariste déjà célèbre et qui écrivit plus tard *Spartacus* et *Exodus*, fut suivi d'Albert Maltz et Alvah Bessie — qui fit remarquer qu'alors même que la Commission tentait de lui faire révéler ses affiliations politiques sous la menace d'une inculpation d'outrage au Congrès, Dwight Eisenhower refusait de dire s'il était républicain ou démocrate. Les trois témoins furent vindicatifs et entraînèrent le même genre d'échanges à forts décibels que la veille. Il y eut aussi les mêmes ordres de se retirer, les même policiers les entraînant, les mêmes conclusions sur leurs prétendues affiliations et la même accusation d'outrage. Comme on l'emmenait, Trumbo se pencha une dernière fois vers le micro et déclara : « C'est le début des camps de concentration américains ! »

La délégation de Hollywood frissonna. « Nous sommes restés incrédules, dit Marsha Hunt, à l'idée que cela puisse être le fait de notre propre gouvernement. » Mais ils sentirent aussi leur sympathie pour les réfractaires s'atténuer quand ils se laissèrent aller à les juger davantage en fonction de leur attitude que de leurs paroles.

Après le dernier coup de marteau de la session matinale, la délégation du CFA, menée par Bogart et son épouse, remit une pétition adressée au président du Congrès et demandant réparation des injustices : « Les procédures adoptées par la Commission parlementaire ont violé les libertés civiques de citoyens américains... »

Le texte avait été tapé dans le bureau de Chet Holifield, un des rares représentants libéraux de Californie du Sud qui aient survécu au coup de balai de 1946. Cela semblait la meilleure tactique : spectaculaire mais constitutionnelle, visible mais de haute inspiration, contrairement au spectacle navrant donné par le président. Ils se présentaient comme un groupes de citoyens dans la tradition américaine, des gens comme tout le monde devenus célèbres et qui en appelaient au Congrès des États-Unis pour qu'il mette fin à un abus de pouvoir.

Frank Capra n'aurait pas fait mieux, mais c'est seulement dans un de ses films que Bogart aurait pu porter sa pétition au Congrès, en rencontrer le président et se faire photographier avec lui. Le très honorable Joseph William Martin, républicain du Massachusetts, ne se prêta pas au jeu. Il fit dire au groupe qu'il n'était malheureusement pas disponible. « Joe nous a écartés d'un revers de la main », résuma Dunne.

348

Ils tentèrent aussi de voir Richard Nixon, le seul Californien au jury de la HUAC. A son bureau on leur dit qu'il s'était envolé pour la Californie le jour de leur arrivée. William Wyler tenta donc de le joindre à Los Angeles, mais Nixon avait disparu.

Quelques jours plus tard, le membre de la Chambre des représentants John Rankin, afin de montrer clairement qui étaient ceux qui se cachaient derrière cette dissension antiaméricaine, s'empara d'un exemplaire de la pétition du CFA et dit à ses collègues de la Commission et au public : « Je voudrais vous lire quelques noms. Un de ces noms est June Havoc. Nous avons découvert... que son véritable nom est June Hovick. Un autre est Danny Kaye, et nous avons découvert que son véritable nom est David Daniel Kamirsky [en fait, Kaminsky]. Un autre est John Beal, dont le véritable nom est J. Alexander Bliedung. Un autre est Cy Bartlett, dont le véritable nom est Sacha Baraniev. Un autre est Eddie Cantor, dont le véritable nom est Edward Iskowitz. Il y en a un qui se fait appeler Edward Robinson alors que son véritable nom est Emmanuel Goldenberg. Et il y en a un autre qui se fait appeler Melvyn Douglas, alors que son véritable nom est Melvyn Hesselberg. Il y en a d'autres, trop nombreux pour qu'on les cite tous. Ils attaquent la Commission qui fait son devoir en protégeant ce pays et en sauvant le peuple américain de l'horrible destin qu'ont connu les malheureux chrétiens d'Europe sous le joug communiste [81]. » Peu lui importait de ne pas avoir vérifié ses informations.

De retour au Statler après avoir remis la pétition, Betty dicta un article pour le *Washington Daily News*.

> *Peut-être quelques Américains se souviennent-ils de la comédienne que je suis et qui dans un certain film lançait une certaine réplique.*
> *Si c'est le cas et si vous me connaissez, n'y pensons plus pour le moment...*
> *J'ai assisté à deux... auditions et j'ai été terrifiée... Je ne veux pas vous alarmer, mais je pense que vous devriez prendre conscience des dangers qui émanent des enquêtes menées par cette Commission et selon de telles procédures.*
> *Quand on commence à vous dire quels films vous pouvez tourner, quels sujets vous pouvez traiter, alors il est temps de vous rebeller et de lutter ! Nous sommes les premières victimes, mais je crains que nous ne soyons pas les dernières [82]...*

Elle dictait en arpentant la chambre d'hôtel. A un moment, la porte s'ouvrit et Bogart demanda s'il n'était pas l'heure de dîner. Betty le congédia d'un geste et continua à dicter.

Le mercredi 29, le Comité pour le premier amendement quitta Washington pour Philadelphie, première des six étapes du voyage de retour. Là, ses membres enregistrèrent des interviews pour la radio locale et Bogart rappela aux auditeurs que leur ville était celle où étaient nées la Constitution et la Déclaration des droits. Ses propos, comme ceux des autres, furent aussi enregistrés par le FBI, et les retranscriptions envoyées aux bureaux de Washington et Los Angeles sous l'en-tête : « Infiltration communiste dans l'industrie du cinéma[83]. »

Les délégués avaient des sentiments mitigés quant aux résultats de leurs efforts. Bogart trouvait qu'ils s'étaient assez bien débrouillés. La presse de Washington, dit-il à un journaliste de Philadelphie, était à la fois dure et intelligente, en majorité, et elle avait adhéré à leur position. Quant aux cinq pour cent restants, ils continueraient à penser la même chose quoi qu'on leur dise — « je ne les prends pas en compte[84] ».

En revanche, d'autres membres du CFA étaient nerveux. Quand l'avion approcha de l'aéroport La Guardia pour l'escale à New York et qu'on le fit tourner un temps infini avant de lui donner l'autorisation de se poser, une sorte de paranoïa s'empara d'eux. « Vous ne me ferez pas croire que les pistes sont embouteillées à ce point ! dit Marsha Hunt. On nous punit. On nous remet à notre place. »

La conférence de presse à l'aéroport déclencha des réactions mitigées. L'éditorialiste du *Daily Mirror*, Ed Sullivan, attira l'attention sur le nom de l'avion — « Étoile de la mer Rouge » — comme si c'était un clin d'œil à l'étoile rouge communiste. « Il nous a donné une grande gifle, dit Henry Rogers, et ses articles avaient une grosse influence à l'époque[85]. »

Une fois le groupe à Manhattan, dans l'atmosphère chaleureuse du « 21 », l'humeur se fit plus joyeuse. A en croire Marsha Hunt, le sentiment général était « Voilà ! C'est fini, et on a fait ce qu'on a pu. » En chemin, le chauffeur de taxi se retourna vers Huston et Bogart, et dans une scène sortie tout droit d'un film de la Warner dit : « Vous avez raison. C'est pas un politicien qui va me dire ce que je dois penser ! »

Tandis que l'avion volait vers l'Ouest le lendemain, on entendit dire que les auditions avaient été suspendues sans explication. Lors de la dernière nuit du groupe à Washington, le correspondant de CBS, Eric Severeid, avait dit à Dunne que le CFA avait « fichu la frousse à Thomas ». Le spectacle ne s'était pas déroulé comme prévu et Severeid ajouta qu'il ne serait pas surpris si la Commission fermait boutique dans un jour ou deux. Jusque-là, onze auteurs avaient été retournés sur le grill. Dix avaient refusé de coopérer. Le onzième, le poète allemand Bertolt Brecht, auteur de *l'Opéra de quat'sous*, un des dramaturges les plus influents du siècle, nia tout lien avec le communisme avec un accent si fort que presque tout ce qu'il dit laissa la Commission perplexe[86]. Deux jours plus tard il s'envola pour la Suisse via Paris avant de s'installer finalement en Allemagne de l'Est. A peine deux ans après la Seconde Guerre mondiale, après avoir survécu au fascisme, aucun Européen raisonnable ne pouvait se laisser entraîner dans une histoire pareille, même si cela impliquait un faux témoignage.

Les huit autres témoins ne furent pas entendus. Le nombre des témoins réfractaires était donc ramené à dix. Le suivant sur la liste, Waldo Salt, ne fut pas appelé avant 1951. Les Dix de Hollywood furent donc : Alvah Bessie, Howard Biberman, Lester Cole, Edward Dmytryk, Ring Lardner Jr, John Howard Lawson, Albert Maltz, Samuel Ornitz, Adrian Scott et Dalton Trumbo. La nouvelle que la Commission n'entendrait personne d'autre fit grimper le moral de la délégation bien plus haut que son avion. Comme le dit Marsha Hunt, ils avaient le sentiment d'avoir fait la différence, de ne pas avoir perdu leur temps.

Puis ils se jetèrent sur la presse lors de leurs escales à Indianapolis, Cincinnati, Peoria et Chicago. La Commission Thomas avait fait piètre impression, mais les réfractaires aussi, et le Comité pour le premier amendement était pris sous un feu croisé. « Ces groupes choisissent toujours des noms ronflants... qui dissimulent les buts réels, disait un éditorial de Peoria. N'est-il pas curieux que ceux qui tentent de saper le gouvernement américain se rabattent toujours sur les droits garantis par la Constitution, l'institution même qu'ils tentent de couler[87] ? »

Les membres du CFA lisaient entre guillemets des citations de paroles qu'ils n'avaient jamais prononcées, et en des lieux où ils ne s'étaient jamais rendus. Le retour de bâton contre les réfractaires et ceux qu'on percevait comme leurs défenseurs détruisit le consensus qui jusque-là avait uni les membres du Comité pour le premier amendement.

Huston se souvint d'« un sentiment général de choc devant la façon dont les choses tournaient. La manière dont les journaux avaient changé d'opinion. Nous pouvions compter sur toutes sortes de soutiens — jusqu'aux témoignages. Et puis, l'atmosphère changea. A partir de cet instant, l'opinion se retourna contre nous ».

Rétrospectivement, on a du mal à comprendre pourquoi les dix-neuf et leurs amis n'avaient pu trouver un terrain d'accord et une position honorable pour une solution pratique, comme celle en appelant au Premier Amendement — que Dunne avait suggérée — et qui permettait néanmoins aux auteurs cités à comparaître d'énoncer leurs arguments. Il est évident que la stratégie des dix-neuf s'était retournée contre eux, leur position se perdant au milieu des cris et des invectives, ce qui leur avaient aliéné beaucoup de journalistes qui, pourtant, n'avaient aucune sympathie pour Thomas et ses sbires.

Le *Post Dispatch* de Saint Louis, qui avait condamné les auditions, commentait : « En général, ceux qui épousent une cause impopulaire sont heureux et fiers d'énoncer ouvertement leur position. Ces hommes n'entrent pas dans ce moule[88]. » Ils semblaient au contraire curieusement autodestructeurs, continuait le journal. Ils auraient été mieux avisés de faire confiance à leurs compatriotes, car rien n'interdit d'être communiste. « Quand vous refusez de répondre à une question, disait un journal de l'Illinois, le public pense que vous avez quelque chose à cacher[89]. »

La presse centrait ses articles sur le refus et non sur le raisonnement. En défendant leurs droits, les Dix avaient souvent exposé leurs arguments avec éloquence. Mais ces auteurs auraient dû savoir que tout Américain soupçonne ceux qui ne semblent pas parler juste. Ring Lardner, plus calme et plus ironique que les autres à la barre, le comprit trop tard. Lui qui avait adhéré au Parti en 1936, quand on lui demanda s'il était ou avait été communiste, déclara : « Je pourrais vous répondre, mais si je le faisais, je ne pourrais plus me regarder dans un miroir[90]. » Peut-être avaient-ils tous vécu trop d'années dans un monde imaginaire où la vérité et le héros triomphent toujours.

Howard Koch, qui s'était opposé à la tactique de ses amis et collègues, écrivit plus tard : « Pour autant que j'ai pu en juger, ils étaient sincèrement et même scrupuleusement attachés à leur approche du problème. J'étais tout aussi convaincu, et je le suis toujours, que le précédent qu'ils ont établi lors des premières auditions de Washington a entaché l'ensemble du mouvement libéral d'un soupçon injustifié mais qui lui a fait un mal immense[91]. »

Lardner tomba finalement d'accord avec lui. La truculence des témoins avait « rendu les témoignages bien plus violents que si nous étions simplement arrivés et que nous ayons dit : "Je ne répondrai pas à cette question car elle est une violation du Premier Amendement." C'était une erreur tactique[92] ». Cette erreur lui coûta un an de prison, mille dollars d'amende et près de vingt ans sur la Liste noire. Même s'il écrivit beaucoup de scénarios sous pseudonyme, Ring Lardner Jr, qui avait remporté un oscar en 1942 pour la comédie *Woman of the Year (la Femme de l'année)* avec Katharine Hepburn et Spencer Tracy, ne put faire accepter un scénario sous son véritable nom avant *The Cincinnati Kid (le Kid de Cincinnati),* en 1965. Il remporta un autre oscar en 1970 pour le scénario de *M*A*S*H*.

Tous les Dix furent accusés d'outrage. Ils n'avaient enfreint aucune loi, mais ils avaient élevé la voix contre un président qui ne tarderait pas à être reconnu coupable de gonfler son personnel pour toucher des pots-de-vin de ses employés. Thomas ne fut pourtant condamné qu'à dix-huit mois à la prison fédérale de Danbury, dans le Connecticut, où Lardner et d'autres parmi les Dix passèrent également leur année de détention. Quand Lardner arriva en juin 1950, les gardiens lui demandèrent de jurer qu'il n'avait pas l'intention d'exercer de violences sur la personne de Thomas, qui avait lui-même lancé cette rumeur[93]. « J'ai été condamné pour outrage, répliqua Lardner, pas pour violence. Le tuer ? Alors que ce sera un tel plaisir de le voir ici en compagnie de ses collègues les voleurs [94] ! »

Après sa condamnation, Lardner ne put se permettre de laisser sa famille dans la belle maison qu'il venait d'acheter à Santa Monica. Son épouse Frances déménagea avec les enfants « dans un méchant immeuble du centre de Hollywood. Ce n'était pas tellement horrible. D'autres vivent dans des conditions pires. Mais c'était différent de ce à quoi nous avions été habitués [95] ».

Le vol de Chicago à Los Angeles fut calme pour les membres du Comité pour le premier amendement. Cette fois, on ne chanta pas, même si Danny Kaye fit quelques blagues pour soutenir le moral flageolant. Le CFA avait de puissants alliés dans les grands journaux de l'est du pays, mais son numéro n'avait pas convaincu dans la province profonde. Ses membres vivaient d'une industrie obsédée par le succès de masse qui, quand il se transformait en succès d'estime, signifiait des ennuis en perspective.

Cette expérience fut une leçon de modestie pour les stars. « Nous pensions que les gens nous aimeraient quoi que nous fassions, dit Evelyn Keyes, et tous ensemble, nous pensions que nous pourrions arriver à tout ce que nous voudrions. Ils verraient, tous ces gens qui nous aimaient, ils comprendraient, nous leur montrerions ! » Mais le gouvernement était plus puissant qu'eux.

William Wyler les accueillit à l'aéroport de Los Angeles et les membres du CFA se réunirent. Les souvenirs divergent quant à l'atmosphère de la rencontre. D'aucuns disent que Bogart serait parti furieux, Philip Dunne se souvient d'un simple compte rendu de la situation.

En fait, Bogart signa un article avec ses compagnons de voyage. Ils y déclaraient que les auditions avaient été un échec, une parodie de justice, une agression envers des accusés sans défense et une perversion de ce que doit être un tribunal. Il se joignit aussi aux autres pour enregistrer une deuxième émission *Hollywood Fights Back*. Personnellement, ils avaient pris un coup. Mais Thomas, lui, avait dû reculer en annulant le reste des auditions.

L'émission fut diffusée le 2 novembre. Bogart parla au nom de la délégation ; son texte, écrit une fois de plus par Jerome Lawrence, avait d'évidents accents de sincérité.

C'est Humphrey Bogart qui vous parle. Nous nous sommes rendus dans la salle d'audience de la Commission et nous avons entendu ce qui s'y passait. Nous avons tout vu — et nous nous sommes dit : « Oui, ça peut arriver ici ! » Nous avons vu des citoyens américains à qui des représentants élus du peuple refu-

saient le droit de parler ! Nous avons vu la police écarter ces citoyens de la barre comme des criminels, *après qu'on leur eut refusé le droit de se défendre. Nous avons vu le marteau du président interrompre les paroles d'Américains libres.* Le son de votre marteau, monsieur Thomas, retentit à travers toute l'Amérique ! *Parce qu'à chaque fois que votre marteau s'abattait, il frappait le Premier Amendement de la Constitution des États-Unis*[96].

La Motion Picture Association of America, soucieuse avant tout de protéger les studios, se réunit trois semaines plus tard en séance extraordinaire à New York. Ses membres avaient solennellement promis qu'il n'y aurait pas de Liste noire, mais les rumeurs ne manquaient pas concernant des négociations cachées, des pressions exercées par les actionnaires, des réunions furtives entre investisseurs et dirigeants des studios, bref, un comportement clandestin et secret — exactement ce dont étaient accusés ceux dont les noms figuraient sur la Liste noire, à ceci près que le comportement des producteurs ne s'appuyait pas sur un engagement philosophique individuel mais sur le besoin de résoudre un problème financier. Si équilibrer leur budget signifiait détruire quelques centaines de carrières, c'était le prix à payer pour prouver qu'ils étaient de bons hommes d'affaires.

La Liste noire perdura plus de douze ans. Les moyens de vivre et la vie même de beaucoup — auteurs ou acteurs — furent anéantis souvent par une simple allégation sans fondement les accusant d'avoir été à tel ou tel moment des sympathisants communistes. « Les années pestiférées » — c'est ainsi que Stefan Kanfer définit cette période. Le premier film que Hollywood consacra à ces faits fut *The Front (le Prête-nom)* en 1976, sur un scénario de Walter Bernstein et sous la direction de Martin Ritt. Woody Allen jouait le rôle principal. Bernstein et Ritt s'étaient tous les deux retrouvés sur la Liste noire, comme presque tous les acteurs du film, y compris Zero Mostel et Herschel Bernardi. « C'est notre revanche », écrivit Bernstein ; mais le seul moyen pour que la Columbia accepte de financer un film traitant de la Liste noire avait été d'en faire une comédie[97].

A Burbank, derrière son bureau noir luisant, Jack Warner évalua sa situation et celle de son studio. La Commission des activités antiaméricaines ne s'en prenait plus à eux, et il n'avait pas à craindre un amalgame avec les Dix : Maltz, par choix, n'avait travaillé qu'au coup par coup. Il n'avait pas renouvelé l'option de Bessie en 1946[98], Trumbo était à la MGM, Lawson n'était plus à la Warner depuis des années. Il était temps de s'occuper de Humphrey Bogart.

Il ne porterait pas la marque du mouchard

Alors qu'ils n'étaient rentrés de Washington que depuis un peu plus d'une semaine, les Bogart se rendirent à New York le 10 novembre et s'installèrent au Gotham. Ils avaient le projet de se détendre, d'aller au théâtre et de faire la promotion des *Passagers de la nuit*. Jack Warner aurait voulu qu'ils rentrent à Los Angeles dès la promotion terminée, mais ils l'informèrent qu'ils resteraient aussi longtemps que possible et ne prévoyaient pas leur retour avant décembre [1].

Les Passagers de la nuit, vendu aux salles comme un très grand film, était sorti dans cent villes en septembre et, si les critiques avaient été tièdes, elles n'avaient pas découragé un public adorateur. Peu après, Royal Crown Cola et Warner Bros. signèrent un contrat de mille publicités pour le film, qui devaient montrer Lauren Bacall dans six cents journaux couvrant tout le pays. Quand en octobre le film sortit dans quatre-vingt villes de plus, il était encore à l'affiche dans quatre-vingt-onze pour cent des salles de première exclusivité, un record pour le studio.

A New York, le directeur de publicité de la Warner, Mort Blumenstock, organisa des interviews au « 21 », et les journalistes se précipitèrent pour recueillir des propos qu'ils pourraient citer. Le voyage avait toutes les apparences d'une tournée de promotion habituelle, mais ce n'en était pas une. *Le Trésor de la Sierra Madre* devait sortir en janvier, et dans des circonstances normales, le studio, pour les magazines spécialisés comme pour les autres, aurait dû tout axer sur ses stars. Mais deux jours après l'arrivée de Betty et Bogie, Blumenstock reçut un télégramme de Jack Warner exprimant en détail ses craintes concernant cette procédure à cause de « la position de Bogart vis-à-vis de Washington [2] ».

Ses craintes étaient fondées. Les retombées des auditions de la HUAC étaient énormes — et pas seulement à la Warner. A RKO, les actionnaires réclamaient à hauts cris le renvoi de ceux des Dix qui étaient encore sous contrat ; la Paramount n'évitait pas plus les pressions. Mais le plus visé était sans conteste Jack L. Warner. Les médias de tout le pays s'attaquaient à sa plus grande star, leurs vociférations faisant écho aux dénonciations de la droite politique. Le *Los Angeles Examiner* décrivait le Comité pour le premier amendement comme « ce groupe très particulier qui compte aussi John Howard Lawson, identifié comme détenteur d'une carte du Parti communiste, Humphrey Bogart et Lauren Bacall[3] ». L'*American* de Waterbury, dans le Connecticut, faisait allusion à « Bogart et ses amis agitateurs[4] ». Le *Daily Mirror,* publié par Hearst à New York, donnait dans le dramatique : « La Commission Thomas enquête sur le plus grand ennemi de l'Amérique, celui qui hait notre peuple, l'adversaire impitoyable de notre manière de vivre, l'empoisonneur des esprits de nos enfants : le communisme ! Parlez, Bogart et Bacall ! Est-ce là ce que vous lui reprochez[5] ? »

Le 12 novembre, William Randolph Hearst fit monter les enchères et terrifia les dirigeants des studio qui avaient été ses amis. Dans un éditorial publié à la une de ses journaux, il en appela à une censure gouvernementale :

Sous le faux prétexte que la liberté de parole et la liberté de la presse auraient été violées par la révélation d'une influence communiste dans l'industrie du cinéma, un groupe de « notables » et d'excités de Hollywood ont formé ce qu'ils appellent le « Comité pour le premier amendement »... Bien sûr, le but réel — en fait LE SEUL BUT POSSIBLE — est de protéger, sinon de promouvoir, l'utilisation des films pour la diffusion de la propagande communiste...

A une époque comme la nôtre, le communisme équivaut à une TRAHISON, et comme tel doit être mis hors la loi... UNE INDUSTRIE QUI PLACE SES RECETTES AU-DESSUS DU DRAPEAU ET DE LA SÉCURITÉ DE LA NATION NE MÉRITE AUCUNE CONSIDÉRATION... Comme les magnats du cinéma ne veulent pas d'eux-mêmes jeter le communisme hors de leurs films, il est nécessaire que le gouvernement le fasse.

Ce dont on a besoin, c'est d'une CENSURE FÉDÉRALE DES FILMS. La Constitution le permet. La loi le sanctionne. LA SÉCURITÉ ET LE BIEN-ÊTRE DE L'AMÉRIQUE L'EXIGENT.

Comme le dit Dorothy Parker, chaque jour apportait un nouvel enfer, joliment présenté dans des titres tapageurs : « LE CONGRÈS DOIT VOTER CONCERNANT LE GROUPE DU CINÉMA »... « ACCUSATION D'OUTRAGE POUR DIX DES TÉMOINS »... « LE CONGRÈS NE TARDERA PAS A AGIR »... « RKO ET PARAMOUNT VONT LICENCIER LEURS ROUGES ». Peu après, la Twentieth Century-Fox accrocha son wagon au train, promettant de renvoyer tous ceux qui refuseraient de coopérer avec la HUAC. Quand arriva la troisième semaine de novembre, Jack Warner fut pris de panique. Sa plus grande star était à New York en train de donner des interviews où elle refusait de revenir sur ses déclarations et de désavouer son voyage à Washington.

« Le coût a été d'environ deux mille dollars pour Bogart, mais il considère que les résultats en termes d'articles de journaux et d'émissions de radio valaient bien cela », précisait le *Herald Tribune* dans un article du dimanche intitulé : « A l'affiche : Le citoyen Bogart défend un principe. »

« Notre objectif, disait Bogart, était d'exercer notre influence pour la défense d'un principe — le principe qui veut qu'aucun homme ne doive être contraint de dire à quel parti il appartient. » Il ne savait pas si le voyage lui nuirait ou non sur le plan professionnel, et il s'en moquait. Ceux qui trouvaient les républicains libéraux dangereux le traitaient de communiste, ajouta-t-il — « et quelques communistes, connus à Hollywood depuis des années sans qu'on ait eu besoin de dépenser quatre millions de dollars pour le savoir, m'ont traité de réactionnaire... Quoi qu'il en soit, je crois que mon profond engagement pour l'Amérique implique qu'il est de mon devoir de la protéger[6] ». Bogart rappela au journaliste un de ses personnages intimant à un gangster l'ordre de quitter la ville.

Pendant que Bogart parlait, Jack Warner envoyait des messages affolés au personnel de ses bureaux de New York : « AMENEZ-LE A SE RÉTRACTER... POURQUOI SE MET-IL DANS UNE SITUATION PAREILLE[7] ? » Le « problème Bogart », fulminait-il, empirait de minute en minute. Le chef de la publicité Alex Evelove avait proposé d'organiser une projection du *Trésor de la Sierra Madre* pour la revue *Cosmopolitan*, publication phare de l'empire Hearst, et on l'avait froidement éconduit. La nouvelle politique de Hearst était de ne pas laisser Bogart tranquille, pas plus qu'aucun de ceux qui étaient allés à Washington s'opposer à la HUAC. La prochaine édition de *Life* devait insister sur « les erreurs que commettent ces gens ». Les cinémas de la Fox sur la côte Ouest signalèrent une campagne de lettres protestant contre la diffusion de films avec Bogart. Pis encore, les recettes des *Passagers de la nuit* s'effondraient. A Long Beach, où le film ne fut projeté qu'après sa sortie dans des villes plus importantes, une salle qui faisait dans les mille dollars par jour plafonna à deux cent soixante-sept le premier jour, trois cent vingt le second, sur quoi la Warner retira le film de la programmation.

Le bureau de New York n'était pas seul à insister pour que Bogart se rétracte, il y avait aussi Steve Trilling. Les conversations entre Bogart et lui constituent une exception notable aux directives imprescriptibles du studio, imprimées sur tous les formulaires à circulation interne : « Les messages verbaux entraînent des incompréhensions et des délais. Écrivez-les. » Les dossiers de la Warner ne comportent aucun détail sur ce que Trilling a pu dire aux Bogart, pourtant, lorsque le jeudi 20 il dîna avec Ann Sheridan, leur discussion fut retranscrite fidèlement dans des télégrammes à J. L. La seule trace écrite des contacts entre Trilling et les Bogart notait qu'ils avaient passé plusieurs heures ensemble[8].

L'interview de Bogart parut le dimanche 23, la veille de la réunion prévue de la Motion Picture Association of America qui devait traiter du communisme dans l'industrie du cinéma[9]. Ce même lundi, le Congrès devait statuer sur l'inculpation d'outrage contre les Dix demandée par la HUAC. Sous vingt-quatre heures, le cinéma, les médias, le public et les accusés connaîtraient exactement la position du gouvernement.

Et c'est ce dimanche, selon les archives du FBI, qu'Ed Sullivan téléphona à J. Edgar Hoover. Sullivan et Bogart avaient été collègues, sinon amis intimes, depuis vingt ans, et cela remontait aux tournées des bars avec William Brady. Ils partageaient les mêmes souvenirs d'un New York désormais disparu. Adversaire du CFA, Sullivan avait néanmoins jusque-là ménagé Bogart. « Je suis à peu près aussi communiste que J. Edgar Hoover », lui avait dit l'acteur. Quand Sullivan retranscrivit cette déclaration dans un article, il reçut un flot de lettres haineuses pour avoir associé le directeur du FBI à un sale rouge. Depuis, les discussions entre eux s'étaient tendues.

On peut se dire que son appel de ce dimanche avait été motivé par la lecture de l'interview du *Herald Tribune*, et qu'étant donné l'atmosphère régnant dans le pays il avait voulu se couvrir. Bogart était un vieil ami, mais on n'était jamais assez prudent.

Les appels au directeur du FBI étaient automatiquement déroutés, en général vers un de ses plus proches associés et plus fidèles compagnons, Clyde Tolson. En l'occurrence, il n'y a ni noms ni annotations du FBI concernant la conversation avec le journaliste inquiet : « Il dit qu'il a discuté avec Bogart, que Bogart nie être communiste, qu'il n'a jamais rien eu à voir avec des activités communistes... Sullivan demande qu'on lui transmette tout ce qu'on sait sur Bogart parce qu'il ne veut pas se laisser piéger... Il a finalement confié qu'il ne croyait pas qu'il y ait quelque chose de grave concernant Bogart, mais que peut-être il avait été trompé[10]. »

Le lendemain, Sullivan rappelait. On le rassura sans s'engager. Pendant ce temps, un rapport de quatre pages sur Bogart était envoyé à Hoover. Tout ce qu'on pouvait en conclure, c'était que Bogart n'avait aucun lien avec le Parti communiste en 1940. Mais il était bien sûr question du voyage à Washington et de commentaires favorables dans le *Daily Worker*, qui, dans des articles présentant « la ligne du Parti communiste envers la HUAC[11] », considérait Bogart comme « le chef de la délégation à Washington ». Comme les autres rapports du même type, celui-là était volontairement neutre mais pourtant très accusateur dans ses sous-entendus. Il s'ajouta au dossier de plus en plus épais qui semblait confirmer que le FBI n'avait pas tort de garder un œil sur Humphrey Bogart.

Le lundi 24 novembre au matin, les dirigeants des studios, leurs avocats et les plus grands noms de la finance [12] de toute l'histoire du cinéma se retrouvèrent à l'hôtel Waldorf Astoria. Les financiers s'inquiétaient pour leurs investissements de plus de soixante millions de dollars. La grande période d'expansion était terminée. En dépit d'investissements record, les coûts montaient et le public diminuait. Associated Press parlait du plus grand effondrement de l'industrie depuis la Dépression de 1933.

A Washington, le Congrès vota par trois cent quarante-six voix contre dix-sept la mise en accusation contre les Dix pour outrage au Congrès et renvoya leur cas devant le grand jury fédéral. Deux des dix-sept étaient de Californie : Chet Holifield et Helen Gahagan Douglas, épouse de l'acteur Melvyn Douglas.

Le lendemain, la Motion Picture Association annonça son intention de licencier sur-le-champ ceux des Dix que les studios payaient encore pour avoir « desservi leur employeur et porté atteinte à leur utilité dans l'industrie ». Ils n'auraient aucune chance de retrouver du travail avant d'être « purgés » des accusations portées contre eux. Elle ajouta que personne dans l'industrie « n'engagerait en connaissance de cause un communiste ou un membre de tout parti ou groupe qui prônerait le renversement du gouvernement des États-Unis [13] ».

Ce retournement complet n'intervint qu'après de chaudes discussions. Eric Johnston, le soi-disant défenseur de la liberté à l'écran, intima aux producteurs l'ordre de se déterminer : qu'ils continuent d'employer des communistes et le justifient, ou qu'ils les virent. Le dernier bastion céda quand le conseiller de la MPAA, ancien secrétaire d'État de Roosevelt et Truman, James F. Byrnes, un des architectes de la politique de la guerre froide, apaisa ses scrupules.

On a beaucoup dit que la mentalité d'immigrants des dirigeants des studios (bien qu'à cette date beaucoup aient été natifs des États-Unis) les aurait conduits à capituler par crainte de l'autorité du gouvernement — un gouvernement, de surcroît, qui venait de gagner une guerre mondiale et dirigeait la moitié du monde, un gouvernement que n'avaient pas encore affaibli des guerres locales impopulaires, la démission d'un président et le déclin de l'autorité dans la société.

On peut rétrospectivement déceler un autre facteur dont il n'a pas été question ouvertement. Lors d'une conversation avec Philip Dunne au début des années 1950, Darryl Zanuck, alors président de la Twentieth Century-Fox, se plaignit d'avoir cédé à des pressions extérieures parce que les studios avaient besoin d'argent pour fonctionner. Dunne dira plus tard : « Dès qu'il y a de l'argent en jeu, les gens n'ont plus le moindre cran. » Ed Sullivan l'avait compris tout de suite quand il avait écrit la semaine même de la réunion : « Wall Street tire les ficelles, c'est tout [14]. »

Quelles qu'en aient été les raisons profondes, le retournement de la MPAA modifia la façon dont Hollywood menait ses affaires et mina les positions des libéraux. Pour Dunne : « Les producteurs de cinéma se sont trahis et ont trahi tous les autres. La déclaration du Waldorf a été le coup de grâce, parce que c'étaient *eux* qui engageaient les gens. »

Jack Warner accueillit la déclaration de la MPAA avec une joie exubérante ; le soutien qu'il apportait à l'accord constituait une preuve de sa loyauté, bannissait les fantômes de *Mission to Moscow* et de son passé libéral. De plus, cela renforçait sa position envers Bogart, seul à New York, loin de Huston et des autres, et qui, de l'avis de Warner, constituait une cible isolée sans grande défense.

Si en public il ignorait les accusations de la presse, en son for intérieur Bogart avait des doutes concernant le voyage à Washington. Il faisait pourtant confiance au bon sens et à ses dénégations anticommunistes, même s'il n'y avait pas grand-chose de rationnel dans les auditions de la HUAC ni dans l'atmosphère politique. Ed Sullivan le rencontra un soir et le prit à part. « Il me regarda comme si j'avais deux têtes ! » écrivit Bogart. Et Sullivan s'écria : « Le public commence à penser que tu es un rouge ! Mets-toi ça dans le crâne, Bogie [15] ! »

La Warner continua d'exercer ses pressions. La déclaration du Waldorf fut rendue publique le mardi ; les Bogart devaient partir le lundi suivant. Pendant ces six jours, le studio fit tout ce qu'il put pour qu'ils ne rencontrent pas d'amis qui pourraient les influencer. John Huston, qui achevait le scénario de *Key Largo* en Floride, avait prévu, son travail terminé, de passer quelques jours à New York avec eux. Mais Jack Warner le rappela d'urgence à Burbank, sous prétexte de commencer le travail de préparation du film.

Bogart donna une interview pour le *Post* à Archer Winsten, au « 21 ». Il parla de son mariage, de sa carrière, de sa vie d'acteur — de tout sauf de politique. Il y eut un appel pour lui de Californie. Le visage de Lauren se tendit. Il revint, très sombre. A la MGM, sept cents personnes avaient été renvoyées — « Des gens qui étaient là depuis vingt-cinq ans. Comme ça [16] ! » Bogart ne fit aucune allusion au voyage à Washington. Quant au communisme, il était contre. On passa au base-ball.

A Los Angeles, Mark Hellinger s'inquiétait de la soudaine fragilité de son investissement. En septembre, il avait conclu un accord avec David O. Selznick pour que celui-ci fournisse les moyens de production, s'occupe de la distribution et du marketing, et finance partiellement les films Hellinger-Bogart. On avait prévu Bogart pour un film tiré d'Hemingway et une adaptation du dernier best-seller,

Knock On Any Door (les Ruelles du malheur), l'histoire d'un délinquant juvénile victime de son enfance. On pensait à Marlon Brando pour le rôle du jeune, dont la devise était « vivre vite et mourir jeune pour faire un beau cadavre »[17].

L'accord entre Hellinger et Selznick devait prendre effet au bout de soixante jours, soit début novembre, mais à la fin du mois, les contrats étaient encore en négociation. Hellinger, désargenté, avait besoin de liquide tout de suite. Même dans le meilleur des cas, le financement de la préparation du film par Selznick ne couvrirait que le tiers du budget d'un million de dollars prévu pour *les Ruelles du malheur*, mais il était essentiel. Deux banques de Los Angeles[18] avaient consenti un prêt de trois cent mille dollars pour lequel les films de Hellinger servaient de caution. Les banques étaient disposées à prêter le reste ; mais comme tout dépendait des signatures finales, la durée des négociations laissait Hellinger sans argent disponible dans une industrie gourmande en salaires et qui nécessitait des liquidités constantes.

Hellinger devait chercher ailleurs. Sa maison de production ne survivait que grâce à des bouche-trous : vingt-cinq mille dollars de Bogart, soixante mille dollars empruntés par Hellinger sur la succession de son père, les avances sur la base de l'accord avec Selznick, tout ce qu'il pouvait trouver chez divers créanciers. Hellinger était aux abois. La sortie de *la Cité sans voiles*, qui devait le renflouer, ne surviendrait que dans plusieurs mois.

Au début, Selznick, méticuleux jusqu'à l'obsession, avait été responsable des retards. Mais en novembre, même lui en avait assez d'attendre.

Les auditions de la HUAC et la position de Bogart flottaient dans l'air, sans qu'ils en parlent, entre les avocats de Hellinger et de Selznick chaque fois qu'ils se retrouvaient. Au début des discussions, Bogart, star, associé et signataire de l'accord, avait été le principal objet de la négociation : « Ce qu'on achète, avait déclaré Selznick à ses avocats, c'est Bogart et Hellinger[19]. » On avait compris à quel point ils étaient indissociables quand Hellinger avait désespérément tenté de convaincre Bogie de ne pas se rendre à Washington : « Tu sais que ça va retomber sur moi[20] ! »

Il n'est pas difficile de conclure que les positions politiques de Bogart rendaient Selznick et ses financiers nerveux, mais on ne saura jamais tout ce qui se passa. Les archives de Selznick, qui regorgent de notes de conférences prolixes et de copieux mémorandums couvrant presque toute sa carrière, ne révèlent que peu de chose sur les semaines entourant la déclaration du Waldorf et le vote du Congrès contre les Dix. Partout à Hollywood, les gens affichaient avec zèle leur soutien aux idéaux américains, mais peu étaient prêts à le mettre noir sur blanc.

Le 1er décembre, les Bogart prirent place dans le *Twentieth Century Limited* en direction de l'Ouest, à la grande joie de la Warner et des banques concernées. Bogart, télégraphia à Burbank le bureau de New York, était prêt à se rétracter. Jack Warner avait à nouveau gagné. Même si les écrits ne sont pas très bavards, les arguments qu'il avait utilisés étaient évidents : la vieille menace de ne plus pouvoir travailler, plus réelle que jamais, cette fois, étant donné le nouveau climat qui faisait des réfractaires non seulement des artistes inemployables, mais aussi des traîtres potentiels. Sans studio, Bogart n'était qu'un acteur qui devenait chauve et approchait de la cinquantaine, avec une jeune épouse à ses côtés. Il pourrait peut-être revenir au théâtre, mais quand Helen Hayes lui en avait parlé quelques années plus tôt, il avait répondu, affolé : « Mon Dieu, non ! Je n'oserais pas[21]. » Il en avait été écarté trop longtemps et n'avait plus confiance en lui.

Le 3 décembre, pendant un changement de train à Chicago, les Bogart tinrent une conférence de presse. Son épouse près de lui, Bogart lut une déclaration toute prête. Il n'était pas communiste, ni sympathisant communiste, il détestait le communisme comme « n'importe quel Américain honorable ».

« Je me suis rendu à Washington parce que j'ai pensé que certains de mes concitoyens étaient privés de leurs droits constitutionnels, et pour cette unique raison. Ce voyage était peu judicieux, une folie, même, je suis prêt à l'admettre. Mais à l'époque, il semblait la meilleure chose à faire. »

« Mlle Bacall a confirmé qu'elle était d'accord à cent pour cent avec Bogart[22] », précisait le reporter de United Press.

Lors du bref échange de questions et de réponses qui suivit, Bogart ajouta que les communistes avaient « "adopté" les acteurs qui s'étaient rendus à Washington ». Les politiciens de Washington étaient trop malins pour eux. « Nous étions des bleus, et ils nous ont écrasés[23]. »

A Los Angeles, la nouvelle fit la une de l'*Examiner* et la deuxième page du *Times*. « EXCELLENT[24] », télégraphia J. L. à New York. Les dirigeants du studio et les banquiers étaient peut-être heureux, mais pas Bogart, qui se fit insulter avec la même véhémence par les libéraux et par les conservateurs. « Il court aux abris », disait un titre, « L'erreur de M. Bogart », disait un autre, ou « Les acteurs se découragent », « Le mauvais garçon agite le drapeau blanc », « Nous qui avons été trompés... ».

Pour les studios, les commentaires de la presse furent comme une lettre de chez soi disant que tout est pardonné. Toute l'Amérique profonde approuvait la politique décidée au Waldorf. Les masses pouvaient retourner au cinéma.

Mais tous les journaux n'étaient pas favorables à ce recul. Le *Toledo Blade* déplorait « l'état d'hystérie qui s'est développé aux États-Unis, où il est nécessaire ou avisé qu'un homme proteste de son non-communisme simplement parce qu'il a agi pour défendre ce qu'il pensait être des droits constitutionnels[25] ».

Le représentant Chet Holifield publia une lettre ouverte qui commençait par « Cher Humphrey » :

> *... Je ne veux pas vous critiquer... Je comprends quelles pressions peuvent s'exercer. D'après les conversations que nous avons eues ensemble... je suis certain que vous croyez dans les principes fonda-mentaux de justice et d'équité...*
>
> *Dix-sept membres du Congrès ont pris leurs distances et ont osé lutter contre les trois cent quarante-six autres membres qui pliaient sous la pression... Aucun de nous n'est naïf sur le plan politique. Nous savions tous que nos adversaires politiques déformeraient notre action et nous incluraient dans la traînée rouge...*
>
> *Je vous écris afin de vous rassurer. Votre voyage n'a été ni « peu judicieux », ni une « folie ». Peut-être impétueux, oui, mais c'était une action spontanée fondée fermement sur le désir de protéger les principes de base qui font la différence entre n'importe quelle forme de totalitarisme et... la Démocratie* [26].

Le *Washington Post*, dans un éditorial intitulé « Apologia », ne voyait « aucune raison à ce que M. Bogart s'excuse... » :

> *Le Comité pour le premier amendement, organisé dans l'urgence et contraint par les circonstances à fonctionner de manière tout à fait impromptue, a rendu un réel service au cinéma pour lequel il parlait et au concept de liberté qu'il tentait de défendre... Il est certain que sa conduite a beaucoup plus contribué à la dignité et au prestige de Hollywood que la conduite de ces hommes qui ont utilisé la Commission Thomas pour pointer des doigts accusateurs...*
>
> *C'est l'illustration du terrible danger qu'entraîne l'irresponsabi-lité de cette Commission. Un acteur, dépendant pour vivre de l'estime populaire, peut être ruiné par le député Thomas — et sans le moindre remords... Nous somme désolés pour M. Bogart. Il n'avait aucune raison d'avoir honte avant d'exprimer cette honte* [27].

Un éditorialiste de l'Indiana résuma le sentiment général de ceux qui s'opposaient à la HUAC : « Ça va, Humphrey, il n'est plus utile que tu restes à genoux [28]. »

Lauren Bacall fera allusion à des pressions exercées sur eux pour qu'ils dénoncent les Dix, ce que Bogart aurait catégoriquement refusé. C'était Jack Warner en personne, sachant sans doute jusqu'où les choses pouvaient aller, qui avait trouvé une formulation acceptable par eux deux. Pas de noms, pas de dénonciations, pas de critiques envers le Comité pour le premier amendement. Tout ce que devait dire Bogart, c'était que ce voyage à Washington avait été une erreur.

Bogart fut d'accord pour minimiser le rôle du studio dans sa déclaration, qui devait être « du Bogart pur et dur [29] ». Bogart conseillerait la Warner concernant toute déclaration ultérieure. J. L., son objectif premier atteint, accepta [30] ; quoi qu'il en soit, il était meilleur pour son image à l'écran que l'acteur semble décider par lui-même. Quant au reste, Bogart passerait pour un idiot, peut-être même pour un lâche, mais pas pour un informateur. Il ne porterait pas, pour parler la langue de *Rue sans issue*, la marque du mouchard.

« ILS SONT TERRORISÉS », télégraphia J. L. à son bureau de New York peu après le retour des Bogart à Los Angeles [31] ; et il ne relâcha pas la pression. Devant l'inquiétude des publicitaires concernant la promotion conjointe des époux pour *les Passagers de la nuit*, J. L. répliqua : pas de problème, « BOGART BACALL PROSTERNÉS JUSQU'AU SOL ». C'était le Jack Warner le plus vindicatif, celui qui faisait enfin payer à Bogart toutes ses insolences, tous les rôles qu'il avait refusés, tous ses gestes de défi. Il informa aussi la distribution que grâce à la déclaration de Bogart, *les Passagers de la nuit* (un titre remarquablement approprié aux circonstances) avaient « pris un nouvel envol [32] ».

La rétractation mit les libéraux de Hollywood en état de choc. « Au début, nous n'y avons pas cru, dit Marsha Hunt. Ils étaient si déterminés pendant le voyage ! C'était impossible. Quelqu'un les avait mal cités, avait déformé leurs paroles. Pour le couple le plus en vue du mouvement, se désolidariser ainsi, c'était inconcevable. Mais il était clair que la Warner leur était tombée dessus. » Toute sa vie, Paul Henreid resta amer. « Le seul qui s'est mal conduit, c'est Bogart. Pas de personnalité, rien. Une merde [33]. » C'était la revanche de Victor Laszlo sur Rick Blaine, qui avait conquis le cœur d'Ilsa.

Pendant ce temps, on se réjouissait à la Motion Picture Alliance for the Preservation of American Ideals, fondée en 1944 par Clark Gable, Walt Disney, Gary Cooper, Robert Taylor, Ginger Rogers, John Ford, Barbara Stanwyck, Irene Dunne et John Wayne, entre autres. Le groupe, convaincu que « les films américains doivent être voués à la préservation et à la continuité des valeurs de l'Amérique et du mode de vie américain [34] », ne ménageait pas ses efforts pour que la HUAC mène d'autres auditions à Los Angeles. Malgré les grands noms de ses fondateurs, l'Alliance était surtout implantée parmi les laissés-pour-compte du cinéma qui trouvaient là un moyen de déverser leur ressentiment.

Les pressions exercées pour que Bogart prenne ses distances ne venaient pas seulement de la Warner. Fin novembre, Malvin Wald, qui avait écrit *la Cité sans voiles*, reçut de mauvaises nouvelles de Hellinger. Quelques mois plus tôt, ce dernier avait persuadé Wald de partager la signature du scénario avec Albert Maltz, qui y avait apporté la touche finale. Maltz était maintenant un des Dix, et il serait la cible des critiques qui, d'ordinaire, ne s'attardaient pas sur de petits films de producteurs indépendants. Hellinger, en retour, avait promis à Wald de lui confier le scénario de son prochain film tiré de Hemingway. Se voyant déjà adapter *les Neiges du Kilimandjaro*, Wald avait accepté le marché. Et maintenant Hellinger lui disait : « Tu te souviens de cette promesse que je t'ai faite ? Eh bien, je ne sais pas comment te dire ça, mais... [35]. »

Les affaires allaient mal, expliqua Hellinger à Wald. L'argent était difficile à obtenir depuis que Bogart et Bacall s'étaient opposés à la HUAC. Hellinger dit à Wald qu'il tentait de joindre Bogart pour l'en informer. Il n'était pas difficile d'imaginer la suite : un investisseur se retirant de l'affaire, les autres suivraient et tueraient probablement l'accord avec Selznick. Wald comprenait les difficultés des producteurs, mais en silence il se maudissait d'avoir accepté de partager la signature de *la Cité sans voiles*, quand le téléphone sonna. Hellinger décrocha et fit signe à Wald de rester.

La voix de Hellinger resta basse, tranquille et rationnelle. « Bogie, c'est à toi de voir. On ne veut pas te forcer la main, mais je sais à quel point tu veux faire ce film, et ils se retirent, alors qu'est-ce que tu envisages ? »

Pour Hellinger sa maison de production était sa chance de faire pâlir l'étoile de Jack Warner, et, comme le dit Wald, « voilà que Bogie, innocemment, avait saboté l'avenir de Mark Hellinger. Bogart a dû se sentir incroyablement coupable ». La presse fut tenue à l'écart, mais quatre mois plus tard, le *Daily Worker* se faisait pourtant l'écho de rumeurs d'un « appel téléphonique affolé » à Bogart, et le compte rendu de cet appel était similaire à celui qu'en donne Malvin Wald [36].

Plus tard, Malvin Wald se demanda souvent si Bogie et Betty avaient discuté de cette déclaration de Chicago, ou si Bogie avait pris la décision seul. Est-ce qu'il s'était dit qu'il ne pouvait pas faire cela à Hellinger ? Quel qu'ait été son raisonnement, l'issue était claire.

Dans les mois qui suivirent, les publicitaires insistèrent sur le fait qu'on avait utilisé Bogart. Bogart se plaignit d'avoir été exploité par les journaux « rouges » [37]. Mais devant ses amis, Bogart était torturé. Jules Buck se trouvait chez les Huston, à Tarzana, un jour où Bogart arriva seul. « Bogie était embarrassé. Je pense qu'il sentait vraiment qu'il avait laissé tomber les autres. Il ne venait lécher les bottes de personne, jamais il ne l'avait fait. Il s'expliquait seulement. "John, tu dois comprendre les pressions que j'ai subies. — Oui, mon vieux, je comprends", répondit Huston de son ton condescendant [38]. »

Quarante ans plus tard, le long visage de Huston s'allongeait encore au souvenir de ces semaines. « Je trouvais que Bogie avait tort, mais il n'était que le premier de beaucoup d'autres [39]. »

« Et que vouliez-vous qu'il lui dise ? demandait Evelyn Keyes. Quand on veut continuer à être amis — et ils étaient amis — que voulez-vous dire ? C'est comme lorsque John avait tordu le nez de

Bogie ; il n'en avait pas parlé, mais il lui avait fait comprendre ce qu'il ressentait. John était très fort pour ça[40]. »

Lors d'un dîner, Bogart, gêné et humble, prit Philip Dunne à part. Vivant à Hollywood depuis longtemps, Dunne n'avait aucun mal à imaginer les pressions qui l'avaient poussé à se rétracter. C'était Bogart qui avait été sous le feu des projecteurs. Une fois, lors du voyage à Washington, Huston et Dunne avaient tenté de s'interposer quand George Sokolsky, éditorialiste de droite d'un journal de Hearst, s'en était pris directement à Bogart, mais il n'avait rien voulu savoir quand ils avaient insisté pour qu'il s'en tienne à leur déclaration d'intention. Bogart faisait mieux vendre[41]. Dunne, qui était mieux protégé par Zanuck que Bogart par Warner, tenta de rassurer Bogie, mais n'y parvint pas.

Six mois après sa création, le Comité pour le premier amendement n'existait plus, faute de membres. Tout le monde considéra que Bogart était responsable des départs successifs de ses militants, mais Dunne n'était pas d'accord. « A l'évidence, les stars de notre groupe ont pris tous les coups de la campagne de dénigrement, écrivit-il à Chet Holifield. Mais le coup fatal, c'est l'effondrement de l'association des producteurs qui nous l'a porté[42]. »

Des années plus tard, Lauren Bacall affirma que c'était le CFA qui avait changé d'optique : sans le dire, « les Dix de Hollywood, jusqu'à un certain point, s'étaient servis de nous, dans la mesure où notre démarche avait été subtilement infléchie pour les défendre individuellement ou collectivement[43] ». Dunne qualifia la déclaration des Bogart de « tentative pour se couvrir ». Il dit que tous deux savaient très bien ce qu'ils risquaient : d'être mal compris, accusés de défendre des traîtres, de faire partie d'une conspiration communiste. Ils en avaient parlé au Chasen et dans l'avion vers Washington. Personne, cependant, n'avait prévu le prix qu'ils auraient à payer. Pour Dunne, le principal problème du CFA, c'était qu'il n'avait qu'une star de la taille de Bogart. « Il avait été la cible unique des tirs. S'ils avaient été deux ou trois, c'eût été plus facile ; ils auraient pu se soutenir. »

Hemingway dit un jour de Mark Hellinger : « La mort est assise sur son épaule. » Début 1947, il avait survécu à une crise cardiaque. Il avait alors contré le sort à coups d'adrénaline, de comprimés de trinitrine et de bourbon. Fin novembre, après avoir rendu visite à Hemingway dans les neiges de l'Idaho, il revint chez lui le visage gris, toussant, et se mit bientôt à frissonner. Il refusa qu'on appelle un médecin. Le soir du samedi 20 décembre, une ambulance l'emmena à l'hôpital des Cèdres du Liban, à Hollywood Ouest. Son épouse Gladys lui tenait la main tandis qu'il la suppliait, avec des yeux d'enfant effrayé : « Ne me laisse pas mourir... Ne me laisse pas mourir[44]. » Il mourut à une heure quarante-cinq du matin le dimanche.

Ses funérailles eurent lieu le mercredi, veille de Noël. Ce fut une cérémonie grandiose en présence de célébrités, de la presse, d'une foule d'admirateurs, dans le décorum d'une religion en laquelle il ne croyait pas, le tout ressemblant aussi peu à Hellinger que le cadavre maquillé qui reposait dans un lourd cercueil sous une plaque de verre. Quand Bogie et son épouse pénétrèrent dans l'église, Lauren regarda leur vieil ami et le regretta. « Il vaut mieux se le rappeler comme il était, lui dit Bogart. Je déteste les enterrements. » Il ajouta que quand viendrait son tour, il voulait être incinéré, parce que « ça au moins c'est propre et définitif ». Il voulait que ses cendres soient dispersées en mer. « Mes amis pourront lever leur verre... s'ils le veulent[45]. »

Peu après que l'orgue eut commencé à jouer, Ann Sheridan, en larmes, courut hors de l'église pleurer celui qui avait été son amant.

Après un éloge funèbre sans rapport avec le défunt, le prêtre épisco-palien fit un signe de croix au-dessus du Juif dont la seule religion avait été le cinéma.

Quelques jours plus tard, Selznick exerça son droit d'annulation de leur contrat au cas où Hellinger mourrait. Ce que les investisseurs pensaient du voyage de Bogart à Washington n'avait plus d'impor-tance. Il était de retour à Burbank, et Jack Warner le tenait.

Tandis que s'allongeait la Liste noire, les producteurs demandaient aux syndicats de les aider à déraciner les éléments subversifs. Fin décembre, seul le syndicat des scénaristes s'y refusait encore. Le 22 décembre, le *Christian Science Monitor* publia une déclaration conjointe accusant l'industrie du cinéma de faire « régner la peur ». Il citait des textes soudain mis de côté, la coupure de « centaines de lignes aux accents vaguement libéraux », des scénarios « réécrits par des hommes d'affaires », des listes noires et « l'autocensure à tous les niveaux — chez les agents littéraires, au sein des comités de lecture, dans l'esprit des auteurs, pendant les réunions, sur les plateaux, dans les salles de montage ». Cette déclaration était signée John Huston, Philip Dunne, William Wyler, Shepperd Strudwick — et Humphrey Bogart.

Tous les cinq, dans ce que le *Monitor* appelait « une déclaration fondamentale », parlaient de « l'atmosphère hystérique actuelle » à Hollywood et accusaient les auditions d'avoir eu pour seul but de réduire les libéraux au silence.

Avant de mettre sous presse, le rédacteur en chef du *Monitor* vérifia que Bogart avait bien signé. « La présence du nom de M. Bogart au bas de la déclaration est considérée par ses cosignataires comme un geste qui clarifie sa position après la controverse publique, alimentée par les propos de M. Bogart lui-même, qui avait introduit une ambiguïté concernant ses opinions... M. Bogart confirme donc qu'il ne s'est pas retiré du Comité pour le premier amendement, et qu'il est toujours inquiet de la situation qui règne actuellement à Hollywood. »

Mais cela n'intéressait plus personne. C'était la déclaration de Chicago qui était restée dans les esprits et dans les archives. Aucun autre journal ne reprit l'article du *Monitor*. Les auditions, c'était déjà de l'histoire ancienne, et les purges allaient bon train. Pour compléter son accord avec la Warner quant à ses prises de position, Bogart avait depuis longtemps rédigé un article qui devait paraître dans le numéro de mars 1948 de *Modern Screen* sous le titre : « Je ne suis pas communiste »[46], et où il justifiait à nouveau son attitude envers la HUAC.

Mais dans le nouvel Hollywood, on ne pouvait jouer sur les deux tableaux. On avait le choix entre vivre en paix ou rejoindre les autres dans l'ombre. Bogart avait voulu faire ce qu'il devait, mais il voulait aussi vivre. Son agent Sam Jaffe rejeta l'essentiel de la responsabilité de la rétractation sur l'homme d'affaires de Bogart, Morgan Maree, bien que Bogart n'ait jamais discuté de cela avec Jaffe et qu'il n'y ait aucune trace de conseils qu'aurait donnés Maree. Si Jaffe n'aimait pas la décision prise par Bogart, il en appréciait le réalisme. « C'était une période effrayante. On peut le comprendre. Que faire ? Lutter pour les droits des autres ? Sauver sa tête ? Il avait une carrière à poursuivre. Il est très difficile d'être un héros dans ces circonstances. Les héros se font tuer aussi[47]. »

Pour défendre le Premier Amendement, une partie de Humphrey Bogart était déjà morte. Faire ce qu'il faut jusqu'au bout est souvent difficile, et de toute façon, le souhaiter ne garantit pas qu'on ne succombera pas aux obstacles en chemin. A certains moments critiques de sa vie, Bogart rendit les armes. Son amitié pour Mark Hellinger, les pressions de Jack Warner (et peut-être aussi de Maree) s'additionnèrent pour le faire flancher, comme il flanchait devant Mayo, comme Warner l'avait fait flancher pour quelques centaines de dollars à ses débuts. Maintenant, il devait en plus satisfaire aux obligations de son image publique. Il était difficile de rester à la hauteur du personnage de Bogart, dont la solidité était un des aspects qui le rendaient si attirant. Sans son image cinématographique, à laquelle on le comparait constamment, peut-être Humphrey Bogart aurait-il eu dans la vie une stature plus imposante encore.

Comme le dit Edward G. Robinson : « Malgré sa dureté, son insolence, sa confiance en lui et son mépris des autres (car telles étaient les caractéristiques des personnages qu'il jouait, même si elles n'étaient pas toutes en lui), transparaissaient la tristesse, la solitude, la vulnérabilité (caractéristiques qui faisaient toutes partie de Bogie en tant qu'homme). J'ai toujours eu de la peine pour lui ; j'étais désolé qu'il doive s'imposer la façade de ces personnages avec lesquels on l'identifiait[48]. »

Superficiellement, en décembre 1947, tout avait repris son cours normal. Le 15, Bogart et Huston commencèrent à travailler sur *Key Largo*, une histoire d'idéaux brisés et de foi perdue. Mais autour de lui, ses intimes remarquèrent un cynisme plus accentué. Jules Buck pensait que la honte d'avoir été contraint à des excuses pour le voyage ne le quittait plus[49].

Richard Brooks considéra que l'effet de cette rétractation était plus grave encore sur son ami. Le voyage à Washington avait signifié la fin de « l'illusion de la vie, que tout irait bien, qu'il y aurait une fin heureuse. Bogie ne fut plus jamais le même[50] ».

Le Boris Karloff des clubs

A la suite des auditions de la Commission Thomas, les rumeurs voulaient que le FBI soit sur le point de contrôler la distribution des acteurs dans les films. Lillian Ross, qui écrivait la rubrique hollywoodienne pour le *New Yorker* en 1948, trouva que derrière la façade de normalité, les gens étaient nerveux et naviguaient avec prudence dans les nouvelles eaux politiques. Sur le plateau des *Aventures de Don Juan,* à la Warner, Errol Flynn, en collants bleus et l'épée au côté, assura la journaliste que le film n'avait rien de subversif. Un chargé des relations publiques très présent demanda à Mlle Ross de ne pas poser de questions politiques, requête qu'on lui fit partout en ville. Il semblait que les publicitaires avaient vu s'adjoindre à leur rôle ceux d'avocat et d'agent secret.

Au Lakeside Country Club, près des studios de la Warner, Lillian Ross déjeuna avec le réalisateur et les acteurs de *Key Largo.* Huston était de bonne humeur. Il venait de convaincre le studio d'insérer dans les dialogues quelques phrases prononcées par Roosevelt pendant la Seconde Guerre mondiale, et que devait reprendre Bogart. « Mais nous [qui appartenons aux Nations unies] ne sacrifions pas tous ces efforts et toutes ces vies pour revenir au genre de monde que nous avions après la dernière guerre. » Est-ce que le héros ne pouvais pas dire la même chose avec ses propres mots ? demanda le studio. Huston insista pour conserver les termes exacts. Personne ne commenta l'ironie de la situation : à présent, le studio qui avait été le plus proche de Roosevelt, qui avait été un instrument de sa politique, craignait même de le citer.

Bogart intervint : « Roosevelt était un bon politicien. Il savait comment manipuler tous ces gens de Washington. Ils sont trop futés pour des types comme moi. Je ne suis pas un politicien. C'est ça que j'ai voulu dire quand j'ai avoué que notre voyage à Washington avait été une erreur. »

Huston dit d'un ton acerbe : « Ne pas être un politicien a réussi à Bogie. Il possède un yawl de vingt mètres. Quand on possède un yawl de vingt mètres, il faut pouvoir l'entretenir. »

Bogart se tut. Edward G. Robinson, le méchant de *Key Largo,* qui jusque-là s'était contenté d'écouter, déclara :

« Le grand chef est mort, et tous ceux qui avaient des tripes sont morts avec lui.

— Qu'est-ce que ça te ferait de voir ta photo à la une du journal communiste italien ? » lui demanda Bogart.

Robinson grogna comme le Petit César. Lauren Bacall se tourna vers la journaliste :

« Le *Daily Worker* publie une photo de Bogie, et immédiatement on considère qu'il est un dangereux communiste. Qu'arrivera-t-il si l'American Legion et la Legion of Decency boycottent tous ses films ?

— C'est seulement que, ma photo dans ce journal, ça me choque, Baby », rectifia Bogart qui ne voulait pas parler de boycott.

Robinson émit un autre grognement de Petit César et Huston dit : « Mangeons [1]. »

On avait planifié *Key Largo* bien avant les auditions de la Commission Thomas, et le producteur Jerry Wald assura Lillian Ross qu'elles n'auraient aucun effet sur la production. Bogart, lui dit-il, jouait un type délaissé qui en vient à comprendre qu'il doit combattre le mal. Toute la matinée, ils avaient répété la scène où le personnage, Frank McCloud, après avoir été critiqué pour sa passivité, était rassuré par la petite amie du gangster : « T'es un type malin. Vaut mieux être un lâche en vie qu'un héros mort. »

Le film était tiré de la pièce écrite en 1939 par Maxwell Anderson autour d'un ancien de la guerre civile espagnole qui a fui sous le feu et qui part à la recherche de la sœur et du vieux père d'un camarade qui, lui, est resté, et a trouvé la mort. La pièce se termine sur la mort de Frank McCloud, tué alors qu'il résiste à des gangsters et qui recouvre ainsi son honneur. Quand on interroge le vieil homme sur l'identité de cet étranger, il répond : « C'est mon fils, qui est revenu d'Espagne. »

En vendant le projet à la Warner, Wald avait plutôt envisagé un film d'action, une sorte de mélange du *Port de l'angoisse* et de *la Forêt pétrifiée*, assaisonné d'un peu de *Casablanca*. L'ancien de la guerre d'Espagne devint un officier de la Seconde Guerre mondiale décoré pour son courage pendant la campagne d'Italie. Si Rick Blaine avait été, quand on en avait le plus besoin, le symbole de l'Amérique isolationniste, Bogart en Frank McCloud résuma l'impatience et le manque de perspective de l'immédiat après-guerre. McCloud, ancien journaliste aux grands idéaux, dérive maintenant à travers la vie, « conduisant des taxis, servant dans des restaurants, faisant n'importe quoi pour gagner un dollar [2] ». Il y avait une histoire d'amour pour Lauren Bacall et une fin heureuse, le pénitent de la pièce se transformait en une variante de Blaine et de Harry Morgan — l'homme fort, silencieux, cynique et blasé qui recouvre enfin la possibilité de ressentir de la compassion, qui rejoint l'humanité.

Les seconds rôles étaient de première qualité. Lionel Barrymore, prêté par MGM, jouait le propriétaire infirme de l'hôtel qu'envahissent les bandits, Lauren Bacall était sa belle-fille veuve, Claire Trevor l'amie alcoolique du chef de la bande, Johnny Rocco, rôle confié à Edward G. Robinson et directement calqué sur le Petit César, après que Jack Warner eut résisté à la demande initiale de Huston, qui voulait Charles Boyer.

Le reste des acteurs appartenait au vivier familier de la Warner — Dan Seymour, Marc Lawrence, William Haade —, à part quelques nouveaux visage dont l'acteur d'origine indienne Jay Silverheels, qui devint Tonto, le « fidèle compagnon indien » du Justicier solitaire.

La rage de Huston n'était pas retombée depuis la fin des auditions Thomas. Quand il arriva à Key West début novembre pour y retrouver Richard Brooks, il fulminait encore. On en vint même à craindre que cette fureur ne ruine le projet. La préparation du tournage s'était déroulée sans accrocs depuis août, mais soudain, rien n'allait plus. *Key Largo* était tiré d'une pièce en vers. Huston déclara qu'il n'aimait pas les vers libres. Son héros se battait dans la guerre d'Espagne, et qui est-ce que ça intéressait, la guerre d'Espagne ? Plus grave : Maxwell Anderson était un réactionnaire qui détestait Roosevelt, et Huston avait assez subi ce genre de types à Washington.

Y avait-il un endroit appelé Key Largo ? grogna-t-il à l'intention de Brooks. Oui, et Brooks l'y emmena. Ils trouvèrent l'hôtel Largo, vide, et, comme le raconte Brooks, le propriétaire ne tarda pas à rendre Huston fou :

« Mr. How-ston, vous voulez que j'appelle un cuisinier ? Vous allez rester ?

— Une minute. Montrez-moi la cave antiouragan.

— Mr How-ston, répondit l'Irlandais, vous creusez d'un mètre sous le plancher et vous êtes dans l'océan. Y a pas de cave !

— Qu'est-ce que je t'avais dit ? me cria Huston. Ce fils de pute d'Anderson ne sait même pas de quoi il parle ! C'est un menteur ! On rentre. »

Brooks, frustré, dut rappeler à Huston que la cave n'était qu'un procédé dramatique et pas une nécessité architecturale. Huston finit par se calmer et ils convinrent d'une organisation du travail : Brooks écrivait, Huston revoyait le texte entre deux séances de pêche au bout du ponton.

La colère que ressentait Huston du fait des auditions de la HUAC et de l'atmosphère politique du pays devint partie intégrante du scé-

372

nario. Les gangsters n'étaient qu'une métaphore des forces de droite décidées à courber l'échine devant la nouvelle orthodoxie politique. Quand Johnny Rocco demande à McCloud : « Pourquoi tu t'es mouillé ? » celui-ci répond qu'il n'avait aucune bonne raison. Il avait seulement cru en l'idée exprimée par Roosevelt qu'il ne fallait pas revenir au genre de monde qui existait après la dernière guerre, qu'il fallait « se battre pour nettoyer le monde des vieux démons, des vieux maux ». Mais la citation est prononcée avec un petit rire ironique.

Comme dans *la Forêt pétrifiée*, le romantisme fleurit dans une atmosphère de violence ; la violence est plus suggérée qu'explicite ; l'action est plus verbale que physique et, comme au théâtre, tout se passe dans un seul lieu fermé. Mais il y avait plus qu'une douzaine d'années de différence entre la mise en scène quasi statique d'Archie Mayo pour *la Forêt pétrifiée* et l'utilisation fluide de la caméra par John Huston. Le chef opérateur Karl Freund, qui avait éclairé le chef-d'œuvre expressionniste allemand de Fritz Lang, *Metropolis* (1926), et réalisé le classique de Boris Karloff, *la Momie* (1932), comprit et amplifia la vision du réalisateur. Le génie de Freund dans le maniement des lumières et des angles de prise de vue fit de la caméra un élément essentiel de la narration.

Mais sur un point, Huston traita le projet comme une pièce. Les jours de répétitions sur le plateau donnèrent aux acteurs le sentiment précis de l'endroit où ils se situeraient quand commencerait le film. « Ils étaient libres, expliqua le monteur Rudi Fehr. Ils déambulaient, ils inventaient[3]. » Ces répétitions servirent aussi à ce que l'équipe soit étroitement liée quand ses membres se rassemblèrent à la mi-décembre. Les menuisiers de la Warner construisirent des plans inclinés pour permettre à Lionel Barrymore, âgé, arthritique et cloué dans un fauteuil roulant, de se déplacer. Sur le plateau, il ne tarda pas à devenir l'image du père, tout le contraire du vieux grincheux qu'il jouait. A la grande surprise de Harry Lewis, un acteur sous contrat qui jouait le bras droit de Robinson, il n'avait rien à voir avec le Vieux dans *La vie est belle*, ni avec aucun des divers malfrats ou médecins véreux qui avaient fait sa gloire. Au contraire, il était « un homme extrêmement amical[4] ». Même les stars étaient attirées par Barrymore et se rassemblaient souvent autour de lui entre les prises pour qu'il leur raconte une anecdote sur sa sœur Ethel, la « grande dame » de la scène et de l'écran, ou sur son frère John, un des grands Hamlet, qui, cinq ans plus tôt, était mort d'un alcoolisme incurable. Tous trois formaient la famille royale du théâtre américain, et les autres « voulaient savoir comment cela se passait entre eux — les rivalités, l'amour, tout ce qui avait trait à cette famille ».

Le dossier de publicité racontera : « M. Barrymore s'est forgé la réputation de l'homme le plus détendu du plateau... en somnolant entre les bras de Lauren Bacall... dans l'attente du début du tournage d'une scène. Bogart déclara : tout homme qui peut s'endormir avec "les bras de ma femme autour de lui devrait prendre sa retraite". Barrymore se contenta de grogner[5]. »

Pour Bogart, ce fut un tournage facile, que rendit plus aisée encore la direction maintenant familière de Huston. Les petites pointes que ce dernier lançait à l'occasion à propos de la rétractation de Bogart en restèrent au niveau de la plaisanterie et n'entamèrent pas leur amitié. Bien que plus subtilement silencieux que d'ordinaire, le rôle de Bogart lui était familier lui aussi. Huston et Brooks avaient introduit dans le scénario de petites touches qui convenaient bien à Bogart : par exemple, McCloud est un homme qui adore la mer et veut y gagner sa vie. « Mon premier amour a été un bateau », dit-il. Le navire à bord duquel il règle son différend avec les gangsters porte le nom de *Santana*.

Les relations entre Bogart et Robinson étaient tout aussi bonnes. C'était leur cinquième film ensemble, mais le premier depuis *Brother Orchid* (1940), où Bogart jouait un homme de main. Leurs carrières avaient considérablement divergé depuis sept ans. La fin de l'époque des premiers rôles pour Robinson avait coïncidé avec l'ascension de Bogart. Dans son autobiographie, Robinson écrivit qu'il ne s'attendait plus à être la star d'un film. « Pourquoi pas un second rôle ? A cinquante-trois ans, j'avais de la chance d'avoir même un petit rôle[6]. » Bogart, ajoutait-il, se montrait des plus courtois et des plus prévenants. Si on lui accordait encore l'attention réservée aux stars, c'était parce que Bogart insistait pour qu'il en soit ainsi.

Pour ceux qui les observaient au travail, la façon dont ils jouaient ensemble constituait une véritable leçon[7]. La tension latente du film résidait essentiellement dans l'antagonisme entre les personnages qu'incarnaient Bogart et Robinson. Huston les laissait discuter de leurs idées scène par scène avant de faire tourner les caméras. Rudi Fehr se souvient qu'il « leur disait simplement : "Montrez-moi ce que vous aimeriez faire", et il améliorait les choses à partir de là ». Tandis que les acteurs travaillaient la scène où Robinson gifle Bogart, « Huston allait de l'un à l'autre, regardait plusieurs fois pour comprendre ce qui allait se passer. Qui allait tuer qui ? Personne n'aime prendre une gifle sans réagir ; pourtant, le personnage de Bogart fait ce qu'il y a de mieux en ne bougeant pas. Mais il fallait le jouer. J'ai bien regardé Huston, et au moment du montage, j'ai inclus trois ou quatre plans de coupe passant d'un protagoniste à l'autre[8] ». Auparavant, Robinson a donné à Bogart un pistolet qui se révélera non chargé. La réaction de Bogart est au cœur du film. Prendra-t-il position et pressera-t-il la détente, ou s'en tiendra-t-il à son credo : « Je ne livre aucune autre bataille que les miennes » ? Quant il pose l'arme et dit : « Un Rocco de plus ou de moins ne vaut pas la peine qu'on meure », sa lâcheté semble totale.

Tout le monde savait qu'une grande partie de la réussite de ces échanges provenait du grand respect que Bogart et Robinson avaient l'un pour l'autre. Pendant des années, Robinson avait lutté contre des insinuations qui lui attribuaient une couleur politique. Personne ne l'avait jamais directement accusé d'être communiste, mais les rumeurs et les journalistes le traitaient souvent de dupe. Afin de laver sa réputation, il avait comparu devant la HUAC à l'automne et affirmé : « Mon américanisme est sans tache, sincère et parfait, et j'en suis fier[9]. » Finalement, Robinson ne figura pas sur la Liste noire, seulement sur une sorte de liste grise ; il continua à travailler, mais moins souvent, et dans de plus petits rôles.

« Ils étaient enchantés de figurer dans le même film, dit Fehr. Ils plaisantaient tout le temps. Les regarder répéter ensemble était un plaisir, parce qu'ils avaient la faculté de créer la scène et de trouver une solution quand un dialogue ne fonctionnait pas ou quand l'un d'entre eux n'était pas à l'aise, assis ou en train de faire quelque chose. »

En dépit de l'impression que les deux hommes étaient indifférents aux questions de statut, il fallut des mois à leurs agents et au studio pour se mettre d'accord sur l'emplacement des noms et des visages sur l'affiche, la taille des lettres indiquant leur nom, et d'autres détails encore. Bogart, la star, venait naturellement en premier, mais tout ensuite était négociable. On fit plusieurs projets. Ce n'était pas seulement une question de vanité, mais d'argent. Les affiches déterminaient les salaires, le pouvoir, la place de chacun dans la rigoureuse hiérarchie des studios de Hollywood.

Le cas de Claire Trevor était plus simple, car son violent désir de faire le film l'avait amenée à des concessions. De toute façon, à rôle égal, les hommes passaient toujours en premier, coutume parallèle au fait que les femmes ne gagnaient jamais autant que les hommes. C'était plus une question de statut que de qualité des acteurs. En effet, dès le tournage, tout le monde comprit que Claire Trevor crevait l'écran.

Dans la scène la plus intense qu'elle avait à jouer, Gaye Dawn, alcoolique depuis sa séparation d'avec Rocco huit ans plus tôt, est contrainte par le gangster à chanter un de ses vieux succès. L'alcool lui a pris sa voix, sa jeunesse, sa silhouette. Elle demande un verre. Si elle chante, lui dit Rocco, il lui en donnera un. Elle brosse alors le décor :

« J'avais de merveilleuses robes... j'avais à peine besoin de maquillage... ni d'éclairage, juste un petit projecteur. »

... Puis elle commence à chanter avec un tout petit filet de voix tremblant.

« Maintenant, donne-moi à boire, dit-elle.

« — Non, répond Rocco.

— Mais tu me l'avais promis ! supplie-t-elle.

— T'as trop mal chanté », lui dit-il.

Elle titube jusqu'à une table et y pose sa tête pour pleurer. McCloud lui verse à boire, ce qui amène Rocco à le gifler.

C'est une scène d'un sadisme bouleversant. Claire Trevor dit qu'elle en avait été gênée pendant le tournage, parce qu'il avait eu lieu à un moment imprévu et qu'elle ne se sentait pas prête. Mais c'était à dessein que Huston ne l'avait pas prévenue, ce qui avait ajouté une dimension à son angoisse [10]. Quand Huston cria « Coupez ! » tout le monde applaudit. Prémonitoire, Harry Lewis se tourna vers son voisin et dit : « Elle va décrocher un oscar pour ça. »

Le rôle de Gaye Dawn ne figurait pas dans la pièce d'Anderson. Huston et Brooks l'avaient créé, utilisant vaguement comme modèle Gaye Orlova, une chanteuse de cabaret amie du gangster Lucky Luciano, qui avait juré de le suivre même s'il était déporté. Tous les personnages, dit Brooks, faisaient « partie des histoires que nous avions entendues et partagées [11] ». Rocco incarnait l'attitude de la société — et de Huston — vis-à-vis des femmes alcooliques : « Une chose que je ne peux pas supporter, c'est une femme soûle... Ça me rend malade. » Il ne manquait pas de femmes alcooliques à Hollywood, mais Huston très certainement se souvenait d'un soir, en Italie, dans un bar plein de soldats, où Mayo Methot, ivre et presque inconsciente, avait voulu chanter de cette voix aussi tremblante que ses jambes. Au début du film, quand Lauren Bacall le griffe pour contrer ses avances, Rocco dit quelques mots du passé de son amie : « Un vrai petit chat sauvage ! J'en ai connu une autre, il y a longtemps, qui griffait et mordait. Elle m'a même donné un coup de couteau un jour. Une Irlandaise. Une vraie bombe. »

Comme précédemment, Bogart aida Betty, mais il ne lui donnait jamais de conseils devant les autres. Un jour, il la prit à part avant le tournage d'une scène et lui expliqua : « Le public est toujours un peu en avance sur toi. Si un type pointe un flingue sur toi, le public sait que tu as peur. Inutile de faire des grimaces [12]. »

Elle avait une scène difficile avec Robinson, quand le gangster provoque la jeune veuve qu'elle est par un langage sexuel explicite. Elle réagit en lui crachant au visage, ce qui laisse Rocco stupéfait et furieux. Huston savait que le vocabulaire de la scène ne passerait pas le Bureau Breen. « J'avais tout écrit de façon très directe, raconte Brooks, mais John m'a dit : "Tu sais qu'on ne peut pas dire ces horreurs. Il faut trouver autre chose." » Brooks suggéra que Robinson dise le texte, mais dans un murmure, pour que le public ne l'entende pas. La scène devint alors plus efficace encore, parce que le spectateur pouvait donner libre cours à son imagination, mais tout le fardeau dramatique retombait sur Lauren Bacall, dont les réaction aux paroles de Robinson étaient le centre de l'attention.

« *Key Largo* fut une de mes plus heureuses expériences au cinéma [13] », dit Lauren Bacall ; quant à Huston : « Il vous hypnotisait. Il pouvait vous convaincre de commettre un meurtre [14]. » Les critiques reflètent le résultat de ces efforts ; pour la première fois, on salua Bacall en tant qu'actrice, pas seulement en tant que personne. Claire Trevor dit que, pendant le tournage, elle se sentait un peu triste pour elle, cette personnalité si forte qui ne jouait là qu'une femme très ordinaire, dans le seul but d'apporter au film sa note sentimentale [15].

Les deux femmes s'entendirent bien. Sa position d'épouse de Bogart donnait confiance à Lauren, qui admirait beaucoup Claire Trevor, plus expérimentée et de quinze ans plus âgée qu'elle.

Huston passa un temps considérable avec Harry Lewis, qui jouait Toots, le jeune gangster psychotique dont même ses compagnons ont peur. Si on sent que les autres tueraient sans hésiter les habitants de l'hôtel au besoin, on sent que Toots le ferait par simple plaisir, par cruauté. Tandis que Lewis se préparait pour une scène où il rit comme un maniaque en lisant une bande dessinée, Huston s'accroupit près de lui et dit : « Maintenant, je voudrais te parler de ce que je veux que tu fasses dans cette scène, de ce que je veux que ressente ton personnage, de ce qu'il a derrière la tête [16]. » C'était Huston qui avait voulu que Toots ait une tenue différente des autres — costume gris clair, chemise noire, bretelles blanches, chapeau clair. Le tueur est un personnage mineur, même s'il est présent dans de nombreuses scènes ; Huston était perfectionniste jusqu'au moindre détail, mais Lewis avait l'impression qu'il « éprouvait une tendresse particulière pour Toots », et qu'il projetait quelques-unes de ses plus sombres pulsions dans le personnage : son côté imprévisible, ses accès de violence et de cruauté, sa liberté totale vis-à-vis des conventions. Quand il n'apprenait pas avec Huston à être un psychopathe, Lewis aimait aller poser à Robinson des questions sur sa grand-mère roumaine.

Key Largo fut assez bien accueilli, mais en dépit de ses intentions allégoriques, le public et la critique y virent surtout un bon film noir. L'ennemi était Petit César, pas Parnell Thomas, quels qu'aient été les efforts de Huston et Brooks, et le message était connu : un homme honnête confronté à la pègre et en situation d'infériorité est protégé par la pureté de ses buts. Même le *New York Herald Tribune* ne vit dans *Key Largo* qu'un « film de gangsters de la vieille école [17] ».

A la fin du printemps 1948, peu après qu'ils eurent terminé *Key Largo*, Betty courut gaiement vers Bogart, à l'entrée de leur propriété, et lui annonça qu'elle était enceinte. Au lieu de l'explosion de joie qu'elle attendait, il se contenta de rester silencieux, de l'enlacer et de l'entraîner vers la maison. Il ne fit plus allusion au bébé de la soirée. Plus tard dans la nuit, ils eurent la pire dispute de leur mariage quand Bogie explosa de fureur primale comme un fils rejeté par sa mère. Il hurla qu'il allait perdre sa femme en faveur d'un enfant [18].

Le lendemain, il écrivit une lettre d'excuse à son épouse. « Il ne savait pas ce qui lui avait pris, sinon qu'il avait peur de me perdre. Il craignait que notre incroyable bonheur, notre étroite complicité soient compromis par la présence d'un enfant, mais bien sûr il voulait plus que tout au monde que nous ayons un bébé, il fallait simplement qu'il s'habitue à cette idée. »

La grossesse de Betty était une bénédiction, non seulement sur le plan personnel mais aussi pour des raisons professionnelles. Ses relations avec la Warner étaient de plus en plus tendues, le studio tentant de la forcer à accepter des rôles qu'elle ne voulait pas interpréter. Au printemps 1947, Michael Curtiz la voulait pour jouer une chanteuse dans *Romance on the High Seas (Romance à Rio)*, plaisante comédie musicale, mais ce n'était pas un rôle pour elle. Lauren savait que Judy Garland et Kathryn Grayson avaient refusé, et qu'elle était au mieux un troisième choix. De plus, dit-elle à Jack Warner, elle n'était pas chanteuse. Elle résista aux supplications de Curtiz et aux menaces de Warner, et préféra la suspension à ce rôle. Les actrices n'avaient pas de jugeote, écrivit Curtiz à Steve Trilling, ajoutant, dans le langage excessif d'un Magyar : « Elle est folle de refuser ce rôle ; il ne s'en présente un comme cela qu'une fois dans une vie [19]. » Le rôle lança Doris Day dans la carrière, mais Lauren avait eu raison de tenir compte de ses propres limites.

Les relations de Bogart avec le studio s'aigrirent parallèlement. Malgré toutes les disputes au fil des années, dans le monde paternaliste du studio on le considérait toujours comme un membre de la famille Warner ; gentil ou méchant garçon, on estimait qu'il avait fait son devoir vis-à-vis de l'entreprise. En revanche, Lauren Bacall, achetée très cher, était une étrangère sous-utilisée, et une ingrate. Pour Jack Warner, elle était une fille qui avait eu une chance énorme à dix-neuf ans et qui s'arrogeait maintenant le droit de lui dire comment diriger son affaire. « Cette entreprise n'est pas un grand magasin, et je ne vous laisserai pas, vous qui n'avez fait que quatre ou cinq films, insulter mon intelligence ! » lui cria Warner au téléphone avant de raccrocher [20].

Lauren avait discuté de deux grands rôles avec le studio [21], celui de l'héroïne de *The Fountainhead* (*le Rebelle*, 1949), adapté de son roman par Ayn Rand, réalisé par King Vidor, avec Gary Cooper, et celui d'une forte femme face à Sydney Greenstreet dans le sulfureux *Flamingo Road* (*Boulevard des passions*, 1949). Pour ce dernier film, Steve Trilling la préférait au premier choix de Warner, Ann Sheridan, mais l'affaire s'était décidée à l'époque où Bogart refusait de prendre ses distances vis-à-vis du Comité pour le premier amendement, et cela dut jouer dans la décision finale du studio — c'est Joan Crawford qui obtint le rôle. Quoi qu'il en soit, on proposa alors en échange à Lauren des rôles si médiocres qu'elle les refusa, comme *The Girl From Jones Beach* ; elle n'était pas belle en maillot de bain, déclara-t-elle. C'est Virginia Mayo qui prit le rôle, au côté de Ronald Reagan. Lauren voulait que le studio lui donne des rôles plus intéressants. Son contrat, rappela-t-elle, ne spécifiait-il pas que ses services étaient « de caractère spécial, unique, extraordinaire et intellectuel » ? Dans une série d'échanges amers, elle apprit que c'était le bureau juridique, non l'artiste, qui décidait de la signification de clauses aussi ronflantes. Comme pour Bette Davis, poursuivie jusqu'en Angleterre douze ans plus tôt, la véritable signification d'un contrat à long terme devint douloureusement claire — à ceci près que Bette Davis était revenue avec les honneurs dans un studio en pleine expansion. Les combats de Lauren se déroulaient sur fond de difficultés financières en un temps où le marché se réduisait.

Elle demanda à plusieurs reprises qu'on la libère de son contrat, mais le studio refusa, Roy Obringer soulignant que ses services étant effectivement très spéciaux et uniques, on ne pouvait envisager de se passer d'elle. Elle songea à un procès ; son avocat le lui déconseilla. Moralement, elle avait raison, légalement, elle n'avait aucun point d'appui.

« Je vous félicite, Jack, pour la manière dont vous me traitez, écrivit-elle à Warner en juillet 1948 alors qu'elle était confrontée aux maigres restes d'une carrière jadis prometteuse. J'ai eu tort de vous croire quand vous me disiez que vous aviez confiance en moi et que vous preniez mes intérêts à cœur[22]. » La querelle devint publique au printemps 1948 et fut rapidement aggravée par les journaux à potins locaux[23].

Quand, en juin, Lauren Bacall refusa *Blowing Wild (le Souffle sauvage)*, Hedda Hopper lui demanda s'il était vrai qu'elle était enceinte. Elle le nia, considérant que ce n'était pas les affaires de la « commère » — qui insista : Est-ce qu'elle lui mentait ? Lauren Bacall raccrocha après un « Non ! » furieux[24].

Hedda Hopper écrivit : « Sur les conseils de son agent et de son avocat, Lauren Bacall Bogart a commencé par nier qu'elle allait avoir un bébé. Lauren m'a dit qu'elle voulait que l'heureux évènement soit tenu secret pour qu'elle puisse continuer à toucher son salaire du studio... J'aurais pensé que les Bogart étaient fiers de ce qui leur arrivait et que l'argent serait le moindre de leurs soucis[25]. » Les deux femmes ne s'adressèrent plus la parole pendant un an.

Lauren Bacall fut suspendue. Bogart prétendit qu'il avait parié avec le producteur du film, Milton Sperling, gendre de Harry Warner, que le film ne se ferait pas et qu'il était donc injuste de suspendre sa femme[26]. En fait, le film fut tourné quatre ans plus tard avec Barbara Stanwyck et Gary Cooper. Quand il sortit en 1953, les critiques ne furent guère enthousiastes.

Que les comédies qu'avait refusées Lauren Bacall soient des exemples d'erreur de distribution ou que les drames frôlent le ridicule, cela n'avait aucune importance pour le studio. Elle appartenait à la Warner, et on devait pouvoir faire d'elle ce qu'on voulait. Quand fin 1948 une Betty visiblement très enceinte servit de mannequin pour des robes de grossesse dans *Life*, J. L. explosa et rappela au journal qu'il devait passer par le studio avant d'employer des stars sous contrat[27].

Pendant toute l'affaire, Bogart soutint son épouse. A l'été 1948, il informa le journaliste Harrison Carroll qu'ils avaient suspendu la dispute entre Lauren Bacall et le studio parce que « le bébé est ce qui compte le plus pour l'instant[28] », mais l'acrimonie s'insinuait souvent dans ce qui aurait dû être l'époque la plus heureuse de leur vie. En soutenant sa femme, il est possible que Bogart se soit réjoui qu'elle puisse contrer Warner par un moyen que jamais il n'avait pu utiliser. En tant que Mme Bogart, elle jouissait de cette sécurité financière et sociale qu'il n'avait pas quand il était arrivé. Mais ces affrontements continuels ne pouvaient que confirmer ses inconciliables différences avec J. L.

Un jour de juin, alors qu'il portait au studio des lunettes de soleil, Bogart aurait dit : « Ces lunettes sont pratiques quand on doit rencontrer Jack Warner : il ne peut rien voir d'autre que son reflet[29]. »

Le couple avait des problèmes avec un studio pour qui l'année 1948 était cruciale. Avec le départ de Hal Wallis, le cœur de la Warner s'en était allé. Jamais le brillant producteur ne fut remplacé. Steve Trilling avait été un grand directeur de casting et un excellent bras droit de Jack Warner, mais il n'était pas Hal Wallis. Il n'y avait plus de cerveau pour visionner chaque image des films et savoir y appliquer une critique constructive.

La Warner était à la recherche d'une identité. Après la purge qui avait touché les scénaristes, le studio s'était écarté des sujets sociaux qui avaient bâti sa réputation et garanti sa réussite pour se rabattre sur d'agréables comédies musicales mineures et sur le recyclage d'anciens succès. Il y avait quelques exceptions notables, dont le retour de James Cagney dans *White Heat (L'enfer est à lui)*, de Jane Wyman dans *Johnny Belinda*, et de Danny Kaye dans *The Inspector General (Vive Monsieur le Maire !)*, mais la qualité globale était en baisse.

De surcroît, le système même des studios était confronté à une érosion financière. En 1948, la Cour suprême des États-Unis décréta que les studios ne pouvaient simultanément être producteurs et exploitants de salles, ce qui entraîna la vente de ces chaînes de cinémas qui constituaient l'aboutissement logique pour l'exploitation des produits et une source régulière d'argent frais. Parallèlement, la toute nouvelle industrie de la télévision, qui s'étendait rapidement, fournissait des distractions gratuites à domicile. Les bénéfices de la Warner pour 1948 ne s'élevèrent qu'à la moitié de ceux de 1947, onze millions de dollars contre vingt-deux. Les pressions incessantes de New York étaient maintenant transmises directement par Harry Warner, qui passait presque tout son temps à Burbank. Harry, qui avait toujours eu peur de la faillite, n'avait qu'un refrain : économisez, économisez, coupez, coupez !

La présence de Harry en Californie augmenta les tensions entre les deux frères. Un jour, Art Silver croisa J. L. dans un couloir et fut stupéfait de voir des larmes couler sur les joues de son patron. « Je ne sais pas ce que je vais faire, lui dit-il. Harry n'arrête pas de me dire d'économiser et je ne peux pas le contrer [30]. »

A en croire le fils de Jack Warner, ce dernier avait toujours eu peur de son frère. Harry représentait encore un certain sens moral, une puissance physique, même, en tant que frère aîné et père de substitution au sein de ce qui restait, malgré toutes les querelles, une famille traditionnelle. Jack Jr, pétrifié, regarda un jour son oncle Harry tuer puis dépecer un veau. « Mon père, lui, coupait dans les scénarios et massacrait les acteurs. » Harry avait une présence qu'on ne pouvait ignorer et il désapprouvait la vie adultère de J. L. Mais, comme le dit son neveu, ce n'était « qu'un peu d'essence sur un feu qui brûlait déjà ». Harry Warner partageait l'opinion des gens de l'Est : les dirigeants du studio de Burbank étaient des dépensiers vaniteux « qui gaspillaient l'argent qu'il avait obtenu des banquiers, alors qu'il devenait de plus en plus dur de négocier avec eux ». Chacun des frères avait des raisons d'en vouloir à l'autre, pensait Jack Jr, mais ces raisons étaient amplifiées par le fait qu'ils étaient tous deux aussi « têtus » [31].

Bogart espéra que son vieux rêve de production indépendante se réaliserait quand sa propre compagnie naquit des cendres des Productions Mark Hellinger. En janvier 1948, Bogart, vice-président de Hellinger Productions, organisa une réunion extraordinaire des quelques actionnaires (Gladys Glad, veuve de Hellinger, Morgan Maree, l'homme d'affaires, et l'avocat Martin Gang), premier pas vers la dissolution de l'entreprise. Les actifs, y compris ce qu'on attendait des films réalisés, se montaient à un peu plus d'un demi-million de dollars, à distribuer entre les créanciers. Restait aussi le synopsis et le scénario incomplet des *Ruelles du malheur*.

Bogart, par l'intermédiaire de son avocat et homme d'affaires Morgan Maree, reprit le projet et forma une nouvelle compagnie à laquelle il donna le nom de son yawl : Santana Productions. L'accord avec Selznick était mort en même temps que Hellinger. C'était Hellinger, son savoir-faire et son grand professionnalisme, qu'avait voulus Selznick. Mais le producteur ambitieux qui voulait rivaliser avec Jack Warner connut une gloire posthume : à la sortie de *la Cité sans voiles*, en mars, la critique encensa ce film des rues à la qualité presque documentaire, cette avancée courageuse vers un cinéma nouveau, et on remarqua aussi la réalisation de Jules Dassin. (Au début des années 1950, Dassin sera contraint de s'exiler en Europe après avoir été dénoncé comme communiste lors d'autres auditions de la HUAC.) Bogart et Maree retournèrent à la Columbia, où Harry Cohn s'était montré intéressé un an plus tôt, et ils se mirent d'accord sur un financement partiel et la distribution artistique du film, de même que sur l'utilisation de l'infrastructure du studio pour le tournage. Mais Harry Cohn n'était pas Selznick. Avec le tiers du chiffre d'affaires de la Warner, la Columbia était tout en bas de l'échelle des grands studios. Elle ne consacrait pas non plus le soin d'un Selznick à la production de ses films. Pourtant, la Columbia, qui n'avait pas de réseau de salles propre, fut moins affectée que les autres studios par le décret de la Cour suprême, et s'engagea la première dans la télévision.

Pour succéder à Hellinger comme producteur, Bogart proposa Robert Lord, qui avait écrit bien des scénarios à succès dans les années trente pour la Warner *(la Légion noire, Bordertown, Chercheuses d'or de 1935, Voyage sans retour)* mais qui, maintenant, était sans engagement pour avoir voulu vendre trop cher ses services à son retour de la guerre. Bien qu'actionnaire de Santana avec Bogart et Maree, il était essentiellement un employé qui dirigeait l'entreprise depuis son bureau à la Columbia, avec l'aide d'un assistant et d'une ou deux secrétaires. C'était le bureau de Morgan Maree qui servait d'adresse postale et de quartier général. Sans Selznick ni Hellinger, la compagnie manquait autant de fonds que de talents administratifs. Tous les éléments naguère positifs étaient à présent plutôt négatifs.

En octobre 1948, Bogie et Betty pensaient davantage à leur enfant à naître dans quelques semaines qu'à leur bataille contre la Warner. Jusque-là, la grossesse de Betty avait été facile et heureuse [32], et elle n'avait pas l'intention de tout gâcher par une bagarre sans espoir contre le studio. Prudemment, elle envoya un mot indiquant qu'elle était disposée à reprendre du service. Les choses se calmèrent, du moins temporairement. Sa lettre accorda à Betty le temps de se reposer, au-delà du terme de sa grossesse, jusqu'en mars 1949. Sous la surface, la rancœur subsistait, mais du moins put-elle avoir son bébé en paix, ou presque.

Son obstétricien avait prévu la naissance fin décembre, mais l'année s'acheva, et Betty ne ressentit les premières douleurs que le 6 janvier 1949, quelques jours après que Bogart eut commencé à travailler dans

Tokyo Joe, que Santana produisait à la Columbia. Alors qu'elle minutait les contractions, la commère Sheila Graham l'appela et lui demanda : « Dites-moi, c'est vrai que Bogie a un enfant d'une autre femme ? » Betty, stupéfaite, répondit « Non ! » et raccrocha [33].

Quelques heures plus tard, le médecin appela Bogart sur le plateau et lui demanda de venir à son cabinet chercher sa femme pour la conduire à l'hôpital. En chemin, Betty lui parla de l'appel de Sheila Graham. « Je crus qu'il allait devenir fou, écrivit-elle. Il traita la chroniqueuse de tous les noms. "Attends un peu que je la voie, elle va le sentir passer, cette salope !" »

A l'hôpital des Cèdres du Liban, on conduisit Bogart dans la salle de travail pour qu'il tienne compagnie à sa femme. « On l'avait accoutré d'une blouse verte assortie à son teint [34] », écrit Lauren. Au bout de quelques minutes, il lui demanda s'il pouvait sortir. Il ne supportait pas de voir souffrir une personne qu'il aimait. L'ancien publicitaire de la Warner, Jaik Rosenstein, qui travaillait maintenant pour Hedda Hopper, le trouva en train de faire les cent pas dans la salle d'attente. « Espèce de vampire, qu'est-ce que tu fais là ? » demanda Bogart, qui pourtant était visiblement heureux de le voir [35]. A vingt-trois heures vingt-deux, Betty donna naissance à un beau garçon de trois kilos et cinquante centimètres. Quand on la ramena dans sa chambre, Bogart l'attendait. « Salut, Baby », lui dit-il, les larmes aux yeux [36].

Puis il partit chez Chasen pour célébrer l'évènement. Une photo montre Dave Chasen, Paul Douglas et Frank Sinatra, maître de cérémonie, en train de regarder le père heureux mais épuisé et les yeux vitreux. Le lendemain matin, après un arrêt à l'hôpital, il arriva radieux sur le plateau. Il annonça qu'ils allaient appeler le bébé Steve — Stephen Humphrey Bogart — en souvenir du film qui avait réuni ses parents [37].

Pendant la campagne présidentielle, quelques mois plus tôt, Lauren Bacall s'était trouvée placée à côté du président Harry Truman lors d'un dîner. Truman et Bogart avait alors parié vingt dollars sur le sexe de l'enfant. Truman avait parié que ce serait un garçon, et peu après la naissance de Stephen, Bogart envoya un chèque à la Maison-Blanche, avec un mot demandant au Président de l'endosser (aux États-Unis, tout chèque est renvoyé à son signataire une fois que le bénéficiaire l'a encaissé) ; il voulait que ce soit un souvenir pour Steve. Lauren Bacall écrit que deux mois plus tard, le chèque revint, accompagné d'une lettre.

Cher M. Bogart,
Ci-joint le chèque que vous m'avez envoyé endossé à l'ordre de
M. Bogart Junior.
J'espère que vous l'utiliserez pour un bon du Trésor que vous

*verserez avec mes compliments sur le compte destiné à son édu-
cation.*

*Il est bien rare que je rencontre un homme qui se souvienne de
ses engagements et les respecte à la lettre.*

Harry S. Truman [38].

Les cadeaux pour le bébé affluèrent, de la part d'amis mais aussi
d'étrangers. Lionel Barrymore envoya un bol à bouillie en argent gravé
et un admirateur de la côte Est une édition de 1899 du *Baby's Record*
de Maud Humphrey. Le cadeau de Louis Bromfield fut une tasse
portant l'inscription : « A S. H. B. de la part de L. B. D'un capricorne
à un autre, et que Dieu sauve le monde [39]. »

Betty et une infirmière ramenèrent le bébé à la maison après que la
Californie du Sud eut subi une de ses rares chutes de neige — dix
centimètres sur les fleurs et les palmiers ; Bogart avait construit un
énorme bonhomme de neige sur la pelouse pour les accueillir. Comme
les deux parents travaillaient, il fallait une nurse au bébé. La femme de
Philip Dunne, Amanda, avait une amie qui connaissait une Canadienne
intelligente qu'elle recommandait chaudement. Amanda remarqua que
Bogart était sur ses gardes pendant la discussion. Sans que Betty l'entende, il l'interrogea : Comment était cette femme ? Est-ce qu'elle
aimait les enfants ? « Est-ce qu'elle sera gentille [40] ? » Cela ressemblait
davantage aux questions que pose une mère, pas un père de l'âge de
Bogart. Plus tard, il lui arriva de reprocher à Betty de vouloir poursuivre sa carrière et donc de négliger la maison, lui-même ou les
enfants. Derrière les remarques blessantes se cachaient les souvenirs
douloureux de ses parents absents et des êtres méprisables à qui ils
confiaient leurs enfants.

Peu après la fin de *Key Largo*, Santana Productions avait fait *les
Ruelles du malheur*. Hellinger mort, le rôle du malheureux Nick
Romano, enfant de chœur devenu tueur, n'intéressait plus Marlon
Brando, et on le confia à John Derek, âgé de vingt-deux ans. Ce fut le
troisième film de Nicholas Ray. Tous les efforts, la jeunesse et la
beauté de Derek ne suffirent pas pour un rôle qui exigeait un Brando
ou un jeune Bogart. Le rôle de Bogart, l'avocat de Nick, n'était pas
meilleur que celui du gentil garçon qu'il avait joué onze ans plus tôt
dans *Femmes marquées*. Alors qu'il décrit devant le tribunal la vie de
Nick, elle défile en flash-back : son père mourant en prison, ses mauvaises années d'école, sa jeune femme qui se suicide. « Bogart est si
ennuyeux, écrit la critique Pauline Kael, qu'on souhaite qu'il arrête
de pérorer et sorte ses tripes [41]. » Mais ce fut pour Ray le commence-
ment d'une grande carrière, et le film qu'il tourna avec Bogart en
1950, *In a Lonely Place (le Violent)*, est un des meilleurs de l'un

comme de l'autre. Nicholas Ray, qui avait des sympathies pour les films traitant des démunis de la vie, dirigera James Dean dans *Rebel Without a Cause (la Fureur de vivre)* en 1955.

Deux autres films de Santana, fortement inspirés de *Casablanca* — *Tokyo Joe* (1949) et *Sirocco* (1951) —, passèrent sans laisser beaucoup de traces. Le problème des films de Santana ne résidait pas dans les scénarios, confiés à de très bons auteurs et tirés dans la plupart des cas d'ouvrages de valeur ; Bogart avait l'œil pour juger la bonne littérature. Leur handicap, c'était l'absence d'une équipe de production comme celle qui soutenait Bogart à la Warner, où réalisateurs, acteurs, cameramen, scénaristes et tous les autres avaient derrière eux des années de travail en commun. Bogart participait activement à toutes les phases de ses productions[42], mais il était acteur, non producteur ; et un acteur, de surcroît, qui avait encore des obligations envers la Warner.

La compagnie manquait aussi de relations. Ce fut évident quand Bogart tenta d'acquérir les droits du dernier succès du dramaturge Sidney Kingsley, dont *Rue sans issue*, des années plus tôt, avait été si bénéfique pour sa carrière. *Detective Story*, avec sa vision tendue et anecdotique d'un poste de police urbain, était l'ancêtre de *Hill Street Blues* et d'innombrables films policiers. Au centre de ces portraits de « flics, reporters, escrocs, avocats, voleurs à la tire, vendeurs de drogue », comme le dit un critique, il y avait le lieutenant James McLeod, policier intègre que ses démons intérieurs conduisent à la destruction.

« Le diable a sa puanteur propre, dit-il à un collègue. Je sais... Chaque jour et chaque nuit de mon enfance, j'ai vu et j'ai entendu mon père violer et torturer ma mère... Elle est morte dans un asile de fous... Chaque fois que je vois un de ces salauds, je vois le visage de mon père[43] ! »

La pièce, interprétée par Ralph Bellamy, était jouée à l'essai à Philadelphie, fin 1948, quand Bogart et Maree vinrent dans les coulisses parler à Kingsley des droits cinématographiques[44]. Kingsley n'eut aucun mal à imaginer Bogart dans le rôle de son héros troublé : « Il aurait été merveilleux. » Et Bogart voulait que Kingsley mette le film en scène comme il l'avait fait pour la pièce, ce qui aurait rendu l'accord plus séduisant encore. Mais Santana n'était pas seul à vouloir acheter les droits. La Paramount, dit Kingsley, « proposait une énorme somme d'argent et dix-sept et demi pour cent des recettes distributeur. Jamais auparavant on n'avait offert un tel contrat à un auteur ».

William Wyler, qui avait soutenu la pièce et réalisé la version filmée de *Rue sans issue*, voulait que la Paramount obtienne les droits, et ce pour une bonne raison : le studio lui ferait réaliser le film. Bogart et Maree ne faisaient pas le poids. Ils n'avaient pas les moyens. « Souvent, je regrette de ne pas lui avoir dit "d'accord", expliqua Kingsley. Mais je ne pouvais pas, ne serait-ce que pour ne pas trahir ceux qui m'avaient soutenu. Conformément aux règles édictées par le syndicat des dramaturges, je devais accepter l'offre la plus élevée. Il arrivait que je rencontre Humphrey, et on bavardait. Il traversait une période d'agressivité. Il m'envoyait des piques parce que je ne lui avais pas vendu les droits, et parfois avec une certaine aigreur... Je crois qu'il ne m'a jamais vraiment pardonné. Je ne me suis pas vraiment pardonné non plus, même si Willy Wyler a tiré de ma pièce un film un merveilleux. »

Histoire de détective sortit en novembre 1951 avec Kirk Douglas dans le rôle principal. Ce fut un des plus gros succès de l'année et il recueillit quatre sélections aux oscars, dont celles du meilleur réalisateur, de la meilleure actrice et du meilleur scénario. Mais le succès du film ne fit que souligner la probabilité que le rêve d'indépendance de Bogart ne se réaliserait jamais, qu'il passerait le reste de sa carrière comme employé bien payé d'autrui.

Il y avait de gros avantages, tant artistiques que financiers, à être son propre producteur. Les impôts sur les bénéfices n'étaient qu'une fraction de ceux qui frappaient les salaires. Santana lui garantissait aussi un minimum de cent trente-trois mille dollars par film, en plus d'une part des bénéfices. Fin 1948, Jack Warner avait paru disposé à sceller un accord de production. Quand la Columbia aurait sorti les deux premiers films de Santana, peut-être la Warner pourrait-elle prendre le troisième et recouvrer l'exclusivité de ses droits sur Bogart. Obringer négocia avec Maree pendant près d'un mois, mais il y avait trop de points de désaccord et finalement rien ne se passa. L'échec avait des racines purement financières. La Warner voulait un tiers des investissements, la moitié des bénéfices, des films à budget réduit et seulement si Bogart y jouait [45]. Bogart et Maree ne voulaient pas d'un contrôle extérieur aussi pesant. Leurs exigences n'avaient rien d'inhabituel, à cette époque où le pouvoir des studios était en régression. Nombreuses étaient les stars qui avaient formé ce genre de sociétés privées par lesquelles elles échangeaient leurs salaires fortement imposés contre des bénéfices pratiquement exonérés d'impôt. Burt Lancaster et John Wayne avaient déjà leur propre société à la Warner. La plupart des jeunes acteurs n'avaient pas connu la Dépression et ne recherchaient pas prioritairement la sécurité de l'emploi. Oui, ils voulaient faire une grande carrière, mais les plus doués, comme Gregory Peck ou le très populaire Montgomery Clift, voulaient surtout avoir davantage de contrôle sur leurs films que ne le permettaient les contrats avec la Warner. Peck était attiré par le genre de films que produisait la Warner, mais même l'intervention personnelle de J. L. ne put dissimuler les intentions du studio, qui voulait garder un contrôle absolu. L'acteur se tourna vers la Twentieth Century-Fox.

Jack Warner prit l'échec des négociations avec Bogart de façon plus personnelle. Bogart était censé faire partie de la famille Warner. J. L.

avait *fait* Humphrey Bogart, du moins le pensait-il, et Bogart lui devait donc gratitude et fidélité. En dépit du fait que le plus récent contrat de Bogart avec la Warner lui avait accordé le droit d'avoir sa propre société et une vie créatrice hors du studio, la Warner ne pardonna jamais à l'acteur de l'avoir exigé. Si Jack considérait Bogart comme un membre de la famille, ils n'avaient jamais été amis. Pour commencer, Jack Warner n'aimait pas les acteurs, à l'exception peut-être de gens qui n'étaient pas chez lui, comme Cary Grant, Gary Cooper ou Henry Fonda. « Mon père ne fréquentait pas les acteurs », dit Jack Warner Jr. En revanche, il en allait tout autrement avec les acteurs assez puissants pour être des hommes d'affaires indépendants. « Ils étaient prestigieux. Gary Cooper donnait son prix, choisissait ses films. Il ne dépendait pas de mon père. Il tenait sa destinée en main, et mon père se montrait charmant avec les personnes de ce genre, qui le fascinaient[46]. »

C'étaient ces gens-là, non Bogart, qu'il invitait pour les grands dîners à sa résidence, où les convives mangeaient dans de la porcelaine chinoise ancienne. Pour Jack Warner, Bogart avait débuté comme « un type à qui on donne un rôle ». Et jamais J. L. ne put vraiment l'oublier. « Plus tard, après tous ces merveilleux films, il reconnut que Bogart était un capital énorme pour l'entreprise. Mais jamais il ne l'accepta à cent pour cent. »

Bogart, quant à lui, ne cachait pas son peu d'estime pour Warner. Mais leur association avait toujours été marquée par un respect fondamental — quoique parcimonieux — de l'autre, et un but commun : faire de bons films. Maintenant, tout cela semblait avoir disparu. La façon dont le studio traitait Lauren Bacall, les auditions de la HUAC et les pressions qui avaient suivi, avaient distendu des liens personnels et professionnels vieux de près de quinze ans.

Après cette période qui l'avait mené au sommet de sa carrière, Bogart entra dans une phase plus terne. Le studio semblait fatigué aussi. Après *Key Largo*, John Huston partit pour la MGM. Michael Curtiz vieillissait. Howard Hawks avait fait défection depuis longtemps. Et Jerry Wald ne tarderait pas à partir aussi, chassé, comme Hal Wallis, par la jalousie de Jack Warner. A la fin des années 1940, seuls deux des cinq réalisateurs approuvés d'avance dans le contrat de Bogart — Curtiz et Delmer Daves — étaient encore à la Warner.

Au milieu de l'année 1949, Bogart commença à la Warner le tournage de *Chain Lightning (Pilote du diable)*, l'histoire d'un pilote d'essai qui se range pour Eleanor Parker. Lauren Bacall reprit du service face à Kirk Douglas dans *Young Man with a Horn (la Femme aux chimères)*, librement inspiré de la vie du grand trompettiste de jazz Bix Beiderbecke et adapté du roman de Dorothy Baker par un vieil ami de Bogart, Edmund North. Elle venait en second après Doris Day dans un rôle que le *New York Times* décrira comme celui d'une

« épouse perturbée et malade mentale. Il s'agit d'un rôle lourd et désagréable qui eût été un défi pour une actrice plus expérimentée, et les dialogues stupides qu'elle doit dire ne pouvaient l'aider[47] ».

Bogart partit sur la côte Est en septembre pour une tournée de promotion dans les cinémas Loew's à l'occasion de la sortie du film de Santana Productions, *Tokyo Joe*. Betty, qui l'accompagnait, avait demandé si elle pouvait se produire avec lui. Absolument pas, avait répondu Trilling par télégramme, elle était en exclusivité à la Warner[48]. Une fois à New York, elle adressa la même requête à Mort Blumenstock. Mais il était au courant de son échange avec Trilling. « SANS MENTIONNER LE TÉLÉGRAMME, LA PETITE DAME M'A TÉLÉPHONÉ POUR ME DEMANDER SI JE NE TROUVAIS PAS QUE CE SERAIT UNE BONNE PUBLICITÉ POUR ELLE[49]. » Les avocats de la Warner expédièrent des injonctions aux différents cinémas, à Lauren Bacall et à la Columbia, distributeur de Santana, pour les mettre en garde. Lauren regarda toute la promotion depuis la salle.

Puis se produisit un incident qui, gonflé par les médias, allait faire la une des journaux pendant des jours et entraînerait vers les abysses les relations entre Bogart et la Warner.

On ne sait pas précisément ce qui se passa le soir du samedi 25 septembre à l'El Morocco, mais un certain nombre de choses sont évidentes. La soirée commença avec un dîner très arrosé pour les Bogart et quelques amis au « 21 », après quoi ils retournèrent à l'hôtel St Regis, où Betty suggéra qu'ils aillent se coucher. Bogart voulut continuer la tournée et Betty monta seule dans leur chambre. « Elle a été raisonnable[50] », dit son mari au journaliste Earl Wilson.

Peu avant quatre heures du matin, Bogart et son ami Seeman étaient à l'El Morocco, très soûls, tenant deux pandas en peluche de douze kilos. C'était au Stork Club qu'ils avaient décidé que ces jouets leur tiendraient agréablement compagnie et qu'ils avaient envoyé quelqu'un les acheter chez Reuben's, une épicerie ouverte toute la nuit qui, outre d'épais sandwiches, vendait des jouets[51]. Bogart enfila aussi des bretelles rouges du club. Une certaine Robin Roberts, dont la presse dira le lendemain qu'elle était « mannequin pendant la journée », et qui était au club avec « un gros industriel de Philadelphie », tenta de prendre un des pandas et se retrouva par terre, tant Bogart était décidé à défendre son bien. Une amie à elle, Peggy Rabe, tenta aussi sa chance et se retrouva dans la même position. Mlle Rabe était en compagnie du gangster Johnny Jelke, à qui Bogart lança une soucoupe, et qui en échange cassa quelques assiettes sur les épaules de Seeman. « Ils ne se sont pas battus, dit le chargé des relations publiques du club, Leonard MacBain, c'était juste une dispute[52]. »

Le mercredi suivant, à huit heures du matin — « bien trop tôt », commenta un Bogart endormi —, un policier frappa à la porte de sa suite au St Regis pour lui délivrer une sommation pour voies de fait, avec ordre de comparaître devant la cour à dix heures le vendredi matin. La presse eut de quoi faire de gros titres, comme « BOGART MALMÈNE DEUX GAMINES [53] ». Le jeune mannequin posa sur le tapis de sa chambre à l'hôtel Mayflower pour montrer la position exacte dans laquelle elle était tombée et élargit son décolleté pour montrer trois marques prétendument infligées pendant l'altercation. « Tandis que les photographes s'en donnaient à cœur joie, elle expliqua qu'elle avait des bosses et des contusions », dit *Time*. Elle nia avoir voulu s'emparer du panda. Quelqu'un lui avait dit qu'elle pouvait le prendre, dit-elle. Quand elle avait tendu la main vers la peluche, Bogart l'avait poussée et avait crié : « Foutez-moi la paix ! Je suis marié et heureux en ménage [54] ! » Lee Mortimer, le chargé de publicité du club, grand spécialiste des journaux à scandale, déclara avec empressement que Bogart était à l'origine de la bagarre.

Les médias se précipitèrent au St Regis, où Bogart les reçut, pas rasé, en pantoufles, un peignoir bleu sur son pyjama blanc. Il admit n'avoir que peu de souvenirs de cette nuit, hormis une bataille pour le panda avec « cette fille qui criait et piaillait. Personne n'a été blessé, je n'ai frappé personne ; et si ces filles sont tombées par terre, il faut croire que c'est parce qu'elles ne tenaient plus debout [55] ». Quant à la soucoupe volante, Bogart admit qu'il avait pu se saisir d'une assiette. A quatre heures du matin, on peut avoir un accès de mauvaise humeur. Un peu plus loin dans le salon, Lauren Bacall fredonnait « Une soirée enchanteresse ».

Sur les deux côtes, la Warner garda ses distances. D'ordinaire, un incident tel que celui-là impliquant une star de la compagnie aurait immédiatement mobilisé un peloton de publicitaires du bureau de Mort Blumenstock. Quand il s'était agi d'empêcher sa femme de poser un pied sur une scène avec Bogart, les avocats de la Warner s'étaient levés comme un seul homme. Maintenant que leur star était convoquée au tribunal, les conseillers du studio restaient invisibles. Ce n'était ni une coïncidence ni une bévue. Dès que l'histoire fut rendue publique, le bureau de New York demanda des instruction à Burbank. J. L. répondit de ne rien faire. « Ces gens doivent apprendre qu'ils ne sont pas au-dessus des lois. »

Bogart, qui n'était jamais paralysé devant la presse, traita l'affaire sur le ton de la plaisanterie. « Moi, frapper une femme ? dit-il à Earl Wilson. Mais enfin, je suis trop gentil et trop chevaleresque. Et puis c'est dangereux. » Wilson demanda s'il avait jamais frappé une femme de sa vie. « Non. » Betty posa sur lui un de ses regards insistants. « Jamais, monsieur Bogart ? » Bogie tira une longue bouffée de sa cigarette. « Oh, peut-être une ancienne épouse, de temps à autre [56]. »

Mais il savait que cette escarmouche pouvait être grave. Malgré ses nuits mouvementées, jamais il n'avait eu affaire à la justice. Maintenant, alors qu'il approchait de la cinquantaine, on le traînait devant un juge pour une accusation qui pouvait être lourde. Et puis il était à New York, loin de sa base, où les studios pouvaient tout régler — s'ils le voulaient.

C'est à la suite d'une promesse qu'il avait faite à Bogart, deux ou trois ans plus tôt, que Jack Warner le laissa tomber. Il y avait eu une dispute. Quelques semaines plus tard, quand Bogart était revenu, Warner lui avait dit : « Ne t'en fais pas, tout ira bien. » Soulagés, ils s'étaient serré la main. Alors que Bogart s'éloignait, Warner le rappela : « Bogie, je voulais juste te dire : à l'avenir, si tu te fais baiser, ce sera par la Warner[57]. » Et c'est ce qui se passa.

A huit heures du matin le vendredi, le reporter du *Journal-American* Charles Carson monta dans la suite de Bogart pour le photographier avant l'audience. Bogart lui ouvrit la porte, à nouveau en peignoir et pantoufles, l'air de sortir du lit. Mais il fut parfaitement poli. Il était seul. Betty dormait encore dans la chambre à côté, dit-il. Carson fut surpris que Bogart se dise « très inquiet parce qu'il pensait qu'il allait avoir des ennuis[58] ». Carson trouvait cette histoire ridicule et le lui dit. « "Ne t'en fais pas, ils ne te feront rien." Mais il était certain qu'on allait le *pendre* pour le moins. » Ils bavardèrent quelques minutes ; Bogart, abattu, suçait une cigarette éteinte. Carson eut du mal à associer l'image de l'acteur à celle de l'homme nerveux assis devant lui. Il prit une photo de Bogart penché sur une tasse de café, sans son postiche. Il avait l'air d'un vieil homme fatigué et inquiet.

Il se changea, mit un costume gris impeccable et un nœud papillon et se fit conduire à quelques pâtés de maisons de là au tribunal de la Cinquante-septième Rue Est. Sept ou huit cents admirateurs l'attendaient pour le soutenir, et il réussit à leur offrir, comme le dit le *Daily News*, « un faible sourire » avant de redresser les épaules et de pénétrer dans le tribunal. Il était à nouveau Bogie.

A l'intérieur, un détachement de dix policiers contenait la foule. C'étaient des femmes qui occupaient presque tous les sièges de la salle, et un soupir collectif s'éleva quand entra le héros de *Casablanca*. La Warner n'avait pas envoyé d'avocat, mais Bogart avait mieux que tous les juristes qu'elle aurait pu lui trouver : l'oncle de Betty, Charlie Weinstein, ancien conseiller de la ville de New York, et qui avait conservé des relations politiques. Il soutint que la démarche de Mlle Roberts était « un désir de publicité de la part d'une femme qui voudrait s'illustrer à Hollywood », et qui voulait aussi tirer de Bogart tout ce qu'elle pourrait.

A la barre, la jeune femme, vêtue d'un tailleur de velours moulant bordé de lapin, dit qu'elle avait seulement voulu toucher le panda. Le juge John R. Starkey déclara que Bogart avait défendu ce qui lui appartenait, qu'il avait été piégé pour des raisons de publicité par le club et la jeune femme, et prononça le non-lieu. Dehors, des admirateurs ravis ovationnèrent la star. Plusieurs rompirent le cordon de police pour venir lui serrer la main. Robin Roberts s'enfuit en taxi à travers une foule qui la conspuait.

El Morocco, se montrant en cela impartial, interdit les lieux tant à Bogart qu'à Mlle Roberts pour le reste de leurs jours. C'était la seconde fois que Bogart s'illustrait ainsi, expliqua le porte-parole du club : en mars, il avait refusé de retirer son chapeau et menacé d'éteindre sa cigarette sur la tête du videur [59]. Pour ne pas être en reste, Paul Henkel, président de la Société des restaurateurs de New York, représentant deux cent cinquante des plus grands établissements de la ville, informa ses adhérents que Humphrey Bogart, mais aussi Errol Flynn, devraient être traités « comme des ivrognes » la prochaine fois qu'ils causeraient des ennuis [60]. Bogart répliqua à Henkel qu'il ne fallait pas qu'il s'attende à ce qu'il arrive à New York avec un panier-repas.

A Inez Robb, il confia : « Mettez ça sur le compte de mon charme naturel. J'en regorge. Et d'expérience aussi. Il faut longtemps pour forger un personnage aussi répugnant que le mien. On ne devient pas le Boris Karloff des clubs du jour au lendemain. C'est un long travail [61]. »

Mais derrière les plaisanteries couvait la colère. New York était toujours une ville où on s'amusait, dit-il à un journaliste une fois de retour à Los Angeles. « On y rencontre des gens différents. On parle de plein de choses. On se sent bien. Ici, on voit toujours les mêmes raseurs dans les boîtes de nuit. Ils s'assoient dans les mêmes fauteuils avec les mêmes gens, lassés de tout — y compris d'eux-mêmes. C'est pour ça que je sors avec des pandas. Ils ne passent pas leur temps à vous casser les oreilles à propos de leur dernier film [62]. »

Il était parfaitement conscient que pendant toute cette crise, son studio, avec ses puissants moyens juridiques et publicitaires, l'avait laissé seul. Comme il n'avait exécuté que trois des quinze ans de son contrat, les choses étaient claires. Pires encore que ce sentiment furent les rôles qu'on lui proposa. *Pilote du diable* était un film de routine sans inspiration. L'année suivante on lui fit jouer *Murder, Inc.* Si la description des syndicats du crime était réaliste, le film n'en semblait pas moins ringard, construit sur une formule aussi vieille que la Dépression. Bogart tenta d'influencer le studio, par l'intermédiaire de Jerry Wald, et de lui faire acheter par exemple le roman sur la boxe de Budd Schulberg, *The Harder They Fall (Plus dure sera la chute)*. J. L. accepta, à la condition que Bogart indemnise le studio si quelque chose l'empêchait de faire le film. Quand commença le tournage de *Murder, Inc.*, rebaptisé *The Enforcer (la Femme à abattre)*, les relations étaient au plus bas.

« Certains disent que ce sera le dernier film de Bogart au studio, déclara un journal de Los Angeles, et qu'un matin il accusera le studio d'avoir délibérément cherché à lui faire dénoncer son contrat [63]. »

Ce n'était pas un conflit comme tous les autres, ces rébellions d'un serviteur buté contre son maître qui ne laissaient aucun doute sur l'issue du conflit. Maintenant, au bout de près de quinze années et cinquante films, Bogart était la plus grande star de la Warner. Même si son talent et sa persévérance l'avaient rapproché d'une sorte d'égalité avec J. L., sa situation n'était pas très différente de celle de Hal Wallis sur la fin. Il avait trop de succès. En conséquence, les chances qu'il accomplisse les douze années restant au contrat semblaient minces. A l'évidence, Bogart ou J. L. — ou les deux — trouveraient une raison de se séparer.

Tous les aspects d'un perdant

Ext. Romanoff's — NUIT
Une grosse voiture s'arrête, en descendent des gens bien habillés.
Le jeune voiturier prend les clés... Arrive aussi chez Romanoff Dix
Steele. C'est un homme strict, tendu, qui se contrôle. Il porte une
veste de tweed bien coupée mais usagée. M. Steele — Seigneur,
protégez-le ! — est scénariste [1].

C'est Bogart qui avait tenu à interpréter Dixon Steele, l'auteur alcoolique du *Violent,* dont la colère accumulée et la paranoïa fondent l'intrigue d'un des meilleurs films jamais réalisés sur le thème de Hollywood. Le scénariste Edmund North connaissait Bogart depuis les années trente, et il avait pensé à lui alors qu'il adaptait le roman de Dorothy Hughes. Il fallait aussi trouver qui jouerait Laurel :

Elle a dans les vingt-six ans, c'est une très belle fille aux pom-
mettes hautes et aux cheveux acajou. Provocante et douce, elle est
sexy sans être vulgaire... Elle le toise calmement, et il fait de même.

Mais quand la Warner refusa de prêter Lauren Bacall à Santana Productions, le rôle échut à Gloria Grahame, épouse de Nicholas Ray, qui réalisait le film. C'est Andrew Solt qui signa le scénario ; North se contenta d'assumer l'adaptation. Mais Ray apporta sa contribution avec des scènes qui faisaient écho à son mariage moribond, lequel se termina avec le tournage [2].

Ce film noir raconte l'histoire de deux personnes qui passent à côté de l'amour parce que les chocs émotionnels de leur passé contaminent leurs relations. Steele, bon scénariste, mais dont le goût pour la boisson et le caractère vindicatif découragent les producteurs, refuse d'adapter un roman que son agent, efficace, a tout de même obtenu pour lui. Bien qu'il n'ait pas lu le livre, il pense que c'est un simple gagne-pain, et lors d'une dispute au bar du restaurant, il accuse le réalisateur de refaire éternellement le même film. Quand le producteur insulte l'ami de Steele, un acteur ivrogne qui ne tourne plus, Dixon le frappe.

L'agent de Steele le persuade de rentrer chez lui et de lire le roman. La jeune fille du vestiaire lui assure que ce livre est merveilleux, et propose de le lui raconter. Il l'emmène dans son bungalow (qui rappelle ceux du Garden of Allah, familiers à Bogart) et Laurel, qui passe par là, les voit entrer. Quand finalement Steele en a assez entendu, il paye à la jeune fille son retour en taxi. Le lendemain, on retrouve son corps horriblement mutilé. Steele, la dernière personne connue à l'avoir vue en vie, est le principal suspect.

Laurel devient la dactylo de Dix pour le scénario, et bientôt, en dépit de leur caractère dur et de leurs anciennes blessures, ils tombent amoureux. Elle croit en son innocence, mais ses accès de colère et la violence qu'il manifeste lors d'une nouvelle bagarre alimentent les doutes nés de l'enquête de police. Pourtant, elle veut rester avec lui. Mais ses soupçons prennent le dessus, et Steele découvre qu'elle a secrètement prévu de partir pour New York. Rendu fou à l'idée de son départ et de son manque de confiance, il manque de l'étrangler quand le téléphone sonne. C'est la police qui annonce qu'elle a trouvé le coupable. Steele tend le combiné à Laurel. Elle écoute et dit froidement que la veille, cela aurait eu une énorme importance, mais que maintenant ça lui est indifférent. Il sort à ce moment et elle le regarde disparaître.

Quand le Violent sortit en mai 1950, beaucoup de critiques saluèrent un des meilleurs films de Bogart. « Bien que Steele soit dur, insultant et méchant dans ses moments sombres et laids, dit le New York Times, il peut être tendre et attentionné quand il aime... M. Bogart joue le rôle dans toute sa profondeur, insufflant une fureur maniaque dans les colères et une grande intensité dans les expressions de sympathie[3]. »

On ne pouvait ignorer les parallèles entre Steele et Bogart, jusqu'au nom qui indique « une éducation solide, comme le sont ses bonnes manières, son élégance vestimentaire, son langage élaboré[4] », sans oublier les lieux, et même le personnage de l'agent, portrait de Sam Jaffe : « Un petit homme rond possédant des qualités qu'on trouve rarement chez les agents de Hollywood, la sagesse et l'humour, l'humilité et la loyauté[5]. »

Bogart admirait et enviait un peu les auteurs, qui mènent leurs batailles sur le papier plutôt que devant la caméra. Son ami et compagnon de beuveries John McClain, critique de théâtre, considérait que Bogart « aurait bien préféré gagner modestement sa vie comme écrivain, avec la possibilité d'exprimer par écrit ses frustrations. Il n'était pas le genre de type à se confier aux autres, mais il recherchait toujours les auteurs, et c'est à eux qu'il montrait la plus grande affection[6] ». Pourtant, en dépit de l'enthousiasme de Bogart pour le projet, jamais il n'aima le film[7]. Peut-être son personnage était-il trop proche de cette part de lui-même qu'il protégeait farouchement derrière ses plaisanteries.

La bataille qui couvait depuis longtemps entre Lauren Bacall et la Warner éclata pendant les mois de tournage du *Violent*. Le fait que le studio eût refusé de la prêter à Bogart pour le film ne fut que la dernière goutte. La Columbia et Paramount avaient aussi demandé qu'on la leur prête, et les deux studios avaient reçu une réponse négative. En 1948, la Twentieth Century-Fox voulait qu'elle joue avec Gregory Peck dans son grand western, *Yellow Sky (Nevada/la Ville abandonnée)*, réalisé par William Wellman[8]. La Warner répondit non. L'année suivante, quand Lauren reprit le travail après la naissance de Stephen, elle joua sous la direction de Michael Curtiz dans *Bright Leaf (le Roi du tabac)*, un film sans intérêt avec Gary Cooper dans le rôle d'un cultivateur de tabac qui devient un magnat aigri. Début 1950, Lauren Bacall se révolta ouvertement.

Pendant qu'elle séjournait à New York avec Bogart, en janvier, la Warner lui demanda d'assurer la publicité de *la Femme aux chimères*, qui devait sortir au Radio City Music Hall au cours de la deuxième semaine de février. La Warner avait besoin de la signature de l'actrice sur le formulaire habituel de remboursement pour les interviews et les photos, mais ne parvint pas à l'obtenir. Tous les journaux de la ville avaient envoyé des reporters qui faisaient la queue pour la rencontrer.

Elle devait revenir à Burbank le 9 février pour commencer son film suivant[9], *Stop, You're Killing me (le Bal des mauvais garçons)*, médiocre comédie tirée d'une histoire de Damon Runyon, où un escroc décide de se ranger. Du moins était-ce ce que pensait le studio. Le chef de publicité à New York, Mort Blumenstock, l'appela pour décider avec elle de ses horaires de retour, mais la réception de l'hôtel l'informa que le couple avait interdit qu'on lui passe des appels[10]. Quand enfin il parvint à lui parler, elle lui dit que Bogart et elle étaient « désolés », rapporta-t-il à J. L., mais ils ne pouvaient partir avant le 12 février[11]. Steve Trilling leur télégraphia son accord mais supplia Lauren de revenir pour le 15 février : toute l'équipe du film l'attendait sans rien faire[12]. Il fallut quatre jours, bien des appels et un télégramme pour éviter que le minutieux programme d'interviews ne soit annulé, mais une fois que Mlle Bacall eut obtenu le report de son départ, elle coopéra[13].

Le comportement de Lauren à New York prouvait pourtant qu'elle faisait tout son possible pour pousser la Warner à annuler son contrat. Un des journalistes qui l'avaient interviewée, et qui demanda à rester anonyme, confia à Blumenstock qu'il ne publierait pas certaines des choses qu'elle avait dites sur les dirigeants de la Warner et qu'il ne reproduirait pas non plus son vocabulaire. « Elle fait de son mieux pour vous agacer pour des raisons que nous connaissons », écrivit Blumenstock à J. L., et il ajouta que le reporter ne voulait plus jamais interviewer Lauren Bacall [14].

Bogart soutint sa femme par sa propre rébellion. Il pensait qu'il ne servirait à rien qu'elle essaie de se réconcilier avec Warner et ses cadres ; sa propre expérience lui avait appris que se battre contre les acteurs était dans la nature des cadres du studio. Ann Sheridan était partie. Joan Crawford, après son oscar pour *le Roman de Mildred Pierce* (1945), faisait maintenant perdre de l'argent à la compagnie. C'était une dure période pour la Warner, et plus dure encore pour ses stars.

Les Bogart montèrent à bord du *Super Chief* le 12 ; le lendemain, par mesure de rétorsion, le studio décida de renoncer temporairement au *Bal des mauvais garçons* (qui ne fut tourné qu'en 1952 avec Broderick Crawford et Virginia Gibson). On mit Lauren sur *Rocky Mountain (la Révolte des dieux rouges)*, épisode de la guerre de Sécession où des soldats des deux bords résistent à une attaque des Indiens. Dans ce film sans intérêt, elle devait avoir pour partenaire un Errol Flynn bouffi, tristement incapable de dissimuler les ravages de l'alcool. Elle refusa. Jack Warner était têtu, mais il avait trouvé aussi têtu que lui. Au bout de quatre mois de refus et de suspensions, le studio décida de limiter les dégâts. Le 12 juillet, Lauren Bacall fut libérée de son contrat. Elle avait obtenu ce qu'elle voulait, mais au prix d'une carrière mutilée et d'une amertume durable.

Elle devait verser cinquante mille dollars en échange de sa liberté. Jusqu'à ce que sa dette soit payée, la Warner recevrait cinquante pour cent de tout ce qu'elle gagnerait au cinéma ou dans tout autre genre de spectacle, mais elle ne pourrait jouer que dans des films où la part de la Warner serait au minimum de quinze mille dollars. Elle accepta en outre de rendre compte chaque semaine des sommes qu'elle gagnait [15].

Les comptables de la Warner firent partie de sa vie pendant quatre ans. Au plus petit indice — une ligne dans un journal, une rumeur — J. L. dépêchait une note à Obringer : « Roy, Bacall travaille. » On lui envoyait alors un rappel officiel de ses obligations. Quand elle s'acquitta enfin de son dernier versement de trois mille deux cent cinquante dollars en mai 1954 [16], Bogart lui aussi avait quitté la Warner.

Fin 1950, les Bogart se consacrèrent un temps à la radio. *Bold Venture* était une émission d'aventures dont les épisodes d'une demi-heure hebdomadaire s'inspiraient du *Port de l'angoisse*. Le feuilleton naquit d'un accord entre Santana et la Frederic W. Ziv Company. Au fil des années, on avait souvent sollicité Bogart pour des émissions en direct, mais il avait toujours refusé à cause des contraintes horaires qui l'empêchaient de prendre des vacances quand il le voulait ou de tourner un film quand il le devait. Mais l'utilisation de plus en plus courante du différé rendait possible la continuité, en l'absence éventuelle des acteurs, des programmes enregistrés. C'était une liberté et une commodité aussi qui permettait de vendre l'émission n'importe où en garantissant la fourniture de cinquante-deux semaines. On remarquera que quarante pour cent des publicités finançant *Bold Venture* venaient des brasseurs. Apparemment, les récits d'aventures plaisaient aux hommes qui buvaient de la bière dans les bars et aux femmes qui rapportaient les canettes à la maison six par six [17].

L'histoire se déroulait à La Havane, où le héros louait son bateau à des touristes. Peut-être pour s'harmoniser avec un climat social conservateur et ne pas se mettre à dos une censure plus lourde encore que dans le cinéma, Bogart jouait le tuteur de Lauren. La Warner n'avait aucune part dans le projet, mais Walter MacEwen, un des réviseurs du studio, fit expertiser de près les émissions pour y déceler tout lien avec les films de la Warner dans lesquels jouait Bogart. Il n'en trouva pas [18].

Au printemps 1951, l'émission était diffusée nationalement sur quatre cent vingt-trois stations, ce qui couvrait quatre-vingt-quinze pour cent du marché, New York figurant dans les cinq pour cent manquants. Si elle n'eut qu'une courte vie, cela n'eut rien à voir avec le marché mais plutôt avec le déclin des feuilletons radiophoniques et l'emploi du temps de tournage de Bogart. Néanmoins, par rapport au temps et aux efforts qu'il y consacra, l'opération fut très lucrative pour le couple, qui reçut en plus de son salaire un pourcentage des bénéfices commerciaux. L'estimation première assurait aux Bogart environ cinq mille dollars par semaine [19]. Quand le feuilleton se termina, ils avaient touché près d'un demi-million de dollars. Ils avaient enregistré trente-six épisodes quand ils annoncèrent en mars 1951 qu'ils partaient pour l'Afrique et l'Europe, où Bogart devait tourner le film qui devint le préféré de beaucoup.

The African Queen, de C. S. Forester, avait a priori tous les aspects d'un perdant. Ce roman sur une missionnaire guindée, en Afrique orientale, décidée à couler une canonnière allemande au début de la Première Guerre mondiale avait fait le tour des studios depuis sa publication en 1935. La RKO y avait pensé pour Charles Laughton et son épouse Elsa Lanchester, puis avait changé d'avis. Partout, l'attirance sexuelle entre Rose Sayer, la vieille fille, et le marin ivrogne Charlie Allnut, que l'auteur décrivait comme « un marginal de Liverpool ou de Londres », choquait l'idéal conventionnel de jeunesse et de beauté. Parmi les commentaires les plus élogieux, on pouvait lire : « Une belle œuvre littéraire qui jamais ne passera à l'écran [20]. »

Pourtant, la Warner l'acheta en 1946 [21] pour Bette Davis, mais en 1947, elle essayait désespérément de s'en débarrasser. Un lecteur de la RKO déclara : « C'est daté, peu plausible, tout à fait hors des conventions qui font le succès des films... Les deux personnages ne sont ni attirants ni assez sympathiques pour soutenir l'intérêt durant tout un film... Tous deux sont physiquement si repoussants que leur aventure comme leurs scènes d'amour sont de mauvais goût, et même assez répugnantes. C'est à refuser, quel que soit le prix. Aucun scénariste ne peut sauver ce récit[22]. » Au milieu de l'année 1950, quand John Huston et le producteur Sam Spiegel achetèrent les droits cinématographiques du roman pour leur société de production indépendante, Horizon Pictures, l'histoire avait déjà fait l'objet de bien des options et au moins d'un scénario[23]. (On remarquera que pour arborer un nom plus anglais, Spiegel figure au générique sous le nom de S. P. Eagle.)

En tout cas, *African Queen* semblait le choix le plus improbable pour deux des stars les plus recherchées de l'époque. Mais Katharine Hepburn, après avoir lu le livre que Spiegel lui avait envoyé, se vit très bien en Rose, et comprit que ce serait un grand rôle. La seule question qu'elle posa fut : qui jouera Allnut ? Spiegel suggéra Bogart : « Il pourrait être canadien[24] », pour éviter l'accent cockney discordant et populaire et lui conserver sa voix bien connue. Spiegel contacta Bogart, puis Huston entraîna son ami pour qu'ils aillent ensemble déjeuner au Romanoff's afin d'en parler. Selon le réalisateur, cette typique rencontre Bogart-Huston se passa à peu près ainsi :

Huston : Tu veux faire quelque chose ?

Bogart : Ouais.

Huston : Le héros est une épave humaine. Tu es la pire épave humaine de la ville, et donc le meilleur interprète possible[25].

Bogart admit que le rôle était merveilleux et accepta. « Il avait très envie de le faire, dit Huston, et l'idée de tourner avec Katie Hepburn lui plut sur l'instant[26]. » Katharine Hepburn habitait chez son amie Irene Selznick, et après le déjeuner les deux hommes vinrent lui parler du film. Malgré les nombreuses années que les deux acteurs avaient passées à Hollywood, et quelques rapides présentations lors d'évènements mondains, c'était la première fois qu'ils se parlaient vraiment. Elle fut immédiatement séduite, et sentit qu'« il était le seul homme qui pouvait jouer ce rôle[27] ».

L'opinion qu'elle eut alors de lui fut loin de l'impression qu'il lui avait faite vingt ans plus tôt, quand elle avait trouvé qu'il était « un gentil jeune homme. Une sorte de petit garçon à sa maman. Et soudain — cette autre qualité. Bogie, qui jouait les gentils garçons dans la vie, devint une star en jouant les méchants. Et Spencer [Tracy], qui jouait les méchants dans la vie, devint une star en jouant les prêtres. C'est très intéressant — la qualité essentielle d'un homme ». Katie eut une influence cruciale sur cette transformation de l'image de Bogart à un âge où la plupart des acteurs sont heureux de jouer des personnages qui leur permettent de s'installer dans un âge mûr professionnel plus ou moins permanent.

Il fut évident dès le départ que, pour être crédible, le film devait se tourner en Afrique, ce qui compliquait le financement. La plupart des banques n'étaient pas enchantées à l'idée de risquer de l'argent dans un lieu où le climat et une logistique compliquée pourraient mettre à mal le budget. Romulus Productions, une nouvelle société londonienne avide d'attirer les talents créatifs de Hollywood en Europe, fournit presque tout le soutien financier du film. Finalement, il ne vint qu'environ quatre cent mille dollars d'Amérique [28], Bogart mit en participation ses cent vingt-cinq mille dollars de cachet, en échange de quoi il obtint trente pour cent des bénéfices à venir. Katharine Hepburn recevrait soixante-cinq mille dollars d'avance, autant à la fin de la production, et dix pour cent des profits [29].

Le plus grand souci de Bogart était la séparation de six mois d'avec Stephen, et ses craintes se matérialisèrent presque instantanément. Stephen et sa nurse Alice Hartley étaient venus à l'aéroport pour dire au revoir à Bogie et Betty. Alors qu'ils regardaient l'avion décoller, Mlle Hartley, avec l'enfant dans les bras, eut une attaque et on dut la conduire à l'hôpital. La nouvelle parvint aux Bogart alors qu'ils faisaient escale à Chicago. Quand ils arrivèrent à Manhattan, la nurse était morte. Lauren Bacall écrit que son médecin lui déconseilla de revenir à Los Angeles ; elle devait continuer le voyage avec son mari. Il recommanda aussi une autre nurse, que Betty interrogea longuement par téléphone depuis le « 21 ». La mère de Betty, qui vivait à New York, se porta volontaire pour se rendre à Los Angeles prendre soin de son petit-fils [30].

« Je déteste arracher Betty à notre fils pour si longtemps, dit Bogart à la journaliste Marie Torre à leur arrivée à New York. Le gamin n'a que deux ans et nous partons pour six mois au moins. Mais je ne vois pas d'autre solution. Mes autres mariages ont été rompus à cause de séparations. Betty et moi sommes mariés depuis six ans, et je veux que cela continue. Alors, où que j'aille, elle vient avec moi [31]. »

A la mi-mars, les Bogart embarquèrent pour Le Havre à bord du paquebot *Liberté,* puis continuèrent vers Paris, Londres et Rome avant de s'envoler pour ce qui était encore le Congo belge. C'était le premier voyage de Betty hors des États-Unis, et on pouvait dire que c'était aussi le premier vrai voyage de Bogart, hors des périodes de guerre. Betty était très excitée de partir [32], mais si Bogie était heureux de faire un film avec Katharine Hepburn et John Huston, ce lieu de tournage lointain lui inspirait des sentiments mêlés. « On a une maison confortable, un fils merveilleux, un bateau, de gentils amis », est-ce que ça ne devrait pas suffire [33] ? Jamais il ne fut attiré par l'Europe comme son épouse, même s'il s'y rendit souvent.

A Londres, ils descendirent au Claridge, où ils tinrent une conférence de presse à l'occasion d'un cocktail à l'heure du déjeuner le 16 avril. Une Katie Hepburn de quarante et un ans, vêtue d'un tailleur-pantalon beige sur un col roulé blanc, chaussée de mocassins bruns et sans autre maquillage que son rouge à lèvres, éclipsa Betty, en tailleur noir et blanc bordé de velours noir de Balenciaga. « Écartant des Bogart la foule des journalistes, dit un reporter, elle parla pendant deux heures et chacune de ses paroles fut servilement reproduite le lendemain dans les journaux [34]. »

Derrière le faste se cachaient les problèmes d'un scénario inachevé et d'un financement encore partiel. Inquiète, Katie interrogea Bogart. Il lui dit que c'était toujours ainsi avec Huston, et que l'argent finirait par arriver. Sur quoi elle informa son agent que, payée ou non, elle ferait le film. Bogart avait raison. « Son attitude était la simplicité même, écrit-elle : tous les éléments sont réunis ; ça va marcher ; pas d'hystérie [35]. » Elle exigea pourtant que Sam Spiegel règle sa note d'hôtel, comme convenu. « Je voulais bien faire le film pour rien, mais je ne voulais pas payer pour le faire », dira-t-elle [36].

Entre Katie et les Bogart naquit à Londres une amitié qui, en dépit de leurs évidentes différences de tempérament, se renforça au fil des mois de travail en commun. Pourtant, Katie, comme tant d'autres, dit qu'elle n'eut jamais le sentiment de bien connaître Bogart. « Quel curieux garçon !... Si généreux, si attentif. Toujours d'une grande gentillesse envers moi... Et le contraire d'un frimeur... Il détestait tout ce qui était faux. [...] Je crois qu'il était très sensible. C'était vraiment un homme gentil, et c'est rare dans notre métier [37]. »

A la mi-mai, toute l'équipe s'envola de Rome pour Léopoldville (l'actuelle Kinshasa) avant un arrêt de cinq jours à Stanleyville (Kisangani), où Katie alla célébrer avec les Bogart leur sixième anniversaire de mariage dans un restaurant à quelques kilomètres de la ville. Ils s'y rendirent en voiture avec du champagne dans de la glace et du caviar obtenu du gouverneur général, pour s'apercevoir que le directeur de l'établissement refusait qu'on y boive et s'offusquait du pas titubant que Bogart étudiait pour son personnage. « C'était la première fois de ma vie que je sortais avec Humphrey Bogart, racontera l'actrice, et on nous mettait à la porte d'une boîte [38]. »

Le trajet entre Stanleyville et le lieu de tournage fut un voyage dans le temps : en voiture, dans un train aux wagons en bois tirés par une locomotive à vapeur, sur un radeau propulsé par quatre hommes munis de perches. « Le train n'arrêtait pas de prendre feu à cause des étincelles, et nous passions notre temps à éteindre les foyers, racontera Bogart. A chaque arrêt, les autochtones tentaient de prendre de l'eau dans la chaudière pour faire du thé. Puis nous avons fait encore plus de deux cents kilomètres en voiture et nous avons enfin atteint notre campement au bord de la rivière Ruiki », affluent du Congo si insignifiant qu'il n'est même pas indiqué sur la plupart des atlas. « L'eau est noire, la chose la plus sinistre qui soit[39]. » (La couleur venait du tanin de la végétation alentour.) Huston avait choisi le site lors d'un repérage aérien. Comme le cours d'eau est un personnage à part entière du film, Huston voulait une rivière aussi belle qu'exotique et variée, avec des eaux sombres et des rapides. La rivière la mieux indiquée, au Kenya, était asséchée en cette saison. Mais la Ruiki était parfaite, même si elle n'avait pas de rapides. Il y en avait tout près. Le photographe de *Life*, Eliot Elisofon, qui fit un reportage pour le magazine, dit que c'était une des plus belles rivières d'Afrique.

Quand Bogart, Betty et Katie arrivèrent au campement qu'on avait dressé pour eux dans la jungle, Huston les attendait au bar.

« Eh bien, ça y est ! leur annonça-t-il joyeusement. J'ai trouvé ce qu'il me faut. Nous aurons à peu près toutes les maladies et tous les serpents connus... [40] »

Le tournage, comme le film, fut aventureux, drôle et effrayant. On en trouvera tous les détails dans l'autobiographie de Lauren Bacall et dans le splendide récit de Katharine Hepburn, *African Queen*. Parmi les dangers : serpents venimeux, crocodiles, scorpions, armées de fourmis, lèpre, dysenterie et bilharziose, particulièrement redoutable.

Comme au Mexique pendant le tournage du *Trésor de la Sierra Madre*, Huston adora chaque minute du travail, son plaisir augmentant à chaque difficulté. Ce n'est pas pour rien que Bogart l'appelait le Monstre. On dit qu'une des raisons pour lesquelles Huston avait choisi le Congo plutôt que le Kenya, site du roman de Forester, était qu'il voulait aller chasser comme Hemingway et que les autorités de Nairobi le lui avaient refusé. Les jours de pluie, quand ils ne pouvaient filmer, Huston disparaissait dans la jungle, le fusil sur l'épaule. « John voulait tuer un éléphant, dit un assistant. C'était le but du film[41] ! » Les Bogart ne le suivirent pas sur ce terrain. Le soir de leur arrivée, il avait tenté de les convaincre, mais Bogart avait refusé. Il n'aimait pas tuer les animaux, et en plus, « John n'aurait pas été foutu de coller un plomb dans son propre chapeau[42] ».

Quatre-vingt-cinq Congolais avaient nettoyé la place et construit le camp en huit jours[43]. Il y avait des dortoirs, un bâtiment administratif et une suite de deux pièces pour Huston, une hutte pour le matériel avec une fosse pour garder la pellicule au frais, une hutte de maquillage avec lavabos et douches, plus une cuisine, une lingerie, une salle à manger et un bar. Les Bogart et Katie avaient leurs propres bungalows, construits comme les autres bâtiments en bambous et feuilles de palmier, sans le moindre clou. On apporta des lits, des chaises et des moustiquaires. Vingt-huit femmes étaient chargées d'aller chercher l'eau d'une source à près de deux kilomètres de là. On la faisait bouillir, on la filtrait et on la traitait avec des comprimés. La nourriture venait de Stanleyville. Un petit générateur fournissait de l'électricité.

Les costumes étaient des recréations méticuleuses des vêtements de l'époque. Le chapeau que portait Katie au début pendait lamentablement à cause de l'humidité, et il fallait constamment l'amidonner. La tenue de Bogart — chemise rayée, pantalon et casquette, chaussures et foulard — ne posait pas de problème, mais hors du plateau, s'habiller était plus difficile. Presque tout ce qu'il avait apporté s'avéra inutile dans la chaleur humide qui faisait proliférer partout la moisissure. Katie, elle, était arrivée admirablement équipée d'amples vêtements de coton et d'un costume d'homme de chez Abercrombie et Fitch. Le costume allait parfaitement à Bogart, et elle le lui prêta jusqu'à ce qu'un tailleur de Stanleyville, qui servait aussi de pianiste à l'hôtel, puisse lui confectionner des vêtements de safari [44].

Contrairement à Katie, Bogart détesta l'Afrique et refusa de s'installer aussi confortablement que possible. « La nourriture était si mauvaise qu'on devait presque toujours la remplacer par du scotch, dit-il à un journaliste, et Katie... n'arrêtait pas de dire combien ce serait *meeeveilleux* si nous pouvions tous vivre là pour toujours [45]. »

Ce qui intéressait Bogie, c'était l'occasion d'étendre ses capacités d'acteur. Il savait qu'*African Queen* était pour sa progression ascendante un jalon aussi important que *le Faucon maltais* dix ans plus tôt. Charlie Allnut était un petit homme qui, poussé à l'héroïsme par la volontaire Rosie, devient grand. « La nature, monsieur Allnut, c'est ce au-dessus de quoi nous sommes censés nous élever », l'informe-t-elle.

Bogart dut s'élever aussi au-dessus de sa propre nature. Huston raconta peu après le tournage : « Avec la personnalité presque agressive qui était la sienne, il avait du mal à être dominé par une femme, et de temps à autre, il sentait qu'il dérapait. Alors il s'arrêtait et se reprenait pour entrer à nouveau dans le rôle [46]. » Plus tard il ajouta que « cela ne se produisit pas plus d'une ou deux fois. Mais quand il commençait à jouer quelque chose du genre "Bogart-Bacall", il suffisait que je dise "Bo-*gie* ?" et instantanément il savait quoi faire [47] ».

Bogart sentait qu'il fallait qu'il connaisse mieux sa partenaire avant de se sentir à l'aise dans le trio qu'ils formaient. Huston et lui étaient très proches, et il semblait avoir besoin d'être sûr que la facilité avec laquelle ils travaillaient ensemble ne serait pas remise en cause.

« Il ne parlait jamais beaucoup, ni du rôle, ni de rien, raconta Katharine Hepburn. Au début, quand je voyais John dans la jungle, dans ma case, qu'on s'asseyait pour parler, Bogie arrivait et s'installait près de nous. Je me disais que peut-être il craignait que je ne modifie le scénario ou que je ne change quelque chose. Mais je crois que ce qu'il entendait lui convenait [48]. » Une fois à l'aise, Bogart apprécia comme toujours le travail en commun qui était la manière de Huston. « Nous constituions une petite équipe, une sorte de charrette, dira Bogart. C'est une des raisons pour lesquelles nous avions un tel sentiment de travail bien fait [49]. »

De temps à autre, l'environnement leur causait des difficultés.

Quand le bateau prit l'eau et coula au fond de la Ruiki, tout le monde — stars, équipe technique et villageois — tira sur une corde attachée à la chaudière. Les autochtones, raconta Bogart, avaient une sorte de chant de travail, quelque chose comme *houla-ha*, « si bien qu'à chaque fois que nous tirions, nous psalmodiions tous *houla-ha* ! Je ne sais pas combien de *houla-ha* il fallut pour remonter ce fichu bateau, mais cela prit deux jours pour le renflouer et un de plus pour le remettre en état[50] ». Arriva ensuite une invasion de fourmis qui formèrent littéralement un tapis dans tout le camp, puis ce furent la malaria et la dysenterie. Katie perdit dix kilos, elle qui n'était déjà pas bien épaisse, et elle fut épuisée et malade pendant le reste de ce tournage qui ne s'interrompait même pas le dimanche. Bogart, Huston et Betty, cependant, semblaient immunisés. Bogart mit cela sur le fait qu'il ne mangeait que des conserves arrosées d'alcool. « Je suis resté pratiquement végétarien pendant tout le voyage, dit-il à Art Buchwald. Je n'ai mangé que des haricots, des asperges et du whisky. Chaque fois qu'une mouche s'approchait de Huston ou de moi, elle tombait morte. »

« Ces deux fêtards qui multipliaient les excès avaient l'appareil digestif si imbibé d'alcool, écrit Hepburn, qu'aucun microbe n'était capable d'y survivre... Je dois reconnaître que j'ai eu vraiment l'air nigaude. D'autant plus qu'au fond de moi-même, je m'étais sentie très supérieure à cette paire d'ivrognes malsains[51]. » Bogart ne manqua pourtant pas de remarquer sa discipline personnelle. « Vacherie de Hepburn ! explosa Bogart un après-midi. Que le diable l'emporte avec sa sacrée bonne humeur ! Elle a des fourmis dans la culotte, du moisi dans les chaussures, et elle garde sa bonne humeur. Je bâtis un solide mur de whisky entre les bestioles et moi. Elle ne boit pas et elle respire tout ça comme si elle était en train de passer le week-end dans le Connecticut[52] ! »

De son côté, Katie remarqua que Bogie ne transpirait jamais, pas plus que Betty. Pendant le tournage, Betty et Katie devinrent de grandes amies, et Katie aimait regarder le couple : « Bogie et elle paraissaient avoir chacun la plus haute opinion des charmes de l'autre, et quand ils se bagarraient, c'était avec la confiance totale de deux chats délicieusement enfermés dans la même cage[53]. »

A Stanleyville, toute l'équipe put constater que Bogart n'avait « rien d'un empoté en cas de crise ». Quand le pilote d'un bateau loué pour une excursion voulut faire démarrer le moteur, il n'y parvint pas. Il craqua alors une allumette et les gaz explosèrent. Il sauta à l'eau et le bateau en flammes partit dans le courant. Bogart réagit comme un vrai pompier. Naturellement, l'extincteur était vide. Bogart réussit alors à manœuvrer assez près d'un bateau à vapeur qui passait pour lui lancer une amarre, et il aida les femmes à gagner son bord. Il resta pour éteindre le feu[54].

Huston dit que Bogart était le genre d'homme à faire un scandale dans un grand hôtel si ses œufs n'étaient pas cuits à son goût, mais aussi à se montrer d'un grand calme en cas de crise grave[55]. Katie, empruntant presque la voix de Rosie quand elle parle à Charlie à la fin du film, décrit ainsi l'incident : « Je nous imaginais déjà en train de sauter comme des pétards... Bogie... plein de courage et de sang-froid, a fini par avoir raison des flammes en enfouissant le moteur sous du sable et une couverture. Je crois qu'il est pratiquement descendu au milieu de la fournaise[56]. »

A la mi-juin, le courrier apporta, de la part de la mère de Betty, une dépêche de United Press datée du 9, de Portland, dans l'Oregon et qui disait : MAYO METHOT, COMÉDIENNE A LA SCÈNE ET A L'ÉCRAN, EST MORTE.
Après le divorce, l'alcoolisme de Mayo n'avait fait qu'empirer. Des amis de Los Angeles avaient tenté de la réconforter, Gertie Hatch l'avait invitée dans l'Est, un ami metteur en scène lui avait proposé de remonter sur les planches. Mais rien n'y avait fait.
L'article disait qu'elle vivait avec sa mère et qu'elle était morte à l'hôpital, âgée de quarante-sept ans, des suites d'une intervention chirurgicale[57]. Bogart lut la nouvelle, pensif et taciturne. « Dommage, dit-il, quel gâchis ! » Quand Betty lui demanda pourquoi, il répondit qu'elle avait un grand talent et qu'elle avait gâché sa vie[58].
Le tournage africain se termina en Ouganda, non sans que les membres de l'équipe aient ressenti l'impression familière que Huston retardait délibérément le départ. Bogart ne rêvait que de revenir à la civilisation. Plusieurs mois après son retour en Amérique, il qualifia Huston de « véritable génie », mais ajouta comme toujours qu'il avait failli les « tuer au travail » les trois dernières semaines, « toujours agité, toujours prêt à essayer de nouvelles idées »[59].
Les Bogart quittèrent finalement l'Afrique fin juillet et s'envolèrent pour Londres, où Stephen les rejoignit le lendemain. Des photographes de presse firent des clichés du petit garçon de deux ans et demi dans les bras de ses parents, faisant la grimace sous un baiser piquant de son père encore mal rasé.
On tourna en studio près de Londres les dernières scènes, en particulier celle du début du film où Rose et son frère, joué à la perfection par Robert Morley, prennent le thé avec Charlie, dont l'estomac émet des grondements intempestifs.
« On l'a pris en gros plan, mais c'est moi qui ai fait les bruits ! déclara plus tard Katie avec quelque plaisir. J'étais experte en estomac qui gronde. Dès que le mien était vide, il grondait et gâchait certaines prises. Alors ils ont dit : "Maintenant, tu vas nous servir à quelque chose."[60] »
Il y eut enfin la scène où Charlie et Rosie font avancer le bateau à la force des bras, Charlie dans l'eau, Rosie poussant avec une perche,

à travers le marécage encombré de roseaux qui manque de devenir leur tombe. Le scénario voulait que Charlie ressorte de l'eau le torse couvert de sangsues. Huston, bien sûr, insista pour qu'on lui en mette des vraies, et fit venir un éleveur de sangsues avec un baquet de ces charmantes créatures. Katie raconte avoir demandé à Bogie d'essayer de s'en mettre une, à quoi il avait répondu qu'elle essaye d'abord.

Huston accepta finalement de prendre de fausses sangsues ; un gros plan en montrerait une seule pendue à la poitrine de son éleveur, qui servirait de doublure. L'équipe se mit alors en quête d'un moyen de coller les fausses sangsues sur la poitrine de la star. Bogart attendait patiemment, torse nu, l'air triste et amaigri. « Il était assis dans un coin et chacun venait voir si sa concoction voulait bien tenir, raconte Katie. Il était vraiment rigolo... comme un petit enfant [61]. » Aucun de ceux qui travaillaient sur ce film n'avait connu le jeune athlète arrivé à Hollywood vingt ans plus tôt, et personne ne pouvait se rendre compte à quel point il s'était détérioré. Il avait le cou maigre, sa poitrine jadis musclée était concave, et ses épaules de boxeur welter s'étaient tassées et voûtées.

Les Bogart passèrent six semaines à Londres. Après un été plein de plaisirs qu'amplifiait la satisfaction d'avoir contribué à un grand film et de s'être liés d'amitié avec Laurence Olivier, Vivien Leigh, Richard Burton, Emlyn Williams et T. S. Eliot, ils retrouvèrent un Hollywood claustrophobique et tenaillé par la peur.

Dans les jours qui avaient précédé le départ des Bogart en mars, la Commission des activités antiaméricaines de la Chambre des représentant avait engagé de nouvelles auditions, plus importantes encore, et accéléré son incessante chasse aux noms. Les témoins « amicaux » n'étaient plus des « vigiles cinglés, comme Adolphe Menjou, ou des dirigeants effrayés comme Jack Warner, mais d'anciens communistes qui se débattaient désespérément pour sauver leur carrière... Une nouvelle race de bavards était née [62] ». Parmi les nombreux noms cités, on trouvait celui de Robert Rossen, qui était passé de l'usine à scénarios de la Warner à un oscar pour *All the King's Men* (*les Fous du roi* — 1949), et qui, après des années sur la Liste noire, coécrivit et réalisa *The Hustler* (*l'Arnaqueur* — 1961) ; il y avait aussi le nom de Zero Mostel, le comique qui avait si puissamment donné la réplique à Bogart dans *la Femme à abattre* (1951) ; sans oublier Lillian Hellman, auteur du scénario, entre autres, de *Rue sans issue*, et John Garfield, chez qui l'accusation provoqua une crise cardiaque fatale.

En fait, la Commission n'apprit rien de bien nouveau, mais c'était de la publicité que voulait la HUAC, et avec le rituel public des dénonciations, elle en avait. Cette fois, on n'avait même plus recours au prétexte d'une enquête concernant de prétendus actes d'espionnage ou de propagande, ni besoin d'un texte mettant le communisme hors la loi. Comme le dit Walter Goodman, c'était « purement et simplement une expédition punitive[63] ».

La Liste noire faisait la loi dans l'industrie du cinéma et de la télévision. Des organismes « patriotiques » proposaient aux suspects de se « dédouaner » au moyen de billets verts, d'autres étaient dirigés par des gens ivres d'un pouvoir qu'ils n'avaient jamais connu auparavant. Un scénariste déçu, Myron C. Fagan, dont le seul titre de gloire avait été de coécrire les dialogues de *A Holy Terror*, un film de 1931 où Bogart avait un petit rôle, partit en croisade contre cette industrie qui ne l'avait pas reconnu. Il inonda les studios de son *Red Stars in Hollywood*, un pamphlet « vendu » dix dollars les mille exemplaires, qui accusait la communauté cinématographique d'être « fondée sur les rouges ». Il s'en prenait en particulier aux « rats qui se font passer pour de bons Américains, mais qui en secret nourrissent la cause visqueuse du communisme », et sur la liste de ces rats figuraient Humphrey Bogart et Lauren Bacall[64].

Les Bogart étaient à Londres quand l'acteur Sterling Hayden, membre du Comité pour le premier amendement, qui était venu à Washington avec eux en 1947, déclara à la barre qu'il avait effectivement été communiste pendant une brève période. C'était à l'époque où il avait été parachuté en Yougoslavie et où il avait lutté aux côtés des partisans de Tito contre les nazis et leurs alliés, les fascistes croates. Cela n'avait duré que quelques mois. Bien qu'en 1950 le Comité ait été inactif, son souvenir restait le point de ralliement de ceux qui avaient tenté d'opposer une résistance légitime aux partisans d'une Liste noire. Le témoignage de Hayden porta atteinte à cette légitimité. On considéra dorénavant que si quelqu'un appartenait au Comité, c'était là une raison suffisante pour qu'on doute de sa loyauté envers les États-Unis.

« C'était terrible, dit Jules Buck. Tout l'esprit de l'entreprise s'échappa comme le gaz d'un ballon qu'on lâche[65]. »

La dernière action politique de Bogart avait été pour soutenir Harry Truman, en 1948, lors d'une série d'émissions de radio organisée par les syndicats. Mais dans les tracts, dans les archives du FBI, dans les rapports du studio, il restait suspect ; on le considérait comme un homme de gauche sur qui on ne pouvait compter.

Les films de la Warner, jadis fers de lance du progressisme du New Deal, exhibaient maintenant John Wayne combattant les rouges et viraient au *docudrama* avec des titres comme « J'ai été communiste pour le FBI ». Il en allait de même dans les autres studios. Darryl Zanuck s'était attaqué au chauvinisme dans *Gentleman's Agreement* (*le Mur invisible* — 1947) et *Pinky* (*l'Héritage de la chair* — 1949), écrit par Philip Dunne. Il était sur le point d'engager Bogart pour le rôle du rédacteur en chef d'un journal d'opinion dans *Deadline U.S.A.*

(Bas les masques). Mais il fit retirer du scénario toute référence méprisante aux chaînes de journaux par peur de William Randolph Hearst, et hésita à laisser utiliser le mot « censure ». Il ne voulait pas d'ennuis avec le Bureau Breen, écrivit-il à Sol Siegel, directeur de production à la Fox. N'y avait-il pas un autre moyen de dire la même chose[66] ? Richard Brooks était dans son bureau de la Twentieth Century-Fox quand Elia Kazan, qui avait réalisé *le Mur invisible* et *l'Héritage de la chair*, entra et lui demanda :

« Est-ce que quelqu'un est venu te demander de témoigner parce que tu connais tous ces gens qui ont été cités à comparaître ?

— Je ne savais rien de leurs opinions politiques, répondit Brooks, alors pourquoi est-ce qu'ils voudraient m'interroger ?

— Eh bien la HUAC te le demandera quand même.

— Et toi ?

— Je viens d'apprendre que deux types sont venus. Zanuck dit que si je ne témoigne pas, je peux considérer que je suis fini ici[67]. »

Kazan fit plus que témoigner. Il « donna les noms de tous ceux qu'il avait vus à une réunion communiste[68] ».

On scrutait à la loupe le moindre épisode de la vie de chacun. Brooks s'était « rendu chez John Wexley, un jour où il recevait cent cinquante personnes. Il s'agissait de récolter des fonds pour Roosevelt, raconte-t-il. Eh bien, des années après, ces enquêteurs de la HUAC sont arrivés. Ils m'ont montré le numéro de la plaque minéralogique de ma voiture garée devant la maison. "Qu'y faisiez-vous ?" m'ont-ils demandé. C'est de la *folie* ! »

Peu après sa rencontre avec Kazan, on annonça à Brooks, qui dînait chez Ira Gershwin, que quelqu'un voulait le voir. Dans l'entrée se trouvait Anne Shirley. La jolie actrice, qui avait épousé le producteur et scénariste Adrian Scott, s'excusa de le déranger. Son mari, un des Dix de Hollywood, venait de sortir de prison en très mauvaise santé et sans aucun travail. Ils voulaient partir en Angleterre dans l'espoir d'y refaire leur vie, mais ils n'avaient pas d'argent. Pouvait-il les aider ? Elle accepterait du liquide s'il ne voulait pas prendre le risque de lui donner un chèque. Brooks lui fit envoyer de l'argent le lendemain. « C'est ainsi que ça se passait, dit Brooks. Il suffisait de donner un chèque et on venait vous interroger[69]. » Jamais Scott ne refit de film.

Le contrat de Bogart avec la Warner lui permettait de jouer dans *Bas les masques,* que devait écrire et réaliser son ami Brooks, et au début de l'automne, il conclut l'accord avec Zanuck, qui aurait préféré Gregory Peck ou Richard Widmark. Les négociations avaient été longues et ardues. Après un été où tout allait bien, arriva un hiver où tout alla mal.

Brooks remarqua chez Bogart une aigreur croissante qui n'avait rien à voir avec son humour caustique habituel. Ils avaient déjà travaillé ensemble et pour Brooks, Bogart « était un vrai pro, méticuleusement correct, toujours prêt et disponible ». Mais soudain, « il se repliait sur lui-même. Je ne sais pas si c'était déjà à cause de sa maladie ». Il y avait aussi les retombées des mois de dur travail sur *African Queen*, d'autant plus rudes pour un gros fumeur de bientôt cinquante-trois ans. « Il montrait une impatience qui ne lui ressemblait pas du tout. »

Ce n'était pas son rôle qui agaçait Bogart. Il aimait bien le personnage du journaliste Ed Hutchins, variante du héros cynique et pourtant idéaliste qu'il incarnait si bien, éditeur engagé qui tente parallèlement d'empêcher les héritiers de son patron de vendre le journal et de sauver son mariage tout en affrontant la mafia locale. (Brooks s'était inspiré de la famille de Joseph Pulitzer.) Hutchins fait de belles déclarations que Bogart trouvait probablement très vraies : « *Le Jour*, ce n'est pas seulement des machines... Ce sont mille cinq cents hommes et femmes dont le talent, le cœur, l'intelligence et l'expérience rendent possible la fabrication d'un grand journal... Avec les deux cent quatre-vingt-dix mille personnes qui nous lisent, nous avons un intérêt vital à la vie ou à la mort de ce journal... Sans diversité, il ne peut y avoir de liberté de la presse. Je parle là de libéralisme : le droit de chacun d'avoir accès à un marché d'idées et d'opinions, et pas seulement aux convictions d'un homme, d'un dirigeant ou d'un gouvernement. »

Zanuck réunit un beau plateau, dont Kim Hunter, l'épouse qui s'écarte de Hutchins, et la souveraine Ethel Barrymore dans le rôle de sa patronne, veuve du fondateur et ancien éditeur du journal. Dans une séquence du début, Hutchins retrouve la famille et les avocats afin de tenter de convaincre la veuve de ne pas vendre le journal à la presse à scandale.

« Votre mari a créé une nouvelle sorte de journalisme, lui dit-il. Regardez le premier numéro, à la une... "Ce journal se battra pour le progrès et les réformes... Jamais nous ne nous contenterons de simplement donner les nouvelles... Nous n'aurons jamais peur de nous attaquer au mal, qu'il soit le fait des riches ou des pauvres." Vous ne vendez pas *Le Jour*, vous le tuez ! »

Il fallait que Bogart bouge en parlant, tandis que la caméra présentait un à un les membres de la famille et les avocats. Après deux ou trois lignes de son discours, il s'arrêta brusquement et se tourna vers Brooks. « Pourquoi est-ce qu'il faut que je bouge ? Est-ce que je ne peux pas simplement me planter là et dire le texte ? » Brooks lui expliqua pourquoi, puis, après avoir dit cette fois quatre ou cinq lignes, Bogart s'arrêta de nouveau. « Il y a quelque chose qui cloche. » Au bout de six ou sept autres prises ratées, Brooks commença à s'inquiéter ; jamais il n'avait vu Bogart se comporter ainsi. Finalement Bogart leva les bras au ciel. « J'en sais rien, ça marche pas. »

Ethel Barrymore en eut assez.

« Humphrey, s'exclama-t-elle, pour l'amour de Dieu, est-ce que tu vas t'y mettre !

— Et pourquoi devrais-je m'y mettre ?

— Parce que la Suisse n'a pas de marine, Humphrey ! »

Il éclata de rire et cela le détendit suffisamment pour qu'il arrive au bout de la séquence. Quand il retourna à sa loge, Brooks le suivit.

« Mais qu'est-ce qui t'a pris ? demanda-t-il à son ami. Jamais je ne t'ai vu faire un truc pareil. Qu'est-ce qui ne va pas ? »

Bogart expliqua que des amis étaient venus la veille au soir, « on a un peu bu, beaucoup parlé, et ils sont restés jusqu'à trois ou quatre heures du matin. Au lieu d'aller dormir, je me suis mis à étudier mon texte. Quand je suis arrivé ce matin, je ne savais pas mon discours. J'ai fait semblant de rater mon coup jusqu'à ce que je le sache. Désolé [70] ». L'attitude bravache et sarcastique avait disparu. Brooks le trouva éteint.

Ce genre de comportement rappelait les pires jours avec Mayo. Mais cette fois, il avait reporté son irritation sur ses collègues, avec les conséquences qu'on imagine sur quiconque n'avait ni le statut ni l'autorité d'Ethel Barrymore.

Kay Thackeray était une des scriptes les plus respectées de la profession. Comme toutes ses consœurs, elle exécutait un travail essentiel, sous-estimé et considéré à l'époque (et encore aujourd'hui) comme « un travail de femme », et donc sous-payé. Kay avait été particulièrement heureuse à l'idée de travailler avec Bogart. Elle ne tarda pas à regretter son enthousiasme.

« Il était grossier, sarcastique, arrogant. Il m'a dicté plusieurs lettres — ce n'était pas mon travail, mais je les ai prises en note et je les ai tapées. Il les a signées et a dit : "Postez-les", avant de s'éloigner. Puis se produisit un épisode plus personnel encore. »

Dans une scène humoristique censée alléger l'atmosphère, le personnage de Bogart, qui monte retrouver Ethel Barrymore, est suivi par Mlle Barndollar, du service des enquêtes, qui veut lui communiquer le résultat des recherches sur le nouvel amant de son épouse. La scène commence par un panoramique sur les acteurs. La porte de l'ascenseur s'ouvre, tous deux montent. Les questions fusent. Les portes de l'ascenseur devaient alors s'ouvrir avant que Bogart déclare : « C'est un rapport pourri. »

On refit la scène plusieurs fois. La caméra s'arrêtait à la porte de l'ascenseur, Bogart entrait suivi de Barndollar. « C'était un long panoramique qui avait demandé beaucoup de travail. Je crois qu'il a fallu environ deux heures avant d'obtenir ce que voulait le réalisateur. »

Le lendemain, ils continuèrent par la scène *dans* l'ascenseur. Quelque chose n'allait pas. Les deux prises ne concordaient pas. Cette fois, Bogart avait laissé passer la femme d'abord. Kay Thackeray attendit un moment, puis alla voir Brooks et lui expliqua le problème.

« Et Bogie m'a regardée et a dit : "Eh bien j'espère que je suis assez gentleman pour laisser entrer les dames d'abord !" A quoi j'ai répondu : "Eh bien en la circonstance, vous êtes entré le premier. Vous marchiez devant elle." Mais il ne m'a pas écoutée. »

Sans le savoir, Kay Thackeray avait mis le doigt sur un point douloureux : elle avait sous-entendu que Humphrey DeForest Bogart n'était pas un gentleman.

« Il s'est tourné vers Brooks avec un méchant rire. Ils ont ri ensemble et n'ont rien fait pour corriger l'erreur. » Plus tard, naturellement, le monteur se rendit compte du faux raccord et appela Kay, qui expliqua ce qui était arrivé. Mais le monteur ne put éviter de notifier le problème au directeur de production, parce qu'il fallait retourner la scène. C'était une dépense supplémentaire, dont on attribua la responsabilité à la scripte. On la laisserait terminer le film, mais elle avait peu de chances de se faire engager à nouveau avant longtemps.

Son travail impliquait qu'elle reprenne les acteurs qui ne disaient pas le texte prévu. Bogart continuait à avoir du mal à retenir son rôle, et quand, plus avant dans le tournage, elle lui souffla une réplique avec une certaine inflexion dans la voix, il répondit : « Est-ce que vous essayez de me dire *à moi* comment interpréter mon texte ? » Puis il vint lui arracher le scénario des mains, regarda sa réplique et retourna à sa place. Dès lors, rapporte-t-elle, « chaque fois que je lui soufflais, je prenais une voix absolument monocorde, sans la moindre inflexion. Le dernier jour, après la dernière scène, il m'a dit : "Dieu merci, je n'aurai plus à entendre votre voix !" J'ai répondu "Amen". Pour être juste, il devait y avoir en moi quelque chose qui l'exaspérait. Ou quelque chose sur le plateau, parce qu'il n'était gentil avec personne ».

Finalement on ne prit pas la peine de retourner la scène de l'ascenseur, et Kay Thackeray ne sut pas comment on avait contourné la difficulté, car elle n'eut jamais le courage d'aller voir le film[71].

Les fêtes de Noël des Bogart étaient devenues célèbres — le réveillon n'était-il pas la veille de la naissance de Bogart ? — et Betty se surpassa pour ce Noël 1951. Tout le monde était très excité à propos d'*African Queen*, qui venait de sortir et promettait d'être un énorme succès commercial et critique. C'était aussi le premier grand film sur lequel Bogart allait toucher un pourcentage des bénéfices. Souvent, il allait téléphoner entre deux prises pour qu'on lui donne les derniers chiffres.

Le 24 décembre était aussi le dernier jour de tournage de *Bas les masques*. Tout le monde fut d'accord pour qu'il n'y ait pas de fête de fin de film afin que chacun puisse rentrer chez soi. Avant que l'équipe se disperse, Brooks envoya néanmoins un machiniste à sa voiture pour rapporter quelques caisses de bourbon, une bouteille pour chacun. Sa femme et lui avaient ajouté pour Kay Thackeray une broche avec boucles d'oreilles assorties.

Le machiniste venait de poser la dernière caisse quand Bogart, qui était allé téléphoner une fois de plus, revint sur le plateau.

« Tu veux que j'aille aussi chercher quelque chose dans ta voiture, Bogie ? demanda-t-il.

— Et pourquoi ? Ils gagnent assez d'argent pour s'acheter leurs propres cadeaux ! »

« Il est parti, raconte Kay. Pas de "Joyeux Noël", pas de "Bonne année, j'ai été content de vous connaître". C'était vraiment méchant. Injustifié. Personne n'avait rien demandé. »

Le comportement de Bogart était à l'opposé de ses habitudes de travail depuis toujours. « Il était *totalement* différent du Bogart que je connaissais, dit Brooks quarante ans plus tard. Plein de choses n'allaient pas [72]. »

Le rayon des jouets

African Queen reçut un accueil enthousiaste, et le public s'amouracha de Rosie et de Charlie d'une manière tout à fait extraordinaire. « Oh, je pense que ce n'est pas vraiment si mystérieux que ça ; ça tient à toi, à Bogie et à l'histoire [1] », écrivit Huston à Katie Hepburn.

En février 1952, le film fut sélectionné pour les oscars dans presque toutes les catégories importantes, dont meilleur acteur, meilleure actrice et meilleur réalisateur — mais non meilleur film. En dépit des ravages intérieurs subis par l'industrie du cinéma, 1951 avait été l'année de nombreux grands films, comme *Histoire de détective, Un tramway nommé Désir, Une place au soleil* de George Stevens, et la comédie musicale *Un Américain à Paris*.

Bogart, qui ne figurait pas parmi les favoris, avait affaire à forte partie : Montgomery Clift *(Une place au soleil)*, Fredric March *(Mort d'un commis voyageur)*, Arthur Kennedy *(Bright Victory — la Nouvelle Aurore)*, et l'acteur auquel Bogie se référait avec admiration en disant : « Ce type, Brando... Il jouera *Hamlet* quand on en sera tous à vendre des patates [2]. »

En public, Bogart prétendait ne pas accorder d'importance aux récompenses. En privé, il avait des sentiments mitigés. Son attitude envers Hollywood était ambivalente. Il convoitait l'oscar autant que n'importe qui, et pourtant il sentait qu'en exprimer le désir ne convenait pas à l'image qu'il devait donner de lui. On ne fait pas que gagner un oscar, il faut le conquérir par une campagne subtile et évidente à la fois. L'organisation Spiegel avait engagé une entreprise de relations publiques pour mener un effort planifié, brillamment conduit par John Strauss, afin de promouvoir la candidature de Bogart. Le publicitaire aimait beaucoup le film et aussi Bogart, qu'il trouvait poli mais très réservé à l'idée que quiconque sache qu'on travaillait à sa consécration [3]. « Il a dit : "Je ferai tout ce que je pourrai, mais tenez-moi à l'écart de tout ça." Il voulait conserver cette image de dur qui se moquait de tout. Mais il avait vraiment envie de cet oscar. »

« Il s'agissait de toujours associer le nom de Bogart avec les mots "oscar" et "*African Queen*" », mais pas nécessairement avec Katharine Hepburn, que Strauss ne représentait pas. Promouvoir les deux eût été diluer ses efforts. Avec un seul objectif en tête, cinq journaux à Los Angeles plus deux journaux spécialisés dans le cinéma, Strauss avait la tâche facile : les journalistes étaient toujours avides de nouvelles fraîches.

Début mars 1952, Nunnally Johnson, amusé, écrivit à leur ami commun Thornton Delehanty : « Bogart est aussi occupé qu'un candidat républicain. A entendre Betty, on croirait qu'ils sont en route pour occuper la Maison-Blanche. On ira tous ensemble à la cérémonie... précédés par des motocyclistes portant des drapeaux et suivis par une délégation qui brandira une banderole déclarant que Bogart est pour les petits et contre les alliances étrangères... Le rituel doit se dérouler cette année au Pantages Theatre et Bogart sera assis en bordure d'allée, au deuxième rang, pour le cas où il devrait aller au micro. Betty, Dorris et moi sommes censés taper des pieds en cadence et crier "On veut Bogart !"[4] »

Le 20 mars approchant, Bogart était de plus en plus tendu. Finalement, le jeudi soir arriva, et les Bogart, les Johnson et Richard Brooks s'entassèrent dans la limousine que Johnson avait louée pour l'occasion. Personne ne disait un mot.

Finalement, Brooks rompit le silence : « Alors, Bogie, quand tu vas gagner, qu'est-ce que tu vas dire ? Il m'a répondu : "Je ne vais pas gagner et je ne veux pas en parler." » Brooks insista et Bogart finit par lui dire grossièrement de se taire. Après un nouveau long silence, Nunnally tenta de le radoucir et lui reposa la même question. A laquelle il répondit sur le même ton.

« Sur quoi, continue Brooks, Nunnally m'a demandé : "Qu'est-ce que tu voudrais qu'il dise ?" Bogie regardait par la fenêtre. Il ne voulait pas nous entendre. Il était très nerveux. J'ai dit : "Bogie, ce sera probablement le rôle le plus difficile que tu joueras de ta vie. — Vraiment ?" demanda-t-il en montrant enfin un peu d'intérêt. Je lui ai dit : "Tu vois, ils vont donner les noms des cinq sélectionnés, et la fille va dire : *Et le gagnant est...* Et quand elle dira ton nom, tu vas bondir de ton foutu siège, et tu vas courir dans l'allée, monter les marches de la scène d'un bond, aller embrasser la fille, et elle va t'embrasser... Et alors tu vas te mettre à remercier tous les fils de pute de cette foutue ville, et tu vas te mettre à pleurer et tout le merdier. Et c'est exactement *ce que tu ne dois pas faire* ! Quand on dira ton nom, tu dois te lever calmement, *marcher* jusqu'à la scène, pas courir ! monter et... *ne cours pas embrasser la nana* ! On va te donner l'oscar. Et alors tu dois commencer ton numéro, Bogie. Ne regarde pas l'oscar ! Regarde le public par-dessus la tête de la statuette. Tu attends une bonne minute. Tu auras l'impression que ça fait un an, mais tu attends une minute, tu attends aussi longtemps que tu peux. Tu ne dis rien. Et puis, voilà ton discours : *Eh bien... il était temps !* et tu t'en vas." Il a dit : "Génial, c'est exactement ce que je vais faire !" Alors on arrive au théâtre, on entre et on s'installe. On attend toute la soirée et finalement on arrive au meilleur acteur. *Et le gagnant est... Humphrey Bogart !* Bang ! Il bondit de son foutu fauteuil, court dans l'allée, saute sur scène, embrasse la fille. On lui remet l'oscar, il le regarde longuement, les larmes aux yeux et remercie une quarantaine de personnes. Il remercie Katie. John, il le remercie *neuf* fois. Et on l'entraîne en coulisses pour prendre des photos. Au retour, dans la limousine, il tient l'oscar sur ses genoux. Je lui demande : "Mais qu'est-ce qui t'est arrivé ? Tu ne devais pas faire tout ce foin !" Et il a répondu : "Quand tu recevras le tien, tu n'auras qu'à faire ce que tu as dit."[5] »

Il y avait eu un rugissement de délice quand Greer Garson avait dit le nom de Bogart. Betty, enceinte de quatre mois de leur second enfant, s'était levée d'un bond, tout excitée, et son jupon était tombé de sa taille élargie. Montgomery Clift, perdant mais toujours gentleman, l'avait rattrapé délicatement avant que cela ne devienne embarrassant[6].

Près des Bogart ce soir-là, il y avait aussi le jeune Karl Malden, sélectionné en vue du meilleur second rôle pour son travail dans *Un tramway nommé Désir*. Venu de Broadway, il était tellement habitué au temps de New York qu'il avait par automatisme emporté un pardessus. Quand en début de soirée on l'appela sur scène pour recevoir son oscar, sa première pensée fut : Mais qu'est-ce que je vais bien pouvoir faire de ce manteau ? Il se pencha vers Bogart et lui demanda de le lui garder. Plus tard, alors qu'ils étaient en coulisses, Malden lui demanda : « Qu'est-ce que tu as fait de mon manteau ? » Bogart lui répondit : « Oublie ton manteau. Accroche-toi à ton foutu oscar[7]. »

Lors d'une fête, plus tard dans la nuit, chez Mike Romanoff, Bogart se reprit. Il démystifia tout le processus, prétendant qu'une véritable compétition pour le « meilleur acteur » devrait être une sorte de « concours de mangeur de tarte », où chaque acteur interpréterait le même rôle, Hamlet, par exemple — et il y aurait des Hamlet terribles ! Mais on ne pouvait douter de ses sentiments, et l'expression de l'affection de ses pairs ce soir-là le laissait béat et larmoyant. Il avait vécu une véritable odyssée depuis le temps où il était un acteur à tout faire, et surtout les méchants, avant de devenir une personnalité adulée de Hollywood. Un rapport interne de *Time* le décrivait comme « un vieux de la vieille parmi la poignée d'acteurs dont la réputation et le succès sont indestructibles et que sa philosophie "hemingwayenne" rend de surcroît moralement indestructible aussi, car rien de ce qu'il pourrait dire ou faire ne pourrait surprendre ou scandaliser quiconque — place enviable de nos jours où les plus grandes gloires de Hollywood ont peur de cracher sur le trottoir de crainte de voir diminuer les revenus de leurs films[8] ».

Au sommet de sa profession, il jouissait d'une reconnaissance qui lui avait si souvent échappé. La seule personne qui ne se réjouit pas de son triomphe fut son fils Stephen, qui n'était pas encore remis de la longue absence de ses parents. Dans ses Mémoires, il écrit : « Il me semble me souvenir que lorsque mon père rapporta à la maison cet oscar, qui représentait ce qu'il avait fait en Afrique, j'avais envie de le prendre et de le lui jeter à la figure [9]. »

Bogart passa le week-end suivant à bord du *Santana*, où il se retrouvait environ quarante-cinq week-ends par an. Il se rendait en décapotable jusqu'à Newport, à une heure de là, puis se détendait avec ses amis et l'équipage — pour qui il était avant tout un grand marin qui faisait en plus du cinéma. George Roosevelt, neveu de l'ancien président, était un compagnon fidèle. « Nous nous étions moqués de lui pendant des années parce qu'il n'avait jamais remporté d'oscar. Ce week-end-là, nous lui en avons fait voir de toutes les couleurs. » Roosevelt et d'autres avaient encouragé Bogart à acheter l'*African Queen*, « parce que c'était un bateau aussi mauvais que laid », et de l'ancrer dans le bassin du yacht-club de Newport, dont Bogart était membre et où il laissait le *Santana*. Bogart étudia le coût et les difficultés et fut tenté, mais il se retint [10].

Un week-end, il pleuvait si fort qu'il décida que ses amis et lui se contenteraient de dormir à bord et de passer le temps au bar du club. Bogart demanda à Carl « Pete » Peterson, qui prenait soin du *Santana* et jouissait d'une très haute réputation de marin, de se joindre à eux. Le club était snob, et Roosevelt était avec Bogart quand « un vieil homme s'est approché et a dit : "Je sais que vous êtes membre et que bien sûr vous pouvez introduire des invités au club, mais vous ne pouvez en aucun cas amener un capitaine professionnel !" Bogie leva un sourcil, demanda l'addition, et y écrivit avant sa signature qu'il ne souhaitait plus appartenir au club. Nous sommes tous allés finir de boire sur le *Santana*. Un peu plus tard, un monsieur très gentil est monté à bord, la note à la main et a dit : "Pete peut venir au club quand il le veut." Puis il a déchiré la note et la démission avec, avant de repartir ».

De bien des façons, Bogart préférait la bonhomie du *Santana* et les plaisirs simples de la vie à bord aux fastes du cinéma, et son amitié avec les navigateurs était profonde et affectueuse. Son équipage et lui renoncèrent à un week-end de voile pour assister au mariage de Roosevelt. Au milieu de la réception, Carl Peterson arriva avec un énorme paquet. Bogart insista pour que Roosevelt l'ouvre tout de suite. Les invités les entourèrent et Roosevelt déballa une bouée de sauvetage du *Santana,* signée par Bogart et les autres marins, et portant l'inscription : « Tout notre amour et nos baisers pour M. et Mme George Roosevelt. Merci d'avoir gâché le week-end. »

« Je crois qu'on peut le qualifier d'"humble" étant donné son style de vie, dit Roosevelt. Il savait plaisanter de lui-même. Et il avait un splendide sourire. Si quelque chose l'amusait et que vous lui tiriez un sourire, c'était gagné. » Bogart naviguait beaucoup dans la journée (« il a remporté chaque année un nombre phénoménal de trophées »), il jouait aux cartes et buvait avec ses amis le soir, et il se couchait à vingt et une heures. Son idée d'un week-end réussi était de gagner Todos Santos, une île au large de la côte de la Basse-Californie, dont le port ne pouvait recevoir que quatre ou cinq bateaux. Là, il se détendait, nageait, fumait ses Chesterfield en paix. Les pêcheurs mexicains échangeaient une douzaine de homards contre un paquet de cigarettes ou quelques bouteilles de bière, et les marins mangeaient du homard au petit déjeuner avec des œufs brouillés. Bogart était heureux quand il pouvait s'y rendre pour une semaine ou plus et sillonner les eaux de la région, ou faire le tour de Catalina en s'arrêtant chaque soir dans une anse nouvelle.

En dépit des histoires qui circulaient à Hollywood sur des femmes et des beuveries à bord, le *Santana* était un sanctuaire exclusivement masculin. Cela convenait à Betty, qui préférait de loin la vie mondaine de la ville. « Bogie l'appelait tous les matins pour savoir comment était la fête de la veille et dire qu'il n'avait rien fait de plus que jouer aux cartes et se coucher tôt », raconte Roosevelt. Aucun des habitués du *Santana* ne voyait très souvent Betty. « Elle n'aimait pas particulièrement le bateau, et pas non plus l'équipage. Nous n'étions pas son genre. Nous n'étions que des marins, pas le président des États-Unis jouant du piano avec elle assise dessus. »

Belmont Bogart aurait été fier que les professionnels de la voile apprécient autant son fils. Selon Roosevelt, qui avait une grande réputation dans le milieu, Bogart « comprenait vraiment l'eau et la façon de naviguer par gros temps. Mon père, qui était aussi vieux jeu et aussi collet monté que possible, et commodore du New York Yacht Club, disait de lui qu'il était "un bien bon marin", et ça, c'était vraiment un compliment ».

Comme cela se produisit si souvent dans la carrière de Bogart, à cette période de réussite et de reconnaissance succéda un temps de stagnation professionnelle. En janvier 1952, il avait envie de jouer dans l'adaptation cinématographique du succès de Broadway *Come Back, Little Sheba*, de William Inge, que Hal Wallis produisait pour la Paramount. Le scénario était prêt et Bogart aimait le rôle de Doc Delahanty, ancien chiropracteur alcoolique mais raffiné. (Shirley Booth, qui jouait sa femme dans la pièce, devait remporter un oscar pour sa performance.) Il n'y avait qu'un problème : il avait déjà fait deux films sur son contrat qui courait d'avril à avril, ni l'un ni l'autre pour la Warner, à qui il en devait un. Selon les termes compliqués de l'accord, la Warner n'était pas obligée de lui proposer de scénario avant mai [11].

Sam Jaffe s'adressa à Roy Obringer. Il savait que ce film était hors limites, mais cela ne gênerait en rien la Warner qu'il le fasse, puisque le tournage commencerait en février et serait terminé en avril, un mois avant la date à laquelle la Warner devait lui faire une proposition. Jaffe fit remarquer à l'avocat que le studio n'avait rien proposé à Bogart depuis un an [12].

La Warner, qui n'avait pas fait figurer Bogart dans un film depuis 1950 et regrettait de lui avoir permis de tourner pour d'autres studios, n'était pas prête à se montrer accommodante. J. L. et Obringer étaient en particulier tout à fait hostiles à l'idée de laisser Bogart travailler avec Hal Wallis, qu'à présent ils haïssaient. Ce fut non. Jaffe, sentant un complot pour pousser son client à rompre son contrat, répondit calmement que Bogart n'insisterait pas. En conséquence, pendant près d'un an et demi, juste après son oscar, Bogart ne fit aucun film pour la Warner et il lui fut interdit de tourner pour les autres studios. Le scénario que la Warner lui envoya effectivement en mai était celui d'un film alimentaire sur un entraîneur de football américain qui constitue une équipe gagnante pour sauver l'université d'une petite ville. Sa récompense serait sa partenaire Donna Reed. Cette fois, ce fut le tour de Bogart de dire non — petite revanche.

« Il regrette toujours de ne pouvoir faire *Reviens, petite Sheba*, écrivit Hedda Hopper, "mais le jugement dernier est proche, déclare-t-il. Dans cinq ans, quand je n'aurai plus ni cheveux ni dents, la Warner devra encore me proposer des rôles" [13]. »

Ce genre de déclaration horrifiait les gens de Burbank, Harry Warner en tête. A sa demande, Obringer envoya une lettre à l'en-tête de la Warner : « Nous ne comprenons pas du tout votre attitude », dit-il, rappelant à l'acteur que seule la Warner lui avait offert l'occasion d'arriver à sa position actuelle dans le cinéma. Et Obringer en bafouilla de rage quand il voulut mettre les choses au point : « Quand nous avons signé avec vous le contrat en cours, nous n'avons pas compris qu'une partie de l'accord signifierait une obligation de notre part d'accepter votre attitude si peu coopérative et que vos services à l'entreprise se limiteraient à l'époque où vous auriez besoin de nous parce que vous n'auriez plus ni cheveux ni dents [14]. »

A l'étrange manière de Hollywood, la Warner menait en parallèle des négociations avec l'avocat et homme d'affaires de Bogart, Morgan Maree, pour envisager le financement et la distribution du prochain film Bogart-Huston. Le succès commercial d'*African Queen* avait plus de poids que les vanités blessées. Mais le studio, à la demande de J. L., étudiait aussi de quelle manière il pourrait mettre fin au contrat de Bogart. En juin, Ralph E. Lewis, du cabinet Freston and Files, écrivit à Obringer qu'il n'avait trouvé aucun moyen : « Le contrat est mauvais du point de vue du studio pour le moment, et sur le plan légal, il n'y a aucun obstacle à sa validité [15]. » Il était rare qu'un contrat se retourne contre Jack Warner, mais cette fois, les relations Warner-Bogart ressemblaient beaucoup au mariage Bogart-Methot.

Refuser le film avec Donna Reed signifiait que Bogart gagnerait dix mille dollars de moins pour son prochain film à la Warner, mais il était maintenant libre de tourner hors du studio. Il signa avec la MGM pour le rôle d'un médecin de l'armée pendant la guerre de Corée dans *M.A.S.H.* (qui n'a rien à voir avec le *M*A*S*H** d'Altman, de 1970). Le scénario était de ses vieux amis Allen et Laura Rivkin, et Richard Brooks le réaliserait. Bogart et June Allyson en infirmière ne firent pourtant pas de miracle à l'écran, et la qualité documentaire des séquences d'action en hélicoptère éclipsa les scènes d'amour très conventionnelles. La décision du studio de présenter le film sous le titre *Battle Circus (le Cirque infernal)* ne l'aida pas non plus. « La Corée de M. Brooks ressemble trop souvent à du pur Hollywood », écrivit le critique du *New York Times*.

On tourna les extérieurs à Fort Pickett, une base de l'armée en Virginie ; c'est l'armée qui fournit les hélicoptères pour le film, et aussi les figurants. Le jeune acteur William Campbell jouait un pilote d'hélicoptère. Un soir, revenant à son hôtel après dîner, il trouva un mot de Humphrey Bogart : « Monsieur Campbell, dès que vous rentrerez, je veux que vous veniez immédiatement dans ma suite, et je me moque de l'heure [16]. »

Campbell était dans ses petits souliers. Il avait déclenché une tempête lorsque, interviewé par un journaliste local, il avait dit en substance qu'il était temps que les vieux acteurs cessent de jouer des hommes plus jeunes. Bogart, à qui on demandait un commentaire, dit qu'il avait absolument raison. Néanmoins, dans l'ascenseur qui le menait à l'étage de Bogart, Campbell se demanda si la star allait lui tomber dessus. Il frappa à la porte et entendit la voix de Bogart :

« Qui est-ce ?

— Euh, c'est Campbell, monsieur Bogart.

— Oh, oui, monsieur Campbell. Attendez une minute. »

Au bout de ce qui sembla plusieurs minutes au jeune homme, Bogart l'appela :

« C'est bon, monsieur Campbell, entrez. »

Il pénétra dans le salon et vit devant lui Bogart, sa coiffeuse Verita Peterson et l'acteur Keenan Wynn, assis sur le canapé, jambes croisés, les bras repliés sur la poitrine pour tenir un verre. Tous semblaient nus.

« Monsieur Campbell, entrez, prenez un verre, retirez vos vêtements et joignez-vous à la fête. »

Stupéfait, Campbell répondit que ce serait avec joie, mais qu'il devait piloter un hélicoptère dans la matinée. Il tourna les talons et repartit vers sa chambre aussi vite qu'il le put. Le lendemain, quand il retrouva Wynn, avec qui il avait déjà travaillé, il était furieux.

Wynn éclata de rire. Il était dans sa chambre prêt à se coucher quand Bogart l'avait appelé pour un dernier verre. Avec les autres, ils avaient bu et soudain décidé de faire une blague à Campbell. Les coussins moelleux du canapé cachaient les maillots de bain qu'ils portaient.

Après cette blague, Campbell se lia d'une chaleureuse amitié avec Bogart. Pendant leurs conversations, lors de ces soirées après le tournage où il n'y avait rien d'autre à faire que boire, Campbell remarqua « une profonde tristesse » chez le vieil acteur. Bogart lui parla de John Garfield, que Campbell avait connu, et qui venait de mourir d'une crise cardiaque à trente-neuf ans [17]. « Il adorait Garfield et le trouvait excellent acteur. Il avait le sentiment que jamais Garfield n'avait atteint ce qu'il voulait. » Bogart parla aussi de ce qu'on appela plus tard le Rat Pack — la bande de rats. Tout cela l'agaçait, ces désœuvrés qui venaient chez lui boire et tuer le temps ; et à la grande surprise de Campbell, il était agacé aussi par Frank Sinatra, qu'il semblait ne pas aimer — peut-être parce que Betty le trouvait séduisant [18].

Campbell eut aussi l'impression que Bogart savait déjà qu'il souffrait d'un cancer, ou du moins qu'il avait un grave problème de santé.

Bogart en était à un point de sa carrière où, comme peu d'autres stars, il était, dit Campbell, « plus grand que le réalisateur, plus grand que le film, plus grand que le producteur. Tous sont obséquieux, tous lui font de la lèche, tous veulent recevoir des compliments ». Campbell décrivit le déménagement de l'équipe en Virginie, où Bogart donna des ordres très stricts quant à son logement. « Je sais que je peux vous sembler puéril, monsieur Campbell, mais je ne fais que rendre la monnaie de la pièce. On m'a beaucoup malmené quand j'étais un simple acteur sous contrat. Ce que je demande maintenant ne fait de mal à personne et c'est plus confortable pour moi. Et pour l'instant, ce qui compte le plus pour moi, c'est mon confort. Le confort du studio ne m'intéresse pas. » Au-delà des prérogatives d'une grande star, il exprimait, de l'avis de Campbell, « une sorte de cafard, une tristesse permanente », accompagnés d'une vision cynique mais réaliste de l'industrie qui assouvissait ses moindres désirs.

Campbell venait de travailler avec Spencer Tracy, qui lui avait donné ce conseil : « N'oublie jamais que lorsque tu tournes un film, tu es au rayon des jouets. » Campbell le répéta à Bogart, qui hocha la tête : « Il a raison », dit-il.

« Il voulait dire par là que c'était un amusement, un jeu, non une chose sérieuse. Mais cela allait plus loin. Il ne faut pas écouter les gens qui disent qu'ils doivent servir leur public, parce que c'est une escroquerie. Les gens font du cinéma pour de nombreuses raisons : pour l'argent, pour la célébrité, pour se faire aduler, pour jouer un jeu, pour devenir une superstar. Mais il faut toujours faire attention. Je crois que Bogart et tous les grands savaient que c'était le rayon des jouets. Et je crois qu'il en éprouvait une certaine tristesse. Il se demandait quelle était la véritable importance à long terme de ce qu'il offrait. Nous avons un jour parlé du caractère. Il m'a dit : "Beaucoup de gens ne comprennent pas d'où nous venons ; ils ne se rendent pas compte que nous sommes constamment mis à l'épreuve, que nous faisons un travail qui forge totalement notre caractère. Chaque fois que nous terminons un travail, nous sommes virés. Chaque fois qu'on finit un film, même si on est une grande star, on se dit : Seigneur ! Il faut que j'appelle mon agent demain matin." »

Le 23 août 1952, de nouveau à l'hôpital des Cèdres du Liban, Betty donna naissance à une belle petite fille qu'elle prénomma Leslie Howard, en souvenir de l'ami et bienfaiteur de Bogart — qui restait bien vivant dans ses souvenirs, même si beaucoup semblaient l'avoir oublié.

Pendant les mois qui séparèrent l'oscar de la naissance de Leslie, les Bogart déménagèrent de leur maison rustique à Benedict Canyon pour s'installer dans une vaste et somptueuse demeure coloniale blanche de cent soixante mille dollars à Holmby Hills. « L'endroit est si élégant, confia Bogart à Hedda Hopper, qu'il faudra que je mette une cravate chaque soir pour dîner. Quand Betty m'a fait visiter la maison, elle m'a montré les appartements pour elle, les enfants, le majordome et la femme de chambre. Puis elle m'a montré un grand placard et m'a dit : "C'est ta chambre." [19] »

David Niven écrit que lorsque son ami Bogart acheta la maison « il eut l'impression qu'on l'avait introduit par ruse au sein de cette haute bourgeoisie qu'il méprisait cordialement... Mais il finit par montrer une fierté obsessionnelle de cette nouvelle acquisition [20] ».

Holmby Hills était situé à l'extrémité ouest de Beverly Hills, dans une enclave plus exclusive encore que le reste du quartier. D'épaisses forêts protégeaient les vastes demeures de la route, et les plantations avaient l'aspect parfaitement-soigné-mais-rustique que seuls peuvent s'offrir les vrais riches. Les étroites routes sinueuses bordées de bas-côtés pentus et boisés donnaient une impression de campagne. Les voisins des Bogart étaient de gros industriels ou de célèbres personnalités du cinéma : A. P. Giannini, directeur de l'immense Bank of America, Lana Turner et son riche époux Bob Topping, le producteur Walter Wanger et son épouse, l'actrice Joan Bennett, l'auteur de chansons Sammy Cahn. Jouxtant leur propriété, il y avait d'un côté celle de Hoagy Carmichael, qu'ils fréquentaient peu, et de l'autre celle de Judy Garland et de son époux, le producteur Sid Luft, avec qui ils étaient plus amis. Leur fille Lorna jouait avec Stephen, accompagnée parfois de sa demi-sœur aînée Liza, que Judy avait eue d'un précédent mariage avec le réalisateur Vincente Minnelli. Duke Mantee vivait le rêve américain des années cinquante : vaste propriété, piscine, tennis, belle épouse, deux enfants, un garçon et une fille, trois chiens (Harvey, sa compagne Baby et leur chiot George).

Les aboiements des chiens la nuit gênaient les voisins au point qu'un groupe, avec à sa tête Charles Correll, le scénariste Cy Howard et l'animateur de télévision Art Linkletter, déposa plainte auprès de la ville, suggérant qu'on intervienne chirurgicalement sur les cordes vocales des boxers. Betty rétorqua que les plaignants essaient l'opération sur eux-mêmes.

A l'automne, Bogart tenta d'acheter les droits cinématographiques du *Vieil Homme et la mer* de Hemingway, histoire à laquelle il s'identifiait très étroitement et qu'il voulait tourner sous la direction de Nicholas Ray. L'affaire capota. (Spencer Tracy, avec qui il était devenu très ami après *African Queen*, tourna le film un an après la mort de Bogart.) Qu'il s'agisse de mécontentement professionnel, de problèmes domestiques, d'ennuis de santé ou du douloureux ajustement à l'âge mûr, certains des plus proches amis de Bogart sentaient en lui un énorme malaise. Joyce Buck, qui l'avait connu toute sa vie d'adulte, considérait que « beaucoup de ses sarcasmes et de son amertume venaient du fait qu'il n'avait été reconnu que très tard[21] ». Il avait passé tant d'années dans la peau du « beau-frère de George Raft » ! dit Richard Brooks. De plus, il n'avait aucun moyen de savoir si « ce personnage, le personnage Bogart, allait survivre. Il n'y croyait pas. Il était sur la corde raide. Bien sûr, il avait obtenu un oscar. Mais, disait-il, si on demande aux gens deux ans plus tard qui a eu l'oscar telle année, ils ne s'en souviennent plus. Alors qu'est-ce que ça vaut ? ». Il en avait été témoin avec ce qui était arrivé à son ami, l'idole oubliée Leslie Howard, et il considérait donc sa carrière comme étant en instabilité permanente.

Chez les Bogart, un soir, Spencer Tracy fut surpris de voir l'oscar qui retenait une porte ouverte. Brooks, qui était là, dit que Spencer était furieux. « Il a vu ça et il a dit : "C'est d'une incroyable prétention. Tu n'en auras pas d'autre de toute ta vie, et tu t'en sers pour bloquer une porte ! Qu'est-ce que ça veut dire ? Est-ce toute la considération que tu as pour le métier d'acteur ?" Mais Bogie se devait de dénigrer cet honneur. Il l'avait souhaité, et il voulait se punir de l'avoir souhaité ! Il savait que New York se moquait de Hollywood. Comme lui. »

Une fois par an, soit pour son anniversaire le jour de Noël soit la veille au réveillon, Bogart sortait un projecteur seize millimètres et passait la version de 1937 de *Une étoile est née*, l'histoire d'une jeune femme qui devient une star et qui épouse un vieil acteur célèbre alcoolique et sur le déclin. « Chaque année pour Noël ! dit Brooks. Et il pleurait. »

Au bout de quelques années, Brooks finit par lui demander : « Mais pourquoi est-ce que tu pleures, Bogie ? et il répondit doucement : "Si

421

tu n'aimes pas ce film, ne le regarde pas." » Insatisfait, Brooks essaya à une autre occasion.

« Qu'est-ce qui te rend si malheureux ?

— Je ne suis pas malheureux ! Je suis heureux.

— Tu as l'air malheureux. Pourquoi te fais-tu du mal ? Tu te rabaisses tout le temps. Tu le fais avec humour, mais tu le fais quand même.

— Eh bien, j'attendais bien plus de moi. Et jamais je ne l'obtiendrai[22]. »

Pendant l'été 1952, avant l'élection présidentielle prévue pour l'automne, Bogart et Bacall reprirent leurs activités politiques. Pour la première fois, ils soutenaient un républicain, le héros de la guerre Dwight Eisenhower, qu'avaient aussi fébrilement courtisé les démocrates. Ce républicain modéré attirait beaucoup d'autres démocrates à une époque où le sénateur Joseph McCarthy symbolisait la droite du Parti républicain.

Bogie et Betty se montrèrent à un grand rassemblement pour Ike à Los Angeles, mais leur allégeance — en particulier celle de Betty — n'était pas très profonde. Il ne fallut qu'une rencontre avec Adlai Stevenson, gouverneur de l'Illinois et candidat démocrate, pour qu'elle change de côté. A la mi-septembre, le directeur de production de la MGM, Dore Schary, organisa une réception pour Stevenson à laquelle il invita six cents personnalités du cinéma. Bogart resta à la maison, mais Betty s'y rendit. L'humour, le charme et l'éloquence de Stevenson lui gagnèrent le soutien de nombre de ceux qui étaient là — « preuve réconfortante, écrivit le magazine *Time*, que l'été de romance torride avec Eisenhower se terminait par une réconciliation avec le Parti démocrate[23] ». Betty se fraya un chemin dans la foule, rayonnante d'enthousiasme. « Bogie ne nous a pas encore rejoints, dit-elle aux journalistes, mais j'y travaille. »

Elle écrit qu'à la réception de Schary un « producteur connu[24] » lui conseilla vivement de ne pas parler de ses opinions politiques. Les souvenirs du voyage à Washington étaient encore présents, et les dirigeants des studios étaient maintenant presque tous conservateurs.

Eisenhower avait déçu ses partisans libéraux en tentant de rallier l'aile maccarthyste du Parti républicain au lieu de la condamner. Il justifia les auditions de la HUAC, emmena McCarthy dans son train de campagne dans le Wisconsin et, lors d'un discours à Milwaukee, dépassa même le sénateur en accusant les gouvernements démocrates successifs — sans les nommer — de « pure trahison ».

Même si les dirigeants des studios n'appréciaient guère qu'on soutienne Stevenson, les démocrates du cinéma montraient le même enthousiasme qui avait jadis illuminé le Comité démocrate de Hollywood. Betty accepta de se rendre à San Francisco pour la campagne de Stevenson. Quelques jours avant son départ, Bogie changea son fusil d'épaule et se joignit aux Volontaires pour Stevenson. « Stevenson fait de merveilleux discours, lettrés, intelligents, intellectuels, écrivit Bogart à Huston, qui se trouvait à Londres pour préparer son prochain film, *Beat the Devil (Plus fort que le diable)*. Eisenhower dit ce qu'on lui dit de dire, et c'est un triste spectacle parce que j'avais cru qu'il pourrait être un type merveilleux. Mlle Bacall soutient le gouverneur Stevenson avec une telle ardeur que ça en devient vomitif. » Tous les « gens bien », continuait-il, étaient de l'autre côté : « Jack Warner, George Murphy, Y. Frank Freeman, etc. Moi, bien sûr, je soutiens Stevenson parce que, comme l'a dit un jour Wilson Mizner : "Un seul cheveu doré pris sur la tête d'une belle femme est plus solide que le câble transatlantique." » Il y avait, ajoutait-il, un candidat de la Prohibition pour qui il avait de légères sympathies, « surtout au petit matin ».

Bogart disait aussi à son ami que la HUAC avait « honoré » Los Angeles d'une autre visite spectaculaire. « Le scénariste bien connu habituel dont personne n'a jamais entendu parler a dénoncé à nouveau des membres du Parti communiste... qui ont déjà fait leur temps en prison... Comme tu l'as dit un jour, mon vieux, et je suis bien d'accord, c'est un monde de merde[25]. »

Betty ne tarda pas à devenir une véritable amie de Stevenson. Dans ses souvenirs, elle parle de l'indéniable attirance sexuelle qu'elle éprouvait pour le candidat divorcé, charmant et séducteur, qui rassemblait autour de lui des soutiens de grand renom. C'était une des nombreuses attirances que Betty qualifiait de « flirts » — on parla aussi de Richard Burton et de Leonard Bernstein — et que tolérait un époux plus âgé et compréhensif.

L'admiration de Bogart pour le candidat s'amplifia au point d'étouffer toute exaspération ou tout accès de jalousie. Betty parle d'une idée de dessin qu'il avait eue : Bogart, dans l'embrasure d'une porte, entre les deux enfants, qui regarde tristement la pluie tomber. « Papa, où est maman ? demande Stephen. — Avec Adlai[26]. »

Pendant l'automne, Bogie et Betty sillonnèrent tous deux le pays à bord du train de campagne de Stevenson, sortant sur la plate-forme arrière avec d'autres célébrités quand le train sifflait et s'arrêtait en chemin. Le 27 octobre, ils participèrent à une énorme réunion au Madison Square Garden. Robert Sherwood, qui avait déjà servi dans les anciens gouvernements démocrates, organisa le déroulement de la soirée et rédigea les interventions. Il inséra dans le discours de Bogart quelques répliques de Duke Mantee dans *la Forêt pétrifiée*. L'évènement fut retransmis en direct à la télévision. Pour commencer, la voix grave de Betty annonça : « Bonsoir, Amérique ! Ici Lauren Bacall, Volontaire pour Stevenson, qui vous parle du Madison Square

Garden... Dehors, les rues sont remplies de milliers de gens qui n'ont pas pu entrer... »

A l'intérieur, il y avait aussi Montgomery Clift, Richard Rodgers et Oscar Hammerstein, Robert Ryan et Mercedes McCambridge. Après les présentations, l'actrice Benay Venuta se tourna sur sa droite : « Et maintenant, j'ai le grand honneur de vous présenter ce merveilleux acteur, M. ... Humphrey... Bogart ! » Elle n'avait pas fini de parler que la foule se mit à hurler. Il ne portait pas son postiche, son crâne presque chauve luisait, il était petit, amaigri, il portait un nœud papillon. Mais il était Duke Mantee, et la foule l'adorait.

Il se parodia en silence, et le public rit. Après tant d'années de métier, il savait comment manier une foule. Il dit quelques phrases caricaturales de ses personnages avant de sourire en coin. La foule était aux anges. Puis il rit et revint à sa voix naturelle pour un rapide discours de soutien au candidat. Soudain, il était moins à l'aise. Il présenta très vite l'orateur suivant, le poète Carl Sandburg.

Les Bogart filèrent à Chicago pour la dernière réunion publique, rentrèrent en avion voter chez eux, puis, sur l'insistance de Betty, reprirent tout de suite l'avion pour se rendre à Springfield, dans l'Illinois, à l'invitation de Stevenson, pour suivre en sa compagnie les résultats de l'élection. Betty était optimiste. Bogart, fidèle à lui-même, mais aussi plus expérimenté en politique, attendait « le désastre qui se préparait[27] ». Il n'était pas le seul. Stevenson avait déjà écrit son discours de vaincu.

On avait espéré que la victoire d'Eisenhower mettrait fin au maccarthysme. Mais le *ticket* Eisenhower-Nixon renforça la mainmise des conservateurs en Californie du Sud, au sein de la Motion Picture Alliance et sur la Liste noire. Jack Warner, qui avait travaillé pour les républicains avec la même énergie qu'il avait jadis mise dans ses campagnes pour Roosevelt, envoya un court télégramme aux Bogart : « MERCI D'AVOIR AIDÉ A FAIRE ÉLIRE EISENHOWER. SANS AUCUNE AFFECTION. JACK WARNER. »

« Betty et moi avons ardemment fait campagne pour Stevenson, qui est un homme merveilleux, écrivit Bogart à Huston en novembre, et nous pansons maintenant nos plaies. Le cri de ralliement des républicains est "Dieu merci, nous avons retrouvé l'Amérique", ce qui laisse supposer que les vingt-sept millions de personnes qui ont voté pour Stevenson étaient en quelque sorte subversives et qu'il leur faudra soit quitter le pays soit aller en prison[28]. »

Bogart prévoyait pour sa part de quitter le pays, mais pour d'autres raisons. Pendant toute l'année, Huston et lui avaient correspondu à propos du prochain film qu'ils feraient ensemble. En janvier 1953, peu avant que Harry Truman soit, selon ses propres mots, « élevé à nouveau au rang de simple citoyen » et que Dwight David Eisenhower soit intronisé trente-quatrième président des États-Unis, Bogart partit en Italie pour sa dernière collaboration avec John Huston.

23

Plus fort que le diable

Santana Productions acheta les droits cinématographiques de *Plus fort que le diable* en 1951. Le roman picaresque de Claud Cockburn, sur un groupe de gredins à la recherche d'un trésor inaccessible accompagnés d'une belle femme incapable de dire la vérité, est une version comique du thème du *Faucon maltais*. John Huston, ami du romancier qui avait publié le livre sous le pseudonyme de James Helvick, négocia un prix raisonnable ; Cockburn était tuberculeux et en difficultés financières. Bogart lui envoya très vite l'argent en Irlande.

Après avoir lu le scénario, un des censeurs du Bureau Breen écrivit : « Chaque personnage de cette histoire, à une exception près, est une personne complètement amorale qui jamais ne se pose la question du bien ou du mal[1]. » Ce qui constituait, bien sûr, la qualité même qui avait attiré Huston et Bogart vers cette histoire d'un gang bigarré de voleurs et d'un couple anglais qui se doublent les uns les autres de façon comique dans une chasse pleine de trahisons dont l'objet est une mine d'uranium en Afrique. Le censeur décrivait le chef du gang, le délicieusement amoral Billy Dannreuther que devait interpréter Bogart, comme « un homme au passé criminel engagé dans une affaire amorale sinon illégale ».

Bogart n'avait pas hésité pour le choix du metteur en scène. « Je trouve que Huston est le meilleur réalisateur sur la place, dit Bogart à Louella Parsons en mars. Souvenez-vous du *Faucon maltais*. Il reste mon film préféré. C'est pour ça que je veux que John mette en scène *Plus fort que le diable*[2]. » Mais Huston hésitait. L'emploi du temps strict de Bogart à la Warner ne laissait qu'une période courte et précise pour un film à l'extérieur, et Huston s'était préalablement engagé auprès de Katharine Hepburn. Quand Huston demanda à un intermédiaire d'expliquer à la comédienne que ce film de Bogart rapporterait plus au metteur en scène et lui permettrait de payer ses dettes, elle s'écarta avec grâce ; mais il restait un obstacle : Huston serait-il capable de terminer à temps *Moulin-Rouge*, son projet en cours ? On présenta Nicholas Ray au partenaire anglais de Santana, Romulus

425

Films, comme solution de rechange. Morgan Maree expliqua que Ray était « un excellent réalisateur qui jouissait aussi de toute la confiance de Bogart[3] ». Le même jour, pourtant, Maree écrivait à Huston qu'il restait leur premier choix[4].

Huston hésitait toujours. Quand David Selznick lui demanda en février un rôle pour sa femme Jennifer Jones, Huston exprima ses doutes sur le film dont il avait fait acheter les droits par Bogart : « Le film serait plus heureux de l'avoir qu'elle ne serait heureuse de le faire[5] », écrivit-il. Finalement Maree envoya un télégramme à Huston pour le presser de prendre sa décision : « COMME VOUS LE SAVEZ, BOGIE ATTEND VOTRE RÉPONSE AVEC IMPATIENCE[6]. » Huston accepta et obtint par contrat cent soixante-quinze mille dollars pour ses services en tant que scénariste, réalisateur et coproducteur[7].

On choisit Peter Lorre et Robert Morley pour jouer deux des bandits, variantes comiques de Joel Cairo et de Fat Man. Bogart et Huston voulaient tout particulièrement Lorre, qui tournait peu à l'époque. Bien que Lorre se soit à moitié engagé à jouer une pièce, il préférait de loin travailler avec ses vieux amis, et il était prêt à ne demander que la moitié de son salaire habituel de cinquante mille dollars. Maree proposa quinze mille dollars. Paul Kohner, l'agent de Lorre mais aussi celui de Huston, se trouvait, comme souvent à Hollywood, travailler des deux côtés, si bien qu'il persuada l'acteur d'accepter les quinze mille dollars, plus un défraiement royal pour jouer O'Hara, un des cinq membres du gang[8]. C'est O'Hara qui prononce les répliques les plus mémorables du film, devenu un classique. On fait grand cas du temps, tandis que l'histoire progresse, et finalement O'Hara dit : « Le temps, le temps, qu'est-ce que c'est ? Les Suisses le fabriquent, les Français le thésaurisent, les Italiens le veulent, les Américains disent que c'est de l'argent, les Hindous disent qu'il n'existe pas. Vous savez ce que je dis ? Je dis que le temps est un escroc. »

Le choix le plus difficile était celui du rôle de Gwendolen, l'innocente aux grands yeux dont l'irrépressible besoin de mentir est le ressort de l'intrigue compliquée. (Bogart avait suggéré qu'ils appellent le film *les Mensonges de la dame*[9].) Le premier choix de Huston était soit Jean Simmons, soit Audrey Hepburn. Maree proposa Ingrid Bergman, qui vivait en Italie, où le film serait tourné, et Lauren Bacall. « J'ai parlé à Bogie de Betty pour le rôle, et il veut que je t'assure qu'il n'y a rien de personnel dans cette suggestion. En d'autres termes, il est tout à fait prêt à se ranger à ton avis quant au fait 1) qu'elle corresponde au rôle et 2) qu'elle soit capable de l'interpréter[10]. » La réponse de Huston fut courte : « Je ne crois pas que Betty convienne pour Gwendolen, quant à Bergman, elle est sur le point d'accoucher[11]. » Le rôle fut confié à Jennifer Jones, qui, depuis qu'elle avait joué Bernadette Soubirous, en 1943, était devenue une star.

Pour le second rôle féminin, celui de l'épouse européenne sexy de

Dannreuther, Huston avait « deux candidates » : l'Italienne Gina Lollobrigida et la Française Claude Nollier [12]. Mais le film, un des premiers exemples d'accord international, avait besoin d'un cachet italien, et c'est Gina, la plus célèbre vedette de son pays, qui fut engagée.

Un peu plus tôt, Huston avait écrit à Betty à propos du rôle de Gwendolen. « Chère mouche dans la pommade, répondit Bogart, comme j'ouvre toujours le courrier de ma femme, j'ai lu tes propositions insidieuses et immorales... J'ai donc donné pour instruction à Mlle Bacall de refuser tes flatteries et, en tant que ton employeur, j'exige que tu arrêtes de foutre la merde chez moi, parce que Adlai Stevenson l'a déjà fait [13]. »

En fait, Betty venait de signer avec la Twentieth Century-Fox pour un film par an, et elle allait travailler — pour la première fois depuis trois ans — comme membre du trio féminin de choc dans *How to Marry a Millionaire (Comment épouser un millionnaire)*, de Nunnally Johnson. Le film, sorti en 1953, montra qu'elle était capable de jouer une comédie légère et fut pour elle un brillant retour à l'écran, mais c'est Marilyn Monroe qui attira l'attention du public et devint le sex-symbol des années cinquante, comme Betty l'avait été dans les années quarante.

Il était nécessaire de commencer le tournage de *Plus fort que le diable* début janvier 1953 afin que Bogart ait fini pour le 5 avril, date anniversaire de son contrat avec la Warner [14]. Pourtant, il fallait remanier considérablement le scénario, ce dont se chargèrent Tony Veiller, à l'époque avec Huston sur *Moulin-Rouge*, et Peter Viertel, qui avait travaillé sans en être crédité sur *African Queen*.

« J'ai reçu une longue lettre de Peter, écrivit Bogart à Huston, disant que tout va bien et que le scénario est très avancé, ce qui je présume signifie que quelqu'un a écrit le titre sur une feuille de papier jaune [15]. »

Bogart producteur suivit chaque étape du processus. « En pensant à ce qui restera dans l'avenir de cette épopée dans laquelle nous sommes sur le point de nous embarquer, écrivit-il à Huston en octobre, puis-je, en tant que très timide employeur, proposer à ta réflexion la couleur... Il me semble que si nous devons aller dans tous les lieux que tu as prévus, nous perdrions beaucoup sans elle... C'est exclusivement à toi de décider car, depuis que j'ai gagné l'oscar, j'ai un immense respect pour tes opinions, que tu sois ivre ou sobre [16]. » (*African Queen* avait été le premier film en couleurs de Bogart.) Huston répondit qu'il ne pensait pas que la couleur améliorerait les choses, mais demanda si Bogart pensait qu'une éventuelle vente à la télévision valait la dépense supplémentaire. « C'est une question à laquelle moi, simple artisan, suis moins à même de répondre que vous les grands présidents d'entreprises. J'accepterai tout ce que toi et Morgan déciderez [17]. » Huston, absorbé par les complications de *Moulin-Rouge* et par ses expériences sur la photographie couleur, ainsi que par la logistique de ce film où

José Ferrer devait jouer Toulouse-Lautrec, ce qui supposait qu'on lui attache les jambes pliées pour qu'il marche sur les genoux, en avait probablement assez des problèmes de préproduction de *Plus fort que le diable*.

Bogart s'interrogeait aussi sur son costume. Huston suggéra « un tout nouveau Bogart. Pas ce vieux truc qui habite les trench-coats et les chapeaux mous depuis Dieu sait combien de temps. Je voudrais que tu aies l'air européen à l'extrême, avec chapeau de belle facture, costume sans épaulettes, pantalon droit, jolis gilets et canne ».

« J'ai beaucoup réfléchi à tes suggestions, répondit Bogart une semaine plus tard, oh, je dirais... dans les deux ou trois minutes, pendant que je préparais une fête, hier soir. D'accord pour le trench-coat, etc., mais concernant ton idée géniale pour ma tenue, je dirais que tu te fous de moi. Puis-je suggérer que tu portes le costume que tu décris... Je te suggère aussi de concevoir quelque engin qui te contraindrait à jamais à marcher à genoux... Quant à la canne, je n'ai pas à te dire ce que tu peux en faire [18] ! »

Les costumes n'étaient qu'un souci mineur par rapport au scénario. Bien que Bogart sût que ce n'était encore qu'une ébauche « qui n'avait pas encore reçu la célèbre touche Huston », il lui semblait néanmoins « manquer du parfum comique du livre... Il n'a pas l'air de savoir ce qu'il veut être, une comédie, un mélodrame ou juste une histoire. L'effet comique, sur le gang, des mensonges de la dame ne me semble pas rendre le parfum épicé du livre ». Il y avait d'autres difficultés encore. Comme trois sociétés dans trois pays différents — Santana en Amérique, Romulus en Grande-Bretagne et Roberto Haggiag en Italie — étaient engagées dans l'aventure, les problèmes habituels de financement, de réglementation et de permis de travail en étaient triplés. Il était aussi difficile d'assurer le financement du film avant de disposer d'un scénario définitif, comme de faire accepter un réalisateur qui, en dépit de tout son génie, était réputé pour dépasser les délais prévus. Maree fut direct avec Huston : « Je ne crois pas avoir à vous dire que vous ne pouvez obtenir l'appui financier d'un pays qui a peur de vous au point de refuser de garantir la bonne fin d'un film que vous réalisez [19]. »

Début janvier, Bogart s'envola pour Rome, sans Betty cette fois, qui tournait *Comment épouser un millionnaire*. Avec l'autorisation de la Warner, le début du tournage de *Plus fort que le diable* avait été repoussé en février, mais à la mi-janvier, le Bureau Breen informa Santana que le scénario était « inacceptable dans le cadre du Code de la production [20] ». Cette condamnation faillit mettre fin au projet. Huston, agacé à la perspective de se retrouver impliqué dans une autre rédaction, suggéra qu'ils abandonnent purement et simplement, mais Bogart l'en dissuada en lui disant : « Ce n'est qu'une sordide question d'argent [21] ! » C'est Selznick qui trouva l'écrivain qui pouvait sauver le film, le jeune romancier Truman Capote, qui venait de polir le scénario du dernier film avec Jennifer Jones, *Station terminus*. Le film s'était tourné à Rome, et Capote s'y trouvait encore. Il signa un contrat à mille cinq cents dollars par semaine[22]. « Il s'est avéré magnifique, dit Bogart à Joe Hyams. Il écrivait comme un fou, et il avait le plus sulfureux et le plus renversant sens de l'humour que j'aie jamais entendu[23]. » A une époque de conformisme et de dissimulation de toute marginalité, Capote affichait fièrement son homosexualité. Bogart, symbole de machisme qui traitait tous ceux qu'il n'aimait pas de pédés, se prit d'une sincère amitié pour cet homme, amitié qui commença le jour où Capote, à la grande surprise de Bogart, le battit trois fois de suite au bras de fer[24].

Juste avant le début de la production, Bogart et Huston partirent en voiture jusqu'au lieu de tournage, à Ravello, Bogart assis à l'arrière. « Notre chauffeur italien est arrivé à une patte-d'oie sur la route où il y avait tant de panneaux indicateurs qu'il ne sut de quel côté tourner. Il choisit d'aller tout droit jusqu'à ce qu'un mur de pierre l'arrête[25]. » La tête de Bogart alla percuter le siège avant, et il se mordit la langue. La force du choc cassa aussi son bridge. Il se souvint que Huston « s'était mis à rire comme un fou », et précisa qu'il « espérait sans doute que je perdrais toutes mes dents et qu'on ne pourrait plus faire le film »[26].

Bogart ne broncha pas pendant qu'un médecin lui recousait la langue à Naples. Il ne l'avait pas anesthésié, prétendant que la piqûre lui ferait aussi mal que les points. « Bogie avait des tripes, dit Huston. Il n'était pas bravache. Il possédait un réel courage[27]. » Une semaine plus tard il commença à travailler avec un bridge rapidement refait et envoyé de Los Angeles.

Étant donné les contraintes de temps, il y avait nécessairement une certaine improvisation. Capote, sous la supervision de Huston, ne produisait les dialogues qu'au mieux un jour avant le tournage, et parfois les récrivait sur le plateau quand les acteurs lui donnaient des idées. Le soir, Capote lisait avec Huston ce qu'il avait rédigé pour le lendemain. Il arrivait que Bogart mette alors une veste blanche et prépare des martinis pour tout le monde[28].

Pour Bogart, habitué de toute façon à apprendre son texte le matin même, le fait que les scènes ne soient prêtes qu'au dernier moment ne constituait pas un problème. La jolie blonde Julie Gibson, actrice et publicitaire, était la voisine de Capote à Rome. Elle dit de Bogart : « Il prenait les choses avec un grand professionnalisme. Voilà mon texte ; je dois l'apprendre, je vais l'apprendre. John y prenait un immense plaisir[29]. » Julie, qui avait eu une brève aventure avec Huston pendant *Moulin-Rouge*, vit les meilleurs et les pires côtés de Bogart. Le tournage avait déjà commencé quand elle demanda du travail à Huston, et il lui dit de venir au quartier général de l'équipe dans le merveilleux vieil hôtel Colombo, presque en ruine, mais qui dominait la Méditerranée. Au fond du hall s'ouvrait une vaste pièce avec un piano et un vieux phonographe. Quelques personnes dansaient, d'autres bavardaient dans les fauteuils. Quand un homme leva les yeux vers elle à son arrivée, elle ne reconnut pas Bogart.

« Il semblait fatigué, malade. Mais il se leva, se présenta et me demanda si j'aimerais danser. Je répondis que j'aimerais beaucoup. "Vous êtes actrice, bien sûr", dit-il, et je répondis : "J'ai été actrice sous contrat à la Paramount, mais maintenant je travaille ici." Il m'entraîna vers Huston et dit : "John, voici la réponse de la Paramount à Jean Arthur." »

Quand Huston fut parti, Bogart parla de Mayo avec beaucoup d'affection, mais il commença à montrer cet aspect de lui-même qui émergeait au bout de plusieurs verres. « Il a dit : "Les femmes sont drôles. Juste parce qu'elles ont ce petit triangle, elles pensent qu'elles peuvent tout se permettre." Et soudain il s'est mis très en colère. Mais quand il parlait de Mayo, ses yeux s'éclairaient. »

Julie Gibson avait l'impression d'avoir affaire à deux personnes différentes, un homme charmant quand il était sobre, un vitrioleur quand il ne l'était pas. Chaque soir au dîner, Gibson, Huston et Bogart descendaient dans la salle où une grande table était dressée pour eux. « Nous prenions tous un ou deux martinis avant le dîner, c'était un rituel. John les offrait à tout le monde, en général. » C'était alors que se produisait ce qu'elle appelait « la modification chimique » de Bogart. « Son visage s'assombrissait comme s'il mettait un masque. » C'est au cours de la deuxième semaine de travail, après quelques verres, que soudain il s'en prit à elle.

« Il m'a dit : "Je sais bien comment vous obtenez du travail, vous, les putains. Vous arrivez, vous jetez votre sex-appeal à la tête du patron, vous allez avec lui et vous avez le boulot." Je n'ai pas voulu en entendre plus et je suis partie. Il savait trouver votre talon d'Achille et pouvait alors se montrer cruel. » Elle apprit très vite à ne pas s'asseoir près de lui à table, parce que c'était toujours son voisin qu'il provoquait.

Julie Gibson était venue avec une amie, jeune mannequin américain qui plaisait à Huston. « Bogie s'en est pris à elle un soir alors que nous étions au salon. J'ai vu son regard et je me suis dit, *oh-ho*. Il lui a dit : "Tu t'amènes ici, et tu couches avec le réalisateur..." Elle s'est mise à pleurer. Elle aimait bien John, et ils avaient une petite aventure toute simple, que Bogie tentait de détruire. Quand Bogie est parti, elle m'a demandé : "Qu'est-ce qui lui prend ?" Et je lui ai répondu : "Ne t'approche plus de lui après le troisième martini, c'est tout. Il n'y a pas que toi. Il s'en prend à tout le monde. Sinon, il est tout à fait délicieux. Très professionnel. Il est toujours à l'heure, jamais malade.

430

Il sait son texte, il sait ce qu'il fait et il est charmant. Mais après le troisième verre, les crapauds et les serpents s'échappent." »

Huston était sans doute le seul, avec Betty, qui pût modifier le comportement de Bogart. « John était toujours en bout de table, dit Julie. C'était lui le patron, et tout le monde le savait, y compris Bogie. » L'écrivain et critique de cinéma James Agee dit que Huston pouvait toujours faire ce qu'il voulait de, ou à Bogart, qui devant lui était « soumis comme un enfant », et ce parce que Bogart désirait intensément que Huston le respecte en tant qu'homme [30].

Julie Gibson a raconté que Bogart lui avait demandé, après l'accident de voiture : « Que penserais-tu d'un réalisateur, ton propre réalisateur, qui, après que tu aurais cassé tes dents de devant, resterait là à rire ? »

Julie protesta que Huston ne voulait sûrement pas rire. « Si, justement », insista Bogart.

Jules Buck n'a jamais été certain que Huston aimait vraiment Bogie. Julie Gibson, si. « John disait toujours que son acteur préféré était son père, mais Bogie venait juste après. "Les gens ne l'apprécient pas à sa juste valeur, disait-il, ils ne se rendent pas compte à quel point il est un bon acteur." Et Bogie respectait John — adorait John. Mais Bogie, d'une certaine manière, était un peu jaloux de John, parce que John faisait tout ce qu'il aurait aimé faire. John pouvait avoir n'importe quelle femme. On ne pouvait pas ne pas l'aimer. Il était si drôle et délicieux. Il flirtait avec tout le monde. Et Bogie en était incapable. Ce n'était pas dans son caractère. Pourtant, il aurait aimé être comme ça. »

Un soir avant dîner, Huston, comme toujours, était au centre de l'attention générale. « Il me faisait vraiment du charme, raconte Julie. Nous chantions des mélodies irlandaises tandis que Bogie, plus sombre que jamais, s'en amusait d'une certaine façon. Le lendemain, John n'était pas là. J'ai demandé où il était. Bogie s'est tourné vers moi, il a posé sur moi ce regard à la Bogart et il a dit : "Toi aussi tu t'es fait prendre par ce faux dialecte irlandais et ce faux charme irlandais. Tu es aussi une des adoratrices de Dieu. Eh bien, laisse-moi te dire une chose : Dieu est allé se faire baiser à Salerne." »

Bogart était une des personnes les plus mélancoliques qu'elle ait jamais rencontrées. Elle pensait que ses sautes d'humeur dues à l'alcool étaient très liées au souvenir de sa mère. Il semblait parfois que Maud émergeait dans son fils. Le soir où Bogart avait agressé verbalement son amie, il avait dit, soudain d'une correction glaciale : « Vous croyez que parce que je joue les gangsters je ne sais pas parler ? » Et Julie raconte : « Il a alors montré sa culture, son élégance, il était Humphrey Bogart troisième du nom, ou je ne sais quoi, et sa mère une grande artiste très en vogue. Il est devenu affreusement hautain, et j'ai pensé que c'était ainsi que devait être sa mère. »

Une fois terminé le tournage à Ravello, l'équipe se prépara à rentrer à Londres pour des scènes en studio et le montage du film. Lors de la soirée donnée la veille du départ à l'hôtel Colombo, Huston, avec son mètre quatre-vingt-douze, et Capote, avec son mètre cinquante-rien-du-tout, arrivèrent vêtus de vestes identiques en velours couleur puce, confectionnées pour l'occasion. « C'était la petite plaisanterie de John, raconte Julie, et Truman était ravi. Il adorait ce genre de chose, mais Bogie s'en moquait. » Quand Bogart vint faire ses adieux à Julie, qui n'avait pas pu obtenir de permis de travail en Angleterre, elle remarqua combien son visage était ridé, ses yeux cernés, son teint pâle. Il avait toujours l'air éreinté, sauf quand il jouait ; alors, il semblait puiser dans une sorte d'énergie intérieure.

A la fin de l'automne 1952, la Warner et Bogart discutèrent d'un scénario d'abord intitulé *Rock of Gibraltar* puis *The Ferry Boat Story*, que devait écrire et réaliser Nicholas Ray. Mais Bogart ne s'était pas engagé formellement dans le projet, et au fil des réunions informelles, il décida qu'il voulait d'abord faire *The « Caine » Mutiny (Ouragan sur le « Caine »)* pour la Columbia, ce que son contrat lui permettait d'accepter. Informés de sa décision, J. L. et Obringer se sentirent floués et cela les mit en colère — sentiment que Bogart connaissait mieux qu'eux. N'avaient-ils pas consenti à repousser la date pour *Plus fort que le diable* ? Et voilà que maintenant Sam Jaffe demandait au studio de s'effacer !

En décembre, la Warner ordonna à Obringer de dire à Jaffe et à Bogart que cette fois le studio ne céderait pas, que Bogart devait faire d'abord leur film[31].

Jaffe répondit que Bogart serait heureux de racheter son contrat quatre cent mille dollars, afin de rompre ses liens avec la Warner. Deux jours plus tard, Obringer dit à l'assistant de Jaffe, Herb Brenner, que Jack Warner était « si dégoûté et écœuré de cette proposition ridicule[32] » qu'il ne voulait même pas en parler. Mais que le studio était prêt en revanche à discuter sérieusement.

A ce stade, tout ce qui comptait, d'un côté comme de l'autre, c'était de gagner la bataille. Bogart et Warner ne pouvaient plus se voir. Le studio décida de s'en tenir à la lettre du contrat. En avril, Obringer rappela à J. L. que « d'ici au 4 mai 1953, nous devrons avoir proposé un projet à Humphrey Bogart ». Si Bogart ne l'approuvait pas dans les sept jours, le film serait automatiquement annulé et son cachet pour six des neuf films restant à son contrat serait réduit de dix mille dollars, mais il y gagnerait le droit de faire deux films à l'extérieur au lieu d'un pendant l'année[33]. Le 4 mai, Le studio notifia officiellement à Jaffe que Bogart avait été choisi pour jouer le rôle de Brett Thorpe dans *The Last Train West*. Jaffe envoya le scénario par avion à Bogart en Europe. Bogart le refusa.

La réponse de Bogart fut la même que dix ans plus tôt, quand J. L. le poussait à accepter de jouer dans *La mort n'était pas au rendez-vous* : « Lance tes chiens sur moi. » Mais maintenant, il pouvait obtenir n'importe où un cachet énorme. L'ancien cheval de trait de l'usine Warner prenait sa revanche pour les années de mauvais traitements subis, et pour ceux aussi qu'on avait infligés à sa femme. Jack Warner était condamné à voir sa plus grande star tourner n'importe où dans le monde sauf dans son studio.

A Londres, le 21 mai, les Bogart célébrèrent leur huitième anniversaire de mariage. Ils faisaient maintenant partie des célébrités internationales, de même que d'autres membres de la colonie américaine expatriée, comme Huston, qui s'était installé en Irlande, l'éditorialiste Art Buchwald, le grand photographe de guerre Robert Capa (qui prit certaines des photos de plateau de *Plus fort que le diable*), l'écrivain Irwin Shaw, ou Howard Hawks et sa jeune épouse Dee Hartford, qui passaient l'hiver à Klosters, ainsi que Peter Viertel et Greta Garbo. Parmi leurs amis anglais, ils comptaient Laurence Olivier et Vivien Leigh, Richard et Sybil Burton.

A Paris, Bill Mauldin, du magazine *Life*, rencontra par hasard les Bogart et Huston, qui le firent monter dans leur limousine. Plus tard, Bogart lui confia son inquiétude concernant les éternelles dettes de Huston et ce que Mauldin appela « son attitude cavalière envers l'argent[34] ».

Bogart, au contraire, s'inquiétait pour l'argent, que ce soit justifié ou non. Art Buchwald reçut un jour un appel de sa part lui demandant de venir le retrouver dans sa suite au Ritz — « J'ai besoin d'un témoin pour le cas où cette affaire irait en justice. » Quand Buchwald arriva, il y avait sur le lit les achats que Betty avait faits chez Hermès, Givenchy et Guerlain. Bogart tendit vaguement un verre de scotch en direction du lit : « Toute ma participation dans *Plus fort que le diable* a été dépensée ce matin à Paris[35]. »

En juin, Bogart retourna à Los Angeles afin d'y commencer *Ouragan sur le « Caine »* pour la Columbia. Dès qu'il avait lu le roman à succès publié en 1951 par Herman Wouk, le rôle du capitaine Philip Francis Queeg l'avait attiré. « J'aimais bien le capitaine Queeg, dit-il de l'intraitable marin tour à tour névrosé et psychotique. J'avais l'impression de le comprendre[36]. » Le producteur Stanley Kramer le pensait aussi. « J'avais besoin de quelqu'un comme Bogart, qui montrait cette confiance en même temps que cette sorte d'étrangeté intérieure. C'était son propre caractère. Il ne ressemblait pas à Queeg, mais il avait le même genre de particularités, y compris sa violence, dont je n'ai jamais été témoin, mais qui devait pouvoir être intense[37]. »

Phil Gersh, le jeune soldat qui avait dormi dans la suite de Bogart

433

pendant la guerre quand Mayo et lui distrayaient les troupes en Italie, était devenu un représentant important de l'agence de son beau-frère Sam Jaffe. Bogart l'avait appelé quand les droits cinématographiques du livre avaient été mis en vente et lui avait exprimé son intérêt pour le rôle. Quelques jours plus tard, Jaffe et Bogart se rendirent dans le bureau de Kramer pour discuter du film. José Ferrer, Van Johnson et Fred MacMurray étaient déjà presque engagés. Bogart avait emporté deux boules d'acier comme celles que tripote Queeg pendant son spectaculaire effondrement au tribunal, et il les fit rouler entre ses doigts pendant la conversation. Si Bogart avait apporté les boules pour impressionner Kramer, sa stratégie se retourna contre lui. C'était le studio qui devait séduire la star, pas le contraire. Le salaire maximal à l'époque était de deux cent mille dollars, augmentés d'un pourcentage sur les bénéfices. Ultérieurement, Gersh réussit à négocier ce genre d'accord, mais pas cette fois. Kramer informa le chef de la Columbia, Harry Cohn, de l'enthousiasme de Bogart pour le rôle — et Cohn appela Gersh pour lui dire que le studio « n'était pas prêt à payer deux cent mille dollars car il savait que Bogart voulait ce rôle [38] ».

Bogart resta persuadé qu'il avait été sous-payé par Cohn. « Stanley m'a appelé, écrivit-il plus tard. "D'accord, Bogie, on est en train de réunir une brillante distribution. J'espère que ça ne t'ennuie pas d'être payé un peu moins." » Bogart se sentit grugé, mais il accepta l'offre, parce que « pour Queeg, dit-il, j'étais prêt à faire cet effort [39] ». Pourtant, Lauren Bacall a écrit que Bogart faisait seulement bonne figure en public. En privé, il était furieux. Pourquoi est-ce qu'on le rabaissait toujours ? Cela n'arrivait pas à Cooper, à Grant ni à Gable ! Sans doute que si : le travail des producteurs est d'obtenir les acteurs pour le moins d'argent possible — il n'y avait qu'à voir ce que la propre société de Bogart avait fait à Peter Lorre... Mais cette fois, Bogart était l'acteur, pas le producteur, et il hurla : « Nom de Dieu, Harry sait que je veux jouer ce rôle et que je baisserai mes prix plutôt que de le voir confier à quelqu'un d'autre [40]. »

La marine, après beaucoup d'inquiétudes et bien des échanges de courrier avec Washington, accepta de mettre à la disposition de la production ses installations à Hawaii — y compris un destroyer qu'on baptisa temporairement le *Caine* — après, raconta Bogart, que Kramer eut dit « à l'amiral chargé des relations publiques que je ferais le film de toute façon, si bien qu'il avait intérêt à coopérer. Au début, ils ne pouvaient rien nous donner ; ils finirent par nous remettre tout Pearl Harbor [41] ».

Bogie, Betty et Stephen furent installés dans une suite du Royal Hawaiian Hotel, à Waikiki Beach. Leslie, trop jeune pour voyager, était restée à la maison avec sa nurse. Irving Moore, qui réalisera plus tard de nombreux épisodes de *Dallas* et de *Dynastie* pour la télévision, était alors troisième assistant réalisateur. Un dimanche matin, il regardait le couple et son gamin de cinq ans et demi qui profitaient de la plage devant l'hôtel. « Soudain, Bogart a crié : "Hé, Betty ! le gosse veut pisser ! emmène-le dans l'eau." Tout le monde a tourné la tête pour les regarder. Je suis certain qu'il l'a fait exprès[42]. »

Ce n'était pas une équipe de copains. Les Bogart restaient en famille en dehors des heures de travail. « Quand je travaillais avec Jimmy Stewart, dit le réalisateur Edward Dmytryk, s'il avait terminé à quinze heures, il restait sur le plateau. Pas Bogart. » Moore raconte que « Van Johnson faisait le fou et plaisantait jusqu'à ce que le réalisateur dise "Action !". Alors il jouait son personnage. » Fred MacMurray, dont l'épouse venait de mourir, restait aussi à distance. Kramer lui avait confié un rôle pour l'aider à surmonter ce deuil. Le lieutenant Tom Keefer n'avait rien à voir avec ce que MacMurray jouait d'habitude, puisqu'il était le méchant, alors que normalement le comédien interprétait toujours le bon Américain.

Pourtant, quand les caméras tournaient, tout fonctionnait parfaitement grâce à ces grands professionnels. Les acteurs ne se critiquaient pas entre eux. C'était le premier film que Bogart faisait avec Dmytryk, même s'ils avaient déjà été en relations. Tous deux étaient présents dans la salle d'audience à Washington en octobre 1947. Dmytryk était alors un des Dix de Hollywood. Il avait fait son temps en prison, comme les autres, et il en était ressorti en colère, avec l'impression qu'on l'avait utilisé. « Nous étions des rats de laboratoire. Personne n'a plus fait référence au Premier Amendement après qu'on nous eut envoyés en prison. Nous avons été sacrifiés. Et tout le monde s'en moquait[43]. » Plein d'amertume contre le Parti, et peu enclin à saborder sa carrière, il était revenu devant la Commission des activités antiaméricaines après sa libération et avait livré le nom d'autres membres du Parti. On avait alors effacé son nom de la Liste noire.

Mais ni l'un ni l'autre ne parlèrent de 1947. Dmytryk avait l'impression que Bogart « avait juste envie d'oublier. Je crois qu'il s'était rendu compte plus vite que tout le monde que c'était le truc du Parti, que ces gens ne menaient pas un glorieux combat pour la liberté d'expression, bon sang. Pas du tout ! Il m'a fallu longtemps pour le comprendre vraiment. Et j'en ai souffert ». Dmytryk trouvait que Bogart était « un homme très introverti. Il était très vif, très intelligent, et il ne portait pas de jugements. Nous ne sommes pas devenus amis sur-le-champ ; il lui a fallu un moment pour s'ouvrir ».

Bogart avait commencé par tester son réalisateur. Pendant les répétitions, il s'arrêtait au milieu d'un long discours et disait : « Seigneur ! mais qu'est-ce que ça veut dire ? » Dmytryk lui répondait alors, comme s'il parlait à un enfant : « Eh bien, je vais t'expliquer, Bogie... » A partir de là, il n'y eut plus de problèmes. Robuste Ukrainien qui s'était enfui à quatorze ans de la ferme de ses parents au Canada, Dmytryk ne se laissait pas facilement intimider.

Dmytryk trouvait que Bogart était un grand acteur, « pas au sens shakespearien du terme, mais il était honnête, et il savait surtout faire ressortir l'être humain sur l'écran. Je crois que jamais il n'a dit une réplique pour produire un effet. Certains acteurs ont des trucs. D'autres, comme Bogie et Tracy, n'ont jamais recours à des trucs. Il y a toujours de la nouveauté, une fraîcheur ».

Claude Akins, qui jouait le marin Horrible, trouvait « fascinant de travailler avec Bogart... Je veux dire que quand il vous regardait, il vous regardait, vous. Et quand il vous disait quelque chose, ça sortait droit de lui pour arriver droit sur vous. Ce qui rend le jeu beaucoup plus facile qu'avec certaines stars qui ne vous donnent absolument rien ». Dans une scène où Queeg s'en prend à Horrible, « je peux vous dire que Bogart m'a fait une peur bleue. Il était Queeg, il était furieux, et il me l'a fait savoir ! Quand vous recevez autant de quelqu'un, vous avez beaucoup à donner aussi. Ça vous aiguillonne, ça vous enflamme [44] ».

Les représentants officiels de la marine n'étaient pas très contents de ce film dans lequel un capitaine de destroyer, comme le dit un représentant de la Columbia, était « un cinglé [45] ». Ils avaient approuvé le scénario, mais imposé un conseiller technique, le commandant James C. Shaw, vétéran d'Iwo Jima et de Guadalcanal, qui devait être présent à chaque scène pour s'assurer que tout ce qui impliquait la marine était fait selon les règlements. Le tournage se passa bien jusqu'à une simple scène où, dans sa cabine, Queeg parle à son second, Steve Maryk (Van Johnson), des fraises dont la disparition devient l'obsession du capitaine. Queeg prend son petit déjeuner. Il manipule nerveusement une tranche de pain en parlant, la beurrant comme on étale du ciment avec une truelle. Les manières de l'acteur déplurent au commandant Shaw. D'accord, le capitaine Queeg avait des problèmes psychiques, mais cela ne voulait pas dire qu'il n'était plus un officier ni un homme bien élevé. Tout officier sortant de l'école d'Annapolis était suffisamment bien éduqué pour rompre le pain en petits morceaux avant d'y étaler du beurre.

« Je suis au courant, et je crois que les triangles que j'ai coupés sont assez petits comme ça », dit Bogart. Shaw les trouvait toujours trop grands. Bogart en eut assez. Il annonça que son père était chirurgien, sa mère une artiste célèbre, et qu'on lui avait inculqué les bonnes manières à table, même s'il jouait un personnage qui avait pété les plombs [46]. Le commandant voulait-il dire qu'on était mieux éduqué à Annapolis qu'à Andover [47] ?

Jugement digne de Salomon, on retira la croûte du pain, réduisant ainsi la taille des morceaux et donnant satisfaction à la fois à Bogart et à la marine.

Jamais Bogart ne fit allusion au fait qu'il avait servi dans la marine.

Comme il n'était pas officier, cela n'aurait fait que renforcer l'autorité du commandant.

Lors d'un dîner au début du tournage, Bogart soumit Stanley Kramer à ce qui devenait une épreuve standard. Vers onze heures, Kramer dit qu'il était temps de se coucher parce que le tournage commençait tôt le lendemain. Bogart le regarda un moment et lui demanda ce qui arriverait si Kramer n'était pas là ?

« "Je n'en sais rien, ai-je répondu, mais il est de mon devoir de vérifier que les acteurs d'âge mûr à calvitie précoce arrivent à l'heure sur le plateau." Après ça, nous nous sommes bien entendus. Il gardait cette façade de dur qu'il jouait la plupart du temps au cinéma, et l'utilisait pour éviter de trahir tout signe de faiblesse. En dessous, il était en fait très vulnérable [48]. »

Le véritable caractère de Bogart était révélé dans son jeu. Quand la caméra tournait, Irving Moore avait le sentiment qu'« il avait une aura propre. Quand il s'avançait, on avait affaire à une star, et on le savait. Il avait une telle force intérieure [49] ! ».

« Bogart aurait détesté qu'on le qualifie d'intellectuel, ajoutait Kramer. C'était pour lui comme un signe de faiblesse. Pourtant, son approche logique du jeu d'acteur était très complète et très profonde, faisait de lui un comédien fabuleux, et même si son métier représentait tout pour lui, il écartait sa réussite comme si ce n'était rien. Il voulait être certain que personne ne pensait qu'il travaillait ou qu'il prenait ça au sérieux. Comme le disait Tracy : "Prends ton boulot au sérieux, et pas du tout toi-même." »

On raconta plus tard que l'idée que Bogart s'était faite de Queeg ne permettait aucune évolution, mais la faute en revenait au scénario plus qu'à l'acteur. Bogart avait des doutes concernant la qualité du scénario de Stanley Roberts et Michael Blankfort, et il en avait discrètement envoyé un exemplaire à Huston pour qu'il lui dise ce qu'il en pensait. « Je pense que Queeg perd la face bien trop vite, répondit Huston. J'aimerais le voir... sous un éclairage plus flatteur un peu plus longtemps... Au début, il devrait sembler l'officier parfait et accompli. Puis, par d'infimes indices, on devrait commencer à se poser des questions, avant qu'un épisode écarte tous nos doutes — jusqu'à ce que, au moment le plus inattendu, ces doutes soient confirmés de façon dramatique [50]. »

Il n'y avait pas place pour le doute dans la scène du tribunal où les mutinés sont jugés et où Queeg fait son numéro le plus mémorable. « J'ai joué un Queeg très en possession de ses moyens quand il arrive pour témoigner, écrivit Bogart plus tard. C'était un officier face à un tribunal en grande partie composé de ses collègues officiers de marine... Et puis, la pression augmentant..., il se défait peu à peu.

Queeg n'était pas un sadique, il n'était pas un homme cruel. Il n'était qu'un grand malade. Il menait une vie de frustrations et d'insécurité. Ses victoires étaient toujours de petites victoires[51]. » Plus Bogart parlait de Queeg, plus il écrivait sur lui, plus le personnage semblait un alter ego témoignant à sa place devant son public. « Je ne sais pas s'il était schizophrène, maniaco-dépressif ou paranoïaque — posez la question à un psychiatre —, mais je sais que toute personne souffrant d'une de ces affections arrive avec le temps à paraître normale. En fait, il joue la normalité à la perfection jusqu'à ce qu'on fasse pression sur lui. Alors il expose. Pour ma part, je connais un Queeg dans chaque studio... »

Les scènes d'intérieur furent tournées à Los Angeles dans les studios de la Columbia. La première fut celle qui suit le verdict de non-culpabilité. Les officiers — Johnson, MacMurray et les autres — célèbrent leur victoire en attendant José Ferrer, qui jouait l'avocat de la défense. Quand il arrive il ne se joint pas à leur joie, et leur rappelle les états de service de Queeg. Au lieu de boire son champagne, il le jette au visage de MacMurray.

Les acteurs répétèrent plusieurs fois la scène. Puis, au moment de la première prise, la porte s'ouvrit et Ferrer entra, à genoux : « Quelqu'un veut m'acheter une toile[52] ? »

On ne plaisanta pas pendant le tournage de la scène de folie de Queeg. Le film puisait en grande partie sa signification dans ce monologue. L'équipe, occupée à son travail, s'intéresse d'ordinaire davantage à l'éclairage et aux autres tâches techniques qu'au jeu de l'acteur. Mais en l'occurrence, tout le monde eut conscience d'assister à quelque chose d'extraordinaire, et Stanley Kramer sut qu'il avait bien choisi son acteur. « La performance de Bogart électrisa l'équipe. A la fin, il y eut un silence total, puis tout le monde applaudit[53]. »

Le Rick Blaine calme, silencieux, logique, penché sur son échiquier, était maintenant ce Queeg à la logique pervertie, le joueur d'échecs devenu fou. Après la sortie du film, un ami de New York demanda à Bogart comment il avait réussi à obtenir ce regard maniaque et paranoïaque dans les gros plans. « Facile, dit-il, je suis cinglé, tu sais[54]. »

Pour se laver de Queeg, Bogart partit naviguer sur le *Santana*. A la première vague, des centaines de billes d'acier que Frank Sinatra avait cachées dans tout le bateau se mirent à rouler en tous sens, frappant en rafales le pont et les meubles. « J'ai eu envie de tuer Frankie, dit-il à Joe Hyams, mais c'était un sacré gag[55]. »

S'il fut très bien accueilli, *Ouragan sur le « Caine »* ne fut pas à la hauteur des attentes du studio et de Stanley Kramer. Il ne fut jamais le film préféré de celui qui produisit *Le train sifflera trois fois, Jugement à Nuremberg, la Chaîne* ou *Mort d'un commis voyageur*. La projection préalable au Pentagone fut trop bien reçue pour lui plaire : « Leur accueil me fit douter de moi. » Avec le recul, il n'était plus d'accord avec la fin du film. Dans sa critique, *Time* trouva le film « beau et de qualité, mais un peu froid et ronflant... une sorte de salut à la marine »[56].

Pour les acteurs, en revanche, la critique fut uniformément bonne, et superbe pour Bogart. Quels que soient les défauts du film, ajoutait *Time*, Bogart « confère au personnage hanté, obsédé, tyrannique du capitaine Queeg toute la profondeur de sa vie ingrate, et pourtant il réussit presque toujours à maintenir un lien de sympathie avec son public. Il affuble Queeg des manières et de l'apparence d'un officier sérieux et responsable, et peu à peu révèle un homme qui retient un cri... Les gros plans de Queeg en pleine désintégration sont douloureux et terrifiants ».

Ouragan sur le « Caine » occupa l'été 1953, et ensuite Bogart correspondit avec Huston à propos de *Plus fort que le diable*, alors au montage et en voie de dévorer tout l'argent qu'on y avait investi. Huston émettait déjà des réserves — « J'ai plus de mal à m'en faire une opinion que pour aucun de mes autres films » — et il voulait éviter que Bogart et Maree s'attendent à un autre *African Queen*. Ce sera sans doute « un joli succès », écrivit-il, mais, en dépit du fait qu'il avait été tourné en noir et blanc, « il avait coûté les yeux de la tête. Pourtant, si l'humour est perceptible — et je prie pour que ce soit le cas —, je crois que ça rapportera de jolies sommes... En revanche, si les plaisanteries tombent à plat... Dieu nous aide[57] ! ».

Huston refusa de s'engager sur une date de finition. Il déclara à un journal européen, qui citait ses propos, qu'il aimait ce film, mais que celui-ci n'était pas dans son style habituel, et qu'on ne devait pas le prendre au sérieux[58]. Le lendemain, John Woolf, de Romulus, lui écrivit pour lui demander de cesser de donner aux journaux des munitions pour descendre le film.

Quand la copie de *Plus fort que le diable* arriva enfin, Bogart la projeta pour Morgan Maree, Dore Schary de MGM, Don Hartman de Paramount, William Wyler et Billy Wilder, et il eut la confirmation de toutes ses craintes. Il télégraphia à Huston qu'il ne saurait dire si le film était un mélodrame ou une comédie, et qu'il trouvait le début confus. Tout le monde admettait que le film avait besoin de *quelque chose*. Que pouvait-il proposer ? Huston, qui était passé à *Moby Dick*, n'avait rien à proposer.

Le public ne sut pas non plus quoi penser du film. Quand il sortit en mars 1954, il justifia toutes les prévisions les plus pessimistes. Dans les publicités, le studio tenta l'humour :

VOUS AVEZ TOUT VU :

LA COULEUR, LE RELIEF, LE CINÉMASCOPE,

MAIS MAINTENANT...
NOUS SOMMES FIERS DE VOUS PRÉSENTER
SUR UN PETIT ÉCRAN PLAT
PLUS FORT QUE LE DIABLE,
EN SPLENDIDE NOIR ET BLANC.

La plaisanterie tomba à plat. Bientôt les distributeurs se plaignirent auprès d'United Artists de s'être fait avoir. A Baltimore, un exploitant de salles remboursa les spectateurs pour garder leur clientèle à l'avenir, etc.[59].

Si le public bouda le film, la critique fut bonne. Le *New Yorker* trouva « extrêmement distrayante cette satire des mélodrames traitant des complots internationaux », et loua « la folie énergique » du film[60].

Bogart ne sembla pas trop affecté par les pertes potentielles d'un projet où Santana avait investi quatre cent mille dollars de son argent propre. Il envoya le dossier de la sortie à Huston, à Londres.

« Tu trouveras jointes plusieurs lettres de spectateurs satisfaits, et aussi d'exploitants reconnaissants qui ont eu le privilège de montrer et de voir "la chose". Comme tu peux le constater, les exploitants sont derrière nous — un peu trop loin derrière, je le crains —, disons à environ un million de dollars de distance. En dépit de tout, il semble que nous arriverons juste à couvrir les frais, et pour te remonter le moral, j'ai rencontré un curieux personnage l'autre jour qui a failli me faire renverser en criant : "Mais ça m'a plu, ça m'a plu !" »

Dans le *New York Herald Tribune,* dont Joe Hyams lui ouvrit les colonnes, Bogart s'en prenait aux exploitants, les traitant de « parasites du cinéma qui restent assis sur leur cul à critiquer les créateurs qui ont investi leur temps, leur talent et leur argent pour faire un film dont [ils] tirent leur gagne-pain[61] ».

En dépit des recettes décevantes de *Plus fort que le diable,* Huston et Bogart parlaient sans cesse de leur prochain film ensemble, l'adaptation de *The Man Who Would Be King (l'Homme qui voulut être roi)* de Rudyard Kipling. Le projet était annoncé en grande fanfare, et le second grand rôle de l'aventure de deux anciens soldats britanniques en Asie au XIXe siècle était selon les sources attribué à Clark Gable ou à Spencer Tracy. Mais la production était sans cesse repoussée. D'abord, Bogart n'était pas disponible, puis Huston se trouva retenu. On parla de problèmes de préséance entre Bogart et Tracy. Huston était parti faire autre chose. (Finalement, il ne fera le film qu'en 1975 avec Sean Connery et Michael Caine.) Peut-être la véritable raison de ces délais était-elle que l'échec relatif de *Plus fort que le diable* avait plus touché les deux hommes qu'ils ne voulaient bien l'admettre.

Journaux et magazines spécialisés racontaient à l'envi les succès de Bogart : la demeure de Holmby Hills, les deux Jaguar dans le garage, un yacht de course, la célébrité internationale, la position inattaquable du couple au sommet du monde du cinéma et de la pyramide sociale de Beverly Hills. Mais le publicitaire Walter Shenson le trouvait fatigué et malade.

A la fin de l'été 1953, Shenson, qui avait travaillé pour *Ouragan sur le « Caine »*, passa chez les Bogart avec des photos de la petite famille prises à bord d'un porte-avions à Hawaii. Le capitaine avait fait visiter le bateau à Bogie, Betty et Stephen, et leur avait envoyé des diapositives de leur visite. Peu de laboratoires à l'époque étaient équipés pour tirer des diapositives sur papier, et Bogart avait demandé à Shenson si la Columbia pouvait s'en charger pour qu'il envoie les photos au capitaine[62]. Comme la Columbia avait pu utiliser gratuitement le porte-avions, sans parler des trois mille marins qui avaient fait de la figuration bénévole, cela semblait un échange plutôt avantageux. Mais Harry Cohn, avare comme pas deux, refusa. Le patron de Shenson au service de publicité, plus raisonnable, lui donna son accord et couvrit la dépense par une note de restaurant.

Bogart invita Shenson à boire un verre. Tandis qu'ils parlaient, Bogart se plaignit de maux d'estomac et croqua sans arrêt des pastilles, dont les morceaux crayeux s'accumulaient aux commissures de ses lèvres. Il les retirait du pouce et de l'index en un geste qui était presque devenu la signature de ses personnages à l'écran. Il sourit en regardant les photos. « Je vais les lui envoyer. Je vais écrire au capitaine que je le remercie de sa coopération. Je vais en garder un jeu pour moi[63]. » »

Pendant ce temps, la Warner réenvisageait les possibilités concernant ses relations avec Humphrey Bogart. L'examen de son contrat et de son travail pour la Warner depuis 1946 montrait qu'il avait fait quatre films pour le studio (*le Trésor de la Sierra Madre, Key Largo, Pilote du diable* et *la Femme à abattre*, tourné pour United States Pictures, mais distribué par la Warner) et neuf au dehors — le dixième était en préparation. Bogart avait refusé les trois scénarios que la Warner lui avait envoyés ces deux dernières années. Non seulement il n'avait pas fait de film pour elle depuis près de trois ans, mais les deux derniers avaient été des ratages[64]. Entre-temps, celui qui était considéré comme la plus grande star du studio avait décroché un oscar pour Horizon-Romulus, ce petit producteur indépendant, et venait de remporter un succès critique et commercial pour la Columbia, cette petite Warner. Il était temps d'admettre l'évidence.

Le 22 septembre, le *New York Times* annonçait la rupture du contrat de quinze ans signé en 1946 entre Bogart et la Warner.

La longue union, si productive pour les deux côtés, avait duré plus longtemps que bien des mariages de Hollywood, mais comme tant de ces mariages, elle était morte longtemps avant le divorce. « M. Bogart, expliquait le journal, qui a joué dans certains des plus grands succès de la Warner, dont *Casablanca*, dit qu'il serait "très heureux de tourner

441

dans l'avenir pour la Warner". Jack L. Warner, vice-président du studio, a offert ses vœux à l'acteur. "Notre association a été des plus productives, et ensemble nous avons fait de très beaux films."[65] » Il n'ajouta pas, comme on le faisait d'ordinaire dans ces circonstances, qu'il souhaitait qu'en des temps plus propices M. Bogart revienne au studio.

L'amertume entre Bogart et le studio était devenue trop corrosive. Alors qu'on le payait à ne rien faire, et contre l'avis de Maree qui souhaitait qu'il termine son « annuité », Bogart insista pour mettre fin au contrat. Les deux parties furent donc dégagées de toute obligation l'une envers l'autre. Cela faisait dix-huit ans et douze jours que Humphrey DeForest Bogart avait signé (par procuration) le contrat minimal du studio qui lui garantissait trois semaines de travail pour *la Forêt pétrifiée*.

Pendant presque toutes ces années, il avait trimé selon les fantaisies de Jack Warner, qui l'avait traité comme un esclave. Avec son dernier contrat, il avait conquis une indépendance longtemps recherchée, mais le studio avait failli gâcher la carrière de son épouse et l'avait traitée de façon trop cavalière. Dans le passé, quand il s'agissait juste de son propre contrat, Bogart avait souvent cédé à la pression. Mais quand la Warner maltraita Betty, il soutint sa révolte. En l'aidant à se libérer du studio, il sembla trouver l'énergie nécessaire à sa propre libération. Il envoya Jack Warner au diable.

24

Le vieux taureau

Au cours des sept mois qui s'étaient écoulés depuis février 1953, avant l'ère des avions à réaction, Bogart avait tourné en Italie, en Grande-Bretagne, à Hawaii et à Los Angeles. *Plus fort que le diable* avait été particulièrement éprouvant à cause de son coût et des incertitudes sur les recettes qu'il rapporterait. Plus tôt dans sa carrière, son énergie et ses facultés de récupération auraient allégé son fardeau, mais maintenant Bogie avait cinquante-quatre ans, il était fatigué et sa santé lui envoyait des signaux d'alarme. Il était temps de voir un médecin, non de se lancer dans un autre film, mais Bogart commença *Sabrina* en septembre, quatre jours après la rupture de son contrat avec la Warner, et il partit tourner à Long Island. Sa décision de faire ce film avait consommé la rupture avec la Warner, dont il n'était plus la star que de nom. Il se retrouvait pour la première fois sans contrat à long terme, mais comme il le disait toujours, on mesurait le succès d'un acteur au fait qu'il continuait à travailler.

Sabrina, comédie sur le mythe de Cendrillon dans laquelle la fille d'un chauffeur conquiert les cœurs de deux héritiers d'une riche famille de Long Island, n'entrait pas dans le répertoire habituel de Bogart. Sur Broadway, Joseph Cotten avait interprété, dans l'histoire de Samuel Taylor, le rôle de Linus Larrabee, le frère aîné suffisant et attaché à ses privilèges de classe, qui espère accroître la richesse déjà considérable de la famille en mariant son jeune play-boy de frère, David, à la fille d'un magnat de l'industrie. Tout se passe bien jusqu'à ce que Sabrina revienne d'une année en France. L'adolescente godiche qui a grandi sur la propriété est devenue une belle jeune femme instruite. David tombe amoureux d'elle. Linus, afin de préserver le mariage d'affaires, tente d'écarter Sabrina de David — et tombe lui aussi amoureux d'elle. Quand Billy Wilder entreprit l'adaptation cinématographique, il écrivit le rôle de Linus pour Cary Grant, symbole de l'élégance suave et sans âge. Mais Cary Grant n'était pas disponible[1].

C'est Phil Gersh qui pensa à Bogart. Il savait déjà qu'Audrey Hepburn devait jouer le rôle-titre et William Holden celui du jeune frère. Il lut une version inachevée du scénario, qui lui plut. Le jeune agent, qui jouait parfois au tennis avec Wilder, l'appela pour suggérer Bogart. « Écoute Phil, dit Wilder, tu as un bon coup droit et un fantastique service, mais tu ne connais rien à la distribution des rôles. Oublie ça[2] ! »

Deux semaines plus tard, Wilder le rappelait. Il avait réfléchi et il voulait parler à Bogart. Gersh organisa une rencontre informelle chez lui un après-midi, où Wilder amena Samuel Taylor, qui travaillait avec lui à l'adaptation. Comme d'ordinaire à ce genre de rencontre, il y eut des cocktails et des bavardages. A dix-neuf heures trente, on n'avait toujours pas parlé du film, mais tout le monde devait partir à d'autres rendez-vous. « Écoute, Billy, dit Bogart, inutile de me raconter l'histoire. Je veux juste qu'on se serre la main et que tu me promettes de prendre soin de moi. Je n'ai pas besoin de lire le scénario si j'ai ta poignée de main. » Wilder promit qu'il prendrait soin de lui et ils se serrèrent la main.

Une poignée de main à la place d'un contrat. L'amitié et la confiance, sans aucun signe de l'amertume à venir.

A l'époque, de tous les professionnels talentueux de Hollywood, aucun n'avait l'aura de Wilder. Âgé de quarante-sept ans, grand scénariste, grand réalisateur, grand producteur, il avait à son actif une liste de films devenus des classiques : *Ninotchka* (1939), *Assurance sur la mort* (1944), *le Poison* (1945), *Boulevard du crépuscule* (1950), *Stalag 17* (1953). Son éclectisme était aussi grand que son talent. Mais il était aussi connu pour sa cruauté envers ses collaborateurs, ses piques constantes, ses insultes gratuites. Ses collègues l'adoraient ou le haïssaient. En ce sens, il ressemblait trop à Bogart pour leur bien à tous deux.

Le soir du premier jour de tournage, Bogart appela Gersh du studio et lui demanda de venir immédiatement. « Billy prenait Bogart de dos, réservant les gros plans à William Holden et Audrey Hepburn, deux vieux amis à lui. "Je n'ai même pas besoin de mon postiche !" dit Bogie. Nous avons fait un tel scandale, raconte Gersh, que finalement Bogie est formidable dans le film. »

Contrairement à Gersh, Wilder a gardé le souvenir d'une star impossible à faire travailler et dont les colères sur le plateau frisaient la paranoïa. A en croire Maurice Zolotow, le biographe de Wilder, Bogart se mit au travail sans enthousiasme, parce qu'il savait qu'on lui aurait préféré Cary Grant. Il était jaloux de l'amitié entre Wilder et Holden, et même la gentille Audrey l'agaçait[3]. « Si vous aimez faire quarante-sept prises, elle est très bien », dit-il. Selon le biographe Kevin Lally, Wilder prétendait qu'Audrey « conspirait avec lui pour retarder la fin de la journée de travail chaque fois qu'il n'avait plus rien à tourner parce que le scénario n'était pas prêt[4] ».

Bogart, habitué à la camaraderie de Huston et à l'amitié d'autres réalisateurs, était dérouté par l'intimité tangible qui existait entre Wilder et ses collègues, au sommet de leurs carrières. Holden bénéficiait encore de son succès dans *Boulevard du crépuscule*, et sa performance dans *Stalag 17* était sur le point de lui valoir un oscar. Audrey, à vingt-deux ans, radieuse et sortie toute fraîche de son triomphe avec Gregory Peck dans *Vacances romaines* (1953), n'était pas loin de l'oscar elle non plus. Le réalisateur et les deux acteurs formaient un trio familier, et Ernest Lehman, qui avait repris le scénario à Taylor, les rejoignait souvent dans la roulotte de Holden. A l'évidence, personne ne pensait à inviter Bogart. Mais il faut le dire à nouveau : en observant une des plus grandes stars de Hollywood, qu'une des plus belles femmes du monde attendait à la maison, personne n'aurait pu deviner quels abîmes d'insécurité ouvrait cette exclusion. Bogart aurait tout aussi bien pu refuser de se joindre à eux s'ils le lui avaient demandé. Mais il voulait qu'on le lui demande, et il se réfugia dans la colère et les sarcasmes qui constituaient son armure traditionnelle.

Holden se rendit compte de son ressentiment. Le jeune acteur, alors qu'il étudiait son texte dans un coin du plateau en fumant une cigarette tandis que Bogart était devant la caméra, l'entendit bafouiller, ce qui n'était pas du tout son genre, pendant une prise. Wilder lui demanda ce qui n'allait pas. « C'est ce petit con de Holden là-bas, s'emporta Bogart, qui agite sa cigarette et jette des bouts de papier en l'air[5] ! » Holden considéra cette explosion comme l'expression de leur animosité réciproque, quinze ans plus tôt, pendant le tournage d'*Invisible Stripes* ; mais il y avait sans doute d'autres raisons. Malgré sa trentaine passée, Holden était toujours le jeune homme lumineux dont le physique dissimulait l'alcoolisme qui devait le tuer, et dans le film comme sur le plateau, il symbolisait tout ce que Bogart n'était pas.

Wilder, qui subissait aussi des pressions, accusa Bogart : « Il m'a rendu la vie impossible. J'ai dû beaucoup réécrire quand on lui a confié le rôle. J'étais épuisé. Je ne pouvais me consacrer à des contacts personnels[6]. » En vérité, Wilder avait commencé le tournage avant d'avoir terminé le scénario, et il avait ajouté un problème en se montrant aussi rugueux avec ses collaborateurs. Raymond Chandler — qui n'avait pas un caractère facile non plus — avait trouvé Wilder si arbitraire et si exigeant, pendant l'écriture d'*Assurance sur la mort*, qu'il avait claqué un jour la porte au milieu d'une séance de travail et refusé de revenir — ce qu'il fit pourtant[7]. Ernest Lehman, arrivé après que la méchanceté de Wilder eut écarté Taylor, parla à Zolotow d'« une sorte de désespoir » tandis qu'ils accumulaient les pages. Wilder mettait en scène le jour, écrivait la nuit, et vivait de café et de cigarettes pour tenter de garder au scénario vingt-quatre heures d'avance sur le tournage. Il arrivait que Wilder gagne du temps en exigeant du chef opérateur des réajustements de lumière inutiles tandis que la scène suivante sortait de la machine à écrire[8]. La tension conduisit Lehman à des crises de larmes incontrôlables et à l'épuisement nerveux, et la production dut s'arrêter deux jours pour lui permettre de se rétablir. Lehman pensait que Wilder créait délibérément une atmosphère frénétique par « besoin inconscient de crise ». Plusieurs fois, Wilder, qui souffrait atrocement du dos, dut se rendre à New York pour que les mains du Dr Max Jacobson le soulagent. Ce médecin soignait de nombreuses célébrités à coups de piqûres d'amphétamines.

Wilder n'appréciait pas que Bogart lui réserve quelques vacheries. Un jour, il avait provoqué le metteur en scène en lui racontant : « Huston m'a dit quels étaient pour lui les dix plus grands réalisateurs, et tu n'étais pas sur la liste. Est-ce que ce Huston n'est pas un con ? » Wilder ne mordit pas à l'hameçon. « Bogart possède un curieux sens de l'humour, dira-t-il plus tard. Il est à la fois impie et sadique. » C'étaient des mots que connaissait Wilder, parce qu'on les utilisait souvent à son propos. Il avait lui même appris l'art de blesser d'un grand maître : Erich von Stroheim, prototype du tyran des plateaux qu'il avait dirigé dans *Boulevard du crépuscule*. Wilder considérait les acteurs comme « une race spéciale à mi-chemin entre l'humain et l'amibe[9] ». Il fut tout aussi décontenancé par Marilyn Monroe dans *Sept Ans de réflexion* et *Certains l'aiment chaud*. Après la sortie du second de ces films, en 1959, il aurait dit que la Guilde des réalisateurs devrait lui décerner une médaille de bravoure[10].

Bogart, plus fatigué qu'il ne voulait l'admettre, en terrain étranger, se sentant rejeté, retrouva l'attitude du gamin solitaire qu'il était à Trinity quarante-cinq ans plus tôt. Il frappait en tous sens, imitant même l'accent teuton de Wilder devant tout le monde. Durant ces crises, Wilder devenait « un salaud de choucroute », « un Prussien », et un « fils de pute nazi » — la pire insulte qu'il pouvait trouver. Wilder, Juif élevé à Vienne et dont la mère était morte à Auschwitz (ce que Bogart ignorait), se sentait profondément offensé.

« J'examine ton visage, Bogie, rétorqua un jour Wilder, ton affreux visage, et je sais que sous ce visage de merde écœurant, il y a vraiment de la merde[11]. »

Leurs relations ne s'améliorèrent pas quand Bogart continua de refuser, malgré le retard de la production, de travailler au-delà de dix-huit heures. A l'heure précise spécifiée sur son contrat, Verita Peterson lui apportait un scotch à l'eau, qu'il avalait avant de quitter le plateau. « Tu veux que je le tue maintenant ou plus tard ? » demanda un jour Holden à Wilder.

Wilder alla passer une soirée chez Bogart pour tenter de l'amadouer, mais sur le plateau la bataille continua, de plus en plus intense. Bogart était la star, mais Wilder était le réalisateur, et plus que l'égal de Bogart quand il s'agissait d'exercer pouvoir et autorité.

On commença à dire qu'on pourrait modifier la fin de la pièce, où

Sabrina épouse le personnage joué par Bogart, pour que la jeune fille choisisse Holden. Bogart, susceptible dès qu'il s'agissait de son âge et de son personnage de séducteur, arpentait le plateau en marmonnant : « "Je vais me faire baiser... Je n'aurai pas la fille." Ce fut le coup le plus efficace de Wilder, écrit Zolotow. Il a délibérément gardé Bogart dans l'incertitude, il l'a torturé, jusqu'aux tout derniers jours de tournage [12]. »

Wilder souffrit aussi. Après la dernière scène, Lehman le regarda déclarer que le film était terminé, puis lever les yeux au ciel et crier : « Va te faire foutre [13] ! »

Quelles qu'aient été les difficultés entre les deux hommes, une fois la caméra allumée, l'artiste reprenait le dessus en Bogart. « C'est un fils de pute extrêmement compétent, dira Wilder. Il arrive à l'heure, pas prêt du tout, mais dès que les lumières sont réglées, il sait son texte. » D'un même souffle, Wilder pouvait le traiter de « salaud, chieur, lâche », et dire de lui qu'il était « un acteur incroyablement compétent, avec une présence tout aussi incroyable... De petite stature mais dur et fort. Il était tout ce que les Américains voudraient être [14] ».

Rien de cet antagonisme ne transparaît à l'écran. Bogart le coléreux récolta certaines des meilleures critiques pour le rôle du sobre et calme Linus. Pour le *New York Times, Sabrina* était « la comédie romantique la plus délicieuse qu'on ait vue depuis des années ». C'était bien sûr le film d'Audrey Hepburn, taillé sur mesure pour ses qualités particulières. « Mais c'est tout autant le film de M. Bogart parce qu'il est incroyablement adroit... Le talent avec lequel cet acteur consommé insère les gags et la duplicité dans ses manières guindées est un des immenses plaisirs du film [15]. »

Bogart et Wilder étaient assez professionnels pour savoir que personne n'avait besoin d'ennemi dans une communauté aussi étroitement imbriquée que Hollywood. « Nous nous sommes séparés ennemis, dit Wilder l'année suivante, mais nous nous sommes finalement réconciliés [16]. » On peut penser que leur antagonisme était au pis passager, avec quelques récurrences. Quand Bogart, nerveux, souhaita un avis d'expert sur le montage final de *Plus fort que le diable*, c'est à Wilder, entre autres, qu'il s'adressa. Dans les semaines qui suivirent la fin du tournage de *Sabrina, Daily Variety* mentionna tant Wilder que Bogart au milieu d'un groupe comprenant John Huston, Clark Gable et William Wyler, qui envisageaient d'entrer dans les affaires avec Allied Artists, une société parapluie qui financerait les productions des grands noms indépendants. Des mois plus tard, lors d'une réception chez Danny Kaye, Bogart se montra très amical envers les Wilder. Une photo le montre en train de rire avec la délicieuse Audrey Wilder, souriante, jetée sur son épaule comme un sac de pommes de terre — à la manière dont Linus Larrabee porte Sabrina après sa tentative de suicide [17].

447

En janvier 1954, Bogart se rendit à Rome pour *la Comtesse aux pieds nus*, écrit et réalisé par Joseph Mankiewicz. Le tournage se passa bien, mais les relations furent plutôt fraîches entre Bogart et Ava Gardner, qui s'était alors séparée de Frank Sinatra.

Il s'agit dans le film d'un commentaire sur le monde du cinéma, sans le mordant du *Violent*. Une fois de plus, Bogart y joue un homme brisé dont la personnalité et la boisson ont sapé la carrière — et il reste le personnage le plus attachant du film. Le producteur millionnaire (Warren Stevens) est un tyran sadique, l'attaché de presse (Edmond O'Brien, qui remporta un oscar) est un lâche flagorneur, et le prince charmant avec lequel la danseuse Cendrillon devrait vivre heureuse à jamais est un comte castré. Bogart est très bon dans le rôle de Harry Dawes, le narrateur cynique mais honnête, le réalisateur qui sauve sa carrière en faisant une star d'une danseuse de flamenco sortie des taudis de Madrid, mais si *le Violent* vise le plexus solaire, *la Comtesse aux pieds nus* s'adresse au raisonnement... et au mouchoir. Dans *le Violent* on ne sait jamais ce que va faire Dixon Steele dans les secondes qui suivent ; sa nature imprévisible et contradictoire, interprétée de façon si spectaculaire par Bogart, est le moteur du film. Dawes n'est pas si compliqué ; ses défauts constituent simplement le tremplin de sa rédemption. Mankiewicz, qui avait écrit et mis en scène *All About Eve* (*Ève*, 1950), sans doute le meilleur film jamais réalisé sur les coulisses de Broadway, ne fut pas aussi heureux dans son portrait des coulisses de Hollywood.

Betty arriva après le début du tournage. Howard et Dee Hawks, en route vers l'Égypte, s'arrêtèrent un moment. William Faulkner séjournait à Rome, lui aussi, et le groupe se retrouvait souvent pour boire et dîner. Dee Hawks Cramer était au bar un soir. « Bogart, raconte-t-elle, me donna une claque sur les fesses. Il me regarda et dit : "Oh, pauvre gosse, tu n'as pas la moindre chance ! Tu n'as pas de cul ! Tu n'es bonne à rien de ce côté-là !" J'étais si maigre ! Cinquante-cinq kilos d'os. "Regarde un peu ça...", dit-il en montrant Betty. Il adorait sa silhouette. Il adorait ses fesses. Il adorait y poser les mains. Il était trop mignon ! Il était désolé pour moi. Tout le monde était désolé pour moi — mariée au monstre [18]. »

L'adoration de Bogie pour sa femme ne l'empêchait pas de s'opposer à elle. « Ils n'arrêtaient pas de se chamailler », raconte Dee. Pendant les soirées, Betty perdait patience quand Bogie harcelait trop les autres, et Bogie reprochait à Betty de poursuivre sa carrière — « Actrice ! » — alors qu'il n'aurait jamais épousé une femme exerçant une autre activité, l'accusant de négliger ses enfants, sa maison et, même s'il ne le disait pas, surtout lui. « Il savait trouver votre point faible », devait dire Betty à Joe Hyams. Il lui avait si souvent envoyé des piques qu'elle était sûre que son « moi intérieur devait être criblé comme le bras d'un drogué[19] ». Mais elle avait toujours une réplique prête. Dee Cramer ne pouvait comprendre « pourquoi ils ne s'entre-tuaient pas lors de tels échanges, mais ils avaient cette merveilleuse relation... ».

Début juin, Bogart fut le sujet de l'article central et de la couverture du magazine *Time*. « En dépit du fait qu'il n'est ni jeune ni beau, Bogart est un premier rôle très recherché... Peu de personnalités de l'écran sont aussi éclectiques et aussi subtilement adaptables, peu de stars peuvent vous convaincre qu'elles sont le personnage qu'elles interprètent... Il parvient à des profondeurs d'une variété surprenante tout en restant le personnage familier que des millions d'admirateurs s'attendent à retrouver quand ils prennent leur billet pour voir un film de Bogart. »

En septembre, il ouvrit sa maison de Holmby Hills aux caméras de télévision pour *Person to Person*, une des dix émissions les plus popu-laires du moment, qu'animait le célèbre journaliste Edward R. Murrow. Cette émission, qui conférait le sceau définitif de la célébrité, fut facile pour les Bogart, qui partageaient les opinions libérales de Murrow. Tous trois appartenaient au petit cercle des personnalités de la télévi-sion, de la politique, du journalisme et du cinéma. Murrow avait déjà rencontré Betty alors qu'il soutenait discrètement la campagne de Ste-venson. Journaliste intègre, il avait établi des règles pour les reportages à la radio avec ses chroniques de Londres durant la Seconde Guerre mondiale. En dépit du caractère superficiel de *Person to Person*, il avait fixé des normes tout aussi élevées pour la télévision lors de ses reportages speciaux, et il était particulièrement connu pour son analyse des conditions de vie et de travail déplorables des travailleurs migrants et pour son interview dévastatrice, en mars 1954, du sénateur Joseph McCarthy, qui contribua à la chute du démagogue. Murrow, comme Bogart, était l'exemple de ces hommes déterminés, fumeurs, gros buveurs, qui représentaient l'idéal des durs du journalisme et du cinéma a l'époque.

Betty, en tenue décontractée — pantalon noir et chemisier clair —, fut la star de l'émission. Dissimulant la nervosité qu'elle éprouvait à l'idée de ce direct, elle se joua de la caméra avec l'habileté d'un vétéran, répondant avec aisance aux questions prévues. En levant le poignet pour montrer, accroché à son bracelet, le sifflet en or que Bogart lui avait offert en 1945, elle donna une version humoristique de la célèbre scène du *Port de l'angoisse*. John Horne, producteur de l'émission qui devint ultérieurement critique de télévision, écrivit que Bogart, « qui aurait facilement pu dominer la situation, s'effaça devant sa femme, lui déléguant le beau rôle, lui donnant la réplique comme un faire-valoir. Aucun acteur n'aime davantage[20] ».

L'émission donna de Bogart-la-Bagarre l'image d'un homme enfin installé dans le confort et la respectabilité d'une vie de famille. « Le "vilain garçon" devient un citoyen très rangé de notre ville », écrivit Louella Parsons. Il eut même des paroles amènes pour la Warner, se souvenant de ses années sous contrat un peu comme il se souvenait de Mayo. « Mes querelles avec Jack me manquent, dit-il à Louella. Personne ne m'a aussi bien insulté que lui... S'il me proposait un scénario qui me plaise, je l'accepterais sur-le-champ. J'ai passé des années merveilleuses à la Warner... et je me rends compte qu'elles ont beaucoup contribué à ce qui a été le couronnement de ma carrière[21]. »

Stephen et Leslie, en pyjama, apparaissaient de temps à autre. Stephen se souvient de Bogart comme d'un père distant, ni très strict, ni ouvertement affectueux. « Il avait probablement peur de moi, dira-t-il. J'ai eu peur de mes propres enfants, alors je comprends. Vous vous retrouvez avec ce petit gosse et vous avez peur qu'il casse, ou de le bousiller pour la vie. Alors je crois qu'il éprouvait une admiration mêlée de peur devant cette petite personne qui courait à ses pieds[22]. » Il y eut des moments de camaraderie, comme les journées passées sur le *Santana* au large de Catalina. Stephen nageait de la rive au bateau. « J'avais dans les six ou sept ans. Pete [le capitaine Carl Peterson] me suivait dans le dinghy, mais je nageais tout seul, et je me rappelle que mon père était très fier de moi. »

Joe Hyams accompagna le père et le fils pour une nuit de train jusqu'à San Francisco afin de retrouver Betty, qui tournait *Blood Alley* (*l'Allée sanglante*) avec John Wayne. Bogie avait demandé à Joe, qui avait aussi de jeunes enfants, de l'accompagner, parce qu'il était nerveux à l'idée de passer une nuit seul avec un gamin de sept ans. Quand le chef de train eut réveillé les deux hommes au matin, Hyams vit Bogie s'approcher de la couchette de Stephen et l'embrasser sur le front. Il lui tira légèrement l'oreille. Puis d'une grosse voix, il le réveilla. Plus tard, il dit à Hyams : « Peut-être que j'ai eu le môme trop tard. Je ne sais pas comment m'y prendre avec lui. Mais je l'aime. J'espère qu'il le sait[23]. »

La mère de Betty, Natalie, eut une grande influence sur Stephen. Lors de ses visites, elle n'hésitait pas à faire son éducation. Elle exigeait qu'il soit attentif aux autres et qu'il lui parle avec respect. « Plus tard, pendant les années soixante, dira-t-il, quand j'ai eu des problèmes, c'est elle qui est venue me parler. C'était une grande dame[24]. »

Leslie ne se souvient pas de ce père qui mourut quand elle avait quatre ans. Philip Stern, photographe de *Life*, a conservé l'essence même de leur relation, ou de leur manque de contact, en les photographiant chacun à un bout d'une balançoire. Bogart, en costume, a un air tristement protecteur et comme coupé de la petite créature, de l'autre côté, posée sur le siège avec la délicatesse d'une figurine en porcelaine, son petit visage fermé et intense.

Dans le monde du cinéma, rares étaient ceux qu'on courtisait autant que Bogart, mais il arrivait qu'il n'ait aucun projet, et sa vulnérabilité refaisait alors surface. Il traînait chez Romanoff pour des déjeuners interminables à sa table habituelle, la deuxième à gauche en entrant. Il la considérait comme la sienne, et si Mike Romanoff tentait de l'installer ailleurs, il résistait avec détermination. Bogie demandait souvent à Phil Gersh de lui tenir compagnie, et de signer la note pour l'agence. Il mangeait toujours la même chose et les serveurs le connaissaient si bien qu'ils ne lui présentaient pas la carte et ne lui demandaient même plus ce qu'il voulait. Il prenait deux scotchs-sodas. Souvent, après le second, il se tournait vers Gersh et disait : « Alors mon garçon, c'est comme ça, hein ? Pas de scénario, personne ne veut de moi. Je suis sûrement fini ! Je vais partir sur mon bateau. » Puis il prenait une omelette Sylvia, au fromage et aux légumes, et du pain grillé, il buvait un verre de lait avec son repas, puis un café, et après un très bon brandy. Ensuite il rentrait chez lui faire la sieste [25].

Cette routine était importante dans une vie que Romanoff, un Européen de l'Est qui portait le nom de la famille impériale de Russie et savait que rien n'est jamais cc qu'on croit, qualifiait d'irréelle. Romanoff avait le sentiment que tout le monde, dans le cinéma, souffrait de ce qu'il appelait « une névrose occupationnelle », résultat de l'énorme richesse de ces privilégiés. La fortune soudaine nourrissait l'incertitude sur sa durée, ainsi que l'impression qu'on n'avait pas gagné cet argent. En conséquence, on craignait que chaque nouveau film soit un échec, ce qui signifierait la fin d'un salaire aussi scandaleux [26].

Pour Romanoff, qui le connaissait depuis quinze ans et l'aimait beaucoup, Bogart était un homme en quête d'une autre identité que celle d'acteur. « Bogie vit constamment dans l'angoisse de ne pas être ce qu'il appelle un personnage. Il veut se distinguer de sa profession. Il n'a jamais permis à sa propre personnalité de se développer. Il n'y a rien qu'il aimerait davantage que d'être considéré comme un personnage, plus encore que comme un bon acteur. Il n'aime pas sa carrière et en même temps, il en est fier. »

L'amitié entre Bogart et Romanoff était célèbre — Bogie et Mike échangeaient des insultes, Bogie et Mike jouaient aux échecs dans l'après-midi, après le départ des clients du déjeuner, quand les serveurs avaient nettoyé les tables. « C'est son club, dit Romanoff à un reporter, comme son yacht est le sien. C'est ici qu'il s'évade, qu'il trouve la stimulation nécessaire... Il aime s'échapper de chez lui et de certaines responsabilités. » On racontait souvent des histoires sur les deux amis, comme la fois où Romanoff insista pour que Bogart respecte la tenue obligatoire en portant une cravate, et où Bogart arriva avec un nœud en émail presque invisible de deux centimètres, broche fabriquée par l'épouse de George Roosevelt[27].

Romanoff savait que ce Bogart, qui laissait de misérables pourboires, ne prenait jamais l'addition, n'avait jamais d'argent sur lui et devait extorquer un dollar à son agent pour payer le voiturier, était le même qui avait entretenu sa mère, payé la clinique privée de sa sœur, généreusement pourvu aux besoins de son ami Eric Hatch pendant une passe difficile[28], et s'inquiétait de l'avenir des enfants qu'il avait eus si tard. Celui que Romanoff considérait comme « l'homme le plus généreux et le plus gentil » était aussi celui qui, parfois, faisait tout son possible pour agir en butor.

Bogart ne buvait plus autant qu'à l'époque de Mayo. Il ne buvait plus sur le plateau, comme le faisait Errol Flynn, et se contentait du scotch à l'eau qui l'attendait à la fin de sa journée de travail. (Verita Peterson Thompson dira cependant qu'elle cachait dans sa mallette de maquillage une bouteille dont il usait parfois dans la journée[29].) Mais il arrivait qu'entre deux emplois, ou les jours où il ne tournait pas, la boisson se substitue à un travail qui aurait eu de l'importance.

Peu avant de quitter la Warner, il était un jour dans le bureau de Walter MacEwen pour lire un scénario. Vacillant et marmonnant, il n'arrivait même pas à tenir les pages, qui ne cessaient de tomber par terre[30]. Une autre fois, Bogart arriva fin soûl dans le bureau de Cohn à la Columbia. Cohn n'était pas là, et la porte de son bureau était entrouverte. Bogart entra et annonça qu'il voulait « un verre de la gnôle de Harry ». Puis il s'installa derrière le bureau, et répondit à tous les appels : « Vous êtes viré ! » ou « Je vous accorde une augmentation[31] ».

En décembre 1954, Bogart vendit Santana Productions pour un million de dollars à la Columbia. Il réfléchissait aussi à un contrat proposé par celle-ci qui lui assurerait un film par an pendant six ans. Le produit de la vente n'était imposé qu'à vingt-cinq pour cent, ce qui laissa à Bogart une grosse somme « pour Betty et les gosses. Un acteur vit dans l'anxiété et l'insécurité. Il ne peut pas faire durer des années la période durant laquelle il gagne beaucoup d'argent, contrairement à un homme d'affaires. Il est obligé d'attraper le gros paquet quand il le peut. C'est sa seule protection ». Il avait fait faire une copie du chèque d'un million de dollars et l'avait accrochée au mur de son antre « pour avoir quelque chose de joli à regarder. C'est vachement plus beau et impressionnant qu'un tableau de sept cent cinquante mille dollars[32] ».

Santana ne devint jamais la maison indépendante destinée à l'épanouissement de jeunes talents dont Bogart avait rêvé. Dès octobre 1949, Morgan Maree et lui envisageaient de fermer boutique une fois achevée la production du *Violent*[33]. Mais *Tokyo Joe,* l'histoire d'un

Américain qui, à Tokyo, se livre à contrecœur à la contrebande et au chantage pour protéger sa famille, et *les Ruelles du malheur*, tous deux sortis en 1949 sans grand succès, rapportèrent pourtant des bénéfices respectables. En fait, tous les films de Santana furent lucratifs, à l'exception de *Sirocco* (1951), histoire de trafiquants d'armes dans la Syrie de 1925, que Bogart lui-même trouvait lamentable.

Mais le problème restait qu'en dépit de ses succès, Santana ne pouvait toujours pas affronter les grands studios pour le choix des meilleurs sujets. A la mi-1954, Bogart aurait voulu acheter *The Desperate Hours (la Maison des otages)*, un grand roman sur une famille du Middle West terrorisée par un groupe de criminels qui investissent sa maison. Mais comme pour *Detective Story*, William Wyler et la Paramount purent proposer une somme supérieure.

Cette fois, pourtant, même s'il n'avait pu surenchérir sur l'achat des droits, Bogart était libre. Malgré tous les problèmes sur le tournage de *Sabrina*, la Paramount était plus que prête à lui confier un autre rôle, son nom garantissant le succès d'un film. De plus, il s'entendait bien avec le directeur de production Don Hartman, avec qui il montait une opération immobilière près du futur Disneyland. Quant à Wyler, il voyait très bien Bogart en Glenn Griffin, fou de la gâchette, combinaison de Babyface Martin et de Duke Mantee. Bogart accepta le rôle sans même consulter ses agents, Mary Baker, Sam Jaffe et Phil Gersh. Il les appela du bureau de Wyler : « Puisque je ne peux pas acheter les droits, je peux au moins jouer dedans [34]. »

La Maison des otages offrait de surcroît à Bogart la possibilité de jouer avec Spencer Tracy, qui devait interpréter le vigoureux père de famille — les heurts de leurs deux caractères volontaires étant la colonne vertébrale de l'histoire. Tracy et Bogart n'avaient pas tourné ensemble depuis vingt-cinq ans, et ils avaient envie de se retrouver. On raconta que Tracy s'était désengagé du projet pour une question de préséance, mais, selon Gersh, jamais cela n'avait constitué un problème : « Bogie a appelé Spencer devant moi et lui a dit : "Spence, avant qu'on claque, on devrait tourner ensemble. Si tu veux être la tête d'affiche, c'est bon pour moi, ça m'est égal." Et Spencer a dit que oui, qu'il aimerait bien le faire, mais finalement il a reculé [35]. » Le rôle est allé à Fredric March.

Pendant le tournage, les méthodes de travail méticuleuses de Wyler, qui exigeaient une multitude de prises, s'accordaient mal avec le droit d'arrêter la journée à dix-huit heures qui figurait au contrat de Bogart, si bien que Gersh venait chaque soir vers dix-sept heures trente rappeler à Wyler qu'il était presque temps d'arrêter. En écho au jour où ce dernier avait forcé Bogart à lancer des centaines de fois un couteau dans une pelure d'orange pendant le tournage de *Rue sans issue*, « Willy, un soir, a fait monter et descendre un escalier à Bogart. Il disait : "Un peu plus vite, Bogie." Bogie allait plus vite. Puis il disait :

453

"Pas si vite." On devait en être à vingt prises ». Quand Bogart fut essoufflé, Wyler décida une pause, et Gersh suggéra à Bogart : « Va le voir et demande-lui de te montrer ; qu'il monte et descende cet escalier, un peu ! » Bogart sourit méchamment : « "Ouais, c'est une bonne idée", et il s'écria : "Willy, pourquoi est-ce que tu ne me montres pas exactement ce que tu veux ?" Alors Willy Wyler a dit : "D'accord, on a fini pour ce soir." »

La Maison des otages ne remporta pas le succès foudroyant qu'on en attendait. « Peut-être est-ce à cause de l'affiche "digne" du film, dit Bogart à la presse. On n'a pas montré aux gens que c'était un film de gangsters. Et c'est peut-être aussi à cause du "matriarcat" de notre époque ; ça n'intéresse plus personne, que le père coure le risque de se faire buter [36]. »

1955 fut l'année la mieux remplie de Bogart. « Après deux décennies au cinéma et de nombreuses années, auparavant, sur les scènes de Broadway, il est au sommet de sa carrière, écrivit Sheila Graham. Bogey est retenu pour deux ans. Le public l'adore, les hommes comme les femmes, quel que soit leur âge, et son compte en banque est bien garni [37]. »

En février, juste après avoir terminé *la Maison des otages*, il commença *The Left Hand of God* (*la Main gauche du Seigneur*) pour la Twentieth Century-Fox. Bogart travailla donc de nouveau avec Edward Dmytryk pour jouer un aventurier américain dans la peau d'un prêtre, en Chine, pendant la guerre. Sa partenaire était Gene Tierney, la si belle héroïne de *Laura* (1944). Quelques années plus tôt, elle avait été très touchée psychologiquement par la naissance d'une fille handicapée mentale à cause d'une rubéole contractée au théâtre aux armées (USO) alors qu'elle était enceinte.

Elle avait joué dans plus de trente films, mais sa fragilité était évidente. Elle arrivait sans avoir appris son texte, ou l'oubliait au moment de tourner, et elle semblait constamment craintive. Bogart la critiqua une fois avant de comprendre la profondeur de son problème, et c'est alors qu'il se rendit compte à quel point elle ressemblait à sa sœur Frances. Après cela, il fit tout ce qu'il put pour l'encourager et trouver des moyens de dissimuler sa fragilité. A l'heure du déjeuner ou en fin de journée, il lui parlait gravement, lui conseillant gentiment de consulter un médecin. A la fin du tournage, la rupture de Gene Tierney avec Ali Khan entraîna une dépression nerveuse et une hospitalisation d'un an et demi.

Quelques années plus tôt, malgré toute la mauvaise humeur entourant le tournage de *Bas les masques*, Bogart s'était inquiété de la toux continuelle qu'Ethel Barrymore elle-même négligeait. Sa compassion pour ceux qui souffraient contrastait avec la façon dont il s'attaquait sans pitié aux personnes sûres d'elles. « Il était, je crois, très compatissant », dira Dmytryk [38].

Peu après la fin du film, Bogart partit tourner pour la Paramount *We're No Angels* (*la Cuisine des anges*), histoire de trois brigands de l'île du Diable qui jouent les anges gardiens d'un commerçant paumé et de sa famille. Réalisé sans beaucoup de brio par Michael Curtiz, le film reste amusant. Bogart interprète le rôle du gentil qui convainc ses camarades d'infortune, Peter Ustinov et Aldo Ray, de ne pas voler le commerçant. Une vipère apprivoisée appelée Adolph mord au bon moment les méchants du film, dont la mort fait avancer l'histoire.

Bogart fournit hors écran sa plus importante contribution au film. Joan Bennett, qui jouait la mère de famille encore belle, avait épousé le voisin des Bogart, Walter Wanger. En 1951, le scandale s'abattit sur la maisonnée quand le producteur, qui n'était pourtant pas un modèle de fidélité, s'offusqua d'une liaison de son épouse avec son agent, Jennings Lang. La dispute se termina mal sur un parking, où Wanger tira sur Lang. Blessé au ventre, Lang guérit et Wanger ne passa que quelques mois symboliques en prison (le premier film qu'il fit après sa libération fut *les Révoltés de la cellule 11*), mais Joan Bennett fut écartée des studios. Elle qui avait joué dans soixante-cinq films, qui avait donnné de la maturité une image rayonnante dans *le Père de la mariée* (1950), se retrouvait soudain inemployable. Quand commença *la Cuisine des anges*, cela faisait presque trois ans qu'elle n'avait pas travaillé (à l'exception d'un petit film noir). La Paramount ne voulait pas l'engager, mais Bogart, qui l'avait soutenue pendant cette crise personnelle, dit au studio qu'il ne ferait pas le film sans elle. « Il a fait savoir à tout le monde ce qu'il pensait de la façon dont on me traitait, devait dire Joan Bennett. Jamais je n'oublierai la gentillesse et la chaleur de Bogie et Betty envers moi [39]. »

C'est au printemps 1955 que se constitua ce qu'on appela le Rat Pack (la bande de rats), à la fin d'une expédition collective à Las Vegas pour assister à la première de Noël Coward au Desert Inn. Frank Sinatra avait organisé le voyage et, en plus des Bogart, avait emmené Mike et Gloria Romanoff, David Niven et son épouse Hjordis, l'agent Irving Lazar et Martha Hyer, l'auteur de chansons Jimmy Van Heusen et l'actrice Angie Dickinson, Charlie Feldman et Capucine, M. et Mme George Axelrod, le scénariste Charles Lederer, Judy Garland et Sid Luft. Après quatre jours de fête, Bacall regarda le chantier et déclara : « On dirait une bande de rats [40]. »

C'est ainsi que l'existence du groupe devint en quelque sorte officielle. On élut les représentants de ce clan lors d'un dîner chez Romanoff à Beverly Hills. « Sinatra devint chef de bande, Betty mère du clan, Bogie directeur des relations publiques et Sid Luft maître de la cage. » Benchley, bien qu'absent à Las Vegas, devint « secrétaire honoraire chargé des procès-verbaux, mais comme il n'y avait pas grand-chose à enregistrer, cette fonction se réduisit essentiellement à dessiner les armes du clan — un rat grignotant une main humaine — avec la devise qu'avait trouvée Bogie : "Ne moucharde jamais un rat" ("*Never rat on a rat*") ».

Au cours d'une visite à New York, Betty déclara au journaliste Earl Wilson que le but du groupe était de « boire beaucoup de bourbon et de veiller tard ». Bogart ajouta qu'il fallait « être un peu musicien » pour en devenir membre. En référence à l'incident du panda, Bogart assura qu'il en avait terminé avec les bagarres dans les boîtes. « Je me tiens à l'écart des lieux où on a des ennuis. Je vais au "21" ou au Pavillon. Avec qui est-ce que je pourrais me battre, au Pavillon, avec Mme Vanderbilt [41] ? » La photo qui accompagnait l'interview montrait Bogart lisant avec ses lunettes d'écaille dans sa suite du St Regis, ses pieds nus presque dans l'objectif de l'appareil photo.

Restait sur son agenda cette année-là *Plus dure sera la chute*, tiré du roman de Budd Schulberg sur la corruption dans le milieu de la boxe, et en janvier 1956, un retour à la Warner sous l'égide des United States Pictures de Milton Sperling, pour *Melville Goodwin, U.S.A.*, tiré du roman de John Marquand. Il y avait là de bons rôles pour Bogie et Betty, ce qui leur fournissait la première occasion de travailler ensemble depuis *Key Largo*. Sperling était un homme sans prétention, qui avait dû travailler dur pour arriver à sa place, bien qu'il fût le gendre de Harry Warner. Il avait servi dans les marines pendant la guerre, dans le Pacifique, et il était un producteur consciencieux dont les bons films solides étaient bien accueillis et rapportaient honnêtement, y compris *la Femme à abattre* qu'il avait tourné avec Bogart en 1951.

On préparait aussi une adaptation du roman de C. S. Forester, *The Good Shepherd*, à la Columbia. Harry Cohn souhaitait lier Bogart plus étroitement au studio en traitant avec lui comme avec un égal et un homme d'affaires, ce qui explique la vente de Santana Productions. En attendant, à Burbank, Jack Warner fulminait en regardant l'acteur qu'il disait avoir transformé en star travailler au bénéfice d'autres studios ; pourtant il n'était pas prêt à voir en lui autre chose qu'un ex-employé ingrat. « Sperling prétend qu'il a parlé à Humphrey Bogart, qui prétend qu'il aimerait faire un film pour nous » — telle était la manière dont Warner parlait de la perspective d'un retour de Bogart pour *Melville Goodwin, U.S.A.* [42].

La télévision elle aussi voulait Bogart, même s'il n'avait pas grand-chose à faire d'un moyen de communication que, quelques années plus tôt, il avait traité de « monstre » et de « dévoreur de talent ». « Je suis horrible à la télévision, dira-t-il aussi. On voit chaque pore de ma peau, et vous pouvez imaginer ce qui reste de moi sur les mauvais récepteurs [43] ! » Néanmoins, en 1955, les Bogart jouèrent tous deux en direct dans une reprise de *la Forêt pétrifiée* pour une émission théâtrale mensuelle sur NBC, *Producers' Showcase*.

Pour la télévision, c'était une bonne série : des pièces adultes, sans interruptions publicitaires. En plus de Bogart en Mantee et de Betty en Gabrielle Maple, il y avait Henry Fonda en Alan Squier. Le metteur en scène était Delbert Mann, qui devait plus tard gagner un oscar pour *Marty*. L'émission devint celle de Henry Fonda. *La Forêt pétrifiée* n'avait jamais été une pièce d'action, et sur le petit écran, la présence constante de Mantee, lové, dangereux, à l'arrière-plan, était une impossibilité logistique. « On devrait voir en permanence Duke Mantee pour que le public aussi bien que ses prisonniers n'oublient jamais qu'il représente leur destin », écrivit le critique Jack Gould, le lendemain, dans le *New York Times*. « Les limites des caméras de télévision distraient quelque peu de la tension montante incarnée par le personnage de Mantee [44]. » Pourtant, la réalisation pleine d'imagination de Mann et son utilisation des gros plans de Mantee et Squier, le tueur et la victime, saisissaient graphiquement le jeu entre les deux hommes condamnés.

Vingt ans après avoir quitté la scène, Bogart avait des doutes à propos non seulement de la télévision mais de n'importe quelle représentation en direct. « Et si j'ai une laryngite ? Et si je ne me sens pas bien ? Si je fais du mauvais boulot, les critiques vont me déchiqueter, dit-il au journaliste du *Herald Tribune*. Je n'aime pas l'idée d'une prise unique. Quant à faire un feuilleton hebdomadaire, je préférerais paver les routes ! »

Il confia ses craintes à Helen Hayes, qui se trouvait à Los Angeles pour jouer au Huntington Hartford Theater de Hollywood. Jack Benny avait organisé une fête en son honneur, et elle racontera : « Bogie ronchonnait :

"Oh, faire ce que tu fais, revenir au théâtre, ici, c'est de la connerie.

— Mais Bogie, vas-y donc, retourne à New York jouer une pièce !

— Seigneur, jamais de la vie !

— Alors joues-en une ici, au Huntington Hartford Theater.

— Je ne pourrais pas. Tu sais ce qui arriverait ? Ces salauds sortiraient tous dans le foyer et diraient : *Oh c'est ça qu'on nous a présenté comme une grande, grande star — un grand acteur important de New York ? C'est ça qui prétend être un grand comédien !* Non, je ne pourrais pas."

Il pensait qu'on le critiquerait. Et c'est peut-être ce qui serait arrivé, qui sait [45] ? »

Pourtant, Bogart était bien une grande star et un comédien important. Il venait d'obtenir sa troisième sélection en vue des oscars au printemps pour *Ouragan sur le « Caine »* — mais l'oscar fut décerné à Marlon Brando pour *Sur les quais*. A l'automne sortirent trois films de lui. Les photographes de *Life* prenaient des clichés de Bogart aux premières et pendant les grandes fêtes chez Nunnally Johnson. Sur une photo, Bogart danse à trois avec Clifton Webb et Marilyn Monroe chez Romanoff lors d'une fête organisée par Billy Wilder et Charlie Feldman pour célébrer la fin de *Sept Ans de réflexion*. Marilyn porte une robe de mousseline rouge empruntée au studio, et Bogart a son menton barbu de *la Maison des otages*.

En septembre, Bogart annonça la formation de Mapleton Pictures, dont les films seraient cofinancés et distribués par Allied Artists. Les négociations n'étaient pas encore terminées que la nouvelles société avait déjà acheté les droits cinématographiques du feuilleton *Underworld, U.S.A.*, qui paraissait alors dans le *Saturday Evening Post*. Bogart et Lauren Bacall devaient en être les stars, et Walter Wanger le producteur.

Bogart commençait en même temps à tourner *Plus dure sera la chute*. Ce devait être son dernier film. C'est la jalousie de Jack Warner qui avait jeté dans les bras de Harry Cohn le producteur Jerry Wald, avec qui il avait fait une demi-douzaine de films chez Warner. Bogart jouait aux côtés de Rod Steiger, un de ces acteurs de la nouvelle génération, comme Marlon Brando, qui sortaient de l'Actors Studio de New York et étaient adeptes de la Méthode. Bogart n'en voyait pas l'utilité[46], et l'appelait « l'école-du-gratte-toi-le-cul-et-marmonne ».

« Il parlait comme ça, dit Rod Steiger. N'oubliez pas qu'il était d'une génération d'acteurs qu'ennuyait un peu la nouvelle génération qu'on disait supérieure, ce qui n'était pas le cas. C'était juste une nouvelle façon de faire les choses, un moment d'enthousiasme au théâtre[47]. »

Bogart déclara à son vieil ami Alistair Cooke qu'on pouvait mesurer les changements à Hollywood au cours des vingt dernières années à ce fait : « Je suis arrivé ici avec un unique costume, et tout le monde m'a traité comme un clochard ; Brando est arrivé en sweat-shirt et tout le monde s'est mis à baver d'admiration[48]. »

Bogart jouait un journaliste servile qui devient le laquais des organisateurs de combats de boxe ; Steiger incarnait un entraîneur corrompu. Contrairement à certains, Steiger appréciait « le merveilleux sens de l'humour de Bogart. Il plaisantait à propos de Brando, et se moquait de moi. Quelqu'un m'a dit qu'il avait fait faire un faux journal qui disait : "BRANDO PROFESSEUR DE STEIGER". Alors j'ai fait un titre dans le genre : "STEIGER ARRIVE ; BOGART S'EN VA". Il s'est pointé dans ma loge, l'œil pétillant, et on a parlé de choses et d'autres quand, tout d'un coup, il a dit : "J'ai un cadeau pour toi." Mais dès qu'il a bougé pour brandir le journal, j'ai sorti le mien, et on les a tendus ensemble. Ça l'a beaucoup fait rire ».

Un jour, sans méchanceté, Bogart dit à des amis qui étaient venus

dans sa loge : « Allons sur le plateau regarder Steiger intérioriser[49]. »
De leur approche différente du jeu d'acteur, Steiger dit : « Bogart
venait d'une école où vous faisiez ce que vous pensiez que ferait votre
personnage dans cette scène. Mon école avait débuté avec Montgomery Clift — l'acteur le plus pur du cinéma. Nous pensions que si
nous assumions les problèmes du personnage, si nous en faisions nos
problèmes, nous devenions ce personnage. Mais les acteurs talentueux
comme M. Bogart s'impliquaient de toute façon, qu'ils le sachent ou
non. Ils avaient leur propre approche, mais au fond, ils recherchaient
la même chose : l'implication, l'identification, le sentiment de participer à cette vie de fiction. »

Steiger devait surtout se souvenir d'un Bogart « indépendant, professionnel et gentil » avec lui, dans un film où le jeune acteur avait le
rôle le plus voyant. « A l'époque, quand vous travailliez avec un grand
premier rôle, on faisait ses gros plans par-dessus votre épaule, et vous
aviez de la chance si on voyait votre visage. Mais Bogart se plaçait
toujours à côté de la caméra pour s'assurer que j'avais aussi mes gros
plans pour contrebalancer les siens. Il me disait : "Fils de pute, tu vas
me tuer. Tu vas me tuer !" Je disais : "Bo, tu devrais avoir un meilleur
rôle. Tu veux qu'on échange ? C'est moi qui ai le meilleur." Il possédait ce qui nous manque aujourd'hui, je crois, le sens de l'honneur et
le professionnalisme. On n'infligeait pas ses problèmes personnels aux
autres pendant les heures de travail. On pouvait rentrer et se soûler et
rendre les gens fous le soir, mais entre neuf et six, on n'apportait pas
ses ennuis au travail. Il était comme le sergent qui a fait traverser la
jungle à son peloton. On avait du respect pour les guerres qu'il avait
menées, et pour sa capacité à survivre. Il était un gentleman, un soldat
artiste. Il y a une histoire qui parle d'un jeune taureau et d'un vieux
taureau sur une colline. Le jeune taureau regarde en bas et voit toutes
ces belles génisses qui le rendent fou. Il dit : "Fonçons en bas et allons
en baiser une ou deux !" Et le vieux taureau dit : "Descendons tout
doucement et on les aura toutes !" C'était toute la différence entre
Bogart et moi. Il était le vieux taureau. Il savait ce qu'il faisait. "Prends
ton temps. T'en fais pas. On les aura toutes." »

Crépuscule et étoile du soir

En janvier 1956, Humphrey Bogart et Lauren Bacall tournèrent les essais en costume pour *Melville Goodwin, U.S.A.* Bogart devait jouer un général en grand uniforme et Betty une journaliste pugnace. La perspective du premier film du couple depuis six ans était agréable à la fois à la Warner et aux exploitants de salles. Mais une semaine avant le début prévu du tournage, Bogart appela de Palm Springs le producteur Milton Sperling.

« Je peux faire le film, dit-il, mais je serai mort dans six mois[1]. »

Ses fréquentes quintes de toux duraient parfois une demi-heure, et ses amis avaient remarqué qu'il avait des difficultés à manger. Sperling était inquiet, tout comme Amanda Dunne qui, assise près de Bogart un soir chez Romanoff, vit qu'il n'avait pas touché son assiette.

Elle le lui fit remarquer. « Il a dit : "Oh, tu ne vas pas t'y mettre aussi ! Tout le monde s'en inquiète." J'ai dit : "Est-ce que tu as consulté à ce propos ?" Il a dit : "Non, j'ai peur de le faire." Alors, je lui ai dit : "Oh ! Tu es exactement comme mon frère ! Il avait peur lui aussi. Il a passé deux ans à croire qu'il avait une chose horrible et quand il s'est décidé à consulter, le médecin lui a dit que c'était nerveux." Et il a dit : "Oh, formidable ! Alors je vais aller chez le médecin dès demain !" »

Juste après, Amanda n'était plus certaine d'avoir eu raison — et si c'était grave, finalement ? Mais le lendemain Betty l'appelait pour la remercier. « On essaye tous de l'entraîner chez un médecin depuis des lunes, et il vient de prendre rendez-vous[2] ! »

Greer Garson leur avait donné le nom du Dr Maynard Brandsma, médecin à Beverly Hills, spécialiste des poumons et de la gorge. Après plusieurs semaines d'examens, le diagnostic final tomba : cancer de l'œsophage. Il fallait opérer immédiatement. Bogart, stupéfait, demanda au médecin si on pouvait repousser l'intervention à la fin du tournage. Le studio avait tant investi ! expliqua-t-il. « Non, à moins que vous ne vouliez beaucoup de fleurs à Forest Lawn[3] », fut la réponse de Brandsma. Il pensait qu'il était encore temps de vérifier la progression d'une maladie rarement contractée si tôt, mais si Bogart insistait pour honorer son contrat et repousser l'opération, alors, dit-il, « ils pourront tous assister à votre enterrement ». Brandsma, médecin chaleureux qui devint un grand ami pendant la maladie de Bogie, essayait juste d'être aussi franc que possible.

« Nous rentrâmes à la maison, comme engourdis, dira Lauren, mais sans être pris de panique ni l'un ni l'autre. Comme d'habitude, le point de vue de Bogie était simple : ce qu'il faut faire doit être fait ; inutile de dramatiser. Je calquai mon attitude sur la sienne[4]. »

Le 29 février 1956, il fut admis à l'hôpital du Bon Samaritain, et opéré le lendemain pendant neuf heures et demie par le Dr John Jones, le chirurgien qui avait mis au point une des deux opérations dont Bogart avait besoin. Jones et son équipe s'occupèrent d'abord de la poitrine, puis de l'abdomen. Ils retirèrent son œsophage, deux ganglions lymphatiques et une côte, et à la place de la côte retirée, ils remontèrent l'estomac et le rattachèrent à ce qui restait de tissu de l'œsophage. Il garderait une cicatrice dans le dos allant de l'épaule à la fesse. Betty attendait dans la chambre de son mari quand les infirmiers le ramenèrent. Rattaché à un réseau de tubes, il avait le bras et la main gauches enflés parce qu'il avait été couché dessus pendant toutes ces heures.

Un télégramme arriva à l'hôpital. CHER BOGIE, JE SAIS QUE TU SERAS A NOUVEAU TOI-MÊME DANS UN AVENIR TRÈS PROCHE. JE TE SOUHAITE UN PROMPT RÉTABLISSEMENT. AMICALEMENT, JACK WARNER[5]. Les amis se rassemblèrent autour de lui, attentifs et tendres. Huston, aux États-Unis pour une courte période, vint à l'hôpital. Bogie et lui rirent et parlèrent du tournage de l'Homme qui voulut être roi. La Warner avait décidé de tourner Melville Goodwin avec Kirk Douglas, et, quand Lauren déclara forfait elle aussi, avec Susan Hayward. Le film prit le titre de Top Secret Affair (Affaire ultra-secrète). « Je crois que Betty avait envie de le faire, dira Sperling, mais elle choisit de rester auprès de son mari, surtout après l'opération[6]. » En revanche, Harry Cohn, normalement impitoyable, assura Bogart que The Good Shepherd attendrait son retour (ce qui coûtait une fortune au studio). Harry maintint le projet en vie pendant au moins neuf mois, dira Eddie Saeta qui avait préparé le film en tant qu'assistant metteur en scène. Il dépensa des milliers de dollars. Cohn, ce fils de pute, avait un cœur[7]. »

Avant qu'il puisse raisonnablement songer à reprendre le travail, Bogart devait subir plusieurs séances de chimiothérapie. C'était parfois Joe Hyams qui le conduisait à l'hôpital. « Cette chimio était une saloperie, une saloperie, devait dire Hyams. Je lui demandais : "Comment ça s'est passé ?" et il répondait "merde". Et ça voulait tout dire. J'ai déjà dit qu'il était un des hommes les plus courageux que j'aie rencontrés, et je crois que c'était le cas. Jamais il ne s'est plaint. Jamais il n'a demandé : "Pourquoi moi ?" Jamais il ne s'est apitoyé sur lui-même. Il a subi[8]. »

Bogart, qui avait déjà perdu quinze kilos, continuait à en perdre. Manger était une torture. La nourriture, qui ne passait plus par l'œsophage, tombait directement dans l'estomac. Mais il ne se plaignait pas et continuait à sourire et à user de son humour grinçant avec les amis qui venaient le voir.

Kurt Niklas, qui le servait depuis longtemps au Romanoff's, ne put éviter de voir le grand changement subi par son client quand il revint au restaurant. « Il est revenu très éteint. C'était un tout nouveau Bogart. Son cou était si maigre qu'il n'y avait plus que la peau sur les os[9]. » Contrairement à son employeur, Niklas avait toujours considéré que Bogart était « un poids léger... un de ces enfants gâtés de Hollywood sans manières ni profondeur ». Mais en voyant l'acteur affronter la mort, il commença à éprouver du respect pour lui. « Jamais il ne m'a donné l'impression de savoir qu'il allait y passer. Il agissait comme il le prônait : avec irrévérence. Quand les gens mouraient, il disait : "Il était temps que ce fils de pute claque", et quand il fut sur le point de claquer lui-même, il fit face à la situation avec dignité. » Plus tard, alors que Bogart n'avait plus la force d'aller au restaurant, Romanoff et lui jouaient aux échecs par téléphone, Bogart dans sa chambre, Romanoff à une table devant un échiquier de voyage.

Dans les mois qui suivirent l'opération de Bogie, Louis Bromfield mourut. Cet ami proche s'était fait plus rare parce qu'il passait tout son temps dans sa ferme. Mary Bromfield était déjà morte, de même que son secrétaire George Hawkins. Pourtant, pour Bogart, ce fut une partie de sa vie qui s'écroula.

En septembre, il se sentit assez bien pour aller fêter à Las Vegas l'anniversaire de Betty, puis décida plutôt d'emmener Stephen sur le *Santana*. Ils jetèrent l'ancre à leur place habituelle à Catalina et Bogie, dans ses vêtements trop grands, regarda avidement autour de lui. Betty s'envola pour Las Vegas avec les autres invités, afin d'aller voir le spectacle de Frank Sinatra. Ils prirent place à une longue table face au micro, et Sinatra chanta « Happy Birthday » quand on apporta un gâteau à trois étages où était écrit « Joyeux anniversaire, mère du clan ». Bogart appela pour exprimer ses vœux. On photographia le groupe autour du gâteau. Kim Novak, petite amie officielle de Sinatra, s'était associée à eux[10].

De retour à la maison, Betty trouva son mari « nerveux et hostile... Il était un peu jaloux de Frank, me savait sensible à son charme et croyait Frank amoureux de moi, mais son humeur tenait surtout au fait que sa maladie avait considérablement amoindri notre vie physique, qui tenait une si grande place entre nous ». Sinatra était devenu une constante dans leur vie. Pendant les mois que dura la maladie de Bogie, il vint régulièrement le voir. Stephen se souvient de cet homme souriant en polo et pantalon jaunes, « un type gentil et joyeux qui tentait de nous remonter le moral[11] ».

La santé de Bogart donnait lieu à toutes sortes de rumeurs. Un jour, Joe Hyams arriva et Bogie lui demanda : « Et qu'est-ce qu'elles disent de moi, ces vampires ? » Hyams lui rapporta que les échotières le disaient dans le coma. « Tu peux raconter, dit-il à Joe, que je sirote mes derniers martinis. Et si je lutte, c'est contre les flots de bobards qui risquent de me noyer[12]. » Une autre fois, rendu furieux par l'échotière Dorothy Kilgallen qui avait écrit qu'il était mourant, il appela Hyams et lui dicta une « Lettre ouverte aux journalistes » qui prouvait qu'il n'avait rien perdu de son esprit, en dépit de ses maux physiques.

> ... J'ai lu qu'on m'avait enlevé les deux poumons, qu'il me restait une demi-heure à vivre, que je luttais contre la mort dans un hôpital qui n'existe pas, que mon cœur s'était arrêté et avait été remplacé par une vieille pompe à essence d'une station-service désaffectée de la Sandard Oil. On m'a conduit dans tous les cimetières, ou peu s'en faut, entre ici et le Mississippi — y compris un bon nombre où, j'en ai la certitude, ne sont admis que les chiens. Toutes ces fausses nouvelles perturbent mes amis, sans parler des compagnies d'assurances...
>
> J'étais atteint d'une tumeur sans gravité à l'œsophage. Pour éviter à certains d'entre vous des recherches au service de documentation, précisons qu'il s'agit du tuyau qui relie le fond de la gorge à l'estomac. L'opération destinée à l'ablation de cette tumeur a réussi, encore que pendant un certain temps la question se soit posée de savoir qui gagnerait la partie, cette tumeur ou moi.
>
> Comme on dit à Washington, je ne me suis jamais si bien porté ; il ne me manque qu'une douzaine de kilos, que certains d'entre vous, à coup sûr, pourraient avantageusement me céder. Peut-être pourrions-nous créer une sorte de "banque de poids" pour Bogart, et, croyez-le bien, je ne ferai pas la fine bouche sur la partie de votre anatomie où sera opéré le prélèvement[13]...

Pourtant, le 26 novembre, il entra à l'hôpital Saint John, à Santa Monica, pour ce qu'on annonça comme le retrait de tissus cicatriciels. Il s'agissait en fait d'un traitement contre des métastases du cancer primitif. Après cinq jours, il rentra chez lui. L'hôpital déclara à la presse qu'il allait bien et qu'il se sentait beaucoup plus fort. En réalité, les médecins ne nourrissaient que peu d'espoir.

On ne put rien faire de mieux dans les semaines qui suivirent que de lui donner une vie aussi confortable que possible chez lui. Amis et collègues lui rendirent visite dans un joli salon au rez-de-chaussée. Les habitués de Holmby Hills vinrent en force — les Niven, les Romanoff et Irving Lazar, qui avait surmonté une peur panique de la maladie pour rester auprès de son ami. Mary Baker venait souvent, Truman Capote vint quelques fois, et Adlai Stevenson se fit un devoir de lui rendre visite. Katharine Hepburn et Spencer Tracy arrivaient vers vingt heures trente presque chaque soir, quand tous les autres étaient partis et Bogie remonté à l'étage.

Raymond Massey, en visite à Los Angeles, s'arrêta chez le malade, et Bogie et lui évoquèrent en riant les mésaventures sur le plateau de *Convoi vers la Russie*. « Ray évita toute allusion à la maladie, raconte Lauren Bacall, mais ce fut Bogie lui-même qui attaqua le sujet le premier en disant : "Attends de savoir tout ce qui m'est arrivé, tout ce qu'on m'a fait ; c'était affreux." Et après avoir décrit en détail son opération, il demanda à Ray s'il voulait voir sa cicatrice. A la fin de sa visite, c'était Ray dont il fallait remonter le moral [14]. » Même Jack Warner lui rendit visite. Il était aussi mal à l'aise avec Bogart malade qu'il l'avait été avec Bogart en bonne santé, mais il fit de son mieux. Le scénariste Henry Ephron, qui vint avec son épouse et partenaire de travail Phoebe, raconta plus tard que le flot de visiteurs avait quelque chose d'un rituel : Hollywood marquait le départ d'un des siens ; en fait, dans bien des cas, c'était une question de statut social : dire qu'on était allé voir Bogart et s'émerveiller de son courage faisait bon effet.

Bogart accueillait ses visiteurs dans un fauteuil — puis dans un fauteuil roulant —, un verre de scotch très allongé d'eau et de glace à portée de la main. « Les gens arrivaient avec les ragots et les blagues du jour, dit Hyams. Si on n'avait pas su qu'il était très malade, on aurait pu croire que c'était une sorte de fête, car tout le monde était là pour illuminer sa journée de joie. Je ne sais pas ce qu'étaient leurs journées, mais quand ils franchissaient le seuil, ils venaient lui remonter le moral. Si bien que jamais je ne suis reparti vraiment déprimé. La seule fois, ce fut quand je découvris comment il descendait au rez-de-chaussée [15]. »

Comme les visiteurs venaient pour lui remonter le moral, Bogart, en retour, voulait être à la hauteur. Sa maladie progressant, il fut bientôt trop faible pour descendre tout seul, et il refusait qu'on le porte, mais il voulait absolument recevoir ses amis dans le salon plutôt que dans son lit à l'étage. « A cinq heures, raconte Huston, il se faisait raser et s'habillait : pantalon de flanelle grise et veste d'intérieur grenat. Lorsqu'il ne fut plus capable de marcher, on l'installait dans un fauteuil roulant jusqu'à un monte-charge qui le descendait à la cuisine, assis sur un petit tabouret. Puis ses infirmières le replaçaient dans un autre fauteuil roulant pour le conduire jusqu'à la bibliothèque. On le trouvait là, dans son fauteuil, une cigarette dans une main, un verre de xérès dans l'autre, pour accueillir à cinq heures et demie ses meilleurs et plus vieux amis [16]. » Il y avait toujours à boire pour les visiteurs, et un bol plein de cacahuètes.

« Betty organisait tout, dit Hyams. Elle était exemplaire. Par la façon dont elle se débrouillait vis-à-vis de la maladie, de la presse, d'elle-même et des enfants, je la trouvais tout simplement formidable, très digne, très courageuse, très chaleureuse. Si j'avais été mourant, je n'aurais rien voulu d'autre[17]. »

Alistair Cooke, qui s'attendait à ce que le traitement par les rayons rende difficiles les réjouissances habituelles, trouva au contraire qu'il n'y avait « aucune tension d'aucune sorte ». « Je crois, raconte-t-il, qu'il vivait le pire, et qu'il était bien décidé à s'oublier deux heures par jour pour se détendre avec ses amis avant que la mort n'arrive. Jamais nous n'avons su avant sa mort que depuis des mois il souffrait de douleurs abominables... Il resta un vrai squelette ; la dernière fois que je montai le voir, il terminait son testament. Il en parla, et de sa maladie, et de l'inutilité soudaine de l'argent, avec un humour naturel et un sérieux tout aussi naturel, sans se plaindre — sans non plus de courageuse absence de plainte[18]. » Mais l'élégance de Bogart ne pouvait masquer sa dégradation physique. « L'image de la mort était sur lui », dit Hyams.

Richard Brooks brilla par son absence, ce que Lauren Bacall ne lui pardonna jamais[19], mais il finit quand même par venir, non pas en bas dans le cadre soigné du salon, mais dans la chambre, où les effets dévastateurs de la maladie étaient plus évidents. Brooks devait admettre combien il avait été difficile pour lui de voir son ami dans cet état. Ils jouèrent aux échecs, mais Bogart était nauséeux. Brooks, embarrassé pour Bogart et incapable de contrôler sa propre angoisse, dit qu'il devait partir, qu'ils continueraient la partie le lendemain. Bogart lui fit signe de se rasseoir. Brooks résista environ cinq minutes qui lui « semblèrent une heure ». « Et finalement j'ai dit : "Non, tu sais Bogie, je n'ai plus la tête à jouer", et plein de conneries. Une excuse pour partir. Parce que je trouvais ça gênant pour lui. » Brooks se leva et Bogart lui adressa un sourire amer avant de lui dire, sans méchanceté : « Qu'est-ce qu'il y a, mon gars ? Tu ne peux pas le supporter ? »

Ce furent les derniers mots que Brooks l'entendit prononcer. « Il avait raison. Je ne pouvais pas le supporter. Et il le savait[20]. »

Il ne parla jamais du fait qu'il était en train de mourir, mais « il devait le savoir, car il s'affaiblissait, raconte sa vieille amie Natalie Schafer. Un jour il s'est tourné vers moi alors que nous étions seuls et il a dit : "Surveille Betty. Ne la laisse pas se mêler à tous ces cons."[21] » Mais la plupart des gens le trouvaient optimiste ; il s'accrochait à sa vieille certitude que tout acteur a besoin de travailler : « Si seulement je pouvais travailler, disait-il, j'irais mieux[22]. »

La maladie progressant, les visites des enfants se firent plus rares dans la chambre. « Parfois ils venaient dire bonjour, ou autre chose, mais ils étaient aussi sages que possible. » Un jour, quand Stephen et Leslie partirent prendre leur bain après avoir joué dans la chambre,

leur père dit à Betty : « Ne les fais pas venir ici trop souvent, Baby[23]. »
Elle se demanda si c'était parce qu'il voulait qu'ils se souviennent de
lui tel qu'il avait été, ou si simplement leur présence lui était insupportable parce qu'il savait qu'il ne les verrait pas grandir.

A Noël, cinquante-septième anniversaire de Bogie, les médecins
annoncèrent à Betty que son époux n'avait plus que très peu de jours
à vivre ; ils ne savaient même pas comment il avait réussi à survivre
si longtemps. Un peu plus tard, Betty demanda à Katie Hepburn si,
Bogie mort, Spencer Tracy pourrait prononcer l'éloge funèbre.
Spencer, le plus fidèle à son chevet, était si désespéré par la perte
imminente de son ami qu'il ne put répondre oui.

Fin 1956, John Huston était à la réception de l'hôtel St Regis à
New York, quand on lui passa un appel. C'était Betty qui, d'une voix
difficilement contrôlée, lui annonça que Bogie allait mourir. On ne
savait pas quand, mais il était en phase terminale. Est-ce qu'il pourrait
écrire l'éloge funèbre[24] ?

Huston en parla, peu avant sa propre mort, d'une voix sourde et
intense. « Je... Je n'arrivais pas à croire ce que j'entendais. Et j'ai dit,
oui... bien sûr. Elle me demandait d'écrire quelque chose. Pour le cas
où je ne serais pas là, si j'étais en Irlande... d'écrire quelque chose.
Qu'on lirait. J'ai essayé, mais c'était impossible. Mais quand il est
mort... j'ai pu[25]. »

Huston revint à Los Angeles en janvier 1957, vit Bogart, et, bouleversé par l'aggravation de l'état de son ami depuis la dernière fois
qu'il l'avait vu quelques mois auparavant, se rendit au bureau de son
agent Paul Kohner. « Il était affolé par ce qu'il avait vu. On aurait dit
que Bogart ne pesait plus rien — dans les trente-cinq kilos, pensait
Huston — et il avait des yeux immenses dans un visage émacié[26]. »

Le soir du samedi 12 janvier, Katie Hepburn et Spencer Tracy
vinrent comme d'habitude. A la fin de leur visite, Katie remarqua
combien Bogart avait les mains maigres. « Bogie était dans un fauteuil
roulant et je me suis penchée vers lui pour l'embrasser avant de partir.
Spencer s'est approché de lui. Il a dit : "Bonne nuit, Bogie", et il lui
a posé la main sur l'épaule. Alors Bogie a posé la main sur celle de
Spencer, et l'a tapotée en disant : "Adieu, Spence." »

Katie Hepburn était au bord des larmes en se remémorant cette
scène. « J'ai failli m'évanouir. Quand nous sommes sortis, Spence a
dit : "As-tu entendu ce qu'il a dit ?" et j'ai répondu : "Tout à fait."[27] »

Le dimanche, Betty déposa Stephen et Leslie à l'église épiscopale
de Beverly Hills pour le catéchisme, puis rentra s'asseoir près de son
mari. Plus tard, elle alla rechercher les enfants, et à leur retour, Bogie
semblait profondément endormi. Le Dr Brandsma l'examina et dit à
Betty que son mari ne sortirait probablement pas de ce coma. Il tenta
d'expliquer le coma à Stephen en lui disant que son père risquait de
ne pas se réveiller. Quand on demanda à l'enfant s'il comprenait, il

s'enfuit de la pièce. Au bout d'un moment, Betty l'emmena dans la chambre de Bogie, où régnait une « odeur de maladie et de mort. On s'est assis au bord du lit. Ma mère semblait plus effrayée que moi. Je me suis approché de mon père. Ma mère et moi avons pris chacun une de ses mains dans la nôtre et nous sommes restés sans dire un mot... Au bout d'un moment, je me suis penché vers mon père et je l'ai embrassé. Maman a fait pareil. Plus tard ce même jour, elle m'a retrouvé dans la chambre au chevet de mon père. Elle m'a demandé pourquoi j'étais revenu. "Parce que j'en avais envie", ai-je dit [28] ».

A deux heures vingt-cinq du matin, le 14 janvier, Humphrey Bogart mourut [29]. Betty pleura le reste de la nuit. Avant l'aube, elle appela Andy, le fils de Morgan Maree, et lui demanda de prendre toutes les dispositions pour les funérailles. Puis elle apprit aux enfants la mort de leur père.

La nouvelle se diffusa rapidement. « Mort de Bogart, nota Walter Wanger dans son agenda. Ai appelé Betty à neuf heures quarante-cinq, et suis rentré [30]. » Déjà, une foule de journalistes de la presse écrite et de la télévision avaient envahi le parc devant la maison et leurs voitures encombraient la route [31].

A New York, au Copacabana Club, Frank Sinatra, la voix étouffée par une prétendue laryngite, annula ses deux représentations de la soirée. « Ce ne serait pas bien », dit-il à son agent, Abe Lastfogel [32].

John Huston s'installa dans un bureau de l'agence Kohner pour rédiger son éloge funèbre tout en essayant de contrôler sa peine. « Ce fut une torture, a raconté la secrétaire Irene Heymann. Il y a passé des heures pour que ce soit bien. Ce fut terriblement dur pour lui. »

A l'époque, on ne put accéder au vœu de Bogart de voir ses cendres dispersées dans le Pacifique. C'était illégal. Mais il avait dit à maintes reprises à sa femme qu'il ne voulait pas d'enterrement, si bien qu'Andy Maree et elle décidèrent de le faire incinérer, d'organiser une cérémonie à sa mémoire et de déposer l'urne au columbarium de Forest Lawn. Ces préparatifs auraient amusé Bogart. A l'époque, le cimetière fournissait toutes les funérailles pour le prix du cercueil. Or comme le cercueil de Bogart devait être brûlé, je fus « tenté d'acheter la boîte en pin la moins chère possible, raconte Maree. Ma seule crainte était que Betty demande une dernière visite au funérarium avant l'incinération, et je ne voulais pas qu'elle trouve ça trop minable, alors je suis monté un peu dans les prix — mais pas assez pour que Forest Lawn soit content. On devait nous fournir deux ou trois limousines, les faire-part, les annonces dans les journaux, etc. Connaissant Bogart, je sais qu'il aurait ri de savoir que ses funérailles ont été une perte pour le cimetière [33] ».

La cérémonie funèbre eut lieu le 18 janvier à la All Saints' Church.

Deux cents personnes prirent place à l'intérieur de la petite église, tandis que des milliers d'autres devaient rester dehors, respectueuses en dépit de leur grand nombre[34]. « On n'avait pas prévu de permis spécial pour assister au service, dit Andy Maree. La foule, d'elle-même, a laissé passer les amis sans l'hystérie qu'il y aurait aujourd'hui. » David Niven et quelques autres expulsèrent rapidement les quelques photographes de presse qui avaient réussi à entrer en dissimulant leurs appareils[35].

A l'intérieur se trouvaient les amis, les compagnons de navigation et les célébrités de Hollywood. Jack Warner était là, comme Harry Cohn et David O. Selznick, avec Jennifer Jones. Aussi Katharine Hepburn et Spencer Tracy, bien sûr, et Gregory Peck, Gary Cooper, James Mason, Joan Fontaine, Danny Kaye, Ronald Reagan, Dick Powell, Danny Thomas, Edmund Goulding, Charles Boyer, Louis Jourdan, William Wyler et Richard Brooks, sans oublier Billy Wilder, avec son épouse, et Marlene Dietrich. Nunnally Johnson, à qui sa femme Dorris avait appris la nouvelle au téléphone, était revenu précipitamment de Savannah, en Géorgie, pour rendre hommage à son ami aux côtés de Niven, Romanoff, Leland Hayward et Irving Lazar.

La cérémonie fut simple. Le pasteur Kermit Castellanos récita les dix commandements au milieu des prières habituelles, et dit dans son bref commentaire que Bogart les avait respectés toute sa vie. Il conclut en lisant « Crossing the Bar » d'Alfred Tennyson, avec ses métaphores marines du passage de l'âme. En lieu et place du cercueil, il y avait une maquette du *Santana* dans une boîte en verre, près de l'autel.

Finalement, Huston se leva et parla de son ami de sa voix claire, profonde, sonore.

... Il aimait la vie. La vie pour lui, c'était sa famille, ses amis, son travail, son bateau. Il n'aurait pu concevoir de quitter l'un ou l'autre, et jusqu'au dernier instant il n'a cessé de bâtir des projets pour le temps où il serait guéri. Son bateau avait été repeint. Stephen, son fils, atteignait l'âge où il pouvait apprendre à naviguer et à hériter de son père l'amour de la mer. Quelques semaines à la voile et Bogie aurait été prêt à retravailler. Il allait faire de grands films, rien que des grands films à dater de ce moment-là.

Avec les années, il était devenu singulièrement conscient de la dignité de sa profession. Acteur, non pas vedette, mais acteur. Il ne se prenait lui-même jamais au sérieux. Son travail, en revanche, il le prenait très au sérieux. Il considérait le personnage plutôt voyant de Bogart, la vedette, avec un cynisme amusé. Bogart l'acteur lui inspirait un authentique respect. Ceux qui ne le connaissaient pas bien, qui n'avaient jamais travaillé avec lui, qui n'appartenaient pas au cercle restreint de ses vrais amis, avaient de l'homme une idée totalement différente de celle de ces heureux privilégiés. Je suppose que ceux qui n'avaient avec lui que des contacts superficiels se trouvaient très désavantagés devant lui, surtout ceux qui avaient le malheur de se targuer plus ou moins de leur propre importance. On sait que bien des gens importants se sont tenus à l'écart des plus brillantes réunions hollywoodiennes plutôt que d'exposer leurs nuques gonflées de suffisance aux banderilles de Bogie.

Dans chacun des bassins de Versailles nage un brochet qui maintient toutes les carpes en alerte, sinon elles deviendraient obèses et n'y survivraient pas. Bogie prenait un malin plaisir à jouer le même rôle dans les bassins de Hollywood. Et pourtant ses victimes ne lui en tenaient que rarement rigueur, et jamais pour longtemps. Ses traits ne visaient qu'à atteindre la zone épidermique de la vanité, non à causer de sérieuses blessures dans les profondeurs de la conscience.

Les grands palais de Beverly Hills et d'ailleurs, aussi bien du monde entier, étaient pour Bogie autant de stands de tir avec leurs pipes en terre. Sa propre maison était un sanctuaire. Entre ses murs, chacun, si éminente que fût sa position, pouvait respirer à l'aise. L'hospitalité de Bogie dépassait de beaucoup le boire et le manger. Il rassasiait son hôte de nourritures spirituelles aussi bien que terrestres, lui témoignait son bon vouloir jusqu'à le griser dans son cœur autant que dans son corps.

Bogie... possédait le don le plus précieux auquel puisse aspirer un homme : le talent...

Oui, Bogie a reçu de la vie tout ce qu'il pouvait en attendre. Ce n'est pas vers lui que doivent aller nos regrets, mais vers nous-mêmes qui l'avons perdu. Il est absolument irremplaçable[36].

Beaucoup pleurèrent. « Je crois que les gens ont ressenti une peine sincère, écrivit Nunnally Johnson à un ami. Beaucoup le détestent, ceux qu'il avait délibérément affrontés, et Dieu sait qu'il pouvait le faire cruellement, mais bien plus nombreux étaient ceux qu'il attirait par sa vivacité. Pour ma part, je ressens terriblement sa perte[37]. »

La cérémonie se termina par le psaume vingt-trois et une dernière prière, suivis de musiques de Bach et de Debussy, un des compositeurs préférés de Bogart[38]. Les photos de Betty devant l'église la montrent très mince dans sa robe noire ; les traits tirés de son visage témoignent des nuits sans sommeil. Elle a posé une main gantée de noir sur les épaules de Stephen alors qu'ils regagnent la limousine, et le petit garçon a levé une main devant ses yeux. « La veuve Lauren Bacall tente de réconforter son fils Stephen[39] », dit la légende dans *Life*. Bien des années plus tard, Stephen Bogart fit une remarque qui rappelle son père : il dit que lorsqu'il avait lu la légende sous la photo quelques jours après la cérémonie, il avait été vraiment vexé qu'ils aient écrit qu'il pleurait. « C'était un mensonge ! Je me couvrais les yeux pour échapper à tous ces vautours dehors. J'avais huit ans et je voulait qu'on rétablisse la vérité ! C'était déjà suffisant de voir votre père mourir sans qu'un magazine publie une photo de vous en disant que vous pleuriez[40] ! »

Tant de gens vinrent à la maison présenter leurs condoléances que Betty eut l'impression que défilaient tous ceux qui étaient à l'église. Il y avait à boire, Mike Romanoff avait envoyé du cassoulet et quantité d'autres victuailles, ainsi que des serveurs. « On eût dit une fête — ou presque[41]. » Betty ne put pourtant ignorer l'absence d'une personne en particulier. Howard Hawks revenait à Beverly Hills après des années en Europe quand Bogart mourut. Dee Hawks fut écrasée de douleur à la nouvelle de sa mort, mais elle se dit qu'au moins ils étaient revenus à temps pour présenter leurs condoléances. « Allons chez lui », dit-elle à son mari. L'homme qui plus que tout autre était à l'origine du couple Bogart se raidit, son beau visage qu'encadraient ses cheveux blancs se fit hostile. « Ils ne m'ont jamais invité quand il était en vie, dit-il, glacial. Pourquoi est-ce que j'irais maintenant[42] ? »

L'inévitable épisode comique vint de l'Association des fleuristes américains. Les journaux avaient indiqué, à la demande de Betty, qu'au lieu de fleurs elle préférait que les gens fassent un don à l'Association contre le cancer. Les fleuristes envoyèrent un télégramme. « Comme j'ouvrais ce que je croyais être un autre message de condoléances, je restai bouche bée. "Demandons-nous aux gens de ne pas aller voir les films de Lauren Bacall ?" Ce fut pour moi et pour tous ceux qui lurent ce télégramme le seul rire de la journée qui ne sonnât pas faux[43]. »

Les médias traitèrent la mort de Bogart comme un évènement national. Le *New York Times* comme le *Los Angeles Times* l'annoncèrent à la une. A la une du *New York Herald Tribune* figurait un article de Joe Hyams sur son ami, et il y avait des éditoriaux et des articles sur Bogart dans tous les journaux du pays. On égrenait les titres de ses plus grands films comme un tableau d'honneur, mais on évoquait aussi l'homme. Les éditorialistes politiques parlèrent du départ de la star tout en se demandant à haute voix pourquoi ils prêtaient une telle attention à un acteur de Hollywood.

Pontifiant, Max Lerner leur donna la réponse. Bogart, écrivit-il, « s'emparait de l'imagination des gens... et il s'emparait aussi de notre affection, car il exprimait quelque chose en lui que nous avions tous besoin de voir exprimé... Les deux Bogart, le dur du cinéma et le vrai dur dans la vie, avaient toujours un côté bravache — et ce côté bravache, dans le même temps, ils le refusaient. Je crois que nous l'aimions tant surtout parce que la plupart d'entre nous, dans nos vies, n'ont que rarement la possibilité d'envoyer au diable les imposteurs, les gens suffisants, les gens creux[44] ».

En Grande-Bretagne, les neuf journaux nationaux annoncèrent son décès en grosses lettres noires. Le *Times* de Londres le qualifia de symbole du héros mythique américain — « le pendant masculin de la fille de petite vertu au cœur d'or[45] ». Dans une Europe où les cicatrices de la guerre n'avaient que onze ans, la façon dont Bogart semblait lutter malgré son désespoir avait des résonances plus profondes encore que chez ses compatriotes. En France, une jeune génération de réalisateurs visionnèrent ses films et virent en lui un héros de leur époque. Ce mois-là, dans les prestigieux *Cahiers du Cinéma,* le critique André Bazin l'appela « *l'homme d'après le destin* ». Dans la presse allemande, éditoriaux et commentaires le baptisèrent « *Der vom Tod Gejagten* » — l'homme pourchassé par la mort.

En Italie, deux pêcheurs de Portofino avec qui il s'était lié d'amitié pendant le tournage de *la Comtesse aux pieds nus* jetèrent une couronne de fleurs dans la mer[46].

A New York, Helen Menken et Grace Lansing Lambert, toujours aussi belles, se retrouvèrent au Plaza pour un thé et parlèrent de Humphrey[47].

Les journaux annoncèrent une minute de silence à la Warner au moment de la cérémonie funèbre, mais aucun de ceux qui s'y trouvaient ce jour-là n'en a gardé le moindre souvenir. Betty envoya une copie de l'éloge funèbre de Huston à Jack Warner, avec un mot chaleureux rappelant les bons moments passés ensemble. J. L. répondit aimablement mais ne mentionna aucune collaboration future. Lauren Bacall ne retravailla jamais pour la Warner.

Le testament de Humphrey DeForest Bogart fut enregistré en février. Il avait prévu des rentes pour Stephen et Leslie, deux petites donations pour sa secrétaire, Kathryn Sloan, et pour la cuisinière de la famille, May Smith. La moitié de ses fonds et la jouissance de tous ses biens en usufruit revinrent à Betty[48].

Les Jaguar furent vendues. Harvey, malade et vieux, eut des problèmes cardiaques et on dut le piquer. L'un après l'autre, les autres boxers moururent. L'équipage du *Santana* tremblait à l'idée de voir un autre que Bogart barrer son bateau, et il envisagea de saborder le yawl en hommage à Bogie. Mais Betty demanda à l'équipage de prendre à bord tout ce qui était chargé de souvenirs, et le second amour de Bogart fut vendu.

Quelques mois plus tard, Max Wilk, dont la découverte du *Faucon maltais* presque trente ans plus tôt avait mis en mouvement un enchaînement d'évènements qui avaient bouleversé la carrière de Bogart, vit Betty à l'écart lors d'une soirée à Bel Air et s'approcha d'elle. Elle ne pouvait le reconnaître, commença-t-il, hésitant, parce que la dernière fois qu'ils s'étaient rencontrés, il était en uniforme.

« Et où était-ce ? demanda-t-elle presque avec indifférence.

— Chez vous. Je vous ai amené un chien.

— Oh, Seigneur ! Harvey ! C'était le meilleur ! Nous l'avons aimé comme des fous ! »

Quand elle se mit à pleurer, Wilk se rendit compte qu'ils parlaient de bien plus que du chien qu'il avait rapporté en train de Chicago à Los Angeles comme cadeau de mariage pour Humphrey Bogart et sa jeune épouse[49].

Quand on longe à l'ouest vers Burbank le pied des monts San Gabriel, l'entrée de Forest Lawn n'est pas loin du tournant de la route qui mène aux studios de la Warner. Le cimetière occupe des hectares de collines recouvertes d'un gazon toujours vert.

L'urne qui contient les cendres de Bogart et le sifflet en or qu'il avait offert à Betty ont été placés dans une niche du columbarium, zone privée que protège un portail en fer forgé, loin des curieux et à des kilomètres de l'océan où il aurait préféré qu'on disperse ses cendres. Sur la plaque, on lit simplement : « Humphrey DeForest Bogart, 25 décembre 1899 — 14 janvier 1957. »

REMERCIEMENTS

Ann Sperber réalisa près de cent cinquante interviews de personnes qui avaient été en relations avec Humphrey Bogart. Elles lui ont généreusement offert leur temps, leur talent, et dans bien des cas leur amitié. Elle était profondément reconnaissante, et je le suis aussi, à :

Harry Ackerman, Junius Adams, Claude Akins, Eddie Albert, Henny Backus, Joy Barlowe, Regina Beaumont, Bruce Bennett, Joan Bennett, Robert Blake, Stephen Bogart, Peter J. Boyer, Richard Brooks, Clarence Bruner-Smith, Joyce Buck, Jules Buck, Isabel Bunker, Murray Burnett, Niven Busch, Sammy Cahn, William Campbell, Hoagy Carmichael Jr, Charles Carson, Ed Clark, Jack Coffey, Norman Corwin, Dee Hawks Cramer, Jane Bryan Dart, Frederick De Cordova, Irene Lee Diamond, Edward Dmytryk, Richard Dorso, Henry Ephron, Julius J. Epstein, Richard Erdman, Rudi Fehr, Geraldine Fitzgerald, Mitch Gamson, Phil Gersh, Julie Gibson, Bill Graf, Arthur Hamlin, Frank Hamlin, Helen Hayes, Paul Henreid, Katharine Hepburn, Irene Heymann, Rose Hobart, Cy Howard, Jean Howard, Marsha Hunt, John Huston, Joe Hyams, Sam Jaffe, Dorris Johnson, Lee Katz, Gene Kelly, Evelyn Keyes, Sidney Kingsley, Leonid Kinsky, Howard Koch, Paul Kohner, Stanley Kramer, Grace Lansing, Ring Lardner Jr, Douglas Laurence, Jerome Lawrence, Paul Lazarus, Kenneth Leffers, Joan Leslie, June Levant, Harry Lewis, Mort Lickter, Cynthia Lindsay, Ida Lupino, Allan McMillan, Delbert Mann, Florence Eldridge March, A. Morgan Maree Jr, Victor Mature, Bill Mauldin, Pat Miller, Irving Moore, Jess Morgan, Richard Morse, Kurt Niklas, William T. Orr, Irving Rapper, Ronald Reagan, Allen Rivkin, Hugh Robertson, Earl Robinson, Henry Rogers, George Roosevelt, Eddie Saeta, Bill Schaefer, Margaret Schaefer, Natalie Schafer, Betty Warner Scheinbaum, Bob Schiffer, Lizabeth Scott, Walter Scott, Walter Seltzer, Gloria Stuart Sheekman, Walter Shenson, Vincent Sherman, Arthur Silver, Arthur Sircom, Helga Smith, Milton Sperling, Rod Steiger, Gary Stevens, Hope Bromfield Stevens, Marial Hirleman Stevenson, John Strauss, Walter Surovy, Lyle Talbot, Kay Thackeray, Harriet Thompson, Sylvia Sheekman Thompson, Verita Thompson, Regis Toomey, Claire Trevor, Philip Van Renssalaer, Benay Venuta, Peter Viertel, Malvin

Wald, Jack Warner Jr, Martin Weiser, Charles Wick, Arthur Wilde, Meta Wilde, Buster Wiles, Max Wilk et Bob William.

Si j'ai oublié quelqu'un, je le prie de m'en excuser, et de croire lui aussi à toute ma reconnaissance.

Ann tenait à remercier tout particulièrement Philip et Amanda Dunne, ainsi que Dan et Evelyn Seymour, pour la façon dont ils ont partagé avec elle leurs souvenirs et pour leur accueil chaleureux. Elle était reconnaissante également à Judith Adler-Hennessee, Patricia Bosworth, et Penelope Niven, biographes elles aussi, qui l'ont généreusement soutenue et encouragée ; à Mary Ann Anderson, pour son aide immense et son amitié ; à Charles Champlin, pour les contacts utiles qu'il a initiés ; à Rudy Behlmer, pour avoir partagé son expérience ; à George M. Carter pour ses documents précieux ; à Jane Bloom-Stewart, pour son aide gracieuse concernant les aspects juridiques ; à Don Swaim, ami fidèle qui lui apprit tout ce qu'on doit savoir des ordinateurs ; à Sam Vaughn, pour avoir cru à son travail ; et à Joseph Wershba, pour ses encouragements sans faille.

Les archives forment la colonne vertébrale de cet ouvrage, et Ann passa des années à les consulter dans tout le pays. Nous remercions Ann G. Schlosser, conservateur de la Cinema-Television Library au sein de la Doheny Library à l'University of Southern California, et Ned Comstock, bibliothécaire, qui rechercha tout ce qu'Ann lui demanda ; Stuart Ng et Noelle Carter, des archives de la Warner Brothers à l'École de cinéma et de télévision, University of Southern California ; Stacey Behlmer, de la Margaret Herrick Library à l'Academy of Motion Picture Arts and Sciences ; Dace Taub, conservateur du Regional History Project à la Doheny Library de l'University of Southern California ; Pat Kowalski, des archives de la Warner Bros. Corporate ; Ann Wilkens, du Wisconsin Center for Film and Theater Research, à la Wisconsin State Historical Society ; Janice Madhu, à la George Eastman House de Rochester, New York, et Sid Rosenzweig, pour son aide dans les recherches iconographiques ; le Department of Special Collections, Mugar Memorial Library, Boston University ; le Harry Ransom Humanities Research Center, University of Texas à Austin ; le Department of Special Collections des Stanford University Libraries ; la Harvard Theatre Collection, Harvard College Library ; les University of Oregon Library Special Collections ; la Theater Collection du Lincoln Center for the Performing Arts ; la Theater Collection de la Firestone Library, Princeton University ; le Museum of Broadcasting ; la Wisconsin State Historical Society ; la Schuyler County (New York) Historical Society ; le Museum of the City of New York ; et l'Ontario County Historical Society.

Leith Adams, l'archiviste de Warner Brothers, apporta une aide qui dépassa de loin la courtoisie professionnelle. Son amitié pour Ann fut un grand soutien pour elle, comme pour moi aussi sa gentillesse.

Je remercie Linda « Sherlock » Amster, qui sait retrouver les faits les plus obscurs, et ajoute à la recherche l'amusement d'une enquête ; Lauren Bacall, Milton Barrie, William Barrie, Lita Warner Heller et Aljean

Harmetz, pour de nouvelles informations ; Eivind Boe, pour la précision avec laquelle il prépara le texte pour l'impression, ainsi que Bruce Giffords, de chez William Morrow, qui y contribua aussi ; Dennis et Dexter Cirillo, pour leur chaleureuse amitié ; William Clark pour avoir répondu à des milliers d'appels ; David James Fisher, pour m'avoir aidé à défricher le terrain ; David Freeman, pour son attention constante ; Arthur Gelb, pour son interêt toujours renouvelé ; Walter Hill, pour une relecture fort utile ; John LaHoud, pour une foule de détails ; Shirley Lord, pour une merveilleuse recommandation ; Sonny Mehta, pour m'avoir introduit auprès d'une personne difficile d'accès ; Jonathan Segal, pour son soutien ; Don Swaim, le grand ami d'Ann, pour avoir organisé et transféré ce que contenait son ordinateur — sans lui je serais encore perdu dans le cyberespace —; Arthur Ochs Sulzberger, pour le souci qu'il s'est fait ; Linda et William Tyrer, qui m'ont laissé utiliser leur photocopieur, mais dont l'amitié ne peut être dupliquée ; et Lisa Sperber se joint à moi pour remercier Robert Stein et Edward Weidenfeld, pour une heureuse harmonie dans le travail. Quatre personnes qui me sont chères — Terrence Clancy, Dorothy Lax, Harold Barrett Robinson, et Carol Fox Sulzberger — ne liront pas ces lignes, mais l'amour que j'éprouve pour elles reste intact.

Je n'en finirai jamais de remercier mes amis de longue date, Jamie Wolf, pour bien des notes, et David Wolf, pour avoir été présent.

Owen Laster, de la William Morris Agency, mon agent comme celui d'Ann, m'a amené à ce livre. Ann voulait le remercier pour l'avoir fait décoller ; quant à moi, je voudrais le remercier pour l'avoir fait atterrir en toute sécurité. Harvey Ginsberg, notre éditeur, a des opinions très tranchées aussi bien sur les grandes idées philosophiques que sur les points-virgules, et il n'hésite pas à les exprimer. Aucun auteur ne pouvait être mieux servi que moi.

Lisa et Alan Sperber, la mère et le frère d'Ann, m'ont fait confiance pour terminer ce qu'elle avait commencé. Ils n'auraient pu me rendre la tâche plus facile. Lisa fut présente tout du long, et je la remercie pour tout ce qu'elle a fait. J'aurais préféré que nous nous rencontrions dans d'autres circonstances.

Pendant presque deux ans, je n'ai pas pu passer une soirée ni un week-end avec mon épouse, Karen Sulzberger, ni avec nos fils, Simon et John. Ma reconnaissance pour leur compréhension et leurs encouragements n'est dépassée que par mes regrets de ne pas avoir été plus présent pour eux.

NOTES

Quelques abréviations :

AMPAS : Academy of Motion Picture Arts and Sciences.

BU : Department of Special Collections, Mugar Memorial Library, Boston University.

CKF AFI : Charles K. Feldman Collection, à l'American Film Institute.

HRHRC : Harry Ransom Humanities Research Center, University of Texas at Austin.

JWC USC WB : articles provenant de la Collection Jack Warner à l'USC.

NB : Nathaniel Benchley Collection.

UO : University of Oregon.

USC WB : Warner Bros. Archives, School of Cinema-Television, University of Southern California.

UT : University of Texas.

WSHS : Wisconsin State Historical Society.

CHAPITRE 1

1. Robert J. Vierhile et William J. Vierhile, *The Canandaigua Lake Steamboat Era, 1827 to 1935*, Naples Historical Society, Naples, N.Y., 1978.
2. Frank Hamlin, *Summers at the Lake* (non publié).
3. Frank et Arthur Hamlin, interview du 14 août 1989.
4. Kate Holliday, « Humphrey Bogart's Own Story », *Ladies' Home Journal*, juillet 1949.
5. Grace Lambert, interview du 14 juillet 1989.
6. Holliday, loc. cit.
7. F. et A. Hamlin, interview.
8. Holliday, loc. cit.
9. F. et A. Hamlin, interview.
10. Holliday, loc. cit.

11. Grace Lambert, interview.
12. Lettre de Mme H. A. Hill à George Greer, 6 mars 1871, et lettre de Josephine Sakler à George Greer, 7 mars 1871.
13. Holliday, loc. cit.
14. *Ontario County Times*, Canandaigua, N. Y., 15 juillet 1898.
15. Holliday, loc. cit.
16. *Daily Messenger* de Canandaigua, 28 juin 1939.
17. Francine Kirsch, « Maude Humphrey », in *Upstate Magazine*, 18 mars 1984.
18. Betsy Brayer, *New York-Pennsylvania Collector*, août 1978.
19. Holliday, loc. cit.
20. Joe Hyams, *Bogie*, Solar, Paris, 1972, p. 27.
21. Nathaniel Benchley, *Vie et mort d'Humphrey Bogart*, Lherminier, Paris, 1979, p. 14.
22. 1907 Winter Season 1908 ; New York City, Dau Publishing Co.
23. Holliday, loc. cit.
24. Archives de la Trinity School, New York.
25. Doug Storer, *Pictorial Living*, 15 août 1965.
26. Hamlin, interview.
27. *Daily Messenger* de Canandaigua, 17 avril 1941.
28. Hamlin, *Summers at the Lake*.
29. Grace Lambert, interview.
30. Holliday, loc. cit.
31. Archives de la Trinity School.
32. Richard Schickel, *Schickel on Film*, New York, William Morrow and Co., 1987, p. 219.
33. *Selected Letters of Raymond Chandler*, lettre du 30 mai 1946 à Hamish Hamilton, Frank MacShane éd., Delta/Dell, 1987, p. 75 (éd. française, p. 301).
34. Eric Hatch, lettre du 2 décembre 1967.
35. NB, BU.
36. Phillips Academy Blue Book, 1914-1915.
37. Arthur Sircom, lettre à Nathaniel Benchley, 31 décembre 1973.
38. Hyams, op. cit., p. 41.
39. Lettre du 18 mai 1918.
40. Lettre du 20 mai 1918.

CHAPITRE 2

1. Hyams, op. cit., p. 43.
2. Stuart Rose, interview, n.d., NB, BU.
3. Hyams, op. cit., p. 44.
4. Holliday, loc. cit.
5. Rose, interview.
6. Hyams, op. cit., p. 45.
7. Ibid.
8. Rose, interview.
9. Hyams, op. cit., p. 48.
10. Clifford McCarty, *Humphrey Bogart*, Veyrier, Paris.
11. Howard Sharpe, « The Amorous Life Story of a Movie Killer », tome I : *Movieland*, probablement février 1943, p. 28.

12. Charles Frohman Inc., 1928. Section théâtre, The Museum of the City of New York.
13. Benchley, op. cit., p. 25.
14. Hyams, op. cit., p. 49.
15. Rose, interview.
16. Benchley, op. cit., p. 26.
17. Holliday, loc. cit.
18. Howard Sharpe, op. cit., probablement mars 1943, p. 33.
19. Louella Parsons, « Bogey », *Modern Screen*, n.d., probablement 1961 ou 1962, Collection Constance McCormick, USC.
20. Benchley, op. cit., p. 27.
21. Hyams, op. cit., pp. 54-55.
22. Benchley, op. cit., p. 31.
23. Hyams, op. cit., p. 56.
24. Louise Brooks, *Louise Brooks par Louise Brooks*, Pygmalion, Paris, 1983.
25. Rose, interview.
26. Hyams, op. cit., p. 58.
27. Ibid.
28. Benchley, op. cit., pp. 32-33.
29. Hyams, op. cit., p. 60.
30. Ibid.
31. Ibid., p. 61.
32. Mary Philips MacKenna, interview, n.d., NB, BU.
33. Hyams, op. cit., p. 62.
34. *It's a Wise Child*, programme, New York Theatre Program Corporation.
35. Mary Philips MacKenna, interview.
36. Rose, interview.
37. Hyams, op. cit., p. 64.
38. Ephraim Katz, *The Film Encyclopedia* (seconde édition), HarperCollins, New York, 1994, p. 435.
39. Jonathan Coe, *Humphrey Bogart : Take It and Like It*, Bloomsbury, Londres, 1991, p. 24.
40. Hyams, op. cit., p. 66.
41. Benchley, op. cit., p. 11.
42. Patricia King Hanson, éd., *The American Film Institute Catalog of Motion Pictures Produced in the United States : Feature Films, 1931-1940*, University of California Press, Berkeley, Ca., 1993, vol. 2, p. 2469.
43. Hyams, op. cit., p. 66.
44. Benchley, op. cit., p. 42.
45. Holliday, loc. cit.
46. Sharpe, op. cit., p. 34.
47. Hyams, op. cit., p. 68. Aussi *in* Sharpe, op. cit.
48. Cynthia Lindsay, interview du 8 mai 1991.
49. Archives du Players Club ; probablement 1934 ou 1935.
50. Hyams, op. cit., p. 71.
51. Holliday, loc. cit.
52. Hyams, op. cit., p. 71. Et *in* Benchley, op. cit., p. 59.
53. John Mason Brown, *The Worlds of Robert E. Sherwood, Mirror to His Times, 1896-1939*, Harper & Row, New York, 1965, p. 320.
54. Hyams, op. cit., p. 52.
55. Louise Brooks, op. cit.

CHAPITRE 3

1. Cass Warner Sperling et Cork Millner, *Hollywood Be They Name*, Prima Publishing, Rocklin, Ca., 1994, p. 2.
2. Jerome Lawrence, interview du 2 novembre 1987.
3. Henrietta Kaye, interview, n.d. (probablement 1989).
4. *The New York Times*, 23 septembre 1935.
5. Rudy Behlmer, *Inside Warner Bros.*, Viking, New York, 1985, p. 56.
6. Lyle Talbot, interview du 16 octobre 1989.
7. Carl Schaefer, interview du 16 septembre 1988.
8. Henry Blanke à Hal Wallis, mémorandum du 5 novembre 1935, USC WB.
9. Ibid., mémorandum du 6 décembre 1935.
10. Leslie Howard à Jack Warner, sans date, USC WB.
11. Roy Obringer à Hal Wallis, mémorandum du 23 décembre 1935, Rudy Behlmer, op. cit., p. 27.
12. William Barrie et Milton Barrie, interviews des 14 août 1995 et 11 juillet 1996.
13. Jack Warner à Roy Obringer, mémorandum du 9 décembre 1935, WB archives juridiques, USC WB.
14. USC WB.
15. *Philadelphia Inquirer*, 7 février 1936.
16. Hyams, op. cit., p. 89.
17. Behlmer, op. cit., p. 57.
18. Jack Warner à Hal Wallis, 3 janvier 1936, JWC, USC WB.
19. Arthur Silver, interview du 19 novembre 1987.
20. Lee Hugunin à T. C. Wright, mémorandum du 6 juillet 1936. USC WB.
21. Ibid., 7 juillet 1936.
22. Ibid., 8 juillet 1936.
23. Ibid., 15 juin 1936.
24. Hyams, op. cit., p. 81.
25. Barry Paris, *Louise Brooks*, Anchor/Doubleday, 1989, pp. 375-376 ; Louise Brooks, op. cit.
26. *New York Daily News*, 26 février 1936.
27. Robert Benchley à Mme Robert Benchley, le 27 avril 1936, NB, BU.

CHAPITRE 4

1. *New York Daily News,* 10 février 1924.
2. *New York Journal*, 13 février 1924 ; *New York Telegram*, 14 février 1924.
3. Sidney Skolsky, « Tintypes », *Hollywood Citizen News*, juillet 1943 ; aussi, Hyams, op. cit., p. 86.
4. Gloria Stuart, interview du 2 février 1990.
5. Brooks, op. cit.
6. Nathaniel Benchley, op. cit., p. 56. Gertrude Chase, interview, n.d., NB, BU ; aussi WB liste des employés, *Isle of Fury*, USC WB.
7. Coupure de presse sans référence, avec photo, 1938.
8. Mary Baker, interview, n.d., NB, BU.
9. Bette Davis à Jack Warner, 21 juin 1936, Behlmer, NB BU.
10. *London Daily Mirror*, 15 octobre 1936.
11. Jane Bryan Dart, interview du 24 septembre 1990.

12. Robert Lord à Hal Wallis, mémorandum de 1936, sans plus de précision, USC WB.
13. Frank S. Nugent, « Second thoughts on *Black Legion* », *The New York Times*, n.d.
14. *Herald Tribune* du 6 janvier 1937.
15. Red Kann, *Motion Picture Daily* du 20 décembre 1926.
16. *The Nation*, 30 juin 1936, éditorial, « Caliban in America », Paul W. Ward : *Washington Weekly*, « Who's Behind the Black Legion ? »
17. Morris Evenstein à Hal Wallis, mémorandum du 6 novembre 1936, USC WB.
18. *New York Post*, non daté, 1936 ou 1937.
19. *Morning Telegraph*, non daté, 1936 ou 1937.
20. The Knights of the Ku Klux Klan contre Warner Bros. Pictures, Inc. et Vitagraph, Inc., devant la cour du district nord de Géorgie, division d'Atlanta.
21. Bogart prononce quelques paroles en mourant dans *San Quentin (le Révolté)*, filmé fin 1936 et diffusé en 1937. Après un coup de feu fatal tiré par la police alors qu'il allait se rendre, il dit à ses complices de coopérer avec le directeur de la prison, joué par Pat O'Brien.
22. Le rôle de Katherina était joué par Frieda Inescort qu'on voit dans le rôle de la malheureuse femme de Bogart dans *The Great O'Malley (Septième district)*.
23. JLW, réponse manuscrite sur la demande d'Arnow à Warner, 26 juin 1937, USC WB.
24. Selon Lawrence Grobel dans *The Hustons* (Scribner's, New York, 1989, p. 182) la production n'eut pas de bonnes critiques.
25. Ezra Goodman, source inconnue.
26. Wallis à Bacon, mémorandums des 22 décembre 1936 et 12 janvier 1937, USC WB.
27. Sidney Kingsley, interview du 27 décembre 1989.
28. Ibid.
29. Un des jeunes du groupe ne partit pas sur la côte Ouest avec les autres ; c'était Sidney Lumet, qui abandonna la comédie pour la mise en scène.
30. Louella O. Parsons, article du 12 février 1937.
31. Kingsley, interview.
32. Mary Baker, interview, NB, BU.
33. Benchley, op. cit., p. 42.
34. Hyams, op. cit.
35. Stuart Rose, interview, NB, BU.
36. Mary Baker, interview.
37. Lettre de Noll Gurney à Jack Warner, 13 avril 1937, Bogart Legal File, WB Archives, USC.
38. Tay Garnett, interview, n.d., NB, BU.
39. Maxwell Arnow à Warner et Wallis, mémorandum du 3 septembre 1937, dossier de la production de *Swing Your Lady*, USC WB.
40. Warner Bros. Pictures, Inc., à Humphrey Bogart, le 7 septembre 1937, USC WB.
41. USC WB.
42. Hal Wallis à Walter McEwen, mémorandum du 24 avril 1936, USC WB.
43. Mary Baker, interview, NB, BU.
44. *The New York Times* du 23 mars 1938.

CHAPITRE 5

1. Gloria Stuart, interview.
2. Benchley, op. cit., p. 61.
3. George Oppenheimer, interviewé par Nathaniel Benchley, n.d., NB, BU.
4. Cynthia Lindsay, interview.
5. Allen Rivkin, interview du 20 janvier 1990.
6. Nathaniel Benchley raconte cette histoire d'après ce que lui en a dit George Oppenheimer, mais il modifie le récit en disant que c'était Bogart qui avait la corde autour du cou. Cynthia Lindsay (loc. cit.), qui était présente, assure que c'était bien Mayo.
7. Niven Busch, interview du 5 mai 1989.
8. Mary Baker interviewée par N. Benchley, notes dactylographiées, n.d. (probablement vers 1960), NB, BU.
9. Joe Hyams, op. cit., p. 73.
10. Henrietta Kaye, interview.
11. Gloria Stuart, interview.
12. Rivkin cité par Benchley, op. cit., p. 73.
13. Gertie Hatch Chase, interviewée par Benchley, notes dactylographiées, n.d., NB, BU.
14. Holliday, loc. cit.
15. Gloria Stuart, interview.
16. Cynthia Lindsay, interview.
17. Mary Baker interviewée au magnétophone par Benchley, n.d., NB, B. U..
18. Cynthia Lindsay, interview.
19. Gloria Stuart, interview.
20. Hyams, interview du 10 avril 1991.
21. Richard Brooks, interview du 26 septembre 1988.
22. Holliday, loc. cit.
23. Sperling et Miller, op. cit., p. 313.
24. Aljean Harmetz, *Round Up the Usual Suspects*, Hyperion, New York, 1992, p. 26.
25. Jane Bryan Dart, interview.
26. William Schaefer, interview du 28 juillet 1988.
27. Arthur Silver, interview.
28. Arthur W. Warnock, Programme du troisième dîner dansant de la Warner Club West Coast Studio Division, 1er avril 1937, USC WB.
29. Ronald Reagan, interview du 15 novembre 1990.
30. Esther Bernstein, « Ode to the Warner Club », *The Warner Club Yearbook*, troisième dîner dansant du club, jeudi 1er avril 1937, p. 25.
31. Lee Server, « An Interview with Huntz Hall », *Filmfax*, non daté.
32. Louis Bromfield, « Bogie », *Photoplay*, non daté, Collection Constance Mc Cormick, USC.
33. Richard Gehman, *Bogart*, Gold Medal Books, New York, 1965, p. 122.
34. Interview de William Holden, n.d., NB, BU. L'âge de Holden est indiqué dans « Vital Statistics », dossier de presse de *Invisible Stripes*, USC WB.
35. *The New York Herald Tribune*, non daté, vers 1939.
36. Geraldine Fitzgerald, interview du 8 décembre 1989.
37. *National Box Office Digest*, 1er mars 1939.
38. *The Hollywood Reporter*, mercredi 8 mars 1939.
39. *The New York Post*, 21 avril 1939.
40. Ronald Reagan, interview.

41. Mémorandum de Hal Wallis à Edmund Goulding daté du 3 novembre 1938, USC WB. Jonathan Coe, op. cit., prétend que Goulding refusa de mettre en scène cette séquence et que c'est le scénariste Casey Robinson qui le remplaça. Coe ne cite pas ses sources et les notes de la production ne contiennent aucune référence à un tel changement. En fait, ce mémorandum suggère fortement que Goulding a réalisé la scène. Rudy Behlmer, dans *America's Favorite Movies*, écrit que Robinson aurait dit : « Je n'étais presque jamais présent sur le plateau pendant le tournage des films » (p. 169).

42. Katz, op. cit., p. 333.

43. Bette Davis Collection, BU.

44. Mémorandum de David Lewis, 4 novembre 1938, USC WB.

45. *Dark Victory*, modifications, 3 décembre 1938, p. 166, USC WB.

46. Mary Philips, interview, NB, BU.

47. Irving Rapper, interview du 24 juillet 1989.

48. Mémorandum de Hal Wallis à Steve Trilling, 22 février 1939, USC WB.

49. Mémorandum d'Al Alleborn à T. C. Wright, 20 mars 1939. Behlmer, *Inside Warner Bros.*, op. cit., p. 86.

50. Mémorandums d'Alleborn à T. C. Wright, 20 et 22 mars 1939, de Goulding à Wallis, 22 mars 1939 ; Behlmer, ibid.

51. Coe, citant Charles Higham, op. cit., p. 52.

52. Dossier : *Warner Bros. Dodge City Special : Meet the Folks*, collection de Jules Buck.

53. Mémorandum de S. Charles Einfeld à J. L. Warner, 12 mars 1939, JWC, USC WB.

54. Jules Buck, interview, 11 septembre 1988.

55. Collection Mayo Methot, UO.

56. Sam Jaffe, interview du 15 août 1987.

57. *The New York Times*, 5 février 1939.

58. Mémorandum de Trilling à Wallis, 24 octobre 1939, USC WB.

59. Mémorandum de Trilling à Wallis, 19 octobre 1939, USC WB.

60. Carl Schaefer, interview.

61. Thomas Schatz, *The Genius of the System*, Pantheon, New York, 1989, p. 204.

62. Katz, op. cit., p. 1105.

63. Schatz, op. cit., pp. 206-207.

64. Vincent Sherman, interview.

65. Dans une lettre à Warner, Raft lui rappela que lors de leurs dernières négociations sur le contrat, il avait été décidé ceci : que « si quelqu'un du studio me soumettait un scénario où je devais jouer un salaud, je devais vous l'apporter et que vous me retireriez de la distribution. Je vous avais fait remarquer à l'époque que je craignais que le studio ne me fasse jouer des rôles dévolus à Humphrey Bogart, et vous m'aviez assuré que je n'aurais jamais à jouer des rôles de Humphrey Bogart... » George Raft à Jack Warner, lettre du 17 octobre 1939 ; Behlmer, op. cit., p. 116.

66. Dossier de presse de *Victoire sur la nuit*, USC WB.

67. Vincent Sherman, interview du 5 novembre 1987.

68. George Eells, *Ginger, Loretta and Irene Who ?*, G. P. Putnam's Sons, New York, 1976.

69. Mémorandum de Carrol Sax à T. C. Wright, 6 juin 1938.

70. Arthur Silver, interview.

71. Bosley Crowther, *The New York Times*, non daté, 1938.

CHAPITRE 6

1. John Huston, interview du 20 mai 1987.
2. Lettre de John Huston à Hal Wallis, 21 mars 1940, USC WB.
3. W. R. Burnett, « High Sierra », *Redbook Magazine*, mars 1940 ; voir aussi Alfred A. Knopf, 1940.
4. Roy Obringer à Jack Warner, mémorandum du 23 mai 1940, USC WB.
5. Télégramme de Paul Muni à Hal Wallis, 18 mars 1940, dossier juridique de Paul Muni, USC WB.
6. Accord de Paul Muni avec Warner Bros. Pictures, Inc., 2 octobre 1937, dossier juridique de Muni, USC WB.
7. Mémorandum de John Wexley à Hal Wallis, 21 mars 1940, USC WB.
8. Mémorandum de Hellinger à Wallis, 19 mars 1940, USC WB.
9. Télégramme de Muni à Wallis, 18 mars 1940, USC WB.
10. Mémorandum de Huston à Wallis, 29 mars 1940, USC WB.
11. Télégramme de Bogart à Wallis, 4 mai 1940, USC WB.
12. W. R. Burnett à Hal Wallis, 28 mars 1940, USC WB. Burnett, dans une interview publiée en 1986 (*Backstory : Interviews with Screenwriters of Hollywood's Golden Age*, par Pat McGilligan, University of California Press Berkeley, Ca., 1986), raconta que Huston s'était « un peu enivré » lors d'une fête à l'époque de la première version du scénario, et qu'il avait dit à Muni « ce qu'il pensait de lui comme acteur », sur quoi Muni avait rejeté le scénario. Mais on sait qu'à l'époque Muni était en tournée sur la côte Est avec *Key Largo*. Il est possible que Huston, voyant la mauvaise expérience de *Juarez* sur le point de se renouveler avec *la Grande Évasion*, ait dit son fait à Muni, mais ce dut être à une date ultérieure.
13. McGilligan, op. cit., p. 64, et Grobel, op. cit., p. 211.
14. Louis Sobol, *New York Cavalcade*, King Features Syndicate, 5 novembre 1941.
15. Martin Weiser, interview du 24 novembre 1987.
16. Lettre de Charles Einfeld à Martin Weiser, 17 juillet 1940, USC WB.
17. Bruce Bennett, interview du 26 janvier 1990.
18. Mémorandum d'Obringer à Jack Warner, 23 mai 1940, USC WB.
19. John Huston, interview.
20. Mémorandum de E. I. De Patie à T. C. Wright, 31 juillet 1940, USC WB.
21. Richard Schickel, op. cit., p. 228.
22. Ida Lupino, interview du 28 août 1991.
23. Joan Leslie, interview de 1990.
24. Otto Friedrich, *City of Nets*, Harper & Row, New York, 1986, p. 131.
25. Buster Wiles, interview du 9 mars 1990.
26. Ibid. Aussi Buster Wiles et William Donait, *My Days with Errol Flynn*, Roundtable Publishing, Inc., Santa Monica, Ca., 1988, p. 90.
27. Ida Lupino, interview.
28. John Huston, interview.
29. Irving Rapper, interview.
30. Buster Wiles, interview ; aussi Wiles et Donait, op. cit.
31. Bill Graf, interview ; du 24 octobre 1990.
32. Jerry Vermilye, *Ida Lupino, Pyramid Illustrated History of the Movies*, Pyramid Communications, New York, 1977.
33. *High Sierra*, rapport de production et de progression, 9 septembre 1940, USC WB.

34. Mémorandum de Wallis à Warner, 18 septembre 1940, USC WB.
35. Al Alleborn à T. C. Wright, mémorandum du 20 septembre 1940, USC WB.
36. Lettre de Robert Benchley à Mme Benchley, 27 avril 1936, Collection Robert Benchley, BU.
37. Résumé du FBI du 30 août 1940. Le fils de Schulberg, Budd, était en fait membre de la Ligue des jeunes communistes à l'époque, et apparaissait dans la liste de Leech. Mais Leech insistait surtout sur les stars, et aucune de ses allégations ne fut prouvée.
38. Ibid. Voir aussi *The New York Times* des 15 et 21 août 1940, le *Washington Times Herald* des 15 et 21 août 1940, etc.
39. *Investigation of Un-American Propaganda Activities in the United States*, vendredi 16 août 1940, House of Representatives Subcommittee on Un-American Activities, Los Angeles, Californie.
40. *The New York Times* du 16 août 1940.
41. Ibid.

CHAPITRE 7

1. Ring Lardner Jr, interview du 25 juillet 1990.
2. Motion Picture Democratic Committee, bulletin, numéro du 22 mai 1940, Collection Melvyn Douglas, WSHS.
3. Ida Lupino, interview.
4. *The New York Times,* 31 octobre 1940.
5. Lettre de Eric Hatch à Howard Gotlieb, 1er novembre 1970, Collection Eric Hatch, BU.
6. Lettre de Humphrey Bogart à Eric Hatch, sans date, probablement fin octobre ou début novembre 1940, Collection Eric Hatch, BU.
7. Mémorandum de David Lewis à Hal Wallis, 16 octobre 1940, USC WB.
8. Correspondance, septembre 1940, dossier juridique de Raft, USC WB.
9. Eddie Albert, interview du 5 février 1990.
10. Holliday, loc. cit.
11. Junius Adams, interview du 17 septembre 1990.
12. Blanke à Wallis, mémorandum du 19 décembre 1940, USC WB.
13. Télégramme de Bogart à Jack Warner, 16 janvier 1941, USC WB.
14. Mémorandum de Trilling à Wallis, 2 janvier 1941, USC WB.
15. Télégramme de Jack Warner à Hal Wallis, 4 février 1941, JWC, USC WB
16. Huston, interview.
17. Mémorandum de « Jack » à M. Wallis, 16 janvier 1941, USC WB.
18. Mémorandums de Blanke à J. L. Warner du 31 janvier 1941 et de Blanke à Trilling du 3 février 1941, USC WB.
19. Thomas Wood, *Menace as Usual*, périodique inconnu.
20. Trilling à Wallis, mémorandum du 25 février 1941, USC WB.
21. Max Wilk, interview du 4 mai 1987.
22. Télégramme de Bogart à Wallis, 6 mars 1941, dossier juridique de Bogart, USC WB.
23. Roy Obringer, Warner Brothers, déposition devant la « Screen Actors Guild » le 30 avril 1941, USC WB.
24. Lettre de Bogart à Trilling, le 17 mars 1941, USC WB.
25. Mémorandum d'Obringer à Einfeld, copies à Taplinger, Trilling, Wright, Blumenstock, 18 mars 1941, dossier juridique de Bogart, USC WB.

26. Lettre de Sam Jaffe à Warner Bros. Pictures, Inc., le 2 avril 1941, WB, USC.
27. Mémorandum de Roy Obringer à Jack Warner et Hal Wallis, 4 avril 1941, USC WB.
28. Mishkin, *Morning Telegraph*, 12 mai 1941.
29. *New York Herald Tribune*, 10 mai 1941.
30. *New York Post*, 10 mai 1941.
31. Dossier de presse de *The Wagons Roll at Night*, critiques du 10 mai 1941, USC WB.
32. Mémorandum de Obringer à Warner, 18 avril 1941, USC WB.
33. Mémorandum de J. L. Warner à M. Obringer, 18 avril 1941, USC WB.

CHAPITRE 8

1. Max Wilk, interview.
2. Selon Thomas Schatz (op. cit., pp. 79-80), Hammett, qui travaillait comme scénariste chez Paramount, avait vendu au studio une histoire originale fondée sur *le Faucon maltais*. David O. Selznick, assistant de production de B. P. Schulberg, aimait l'histoire et voulait que George Bancroft joue Spade. Mais Edward J. Montagne lui préférait Fredric March. Comme à l'époque March n'était connu que pour des comédies légères et que la Paramount n'avait pas l'habitude de changer ses acteurs d'emploi, on abandonna le projet. Rien n'indique que les droits du roman aient été vendus à la Paramount. C'est la Warner qui les acheta.
3. Mémorandum de Hal Wallis à Harry Joe Brown, 27 juin 1936, USC WB.
4. John Huston, *John Huston*, Pygmalion, Paris, 1982.
5. Lettre de John Huston à Alan S. Downer, 31 mars 1947, Collection Warner Brothers, Princeton University.
6. John Huston, interview.
7. Warner Bros. Pictures, Inc. à George Raft, 26 mai 1941, dossier juridique de George Raft, USC WB.
8. Mémorandum de Steve Trilling à Jack Warner, 2 juin 1941, dossier juridique de George Raft, USC WB.
9. Lettre de George Raft à J. L. Warner, 6 juin 1941, USC WB.
10. William Schaefer, interview.
11. Contrat entre Warner Bros. Pictures, Inc. et Geraldine Fitzgerald, 1er octobre 1938, dossier juridique de G. Fitzgerald, USC WB.
12. Mary Astor, *A Life on Film*, Delacorte, New York, 1971.
13. Mémorandum de Henry Blanke à Hal Wallis, 19 mai 1941, USC WB.
14. Mémorandum, Al Alleborn à T. C. Wright, 17 juin 1941, USC WB.
15. Mémorandum de Wallis à Huston, 20 juin 1941, USC WB.
16. Lettre de Huston à Downer, 20 juin 1941, USC WB.
17. Ken Whitmore, Warner Brothers Studio Publicity, 1941, USC WB.
18. Mémorandum de Wallis à Blanke, 12 juin 1941, USC WB.
19. Mémorandum de Huston à Wallis, 13 juin 1941, USC WB.
20. Grobel, op. cit., p. 218.
21. Huston, op. cit., p. 73.
22. Ibid.
23. Éloge funèbre de John Huston, *The New York Times*, 29 août 1987.
24. Meta Wilde, interview du 8 février 1990.
25. Huston, interview.

26. Mary Astor, *Bogie — for Real,* brouillon non publié, Collection Mary Astor, BU.
27. Huston, op. cit., p. 73.
28. Huston, interview.
29. Astor, loc. cit.
30. Lettre de Huston à Downer, 20 juin 1941, USC WB.
31. Meta Carpenter Wilde et Orin Borsten, *Un amour de Faulkner,* Gallimard, Paris, 1979.
32. Huston, interview.
33. Astor, loc. cit.
34. Al Alleborn à Tenny Wright, mémorandum du 17 juin 1941, USC WB.
35. Mémorandum de Wallis à Blanke, 17 juin 1941, USC WB.
36. Mémorandum de Wallis à Blanke, 24 juin 1941, USC WB.
37. Mémorandum de Blanke à Wallis, 30 juin 1941, USC WB.
38. Mémorandum de Alleborn à Wright, 19 juillet 1941, USC WB.
39. Ibid.
40. Mémorandum de Blanke à Al Alleborn, 30 juillet 1941, USC WB.
41. Découpage du *Faucon maltais,* USC WB. Bogart adapte là une phrase de Shakespeare dans *la Tempête,* acte IV, scène 1.
42. Mémorandum de Jack Warner à M. Wallis, 6 septembre 1941, USC WB.
43. 10 juillet 1941, USC WB.
44. 8 septembre 1941, USC WB.

CHAPITRE 9

1. Vincent Sherman, interview.
2. Herb Cohen, *Brooklyn Eagle,* 4 octobre 1941.
3. Howard Sharpe, « The Amorous Life of a Movie Killer », *Movieland,* Collection Constance McCormick, USC.
4. *Movieland,* non daté, probablement après juillet 1942 et la sortie de *The Big Shot (le Caïd),* Collection Constance McCormick, USC.
5. Marsha Hunt, interview du 26 février 1990.
6. Buster Wiles, interview.
7. Lettre à Eric et Gertie Hatch, sans date, probablement août 1941, Collection Eric Hatch, BU.
8. Joy Barlowe, interview du 31 janvier 1990.
9. Sam Jaffe, interview.
10. Allan McMillan, interview du 16 janvier 1988.
11. Mémorandum de Hal Wallis à Jack Warner, 8 octobre 1941, USC WB.
12. *The New York Times,* 4 octobre 1941.
13. Blanke à Wallis, mémorandum du 13 novembre 1941, USC WB.
14. Louis Sobol, *New York Cavalcade,* 5 novembre 1941.
15. *Échec à la Gestapo,* dossier de presse, USC WB.
16. Lettre de Malvin Wald à A. M. Sperber, 27 décembre 1993.
17. Mémorandum de MacEwen à Jack Warner et Hal Wallis, 12 mars 1941, USC WB.
18. Vincent Sherman, interview.
19. Rudi Fehr, interview du 14 février 1990.
20. Témoignage de Harry M. Warner, président de Warner Bros. Pictures, Inc., Hollywood, Californie. Interrogatoire devant le « United States Senate Sub-

committee of the Committee on Interstate Commerce, Moving-Picture Screen and Radio Propaganda », Washington, D.C., jeudi 25 septembre 1941, pp. 338-348.
21. Humphrey Bogart, *The Hollywood Reporter*, non daté.
22. Plate-forme du « Fight for Freedom Committee, Inc. », Collection Melvyn Douglas, WSHS.
23. Gloria Stuart, interview.
24. Mary Astor, *Bogie — for Real*, loc. cit.

CHAPITRE 10

1. *The Hollywood Reporter*, 11 et 12 décembre 1941. Voir aussi Harmetz, op. cit., p. 66.
2. Mort Lickter, interview du 6 novembre 1990.
3. Environ 40 000 des 240 000 employés et dirigeants de l'industrie du film s'engagèrent dans les forces armées ; Katz, op. cit., p. 1389.
4. Mémorandum de Jack Warner à Jacob Wilk, 11 décembre 1941, Collection Jack L. Warner, USC WB.
5. Télégramme de Jack Warner à Jacob Wilk, 9 décembre 1941, USC WB.
6. Irene Lee Diamond, interview du 6 mars 1990.
7. Harmetz, op. cit. p. 16.
8. Ibid., p. 18.
9. Bob Buckner à Hal Wallis, mémorandum du 6 janvier 1942, USC WB.
10. Lord à Irene Lee, mémorandum du 23 décembre 1941, USC WB.
11. Vincent Sherman, interview.
12. Jerry Wald à Irene Lee, mémorandum du 23 décembre 1941, USC WB.
13. Télégramme de Jack Warner à Jake Wilk, Collection Jack Warner, USC WB.
14. Jack Warner à Jake Wilk, mémorandum du 13 janvier 1942, USC WB.
15. Walter MacEwen à Hal Wallis, mémorandum du 7 janvier 1942, USC WB.
16. Jack Warner à Bernhard, Kalmenson, Kalmine, Schneider, Blumenstock, Schless, Hummel, télégramme, 14 janvier 1942, Collection Jack Warner, USC.
17. Mémorandum de Jack Moffitt à Hal Wallis, 12 mars 1942, USC WB.
18. Murray Burnett, interview du 29 novembre 1989.
19. Mémorandum de Trilling à Wallis, 7 février 1942, USC WB.
20. *Hollywood News*, 5 janvier 1942.
21. *The Hollywood Reporter*, 7 janvier 1942.
22. Ronald Reagan, interview.
23. Mémorandum de Lord à Wallis, 22 décembre 1941, USC WB.
24. Mary Astor, *A Life on Film*, op. cit.
25. Hyams, op. cit., p. 92.
26. Huston, interview.
27. Hyams, op. cit., p. 92, et aussi Benchley, op. cit., p. 72.
28. Dossier juridique de Hal Wallis, USC WB.
29. Mémorandum de Jack Warner à Bernhard, Schneider, Kalmenson, 30 décembre 1941, Collection Jack Warner, USC WB.
30. James Cagney, *Cagney by Cagney*, Doubleday, New York, 1976, p. 50. Voir aussi Harmetz, op. cit., p. 42.
31. Mémorandum de Nathan à Warner, 4 février 1942, WB, WSC.
32. Julius Epstein, interview du 25 novembre 1987.

33. On trouve aussi de nombreux détails sur *Casablanca* dans l'ouvrage de l'historien du cinéma Rudy Behlmer, *America's Favorite Movies : Behind the Scenes*, Frederic Ungar, New York, 1982.
34. Mémorandum de Jack à M. Hal Wallis, 2 avril 1942, JWC, USC WB.
35. Mémorandum de Wallis à Warner, 3 avril 1942, USC WB.
36. Lettre de Julie et Phil Epstein à Hal Wallis, non datée mais du début de 1942, USC WB. Copie *in* Harmetz, op. cit., p. 48.
37. Thomas Schatz, op. cit., p. 81.
38. Julius Epstein, interview.
39. Mémorandum de Steve Trilling à Hal Wallis, 15 mai 1942.
40. Lettre de R. J. Obringer à Sam Jaffe, 5 janvier 1942, dossier juridique de Bogart, USC WB.
41. Télégramme de Jack Warner à Bernhard, Kalmenson, Kalmine, Schneider, Einfeld, Blumenstock, Hummel, 22 mai 1942, JWC, USC WB.
42. Lettre de Jack Warner à Marvin McIntyre, la Maison-Blanche, 9 juin 1942, Collection Jack Warner, USC WB.
43. William Schaefer, interview.
44. Lettre de Joseph E. Davies à l'honorable Marvin H. McIntyre, secrétaire du Président, 4 avril 1938, PPP, Bibliothèque FDR.
45. Joseph E. Davies à Edward R. Murrow, A. M. Sperber, *Murrow : His Life and Times*, New York, Freundlich Books, 1986, p. 296.
46. Laurence Leamer, *As Time Goes By : The Life of Ingrid Bergman*, Harper & Row, New York, 1986, p. 121 ; voir aussi Benchley, op. cit., et les notes d'interview d'Ingrid Bergman, Collection NB, BU.
47. Harmetz, op. cit., p. 95.
48. Mémorandum de Hal Wallis à Mike Curtiz, 22 avril 1942, USC WB.
49. Ibid., 25 mai 1942.
50. Julius Epstein, interview.
51. Lettre de Kathryn R. Sloan à Irving Kovner, 4 avril 1942.
52. Mémorandum de Koch à Wallis, non daté, USC WB.
53. Paul Henreid, interview, 20 février 1990.
54. Mémorandum de Alleborn à Wright, 11 juin 1942, USC WB.
55. Julius Epstein, interview.
56. Howard Koch, interview du 17 octobre 1989.
57. Leonid Kinsky, « As Time Goes By », *Movie Digest*, septembre 1972.
58. Harmetz, op. cit., p. 203.
59. Lee Katz, interview du 25 novembre 1987.
60. Leonid Kinsky, interview du 9 février 1990.
61. Dan Seymour, interview du 15 février 1990.
62. Photo AP, non datée. La légende dit qu'il s'agit des pieds de Bogart, mais on ne voit pas son visage.
63. Nathaniel Benchley, interview, bande n° 1, NB, BU.
64. Ibid.
65. Lee Katz, interview.
66. Hyams, op. cit., p. 119.
67. Bob William, interview, 19 janvier 1990.
68. Interview de Bergman par N. Benchley, loc. cit.
69. Leonid Kinsky, interview.
70. Dan Seymour, interview.
71. Mémorandum d'Alleborn à Wright, 29 juin 1942, USC WB.
72. Howard Koch, interview.

73. Julius Epstein, interview.
74. Casey Robinson, « Notes sur "Casablanca" », 20 mai 1942, USC WB.
75. Julius Epstein, interview.
76. Howard Koch, interview.
77. Lee Katz, interview.
78. Mémorandum de Robinson à Wallis, 20 mai 1942, USC WB.
79. Bob William, interview.
80. Mémorandum de Alleborn à Wright, 18 juillet 1942, USC WB.
81. *Casablanca*, Rapports quotidiens de production et d'avancement, 17 juillet 1942, USC WB.
82. Mémorandum de Hal Wallis, 6 juin 1942, USC WB.
83. Mémorandum de Wallis à Curtiz, 22 juillet 1942, USC WB.
84. Mémorandum de Wallis à Owen Marks, 7 août 1942, USC WB.
85. Pat McGilligan, op. cit., p. 308.
86. Mémorandum de Wallis à Einfeld, 28 août 1942, USC WB.
87. Mémorandum de Wallis à Warner, 6 novembre 1942, USC WB.
88. Télégramme de Jack Warner à Hummel, 10 novembre 1942, JWC, USC WB.
89. Jack Warner au major Bernhard, etc., télégramme, 12 novembre 1942, JWC, USC WB.
90. Jack Warner au major Bernhard, Kalmenson, etc., télégramme, 10 novembre 1942, JWC, USCWB.
91. *The Los Angeles Times*, 7 décembre 1942.
92. *Film Daily*, 27 novembre 1942.
93. Martin Weiser, interview.

CHAPITRE 11

1. *Convoi vers la Russie*, dossier de presse, USC WB.
2. Sidney Skolsky, « Tintypes », non daté, juin-août 1943, Collection Constance McCormick, USC.
3. Arthur Silver, interview du 19 novembre 1987.
4. Raymond Massey à Nathaniel Benchley, non daté, Collection NB, BU. Voir aussi Hyams, op. cit., p. 77.
5. Dane Clark, interview du 23 mai 1990.
6. Frank Mattison à T. C. Wright, mémorandum du 12 janvier 1943, USC WB.
7. Hope Bromfield Stevens, interview du 25 juillet 1989.
8. Louis Bromfield, lettre, 5 janvier 1943.
9. Matthew Flam, « Bogie ! Tribute to a Movie Tough Guy », *New York Post*, 30 juillet 1992.
10. Bruce Bennett, interview.
11. Trilling à Jak Warner, mémorandum, 29 mars 1943, USC WB.
12. Trilling à Wallis, mémorandum, 21 mai 1943, USC WB.
13. Jack Warner à Humphrey Bogart, télégramme, 6 avril 1943, JWC, USC WB.
14. Bruce Bennett, interview.
15. Scénario de *La mort n'était pas au rendez-vous*, version d'avril 1943, dossier du film USC WB. Ces répliques ne furent pas utilisées dans le film.
16. Roy Obringer à Humphrey Bogart, 30 avril 1943, USC WB.
17. Jack Warner à Hal Wallis, mémorandum, 6 mai 1943, JWC, USC WB.
18. Jack Warner à Humphrey Bogart, télégramme, 4 mai 1943, JWC, USC WB.

19. Conversation téléphonique entre Humphrey Bogart et J. L. Warner du 6 mai 1943, entre 16 heures et 16 h 30. Dossier juridique de Bogart, USC WB.
20. Jack Warner à Hal Wallis, lettre du 6 mai 1943, JWC, USC WB.
21. Jack Warner à Hal Wallis, télégramme personnel et confidentiel, 30 juin 1943, JWC, USC WB.
22. Jack Warner à Hal Wallis, télégramme du 28 novembre 1943, JWC, USC WB.
23. Jack Warner à Charles Einfeld, télégramme, 30 novembre 1943, Behlmer, *Inside Warner Bros.*, op. cit., p. 234.
24. Jack Warner à Hal Wallis, télégramme, 30 novembre 1943, Behlmer, ibid.
25. Charles K. Feldman à J. L. Warner, 17 mai 1943, USC WB.
26. Jack Warner à Humphrey Bogart, télégramme, 11 mai 1943, JWC, USC WB.
27. Roy Obringer et Seve Trilling à Jack Warner, 11 mai 1943, USC WB.
28. Steve Trilling à Jack Warner, 17 mai 1943, USC WB.
29. Jack Warner à Charles K. Feldman, télégramme du 17 mai 1943, collection Charles K. Feldman, Fonds Louis B. Mayer, American Film Institute.
30. Rose Hobart, interview du 11 novembre 1987.
31. Dwight Taylor à William Jacobs, mémorandum, 3 août 1943, dossier de *La mort n'était pas au rendez-vous*, USC WB.
32. Dossier de *La mort n'était pas au rendez-vous*, 5 août 1943, pp. 109-110, USC WB.
33. Mémorandum de Steve Trilling à William Jacobs, 4 août 1943, USC WB.
34. Bob William, interview.
35. Verita Thompson, interview du 9 août 1988.
36. Verita Thompson figure parmi le personnel de *The Enforcer* (*la Femme à abattre*, 1950), dernier film de Bogart pour la Warner. USC WB.
37. Jaffe, interview.
38. Gloria Stuart, interview.
39. Hyams, op. cit., p. 120.
40. Ibid., p. 121.
41. Verita Thompson et Donald Shepherd, *Bogie and Me*, St. Martin's Press, New York, 1982, pp. 37-38.
42. Eric Stacey à T. C. Wright, 22 septembre 1943, USC WB.
43. Arthur Silver, interview.
44. William Schaefer, interview, 1er décembre 1990.
45. Harmetz, op. cit., p. 199.
46. Dossiers de Joseph E. Davies, 8 mai 1943, FDR Presidential Library.
47. Arthur Silver, interview.
48. Août (probablement 1942), JWC USC WB.
49. Jack Warner à Charlie Einfeld, 5 mai 1943, télégramme, JWC, USC WB.
50. Humphrey DeForest Bogart, Rapport de loyauté et de personnalité, 7 décembre 1943, Western Defense Command Report, War Department, dossier du FBI.
51. Hyams, op. cit., p. 117.
52. Mayo Methot Bogart à Buffy Methot, lettre non datée (probablement janvier 1944, Collection Mayo Methot, University of Oregon (toutes les autres lettres de Mayo proviennent de la même collection).
53. Collection Mayo Methot, UO.
54. Bill Mauldin, interview du 6 avril 1990.
55. Hyams, op. cit., p. 118.
56. Phil Gersh, interview.

57. Huston, interview.
58. Steve Trilling à Jack Warner, 9 décembre 1943, JWC, USC.
59. Sam Jaffe à Nathaniel Benchley, interview, 13 janvier 1974, NB, BU.
60. Sam Jaffe, interview du 17 juin 1989.
61. Abe Lastfogel à Jack Warner, télégramme, 7 février 1944, 18 h 48, dossier juridique de Bogart, USC WB.
62. Mort Blumenstock à Steve Trilling, télégramme, 9 février 1944, JWC, USC WB.
63. Mort Blumenstock à Jack Warner, télégramme, 10 février 1944, USC WB.
64. Jaffe, interview.
65. *The Los Angeles Times*, 15 février 1944.
66. Steve Trilling à Humphrey Bogart, télégramme, 12 décembre 1944, JL/Tr, JWC, USC WB.

CHAPITRE 12

1. Earl Robinson, interview du 24 avril 1991.
2. Gloria Nevard, interview du 29 janvier 1993.
3. Lauren Bacall, *Lauren Bacall par moi-même*, Stock, Paris, 1979, p. 11.
4. Lettre de l'administration du lycée Julia Richman à A. M. Sperber, 2 février 1993.
5. Bacall, op. cit., p. 49.
6. Gloria Nevard, interview.
7. Gloria Stuart, interview.
8. Joyce Gates Buck, interview du 11 septembre 1988.
9. Lettre de George S. Kaufman à « Peggy Bacall », Bacall, op. cit., pp. 92-93.
10. David Thomson, *A Biographical Dictionary of Film*, troisième édition, Alfred A. Knopf, New York, 1984, p. 323.
11. Meta Wilde et Pat Miller, interview du 24 janvier 1990.
12. Dee Hawks Cramer, interview.
13. John Kobal, *People Will Talk*, Alfred A. Knopf, New York, 1986, p. 487.
14. CKF (Charles K. Feldman) : agenda, lundi 5 avril 1943, Collection CKF, AFI.
15. CKF à Grace Dobish, 8 janvier 1943, et télégramme de Feldman 28 janvier 1943, dossier « Voyages à New York », Collection CKF, American Film Institute (AFI).
16. Feldman à Al Rockett, 3 février 1943, « Voyages à NY », Collection Feldman, AFI.
17. Jean Howard, interview, 12 décembre 1991.
18. Feldman à Eddie Mannix, Motion Picture Producers Association (MPPA), 8 juin 1942, AFI ; correspondant non identifié à CKF, non daté, dossier de mars 1943, CKF, AFI.
19. Charles K. Feldman à Roy Obringer, 23 avril 1943, *Battle Cry*, USC WB ; aussi dossier Hawks/Feldman, CKF, AFI.
20. CKF, agendas, Collection CKF, AFI.
21. Robinson, interview.
22. Trilling à Wright, McGreal, Westmore, Burns, JL/Tr., USC WB.
23. Jean Howard, interview.
24. Mai ou juin 1943, CKF, AFI.
25. Nº 485767, ordre d'approbation du contrat d'une mineure comme actrice,

Joseph W. Vickers, juge, 29 juin 1943, dossier juridique de Bacall, USC WB.

26. Jean Howard, interview.
27. CKF à Grace Dobish, 8 janvier 1943, « Voyages à NY », dossiers de correspondance, CKF, AFI.
28. Joy Barlowe, interview.
29. Kobal, op. cit., p. 487.
30. Jean Howard, interview.
31. Bacall, op. cit., p. 127.
32. « Évaluation des biens pour les impôts sur les revenus », Noel Singer à Laurence Beilenson, 28 janvier 1947, description de la propriété au 31 décembre 1946, dossier : arrangement Hawks-Nancy Hawks, 75-17, archives Dee Cramer/Howard Hawks.
33. Dee Hawks Cramer, interview.
34. Jean Howard, interview.
35. CKF à Jack Warner, dossier *Battle Cry*/WB/HF, CKF, AFI.
36. Minutes de la réunion de H-F Productions, anciennement Charles K. Feldman Common Man Productions, 1er septembre 1943, dossier juridique, CKF, AFI ; voir aussi les télégrammes des 26 et 28 juillet 1943, JL/Tr, JWC, USC WB.
37. H-F Productions, minutes du 1er septembre 1943, dossier juridique CKF, AFI ; M. Marin à M. Feldman, 7 septembre 1943, *Battle Cry* WB/HB, CKF, AFI ; minutes H-F du 10 septembre 1943, CKF, AFI ; Roy Obringer à Jack Warner, 15 septembre 1943, JL/Tr, JWC, USC WB.
38. Ministère des Finances ; notice du 22 juin 1943, bureau du percepteur à Warner Bros. Pictures, Inc., 30 juin 1943 ; Howard Hawks à Warner Bros. Pictures, Inc., 8 novembre 1943 ; le tout dans le dossier juridique de Howard Hawks, USC WB.
39. M. Marin à M. Feldman, 7 septembre 1943, *Battle Cry*/WB/HB, CKFC, AFI.
40. Ibid.
41. Bacall, op. cit., pp. 130-131.
42. Earl Robinson, interview.
43. Jean Howard, interview.
44. Jules Buck, interview, 5 septembre 1989 et interviews par téléphone non datées.
45. Bacall, op. cit., p. 175.
46. Joyce Gates Buck, interview.
47. Jean Howard, interview.
48. Jules Buck, interview du 6 février 1993.
49. Jack Warner à Roy Obringer, télégramme du 4 novembre 1943, JWC, USC WB.
50. Steve Trilling à Jack Warner, 9 décembre 1943, dossier du *Port de l'angoisse*, USC WB.
51. *B 'n' B*, Mr and Mrs Hollywood Series n° 5, vers 1947, magazine de fans.
52. Minutes, H-F Productions, 5 janvier 1944, dossier juridique, CKF, AFI.
53. Scénario provisoire du *Port de l'angoisse*, 14 octobre 1943, p. 206. Jules Furthman est aussi l'auteur de *Morocco* (1930) et de *Blonde Venus* (1932).
54. Ibid., 30 décembre 1943, p. 74.
55. Jack Warner à Trilling, 1er décembre 1943, JL/Tr, télégrammes, 1943, JWC, USC WB.
56. Meta Wilde, interview.

57. Trilling à Warner, 18 et 22 décembre 1943, USC WB.
58. Cleve F. Adams à Roy Obringer, 7 janvier 1944, USC WB.
59. Index des critiques du *New York Times,* 1937.
60. Scénario du 29 janvier 1944, USC WB.
61. Trilling à Warner, 9 décembre 1943 ; Warner à Trilling, 13 décembre 1944, JL/Tr, JWC, USC WB.
62. Jack Warner à Steve Trilling, 1er décembre 1943, JL/Tr., JWC, USC.
63. Gordon Hollingshead à Steve Trilling, 10 février 1944, JL/Tr., JWC, USC.
64. Scénario de montage, 21 décembre 1944, USC WB.
65. Rapport quotidien de production, USC WB.
66. Bacall, op. cit., p. 136.

CHAPITRE 13

1. Dan Seymour, interview du 10 août 1990.
2. « You », par Humphrey Bogart, vers juin 1948, périodique non identifié.
3. Bacall, op. cit., p. 138.
4. Stacey Endres et Robert Cushman, *Hollywood at Your Feet : The Story of the World-Famous Chinese Theatre*, Pomegranate Press, Ltd., Los Angeles, 1992.
5. Photo de la collection de Stacey Endres et Robert Cushman.
6. *Variety*, 3 mars 1944, p. 5.
7. Harmetz, op. cit., p. 322.
8. *Variety*, loc. cit.
9. Harmetz, op. cit., p. 323.
10. Dossier de presse du *Port de l'angoisse*, « Young Star Aided by Studio's Great », p. 11, USC WB.
11. Walter Surovy, interview du 6 mars 1992. Surovy fut cité au générique sous le nom de Walter Molnar après que Jack Warner eut insisté pour qu'il change son nom. Surovy pensa au dramaturge hongrois Ferenc Molnar, et suggéra ce nom sans réfléchir — décision qu'il dit plus tard avoir regrettée.
12. « You », de Humphrey Bogart, loc. cit.
13. Dan Seymour, interview.
14. Bacall, op. cit., p. 141.
15. Meta Wilde, interview.
16. Bacall, op. cit.
17. Walter Surovy, interview.
18. Cameron Shipp, « The Gentlest », *Movie Life*, vers le 10 mars 1946.
19. Frederick De Cordova, interview du 5 novembre 1990.
20. Walter Surovy, interview du 3 juin 1992.
21. Meta Wilde, interview. Voir aussi Meta Carpenter Wilde et Orin Borsten, op. cit.
22. Joy Barlowe, interview.
23. Kobal, op. cit., p. 488.
24. Dan Seymour, interview.
25. Dee Hawks Cramer, interview du 13 août 1988.
26. Bill Rice, Warner Bros. Studio, Burbank, Cal. N⁰ 6221, USC WB.
27. Humphrey Bogart à Gladys Hall, 9 mai 1946, Collection Gladys Hall, Bibliothèque Margaret Herrick, Center for Motion Picture Study, AMPAS.
28. Dan Seymour, interview.

29. Ibid.
30. Billy Wilder et Helmuth Karasek, *Et tout le reste est folie. Mémoires*, Laffont, Paris, 1993, p. 184.
31. Bacall, op. cit., p. 145.
32. R. J. Obringer à Herbert Freston, 23 août 1944, USC WB.
33. Ibid.
34. Ibid.
35. Trilling à Leo Forbstein, 29 juillet 1944, JL/Tr, A-Z/43/44, p. 6, JWC, USC WB. En fait, en réponse à une question en 1972, le responsable de la musique Ray Heindorf déclara : « Lauren Bacall a chanté elle-même. On ne l'a pas doublée. » Lois McGrew : mémorandum sur le dossier du 26 mai 1972, dossier du film, USC WB.
36. Déclaration du 3 mai 1944, lettre légale du 8 mai 1944, USC WB.
37. Bill Rice, Warner Bros. Studios, non daté.
38. *Los Angeles Examiner*, 1944, non daté, Collection Constance McCormick, USC.
39. Carlisle Jones, Warner Bros. Studios, dossier de presse du *Port de l'angoisse*, USC WB.
40. Walter Surovy, interview.
41. Hyams, op. cit., p. 124.
42. Mary Baker à Nathaniel Benchley, interview, NB BU.
43. Martin Weiser, interview.
44. Ibid.
45. Mitch, Warner Bros. Studio, USC WB.
46. Steve Trilling à Jack Warner, 29 mai 1944, JL/Tr, JWC, USC WB.
47. Jack Warner à Humphrey Bogart, télégramme du 25 mai 1944, JWC, USC WB.
48. Humphrey Bogart à Jack Warner, télégramme du 26 mai 1944, JWC, USC WB.
49. Obringer à J. L. Warner, 11 juillet 1944, USC WB.
50. Joseph McBride, *Hawks par Hawks*, Ramsay, Paris, 1987, p. 57.
51. Hyams, *Bogie*, op. cit., p. 124.
52. Bacall, op. cit., p. 148.
53. Ibid. pp. 154-155.
54. William Schaefer, 29 juin 1944, USC WB.
55. Evelove à Obringer, 28 novembre 1944, USC WB.
56. Obringer à Ralph Lewis, mémorandum du 21 novembre 1944.
57. Charles Feldman à Noel Singer, concernant Betty Bacal-WB, 26 juillet 1944, CKF, AFI.
58. Warner à Obringer, 29 février 1944 ; aussi Obringer à Singer le 1er août 1944, USC WB.
59. Trilling à Dick Pease, non daté, JL/Tr, p. 22, JWC, USC WB.
60. Bacall, op. cit., p. 161.
61. Transcription échange téléphonique entre Bogart et Trilling, le 27 juillet 1944 à 16 heures, USC WB.
62. Trilling à Jack Warner, 2 août 1944, dossier juridique de Hawks, USC WB.
63. *Life* du 12 juin 1944.

CHAPITRE 14

1. Bacall, op. cit., p. 163.
2. *New York Herald Tribune*, 20 février 1944.

3. Evelove à Jack Warner et Einfeld, mémorandum, JWC, USC WB.
4. Kenneth Leffers, interview du 21 janvier 1991.
5. George Hawkins à Mme Humphrey Bogart, télégramme du 25 octobre 1944.
6. Associated Press, 1er novembre 1944 ; *New York Herald Tribune*, 2 novembre 1944.
7. Bacall, op. cit., p. 171.
8. Regis Toomey, interview du 29 août 1987.
9. Dee Hawks Cramer, interview.
10. Joy Barlowe, interview.
11. Regis Toomey, interview.
12. Publicité dans *The Hollywood Reporter*, 20 septembre 1944.
13. Le « Hollywood Democratic Committee » au « Democratic National Committee », 14 octobre 1944, Collection HDC, WSHS.
14. Texte « Humphrey Bogart », samedi 28 octobre 1944, CBS. Collection HDC, WSHS.
15. Norman Corwin, interview du 9 août 1988.
16. JLW à Trilling, 13 octobre 1944, télégramme ; JL/Politique/44, JWC, USC WB.
17. JLW à Evelove, 19 octobre 1944, télégramme, ibid.
18. Bacall, op. cit., p. 172.
19. Louella O. Parsons, *Los Angeles Herald Examiner*, non daté, probablement vers le 4 décembre 1944.
20. *Los Angeles Times*, 4 décembre 1944.
21. Alistair Cooke, « Epitaph for Tough Guy », *The Atlantic Monthly*, mai 1957.
22. Louella Parsons, « The Bewildering Bogarts », non daté, probablement décembre 1944.
23. Hedda Hopper, *Los Angeles Times*, 4 décembre 1944.
24. Mary Baker à Nathaniel Benchley, interview, n.d., NB, BU.
25. Bacall, op. cit., p. 179.
26. Trilling à JLW, mémorandum, 18 novembre 1944, JL/Tr, JWC, USC WB.
27. Stacey à Wright, mémorandum, 9 novembre 1944, WBC, USC.
28. Stacey à Wright, mémorandum du 13 novembre 1944, USC WB.
29. Id., le 24 novembre 1944.
30. Id., le 14 décembre 1944.
31. Id., le 15 décembre 1944.
32. T. C. Wright à Obringer le 26 décembre 1944, USC WB.
33. Télégrammes entre New York et Burbank, JWC, USC WB.
34. « What Now, Lauren ? », *Silver Screen*, avril 1945.
35. Bacall, op. cit., p. 175.
36. Dee Hawks Cramer, interview.
37. Stacey à Wright, 22 décembre 1944, USC WB.
38. Wright à Obringer — Dick Pease, 26 décembre 1944, USC WB.
39. Stacey à Wright, 26 décembre 1944, USC WB.
40. Jack Warner à Humphrey Bogart, télégramme du 26 décembre 1944, USC WB.
41. Stacey à Wright, 27 décembre 1944, USC WB.
42. Meta Wilde, interview.
43. William Faulkner à James Geller, lettre non datée, probablement début décembre 1944, USC WB.
44. Meta Wilde, interview.

45. Raymond Chandler à Hamish Hamilton, lettre du 21 mars 1949, Raymond Chandler, op. cit.
46. Ibid., le 30 mai 1946, p. 75.
47. Dee Hawks Cramer, interview.
48. Obringer à Wright, mémorandum du 27 décembre 1944, USC WB.
49. Stacey à Wright, 29 décembre 1944, USC WB.
50. Alistair Cooke, loc. cit.
51. Judith Crist, le *New York Herald Tribune*, 3 avril 1966.

CHAPITRE 15

1. *Los Angeles Examiner*, 25 janvier 1945, Collection Constance McCormick, USC.
2. Mémorandum de Blumenstock à Einfeld, 22 décembre 1944, USC WB.
3. Mémorandum de Stacey à Wright, 5 janvier 1945, USC WB.
4. Arthur Silver, interview.
5. Earl Wilson, « It Happened Last Night », *New York Post*, 30 janvier 1945.
6. Inez Robb (INS), *Los Angeles Examiner*, 31 janvier 1945.
7. Blumenstock à Einfeld, télégramme, 31 janvier 1945, JL/NY Télégrammes/45, JWC, USC WB.
8. Gary Stevens, interview du 8 décembre 1992.
9. Blumenstock à Einfeld, télégramme du 2 février 1945, JL/NY Télégrammes/45, JWC, USC WB
10. Bacall, op. cit., p. 184.
11. Interview, Mary Baker, NB, BU. C'est un détail que Benchley, ami de la famille, omit dans sa biographie de Bogart. Il omit également toute référence aux origines de Lauren Bacall, ne mentionnant que le nom de son père et « un élément de Russie chez ses ancêtres ».
12. Interview de Lee Gershwin, n.d., NB, BU.
13. Dan Seymour, interview du 10 août 1990.
14. Harmetz, op. cit., p. 244.
15. Blumenstock à Einfeld et Evelove, télégramme, 5 février 1945, JL/NY Télégrammes/45, JWC, USC WB.
16. Sans référence, 24 février 1945, dossier Brady, USC WB.
17. Gloria Nevard, interview.
18. Bacall, op. cit., p. 185.
19. Jack Warner à Lauren Bacall, copie à Blumenstock, 6 février 1945, JL/NY Télégrammes/45, JWC, USC WB.
20. Bacall, op. cit., p. 187.
21. Blumenstock à Einfeld, télégramme, 5 février 1945, USC WB.
22. Télégramme de Blumenstock à Weinfeld (6 février 1945) concernant le voyage de Betty à Washington, avec les instructions suivantes : « Ce que vous m'avez demandé de discuter avec Bogey requiert une grande finesse, sinon Diamond perdra toute crédibilité. Bogart lui a fait des confidences qu'il est seul à connaître. Bogey saura tout de suite d'où vient la fuite et Jack sera brûlé à moins que je l'amène à se confier aussi à moi. » JL/NY Télégrammes/45, JWC, USC WB.
23. Sylvia Sheekman, interview du 24 mars 1990.
24. Dorris Johnson, interview du 9 août 1987.
25. Lettre manuscrite de Bogart à Bromfield, non datée, NB, BU.

26. Louella O. Parsons, *Los Angeles Examiner*, non daté.
27. Ibid., 15 mars 1945, Collection Constance McCormick, USC.
28. Hyams, op. cit., p. 128.
29. Victor Mature, lettre lue au téléphone le 26 octobre 1990.
30. *Los Angeles Times* du 11 mai 1945, Collection Constance McCormick, USC.
31. Slim Keith et Annette Tapert, *Slim : Memories of a Rich and Imperfect Life*, Simon and Schuster, New York, 1990, pp. 94-95.
32. Dee Hawks Cramer, interview du 13 août 1988.
33. Warner Bros. Pictures, Inc. à H-F Productions, 12 avril 1945, dossier juridique de Lauren Bacall, USC WB.
34. R. J. Obringer à Lloyd Wright, avocat, 9 mai 1945, dossier juridique de Lauren Bacall, USC WB.
35. Obringer à Ralph Lewis, 30 avril 1945, dossier juridique de L. Bacall, USC WB.
36. R. J. Obringer, au nom de Warner Bros. Pictures, Inc., requiert auprès du commissaire aux impôts sur le revenu, et auprès de Hugh L. Ducker, directeur régional du Bureau de stabilisation des salaires, Los Angeles, Californie, approuvé le 27 décembre 1944.
37. Earl Wilson, le *New York Post*, 17 mai 1945.
38. John Bainbridge, « Farmer Bromfield », *Life*, 11 octobre 1948.
39. Hope Bromfield Stevens, interview.
40. Philip Van Rensselaer, interview du 30 avril 1991.
41. Ed Clark, interview du 27 mai 1988.
42. Roy Bongartz, « Malabar Farm : Louis Bromfield's Paradise Lost, *The New York Times*, 19 mai 1974.
43. J. L. Warner à H. M. Warner, New York, télégramme du 23 avril 1945, JL/télégrammes/1941-1957, JWC, USC WB.
44. Général George C. Marshall, lettre officielle du ministère de la Guerre, 14 mai 1945, Collection Jules Buck.
45. HM à JL, télégramme du 24 avril 1945, JL télégrammes, dossier 37 : 19, JWC, USC WB.
46. Jack Warner, Voyage en Europe, 1945, dossier 61:4, JWC, USC WB.
47. Walter Seltzer, interview du 19 novembre 1990.
48. JL : télégrammes du 15 août 1945, JWC, USC WB.
49. Owen Callin, « Longing for Home Worst GI Morale Problem, Actor Says », dossier de presse du *Grand Sommeil*, USC WB.
50. Programme sous forme de tract du HICCASP, 1er août 1946.
51. Humphrey Bogart, « I Stuck My Neck Out », *Saturday Evening Post*, 10 février 1945, USC WB.
52. Stuart Rose à Nathaniel Benchley, interview non datée, NB, BU.
53. Bogart, « I Stuck My Neck Out », loc. cit.
54. Finlay McDermid à Steve Trilling, 29 août 1945 ; JL/Tr/A-Z/'45, JWC, USC WB.
55. Otto Friedrich, op. cit., p. 247.
56. Ibid., pp. 247-248.
57. Mikhaïl Kalatozov, représentant spécial de l'industrie cinématographique soviétique, à Jack Warner, 20 mars 1944, JL/Tr-H, 1944, JWC, USC WB.
58. Rose Hobart, interview.
59. Arthur Silver, interview.
60. Télégramme à Jack et Harry Warner, dossier sur la grève du studio, JWC, USC WB.

61. Steve Trilling à Jake Wilk, 23 octobre 1945, et la grève de 1945, JWC, USC WB.
62. Conversation entre Trilling et Jack Dales, SAG, 19 octobre 1945, USC WB.
63. Télégramme à Warner Bros., 8 octobre 1945, photocopie avec une note : « Original donné à Blayney Matthews » ; original également avec des annotations, quelques noms soulignés ou signalés, NY télégrammes, 1945, JWC, USC WB.
64. Meta Wilde, interview, et « Notes sur la grève », dossier sur la grève, 6 :10, 1945, JWC, USC WB.
65. Steve Trilling à Zelma Brookov, 3 novembre 1945, P.S. à Jake Wilk, USC WB.

CHAPITRE 16

1. Bob Buckner à Steve Trilling, lettre du 22 janvier 1945, JL/Tr, JWC, USC WB.
2. « In Defense of My Wife », *Photoplay*, non daté, probablement vers l'été 1946, p. 99.
3. *Register* de Des Moines, 24 août 1945.
4. Dan Seymour, interview du 10 août 1990.
5. JLW à Buckner, mémorandum du 15 juin 1945, dossiers JL/Trilling, JWC, USC WB. Shumlin en retour se plaignit de son assistant réalisateur Art Lueker et tenta de se débarrasser de lui. Lueker, quant à lui, avait ordre de contacter Trilling et Wright « si une demande de Shumlin lui semblait déraisonnable ou impossible, voire les deux ». Buckner à Trilling, mémorandum du 24 juillet 1945, USC WB.
6. Dan Seymour, interview.
7. Robert Buckner à Herman Shumlin, 31 octobre 1945, dossier de *Confidential Agent*, USC WB.
8. Evelove à JL, 11 septembre 1945, JL/Tr/A-Z/'45, JWC, USC WB.
9. Art Silver, interview.
10. *Variety*, 2 novembre 1945, dossier de presse de *Confidential Agent*, USC WB.
11. *Hollywood Review*, 12 novembre 1945.
12. Le *New York Times*, 3 novembre 1945 ; et le *New York Herald Tribune*, 3 novembre 1945.
13. *Time*, 19 novembre 1945.
14. Herman Shumlin à Bob Buckner, 3 novembre 1945, dossier de *Confidential Agent*, USC WB.
15. Humphrey Bogart, « In Defense of My Wife », loc. cit.
16. Id.
17. Bacall, op. cit., p. 207.
18. John McManus, *PM Reviews*, non daté, loc. cit.
19. *New York Post*, 3 novembre 1945.
20. Graham Greene, lettre au *Sunday Telegraph* de Londres, 18 janvier 1979, reprise dans Graham Greene, *Yours etc., Letters to the Press*, Lester & Orphen Dennys, Toronto, 1989, p. 188.
21. *The Los Angeles Times*, 10 novembre 1945.
22. Doug Kennedy à Steve Trilling, vers décembre 1945, JL/Tr/A-Z/'45, JWC, USC WB.

23. Charles K. Feldman à Jack L. Warner, lettre, 16 novembre 1945, USC WB.
24. Warner Bros. Pictures, Inc. à Howard Hawks, 18 janvier 1946, dossier juridique de Hawks, USC WB.
25. Archer Winsten, le *New York Post*, non daté, probablement le 24 août 1946.
26. *Showman's Trade Review*, 17 août 1946, USC WB.
27. Cecilia Ager, *PM*, non daté, USC WB.
28. Bacall, op. cit., p. 207.
29. Ibid. p. 211.
30. Gloria Stuart, interview.
31. Sam Jaffe, interview du 25 août 1987.
32. John Huston, interview.
33. Joe Hyams, interview du 10 avril 1991.
34. Evelyn Keyes, interview du 26 août 1987.
35. Max Wilk, interview.
36. Bacall, op. cit., p. 210-211.
37. Sarah Pileggi, « Lady with a Past », *Sports Illustrated*, 20 juillet 1981, p. 59.
38. John Vigor, « Bogie's Boat », *Cruising World*, juin 1991. Voir aussi James Murray, « All Right, Louie, Drop the Jib », *Sports Illustrated*, 30 avril 1956, et Sarah Pileggi, ibid.
39. Thornton Delehanty, « Bogart Gets a Shakedown », *New York Herald Tribune*, 16 décembre 1945.
40. Bacall, op. cit., p. 214.
41. James Murray, loc. cit.
42. Sam Jaffe, interview.
43. Transcription de *Lux Radio Theatre*, 14 octobre 1946.
44. Stacey Endres et Robert Cushman, op. cit.
45. Richard Dorso, interview du 6 décembre 1990.
46. Ibid.
47. Trilling à Warner, 4 décembre 1945, USC WB.
48. Evelove à J. L. Warner, mémorandum, 30 novembre 1945, USC WB.
49. Id., le 18 décembre 1944.
50. Émission du 14 octobre 1946. Enregistrement écouté au Museum of Television and Radio, New York.
51. Invitation, dîner en l'honneur du Dr Harlow Shapley, 10 décembre, 18 h 30.
52. Cameron Shipp, « The Gentlest », origine non identifiée, probablement *Movie Life*, vers le 10 mars 1946, Collection Constance McCormick, USC.
53. « Louella Parsons in Hollywood », *Los Angeles Examiner*, 2 novembre 1947.
54. HICCASP, rapport d'activités de campagne, Collection Morris-Kenny, WSHS.
55. Lizabeth Scott, interview du 7 novembre 1990.
56. Philip Gersh, interview du 1er août 1987.
57. Richard Brooks, interview. Le film fut finalement tourné en 1947 sous le titre *Crossfire (Feux croisés)*, sous la direction d'Edward Dmytryk, avec Robert Young, Robert Ryan, Robert Mitchum et Gloria Grahame. La victime n'était plus un homosexuel mais un Juif.
58. Humphrey Bogart à Jack Warner, télégramme, 26 mai 1944, dossier juridique de Bogart, USC WB.
59. Jerry Wald à J. L. Warner, 26 novembre 1945, JL/Tr, « W » 1945 (dossier polycopié), JWC, USC.
60. Warner Bros. Studio, « mémorandum de production », non daté.

61. Harrison Carroll, source non identifiée, 21 décembre 1946. Dossier de presse des *Passagers de la nuit*, USC WB.
62. Thornton Delehanty, *New York Herald Tribune*, 29 septembre 1946.
63. *The New York Times*, 23 décembre 1946.
64. E. K. Hessberg, secrétariat de Warner Bros. Pictures, Inc., approbation du conseil d'administration de Warner Bros., 17 décembre 1946, USC WB.
65. United Press International, 6 février 1949, Collection Aljean Harmetz. Pour les femmes, le salaire de 328 334 dollars de Bette Davis était le plus élevé cette année-là. Dans l'industrie du cinéma, c'était le directeur de la Twentieth Century-Fox Charles P. Skouras qui, avec ses 985 300 dollars, avait gagné le plus d'argent.
66. Accord du 19 décembre 1946, p. 55, dossier juridique de Bogart, USC WB.
67. Rapports sur la progression du scénario, d'août à décembre 1945, JL/Tr, JWC, USC WB.

CHAPITRE 17

1. Article de couverture du dossier du *Time*, 1954, « Extra-curricular activities ».
2. Stanley Karnow, dossier de *Time*, reçu le 1ᵉʳ mai 1954.
3. Larry Rohter, *The New York Times*, 25 juin 1990.
4. Paul Kohner, Inc. à Alfred A. Knopf, Inc., lettre du 25 juillet 1938, papiers privés de Paul Kohner.
5. *The New York Times*, 25 juin 1990.
6. Emanuel Geibel (1815-1884) : *Die Goldgräber (les Chercheurs d'or)*.
7. Thornton Delehanty, *New York Herald Tribune*, 26 septembre 1946, Collection Brady.
8. Tous les détails sur la préparation de la production du *Trésor de la Sierra Madre* viennent de la correspondance entre Paul Kohner et B. Traven entre 1938 et 1948. Papiers privés de Paul Kohner.
9. Paul Nathan à Jack Warner, mémorandum du 11 avril 1942, USC WB.
10. R. J. Obringer à Morris Ebenstein, 30 juin 1942, USC WB.
11. John Huston à J. H. McCallum, Harcourt, Brace and Co., 21 mars 1946, JH, AMPAS.
12. Divers scénaristes produisirent des versions du *Trésor de la Sierra Madre*, dont Robert Rossen, plus tard scénariste et producteur de *All the King's Men (les Fous du roi)* et de *The Husler (l'Arnaqueur)*, connu surtout à l'époque pour son travail sur *Femmes marquées* et *les Fantastiques Années vingt*. On en envisagea d'autres, comme Howard Koch et Emmet Lavery, et on parla de Vincent Sherman comme réalisateur possible.
13. Accord entre Ernest Hemingway et Mark Hellinger Productions, Collection David O. Selznick, University of Texas.
14. Minutes des conseils d'administration de Mark Hellinger Productions, 1945-1948, Collection Mark Hellinger, USC.
15. Martin Gang à Mark Hellinger, lettre du 10 février 1947, Collection Hellinger, USC.
16. Contrat entre Mark Hellinger Productions et Humphrey Bogart, artiste, 1947, 58 pages, Collection Mark Hellinger, USC.
17. Richard Brooks, « Swell Guy », *The Screen Writer*, mars 1948.
18. Stephen Humphrey Bogart, *Bogart, mon père*, Paris, Denoël, 1996, p. 206.

19. Jules Buck, interview.
20. Evelyn Keyes.
21. John Huston, interview.
22. Evelyn Keyes, ibid. Dans sa biographie, *Bogie*, Joe Hyams dit que cela s'est passé en 1949, après que Huston et son père eurent remporté l'oscar pour *le Trésor de la Sierra Madre*.
23. Grobel, op. cit., p. 286.
24. Kenneth Cox à W. L. Guthrie, mémorandum du 1er février 1947, dossier du *Trésor de la Sierra Madre*, USC WB.
25. Grobel, op. cit., pp. 290-291.
26. B. Traven à John Huston, lettre du 2 septembre 1946. Behlmer, *Inside Warner Bros.*, op. cit., pp. 279-280
27. H. C. (Hal Groves) à John Huston, lettre du 2 février 1947, JH, AMPAS.
28. Traven à Huston, lettre du 4 janvier 1947, id.
29. Huston à Traven, lettre du 30 décembre 1946, id.
30. H. C. à Huston, lettre du 4 février 1947, id.
31. Traven à Huston, lettre du 4 janvier 1947, id.
32. H. C. à Huston, lettre du 12 février 1947, id.
33. Bob Fender, WB Publicity, non daté, USC WB.
34. W. L. Guthrie à John Huston, 5 février 1947, dossier du *Trésor de la Sierra Madre*, USC WB.
35. Michael Sokol à W. L. Guthrie, 21 février 1947, USC WB.
36. Robert Blake, interview du 13 novembre 1990.
37. Fender, *By Humphrey Bogart*, Warner Bros. Studios, non daté, WB, et Carl Combs, ainsi que dossier publicitaire USC WB.
38. Fender, ibid.
39. Blanke à Page, mémorandum du 4 février 1947, USC WB.
40. Hyams, op. cit., p. 183.
41. Grayson à Blanke, 2 mai 1947, USC WB.
42. Charles Bonniwell à « Cher Ed », 17 avril 1947, dossier de tournage du *Trésor de la Sierra Madre*, USC WB.
43. Karl S. Guthke, *B. Traven : The Life Behind The Legends*, Lawrence Hill Books, Chicago, 1987.
44. Bruce Bennett, interview.
45. John Huston, interview.
46. Evelyn Keyes, interview.
47. Révision finale du *Trésor de la Sierra Madre*, 10 janvier 1947, p. 36, USC WB.
48. Helga Smith, interview du 12 décembre 1989.
49. *Time* du 2 février 1948, dossier de presse du *Trésor de la Sierra Madre*, USC WB.
50. *The Hollywood Reporter*, 6 janvier 1948.
51. Jack Warner à Ben Kalmenson, 1er août 1947, USC WB.
52. *Le Trésor de la Sierra Madre*, rapports quotidiens de tournage, 21 et 23 juin 1947, USC WB. Hal Croves n'apparaît pas comme conseiller au générique du film.
53. *Life*, février 1948, dossier de presse du *Trésor de la Sierra Madre*, USC WB.
54. Paul Kohner, interview du 2 septembre 1987.

CHAPITRE 18

1. *The New York Times*, 3 avril 1955.
2. Stefan Kanfer, *A Journal of the Plague Years*, Atheneum, New York, 1973, p. 13.
3. Frank Hughes, *Chicago Daily Tribune*, 23 novembre 1946.
4. Ibid., 17 novembre 1946.
5. Willard Edwards, *Chicago Daily Tribune*, 27 novembre 1946.
6. *Los Angeles Herald Express*, 14 mai 1947.
7. Cité par Otto Friedrich, op. cit. p. 299.
8. Friedrich, op. cit. ; cité dans Walter Goodman, *The Committee : The Extraordinary Career of the House Committee of Un-American Activities*, Farrar, Straus, Giroux, New York, 1968, pp. 42, 172-174.
9. Friedrich, op. cit. Voir aussi *St. Louis Post Dispatch*, 1er décembre 1948.
10. Gordon Kahn, *Hollywood on Trial,* Boni and Gaer, New York, 1948, p. 24. Aussi *Chicago Tribune*, 29 mai 1947, JWC, USC WB.
11. Associated Press, témoignage de mai 1947 ; *Hollywood Citizen News*, 20 octobre 1947, JWC, USC WB.
12. *Chicago Tribune*, 2 juin 1947.
13. *Hollywood Citizen News*, 28 mai 1947, *L.A. Times*, 29 mai 1947.
14. *Hollywood Citizen News*, 30 juillet 1947, *Hollywood Reporter*, 31 juillet 1947.
15. Récit intéressant *in* Friedrich, op. cit., p. 300.
16. Larry Ceplair et Steven Englund, *The Inquisition in Hollywood : Politics in the Film Community, 1930-1960*, Anchor/Doubleday, Garden City, N.Y., 1980, p. 259.
17. John Huston, interview.
18. Jack Warner Jr, interview du 12 novembre 1990.
19. Philip Dunne, *Constitution Magazine*, vol. 4, n° 3, automne 1992.
20. Jules Buck, interview par téléphone du 18 octobre 1991.
21. Archives du CFA.
22. Philip et Amanda Dunne, interview du 7 août 1987.
23. Katharine Hepburn, interview du 20 mars 1989.
24. *Los Angeles Herald-Express*, 27 octobre 1947. Dossier de J. L., 27 octobre 1947, papiers de L.A., JWC, USC WB.
25. *New York Herald Tribune* du 27 octobre 1946, Hollywood Ten, Collection Morris-Kenny, WSHS.
26. Philip Dunne, interview.
27. Ibid.
28. *Hollywood Citizen News*, 17 octobre 1947.
29. *The New York Times*, 26 octobre 1947.
30. Associated Press, 18 octobre 1947.
31. Otto Friedrich, op. cit., p. 311. Voir aussi Stefan Kanfer, op. cit., p. 42.
32. *Daily Variety*, 20 octobre 1947, dossier de J. L., même date, JWC, USC WB.
33. Jack Warner Jr, interview.
34. Warner, en mai, avait dénoncé 16 auteurs : Alvah Bessie, Guy Endore, Julius et Philip Epstein, Sheridan Gibney, Gordon Kahn, Howard Koch, Ring Lardner Jr, Emmet Lavery, John Howard Lawson, Albert Maltz, Clifford Odets, Robert Rossen, Irwin Shaw, Dalton Trumbo, John Wexley. Il corrigea la liste en disant que Endore, Giney et les Epstein n'avaient « jamais rien

écrit de subversif». Friedrich, op. cit., p. 312. Ceplair et Englund, op. cit., p. 259.

35. Télégrammes des 21, 22, 23 octobre 1947, JWC, USC WB.
36. Jack L. Warner, *Hearings (Regarding the Communist Infiltration of the Motion Picture Industry), before the Committee on Un-American Activities*, House of Representatives, Washington, 20 octobre 1947.
37. Ibid. Voir aussi Robert Carr, *The House Committee on Un-American Activities 1945-1950*, Cornell University Press, Ithaca, New York, 1952, p. 61.
38. Jack Warner Jr, interview.
39. JLW à Blumenstock, télégramme du 21 octobre 1947, JWC, USC WB.
40. JLW à Kalmenson, télégramme du 21 octobre 1947, ibid.
41. *New York Daily News*, 21 octobre 1947, dossiers Morris-Kenny, WSHS.
42. David Caute, *The Great Fear*, Simon & Schuster, New York, 1978, pp. 492-493.
43. United Press International, *Hollywood Citizen News*, 24 octobre 1947 ; dossier de presse de J. L., même date, JWC, USC WB.
44. *Washington Daily News*, 23 octobre 1947, Morris-Kenny.
45. Friedrich, op. cit., p. 322.
46. Philip Dunne, interview.
47. Gene Kelly, interview du 13 décembre 1990.
48. Bacall, op. cit., p. 222.
49. Jules Buck, interview du 11 septembre 1988.
50. *New York Herald Tribune*, 23 novembre 1947.
51. Marsha Hunt était une actrice des années trente et quarante, surtout à la MGM ; on ne doit pas la confondre avec l'actrice anglaise des années 1980. Interview du 26 février 1990.
52. Richard Brooks, interview.
53. *Los Angeles Times*, 25 octobre 1947.
54. Philip Dunne, interview. En 1950, Hughes retournera sa veste.
55. Jerome Lawrence, interview.
56. Ring Lardner, *The Lardners : My Family Reconsidered*, Harper & Row, New York, 1976, p. 325.
57. Ceplair et Englund, op. cit., p. 282.
58. Ibid.
59. Philip Dunne, *Take Two : A Life in Movies and Politics*, McGraw-Hill, New York, 1980, p. 58.
60. John Huston, interview.
61. *Los Angeles Herald-Express*, 26 octobre 1947.
62. Paul Henreid, interview.
63. Jules Buck, interview.
64. Marion Stevenson, interview du 4 juin 1992.
65. Henry Rogers, *Walking the Tightrope*, William Morrow & Co., New York, 1980, pp. 84-85.
66. *New York Daily News*, 27 octobre 1947.
67. *New York Sun*, 27 octobre 1947.
68. *PM*, 28 octobre 1947.
69. *Daily Variety*, 28 octobre 1947.
70. Edward Dmytryk, interview du 4 avril 1991.
71. *Life*, photo dans le numéro du 24 novembre 1947.
72. Evelyn Keyes, interview.
73. *Los Angeles Daily News*, 28 octobre 1947.

74. *PM*, du 28 octobre 1947.
75. Elise Morrison, *Innocents Abroad in the Nation's Capitol*, 3 novembre 1947 ; date de publication inconnue ; archives privées.
76. *Life*, 10 novembre 1947.
77. Otis L. Guernsey Jr, « The Playbill : Citizen Bogart in Defense of Principle », *New York Herald Tribune*, 23 novembre 1947, section V, p. 1
78. *Life*, 24 novembre 1947.
79. Eric Johnston, projet de discours, 27 octobre 1974, Collection Morris-Kenny, WSHS.
80. Ceplair et Englund, op. cit., p. 285.
81. Stefan Kanfer, op. cit., p. 73. Rankin s'était en plus trompé sur le nom de Danny Kaye, qui n'était pas Kimirsky mais Kaminski.
82. Exclusif : Par Lauren Bacall, « Pourquoi je suis venue à Washington », *Washington Daily News*, 29 octobre 1947. Les détails concernant l'écriture de l'article sont donnés dans le journal, qui assura ses lecteurs qu'il était entièrement l'œuvre de la jeune femme. Voir aussi Bacall, op. cit., pp. 225-226.
83. SAC Philadelphie au directeur du FBI, 3 novembre 1947, dossiers du FBI.
84. Transcription des interviews diffusées sur WIP, Philadelphie, le 29 octobre 1947 à 22 heures, dossiers du FBI.
85. Henry Rogers, interview du 9 août 1987.
86. Légende de photo dans *Life* du 24 novembre 1947.
87. Peoria, Illinois, *Journal-transcript*, 28 octobre 1947.
88. *Post Dispatch* de St. Louis, 30 octobre 1947.
89. *Review* de Decatur, Illinois, 2 novembre 1947.
90. Friedrich, op. cit., p. 329.
91. Howard Koch, « To Whom it May Concern », p. 7, non daté, Collection Howard Koch, WSHS.
92. Ring Lardner Jr, interview.
93. Lester Cole, *Hollywood Red : The Autobiography of Lester Cole*, Ramparts Press, Palo Alto, 1981, pp. 314-319 ; voir aussi Friedrich, op. cit., p. 426.
94. Friedrich, ibid. ; voir aussi Lardner, op. cit., p. 322.
95. Frances Lardner, interview du 25 juillet 1990.
96. *Hollywood Fights Back*, émission radiophonique de ABC, 2 novembre 1947. Le script figure dans la collection privée de Jerome Lawrence.
97. Walter Bernstein, *Inside Out*, Alfred A. Knopf, New York, 1996, p. 278.
98. Warner Bros., liste du personnel, 10 mars 1947, J. L. (polycopies), JWC, USC WB.

CHAPITRE 19

1. Télégramme, Trilling à J. L. Warner, 17 novembre 1947, USC WB.
2. JL à Kalmenson, Blumenstock, télégramme du 12 novembre 1947, dossier des télégrammes envoyés, novembre-décembre 1947. JWC, USC WB.
3. « Washington Scene », par George Dixon, *Los Angeles Herald Examiner*, 30 octobre 1947.
4. *American*, Waterbury, Connecticut, 28 octobre 1947.
5. *New York Daily Mirror*, 29 octobre 1947.
6. Otis L. Guernsey Jr, « The Playbill : Citizen Bogart in Defense of a Principle », *New York Herald Tribune*, 23 novembre 1947.

7. J. L., probablement à Perkins et Blumenstock, télégramme, novembre 1947, JWC, USC WB.
8. Trilling à J. L., télégramme du 21 novembre 1947, USC WB.
9. *Weekly Variety*, 25 novembre 1947.
10. Mémorandum du 24 novembre 1947, expéditeur et destinataire non identifiés, dossiers du FBI.
11. Humphrey DeForist [sic] Bogart, rapport du 24 novembre 1947, dossiers du FBI.
12. *Weekly Variety*, 25 novembre 1947.
13. Déclaration du 25 novembre 1947 de la Motion Picture Association, rendue publique par Eric Johnston, éditée dans *Weekly Variety* du 26 novembre 1947 sous le titre « Film Industry's Policy Defined ».
14. *New York Mirror*, 29 novembre 1947, cité par John Cogley, *Report on Blacklisting*, 2 vol., Fund for the Republic, New York, 1956, p. 23.
15. Humphrey Bogart, « I'm No Communist », *Modern Screen*, mars 1948, Collection McCormick, USC WB ; aussi dossiers du FBI.
16. Archer Winsten, « Movies », *New York Post*, 29 novembre 1947.
17. *Knock On Any Door* fut finalement tourné à la Columbia en 1949, avec John Derek dans le rôle du gamin et Bogart dans celui de son avocat.
18. Il s'agit de la Bankers Trust Company et de la Security-First National Bank ; Robert E. Kopff, de Gang, Koop & Tyre, à A. Morgan Maree et Mark Hellinger, 12 novembre 1947, Collection Hellinger, USC WB.
19. D.O.S. à M. O'Shea, M. Scanlon, « Immédiat et confidentiel », 10 septembre 1947, Mark Hellinger-DOS, Collection David O. Selznick, HRHRC, University of Texas.
20. Jules Buck, interview du 11 septembre 1988.
21. Helen Hayes, interview du 30 juillet 1990.
22. United Press, Chicago, 3 décembre 1947, repris dans le *Washington Times Herald* le 4 décembre 1947 ; aussi dans les archives du FBI.
23. *Times* de Chattanooga, Tennessee, 4 décembre 1947.
24. J. L. à Blumenstock, télégramme, 3 décembre 1947. JWC, USC WB.
25. *Blade* de Toledo, Ohio, 8 décembre 1947.
26. Chet Holifield, membre du Congrès, à Humphrey Bogart, 9 décembre 1947 ; papiers privés de Philip Dunne. Sans que Bogart le sache, c'est Dunne qui écrivit une moitié de la lettre, y compris les passages concernant ce que Dunne appela plus tard les « pressions féroces » infligées à l'acteur.
27. *Washington Post*, 4 décembre 1947.
28. Kennesaw M. Landis II, « The Terror Must Be Fierce in Hollywood », 9 décembre 1947, Collection Morris-Kenny, WSHS.
29. Blumenstock à JLW, 1er décembre 1947, télégrammes de NY, USC WB.
30. JLW à Blumenstock, télégramme du 1er décembre 1947, USC WB.
31. JLW à Blumenstock, 11 décembre 1947, USC WB.
32. JLW à Kalmenson, Kalmine, Blumenstock, mémorandum du 9 décembre 1947, WB, USC WB.
33. Paul Henreid, interview.
34. Friedrich, op. cit., pp. 167-168.
35. Malvin Wald, interviews des 7 septembre 1988 et 20 novembre 1990.
36. *Daily Worker*, 2 mars 1948, archives du FBI.
37. Joe Hyams, interview.
38. Jules Buck, interview du 12 août 1993.
39. John Huston, interview.

40. Evelyn Keyes, interview.
41. Philip Dunne, op. cit., pp. 200-201.
42. Philip Dunne au député Chet Holifield, 17 décembre 1947, papiers privés de Philip Dunne.
43. Bacall, op. cit., p. 228.
44. Richard Brooks répétant ce que lui avait dit Gladys Hellinger, interview du 26 septembre 1988.
45. Bacall, op. cit., p. 230.
46. Bogart, « I'm No Communist », loc. cit.
47. Sam Jaffe, interview du 15 août 1987.
48. Edward G. Robinson, *All My Yesterdays, An Autobiography*, en collaboration avec Leonard Spigelgass, Hawthorn Books, New York, 1973, p. 181.
49. Jules Buck, interview.
50. Richard Brooks, interview.

CHAPITRE 20

1. Lillian Ross, « Onward and Upward With the Arts », *New Yorker*, 21 février 1948.
2. *Key Largo*, dialogues, USC WB.
3. Rudi Fehr, interview.
4. Harry Lewis, interview du 28 janvier 1990.
5. Dossier de presse de *Key Largo*, notes de production, USC WB.
6. E. G. Robinson, op. cit., p. 254.
7. Harry Lewis, interview.
8. Rudi Fehr, interview.
9. Edward G. Robinson, op. cit., p. 263.
10. Lawrence Grobel, op. cit., p. 312.
11. Richard Brooks, interview. Brooks rédigea aussi, dans le cadre d'un différend juridique, une déclaration qui se terminait ainsi : « La Gaye Dawn du film est une conséquence naturelle de ce que nous avons observé dans la vie réelle et nous l'avons créée à partir de nos expériences combinées. » Rudy Behlmer, *Inside Warner Bros.*, op. cit., p. 295.
12. Grobel, op. cit., p. 313.
13. Bacall, op. cit., p. 232.
14. Grobel, op. cit., p. 313.
15. Id.
16. Harry Lewis, interview.
17. Otis Guernsey Jr., *New York Herald Tribune*, 17 juillet 1948.
18. Joe Hyams, op. cit., p. 144 ; Bacall, op. cit., p. 233.
19. Curtiz à Trilling, lettre du 25 avril 1947, USC WB.
20. Mémorandum de la conversation téléphonique entre Jack L. Warner et Lauren Bacall, le jeudi 15 avril 1948, à 16 heures, p. 1, USC WB.
21. Mrs Betty Bogart, dite Lauren Bacall, à Warner Bros. Pictures, Inc., 18 juin 1948, USC WB.
22. Betty Bogart à Jack Warner, lettre du 27 juillet 1948, USC WB.
23. Roy Obringer à Ralph Lewis, mémorandum du 29 avril 1948, USC WB.
24. Bacall, op. cit., p. 234.
25. *The Los Angeles Times*, 1er juillet 1948.
26. Obringer à Milton Sperling, mémorandum du 25 août 1948, USC WB.

27. J. L. Warner à Roy Obringer, 5 octobre 1948, et R. J. Obringer à *Life Magazine*, 5 octobre 1948, USC WB.
28. *Los Angeles Herald-Express*, 24 août 1948 ; Obringer à Milton Sperling, mémorandum du 25 août 1948, USC WB.
29. *Glendale News Press*, 7 juin 1948 ; Evelove à Warner, résumé des commentaires de Bogart-Bacall, 12 octobre 1948, USC WB.
30. Arthur Silver, interview.
31. Jack Warner Jr, interview.
32. Bacall, op. cit., p. 235.
33. Bacall, op. cit., p. 236.
34. Ibid.
35. Hyams, op. cit., p. 145.
36. Bacall, op. cit., pp. 237-238.
37. Ibid., p. 237.
38. Ibid., pp. 239-240.
39. Avery Carroll, magazine inconnu, vers 1949, Collection Constance McCormick, USC.
40. Amanda Dunne, interview.
41. Pauline Kael, *5001 Nights at the Movies*, Henry Holt and Co., New York, 1982, p. 310.
42. Bernard Eisenschitz, *Humphrey Bogart*, Le Terrain vague, Paris, 1967, p. 89.
43. Scénario de *Detective Story*, par Philip Jordan et Robert Wyler, Collection William Wyler, UCLA Theatre Collection.
44. Sidney Kingsley, interview.
45. R. J. Obringer à J. L. Warner, 13 et 22 décembre 1948 ; dossier juridique de Bogart, USC WB.
46. Jack Warner Jr, interview.
47. *New York Times*, 10 février 1950.
48. Steve Trilling à Mme Betty Bogart, dite Lauren Bacall, 30 septembre 1949, USC WB.
49. Blumenstock à Obringer, télégramme du 4 octobre 1949.
50. *New York Post*, 29 septembre 1949.
51. *Time*, 10 octobre 1949, Collection Constance McCormick, USC WB.
52. UP, *Los Angeles Daily News*, 28 septembre 1949.
53. Ibid.
54. Bacall, op. cit., p. 246.
55. *New York World-Telegram*, 28 septembre 1949.
56. Earl Wilson, *New York Post*, 29 septembre 1949.
57. Arthur Silver, interview.
58. Charles Carson, interview du 16 mai 1987.
59. Earl Wilson, *New York Post*, 28 septembre 1949.
60. United Press, *Los Angeles Herald-Express*, 11 novembre 1949. Le « 21 », un des restaurants préférés de Bogart, ne se joignit pas à ce vent de folie, et Betty et lui y déjeunèrent après qu'il eut été relaxé par le tribunal.
61. Inez Robb, N.Y. *Journal-American*, 20 octobre 1949.
62. *Los Angeles Examiner*, 1er octobre 1949, Collection Constance McCormik, USC WB.
63. *Los Angeles Daily News*, 5 octobre 1950.

CHAPITRE 21

1. *In a Lonely Place*, scénario ; Collection Edmund North, Theater Collection, UCLA.

2. Vincent Curcio, *Suicide Blonde*, William Morrow and Company, New York, 1989, pp. 84-85.
3. *The New York Times*, 18 mai 1950.
4. Richard Schickel, op. cit., p. 237.
5. Curcio, op. cit.
6. John McClain, N.Y. *Journal-American*, 18 janvier 1957.
7. Hyams, op. cit., p. 190.
8. Mrs. Betty Bogart (Lauren Bacall) à Warner Bros. Pictures, Inc., lettre du 18 juin 1948, USC WB.
9. Roy Obringer à Sam Norton, Famous Artists Corp., lettre du 6 février 1950, USC WB.
10. Blumenstock à J. L. Warner, télégramme du 3 février 1950, USC WB.
11. Blumenstock à J. L. Warner, mémorandum du 3 février 1950, USC WB.
12. Trilling à Bacall, télégramme, 4 février 1950, USC WB.
13. Blumenstock à J. L. Warner, télégrammes des 30 janvier et 1er février 1950, USC WB.
14. Blumenstock à J. L. Warner (confidentiel), télégramme du 3 février 1950, USC WB.
15. J. L. Warner à Roy Obringer, 10 juillet 1950 et « Cancellation of Contract and Mutual Release », 12 juillet 1950, dossier juridique de Bacall, USC WB.
16. Note signalant la réception du chèque, 24 mai 1954, dossier juridique de Bacall, USC WB.
17. Gene Shefrin, David O. Alber Associates, Inc. à Jean Sulzberger, *Time*, 21 mars 1951.
18. Mémorandum de Walter MacEwen à Roy Obringer, 30 avril 1951, USC WB.
19. Walter Ames, *The Los Angeles Times*, 11 janvier 1951.
20. Virginia Denman à William Fadiman, 26 août 1947, RKO, UCLA.
21. Accord entre Cecil Scott Forester et Warner Bros. Pictures, Inc., 19 avril 1946, USC WB.
22. Rapport de lecture de Lee Phillips du 28 juillet 1947 et Virginia Denman à William Fadiman, 26 août 1947 ; Collection RKO, UCLA.
23. Le scénariste John Collier y avait travaillé pour la Warner ; en juin 1950, l'option fut transférée à Horizon Pictures, qui acheta les droits le 9 août 1950, ainsi que le projet de scénario de Collier. USC WB.
24. Katharine Hepburn, *African Queen*, Paris, Flammarion, 1988, p. 15.
25. Hyams, op. cit., p. 190.
26. John Huston, interview.
27. Hepburn, interview.
28. Howard Thompson, *The New York Times*, 2 mars 1952.
29. Grobel, op. cit., p. 366.
30. Bacall, op. cit., pp. 250-251.
31. Marie Torre, *New York World-Telegram*, 17 mars 1951.
32. Bacall, op. cit., p. 252.
33. Torre, loc. cit.
34. *Time*, 21 avril 1951.
35. Hepburn, interview.
36. Hyams, op. cit., p. 192.
37. Hepburn, op. cit., pp. 50 et 145, et interview.
38. Leonard Lyons, *The New York Post*, 2 août 1951.
39. *New York World-Telegram*, 18 septembre 1951.
40. Benchley, op. cit., p. 182.

41. Grobel, op. cit., p. 367.
42. Bacall, op. cit., p. 257.
43. Ibid.
44. Hepburn, interview.
45. *New York World-Telegram*, 18 septembre 1951.
46. Stanley Karnow, interview de Huston réalisée le 1er mai 1954, non publiée, archives de *Time*.
47. Huston, interview.
48. Hepburn, interview.
49. *The New York Times*, 2 mars 1952.
50. Art Buchwald, *Herald Tribune*, édition européenne, 6 août 1951.
51. Hepburn, op. cit., pp. 151-152.
52. Hyams, op. cit., p. 193.
53. Ibid., p. 55.
54. Ibid., pp. 49-50.
55. Karnow, interview de Huston, loc. cit.
56. Hepburn, op. cit., p. 50
57. United Press, 9 juin 1951.
58. Bacall, op. cit., p. 266.
59. *The New York Times*, 2 mars 1952.
60. Hepburn, interview.
61. Hepburn, op. cit., p. 165.
62. David Caute, op. cit., p. 501.
63. Walter Goodman, op. cit., p. 309.
64. Myron C. Fagan, *Red Stars in Hollywood : Their Helpers... Fellow Travelers... and Co-Conspirators*, Patriotic Tract Society, St. Louis, Texte d'un discours prononcé le 12 avril 1948.
65. Jules Buck, interview du 11 septembre 1988.
66. Darryl F. Zanuck à Sol Siegel, méromandum du 2 février 1951 et DZ à Siegel, Brooks, Mandaville, 19 septembre 1951.
67. Brooks, interview.
68. Friedrich, op. cit., p. 366.
69. Ibid.
70. Brooks, interview.
71. Kay Thackeray, interview du 22 septembre 1988.
72. Brooks, interview.

CHAPITRE 22

1. John Huston à Katharine Hepburn, 8 janvier 1952.
2. *The New York Times*, 2 mars 1952.
3. John Strauss, interview du 6 février 1991.
4. *The Letters of Nunnally Johnson*, choisies et éditées par Dorris Johnson et Ellen Laventhal, Alfred A. Knopf, New York, 1981, p. 75.
5. Richard Brooks, interview.
6. Archives de *Time*, 21 mars 1952.
7. Judith Michaelson, *Los Angeles Times Calendar*, 20 janvier 1991.
8. Archives de *Time*, 21 mars 1952.
9. Stephen Humphrey Bogart, op. cit., p. 283. Il ajoute que la statuette se trouve maintenant chez lui sur une étagère.

10. George Roosevelt, interview du 13 avril 1991.
11. Obringer à J. L. Warner, 24 septembre 1951, USC WB.
12. Obringer à J. L. Warner, 4 janvier 1952, USC WB.
13. Hedda Hopper, *The Los Angeles Times*, 19 mai 1952.
14. R. J. Obringer au nom de Warner Bros. Pictures, Inc., à Humphrey Bogart, 7 juillet 1952, USC WB.
15. Ralph E. Lewis à Roy J. Obringer, lettre du 11 juin 1952, dossier juridique de Bogart, USC WB.
16. William Campbell, interview du 30 novembre 1987.
17. Katz, op. cit., p. 507.
18. William Campbell, interview.
19. Hedda Hopper, loc. cit.
20. David Niven, *Étoiles filantes*, Laffont, Paris, 1977, p. 249.
21. Joyce Buck, interview du 26 septembre 1988.
22. Brooks, interview.
23. *Time*, 22 septembre 1952.
24. Bacall, op. cit., p. 279.
25. Bogart à Huston, lettre du 8 octobre 1952.
26. Bacall, op. cit., p. 282.
27. Ibid, p. 284.
28. Bogart à Huston, lettre du 26 novembre 1952.

CHAPITRE 23

1. Motion Picture Association of America, Inc. à Jess Morgan, Santana Productions, 13 février 1953.
2. Louella O. Parsons, « In Hollywood », N.Y. *Journal-American*, 23 mars 1952.
3. Morgan Maree à James Woolf, Romulus Films, lettre du 29 janvier 1952.
4. Morgan Maree à John Huston, télégramme du 29 janvier 1952.
5. John Huston à David O. Selznick, lettre du 8 février 1952, Collection Selznick, UT.
6. Maree à Huston, télégramme du 4 avril 1952.
7. Grobel, op. cit., p. 401.
8. Paul Kohner à John Huston, lettre du 6 novembre 1952.
9. Mémorandum du 8 octobre 1952, Santana Productions.
10. Maree à Huston, 8 avril 1952.
11. Huston à Maree, 15 avril 1952.
12. Huston à Maree, 17 août 1952.
13. Bogart à Huston, lettre du 8 octobre 1952, Grobel, op. cit., p. 396.
14. Maree à Huston, 9 octobre 1952.
15. Bogart à Huston, 8 octobre 1952.
16. Bogart à Huston, ibid.
17. Huston à Bogart, lettre du 19 novembre 1952, *in* Grobel, op. cit., pp. 396-397.
18. Bogart à Huston, lettre du 26 novembre 1952, *in* Grobel, op. cit., p. 397.
19. Lettre de Maree à Huston du 2 novembre 1952, ibid.
20. MPAA à Jess Morgan, 13 février 1953.
21. Grobel, op. cit., p. 401.
22. Ibid., p. 402.

23. « Le tournage de *Plus fort que le diable* », par Humphrey Bogart, tel qu'il l'a raconté à Joe Hyams, *Cue*, 16 août 1954.
24. Grobel, op. cit., p. 407.
25. Humphrey Bogart, « Around the World in 80 Reels », *New York Herald Tribune*, 24 mars 1954.
26. *Cue*, loc. cit.
27. Hyams, op. cit., p. 198.
28. Grobel, op. cit., p. 403.
29. Julie Gibson, interview du 21 février 1990.
30. James Agee, interview, 27 avril 1954, archives de *Time*.
31. Jack Warner à Obringer, mémorandum du 10 décembre 1952, USC WB.
32. Mémorandum de Obringer à Warner-Trilling, 12 décembre 1952, USC WB.
33. Mémorandum de Obringer à J. L. Warner, 14 avril 1953, USC WB.
34. Bill Mauldin, interview.
35. Art Buchwarl, « We Lost the War », *New York Herald Tribune*, 7 juin 1953.
36. *American Weekly*, 27 juin 1954.
37. Stanley Kramer, interview vers 1990.
38. Philip Gersh, interview du 1er août 1987.
39. *American Weekly*, loc. cit.
40. Bacall, op. cit., p. 296.
41. Stanley Kramer, interview.
42. Irving Moore, interview du 11 janvier 1991.
43. Edward Dmytryk, interview.
44. Claude Akins, interview du 4 avril 1989.
45. Walter Shenson, interview du 12 février 1990.
46. Ibid.
47. *Time*, 7 juin 1954, p. 68.
48. Stanley Kramer, interview.
49. Irving Moore, interview.
50. Huston à Bogart, lettre du 10 juin 1953.
51. *American Weekly*, loc. cit.
52. Claude Akins, interview.
53. Stanley Kramer, interview.
54. *American Weekly*, loc. cit.
55. Hyams, op. cit., p. 229.
56. *Time* du 28 juin 1954.
57. Huston à Maree, lettre du 10 juin 1953.
58. *Empire News*, 6 septembre 1953.
59. Ben Joel Jr à Milton E. Cohen, United Artists, rapport sur la sortie du film, non daté.
60. *New Yorker*, 20 mars 1954.
61. Hyams, op. cit., p. 201.
62. Walter Shenson, interview.
63. Ibid.
64. 29 juillet 1953, USC WB.
65. *The New York Times*, 22 septembre 1953.

CHAPITRE 24

1. Maurice Zolotow, *Billy Wilder in Hollywood*, Putnam, 1977, p. 198.
2. Gersh, interview du 1er août 1987.

3. Zolotow, op. cit., pp. 251-252.
4. Kevin Lally, *Wilder Times*, Henry Holt and Company, New York, 1996, pp. 236-237.
5. Benchley, op. cit., notes d'interview avec William Holden, NB collection, BU.
6. Ezra Goodman, interview du 29 avril 1954, archives de *Time*.
7. Frank MacShane, *Raymond Chandler, le gentleman de Californie*, Balland, Paris, 1982, p. 157.
8. Zolotow, op. cit., p. 183.
9. Goodman, loc. cit.
10. David Freeman, « Sunset Boulevard Revisited », *The New Yorker*, 21 juin 1993, p. 78.
11. Zolotow, op. cit., p. 253.
12. Ibid., pp. 254-255.
13. Ibid., p. 187.
14. Goodman, loc. cit.
15. *The New York Times*, 23 septembre 1954.
16. Goodman, loc. cit.
17. Benchley, op. cit., p. 213.
18. Dee Hawks Cramer, interview du 13 août 1988.
19. Hyams, op. cit., p. 150.
20. John Horne, « *Person to Person* Brings the 1950's Back to Life », *The New York Times*, 2 juillet 1978.
21. Louella O. Parsons, Motion Picture Editor, International News Service, « Strange Things Are Happening to Hollywood's "Bad Boy" », 27 décembre 1953.
22. Stephen Bogart, interview du 28 septembre 1987.
23. Hyams, interview, op. cit., p. 149.
24. Stephen Bogart, interview.
25. Philip Gersh, interview.
26. Ezra Goodman, interview de Mike Romanoff, archives de *Time*.
27. George Roosevelt, interview.
28. Benchley, op. cit., pp. 161-162.
29. Verita Thompson et Donald Shepherd, op. cit., p. 131.
30. Richard Nash, interview, probablement 1990.
31. William Graf, interview.
32. Hyams, op. cit., pp. 219-220.
33. *The New York Times*, 28 octobre 1949.
34. Hyams, op. cit., p. 214.
35. Philip Gersh, interview.
36. *Time*, 19 décembre 1955.
37. Sheila Graham, « Hollywood », 4 novembre 1955.
38. Dmytryk, interview.
39. Joan Bennett et Louis Kibbee, *The Bennett Playbill*, Holt, Reinhart and Winston, 1970, p. 306.
40. Benchley, op. cit., p. 201.
41. Earl Wilson, « It Happened Last Night », *New York Post*, 5 octobre 1955.
42. Jack Warner à Steve Trilling, mémorandum du 4 avril 1955, USC WB.
43. *New York Herald Tribune*, 6 novembre 1955.
44. *The New York Times*, 31 mai 1955.
45. Helen Hayes, interview.

46. Hyams, op. cit., p. 219.
47. Rod Steiger, interview du 30 janvier 1990.
48. Alistair Cooke, « Epitaph for a Tough Guy », *The Atlantic Monthly*, mai 1957.
49. Richard Erdman, interview du 16 février 1990.

CHAPITRE 25

1. Milton Sperling, interview du 13 août 1987.
2. Amanda Dunne, interview.
3. Bacall, op. cit., p. 322.
4. Ibid., p. 323.
5. Télégramme de Jack Warner à Humphrey Bogart, 6 mars 1956, USC WB.
6. Milton Sperling, interview.
7. Eddie Saeta, interview du 6 novembre 1990.
8. Joe Hyams, interview.
9. Kurt Niklas, interview du 8 avril 1991.
10. Bacall, op. cit., p. 339.
11. Stephen Bogart, interview.
12. Bacall, op. cit., p. 355.
13. Ibid., pp. 341-342.
14. Ibid., p. 358.
15. Ibid.
16. John Huston, op. cit., p. 222.
17. Hyams, interview.
18. Alistair Cooke, « Epitaph... », loc. cit.
19. Bacall, op. cit., p. 348.
20. Brooks, interview.
21. Natalie Schafer, interview du 18 mars 1990.
22. Stephen Humphrey Bogart, op. cit., p. 302.
23. Bacall, op. cit., p. 352.
24. Huston, op. cit., p. 221.
25. Huston, interview.
26. Irene Heymann, interview du 26 octobre 1990.
27. Katie Hepburn, interview.
28. Stephen Humphrey Bogart, op. cit., p. 311. Voir aussi Bacall, op. cit., pp. 360-362.
29. Certificat de décès, État de Californie, Bureau de la santé publique.
30. Collection Walter Wanger, WSHS.
31. Charles Wick, interview du 1er février 1990.
32. Earl Wilson, *New York Post*, 15 janvier 1957.
33. Andy Morgan Maree Jr, interview du 29 novembre 1990.
34. *Los Angeles Times*, 19 janvier 1957.
35. David Niven, op. cit., p. 244.
36. Bacall, op. cit., pp. 373-374.
37. *The Letters of Nunnally Johnson*, op. cit., p. 147.
38. Bacall, op. cit., p. 374.
39. *Life*, 28 janvier 1957.
40. Stephen Bogart, interview.
41. Bacall, op. cit., p. 375.

42. Dee Hawks Cramer, interview.
43. Bacall, op. cit., pp. 375-376.
44. Max Lerner, « Death and the Heroes », *New York Post*, 18 janvier 1957.
45. Reuters, *New York Post*, 15 janvier 1957.
46. N.Y. *Journal-American*, 12 mars 1957.
47. Grace Lambert, interview du 14 juillet 1987.
48. *Los Angeles Times* et *New York Herald Tribune*, 5 février 1957.
49. Max Wilk, interview du 4 mai 1987.

BIBLIOGRAPHIE

Astor, Mary. *A Life on Film*. New York : Delacorte, 1971.
— *My Story : An Autobiography*. Garden City, N.Y. : Doubleday, 1959.

Bacall, Lauren. *Lauren Bacall : By Myself*. New York : Alfred A. Knopf, 1980. Édition française : *Par moi-même,* Stock, Paris, 1979.

Barfour, Alan G. *Humphrey Bogart. Pyramid Illustrated History of the Movies*. New York : Pyramid Communications, 1973.

Behlmer, Rudy. *Inside Warner Bros. (1935-1951)*. New York : The Viking Press, 1985.
— *America's Favorite Movies : Behind the Scenes*. New York : Frederick Ungar, 1982.

Benchley, Nathaniel. *Humphrey Bogart*. Boston and Toronto : Little, Brown & Co., 1975. Édition française : *Vie et mort d'Humphrey Bogart,* Lherminier, Paris, 1979.

Bergman, Ingrid et Alan Burgess. *Ingrid Bergman : My Story*. New York : Delacorte, 1980.

Bernstein, Walter. *Inside Out : A Memoir of the Blacklist*. New York : Alfred A. Knopf, 1996.

Bessie, Alvah. *Inquisition in Eden*. New York : Macmillan, 1965.

Bishop, Jim. *The Mark Hellinger Story : A Biography of Broadway*. New York : Appleton-Century-Crofts, 1952.

Bogart, Humphrey. *Humphrey Bogart's Own Story : I Can't Say I loved Her,* raconté à Kate Holliday. *Ladies'Home Journal,* juin 1949.

Bogart, Stephen Humphrey et Gary Provost. *In Search of My Father*. New York : Dutton, 1995. Édition française : *Bogart, mon père,* Denoël, Paris 1996.

Brooks, Louise. *Lulu in Hollywood*. New York : Alfred A. Knopf, 1982. Édition française : *Louise Brooks par Louise Brooks,* Pygmalion, Paris, 1983.

Brown, John Mason. *The Worlds of Robert E. Sherwood, Mirror to His Times, 1896-1939*. New York : Harper & Row, 1965.

Carr, Robert K. *The House Committee of Un-American Activities, 1945-1950*. Ithaca, N.Y. : Cornell University Press, 1952.

CEPLAIR, Larry et Steven ENGLUND. *The Inquisition in Hollywood : Politics in the Film Community, 1930-1960*. Garden City, N.Y. : Anchor Press/Doubleday, 1980.

CHANDLER, Raymond. *Raymond Chandler Speaking*. Édité par Dorothy Gardiner & Kathrine Sorley Walker. Londres : Hamish Hamilton, 1962.
— *Selected letters of Raymond Chandler*. Édité par Frank MacShane. New York : Delta/Dell 1987. Édition française : *Lettres*, Christian Bourgois, Paris, 1970.

COE, Jonathan. *Humphrey Bogart : Take It and Like It*. Londres : Bloomsbury, 1991.

COLE, Lester. *Hollywood Red : The Autobiography of Lester Cole*. Palo Alto : Ramparts Press, 1981.

DAVIDSON, Bill. *Spencer Tracy : Tragic Idol*. New York : E. P. Dutton, 1987.

DAVIES, Joseph E. *Mission to Moscow*. New York : Simon & Schuster, 1941.

DAVIS, Bette. *The Lonely Life : An Autobiography*. New York : G. P. Putnam's Sons, 1962.

DEUTSCH, Armand. *Me and Bogie and Other Friends and Acquaintances from a Life in Hollywood and Beyond*. New York : G. P. Putnam's Sons, 1991.

DMYTRYK, Edward. *It's a Hell of a Life but Not a Bad Living*. New York : Times Books, 1978.

DUNNE, Father George H. *Holly Labor Dispute : A study in Immorality*. Los Angeles : Conference Publishing Co., sans date.

DUNNE, Philip. *Take Two : A life in Movies and Politics*. New York : McGraw-Hill, 1980.
— "The Constitution Up Close and Personal". Constitution Magazine, automne 1992.

EELLS, George. *Ginger, Loretta and Irene Who ?* New York : G. P. Putnam's Sons, 1976.

EISENSCHITZ, Bernard. *Roman américain. Les vies de Nicholas Ray*, Christian Bourgois, Paris, 1990. Édition anglaise : *Nicholas Ray : An American Life*. Traduit par Tom Milne. Londres : Faber & Faber, 1993.
— *Humphrey Bogart,* Le Terrain vague, Paris, 1967.

ENDRES, Stacey et Robert CUSHMAN. *Hollywood at Your feet : The Story of the World-Famous Chinese Theatre*. Los Angeles : Pomegranate Press, 1992.

EPHRON, Henry. *We Thought We Could Do Anything : The Life of Screenwriters Phoebe and Henry Ephron*. New York : W. W. Norton & Co., 1977.

FREEMAN, David. *A Hollywood Education*. New York : G. P. Putnam's Sons, 1986.

FRIEDRICH, Otto. *City of Nets : A portrait of Hollywood in the 1940's*. New York : Perennial Library/Harper & Row, 1986.

518

GABLER, Neal. *An Empire of Their Own : How the Jews Invented Hollywood.* New York : Crown Publishers, 1988.

GEHMAN, Richard. *Bogart : An Intimate Biography.* New York : Fawcett-Gold Medal, 1965.

GOODMAN, Ezra. *Bogey : The Good-Bad Guy.* New York : Lyle Stuart, 1965.
— The Fifty-Year Decline and Fall of Hollywood. New York : Simon & Schuster, 1961.

GOODMAN, Walter. *The Committee : The Extraordinary Career of the House Committee on Un-American Activities.* New York : Farar, Straus & Giroux, 1968.

GROBEL, Lawrence. *The Hustons.* New York : Charles Scribner's Sons, 1989.

GUTHKE, Karl K. *B. Traven : The Life Behind the Legends.* Chicago : Lawrence Hill Books, 1987.

HAMLIN, Frank. *Summers at the Lake.* Non publié.

HANSON, Patricia King. *The American Film Institute Catalog of Motion Pictures Produced in the United States : Feature Films, 1931-1940.* 2 vol. Berkeley : University of California Press, 1993.

HARMETZ, Aljean. *Round Up the Usual Suspects ; The Making of "Casablanca" — Bogart, Bergman, and World War II.* New York : Hyperion, 1992.

HAYDEN, Sterling. *Wanderer.* New York : Alfred A. Knopf, 1963.

HELLMAN, Lilllian. *Scoundrel Time.* Boston : Little, Brown & Co., 1976.

HEPBURN, Katharine. *The Making of "The African Queen" : Or How I Went to Africa with Bogart, Bacall and Huston and Almost Lost My Mind.* New York : Alfred A. Knopf, 1987. Édition française : *African Queen ou Comment je suis allée en Afrique avec Bogart, Bacall et Huston et faillis perdre la raison,* Flammarion, Paris, 1988.
— Me : Stories of My Life. New York : Alfred A, Knopf, 1991. Édition française : *Moi. Histoires de ma vie,* Presses de la Renaissance, Paris, 1991.

HOUSE COMMITTEE ON UN-AMERICAN ACTIVITIES. *Investigation of Un-American Propoganda Activities in the United States, Los Angeles, California, Friday, August 16, 1940.* Washington, D.C. : U.S. Printing Office, 1940.
— Hearings Regarding the Communist Infiltration of the Motion Picture Industry Before the Committee on Un-American Activities, House of Representatives, 80th Congress. Washington, D.C. : U.S. Printing Office, 1947.

HUSTON, John. *An Open Book : John Huston.* New York : Alfred A. Knopf, 1980. Édition française : *John Huston,* Pygmalion, Paris, 1982.

HYAMS, Joe. *Bogie : The Biography of Humphrey Bogart.* New York : New American Library, 1966 ; Signet, 1967. Édition française : *Bogie,* Solar, Paris, 1972.

JOHNSON, Nunnally. *The Letters of Nunnally Johnson.* Édité par Dorris Johnson et Ellen Leventhal. New York : Alfred A. Knopf, 1981.

KAEL, Pauline. *5001 Nights at the Movies.* New York : Henry Holt and Co., 1982.

KAHN, Gordon. *Hollywood on Trial : The Story of the 10 Who Were Indicted.* New York : Boni & Gaer, 1948.

KANFER, Stefan. *A Journal of the Plague Years.* New York : Atheneum, 1973.

KATZ, Ephraim. *The Film Encyclopedia (Second Edition).* New York : Harper-Perennial/HarperCollins, 1994.

KAZAN, Elia. *Elia Kazan : A Life.* New York : Alfred A. Knopf, 1988. Édition française : *Une vie*, Grasset, Paris, 1989.

KELLEY, Kitty. *His Way : The Unauthorized Biography of Frank Sinatra.* New York : Bantam Books, 1992. Édition française : *Frank Sinatra*, Presses de la cité, Paris, 1986.

KEYES, Evelyn. *Scarlett O'Hara's Younger Sister : My Lively Life In and Out of Hollywood.* Secaucus : Lyle Stuart, 1977.

KOBAL, John. *People Will Talk.* New York : Alfred A. Knopf, 1986.

KOCH, Howard. *As Times Goes By : Memoirs of a Writer.* New York et Londres : Harcourt Brace Jovanovich, 1979.

LALLY, Kevin. *Wilder Times : The Life of Billy Wilder.* New York : Henry Holt and Company, 1996.

LARDNER, Ring, Jr. *The Lardners : My Family Reconsidered.* New York : Harper & Row, 1976.

LAX, Eric. *Woody Allen : A Biography.* New York : Alfred A. Knopf, 1991.

LEAMER, Laurence. *As Time Goes By : The Life of Ingrid Bergman.* New York : Harper & Row, 1986.

MACSHANE, Frank. *The Life of Raymond Chandler.* New York : Penguin Books, 1978. Édition française : *Raymond Chandler. Le gentleman de Californie*, Balland, Paris, 1982.

MADSEN, Axel. *John Huston : A biography.* Garden City, N.Y. : Doubleday & Co., 1978.

McBRIDE, Joseph. *Hawks on Hawks.* Berkeley and Los Angeles : University of California Press, 1982. Édition française : *Hawks par Hawks*, Ramsay, Paris, 1987.

McCARTY, Clifford. *The Complete Films of Humphrey Bogart.* New York : Citadel Press, 1990. Publié à l'origine sous le titre *The Films of Humphrey Bogart,* 1965. Édition française : *Humphrey Bogart*, Veyrier, Paris.

McGILLIGAN, Pat. *Backstory : Interviews with Screenwriters of Hollywood's Golden Age.* Berkeley and Los Angeles : University of California Press, 1986.

MHQ : The Quarterly Journal of Military History. Été 1989.

MICHAEL, Paul. *Humphrey Bogart : The Man and His Films.* New York : Bobbs Merrill, 1966.

MONACO, James and the editors of *Baseline*. *The Movie Guide*. New York : Perigee Books/Putnam, 1992.

MOSLEY, Leonard. *Zanuck : the Rise and Fall of Hollywood's Last Tycoon*. Boston : Little, Brown and Co., 1984. Édition française : *Zanuck,* Ramsay, Paris, 1987.

NAVASKY, Victor S. *Naming Names*. New York : The Viking Press, 1980. Édition française : *Les Délateurs*, Balland, Paris, 1982 ; Ramsay, coll. « Poche Cinéma », 1990.

NIVEN, David. *Bring on the Empty Horses*. New York : G.P. Putnam's Sons, 1975. Édition française : *Étoiles filantes*, Laffont, Paris, 1977.
— *The Moon's a Balloon*. New York : G.P. Putnam's Sons, 1972. Édition française : *Décrocher la lune*, Laffont, Paris, 1971.

PARIS, Barry. *Louise Brooks*. New York : Anchor/Doubleday, 1989.

PETTIGREW, Terrence. *Bogart : A Definitive Study of His Film Career*. Londres et New York : Proteus, 1981.

PHILLIPS, Cabell. *The 1940's : Decade of Triumph and Trouble*. New York : Macmillan, 1975.

REAGAN, Ronald, and Richard C. HUBLER. *Where's the Rest of Me ?* New York : Hawthorn, 1965.

ROBINSON, Edward G. *All My Yesterdays : An Autobiography*. Avec Leonard Spiegelgass. New York : Hawthorn, 1973.

ROFFMAN, Peter, et Jim PURDY. *The Hollywood Social Problem Film : Madness, Despair, and Politics from the Depression to the Fifties*. Bloomington : Indiana University Press, 1981.

ROGERS, Henry. *Walking the Tightrope*. New York : William Morrow & Co., 1980.

ROSS, Lillian. *Reporting*. New York : Simon & Schuster, 1969.

RUDDY, Jonah, and Jonathan HILL. *Bogey : The Man, the Actor, the Legend*. New York : Tower, 1965.

SCHATZ, Thomas. *The Genius of the System : Hollywood Filmmaking in the Studio Era*. New York : Pantheon, 1988.

SCHICKEL, Richard. *Schickel on Film : Encounters — Critical and Personal — with Movie Immortals*. New York : William Morrow and Co., 1989.

SCHWARTZ, Nancy Lynn. *The Hollywood Writers' Wars*. New York, Alfred A. Knopf, 1982.

SHARPE, Howard. "The Amorous Life of a Movie Killer", Part 1 and 2. *Movieland* magazine, vers fév.-mars 1943.

SPERBER, A.M. *Murrow : His Life and Times*. New York : Freundlich Books, 1986.

SPERLING, Cass Warner, and Cork MILLNER. *Hollywood Be They Name*. Rocklin, Californie : Prima Publishing, 1994.

521

STEELE, Donna. *Wings of Pride : TWA Cabin Attendants, a Pictorial History, 1935-1985*. Marceline, Missouri : Walsworth Publishing Co., 1985.

THOMPSON, Verita, avec Donald SHEPHERD. *Bogie and Me : A Love Story*. New York : St. Martin's Press, 1982.

THOMSON, David. *A Biographical Dictionary of Film (Third Edition)*. New York : Alfred A. Knopf, 1994.

UNITED STATES SENATE, SUBCOMMITTEE OF THE COMMITTEE ON INTERSTATE COMMERCE. *Hearing before the Subcommittee of the Committee on Interstate Commerce, Moving-Picture Screen and Radio Propoganda, Thursday, September 25, 1941*. Washington, D.C. : U.S. Printing Office, 1941.

VERMILYE, Jerry. *Ida Lupino*. Pyramid Illustrated History of the Movies. New York : Pyramid, 1977.

VIERHILE, Robert J. and William J. *The Canandaigua Lake Steamboat Era, 1827 to 1935*. Naples, N.Y. : The Naples Historical Society, 1978.

VIERTEL, Peter. *Dangerous Friends : At Large with Huston and Hemingway in the Fifties*. New York : Doubleday, 1992.

WALLIS, Hal, and Charles HIGHAM. *Starmaker : The Autobiography of Hal Wallis*. New York : Macmillan, 1980.

WALSH, Raoul. *Each Man in His Time*. New York : Farrar, Straus & Giroux, 1974. Édition française : *Un demi-siècle à Hollywood*, Calmann-Lévy, Paris, 1976.

WARNER, Jack. *My First Hundred Years in Hollywood : An Autobiography*. Avec Dean Jennings. New York : Random House, 1965.

WARNER, Jack, Jr. *Bijou Dream*. New York : Crown, 1982.

WILDE, Meta Carpenter, and Orin BORSTEN. *A Loving Gentleman : The Lowe story of William Faulkner and Meta Carpenter*. New York : Simon & Schuster, 1976. Édition française : *Un amour de Faulkner*, Paris, Gallimard, 1979.

WILES, Buster, and William DONAIT. *My Days with Errol Flynn*. Santa Monica, Cal. : Roundtable Publishing, 1988.

WILK, Max. *The Wit and Wisdom of Hollywood*. New York : Atheneum, 1971.

ZOLOTOW, Maurice. *Billy Wilder in Hollywood*. New York : G. P. Putnam's Sons, 1977.

PIÈCES JOUÉES A BROADWAY
par
HUMPHREY BOGART

L'année entre parenthèses est celle de la première représentation. Le nombre de représentations est indiqué quand nous avons pu le connaître. Les noms de ceux qui ont participé aux spectacles proviennent de la documentation des théâtres.

Drifting (1922), mélodrame en six scènes de John Colton et D. H. Andrews ; produit par William A. Brady ; mise en scène de John Cromwell. Première le 2 janvier à The Playhouse ; 63 représentations.

Avec : Alice Brady (Mrs. Cassie Cook), H. Mortimer White (Deacon Cook), Burr Curruth (Dr Hepburn), Barry Fitz Patrick (Willie Bates), H. D. Bogart (Ernie Crockett), Florence Short (Mrs. Polly Voo Frances), Blanche Wallace (Foo Chow Lizzie), Winifred Lawshe (Rangoon Rose), Leward Meeker (Molyneaux), Maxwell Driscoll (Flock), Franklin Fox (Monsieur Repin), Robert Warwick (Bad Lands McKinney), Lumsden Hare (Dr Li Shen Kueng), Selene Johnson (Lady Bramish), Leonard Cary (Cyril Trenwyth), Marguerite de Marhanne (femme de Tung Kow), Millie Beland (Chu Che La Lu), Jack Grattan (Tommy Hepburn), Allen Atwell (Wang), Frank Backus (Komisky), H. Mortimer White (le Jhanzi Kahn), Harry Davies (capitaine Jack John Michaeljohn), William Blaisdell (Ramires).

Up the Ladder (1922), pièce en quatre actes d'Owen Davis ; produite par William A. Brady ; mise en scène de Lumsden Hare. Première le 6 mars à The Playhouse.

Avec : George Farren (Henry Smith), Nannette Comstock (Mary, son épouse), Doris Kenyon (Jane, leur fille), Anna Marston (Lucy), Albert Hackett (Jerry), Paul Kelly (John Allen), Edward Donnelly (Joe Henley), Mary Brandon (Rosalind Henley), Robert Middlemass (Dick Wilmers), Adele Klaer (Eva Wilmers), Claude Cooper (Bert Muller), Mary Jeffery (Mrs. Muller), Humphrey Bogart (Stanley Grant) [Bogart a remplacé George Le Guere, qui avait créé le rôle], Grace Heyer (Ellen), Frederick Brennan (Dr Maynard), George Fitzgerald (le major-dome).

Swifty (1922), comédie en trois actes de John Peter Toohey and W. C. Percival ; produite par William A. Brady ; mise en scène de John Cromwell. Première le 16 octobre à The Playhouse.

Avec : Frances Howard (Miriam Proctor), Hale Hamilton (Swifty Morgan), Humphrey Bogart (Tom Proctor), William Holden (Jefferson Proctor), Robert Ayrton (Milton), Margaret Mosier (Alice), Grace Goodhall (Mrs. Kimball), Elmer Nicholls (le chauffeur), Helen Scott (Helen Kimball), Guy Hitner (premier détective), John O. Hewett (second détective).

Meet the Wife (1923), comédie en trois actes de Lynn Starling ; produite par Rosalie Stewart et Bert French ; mise en scène de Bert French. Première le 26 novembre au Klaw Theatre ; 232 représentations.

Avec : Mary Boland (Gertrude Lennox), Charles Dalton (Harvey Lennox), Eleanor Griffith (Doris Bellamy), Clifton Webb (Victor Staunton), Humphrey Bogart (Gregory Brown), Ernest Lawford (Philip Lord), Patricia Calvert (Alice), Charles Bloomer (William).

Nerves (1924), pièce en trois actes de John Farrar et Stephen Vincent Benét ; produite par William A. Brady ; mise en scène de William A. Brady Jr. Première le 1er septembre au Comedy Theatre ; 16 représentations.

Avec : Marie Curtis (Mrs. Hill), Kenneth MacKenna (Jack Coates), Paul Kelly (Ted Hill), Winifred Lenihan (Peggy Thatch), Reed Brown (Paul Overman), Henry Whittemore (Frank Smith), John McCauley (Arthur Greene), Humphrey Bogart (Bob Thatch), Barbara Kitson (Mary), Mary Philips (Jane), John Gray (Carter, le majordome), Cynthia Hyde (Janet), Walter Baldwin (Rook), Kyra Alanova (Jean), Edward H. Weaver (Matthew Anderson), T. C. Durham Jr (le planton).

Hell's Bells (1925), comédie en trois actes de Barry Connors ; produite par Herman Gantvoort ; mise en scène de John Hayden. Première le 26 janvier au Wallack's Theatre ; 120 représentations.

Avec : Olive May (Mrs. Buck), Shirley Booth (Nan Winchester), Humphrey Bogart (Jimmy Todhunter), Tom H. Walsh (« Jap » Stillson), Eddie Garvey (D. O. O'Donnell), Joseph Greene (Horace E. Pitkins), Camilla Crume (Mrs. Amos Todhunter), Virginia Howell (Abigail Stillson), Violet Dunn (Gladys Todhunter), Ernest Pollock (commissaire Pitkins), Fletcher Harvey (Dr Bushnell), James Cherry (Halligan), Clifton Self (Swartz), Converse Tyler (Riordan), George Spelvin (Mahoney).

Cradle Snatchers (1925), comédie en trois actes de Russell Medcraft et Norma Mitchell ; produite par Sam H. Harris ; mise en scène de Sam

Forrest ; décors de Clark Robinson. Première le 7 septembre à The Music Box ; 332 représentations.

Avec : Mary Boland (Susan Martin), Edna May Oliver (Ethel Drake), Margaret Dale (Kitty Ladd), Myra Hampton (Anne Hall), Billie Shaw (Elinor), Mary Murray (Francine), Lillian Gerald (Jackie), Raymond Hackett (Henry Winton), William Corbett (George Martin), George Lessey (Roy Ladd), Joseph Holicky (Howard Drake), Humphrey Bogart (Jose Vallejo), Raymond Guion (Oscar Nordham), Gerald Phillips (Paul).

Saturday's Children (1927), comédie en trois actes de Maxwell Anderson ; mise en scène de Guthrie McClintic ; décors de Jo Mielziner ; produite par l'Actors'Theatre, Inc. Première le 26 janvier au Booth Theatre ; 310 représentations.

Avec : Ruth Hammond (Florrie Sands), Richard Barbee (Willie Sands), Lucia Moore (Mrs. Halevy), Ruth Gordon (Bobby), Frederick Perry (Mr. Halevy), Humphrey Bogart (Rims O'Neil) [Bogart reprit le rôle après que Roger Pryor fut tombé malade], Beulah Bondi (Mrs. Gorlick).

Baby Mine (1927), farce en trois actes de Margaret Mayo ; décors de Livingston Platt ; reprise par John Turek. Première le 9 juin au Chanin's Theatre de la Quarante-sixième Rue ; 12 représentations.

Avec : Roscoe « Fatty » Arbuckle (Jimmy Jenks), Lee Patrick (Zoe Hardy), Humphrey Bogart (Alfred Hardy), W. J. Paul (secrétaire de Hardy), Floy La Pointe (Aggie), Zelma Tiden (Maggie O'Flaherty), Anna Kostant (Rosa Gatti), M. Tello Webb (Finnigan), W. J. Brady (Michael O'Flaherty), Jerome Jordan (Donaghey).

A Most Immoral Lady (1928), comédie en trois actes de Townsend Martin ; produite par William A. Brady Jr et Dwight Deere Wiman ; mise en scène de Dwight Deere Wiman ; décors de Jo Mielziner. Première le 26 novembre au Cort Theatre ; 160 représentations.

Bogart, qui aurait repris un rôle après le début des représentations, ne figure pas aux archives dans la distribution. Alice Brady était la vedette.

The Skyrocket (1929), comédie en trois actes de Mark Reed ; produite par Gilbert Miller et Guthrie McClintic ; mise en scène de Guthrie McClintic ; décors de Jo Mielziner. Première le 11 janvier au Lyceum Theatre.

Avec : Mary Phillips (Del Ewing), J. C. Nugent (Mr. Ewing), Humphrey Bogart (Vic Ewing), Clara Blandick (Mrs. Ewing), Lotta Linthicum (Mrs. Bemis), Howard Freemen (Homer Bemis), Morris Lee (Oishi ; majordome), Franklin Fox (Frank Greer), William Broussard (Reggie MacSweeney), Dorothy Bigelow (Kitty Marsh), Gwyneth Gordon (Lillian).

It's a Wise Child (1929), comédie en trois actes de Laurence E. Johnson ; produite et mise en scène par David Belasco ; décors de Joseph Wickes. Première le 6 août au Belasco Theatre ; 378 représentations.

Avec : Helen Lowell (Mrs. Stanton), Olga Krolow (Alice Peabody), Leila Bennett (Bertha), George Walcott (Bill Stanton), Humphrey Bogart (Roger Baldwin), Mildred McCoy (Joyce Stanton), Minor Watson (James Stevens), Harlan Briggs (G. A. Appleby), Sidney Toler (Cool Kelly), Porter Hall (Otho Peabody).

After All (1931), comédie en trois actes de John Van Druten ; produite par Dwight Deere Winman, avec l'accord de Sydney W. Carroll ; mise en scène d'Auriol Lee ; décors de Raymond Sovey. Première le 3 décembre au Booth Theatre ; 20 représentations.

Avec : Helen Haye (Mrs. Thomas) [Helen Haye, qui a figuré dans sept pièces sur Broadway entre 1920 et 1934, a été confondue par certains biographes de Bogart avec la plus célèbre Helen Hayes], Walter Kingsford (Mr. Thomas), Edmund George (Ralph Thomas), Margaret Perry (Phyllis Thomas), Minna Phillips (Mrs. Melville), Lillian B. Tonge (Alice), Phillip Leigh (Mr. Melville), Humphrey Bogart (Duff Wilson), Dorothy Matthews (Greta), J. Kerby Hawkes (Cyril Greenwood), Patricia Calvert (Doris Melville).

I Loved You Wednesday (1932), pièce comprenant un prologue et trois actes de Molly Ricardel and William Du Bois ; produite par Crosby Gaige ; mise en scène de Worthington Miner ; décors de Raymond Sovey. Première le 11 octobre au Sam H. Harris Theatre ; 63 représentations.

Avec : Frances Fuller (Victoria Meredith), Edward La Roche (jardinier), Humphrey Bogart (Randall Williams), Henry O'Neill (Philip Fletcher), Jane Seymour (Dr Mary Hansen), Harry Gresham (Tom), Robert Henderson (Freddy), Henry Bergman (Eddie), Mary Alice Collins (Jennifer), Henry Fonda (Eustace), Anna Lubowe (fille du vestiaire), Eddie Sexton (Ralph), Ken Harvey (Gene), Philip Van Zandt (Fritz), Rose Hobart (Cynthia Williams), Fred Irving Lewis (Wyn Terrell), Robert Wallsten (Jack), Marjorie Jarecki (Irene), Ralph Simone (Dino), Arline Francis (Peggy), Jean Briggs (Viola), Guy Hamilton (Nichols).

Chrysalis (1932), pièce en trois actes et dix scènes de Rose Albert Porter ; produite par Martin Beck en association avec Lawrence Langner et Theresa Helburn ; mise en scène de Theresa Helburn ; décors de Cleon Throckmorton. Première le 15 novembre au Martin Beck Theatre ; 23 représentations.

Avec : Lily Cahill (Elizabeth Cose), Osgood Perkins (Michael Caverhill, son frère), Margaret Sullavan (Lyda Cose), Gilberte Frey

(Mary), Fan Bourke (Blondie), Elisha Cook Jr (Honey Rogers), June Walker (Eve Haron), Elia Kazan (Louis), Humphrey Bogart (Don Ellis), Hazel Hanna (Mrs. Reilly), Jessie Graham (Mrs. Thomas), Kathleen Comegys (Mrs. Haron), Frank Layton (Nat Davis), Lalive Brownell (Miss Haskell), Russell Thayer (garde), Henry D. Southard (Pete, un prisonnier), Alvin Barrett (Cook), Arling Alcine (Flaggerty), Thurston Hall (le juge Halman), Georgie Lee Hall, Jean Macintyre, Mary Orr, Henrietta Kaye, Kathleen Comegys, Phyllis Laughton, Florence Heller, Wilhelmina Barton, Beta Rothafel, Kathryn McClure (filles au Rose Manor).

Our Wife (1933), comédie en trois actes de Lillian Day et Lyon Mearson ; produite par Thomas J. R. Brotherton et Abe H. Halle ; mise en scène d'Edward Clarke Lilley ; décors des Golding Studios. Première le 2 mars au Booth Theatre ; 20 représentations.

Avec : Rose Hobart (Margot Drake), Humphrey Bogart (Jerry Marvin), Michelette Burani (la concierge), June Walker (Barbara Marvin), Miriam Battista (Elisabetta), Edward Raquello (Antonio di Mariano), Raymon O'Brien (premier agent), Juan Varro (second agent).

The Mask and the Face [La Maschera e il Volto] (1933), comédie en trois actes de Luigi Chiarelli ; adaptée de l'italien par W. Somerset Maugham ; produite par la Theatre Guild ; mise en scène de Philip Moeller (comité de production : Theresa Helburn et Helen Westley) ; décors de Lee Simonson. Première le 8 mai au Guild Theatre ; 40 représentations.

Avec : Shirley Booth (Elisa Zanotti), Donald McClelland (Giorgio Alamari), Dorothy Patten (Marta Setta), Leo G. Carroll (Cirillo Zanotti), Alice Reinhart (Wanda Sereni), Ernest Cossart (Marco Millotti), Charles Campbell (Piero Pucci), Judith Anderson (Savina Grazia), Stanley Ridges (le comte Paulo Grazia), Humphrey Bogart (Luciano Spina), Manart Kippen (Andrea), William Lovejoy (Giacomo), Jon Marion (Teresa).

Invitation to a Murder (1934), mélodrame en trois actes de Rufus King (« l'auteur reconnaît sa dette envers Marcel Strauss ») ; produit par Ben Stein ; mise en scène d'A. H. Van Buren ; décors de Robert Barnhart. Première le 17 mai au Masque Theatre ; 37 représentations.

Avec : William Valentine (Walter Channing), Daphne Warren Wilson (Estelle Channing), Humphrey Bogart (Horatio Channing), James Shelburne (Martin), Juan Varro (Pedro), Sherling Oliver (Peter Thorne), Gale Sondergaard (Lorinda Channing), Walter Abel (Dr Linton), Jane Seymour (Jeanette Thorne), Edgar Charles (Mr. Dickson), Robert Burton (le policier Selbridge).

The Petrified Forest (1935), pièce en deux actes de Robert Emmett Sherwood ; produite par Gilbert Miller et Leslie Howard, en association avec

Arthur Hopkins ; mise en scène d'Arthur Hopkins. Première le 7 janvier au Broadhurst Theatre ; 181 représentations.

Avec : Leslie Howard (Alan Squier), Peggy Conklin (Gabby Maple), Charles Dow Clark (Gramp Maple), Humphrey Bogart (Duke Mantee), Frank Milan (Boze Hertzlinger), Walter Vonnegut (Jason Maple), Blanche Sweet (Mrs. Chisholm), Robert Hudson (Mr. Chisholm), John Alexander (Joseph), Ross Hertz (Jackie), Esther Woodruff Leeming (Paula), Tom Fadden (Ruby), Robert Porterfield (Herb), Slim Thompson (Pyles), Aloysius Cunningham (le commandant Klepp), Guy Conradi (Hendy), Frank Tweeddell (le shérif), Milo Boulton (un télégraphiste), James Doody (un autre télégraphiste), Eugene Keith (un policier), Harry Sherwin (un autre policier).

FILMOGRAPHIE

Nous avons parfois indiqué plusieurs longueurs pour un même film. A cinq exceptions près, que nous signalons, tous les films de Bogart sont en noir et blanc. Quand il existe, nous avons indiqué le titre français.

The Dancing Town (1928). Paramount Pictures. Court métrage de deux bobines avec Helen Hayes.

Broadway's like That (1930). Vitaphone, distribué par Warner Bros. 10 minutes. Réalisé par Murray Roth ; scénario de Stanley Rauh ; direction musicale de Harold Levey.

Avec : Ruth Etting, Humphrey Bogart, Joan Blondell.

A Devil with Women (1930). Fox. 76 minutes. Réalisé par Irving Cummings ; producteur associé, George Middleton ; scénario de Dudley Nichols et Henry M. Johnson, tiré du roman *Dust and Sun* de Clements Ripley ; chef opérateur, Arthur Todd ; musique, Peter Brunelli ; montage, Jack Murray ; direction artistique, William Darling ; son, E. Clayton Ward et Harry M. Leonard.

Avec : Victor McLaglen (Jerry Maxton), Mona Maris (Rosita Fernandez), Humphrey Bogart (Tom Standish), Luana Alcaniz (Dolores), Michael Vavitch (Morloff), Soledad Jimenez (Jiminez), Mona Rico (Alicia), John St. Polis (Don Diego), Robert Edson (le général Garcia).

Up the River (1930). Fox. 92 minutes. Réalisation, John Ford ; scénario, Maurice Watkins ; chef opérateur, Joseph August ; producteur, William Collier Sr ; montage, Frank Hull ; son, W. W. Lindsay.

Avec : Spencer Tracy (St. Louis), Claire Luce (Judy), Warren Hymer (Dannemora Dan), Humphrey Bogart (Steve), William Collier Sr (Pop), Joan Marie Lawes (Jean), George MacFarlane (Jessup), Gaylord Pendleton (Morris), Sharon Lynn (Edith LaVerne), Noel Francis

(Sophie), Goodee Montgomery (Kit), Robert Burns (Slim), John Swor (Clem), Robert E. O'Connor (gardien), Louise MacIntosh (Mrs. Massey), Richard Keene (Dick), Johnnie Walker (Happy), Pat Somerset (Beauchamp), Morgan Wallace (Frosby), Edythe Chapman (Mrs. Jordan), Althea Henly (Cynthia), les sœurs Keating (May et June), Joe Brown (gardien suppléant), Wilbur Mack (Whiteley), Harvey Clark (Nash), Carol Wines (Daisy Elmore), Adele Windsor (Minnie), Mildred Vincent (Annie).

Body and Soul (1931). Fox. 83 minutes. Réalisation, Alfred Santell ; scénario de Jules Furthman, d'après *Squadrons*, pièce ni produite ni publiée d'Elliott White Springs et A. E. Thomas, tirée de « Big Eyes and Little Mouth », nouvelle d'Elliott White Springs publiée dans *Nocturne Militaire* (1927) ; chef opérateur, Glen MacWilliams ; musique, Peter Brunelli ; montage, Paul Weatherwax ; direction artistique, Anton Grot ; son, Donald Flick ; chansons : « Oh, How I Hate to Get Up in the Morning », paroles et musique d'Irving Berlin ; « Dark Town Strutters' Ball », paroles et musique de Shelton Brooks.

Avec : Charles Farrell (Mal Andrews), Elissa Landi (Carla), Myrna Loy (Alice Lester), Humphrey Bogart (Jim Watson), Donald Dillaway (Tap Johnson), Crawford Kent (major Burke), Pat Somerset (major Knowles), Ian Maclaren (le général Trafford-Jones), Dennis D'Auburn (le lieutenant Meggs), Harold Kinney (Young), Bruce Warren (Sam Douglas).

Bad Sister (1931). Universal. 71 minutes. Réalisation, Hobart Henley ; production, Carl Laemmle Jr ; scénario, Raymond L. Schrock et Tom Reed, dialogues, Edwin H. Knopf ; tiré de « The Flirt » (1913), nouvelle de Booth Tarkington ; chef opérateur, Karl Freund ; montage, Ted Kent ; son, C. Roy Hunter. Première version chez Universal en 1922 : *The Flirt,* également réalisé par Henley.

Avec : Bette Davis (Laura Madison), Conrad Nagel (Dick Lindley), Sidney Fox (Marianne Madison), ZaSu Pitts (Minnie), Slim Summerville (Sam), Charles Winninger (John Madison), Emma Dunn (Mrs. Madison), Humphrey Bogart (Valentine Corliss), Bert Roach (Wade Trumbull), David Durand (Hedrick Madison).

Women of All Nations (*Rivaux,* 1931). Fox. 72 minutes. Réalisation, Raoul Walsh ; produit par Archibald Buchannan ; scénario, Barry Connors, sur des personnages créés par Laurence Stallings et Maxwell Anderson ; chef opérateur, Lucien Andriot ; musique, Reginald H. Bassett ; montage, Jack Dennis ; direction artistique, David Hall ; son, George H. Leverett.

Avec : Victor McLaglen (sergent Flagg), Edmund Lowe (sergent Quirt), El Brendel (Olson), Greta Nissen (Elsa), Fifi Dorsay (Fifi), Marjorie White (Pee Wee), T. Roy Barnes (le capitaine des marines), Bela

Lugosi (le prince Hassan), Humphrey Bogart (Stone), Joyce Compton (Kiki), Jesse DeVorska (Izzie), Charles Judels (Leon), Marion Lessing (Gretchen), Ruth Warren (Ruth). Le personnage de Bogart fut supprimé au montage.

A Holy Terror (1931). Fox. 53 minutes. Réalisation, Irving Cummings ; scénario, Ralph Block, dialogues, Alfred A. Cohen et Myron Fagan ; tiré de *Trailin'* (1920), roman de Max Brand ; chef opérateur, George Schneiderman ; montage, Ralph Dixon ; son, Donald Flick.

Avec : George O'Brien (Tony Bard), Sally Eilers (Jerry Foster), Rita LaRoy (Kitty Carroll), Humphrey Bogart (Steve Nash), James Kirkwood (William Drew), Stanley Fields (Butch Morgan), Robert Warwick (Thomas Bard, alias Thomas Woodbury), Richard Tucker (Tom Hedges), Earl Pingree (Jim Lawler), Jay Wilson (le cow-boy), Charles Whitaker (Johnson).

Love Affair (1932). Columbia. 68 minutes. Réalisation, Thornton Freeland ; adaptation et dialogues, Jo Swerling ; scripte, Dorothy Howell ; tiré de *College Humor,* roman d'Ursula Parrott (août 1930) ; chef opérateur, Ted Tetzlaff ; montage, Jack Dennis ; son, Charles Noyes.

Avec : Dorothy Mackaill (Carol Owen), Humphrey Bogart (Jim Leonard), Jack Kennedy (Gilligan), Barbara Leonard (Felice), Astrid Allwyn (Linda Lee), Bradley Page (Georgie), Halliwell Hobbes (Kibbee), Hale Hamilton (Bruce Hardy), Harold Minjir (Antone).

Big City Blues (1932). Warner Bros. 65 minutes. Réalisation, Mervyn LeRoy ; scénario, Ward Morehouse et Lillie Hayward, tiré de *New York Town* (1932), pièce de Ward Morehouse ; chef opérateur, James Van Trees ; montage, Ray Curtis ; musique, Ray Heindorf et Bernard Kaun.

Avec : Joan Blondell (Vida Fleet), Eric Linden (Bud Reeves), Jobyna Howland (Serena Cartlich), Inez Courtney (Faun), Evalyn Knapp (Jo-Jo), Guy Kibbee (Hummel), Gloria Shea (Agnes), Walter Catlett (Gibbony), Ned Sparks (Stackhouse), Humphrey Bogart (Adkins), Lyle Talbot (Sully), Josephine Dunne (Jackie), Grant Mitchell (le chef de gare), Thomas Jackson (Quelkin), Sheila Terry (Lorna), Tom Dugan (Red), Betty Gilette (Mabel), Edward McWade (le bagagiste).

Three on a Match (*Une allumette pour trois,* 1932). Warner Bros. 64 minutes. Réalisation, Mervyn LeRoy ; scénario, Lucien Hubbard, dialogues, Kubec Glasmon et John Bright, d'après une histoire de Kubec Glasmon et John Bright ; chef opérateur, Sol Polito ; montage, Ray Curtis ; direction artistique, Robert Haas ; direction musicale, Leo F. Forbstein.

Avec : Joan Blondell (Mary Keaton), Warren William (Robert Kirkwood), Ann Dvorak (Vivian Revere), Bette Davis (Ruth Wescott),

Lyle Talbot (Michael Loftus), Humphrey Bogart (Harve), Allen Jenkins (Dick), Edward Arnold (Ace), Virginia Davis (Mary enfant), Dawn O'Day [qui prendra plus tard le nom d'Anne Shirley] (Vivian enfant), Betty Carse (Ruth enfant), Buster Phillips (Robert Kirkwood Jr), Sheila Terry (la pianiste et chanteuse), Grant Mitchell (Mr. Gilmore), Glenda Farrell (la fille en maison de redressement), Frankie Darro (Bobby), Blanche Frederici (Miss Blazer), Hardie Albright (Phil), Herman Bing (le professeur Irving Finklestein), Jack LaRue (un homme de main), Spencer Charters (le balayeur des rues), Ann Brody (Mrs. Goldberg), Mary Doran (une prisonnière), Selmer Jackson (le présentateur à la radio).

Midnight (1934). All-Star Productions, distribué par Universal. 80 minutes. Produit et réalisé par Chester Erskine ; scénario de Chester Erskine, tiré d'une pièce de Paul et Claire Sifton produite à New York par la Theatre Guild (1930) ; chefs opérateurs, William Steiner et George Webber ; décors de Sam Corso ; montage, Leo Zochling ; son, C. A. Tuthill ; maquillage, Eddie Senz.

Avec : Sidney Fox (Stella Weldon), O. P. Heggie (Edward Weldon), Henry Hull (Bob Nolan), Margaret Wycherly (Mrs. Weldon), Lynne Overman (Joe « Leroy » Biggers), Katherine Wilson (Ada Biggers), Richard Whorf (Arthur Weldon), Humphrey Bogart (Gar Boni), Granville Bates (Henry McGrath), Cora Witherspoon (Elizabeth McGrath), Moffat Johnston (l'avocat général Plunkett), Henry O'Neill (Edgar V. Ingersoll), Helen Flint (Ethel Saxon), Katherine Wilson (Ada Biggers).

The Petrified Forest (*la Forêt pétrifiée*, 1936). Warner Bros. 83 minutes. Réalisation, Archie Mayo ; producteur exécutif, Hal B. Wallis ; producteur associé, Henry Blanke ; scénario de Charles Kenyon et Delmer Daves, tiré d'une pièce de Robert E. Sherwood ; chef opérateur, Sol Polito ; direction musicale, Leo F. Forbstein ; compositions de Bernhard Kaun ; montage, Owen Marks ; assistant metteur en scène, Dick Mayberry ; direction artistique, John Hughes ; costumes, Orry-Kelly ; effets spéciaux, Warren E. Lynch, Fred Jackman et Willard Van Enger ; son, Charles Lang.

Avec : Leslie Howard (Alan Squier), Bette Davis (Gabrielle Maple), Genevieve Tobin (Mrs. Edith Chisholm), Dick Foran (Boze Hertzlinger), Humphrey Bogart (Duke Mantee), Joseph Sawyer (Jackie), Porter Hall (Jason Maple), Charley Grapewin (Gramp Maple), Paul Harvey (Mr. Chisholm), Eddie Acuff (Lineman), Adrian Morris (Ruby), Nina Campana (Paula), Slim Thompson (Slim), John Alexander (Joseph).

Bullets or Ballots (*Guerre au crime*, 1936). First National Picture/Warner Bros. 81 minutes. Réalisation, William Keighley ; producteur associé,

Louis F. Edelman ; producteurs exécutifs, Jack L. Warner et Hal B. Wallis ; scénario de Seton I. Miller, d'après une histoire originale de Martin Mooney et Seton I. Miller ; chef opérateur, Hal Mohr ; musique, Heinz Roemheld ; montage, Jack Killifer ; assistant metteur en scène, Chuck Hansen ; direction artistique, Carl Jules Weyl ; effets spéciaux, Fred Jackman, Fred Jackman Jr et Warren E. Lynch ; son, Oliver S. Garretson.

Avec : Edward G. Robinson (Johnny Blake), Joan Blondell (Lee Morgan), Barton MacLane (Al Kruger), Humphrey Bogart (Nick « Bugs » Fenner), Frank McHugh (Herman), Joseph King (le capitaine Dan McLaren), Richard Purcell (Driscoll), George E. Stone (Wires), Joseph Crehan (le porte-parole du Grand Jury), Henry O'Neill (Bryant), Henry Kolker (Hollister), Gilbert Emery (Thorndyke), Herbert Rawlinson (Caldwell), Louise Beavers (Nellie), William Pawley (Crail), Ralph Remley (Kelly), Frank Faylen (Gatley), Wallace Gregory (Lambert), Frank Bruno (Ben).

Two Against the World (1936). First National/Warner Bros. 64 minutes. Réalisation, William McGann ; producteurs exécutifs, Jack L. Warner et Hal B. Wallis ; producteur associé, Bryan Foy ; scénario de Michael Jacoby, d'après *Five Star Final* (1930), pièce de Louis Weitzenkorn ; chef opérateur, Sid Hickox ; musique, Heinz Roemheld ; montage, Frank Magee ; *dialogue director*, Irving Rapper ; assistant metteur en scène, Carrol Sax ; direction artistique, Esdras Hartley ; effets spéciaux, Fred Jackman Jr et Rex Wimpy ; son, C. A. Riggs.

Avec : Humphrey Bogart (Sherry Scott), Beverly Roberts (Alma Ross), Henry O'Neill (Jim Carstairs), Linda Perry (Edith Carstairs), Carlyle Moore Jr (Billy Sims), Virginia Brissac (Mrs. Marion Sims), Hellen MacKellar (Martha Carstairs), Clay Clement (Mr. Banning), Claire Dodd (Cora Latimer), Hobart Cavanaugh (Tippy Mantus), Harry Hayden (Martin Leavenworth), Robert Middlemass (Bertram C. Reynolds), Douglas Wood (Malcolm Sims), Bobby Gordon (Herman O'Reilly), Paula Stone (Miss Symonds), Frank Orth (Tommy, le barman), Howard Hickman (Dr McGuire), Ferdinand Schumann-Heinke (l'ingénieur du son), Paul Regan (Maxey), Milton Kibbee (le second auteur), Pietro Sosso (le majordome), Jack McHugh (un vendeur de journaux), Charles Evans (un vendeur de journaux), Elliott Gordon (un journaliste), Edward Peil Sr (le coroner), Emmett Vogab, Bill Ray, George Fisher (des présentateurs à la radio).

China Clipper (*Courrier de Chine*, 1936). First National/Warner Bros. 85 minutes. Réalisation, Ray Enright ; producteur associé, Louis F. Edelman ; producteurs exécutifs, Jack L. Warner et Hal B. Wallis ; scénario, Frank Ward ; dialogues complémentaires de Norman Reilly Raine ; chef opérateur, Arthur Edeson ; musique, Bernhard Kaun et W. Franke Harling ; montage, Owen Marks ; direction des dialogues, Gene Lewis ; assistant metteur en scène, Lee Katz ; direction artistique, Max Parker ; costumes, Orry-Kelly ; prises de vues aériennes, Elmer G. Dyer et H. F. Koenekamp ; effets spéciaux, Fred Jackman, Willard Van Enger et H. F. Koenekamp ; son, Everett A. Brown.

Avec : Pat O'Brien (Dave Logan), Beverly Roberts (Jean Logan), Ross Alexander (Tom Collins), Humphrey Bogart (Hap Stuart), Marie Wilson (Sunny Avery), Joseph Crehan (Jim Horn), Joseph King (Mr. Pierson), Addison Richards (B. C. Hill), Ruth Robinson (Mother Brunn), Henry B. Walthall (Dad Brunn), Carlyle Moore Jr, Milburn Stone, Owen King (des opérateurs radio), Lyle Moraine (le copilote), Dennis Moore (le mécanicien sur le clipper), Wayne Morris (le navigateur), Alexander Cross (Bill Andrews), William Wright (le pilote), Kenneth Harlan, Jean [Skippy] Logan (des inspecteurs du ministère du Commerce), Anne Nagel, Marjorie Weaver (des secrétaires), Hal K. Dawson (un concepteur d'avions), Thomas Pogue (un speaker), Jack Hatfield (un reporter).

Isle of Fury (*l'Île de la furie,* 1936). Warner Bros. 60 minutes. Réalisation, Frank McDonald ; producteur associé, Bryan Foy ; producteurs exécutifs, Jack L. Warner et Hal B. Wallis ; scénario, Robert Andrews et William Jacobs, d'après *Narrow Corner,* roman de W. Somerset Maugham (1932) ; chef opérateur, Frank Good ; musique, Howard Jackson ; montage, Warren Low ; assistant metteur en scène, Frank Heath ; direction artistique, Esdras Hartley ; costumes, Orry-Kelly ; effets spéciaux, Fred Jackman, Willard Van Enger, et H. F. Koenekamp ; son, Charles Lang.

Avec : Humphrey Bogart (Val Stevens), Margaret Lindsay (Lucille Gordon), Donald Woods (Eric Blake), Paul Graetz (le capitaine Deever), Gordon Hart (Anderson), E. E. Clive (Dr Hardy), George Regas (Otar), Sidney Bracy (Sam), Tetsu Komai (Kim Lee), Miki Morita (Oh Kay), Houseley Stevenson Sr (le recteur), Frank Lackteen (le vieil indigène), George Piltz (un indigène).

Black Legion (*la Légion noire,* 1937). Warner Bros. 83 minutes. Réalisation, Archie Mayo ; producteur associé, Robert Lord ; producteurs exécutifs, Jack L. Warner et Hal B. Wallis ; scénario, Abem Finkel et William Wister Haines, d'après une histoire de Robert Lord ; chef opérateur, George Barnes ; musique, Bernhard Kaun ; montage, Owen Marks ; assistant metteur en scène, Jack Sullivan ; direction artistique, Robert Haas ; costumes, Milo Anderson ; effets spéciaux, Fred Jackman Jr et H. F. Koenekamp ; son, C. A. Riggs.

Avec : Humphrey Bogart (Frank Taylor), Dick Foran (Ed Jackson), Erin O'Brien-Moore (Ruth Taylor), Ann Sheridan (Betty Grogan), Robert Barrat (Brown), Helen Flint (Pearl Davis), Joseph Sawyer (Cliff

Moore), Addison Richards (l'avocat général), Eddie Acuff (Metcalf), Clifford Soubier (Mike Grogan), Paul Harvey (Billings), Samuel S. Hinds (le juge), John Litel (Tommy Smith), Alonzo Price (Alexander Hargrave), Dickie Jones (Buddy Taylor), Dorothy Vaughn (Mrs. Grogan), Henry Brandon (Joe Dombrowski), Charles Halton (Osgood), Pat C. Flick (Nick Strumpas), Francis Sayles (Charlie), Paul Stanton (Dr Barham), Harry Hayden (Jones), Egon Brecher (le vieux Dombrowski), Ed Chandler, Robert E. Homans (des policiers), William Wayne (l'homme au comptoir), Frederick Lindsley (voix de *March of Time*), Fred MacKaye, Frank Nelson, John Hiestand, Ted Bliss (les présentateurs radio), Larry Emmons (l'homme dans le drugstore), Don Barclay (l'ivrogne), Emmett Vogan (le journaliste), John Butler (le vendeur), Frank Sully (l'assistant), Max Wagner (le chauffeur de camion), Carlyle Moore Jr, Dennis Moore, Mike Kibbee (les reporters), Lee Phelps (un gardien), Wilfred Lucas (l'huissier), Jack Mower (le fonctionnaire du comté).

The Great O'Malley (*Septième district*, 1937). Warner Bros. 71 minutes. Réalisation, William Dieterle ; producteur associé, Harry Joe Brown ; producteurs exécutifs, Jack L. Warner et Hal B. Wallis ; scénario, Milton Krims et Tom Reed, d'après « The Making of O'Malley », une nouvelle de Gerald Beaumont ; chef opérateur, Ernest Haller ; musique, Heinz Roemheld et Leo F. Forbstein ; montage, Warren Low ; *dialogue director*, Irving Rapper ; assistant metteur en scène, Frank Shaw ; directeur artistique, Hugh Reticker ; costumes, Milo Anderson ; effets spéciaux, James Gibbons, Fred Jackman Jr et H. F. Koenekamp ; son, Francis J. Scheid.

Avec : Pat O'Brien (James Aloysius O'Malley), Sybil Jason (Barbara Phillips), Humphrey Bogart (John Phillips), Ann Sheridan (Judy Nolan), Frieda Inescort (Mrs. Phillips), Donald Crisp (le capitaine Cromwell), Henry O'Neill (l'avocat de la défense), Craig Reynolds (le conducteur), Hobart Cavanaugh (Pinky Holden), Gordon Hart (le docteur), Mary Gordon (Mrs. O'Malley), Mabel Colcord (Mrs. Flaherty), Frank Sheridan (le père Patrick), Lillian Harmer (Miss Taylor), Felmar Watson (Tubby), Frank Reicher (Dr Larson), Armand « Curly » Wright (le marchand de légumes), George Humbert (l'éboueur), Jerry Mandy (le vendeur de parapluie italien).

Marked Woman (*Femmes marquées*, 1937). First National/Warner Bros. 96 minutes. Réalisation, Lloyd Bacon ; producteur exécutif, Hal B. Wallis ; producteur associé, Louis F. Edelman ; scénario, Robert Rossen et Abem Finkel ; chef opérateur, George Barnes ; musique, Bernhard Kaun et Heinz Roemheld ; montage, Jack Killifer ; assistant metteur en scène, Dick Mayberry ; direction artistique, Max Parker ; costumes, Orry-Kelly ; effets spéciaux, James Gibbons et Robert Burks ; son, Everett Brown ; paroles et musique pour les chansons « My Silver Dollar Man », Harry Warren et Al Dubin, et « Mr. et Mrs. Doaks », M. K. Jerome et Jack Scholl.

Avec : Bette Davis (Mary Dwight Strauber), Humphrey Bogart (David Graham), Lola Lane (Gabby Marvin), Eduardo Cianelli (Johnny Vanning), Rosalind Marquis (Florrie Liggett), Mayo Methot (Estelle Porter), Jane Bryan (Betty Strauber), Allen Jenkins (Louie), John Litel (Gordon), Ben Welden (Charlie Delaney), Damian O'Flynn (Ralph Krawford), Henry O'Neill (Arthur Sheldon), Raymond Hatton (avocat à la prison), Carlos San Martin (le serveur), William B. Davidson (Bob Crandall), Kenneth Harlan (Eddie), Robert Strange (George Beler), James Robbins (le chef de rang), Arthur Aylesworth (Mr. Johnny Truble), John Sheehan (Vincent), Sam Wren (Mac), Edwin Stanley (le policier Ferguson), Alan Davis, Allen Mathews (des hommes de main), Guy Usher (le policier Casey), Gordon Hart (le juge du premier procès), Pierre Watkin (le juge du second procès), Herman Marks (Joe), Wilfred Lucas (le président du jury), Wendell Niles (le journaliste), Clayton Moore Jr (le liftier), Harry Hollingsworth (le portier), Mary Doyle (l'infirmière), Lyle Moraine (le premier reporter), Billy Wayne (le deuxième reporter), Max Hoffman Jr (le troisième reporter), Emmet Vogan (le chroniqueur judiciaire).

Kid Galahad (*le Dernier Round,* 1937). Warner Bros. 100 ou 105 minutes. Réalisation, Michael Curtiz ; producteurs exécutifs, Jack L. Warner et Hal B. Wallis ; producteur associé, Samuel Bischoff ; scénario, Seton I. Miller, d'après le roman publié en 1936 par Francis Wallace ; chef opérateur, Tony Gaudio ; musique, Heinz Roemheld et Max Steiner ; montage George Amy ; *dialogue director*, Irving Rapper ; assistant metteur en scène, Jack Sullivan ; direction artistique, Jules Weyl ; costumes, Orry-Kelly ; direction musicale, Leo F. Forbstein ; effets spéciaux, James Gibbons et Edwin B. DuPar ; son, Charles Lang ; chanson « The Moon is in Tears Tonight », paroles et musique, M. K. Jerome et Jack Scholl.

Avec : Edward G. Robinson (Nick Donati), Bette Davis (Fluff [Louise Phillips]), Humphrey Bogart (Turkey Morgan), Wayne Morris (Ward Guisenberry), Jane Bryan (Marie Donati), Harry Carey (Silver Jackson), William Haade (Chuck McGraw), Soledad Jiminez (Mrs. Donati), Joe Cunningham (Joe Taylor), Ben Welden (Buzz Barrett), Joseph Crehan (Brady), Veda Ann Borg (la rousse), Frank Faylen (Barney), Harland Tucker (le tueur), Bob Evans (Sam), Hank Hankinson (Burke), Bob Nestell (O'Brien), Jack Kranz (Denbaugh), George Blake (l'arbitre).

San Quentin (*le Révolté,* 1937). First National/Warner Bros. 65 ou 70 minutes. Réalisé par Lloyd Bacon ; producteurs exécutifs, Jack L. Warner et Hal B. Wallis ; producteur associé, Samuel Bischoff ; scénario, Peter Milne et Humphrey Cobb, d'après une histoire de Robert Tasker et John Bright ; chef opérateur, Sid Hickox ; musique, Heinz Roemheld, Charles Maxwell et David Raskin ; direction musicale, Leo F. Forbstein ; montage, William Holmes ; assistant metteur en scène, Dick Mayberry ;

direction artistique, Esdras Hartley ; costumes, Howard Shoup ; effets spéciaux, James Gibbons et H. F. Koenekamp ; son, Everett A. Brown ; chanson « How Could You ? », paroles et musique, Harry Warren et Al Dubin.

Avec : Pat O'Brien (le capitaine Stephen Jameson), Humphrey Bogart (Joe « Red » Kennedy), Ann Sheridan (May Kennedy), Barton MacLane (le capitaine Druggin), Joseph Sawyer (le marin Hansen), Veda Ann Borg (Helen), James Robbins (Mickey Callahan), Joseph King (le gardien Taylor), Gordon Oliver (un capitaine), Garry Owen (Dopey), Marc Lawrence (Venetti), Emmett Vogan (le lieutenant), William Pawley, Al Hill, George Lloyd (des prisonniers), Max Wagner (le messager), Ernie Adams (Fink).

Dead End (*Rue sans issue*, 1937). United Artists. 90, 93, ou 95 minutes. Réalisation, William Wyler ; produit par Samuel Goldwyn ; producteur associé, Merritt Hulburd ; scénario, Lillian Hellman, d'après la pièce de Sidney Kingsley ; chef opérateur, Gregg Toland ; montage, Daniel Mandell ; musique, Alfred Newman ; *dialogue director*, Edward P. Goodnow ; assistant metteur en scène, Eddie Bernaudy ; direction artistique, Richard Day ; décor, Julia Heron ; costumes, Omar Kiam ; effets spéciaux, James Basevi ; son, Frank Maher.

Avec : Sylvia Sidney (Drina Gordon), Joel McCrea (Dave Connell), Humphrey Bogart (Baby Face Martin), Wendy Barrie (Kay Burton), Claire Trevor (Francey), Allen Jenkins (Hunk), Marjorie Main (Mrs. Martin), Billy Halop (Tommy), Huntz Hall (Dippy), Bobby Jordan (Angel), Leo Gorcey (Spit), Gabriel Dell (T. B.), Bernard Punsley (Milty), Charles Peck (Philip Griswold), Minor Watson (Mr. Griswold), James Burke (l'agent Mulligan), Ward Bond (le portier), Elisabeth Risdon (Mrs. Connell), Esther Dale (Mrs. Fenner), George Humbert (Mr. Pascagli), Marcelle Corday (la gouvernante), Alan Bridge, Robert Homans (des policiers), Thomas Jackson (un policier), Donald Barry (un interne), Charles Halton (Whitey).

Stand-in (*Monsieur Dodd part pour Hollywood,* 1937). Walter Wanger Productions, Inc., distribué par United Artists. 91 minutes. Réalisation, Tay Garnett ; produit par Walter Wanger ; scénario, Gene Towne et Graham Baker, d'après le feuilleton publié en 1937 dans le *Saturday Evening Post* par Clarence Budington Kelland ; chef opérateur, Charles Clarke ; musique, Heinz Roemheld ; montage, Otto Lovering et Dorothy Spencer ; assistant metteur en scène, Charles Kerr ; direction artistique, Alexander Toluboff ; costumes, Helen Taylor ; son, Paul Neal.

Avec : Leslie Howard (Atterbury Dodd), Joan Blondell (Lester Plum), Humphrey Bogart (Douglas Quintain), Alan Mowbray (Koslofski), Marle Shelton (Thelma Cheri), C. Henry Gordon (Ivor Nassau), Jack Carson (Potts), Tully Marshall (Fowler Pettypacker), J. C. Nugent (Pettypacker Jr), William V. Mong (Cyrus Pettypacker), Art Baker (le directeur de la photographie), Charles Middleton (l'acteur déguisé en Abraham Lincoln), Esther Howard (la propriétaire), Olin Howard (le gérant de l'hôtel), Charles Williams (le pensionnaire), Pat Flaherty (le videur de la boîte de nuit), Harry Myers (un membre du conseil d'administration de la banque), Anne O'Neal (la mère d'Elvira), Theodore von Eltz (Sir Geoffrey dans *Sex and Satan*), Harry Woods (un employé du studio).

Swing Your Lady (1938). Warner Bros. 72 ou 79 minutes. Réalisation, Ray Enright ; producteurs exécutifs, Jack L. Warner et Hal B. Wallis ; producteur associé, Samuel Bischoff ; scénario, Joseph Schrank et Maurice Leo, d'après une pièce de 1936 de Kenyon Nicholson et Charles Robinson ; chef opérateur, Arthur Edeson ; musique, Adolph Deutsch ; montage, Jack Killifer ; *dialogue director*, Jo Graham ; assistant metteur en scène, Jesse Hibbs ; direction artistique, Esdras Hartley ; costumes, Howard Shoup ; son, Charles Lang ; numéros musicaux créés par Bobby Connolly ; chansons « Mountain Swingaroo », « Hillbilly from Tenth Avenue », « Swing Your Lady », « The Old Apple Tree », et « Dig Me a Grave in Missouri », paroles et musique, M. K. Jerome et Jack Scholl.

Avec : Humphrey Bogart (Ed Hatch), Frank McHugh (Popeye Bronson), Louise Fazenda (Sadie Horn), Nat Pendleton (Joe Skopapoulos), Penny Singleton (Cookie Shannon), Allen Jenkins (Shiner Ward), Leon Weaver (Waldo Davis), Frank Weaver (Ollie Davis), Elviry Weaver (Mrs. Davis), Ronald Reagan (Jack Miller), Daniel Boone Savage (Noah Webster), Hugh O'Connell (Smith), Tommy Bupp (Rufe Horn), Sonny Bupp (Len Horn), Joan Howard (Mattie Horn), Sue Moore (Mabel), Olin Howland (le propriétaire de l'hôtel), Sammy White (le danseur), Eddie Acuff (Roscoe Turner), Irving Bacon (le photographe), Vic Potel (Clem), Roger Gray (le premier chanteur), John « Skins » Miller (le deuxième chanteur), Foy Van Dolsen, Frank Pharr (des chanteurs), George Over (le télégraphiste), Georgia Simmons (la femme dans la montagne), June Gittleson (la grosse serveuse).

Crime School (*l'École du crime*, 1938). First National/Warner Bros. 86 minutes. Réalisation, Lewis Seiler ; producteurs exécutifs, Jack L. Warner et Hal B. Wallis ; producteur associé, Bryan Foy ; scénario, Crane Wilbur et Vincent Sherman, d'après une histoire de Crane Wilbur ; chef opérateur, Arthur Todd ; musique, Max Steiner ; montage, Terry Morse ; *dialogue director*, Vincent Sherman ; assistant metteur en scène, Fred Taylor ; direction artistique, Charles Novi ; costumes, N'Was McKenzie ; son, Francis J. Scheid.

Avec : Humphrey Bogart (Mark Braden), Gale Page (Sue Warren), Billy Halop (Frankie Warren), Huntz Hall (Goofy), Leo Gorcey (Spike

Hawkins), Bernard Punsley (Fats Papadopolos), Gabriel Dell (Bugs Burke), George Offerman Jr (Red), Weldon Heyburn (Cooper), Cy Kendall (Morgan), Charles Trowbridge (le juge Clinton), Spencer Charters (le vieux docteur), Donald Briggs (le nouveau docteur), Frank Jacquet (le préfet de police), Helen MacKellar (Mrs. Burke), Al Bridge (Mr. Burke), Sibyl Harris (Mrs. Hawkins), Paul Porcasi (Nick Papadopolos), Frank Otto (le drogué), Ed Gargan (l'agent Hogan), James B. Carson (Schwartz), Milburn Stone (Joe Delaney), Harry Cording (le second gardien).

Men Are Such Fools (*Les hommes sont si bêtes,* 1938). Warner Bros. 66 ou 70 minutes. Réalisation Busby Berkeley ; producteurs exécutifs, Jack L. Warner et Hal B. Wallis ; producteur associé, David Lewis ; scénario, Norman Reilly Raine et Horace Jackson, d'après le roman de Faith Baldwin ; chef opérateur, Sid Hickox ; musique, Heinz Roemheld ; direction musicale, Leo F. Forbstein ; montage, Jack Killifer ; direction des dialogues, Jo Graham ; assistant metteur en scène, Chuck Hansen ; direction artistique, Max Parker ; costumes, Howard Shoup ; son, Stanley Jones ; orchestration, Ray Heindorf.

Avec : Wayne Morris (Jimmy Hall), Priscilla Lane (Linda Lawrence), Humphrey Bogart (Harry Galleon), Hugh Herbert (Harvey Bates), Penny Singleton (Nancy), Johnnie Davis (Tad), Mona Barrie (Beatrice Harris), Marcia Ralston (Wanda Townsend), Gene Lockhart (Bill Dalton), Kathleen Lockhart (Mrs. Dalton), Donald Briggs (George Onslow), Renie Riano (Mrs. Pinkle), Claude Allister (Rudolf), Nedda Harrigan (Mrs. Nelson), Eric Stanley (Mr. Nelson), James Nolan (Bill Collyer), Carole Landis (June Cooper), Jean Benedict, Fern Barry, Rosella Towne (les secrétaires), Leyland Hodgson (Ronald Ainsworth), Bruce Warren (Charlie Allen), Lois Lindsay (Anita), Diana Lewis (la demoiselle du téléphone), John Harron (Toni Bellamy), Ken Niles (le présentateur radio).

The Amazing Dr. Clitterhouse (*le Mystérieux Docteur Clitterhouse,* 1938). First National/Warner Bros. 87 minutes. Réalisation, Anatole Litvak ; produit par Gilbert Miller ; producteurs exécutifs, Jack L. Warner et Hal B. Wallis ; producteur associé, Robert Lord ; scénario, John Wexley et John Huston, d'après une pièce de 1937 de Barré Lyndon ; chef opérateur, Tony Gaudio ; musique, Max Steiner ; direction musicale, Leo F. Forbstein ; montage, Warren Low ; *dialogue director*, Jo Graham ; assistant metteur en scène, Jack Sullivan ; direction artistique, Jules Weyl ; costumes, Milo Anderson ; son, C. A. Riggs ; conseiller technique, Dr Leo Schulman.

Avec : Edward G. Robinson (Dr Clitterhouse), Claire Trevor (Jo Keller), Humphrey Bogart (Rocks Valentine), Allen Jenkins (Okay), Donald Crisp (l'inspecteur Lane), Gale Page (l'infirmière Randolph),

Henry O'Neill (le juge), John Litel (l'avocat général), Thurston Hall (Grant), Maxie Rosenbloom (Butch), Bert Hanlon (Pal), Curt Bois (Rabbit), Ward Bond (Tugs), Vladimir Sokoloff (Popus), Billy Wayne (Candy), Robert Homans (le lieutenant Johnson), Irving Bacon (le président du jury), Georgia Caine (Mrs. Updyke), Romaine Callender (le majordome), Mary Field (la servante).

Racket Busters (*Menaces sur la ville,* 1938). Warner Bros./ Cosmopolitan. 65 ou 71 minutes. Réalisation, Lloyd Bacon ; producteurs exécutifs, Jack L. Warner et Hal B. Wallis ; producteur associé, Samuel Bischoff ; scénario, Robert Rossen et Leonardo Bercovici ; chef opérateur, Arthur Edeson ; musique, Adolph Deutsch ; montage, James Gibbon ; assistant metteur en scène, Dick Mayberry ; direction artistique, Esdras Hartley ; costumes, Howard Shoup ; son, Robert B. Lee ; direction musicale, Leo F. Forbstein ; orchestration, Hugo Friedhofer.

Avec : Humphrey Bogart (Pete Martin), George Brent (Denny Jordan), Gloria Dickson (Nora Jordan), Allen Jenkins (Horse Wilson), Walter Abel (Thomas Allison), Henry O'Neill (le gouverneur), Penny Singleton (Gladys), Anthony Averill (Crane), Oscar O'Shea (Pop Wilson), Elliott Sullivan (Charlie Smith), Fay Helm (Mrs. Smith), Joseph Downing (Joe), Norman Willis (Gus), Don Rowan (Kimball), Mary Currier (Mrs. Allison), Wedgewood Nowell (l'homme d'affaires), Bruce Mitchell (le policier), Jack Goodrich (l'employé).

Angels with Dirty Faces (*les Anges aux figures sales,* 1938). First National/- Warner Bros. 97 minutes. Réalisation, Michael Curtiz ; produit par Samuel Bischoff ; producteurs exécutifs, Jack L. Warner et Hal B. Wallis ; scénario, John Wexley et Warren Duff, d'après une histoire de Rowland Brown ; chef opérateur, Sol Polito ; musique, Max Steiner ; montage, Owen Marks ; *dialogue director*, Jo Graham ; assistant metteur en scène, Sherry Shourds ; direction artistique, Robert Haas ; costumes, Orry-Kelly ; direction musicale, Leo F. Forbstein ; orchestration, Hugo Friedhofer ; son, Everett A. Brown ; conseiller technique, Father J. J. Devlin.

Avec : James Cagney (Rocky Sullivan), Pat O'Brien (Jerry Connolly), Humphrey Bogart (James Frazier), Ann Sheridan (Laury Ferguson), George Bancroft (Mac Keefer), Billy Halop (Soapy), Bobby Jordan (Swing), Leo Gorcey (Bim), Gabriel Dell (Pasty), Huntz Hall (Crab), Bernard Punsley (Hunky), Joseph Downing (Steve), Edward Pawley (Edwards), Adrian Morris (Blackie), Frankie Burke (Rocky enfant), William Tracy (Jerry enfant), Marilyn Knowlden (Laury enfant), Oscar O'Shea (Kennedy), William Pawley (Bugs), Theodore Reid, Charles Sullivan (des hommes de main), John Hamilton (le capitaine de la police), Earl Dwire (le prêtre), William Worthington (le gardien), et le chœur de l'église Saint-Brendan.

King of the Underworld (*Hommes sans loi,* 1939). Warner Bros. Jack L. Warner, producteur. 69 minutes. Réalisation, Lewis Seiler ; producteur associé, Bryan Foy ; scénario, George Bricker et Vincent Sherman, d'après le feuilleton de W. R. Burnett, *Dr. Socrates,* publié dans *Liberty Magazine* ; chef opérateur, Sid Hickox ; direction musicale, Leo F. Forbstein ; musique, Heinz Roemheld ; montage, Frank Dewar ; *dialogue director*, Vincent Sherman ; assistant metteur en scène, Frank Heath ; direction artistique, Charles Novi ; costumes, Orry-Kelly ; son, Everett A. Brown.

Avec : Humphrey Bogart (Joe Gurney), Kay Francis (Dr Carol Nelson), James Stephenson (Bill Stevens), John Eldredge (Dr Niles Nelson), Jessie Busley (tante Margaret), Arthur Aylesworth (Dr Sanders), Raymond Brown (le shérif), Harland Tucker (Mr. Ames), Ralph Remley (Mr. Robert), Charley Foy (Slick), Murray Alper (Eddie), Joe Devlin (Porky), Elliott Sullivan (Mugsy), Alan Davis (Pete), John Harmon (Slats), John Ridgely (Jerry), Richard Bond (l'interne), Pierre Watkin (l'avocat général), Charles Trowbridge (Dr Ryan), Edwin Stanley (Dr Jacobs), Herbert Heywood (Clem), Paul MacWilliams (l'anesthésiste), Richard Quine (l'étudiant).

The Oklahoma Kid (*Terreur à l'Ouest,* 1939). Warner Bros. 85 minutes. Réalisation, Lloyd Bacon ; producteurs exécutifs, Jack L. Warner et Hal B. Wallis ; producteur associé, Samuel Bischoff ; scénario, Warren Duff, Robert Buckner et Edward E. Paramore, d'après une histoire d'Edward E. Paramore et Wally Klein ; chef opérateur, James Wong Howe ; direction musicale, Leo F. Forbstein ; musique, Max Steiner ; montage, Owen Marks ; assistant metteur en scène, Dick Mayberry ; direction artistique, Esdras Hartley ; costumes, Orry-Kelly ; son, Stanley Jones.

Avec : James Cagney (Jim Kincaid, le Kid de l'Oklahoma), Humphrey Bogart (Whip McCord), Rosemary Lane (Jane Hardwick), Donald Crisp (le juge Hardwick), Hugh Sothern (John Kincaid), Harry Stephens (Ned Kincaid), Charles Middleton (Alec Martin), Edward Pawley (Doolin), Ward Bond (Wes Handley), Lew Harvey (Curley), Trevor Bardette (l'Indien Jack Pascoe), John Miljan (Ringo), Arthur Aylesworth (le juge Morgan), Irving Bacon (l'employé de l'hôtel), Joe Devlin (Keely), Wade Boteler (le shérif Abe Collins).

Dark Victory (*Victoire sur la nuit,* 1939). Warner Bros. Pictures, Inc. ; Jack L. Warner, producteur. First National. 105 minutes. Réalisation, Edmund Goulding ; producteur associé, David Lewis ; scénario, Casey Robinson, d'après la pièce de George Emerson Brewer Jr et Bertram Bloch ; chef opérateur, Ernest Haller ; direction musicale, Leo F. Forbstein ; musique, Max Steiner ; montage, William Holmes ; assistant metteur en scène, Frank Heath ; direction artistique, Robert Haas ; costumes, Orry-Kelly ; son, Robert B. Lee ; chanson « Oh, Give Me Time for Tenderness », paroles et musique d'Elsie Janis et Edmund Goulding.

Avec : Bette Davis (Judith Traherne), George Brent (Dr Frederick Steele), Humphrey Bogart (Michael O'Leary), Geraldine Fitzgerald

(Ann King), Ronald Reagan (Alec Hamm), Henry Travers (Dr Parsons), Cora Witherspoon (Carrie Spottswood), Dorothy Peterson (Miss Wainwright), Virginia Brissac (Martha), Charles Richman (le colonel Mantle), Herbert Rawlinson (Dr Carter), Leonard Mudie (Dr Driscoll), Fay Helm (Miss Dodd), Lottie Williams (Lucy), Jack Mower (le vétérinaire).

You Can't Get Away with Murder (*le Châtiment*, 1939). First National/Warner Bros. 78 minutes. Réalisation, Lewis Seiler ; producteur associé, Samuel Bischoff ; scénario, Robert Buckner, Don Ryan et Kenneth Gamet, d'après *Chalked Out,* pièce de Warden Lewis et Jonathan Finn ; chef opérateur, Sol Polito ; musique, Heinz Roemheld ; montage, James Gibbon ; *dialogue director*, Jo Graham ; assistant metteur en scène, William Kissel ; direction artistique, Hugh Reticker ; costumes, Milo Anderson ; son, Francis J. Scheid.

Avec : Humphrey Bogart (Frank Wilson), Billy Halop (Johnnie Stone), Gale Page (Madge Stone), John Litel (l'avocat Carey), Henry Travers (Pop), Harvey Stephens (Fred Burke), Harold Huber (Scrappa), Joseph Sawyer (Red), Joseph Downing (Smitty), George E. Stone (Toad), Joseph King (le gardien-chef), Joseph Crehan (un gardien), John Ridgely (le pompiste), Herbert Rawlinson (l'avocat général), William Worthington (le premier spécialiste), Alexander Leftwich (le second spécialiste), lla Rhodes (la secrétaire), Stuart Holmes (le docteur), Frank Darien (le petit homme anxieux), Sidney Bracy (le barman), Rosella Towne (la fille dans la boîte), Edgar Edwards (le dresseur).

The Roaring Twenties (*les Fantastiques Années vingt*, 1939). Warner Bros. Pictures, Inc. ; Jack L. Warner, producteur. 106 minutes. Réalisation, Raoul Walsh ; producteur exécutif, Hal B. Wallis ; producteur associé, Samuel Bischoff ; scénario, Jerry Wald, Richard Macaulay et Robert Rossen, d'après une histoire de Mark Hellinger ; chef opérateur, Ernest Haller ; direction musicale, Leo F. Forbstein ; musique, Heinz Roemheld et Ray Heindorf ; montage, Jack Killifer ; *dialogue director*, Hugh Cummings ; assistant metteur en scène, Dick Mayberry ; direction artistique, Max Parker ; costumes, Milo Anderson ; effets spéciaux, Byron Haskin et Edwin B. DuPar ; son, Everett A. Brown.

Avec : James Cagney (Eddie Bartlett), Priscilla Lane (Jean Sherman), Humphrey Bogart (George Hally), Gladys George (Panama Smith), Jeffrey Lynn (Lloyd Hart), Frank McHugh (Danny Green), Paul Kelly (Nick Brown), Elisabeth Risdon (Mrs. Sherman), Edward Keane (Pete Henderson), Joe Sawyer (le sergent Pete Jones), Joseph Crehan (Mr. Fletcher), George Meeker (Masters), John Hamilton (le juge), Robert Elliott (le premier policier), Eddie Chandler (le second policier), Abner Biberman (Lefty), Vera Lewis (Mrs. Gray), Elliott Sullivan (le compagnon de cellule d'Eddie), Bert Hanlon (l'accompagnateur au

542

piano), Murray Alper (le premier mécanicien), Dick Wessel (le second mécanicien), George Humbert (le propriétaire du restaurant), Ben Welden (le propriétaire de la taverne), John Deering (le commentateur), Ray Cooke (l'infirmier), Norman Willis (le bootlegger), Pat O'Malley (le directeur de la prison).

The Return of Dr. X (*le Retour du Dr X,* 1939). First National/ Warner Bros. 60 minutes. Réalisation, Vincent Sherman ; producteurs exécutifs, Jack L. Warner et Hal B. Wallis ; producteur associé, Bryan Foy ; scénario, Lee Katz, d'après « The Doctor's Secret », nouvelle de William J. Makin publiée dans le numéro du 30 juillet 1938 de *Detective Fiction Weekly ;* chef opérateur, Sid Hickox ; musique, Bernhard Kaun ; montage, Thomas Pratt ; *dialogue director,* John Langan ; assistant metteur en scène, Dick Mayberry ; direction artistique, Esdras Hartley ; costumes, Milo Anderson ; maquillage, Perc Westmore ; son, Charles Lang.

Avec : Humphrey Bogart (Marshall Quesne, alias Dr Xavier), Wayne Morris (Walter Barnett), Rosemary Lane (Joan Vance), Dennis Morgan (Dr Michael Rhodes), John Litel (Dr Francis Flegg), Lya Lys (Angela Merrova), Huntz Hall (Pinky), Charles Wilson (le policier Ray Kincaid), Vera Lewis (Miss Sweetman), Howard Hickman (le président), Olin Howland (le fossoyeur), Arthur Aylesworth (le guide), Jack Mower (le sergent Moran), Creighton Hale (le directeur de l'hôtel), John Ridgely (Stanley Rodgers), Joseph Crehan (l'éditeur), Glenn Langan, William Hopper (des internes).

Invisible Stripes (1939). Warner Bros. Pictures, Inc. ; Jack L. Warner producteur. Warner Bros./First National. 81 minutes. Réalisation, Lloyd Bacon ; producteur exécutif, Hal B. Wallis ; producteur associé, Louis F. Edelman ; scénario, Warren Duff, d'après une histoire de Jonathan Finn tirée du livre de Warden Lewis E. Lawes publié en 1938 ; chef opérateur, Ernest Haller ; musique, Heinz Roemheld ; montage, James Gibbon ; *dialogue director,* Irving Rapper ; assistant metteur en scène, Elmer Decker ; direction artistique, Max Parker ; costumes, Milo Anderson ; effets spéciaux, Byron Haskin.

Avec : George Raft (Cliff Taylor), Jane Bryan (Peggy), William Holden (Tim Taylor), Humphrey Bogart (Chuck Martin), Flora Robson (Mrs. Taylor), Paul Kelly (Ed Kruger), Lee Patrick (Molly), Henry O'Neill (le juge d'application des peines Masters), Frankie Thomas (Tommy), Moroni Olsen (un gardien), Margot Stevenson (Sue), Marc Lawrence (Lefty), Joseph Downing (Johnny), Leo Gorcey (Jimmy), William Haade (Shrank), Tully Marshall (le vieux Peter), Chester Clute (Mr. Butler), Jack Mower (un gardien), Frank Mayo (le planton), George Taylor (Pauly), Frank Bruno (Smitty), John Irwin (un prisonnnier).

Virginia City (*la Caravane héroïque,* 1940). Warner Bros. Pictures, Inc. ; Jack L. Warner, producteur. Warner Bros./First National. 115 ou

121 minutes. Réalisation, Michael Curtiz ; producteur exécutif, Hal B. Wallis ; producteur associé, Robert Fellows ; scénario, Robert Buckner ; chef opérateur, Sol Polito ; direction musicale, Leo F. Forbstein ; musique, Max Steiner ; montage, George Amy ; *dialogue director*, Jo Graham ; assistant metteur en scène, Sherry Shourds ; direction artistique, Ted Smith ; effets spéciaux, Byron Haskin et H. F. Koenekamp ; son, Oliver S. Garretson et Francis J. Scheid.

Avec : Errol Flynn (Kerry Bradford), Miriam Hopkins (Julia Hayne), Randolph Scott (Vance Irby), Humphrey Bogart (John Murrell), Frank McHugh (Mr. Upjohn), Alan Hale (Olaf « Moose » Swenson), Guinn « Big Boy » Williams (Marblehead), John Litel (shérif), Douglas Dumbrille (le major Drewery), Moroni Olsen (Dr Cameron), Russell Hicks (Armistead), Dickie Jones (Cobby), Frank Wilcox (un soldat de l'Union), Russell Simpson (Gaylord), Victor Kilian (Abraham Lincoln), Charles Middleton (Jefferson Davis), Monte Montague (conducteur de diligence), George Regas (le sang-mêlé), Thurston Hall (le général Meade), Brandon Tyman (Trenholm), Ward Bond, Reed Howes, Norman Willis, Walter Miller (des sergents).

It All Came True (*Rendez-vous à minuit,* 1940). Warner Bros./First National. 97 minutes. Réalisation, Lewis Seiler ; producteurs exécutifs, Jack L. Warner et Hal B. Wallis ; producteur associé, Mark Hellinger ; scénario, Michael Fessier et Lawrence Kimble, d'après « Better than Life », une nouvelle de Louis Bromfield (1936) ; chef opérateur, Ernest Haller ; musique, Heinz Roemheld ; montage, Thomas Richards ; *dialogue director*, Robert Foulk ; assistant metteur en scène, Russ Saunders ; direction artistique, Max Parker ; direction musicale, Leo F. Forbstein ; orchestration, Ray Heindorf ; costumes, Howard Shoup ; effets spéciaux, Byron Haskin et Edwin B. DuPar ; son, Dolph Thomas ; chorégraphie, Dave Gould ; chansons « Angel in Disguise », paroles et musique de Kim Gannon, Stephen Weiss et Paul Mann, et « The Gaucho Serenade », paroles et musique, James Cavanaugh, John Redmond, et Nat Simon.

Avec : Ann Sheridan (Sarah Jane Ryan), Jeffrey Lynn (Tommy Taylor), Humphrey Bogart (Grasselli/Chips Maguire), ZaSu Pitts (Miss Flint), Una O'Connor (Maggie Ryan), Jessie Busley (Norah Taylor), John Litel (Mr. Roberts), Grant Mitchell (Mr. Salmon), Felix Bressart (Mr. Boldini), Charles Judels (Leantopopulos), Brandon Tynan (Mr. Van Diver), Howard Hickman (Mr. Prendergast), Herbert Vigran (Monks), Tommy Reilly, le chœur Elderbloom, Bender et Daum, White et Stanley, le Lady Killers Quartet.

Brother Orchid (1940). Warner Bros. Pictures, Inc. ; Jack L. Warner producteur. Warner Bros./First National Picture. 88 minutes. Réalisation, Lloyd Bacon ; producteur exécutif, Hal B. Wallis ; producteur associé, Mark Hellinger ; scénario, Earl Baldwin, d'après une histoire publiée le

21 mai 1938 dans le magazine *Collier's* par Richard Connell ; chef opéra-teur, Tony Gaudio ; direction musicale, Leo F. Forbstein ; musique, Heinz Roemheld ; montage, William Holmes ; *dialogue director*, Hugh Cum-mings ; assistant metteur en scène, Dick Mayberry ; direction artistique, Max Parker ; costumes, Howard Shoup ; maquillage, Perc Westmore ; effets spéciaux, Byron Haskin, Willard Van Enger et Edwin DuPar ; séquences spéciales de Don Siegel et Robert Burks ; son, C. A. Riggs.

Avec : Edward G. Robinson (Little John Sarto [Brother Orchid]), Ann Sothern (Flo Addams), Humphrey Bogart (Jack Buck), Donald Crisp (frère supérieur), Ralph Bellamy (Clarence Fletcher), Allen Jenkins (Willie the Knife), Charles D. Brown (frère Wren), Cecil Kellaway (frère Goodwin), Morgan Conway (Philadelphia Powell), Richard Lane (Mugsy O'Day), Paul Guilfoyle (Red Martin), John Ridgely (Texas Pearson), Joseph Crehan (frère MacEwen), Wilfred Lucas (frère Mac-Donald), Tom Tyler (Curley Matthews), Dick Wessel (Buffalo Burns), Granville Bates (le commissaire de Pattonsville), Paul Phillips (French Frank), Don Rowan (Al Muller), Nanette Vallon (Fifi), Tim Ryan (Turkey Malone), Joe Caites (Handsome Harry), Pat Gleason (Dopey Perkins), Tommy Baker (Joseph), G. Pat Collins (Tim O'Hara), John Qualen (Mr. Pigeon), Leonard Mudie, Charles Coleman (des Anglais), Edgar Norton (Meadows).

They Drive by Night (*Une femme dangereuse,* 1940). Warner Bros. Pic-tures, Inc. ; Jack L. Warner, producteur. Warner Bros./First National. 93 minutes. Réalisation, Raoul Walsh ; producteur exécutif, Hal B. Wallis ; producteur associé, Mark Hellinger ; scénario, Jerry Wald et Richard Macaulay, d'après *Long Haul*, roman publié en 1938 par A. I. Bezzerides ; chef opérateur, Arthur Edeson ; direction musicale, Leo F. Forbstein ; musique, Adolph Deutsch ; montage, Thomas Richards ; *dia-logue director*, Hugh MacMullen ; assistant metteur en scène, Elmer Decker ; direction artistique, John Hughes ; costumes, Milo Anderson ; maquillage, Perc Westmore ; effets spéciaux, Byron Haskin, H. F. Koene-kamp, James Gibbons, John Holden et Edwin DuPar ; séquences spéciales de Don Siegel et Robert Burks ; enregistrement du son, Oliver S. Garret-son ; orchestration, Arthur Lange.

Avec : George Raft (Joe Fabrini), Ann Sheridan (Cassie Hartley), Ida Lupino (Lana Carlsen), Humphrey Bogart (Paul Fabrini), Gale Page (Pearl Fabrini), Alan Hale (Ed Carlsen), Roscoe Karns (Irish McGurn), John Litel (Harry McNamara), George Tobias (George Rondolos), Henry O'Neill (l'avocat général), Paul Hurst (Pete Haig), Charles Halton (Farnsworth), John Ridgely (Hank Dawson), George Lloyd (Barney), Joyce Compton (Sue Carter), Charles Wilson (Mike Wil-liams), Pedro Regas (l'aide de McNamara), Norman Willis (Neves), Joe Devlin (Fatso), William Haade (le chauffeur), Vera Lewis (la pro-priétaire), John Hamilton (l'avocat de la défense), Dorothea Kent (Sue),

Lillian Yarbo (Chloe), Eddy Chandler (le chauffeur de camion), Mack Gray (Mike), Max Wagner (Sweeney), Wilfred Lucas (l'huissier), Joe Hamilton (l'avocat de la défense), Howard Hickman (le juge).

High Sierra (*la Grande Évasion,* 1941). Warner Bros./First National. 100 minutes. Réalisation, Raoul Walsh ; producteur exécutif, Hal B. Wallis ; producteur associé, Mark Hellinger ; scénario, John Huston et W. R. Burnett, d'après le roman de W. R. Burnett ; chef opérateur, Tony Gaudio ; direction musicale, Leo F. Forbstein ; musique, Adolph Deutsch ; montage, Jack Killifer ; *dialogue director,* Irving Rapper ; direction artistique, Ted Smith ; costumes, Milo Anderson ; maquillage, Perc Westmore ; effets spéciaux, Byron Haskin et H. F. Koenekamp ; son, Dolph Thomas ; orchestration, Arthur Lange.

Avec : Ida Lupino (Marie Garson), Humphrey Bogart (Roy Earle), Alan Curtis (Babe Kozak), Arthur Kennedy (Red Hattery), Joan Leslie (Velma), Henry Hull (Doc Banton), Barton MacLane (Jake Kranmer), Henry Travers (Pa Goodhue), Elisabeth Risdon (Ma Goodhue), Jerome Cowan (Healy), Cornel Wilde (Louis Mendoza), Minna Gombell (Mrs. Baughman), Paul Harvey (Mr. Baughman), John Eldredge (Lon Preiser), Donald MacBride (Big Mac), Isabel Jewell (la blonde), Willie Best (Algernon), Spencer Charters (Ed), George Meeker (Pfiffer), Robert Strange (Art), Sam Hayes (le présentateur), Arthur Aylesworth (le propriétaire du parc de voitures), Wade Boteler (le shérif), Erville Alderson (un fermier), Cliff Saum (Shaw), Eddy Chandler (un policier), Richard Clayton (le chasseur), Louis Jean Heydt (un touriste), Dorothy Appleby (Margie), Gary Owen (Joe), Eddie Acuff (le conducteur de bus), Harry Hayden (le pharmacien), Carl Harbaugh (le pêcheur), Pard le chien (Zero le chien).

The Wagons Roll at Night (1941). Warner Bros./First National. 84 minutes. Réalisation, Ray Enright ; producteurs exécutifs, Jack L. Warner et Hal B. Wallis ; producteur associé, Harlan Thompson ; scénario, Fred Niblo Jr et Barry Trivers, d'après *Kid Galahad*, roman de Francis Wallace ; chef opérateur, Sid Hickox ; musique, Heinz Roemheld ; montage, Frederick Richards ; assistant metteur en scène, Jesse Hibbs ; direction artistique, Hugh Reticker ; effets spéciaux, Byron Haskin et H. F. Koenekamp ; orchestration, Ray Heindorf.

Avec : Humphrey Bogart (Nick Coster), Sylvia Sidney (Flo Lorraine), Eddie Albert (Matt Varney), Joan Leslie (Mary Coster), Sig Rumann (Hoffman the Great), Cliff Clark (Doc), Charley Foy (Snapper), Frank Wilcox (Tex), John Ridgely (Arch), Clara Blandick (Mrs. Williams), Aldrich Bowker (Mr. Williams), Garry Owen (Gus), Jack Mower (Bundy), Frank Mayo (Wally), Tom Wilson, Al Herman, George Riley, Cliff Saum (les bonimenteurs), Eddie Acuff (un homme), George Gube (l'assistant du shérif), Jimmy Fox (un client), Grace Hayle (Mrs. Grebnick), Beverly et Barbara Quintanilla (le bébé), Richard Elliott (Mr. Paddleford), John Dilson (le prêtre), Ted Oliver (le shérif), Fay Helm (l'épouse), Anthony Nace (le mari), Freddy Walburn, Buster Phelps, Bradley Hall, Tom Braunger, Robert Winkler, Harry Harvey Jr, George Ovey (des gamins).

The Maltese Falcon (*le Faucon maltais,* 1941). Warner Bros./First National. 100 minutes. Réalisation, John Huston ; producteur exécutif, Hal. B. Wallis ; producteur associé, Henry Blanke ; scénario, John Huston, d'après le roman de Dashiell Hammett ; chef opérateur, Arthur Edeson ; direction musicale, Leo F. Forbstein ; musique, Adolph Deutsch ; montage, Thomas Richards ; *dialogue director*, Robert Foulk ; assistant metteur en scène, Claude Archer ; direction artistique, Robert Haas ; costumes, Orry-Kelly ; maquillage, Perc Westmore ; son, Oliver S. Garretson ; orchestration, Arthur Lange.

Avec : Humphrey Bogart (Sam Spade), Mary Astor (Brigid O'Shaughnessy), Gladys George (Iva Archer), Peter Lorre (Joel Cairo), Barton MacLane (le lieutenant Dundy), Lee Patrick (Effie Perine), Sydney Greenstreet (Casper Gutman), Ward Bond (le policier Tom Polhaus), Jerome Cowan (Miles Archer), Elisha Cook Jr (Wilmer Cook), James Burke (Luke), Murray Alper (Frank Richman), John Hamilton (l'avocat général Bryan), Emory Parnell (un marin sur la *Paloma*), Walter Huston (le capitaine Jacobi), Robert Homas (un policier), Creighton Hale (sténographe), Charles Drake, Bill Hopper, Hank Mann (des reporters), Jack Mower (un présentateur).

All Through the Night (*Échec à la Gestapo,* 1942). Warner Bros./ First National. 107 minutes. Réalisation, Vincent Sherman ; produit par Jerry Wald ; producteur exécutif, Hal B. Wallis ; scénario, Leonard Spigelgass et Edwin Gilbert, d'après une histoire originale de Leonard Q. Ross (Leo Rosten) et Leonard Spigelgass ; chef opérateur, Sid Hickox ; musique, Adolph Deutsch ; montage, Rudi Fehr ; assistant metteur en scène, William Kissel ; direction artistique, Max Parker ; effets spéciaux, Edwin DuPar ; son, Oliver S. Garretson ; orchestration, Frank Perkins ; chansons « All Through the Night », paroles et musique de Johnny Mercer et Arthur Schwartz, et « Chérie, I Love You So », paroles et musique de Lillian Goodman.

Avec : Humphrey Bogart (Gloves Donahue), Conrad Veidt (Hal Ebbing), Kaaren Verne (Leda Hamilton), Jane Darwell (Ma Donahue), Frank McHugh (Barney), Peter Lorre (Pepi), Judith Anderson (Madame), William Demarest (Sunshine), Jackie Gleason (Starchie), Phil Silvers (un serveur), Wallace Ford (Spats Hunter), Barton MacLane (Marty Callahan), Edward Brophy (Joe Denning), Martin Kosleck (Steindorff), Jean Ames (Annabelle), Ludwig Stossel (Mr. Miller), Irene Seidner (Mrs. Miller), James Burke (Forbes), Ben

Welden (Smitty), Hans Schumm (Anton), Charles Cane (Spence), Frank Sully (Sage), Sam McDaniel (le diacre).

The Big Shot (*le Caïd,* 1942). Warner Bros./First National. 82 minutes. Réalisation, Lewis Seiler ; produit par Walter MacEwen ; scénario original, Bertram Millhauser, Abem Finkel, et Daniel Fuchs ; chef opérateur, Sid Hickox ; musique, Adolph Deutsch ; montage, Jack Killifer ; *dialogue director*, Harold Winston ; assistant metteur en scène, Art Lueker ; direction artistique, John Hughes ; costumes, Milo Anderson ; maquillage, Perc Westmore ; son, Stanley Jones ; orchestration, Jerome Moross.

Avec : Humphrey Bogart (Duke Berne), Irene Manning (Lorna Fleming), Richard Travis (George Anderson), Susan Peters (Ruth Carter), Stanley Ridges (Martin Fleming), Minor Watson (le planton), Chick Chandler (le danseur), Joseph Downing (Frenchy), Howard da Silva (Sandor), Murray Alper (Quinto), Roland Drew (Faye), John Ridgely (Tim), Joseph King (Toohey), John Hamilton (le juge), Virginia Brissac (Mrs. Booth), William Edmunds (Sarto), Virginia Sale (Mrs. Miggs), Ken Christy (Kat), Wallace Scott (Rusty).

Across the Pacific (*Griffes jaunes,* 1942). Warner Bros./First National. 97 minutes. Réalisation, John Huston ; produit par Jerry Wald et Jack Saper ; scénario, Richard Macaulay [les dernières scènes sont dues à Vincent Sherman, qui n'est pas cité au générique], d'après *Aloha Means Goodbye,* de Robert Carson, publié en feuilleton dans le *Saturday Evening Post* ; chef opérateur, Arthur Edeson ; musique, Adolph Deutsch ; montage, Frank Magee ; *dialogue director*, Edward Blatt ; assistant metteur en scène, Lee Katz ; direction artistique, Robert Haas et Hugh Reticker ; costumes, Milo Anderson ; maquillage, Perc Westmore ; effets spéciaux, Byron Haskin et Willard Van Enger ; séquences spéciales, Don Siegel ; son, Everett A. Brown ; orchestration, Clifford Vaughan.

Avec : Humphrey Bogart (Richard Thomas Leland), Mary Astor (Alberta Marlow), Sydney Greenstreet (Dr Lorenz), Charles Halton (A. V. Smith), Victor Sen Yung (Joe Totsukio), Roland Got (Sugi), Lee Tung Foo (Sam Wing On), Frank Wilcox (le capitaine Morrison), Paul Stanton (le colonel Hart), Lester Matthews (le capitaine canadien), John Hamilton (le président de la cour martiale), Tom Stevenson (grand homme maigre), Roland Drew (le capitaine Harkness), Monte Blue (Dan Morton), Chester Gan (le capitaine Higoto), Richard Loo (l'officier Miyuma), Keye Luke (un employé des vapeurs), Kam Tong (T. Oki), Spencer Chan (le chef mécanicien Mitsudo), Rudy Robles (l'assassin philippin), Bill Hopper (l'ordonnance), Philip Ahn (l'informateur au théâtre), Frank Mayo (l'avocat), Garland Smith, Dick French, Charles Drake, Will Morgan (des officiers), Jack Mower (le major), Eddie Drew (un homme), Frank Faylen (le bonimenteur), Ruth Ford (la secrétaire), Eddie Lee (l'employé chinois), Dick Botiller (le serveur),

Beal Wong (l'ouvreuse), James Leong (Nura), Paul Fung (l'opérateur radio japonais), Gordon De Main (un employé des docks), Peter Lorre [non cité au générique] (un serveur).

Casablanca (1942). Warner Bros./First National. 102 minutes. Réalisation, Michael Curtiz ; produit par Hal B. Wallis ; scénario, Julius J. et Philip G. Epstein et Howard Koch, d'après *Everybody Comes to Rick'*, une pièce jamais jouée de Murray Burnett et Joan Alison ; chef opérateur, Arthur Edeson ; musique, Max Steiner ; direction musicale, Leo F. Forbstein ; montage, Owen Marks ; *dialogue director*, Hugh MacMullen ; assistant metteur en scène, Lee Katz ; direction artistique, Carl Jules Weyl ; décors, George James Hopkins ; costumes, Orry-Kelly ; maquillage, Perc Westmore ; effets spéciaux, Lawrence Butler et Willard Van Enger ; séquences spéciales, Don Siegel et James Leicester ; son, Francis J. Scheid ; orchestration, Hugo Friedhofer ; chansons « As Time Goes By », paroles et musique de Herman Hupfield, et « Knock on Wood », « That's What Noah Done », et « Muse's Call », paroles et musique de M. K. Jerome et Jack Scholl ; conseiller technique, Robert Aisner ; narration par Lou Marcelle.

Avec : Humphrey Bogart (Richard Blaine), Ingrid Bergman (Ilsa), Paul Henreid (Victor Laszlo), Claude Rains (capitaine Louis Renault), Conrad Veidt (major Heinrich Strasser), Sydney Greenstreet (Señor Ferrari), Peter Lorre (Ugarte), S. Z. Sakall (Carl), Madeleine LeBeau (Yvonne), Dooley Wilson (Sam), Joy Page (Annina Brandel), John Qualen (Berger), Leonid Kinsky (Sascha), Helmut Dantine (Jan Brandel), Curt Bois (le pickpocket), Marcel Dalio (Émile, le croupier), Corinna Mura (la chanteuse), Ludwig Stossel (Mr. Leuchtag), Ilka Gruning (Mrs. Leuchtag), Charles La Torre (l'officier Tonelli), Frank Puglia (le vendeur arabe), Dan Seymour (Abdul), Oliver Prickett (le serveur au Blue Parrot), Gregory Gaye, Oliver Blake (des banquiers allemands), George Meeker (un ami), William Edmunds (un contact), Torben Meyer (un banquier), Gino Corrado (un serveur), George Dee (Casselle), Norma Varden (la femme anglaise), Michael Mark (le vendeur), Leo Mostovy (Fydor), Richard Ryen (Heinz), Martin Garralaga (serveur en chef), Olaf Hytten (l'homme prospère), Leon Belasco (le trafiquant), Paul Porcasi (l'autochtone), Hans von Twardowski (un officier allemand), Albert Morin (un officier français), Creighton Hale (un client), Henry Rowland (un officier allemand), Louis Mercier (un contrebandier).

Action in the North Atlantic (*Convoi vers la Russie*, 1943). Warner Bros./ First National. 126 minutes. Réalisation, Lloyd Bacon ; produit par Jerry Wald ; scénario, John Howard Lawson, dialogues supplémentaire, A. I. Bezzerides et W. R. Burnett, d'après un roman de Guy Gilpatric ; chef opérateur, Ted McCord ; musique, Adolph Deutsch ; montage, Thomas Pratt et George Amy ; *dialogue director*, Harold Winston ; assistant metteur en scène, Reggie Callow ; direction artistique, Ted Smith ; décors, Clarence I. Steensen ; costumes, Milo Anderson ; maquillage, Perc Westmore ; effets spéciaux, Jack Cosgrove et Edwin B. DuPar ; séquences spéciales, Don Siegel et James Leicester ; son, C. A. Riggs ; orchestration, Jerome Moross.

Avec : Humphrey Bogart (le second Joe Rossi), Raymond Massey (le capitaine Steve Jarvis), Alan Hale (Boats O'Hara), Julie Bishop (Pearl), Ruth Gordon (Mrs. Jarvis), Sam Levene (Chips Abrams), Dane Clark (Johnny Pulaski), Peter Whitney (Whitey Lara), Dick Hogan (le cadet Robert Parker), Minor Watson (l'amiral Hartridge), J. M. Kerrigan (Caviar Jinks), Kane Richmond (l'enseigne de vaisseau Wright), William von Brincken (le capitaine du sous-marin allemand), Chick Chandler (Goldberg), George Offerman Jr (Cecil), Don Douglas (un lieutenant), Art Foster (Pete Larson), Ray Montgomery (Aherne), Glenn Strange (Tex Mathews), Creighton Hale (Sparks), Elliott Sullivan (Hennessy), Alec Craig (McGonigle), Ludwig Stossel (le capitaine Ziemer), Dick Wessel (Cherub), Frank Puglia (le capitaine Carpolis), Iris Adrian (Jenny O'Hara), Irving Bacon (le barman), James Flavin (un lieutenant).

Thank Your Lucky Stars (*Remerciez votre bonne étoile,* 1943). Warner Bros./First National. 127 minutes. Réalisation, David Butler ; produit par Mark Hellinger ; scénario, Norman Panama, Melvin Frank, et James V. Kern, d'après une histoire originale d'Everett Freeman et Arthur Schwartz ; chef opérateur, Arthur Edeson ; montage, Irene Morra ; *dialogue director*, Herbert Farjean ; assistant metteur en scène, Phil Quinn ; direction artistique, Anton Grot et Leo K. Kuter ; décors, Walter F. Tilford ; costumes, Milo Anderson ; maquillage, Perc Westmore ; effets spéciaux, H. F. Koenekamp ; son, Francis J. Scheid et Charles David Forrest ; numéros de danse créés et chorégraphiés par Leroy Prinz ; chansons d'Arthur Schwartz et Frank Loesser ; arrangements orchestraux, Ray Heindorf ; arrangements lyriques, Dudley Chambers ; adaptation musicale, Heinz Roemheld ; orchestration, Maurice de Packh.

Avec : Humphrey Bogart (lui-même), Eddie Cantor (lui-même et Joe Simpson), Bette Davis (elle-même), Olivia de Havilland (elle-même), Errol Flynn (lui-même), John Garfield (lui-même), Joan Leslie (Pat Dixon), Ida Lupino (elle-même), Dennis Morgan (Tom Randolph), Ann Sheridan (elle-même), Dinah Shore (elle-même), Alexis Smith (elle-même), Jack Carson (lui-même), Alan Hale (lui-même), George Tobias (lui-même), Edward Everett Horton (Farnsworth), S. Z. Sakall (Dr Schlenna), Hattie McDaniel (Gossip), Ruth Donnelly (l'infirmière Hamilton), Don Wilson (le présentateur), Willie Best (un soldat), Henry Armetta (Angelo), Joyce Reynolds (la fille avec un livre), Spike Jones et ses City Slickers.

Sahara (*Sahara,* 1943). Columbia. 97 minutes. Réalisation, Zoltan Korda ; produit par Harry Joe Brown ; scénario, John Howard Lawson et

Zoltan Korda ; adaptation, James O'Hanlon d'après une histoire originale de Philip MacDonald tirée d'un incident dans le film soviétique *The Thirteen ;* chef opérateur, Rudolph Maté ; musique, Miklos Rozsa ; montage, Charles Nelson ; assistant metteur en scène, Abby Berlin ; direction artistique, Lionel Banks, associé à Eugene Lourie ; décors, William Kiernan ; son, Lodge Cunningham ; direction musicale, Morris W. Stoloff.

Avec : Humphrey Bogart (le sergent Joe Gunn), Bruce Bennett (Waco Hoyt), J. Carroll Naish (Giuseppe), Lloyd Bridges (Fred Clarkson), Rex Ingram (Tambul), Richard Nugent (le capitaine Jason Halliday), Dan Duryea (Jimmy Doyle), Carl Harbord (Marty Williams), Patrick O'Moore (Ozzie Bates), Louis Mercier (Jean Leroux), Guy Kingsford (Peter Stegman), Kurt Krueger (le capitaine von Schletow), John Wengraf (le major von Falken), Hans Schumm (le sergent Krause), Frank Lackteen (le guide arabe), Frederick Worlock (la voix du journaliste à la radio).

Passage to Marseille (*Passage pour Marseille,* 1944). Warner Bros./ First National. 110 minutes. Réalisation, Michael Curtiz ; produit par Hal B. Wallis ; scénario, Casey Robinson et Jack Moffitt, d'après *Men Without Country,* roman de Charles Nordhoff et James Norman Hall ; chef opérateur, James Wong Howe ; musique, Max Steiner ; montage, Owen Marks ; *dialogue director,* Herschel Daugherty ; assistant metteur en scène, Frank Heath ; direction artistique, Carl Jules Weyl ; décors, George James Hopkins ; costumes, Leah Rhodes ; maquillage, Perc Westmore ; effets spéciaux, Jack Cosgrove, Edwin B. DuPar, Byron Haskin, E. Roy Davidson, et Rex Wimpy ; séquences spéciales, James Leicester ; son, Everett A. Brown ; direction musicale, Leo F. Forbstein ; orchestration, Leonid Raab ; chanson « Someday I'll Meet You Again », paroles et musique de Max Steiner et Ned Washington ; conseiller technique, Sylvain Robert.

Avec : Humphrey Bogart (Matrac), Claude Rains (le capitaine Freycinet), Michèle Morgan (Paula), Philip Dorn (Renault), Sydney Greenstreet (le major Duval), Peter Lorre (Marius), George Tobias (Petit), Helmut Dantine (Garou), John Loder (Manning), Victor Francen (le capitaine Malo), Vladimir Sokoloff (Grand-père), Eduardo Cianelli (chef mécanicien), Corinna Mura (la chanteuse), Konstantin Shayne (l'officier en second), Stephen Richards (le lieutenant Hastings), Charles La Torre (le lieutenant Lenoir), Hans Conried (Jourdain), Monte Blue (un officier), Billy Roy (le garçon du mess), Frederick Brunn (Bijou), Louis Mercier (second mécanicien), Donald Stuart (un chauffeur militaire), Walter Bonn (un employé de la prison), Carmen Baretta (l'épouse de Petit), Diane Dubois (la fille de Petit), Jean Del Val (Raoul), Alex Papanao (le vigile), Peter Miles (Jean), Raymond St Albin (le médecin militaire), Peter Camlin (un sergent français), Anatol Frikin (le prisonnier fou), Frank Puglia (le vieux gardien), Harry Cording (le gardien-chef), Adrienne d'Ambricourt (l'épouse du maire), Fred Essler (le maire).

Report from the Front (1944). Préparé par le comité de soutien de la Croix-Rouge de l'industrie du cinéma, distribué par National Screen Service. 3 minutes.

Avec : Humphrey Bogart et Mayo Methot dans des extraits de leur tournée de trois mois pour distraire les troupes américaines en Afrique et en Italie. Bogart raconte des batailles et fait appel à la générosité publique pour renflouer les caisses de la Croix-Rouge.

To Have and Have Not (*le Port de l'angoisse,* 1944). Warner Bros./First National. 100 minutes. Produit et réalisé par Howard Hawks ; scénario, Jules Furthman et William Faulkner, d'après le roman d'Ernest Hemingway datant de 1937 ; chef opérateur, Sid Hickox ; musique, Franz Waxman ; direction musicale, Leo F. Forbstein ; montage, Christian Nyby ; assistant metteur en scène, Jack Sullivan ; direction artistique, Charles Novi ; décors, Casey Roberts ; costumes, Milo Anderson ; maquillage, Perc Westmore ; effets spéciaux, E. Roy Davidson et Rex Wimpy ; son, Oliver S. Garretson ; orchestration, Leonid Raab ; chansons « How Little We Know », paroles et musique de Hoagy Carmichael et Johnny Mercer, « Hong Kong Blues », paroles et musique de Hoagy Carmichael et Stanley Adams, « Am I Blue ? », paroles et musique de Harry Akst et Grant Clarke ; conseiller technique, Louis Comien.

Avec : Humphrey Bogart (Harry Morgan), Walter Brennan (Eddie), Lauren Bacall (Marie), Dolores Moran (Hélène de Brusac), Hoagy Carmichael (Cricket), Walter Molnar (Paul de Brusac), Sheldon Leonard (le lieutenant Coyo), Marcel Dalio (Gérard), Walter Sande (Johnson), Dan Seymour (le capitaine Renard), Aldo Nadi (le garde du corps de Renard), Paul Marion (Beauclerc), Patricia Shay (Mrs. Beauclerc), Emmett Smith (Emil, le barman), Eugene Borden (le quartier-maître), Elzie Emanuel, Harold Garrison (des gamins), Major Fred Farrell (le serveur), Pedro Regas (un civil), Adrienne d'Ambricourt, Marguerita Sylva (des caissières), Margaret Hathaway, Louise Clark, Suzette Harbin, Gussie Morris, Kanza Omar, Margaret Savage (des serveuses), Hal Kelly (le détective), Jean de Briac (le gendarme), Chef Joseph Milani (le chef), Oscar Lorraine (le barman), Ron Rondell (l'enseigne de vaisseau), Audrey Armstrong (la danseuse), Marcel de la Brosse (un marin), Edith Wilson (une femme), Jeanette Gras (Rosalie), Jack Chefe (le guide), George Soul (l'officier français), Sir Lancelot (Horatio le chien).

Conflict (*La mort n'était pas au rendez-vous,* 1945). Warner Bros./First National. 86 minutes. Réalisation, Curtis Bernhardt ; produit par William Jacobs ; scénario, Arthur T. Horman et Dwight Taylor, d'après une histoire originale de Robert Siodmak et Alfred Neumann ; chef opérateur,

Merritt Gerstad ; musique, Frederick Hollander ; montage, David Weisbart ; *dialogue director*, James Vincent ; assistant metteur en scène, Elmer Decker ; direction artistique, Ted Smith ; décors, Clarence I. Steensen ; costumes, Milo Anderson ; maquillage, Perc Westmore ; son, Oliver S. Garretson ; direction musicale, Leo F. Forbstein ; orchestration, Jerome Moross.

Avec : Humphrey Bogart (Richard Manson), Alexis Smith (Evelyn Turner), Sydney Greenstreet (Dr Mark Hamilton), Rose Hobart (Kathryn Mason), Charles Drake (le professeur Norman Holdsworth), Grant Mitchell (Dr Grant), Patrick O'Moore (lieutenant Egan), Ann Shoemaker (Nora Grant), Frank Wilcox (Robert Freston), Edwin Stanley (Phillips), James Flavin (lieutenant Workman), Mary Servoss (Mrs. Allman), Doria Caron (l'infirmière), Ray Hanson, Billy Wayne (les chauffeurs de taxis), Ralph Dunn (le policier sur l'autoroute), John Harmon (Hobo), Bruce Bilson (le garçon d'étage), Marjorie Hoshelle (la demoiselle du téléphone), Francis Morris (le réceptionniste), George Carleton (Harris), Oliver Prickett, Harlan Briggs (les prêteurs sur gages), Wallis Clark (le professeur Berens), Jack Morris (l'employé à la réception), Emmett Vogan (le vendeur de bagages).

Hollywood Victory Caravan (1945). Produit pour le War Activities Committee et le Treasury Department par Paramount Pictures. Distribué par le War Activities Committee sous le n⁰ 136. 20 minutes. Réalisé par William Russell ; produit par Louis Harris ; producteur exécutif, Bernard Luber ; scénario, Melville Shavelson ; chanson « We've Got Another Bond to Buy », paroles et musique, Jimmy McHugh et Harold Adamson.

Avec : Robert Benchley, Humphrey Bogart, Joe Carioca, Carmen Cavallero et son orchestre, Bing Crosby, William Demarest, Dona Drake, Bob Hope, Betty Hutton, Alan Ladd, Diana Lynn, Noreen Nash, Franklin Pangborn, Olga San Juan, Barbara Stanwyck, Charles Victor, le chœur de la base d'entraînement de la marine américaine. Bogart lance un appel pour qu'on achète des bons de la victoire.

Two Guys from Milwaukee (1946). Warner Bros./First National. 90 minutes. Réalisation, David Butler ; produit par Alex Gottlieb ; scénario original, Charles Hoffman et I. A. L. Diamond ; chef opérateur, Arthur Edeson ; musique, Frederick Hollander ; montage, Irene Morra ; *dialogue director*, Felix Jacoves ; assistant metteur en scène, Jesse Hibbs ; direction artistique, Leo K. Kuter ; décors, Jack McConaghy ; costumes, Leah Rhodes ; maquillage, Perc Westmore ; effets spéciaux, Harry Barndollar et Edwin B. DuPar ; séquences spéciales, James Leicester ; son, Stanley Jones ; orchestration, Leonid Raab ; chanson « And Her Tears Flowed like Wine » de Charles Lawrence, Joe Greene et Stan Kenton.

Avec : Dennis Morgan (le prince Henry), Jack Carson (Buzz Williams), Joan Leslie (Connie Reed), Janis Paige (Polly), S. Z. Sakall (le comte

Oswald), Patti Brady (Peggy), Tom D'Andrea (Happy), Rosemary DeCamp (Nan), John Ridgely (Mike Collins), Pat McVey (Johnson), Franklin Pangborn (le régisseur du théâtre), Francis Pierlot (Dr Bauer), Lauren Bacall (elle-même), Humphrey Bogart (lui-même).

The Big Sleep (*le Grand Sommeil*, 1946). Warner Bros./First National. 114 minutes. Produit et réalisé par Howard Hawks ; scénario, William Faulkner, Leigh Brackett, et Jules Furthman, d'après le roman publié en 1939 par Raymond Chandler ; chef opérateur, Sid Hickox ; musique, Max Steiner ; direction musicale, Leo F. Forbstein ; montage, Christian Nyby ; assistant metteur en scène, Robert Vreeland ; direction artistique, Carl Jules Weyl ; décors, Fred M. MacLean ; costumes, Leah Rhodes ; effets spéciaux, E. Roy Davidson, Warren E. Lynch, William McGann, Robert Burks et Willard Van Enger ; son, Robert B. Lee ; orchestration, Simon Bucharoff.

Avec : Humphrey Bogart (Philip Marlowe), Lauren Bacall (Vivian Rutledge), John Ridgely (Eddie Mars), Martha Vickers (Carmen Sternwood), Dorothy Malone (la libraire), Peggy Knudsen (Mona [Mrs. Eddie] Mars), Regis Toomey (Bernie Ohls), Charles Waldron (le général Sternwood), Charles D. Brown (Norris), Bob Steele (Canino), Elisha Cook Jr (Harry Jones), Louis Jean Heydt (Joe Brody), Sonia Darrin (Agnes), James Flavin (le capitaine Cronjager), Thomas Jackson (l'avocat général Wilde), Dan Wallace (Owen Taylor), Tom Rafferty (Carol Lundgren), Theodore von Eltz (Arthur Gwynn Geiger), Joy Barlowe (le chauffeur de taxi), Tom Fadden (Sidney), Ben Welden (Pete), Trevor Bardette (Art Huck), Joseph Crehan (le médecin), Carole Douglas (la bibliothécaire), Paul Webber (le gangster dans le parking), Tanis Chandler, Deannie Best (des serveuses), Lorraine Miller (la fille du vestiaire), Shelby Payne (la vendeuse de cigarettes).

Dead Reckoning (*En marge de l'enquête*, 1947). Columbia. 100 minutes. Réalisation, John Cromwell ; produit par Sidney Biddell ; scénario, Oliver H. P. Garrett et Steve Fisher, adapté par Allen Rivkin d'une histoire originale de Gerald Adams et Sidney Biddell ; chef opérateur, Leo Tover ; musique, Marlin Skiles ; direction musicale, Morris W. Stoloff ; assistant metteur en scène, Seymour Friedman ; direction artistique, Stephen Goosson et Rudolph Sternad ; décors, Louis Diage ; costumes, Jean Louis ; maquillage, Clay Campbell ; coiffures, Helen Hunt ; son, Jack Goodrich ; chanson « Either It's Love or It Isn't » d'Allan Roberts et Doris Fisher.

Avec : Humphrey Bogart (Rip Murdock), Lizabeth Scott (Coral Chandler), Morris Carnovsky (Martinelli), Charles Cane (le lieutenant Kincaid), William Prince (Johnny Drake), Marvin Miller (Krause), Wallace Ford (McGee), James Bell (le père Logan), George Chandler

(Louis Ord), William Forrest (le lieutenant-colonel Simpson), Ruby Dandridge (Hyacinth), Lillian Wells (la jolie fille), Charles Jordan (Mike, le barman), Robert Scott (le chef de clique), Lillian Bronson (Mrs. Putnam), Maynard Holms (employé à la réception), William Lawrence (un steward), Dudley Dickerson (un serveur), Syd Taylor (l'employé de la morgue), George Eldredge (un policier), Chester Clute (Martin), Joseph Crehan (le général Steele), Gary Owen (le reporter), Alvin Hammer (le photographe), Pat Lance (l'aide de camp du général), Frank Wilcox (un employé), Stymie Beard, Hugh Hooker (les garçons d'étage), Matty Fain (Ed), John Bohn, Sayre Dearing, Jack Santoro, Joe Gilbert, Sam Finn (des croupiers), Harry Denny, Kay Garrett, Dick Gordon (des trafiquants), Ray Teal (le policier à moto), Chuck Hamilton, Robert Ryan (des policiers), Grady Sutton (le maître d'hôtel), Jesse Graves (un serveur), Byron Foulger (le gardien de nuit), Tom Dillon (le prêtre), Isabel Withers (l'infirmière), Wilton Graff (le chirurgien), Paul Bradley (un homme), Alyce Goering (une femme).

The Two Mrs. Carrolls (*la Seconde Mme Carroll*, 1947). Warner Bros./ First National. 99 minutes. Réalisation, Peter Godfrey ; produit par Mark Hellinger ; scénario, Thomas Job, d'après la pièce de Martin Vale ; chef opérateur, J. Peverell Marley ; musique, Franz Waxman ; direction musicale, Leo F. Forbstein ; montage, Frederick Richards ; assistant metteur en scène, Claude Archer ; direction artistique, Anton Grot ; décors, Budd Friend ; costumes, Edith Head et Milo Anderson ; maquillage, Perc Westmore ; effets spéciaux, Robert Burks ; son, C. A. Riggs ; orchestration, Leonid Raab.

Avec : Humphrey Bogart (Geoffrey Carroll), Barbara Stanwyck (Sally Carroll), Alexis Smith (Cecily Latham), Nigel Bruce (Dr Tuttle), Isobel Elsom (Mrs. Latham), Patrick O'Moore (Charles Pennington), Ann Carter (Beatrice Carroll), Anita Bolster (Christine), Barry Bernard (Mr. Blagdon), Colin Campbell (MacGregor), Peter Godfrey, Creighton Hale (pronostiqueurs aux courses), Leyland Hodgson (l'inspecteur).

Dark Passage (*les Passagers de la nuit*, 1947). Warner Bros./First National. 106 minutes. Réalisation, Delmer Daves ; produit par Jerry Wald ; scénario, Delmer Daves, d'après le roman de David Goodis ; chef opérateur, Sid Hickox ; musique, Franz Waxman ; montage, David Weisbart ; direction musicale, Leo F. Forbstein ; assistant metteur en scène, Dick Mayberry ; direction artistique, Charles H. Clarke ; décors, William Kuehl ; costumes, Bernard Newman ; maquillage, Perc Westmore ; effets spéciaux, H. F. Koenekamp ; son, Dolph Thomas ; orchestration, Leonid Raab.

Avec : Humphrey Bogart (Vincent Parry), Lauren Bacall (Irene Jansen), Bruce Bennett (Bob Rapf), Agnes Moorehead (Madge Rapf), Tom D'Andrea (Sam), Clifton Young (Baker), Douglas Kennedy (le détective), Rory Mallinson (George Fellsinger), Houseley Stevenson (Dr Walter Coley), Bob Farber, Richard Walsh (des policiers), Clancy Cooper (un homme dans la rue), Pat McVey (le chauffeur de taxi), Dude Maschemeyer (un homme dans la rue), Tom Fadden (un serveur), Shimen Ruskin (le chauffeur-surveillant), Tom Reynolds (l'employé de l'hôtel), Lennie Bremen (le vendeur de tickets), Mary Field (la femme seule), Michael Daves, Deborah Daves (les enfants), John Arledge (l'homme seul), Ross Ford (le chauffeur du bus), Ian MacDonald (un policier), Ramon Ros (un serveur), Craig Lawrence (un barman).

Always Together (1948). Warner Bros./First National. 78 minutes. Réalisation, Frederick de Cordova ; produit par Alex Gottlieb ; scénario original de Phoebe et Henry Ephron et I. A. L. Diamond ; chef opérateur, Carl Guthrie ; musique, Werner Heymann ; montage, Folmar Blangsted ; *dialogue director*, John Maxwell ; assistant metteur en scène, James McMahon ; direction artistique, Leo K. Kuter ; décors, Jack McConaghy ; costumes, Travilla ; maquillage, Perc Westmore ; effets spéciaux, William McGann et Edwin B. DuPar ; séquences spéciales, James Leicester ; son, C. A. Riggs ; orchestration, Leonid Raab.

Avec : Robert Hutton (Donn Masters), Joyce Reynolds (Jane Barker), Cecil Kellaway (Jonathan Turner), Ernest Truex (Mr. Bull), Don McGuire (McIntyre), Ransom Sherman (le juge), Douglas Kennedy (Doberman). Apparitions non signalées au générique de Humphrey Bogart, Jack Carson, Errol Flynn, Dennis Morgan, Janis Paige, Eleanor Parker et Alexis Smith, habitants d'un monde imaginaire dans l'esprit de Jane Barker.

The Treasure of the Sierra Madre (*le Trésor de la Sierra Madre,* 1948). Warner Bros./First National. 126 minutes. Réalisation, John Huston ; produit par Henry Blanke ; scénario, John Huston, d'après le roman de B. Traven ; chef opérateur, Ted McCord ; musique, Max Steiner ; montage, Owen Marks ; direction musicale, Leo F. Forbstein ; assistant metteur en scène, Dick Mayberry ; direction artistique, John Hughes ; décors, Fred M. MacLean ; maquillage, Perc Westmore ; effets spéciaux, William McGann et H. F. Koenekamp ; son, Robert B. Lee ; orchestration, Murray Cutter ; conseillers techniques, Ernesto A. Romero et Antonio Arriga.

Avec : Humphrey Bogart (Fred C. Dobbs), Walter Huston (Howard), Tim Holt (Curtin), Bruce Bennett (Cody), Barton MacLane (McCormick), Alfonso Bedoya (Chapeau d'or), A. Santo Ragel (le « presidente »), Manuel Donde (El Jefe), Jose Torvay (Pablo), Margarito Luna (Pancho), Jacqueline Dalya (la fille voyante), Bobby Blake (le jeune Mexicain), John Huston (« Complet blanc »), Jack Holt, Clifton Young, Ralph Dunn (des hommes dans l'asile de nuit), Spencer Chan (le propriétaire), Julian Rivero (le coiffeur), Harry Vejas (le barman), Pat Flaherty (un client), Guillermo Calleo (le commerçant), Ann Sheridan [sans mention au générique] (une passante), Manuel Donde, Ildefonso Vega, Francisco Islas, Alberto Valdespino (des Indiens), Mario Man Cillo (un jeune homme), Martin Garralaga (le chef de gare), Ernesto Escoto (le premier bandit), Ignacio (le second bandit), Robert Canedo (le lieutenant).

Key Largo (*id.,* 1948). Warner Bros./First National. 101 minutes. Réalisation, John Huston ; produit par Jerry Wald ; scénario, John Huston et Richard Brooks, d'après la pièce écrite en 1939 par Maxwell Anderson ; chef opérateur, Karl Freund ; musique, Max Steiner ; montage, Rudi Fehr ; assistant metteur en scène, Art Lueker ; direction artistique, Leo K. Kuter ; décors, Fred M. MacLean ; costumes, Leah Rhodes ; maquillage, Perc Westmore ; effets spéciaux, William McGann et Robert Burks ; son, Dolph Thomas ; orchestration, Murray Cutter ; chanson « Moanin' Low », paroles et musique de Ralph Rainger et Howard Dietz.

Avec : Humphrey Bogart (Frank McCloud), Edward G. Robinson (Johnny Rocco), Lauren Bacall (Nora Temple), Lionel Barrymore (James Temple), Claire Trevor (Gaye Dawn), Thomas Gomez (Curley Hoff), Harry Lewis (Toots Bass), John Rodney (le policier Clyde Sawyer), Marc Lawrence (Ziggy), Dan Seymour (Angel Garcia), Monte Blue (le shérif Ben Wade), William Haade (Ralph Feeney), Jay Silverheels (John Osceola), Roderic Redwing (Tom Osceola), Joe P. Smith (le chauffeur du bus), Alberto Morin (le skipper), Pat Flaherty, Jerry Jerome, John Phillips, Lute Crockett (les hommes de main de Ziggy), Felipa Gomez (la vieille Indienne).

Knock on Any Door (*les Ruelles du malheur,* 1949). Santana ; distribué par Columbia Pictures. 100 minutes. Réalisation, Nicholas Ray ; produit par Robert Lord ; producteur associé, Henry S. Kesler ; scénario, Daniel Taradash et John Monks Jr, d'après le roman de William Motley ; chef opérateur, Burnett Guffey ; musique, George Antheil ; direction musicale, Morris W. Stoloff ; montage, Viola Lawrence ; assistant metteur en scène, Arthur S. Black ; direction artistique, Robert Peterson ; décors, William Kiernan ; costumes, Jean Louis ; maquillage, Clay Campbell ; coiffures, Helen Hunt ; son, Frank Goodwin ; orchestration, Ernest Gold ; conseillers techniques, National Probation and Parole Association.

Avec : Humphrey Bogart (Andrew Morton), John Derek (Nick Romano), George Macready (Kerman), Allene Roberts (Emma), Susan Perry (Adele Morton), Mickey Knox (Vito), Barry Kelley (le juge Drake), Cara Williams (Nelly), Jimmy Conlin (Kid Fingers), Sumner Williams (Jimmy), Sid Melton (Squint), Pepe Hern (Juan), Dewey Martin (Butch), Robert A. Davis (Sunshine), Houseley Stevenson (Junior), Vince Barnett (le barman), Thomas Sully (l'officier Hawkins), Florence Auer (tante Lena), Pierre Watkin (Purcell), Gordon Nelson (Corey), Argentina Brunetti (Ma Romano), Dick Sinatra (Julian

Romano), Carol Coombs (Ang Romano), Joan Baxter (Maria Romano), Evelyn Underwood, Mary Emery, Franz Roehn, Betty Hall, Jack Jahries, Rose Plumer, Mabel Smaney, Joy Hallward, John Mitchum, Sidney Dubin, Homer Dickinson, Netta Packer (les jurés), Ann Duncan, Lorraine Comerford (les adolescentes), Chuck Hamilton, Ralph Volkie, Frank Marlo (les huissiers), Joe Palma, Dick Bartell, Eddie Randolph, Eda Reiss Merin, Joan Danton (les reporters), Donald Kerr (employé au tribunal), Myron Healey (assistant de l'avocat général), Jane Lee, Dorothy Vernon (des femmes), Gary Owen (Larry), Chester Conklin (le coiffeur), George Chandler (le caissier), Theda Barr (une fille), Wesley Hopper (le patron), Sid Tomack (Duke), Frank Hagney, Peter Virgo (les suspects), George Hickman, Saul Gross, Al Hill, Phillip Morris (les policiers), Helen Mowery (Miss Holiday), Jody Gilbert (Gussie), Curt Conway (Elkins), Edwin Parker, Al Ferguson (les gardiens).

Tokyo Joe (1949). Santana ; distribué par Columbia Pictures. 88 minutes. Réalisation, Stuart Heisler ; produit par Robert Lord ; producteur associé, Henry S. Kesler ; scénario, Cyril Hume et Bertram Millhauser ; adaptation, Walter Doniger, d'après une histoire de Steve Fisher ; chef opérateur, Charles Lawton Jr ; musique, George Antheil ; montage, Viola Lawrence ; direction musicale, Morris W. Stoloff ; *dialogue director*, Jason Lindsey ; assistant metteur en scène, Wilber McGaugh ; direction artistique, Robert Peterson ; décors, James Crowe ; costumes, Jean Louis ; maquillage, Clay Campbell ; coiffure, Helen Hunt ; son, Russell Malmgren ; orchestration, Ernest Gold ; chanson « These Foolish Things (Remind Me of You) », paroles et musique, Jack Strachy, Harry Link et Holt Marvel.

Avec : Humphrey Bogart (Joe Barrett), Alexander Knox (Mark Landis), Florencc Marly (Trina), Sessue Hayakawa (le baron Kimura), Jerome Courtland (Danny), Gordon Jones (Idaho), Teru Shimada (Ito), Hideo Mori ((Kanda), Charles Meredith (le géneral Ireton), Rhys Williams (le colonel Dahlgren), Lora Lee Michael (Anya), Kyoko Kamo (Nani-san), Gene Gondo (le kamikaze), Harold Goodwin (le major Loomis), James Cardwell (le capitaine de la police militaire), Frank Kumagai (le chauffeur de camion), Tetsu Komai (Takenobu), Otto Han (Hara), Yosan Tsuruta (Goro).

Chain Lightning (*Pilote du diable*, 1950). Warner Bros./First National. 94 minutes. Réalisation, Stuart Heisler ; produit par Anthony Veiller ; scénario, Liam O'Brien et Vincent Evans, d'après une histoire originale de J. Redmond Prior ; chef opérateur, Ernest Haller ; musique, David Buttolph ; montage, Thomas Reilly ; assistant metteur en scène, Don Page ; direction artistique, Leo K. Kuter ; décors, William Wallace ; costumes, Leah Rhodes ; maquillage, Perc Westmore ; effets spéciaux, William McGann, Harry Barndollar, H. F. Koenekamp et Edwin B. DuPar ; son, Francis Scheid ; orchestration, Maurice de Packh ; chanson « Bless 'Em All », paroles et musique, J. Hughes, Frank Lake et Al Stillman.

Avec : Humphrey Bogart (Matt Brennan), Eleanor Parker (Jo Holloway), Raymond Massey (Leland Wallis), Richard Whorf (Carl Troxell), James Brown (le major Hinkle), Roy Roberts (le général Hewitt), Morris Ankrum (Ed Bostwick), Fay Barker (Mrs. Willis), Fred Sherman (Jeb Farley).

In a Lonely Place (le Violent, 1950). Santana ; distribué par Columbia Pictures. 94 minutes. Réalisation, Nicholas Ray ; produit par Robert Lord ; producteur associé, Henry S. Kesler ; scénario, Andrew Solt, adapté par Edmund North du roman de Dorothy Hughes ; chef opérateur, Burnett Guffey ; musique, George Antheil ; montage, Viola Lawrence ; direction musicale, Morris W. Stoloff ; assistant metteur en scène, Earl Bellamy ; direction artistique, Robert Peterson ; décors, William Kiernan ; costumes, Jean Louis ; maquillage, Clay Campbell ; coiffure, Helen Hunt ; son, Howard Fogetti ; orchestration, Ernest Gold ; conseiller technique, Rodney Amateau.

Avec : Humphrey Bogart (Dixon Steele), Gloria Grahame (Laurel Gray), Frank Lovejoy (Brub Nicolai), Carl Benton Reid (le capitaine Lochner), Art Smith (Mel Lippman), Jeff Donnell (Sylvia Nicolai), Martha Stewart (Mildred Atkinson), Robert Warwick (Charlie Waterman), Morris Ankrum (Lloyd Barnes), William Ching (Ted Barton), Steven Geray (Paul), Hadda Brooks (la chanteuse), Alice Talton (Frances Randolph), Jack Reynolds (Henry Kesler), Ruth Warren (Effie), Ruth Gillette (Martha), Guy Beach (Swan), Lewis Howard (Junior), Mike Romanoff (lui-même), Arno Frey (Joe), Pat Barton (seconde fille du vestiaire), Cosmo Sardo (le barman), Don Hamin (le jeune chauffeur), George Davis (le serveur), Billy Gray (le jeune garçon), Melinda Erickson (la gamine décidée), Jack Jaharies (l'officier), David Bond (Dr Richards), Myron Healey (l'employé de la poste), Robert Lowell (l'employé de la compagnie d'aviation).

The Enforcer (la Femme à abattre, 1951). United States pour Warner Bros. 87 minutes. Réalisation, Bretaigne Windust [et, sans mention au générique, Raoul Walsh] ; produit par Milton Sperling ; scénario original, Martin Rackin ; chef opérateur, Robert Burks ; musique, David Buttolph ; montage, Fred Allen ; assistant metteur en scène, Chuck Hansen ; direction artistique, Charles H. Clarke ; décors, William Kuehl ; son, Dolph Thomas ; orchestration, Maurice de Packh.

Avec : Humphrey Bogart (Martin Ferguson), Zero Mostel (Big Babe Lazich), Ted De Corsia (Joseph Rico), Everett Sloane (Albert Mendoza), Roy Roberts (le capitaine Frank Nelson), Lawrence Tolan (Duke Malloy), King Donovan (le sergent Whitlow), Bob Steele (Herman), Adelaide Klein (Olga Kirshen), Don Beddoe (Thomas O'Hara), Tito Vuolo (Tony Vetto), John Kellogg (Vince), Jack Lambert (Philadelphia Tom Zaca), Patricia Joiner (Angela Vetto), Susan Cabot

(Nina Lombardo), Mario Siletti (Louis, le coiffeur), Alan Foster (Shorty), Harry Wilson (B. J.), Pete Kellett, Barry Reagan (les internes), Dan Riss (le maire), Art Dupuis (le gardien), Bud Wolfe (un pompier), Creighton Hale (un employé), Patricia Hayes (l'adolescente), Robert Strong Duncan (le sergent), Perc Landers (l'officier de police), Tom Dillon (un policier), Joe Maxwell (le docteur), Howard Mitchell (le chef), Brick Sullivan (le chauffeur de la police), Greta Granstedt (Mrs. Lazick), Louis Lettieri (le jeune garçon), Monte Pittman (l'interne), Chuck Hamilton, Jay Morley (des policiers), Richard Bactell (un employé), Karen Kester (Nina enfant), Eula Guy (la propriétaire).

Sirocco (1951). Santana ; distribué par Columbia Pictures. 98 minutes. Réalisation, Curtis Bernhardt ; produit par Robert Lord ; producteur associé, Henry S. Kesler ; scénario, A. I. Bezzerides et Hans Jacoby, d'après *Coup de grâce,* roman de Joseph Kessel ; chef opérateur, Burnett Guffey ; musique, George Antheil ; montage, Viola Lawrence ; assistant metteur en scène, Earl Bellamy ; direction musicale, Morris W. Stoloff ; direction artistique, Robert Peterson ; décors, Robert Priestly ; maquillage, Clay Campbell ; coiffures, Helen Hunt ; son, Lodge Cunningham ; orchestration, Ernest Gold.

Avec : Humphrey Bogart (Harry Smith), Marta Toren (Violette), Lee J. Cobb (le colonel Féroud), Everett Sloane (le général LaSalle), Gerald Mohr (le major Leon), Zero Mostel (Balukjian), Nick Dennis (Nasir Aboud), Onslow Stevens (l'émir Hassan), Ludwig Donath (le propriétaire de l'asile de nuit), David Bond (Achmet), Vincent Renno (Arthur), Martin Wilkins (Omar), Peter Ortiz (le major Robbinet), Edward Colmans (le colonel Corville), Al Eben (le sergent), Peter Brocco (le coiffeur), Jay Novello (Hamal), Leonard Penn (Rifat), Harry Guardino (le lieutenant Collet).

The African Queen (*la Reine africaine,* 1951). Horizon-Romulus ; distribué par United Artists. En Technicolor. 105 minutes. Réalisation, John Huston ; produit par S. P. Eagle (Sam Spiegel) ; scénario, James Agee et John Huston, d'après le roman de C. S. Forester ; chef opérateur, Jack Cardiff ; musique, Alan Gray, jouée par le Royal Philharmonic Orchestra sous la direction de Norman Del Mar ; montage, Ralph Kemplen ; assistant metteur en scène, Guy Hamilton ; direction artistique, Wilfred Shingleton associé à John Hoesil ; producteurs exécutifs, Leigh Aman et T. S. Lyndon-Hatnes ; costumes de Mlle Hepburn, Doris Langley Moore ; autres costumes, Connie De Pinna ; maquillage, George Frost ; chef opérateur de la seconde équipe, Ted Scaife ; effets spéciaux, Cliff Richardson ; son, Scott Mitchell ; montage son, Eric Wood ; cameraman, Ted Moore ; coiffures, Eileen Bates ; responsable des costumes, Vi Murray ; scripte, Angela Allen.

Avec : Humphrey Bogart (Charlie Allnut), Katharine Hepburn (Rose Sayer), Robert Morley (le révérend Samuel Sayer), Peter Bull (le capitaine de la *Louisa*), Theodore Bikel (le second de la *Louisa*), Walter Gotell (l'officier de la *Louisa*), Gerald Onn (le sous-officier de la *Louisa*), Peter Swanwick (le second de la *Shona*), Richard Marner (l'officier de la *Shona*).

Deadline–U.S.A. (*Bas les masques*, 1951). Twentieth Century-Fox. 87 minutes. Réalisation, Richard Brooks ; produit par Sol C. Siegel ; scénario original, Richard Brooks ; chef opérateur, Milton Krasner ; musique, Cyril Mockridge et Sol Kaplan ; montage, William B. Murphy ; assistant metteur en scène, Dick Mayberry ; direction artistique, Lyle Wheeler et George Patrick ; décors, Thomas Little et Walter M. Scott ; direction des costumes, Charles Le Maire ; costumes, Eloise Jenssen ; direction musicale, Lionel Newman ; maquillage, Ben Nye ; effets spéciaux, Ray Kellogg ; son, E. Clayton Ward et Harry M. Leonard ; orchestration, Edward Powell et Bernard Mayers.

Avec : Humphrey Bogart (Ed Hutchinson), Ethel Barrymore (Mrs. John Garrison), Kim Hunter (Nora), Ed Begley (Frank Allen), Warren Stevens (George Burrows), Paul Stewart (Harry Thompson), Martin Gabel (Thomas Reinzi), Joe De Santis (Herman Schmidt), Joyce Mac-Kenzie (Kitty Garrison Geary), Audrey Christy (Mrs. Willebrandt), Fay Baker (Alice Garrison Courtney), Jim Backus (Jim Cleary), Carleton Young (Crane), Selmer Jackson (Williams), Fay Roope (le juge), Parley Baer (la serveuse principale), Betty Francine (la demoiselle du téléphone), John Doucette (Hal), Florence Shirley (Miss Barndollar), Kasia Orzazewski (Mrs. Schmidt), Raymond Greenleaf (Lawrence White), Tom Powers (Wharton), Thomas Browne Henry (Fenway), June Eisner (Bentley), Richard Monohan (le gamin de la rédaction), Harry Tyler (l'éditorialiste), Irene Vernon (Mrs. Burrows), William Forrest (Mr. Greene), Edward Keane (Mr. Blake), Clancy Cooper (le capitaine Finlay), Tom Powers (Wharton), Ashley Cowan (Lefty), Howard Negley (l'officier de police), Joe Mell (Lugerman), Luther Crockett (le rédacteur), Larry Dobkin (Hansen), Everett Glass (le docteur), Tudor Owen (le surveillant), Ann McCrea (Sally), Willis B. Bouchey (Henry), Paul Dubov (Mac), Harris Brown (Al Murray), Philip Terry (Lewis Schaefer), Joseph Sawyer (Whitey), Alex Gerry (l'avocat Prentiss), Joseph Crehan (le rédacteur local de White).

U.S. Savings Bonds Trailer (1952). Metro-Goldwyn-Mayer. Bogart introduit la nouvelle série E des bons d'État dans un slogan publicitaire diffusé pendant les nouvelles des 25 et 26 juillet.

Battle Circus (*le Cirque infernal*, 1953). Metro-Goldwyn-Mayer. 90 minutes. Réalisation, Richard Brooks ; produit par Pandro S. Berman ; scénario, Richard Brooks, d'après une histoire originale d'Allen Rivkin et Laura Kerr ; chef opérateur, John Alton ; musique, Lennie Hayton ; montage, George Boemler ; assistant metteur en scène, Al Jennings ;

direction artistique, Cedric Gibbons et James Basevi ; décors, Edwin B. Wallis et Alfred E. Spencer ; maquillage, William Tuttle ; effets spéciaux, A. Arnold Gillespie ; son, Douglas Shearer ; orchestration, Robert Franklyn ; conseillers techniques, le lieutenant-colonel K. E. Van Buskirk et le lieutenant Mary Couch.

Avec : Humphrey Bogart (le major Jed Webbe), June Allyson (le lieutenant Ruth McCara), Keenan Wynn (le sergent Orvil Statt), Robert Keith (le lieutenant-colonel Hillary Walthers), William Campbell (le capitaine John Rustford), Perry Sheehan (le lieutenant Laurence), Patricia Tiernan (le lieutenant Rose Ashland), Jonathan Cott (l'adjudant), Adele Longmire (le lieutenant Jane Franklin), Ann Morrison (le lieutenant Edith Edwards), Helen Winston (le lieutenant Graciano), Sarah Selby (le capitaine Dobbs), Danny Chang (Danny), Philip Ahn (le prisonnier coréen), Steve Forrest (le sergent), Jeff Richards (le lieutenant), Dick Simmons (le capitaine Norson).

Beat the Devil (*Plus fort que le diable*, 1954). Santana-Romulus ; distribué par United Artists. 93 minutes. Réalisation, John Huston ; producteur associé, Jack Clayton ; scénario, John Huston et Truman Capote, d'après le roman de James Helvick ; chef opérateur, Oswald Morris ; musique, Franco Mannino ; montage, Ralph Kemplen ; direction artistique, Wilfred Shingleton ; son, George Stephenson et E. Law ; direction musicale, Lambert Williamson.

Avec : Humphrey Bogart (Billy Dannreuther), Jennifer Jones (Gwendolen Chelm), Gina Lollobrigida (Maria Dannreuther), Robert Morley (Petersen), Peter Lorre (O'Hara), Edward Underdown (Harry Chelm), Ivor Barnard (le major Ross), Bernard Lee (inspecteur du CID), Marco Tunni (Ravello), Mario Perroni (le commissaire de bord), Alex Pochet (le gérant de l'hôtel), Aldo Silvani (Charles), Giulio Donnini (l'administrateur), Saro Urzi (le capitaine), Juan de Landa (le conducteur de l'Hispano-Suiza), Manuel Serano (l'officier arabe), Mimo Poli (le barman).

The Caine Mutiny (*Ouragan sur le Caine*, 1954). Stanley Kramer Company, distribué par Columbia Pictures. En Technicolor. 125 minutes. Réalisation, Edward Dmytryk ; produit par Sranley Kramer ; scénario, Stanley Roberts, dialogues complémentaires, Michael Blankfort, d'après le roman de Herman Wouk ; chef opérateur, Franz Planer ; musique, Max Steiner ; montage, William Lyon et Henry Batista ; assistant metteur en scène, Carter DeHaven Jr ; direction artistique, Cary Odell et Rudolph Sternad ; décors, Frank Tuttle ; costumes, Jean Louis ; maquillage, Clay Campbell ; coiffures, Helen Hunt ; chef opérateur de la seconde équipe, Ray Cory ; effets spéciaux, Lawrence Butler ; son, Lambert Day ; chansons « I Can't Believe That You're in Love With Me » de Jimmy McHugh et Clarence Gaskill, « Yellowstain Blues » de Fred Karger et Herman Wouk ; consultant pour la couleur, Francis Cugat ; conseiller technique, le commandant James C. Shaw, de la marine américaine.

Avec : Humphrey Bogart (le capitaine Philip Francis Queeg), José Ferrer (le lieutenant Barney Greenwald), Van Johnson (le lieutenant Steve Maryk), Fred MacMurray (le lieutenant Tom Keefer), Robert Francis (l'enseigne de vaisseau Willie Keith), May Wynn (May Wynn), Tom Tully (le captain DeVriess), E. G. Marshall (le capitaine de corvette Challee), Arthur Franz (le lieutenant Paynter), Lee Marvin (Meatball), Warner Anderson (le capitaine Blakely), Claude Akins (Horrible), Katharine Warren (Mrs. Keith), Jerry Paris (l'enseigne de vaisseau Harding), Steve Brodie (le chef Budge), Todd Karns (Stilwell), Whit Bissell (le capitaine de corvette Dickson), James Best (le lieutenant Jorgensen), Joe Haworth (l'enseigne de vaisseau Carmody), Guy Anderson (l'enseigne de vaisseau Rabbit), James Edwards (Whittaker), Don Dubbins (Urban), David Alpert (Engstrand).

Sabrina (1954). Paramount. 113 minutes. Produit et réalisé par Billy Wilder ; scénario, Billy Wilder, Samuel Taylor et Ernest Lehman, d'après *Sabrina Fair,* une pièce de Samuel Taylor ; chef opérateur, Charles Lang Jr ; musique, Frederick Hollander ; montage, Arthur Schmidt ; assistant metteur en scène, C. C. Coleman Jr ; direction artistique, Hal Pereira et Walter Tyler ; décors, Sam Comer et Ray Moyer ; costumes, Edith Head ; maquillage, Wally Westmore ; effets spéciaux, John P. Fulton et Farciot Edouart ; son, Harold Lewis et John Cope.

Avec : Humphrey Bogart (Linus Larrabee), Audrey Hepburn (Sabrina Fairchild), William Holden (David Larrabee), Walter Hampden (Walter Larrabee), John Willliams (Thomas Fairchild), Martha Hyer (Elizabeth Tyson), Joan Vohs (Gretchen Van Horn), Marcel Dalio (Baron), Marcel Hillaire (le professeur), Nella Walker (Maude Larrabee), Francis X. Bushman (Mr. Tyson), Ellen Corby (Miss McCardle), Marjorie Bennett (Margaret, la cuisinière), Emory Parnell (Charles, le majordome), Kay Riehl (Mrs. Tyson), Nancy Kulp (Jenny, la femme de chambre), Hay Kuter (le valet), Paul Harvey (le docteur), Emmett Vogan, Colin Campbell (des membres du conseil d'administration), Harvey Dunn (l'homme au plateau), Marion Ross (l'amie de Spiller), Charles Harvey (Spiller), Greg Stafford (l'homme en compagnie de David), Bill Neff (l'homme en compagnie de Linus), Otto Forest (le liftier), David Ahdar (le steward sur le bateau), Rand Harper.

The Barefoot Contessa (*la Comtesse aux pieds nus*, 1954). Figaro Incorporated ; distribué par United Artists. En Technicolor. 128 minutes. Réalisation, Joseph L. Mankiewicz ; scénario original, Joseph L. Mankiewicz ; production supervisée par Forrest E. Johnston ; associés à la production, Franco Magli et Michael Waszynski ; chef opérateur, Jack Cardiff ; musique, Mario Nascimbene ; montage, William Hornbeck ; assistant metteur en scène, Pietro Mussetta ; direction artistique, Arrigo Equini ; costumes, Fontana ; son, Charles Knott.

Avec : Humphrey Bogart (Harry Dawes), Ava Gardner (Maria Vargas), Edmond O'Brien (Oscar Muldoon), Marius Goring (Alberto Bravano),

Valentina Cortese (Eleanore Torlato-Favrini), Rossano Brazzi (Vincenzo Torlato-Favrini), Elizabeth Sellars (Jerry), Warren Stevens (Kirk Edwards), Franco Interlenghi (Pedro), Mari Aldon (Myrna), Bessie Love (Mrs. Eubanks), Diana Decker (la blonde ivre), Bill Fraser (J. Montague Brown), Alberto Rabagliati (le propriétaire de la boîte de nuit), Enzo Staiola (le coursier), Maria Zanoli (la mère de Maria), Renato Chiantoni (le père de Maria), John Parrish (Mr. Black), Jim Gerald (Mr. Blue), Riccardo Rioli (le danseur gitan), Tonio Selwart (le prétendant), Margaret Anderson (l'épouse du prétendant), Gertrude Flynn (Lulu McGee), John Horne (Hector Eubanks), Robert Christopher (Eddie Blake), Anna Maria Paduan (la femme de chambre), Carlo Dale (le chauffeur).

We're No Angels (*la Cuisine des anges*, 1955). Paramount. En VistaVision et Technicolor. 103 minutes. Réalisation, Michael Curtiz ; produit par Pat Duggan ; scénario, Ranald MacDougall, d'après *la Cuisine des anges*, pièce d'Albert Husson ; chef opérateur, Loyal Griggs ; musique, Frederick Hollander ; montage, Arthur Schmidt ; assistant metteur en scène, John Coonan ; assistant aux dialogues, Norman Stuart ; direction artistique, Hal Pereira et Roland Anderson ; décors, Sam Comer et Grace Gregory ; costumes, Mary Grant ; maquillage, Wally Westmore ; effets spéciaux, John P. Fulton ; son, Hugo Grenzbach et John Cope ; chanson « Sentimental Moments » de Frederick Hollander et Ralph Freed, « Ma France bien-aimée » de G. Martini et Roger Wagner ; consultant pour la couleur, Richard Mueller.

Avec : Humphrey Bogart (Joseph), Aldo Ray (Albert), Peter Ustinov (Jules), Joan Bennett (Amélie Ducotel), Basil Rathbone (André Trochard), Leo G. Carroll (Félix Ducotel), John Baer (Paul Trochard), Gloria Talbott (Isabelle Ducotel), Lea Penman (Madame Parole), John Smith (Arnaud), Louise Mercier (Céleste), George Dee (le cocher), Torben Meyer (l'homme aux papillons), Paul Newlan (le capitaine du port), Ross Gould (le contremaître), Victor Romito, Jack Del Rio (des gendarmes), Joe Ploski (l'inspecteur des douanes).

The Left Hand of God (*la Main gauche du Seigneur*, 1955). Twentieth Century-Fox. En Cinémascope et en Technicolor. 87 minutes. Réalisation, Edward Dmytryk ; produit par Buddy Adler ; scénario, Alfred Hayes, d'après le roman de William E. Barrett ; chef opérateur, Franz Planer ; musique, Victor Young ; montage, Dorothy Spencer ; assistant metteur en scène, Ben Kadish ; direction artistique, Lyle Wheeler et Maurice Ransford ; décors, Walter M. Scott et Frank Wade ; conception des costumes, Charles Le Maire ; costumes, Travilla ; maquillage, Ben Nye ; coiffures, Helen Turpin ; effets spéciaux, Ray Kellogg ; son, Eugene Grossman et Harry M. Leonard ; orchestration, Leo Shuken et Sidney Cutner ; consultant pour la couleur, Leonard Doss ; conseiller technique, Frank Tang.

Avec : Humphrey Bogart (Jim Carmody), Gene Tierney (Anne Scott), Lee J. Cobb (Mieh Yang), Agnes Moorehead (Beryl Sigman), E. G. Marshall (Dr David Sigman), Jean Porter (Mary Yin), Carl Benton Reid (le révérend Cornelius), Victor Sen Yung (John Wong), Benson Fong (Chun Tien), Richard Cutting (le père O'Shea), Leon Lontoc (Pao Ching), Don Forbes (le père Keller), Noel Toy (la femme en sarong), Peter Chong (Feng Tso Lin), Marie Tsien (la femme en kimono), Stephen Wong (le gamin), Sophie Chin (Celeste), George Chin (Li Kwan), Walter Soo Hoo (un employé de l'hôpital), Henry S. Quan (le planton), Doris Chung (l'infirmière), Moy Ming (le vieil homme), George Lee (Mi Lu), Beal Wong (le père), Stella Lynn (Pao Chu), Robert Burton (le révérend Marvin), Soo Yong (la sage-femme), May Lee.

The Desperate Hours (*la Maison des otages,* 1955). Paramount. En Vista-Vision. 112 minutes. Produit et réalisé par William Wyler ; producteur associé, Robert Wyler ; scénario, Joseph Hayes, d'après son roman et sa pièce ; chef opérateur, Lee Garmes ; musique, Gail Kubik ; montage, Robert Swink ; assistant metteur en scène, C. C. Coleman Jr ; direction artistique, Hal Pereira et Joseph MacMillan Johnson ; décors, Sam Comer et Grace Gregory ; costumes, Edith Head ; maquillage, Wally Westmore ; effets spéciaux, John P. Fulton et Farciot Edouart ; son, Hugo Grenzbach et Winston Leverett.

Avec : Humphrey Bogart (Glenn Griffin), Fredric March (Dan Hilliard), Arthur Kennedy (Jesse Bard), Martha Scott (Eleanor Hilliard), Dewey Martin (Hal Griffin), Gig Young (Chuck), Mary Murphy (Cindy Hilliard), Richard Eyer (Ralphie Hilliard), Robert Middleton (Sam Kobish), Alan Reed (un policier), Bert Freed (Winston), Ray Collins (Masters), Whit Bissell (Carson), Ray Teal (Fredericks), Michael Moore (un policier), Don Haggerty (un policier), Ric Roman (Sal), Pat Flaherty (Dutch), Beverly Garland (Miss Swift), Louis Lettieri (Bucky Walling), Ann Doran (Mrs. Walling), Walter Baldwin (Patterson).

The Harder They Fall (*Plus dure sera la chute,* 1956). Columbia. 109 minutes. Réalisation, Mark Robson ; produit par Philip Yordan ; scénario, Philip Yordan, d'après le roman de Budd Schulberg ; chef opérateur, Burnett Guffey ; musique, Hugo Friedhofer ; montage, Jerome Thoms ; assistant metteur en scène, Milton Feldman ; direction musicale, Lionel Newman ; direction artistique, William Kiernan et Alfred E. Spencer ; maquillage, Clay Campbell ; coiffures, Helen Hunt ; son, Lambert Day ; orchestration, Arthur Morton ; conseiller technique, John Indrisano.

Avec : Humphrey Bogart (Eddie Willis), Rod Steiger (Nick Benko), Jan Sterling (Beth Willis), Mike Lane (Toro Moreno), Max Baer (Buddy Brannen), Jersey Joe Wolcott (George), Edward Andrews (Jim Weeyerhause), Harold J. Stone (Art Leavitt), Carlos Montalban (Luis Agrandi), Nehemiah Persoff (Leo), Felice Orlandi (Vince Fawcett), Herbie Faye (Max), Rusty Lane (Danny McKeogh), Jack Albertson (Pop), Val Avery (Frank), Tommy Herman (Tommy), Vinnie DeCarlo (Joey), Pat

Comiskey (Gus Dundee), Matt Murphy (le marin Rigazzo), Abel Fernandez (le chef Firebird), Marion Carr (Alice), J. Lewis Smith (le gérant du Brannen's), Everett Glass (le prêtre), William Roerick (l'avocat), Lillian Carver (Mrs. Harding), Jack Daly, Richard Norris, Don Kohler, Ralph Bramble, Charles Tannen, Mark Scott, Russ Whiteman, Mort Mills, Stafford Repp, Sandy Saunders, Emily Belser (les reporters), Paul Frees (le prêtre), Joe Herra, Frank Hagney (les arbitres), Diane Mumby, Elaine Edwards (les amies de Vince), Tina Carver (Mrs. Benko), Anthony Blankley, Penny Carpenter (les enfants de Nick), Pan Dane (Shirley), Joe Greb.

Humphrey Bogart a également fait des apparitions dans les trois films suivants : *In This Our Life*, 1942 (réalisation, John Huston) ; *The Road to Bali*, 1952 (réalisation, Hal Walker) ; *The Love Lottery*, 1953 (réalisation, Charles Crichton).

INDEX GÉNÉRAL

567

51, 58, 61, 68, 69, 74, 75, 78, 79, 88, 92, 93, 107, 161, 278
Phillips Academy, 29
Phillips, Cabell, 331
Pichel, Irving, 328
Players, 45, 52, 225, 305
Porter, Cole, 103
Powell, Adam Clayton, 185
Powell, Dick, 129, 168, 267, 300, 468
Powell, William, 91
Prang, Louis, 22
Preminger, Otto, 167
Production Code Administration (PCA), 112, 113
Progressive Citizens of America, 338
Prouty, Olive Higgins, 169
Pulitzer, Joseph, 408
Pulitzer (prix), 107, 114, 169

Rabe, Peggy, 388
Raft, George, 81, 87, 104, 111, 113, 121, 123, 135, 139-141, 145-147, 158, 163, 170, 171, 179, 217, 305, 421
Rainer, Luise, 226
Raines, Ella, 222, 226, 232
Rainier III, 224
Rains, Claude, 85, 134, 187, 188, 193, 194
Rand, Ayn, 378
Rankin, John, 326, 327, 330, 349
Rappe, Virginia, 44
Rapper, Irving, 107, 126
« Rat, Pack », 419, 455
Ray, Aldo, 455
Ray, Nicholas, 384, 385, 393, 421, 425, 426, 432
Reagan, Ronald, 92, 103, 106, 173, 303, 316, 333, 379, 468
Reed, Donna, 417, 418
Reinhardt, Betty, 95
Reinhardt, John, 95
républicains, 134, 258, 287, 327, 348, 422, 424
Revere, Paul, 288
Ridgely, John, 233, 263
Ritchie, Robert, 226

Ritt, Martin, 354
Rivera, Diego, 316
Rivkin, Allen, 94-97, 418
Rivkin, Laura, 418
RKO, 56, 60, 69, 355, 356, 397, 398
Robb, Inez, 270, 271, 273, 391
Roberts, Robin, 388, 390, 391
Roberts, Stanley, 437
Robinson, Casey, 178, 186, 192, 194, 196, 202, 261
Robinson, Earl, 221, 226-228, 231, 260
Robinson, Edward G., 58-60, 62, 64, 71, 81, 84, 85, 106, 112, 116, 117, 121, 123, 134, 139-141, 168, 267, 303, 308, 310, 317, 330, 349, 368, 371-377
Rodgers, Richard, 424
Rogers, Ginger, 69, 91, 258, 364
Rogers, Henry, 340, 350
Romanoff's, 110, 393, 398, 451, 455, 458, 460, 462
Romanoff, Gloria, 455, 463
Romanoff, Mike, 414, 451, 452, 455, 462, 463, 468, 470
Romulus Films, 399, 425, 428, 439, 441
Roosevelt, Eleanor, 285
Roosevelt, Elliott, 336
Roosevelt, Franklin Delano, 12, 13, 51, 61, 132-134, 165, 169, 182, 183, 196, 211, 258-261, 283-286, 290, 304, 325, 327, 330, 332, 336, 340, 347, 359, 370, 372, 373, 407, 415, 416, 424
Roosevelt, George, 415, 452
Roosevelt, James, 303
Roosevelt, Theodore, 135
Rose, Stuart, 36, 38, 40, 44, 47, 48, 89, 286
Rosenbloom, Maxie, 97
Rosenstein, Jaik, 209, 383
Ross, Leonard Q., 163
Ross, Lillian, 370, 371
Rossellini, Roberto, 181
Rossen, Robert, 328, 405
Rosten, Leo, 163
Runyon, Damon, 395

579

INDEX DES TITRES

TABLE

Achevé d'imprimer en août 1997
sur presse Cameron
*par **Bussière Camedan Imprimeries***
à Saint-Amand-Montrond (Cher)

Nᵒ d'Édit. : 3377. — Nᵒ d'Imp. : 1/2214.
Dépôt légal : septembre 1997.
Imprimé en France